EMC Español Avanzado

¡A toda vela!

Second Edition

Annotated Teacher's Edition

Carmen Herrera
Paul Lamontagne

Contributing Writer
Elizabeth Millán

EMC
Publishing

ST. PAUL

Editorial Director: Alex Vargas
Developmental Editor: Elizabeth Millán
Production Specialist: Julie Johnston
Associate Editor: Tanya Brown
Copy Editor: Kristin Hoffman

Cover Designer: Leslie Anderson
Text Designer: Leslie Anderson
Composition: Charles Sawyer
Cover Image: GettyImages; Sail and Sky, Johner collection

Care has been taken to verify the accuracy of information presented in this book. However, the authors, editors, and publisher cannot accept responsibility for Web, e-mail, newsgroup, or chat room subject matter or content, or for consequences from application of the information in this book, and make no warranty, expressed or implied, with respect to its content.

Trademarks: Some of the product names and company names included in this book have been used for identification purposes only and may be trademarks or registered trade names of their respective manufacturers and sellers. The authors, editors, and publisher disclaim any affiliation, association, or connection with, or sponsorship or endorsement by, such owners.

AP is a registered trademark of the College Board, which was not involved in the production of, and does not endorse, this product.

We have made every effort to trace the ownership of all copyrighted material and to secure permission from copyright holders. In the event of any question arising as to the use of any material, we will be pleased to make the necessary corrections in future printings. Thanks are due to the aforementioned authors, publishers, and agents for permission to use the materials indicated.

ISBN 978-0-82196-283-1

© 2013 by **EMC Publishing, LLC**
875 Montreal Way
St. Paul, MN 55102
E-mail: educate@emcp.com
Web site: www.emcp.com

Printed in the United States of America

21 20 19 18 17 16 15 14 13 12   1 2 3 4 5 6 7 8 9 10

Contents

Scope and Sequence

Capítulo 1 ¡Buen viaje!

Comunicación	Temas	Cultura	Gramática y tapitas gramaticales
Lección A • hablar de viajar, de los viajes y modos de transporte • justificar un viaje cultural • describir un hotel • hablar del mercado turístico • hablar del impacto de la tecnología sobre el turismo **Lección B** • hablar de la inmigración • explorar las tribulaciones y el impacto del turismo • discutir el bilingüismo y el biculturalismo • hablar de las tradiciones	• los viajes • el turismo • la inmigración	**Lección A** • el archipiélago San Blas (Panamá) • Toledo (España) • Machu Picchu (Perú) • hoteles originales • la vuelta al mundo • cómo viajan los latinos de los Estados Unidos • un viaje por Internet **Lección B** • la inmigración • tradiciones y costumbres • Cochabamba (Bolivia) • los indígenas y sus lenguas	**Lección A** • el presente, pretérito e imperfecto del indicativo • *lo que* y *el que* • adverbios • *al* + infinitivo • algunos usos del subjuntivo • *aquel* y *aquello* • el orden de los adjetivos • reconocer ciertos tiempos verbales • *solo* y *sólo* • género y número • adverbios **Lección B** • el pretérito y el imperfecto del indicativo • el género de los sustantivos • el sufijo *-ísimo* • palabras negativas • verbos reflexivos • apócopes: *algún/alguno; cualquier/ cualquiera* • algunos usos del subjuntivo • verbos como gustar • usos de *e, al, la mayoría de* y *todos los*

Capítulo 2 ¡Gente joven!

Comunicación	Temas	Cultura	Gramática y tapitas gramaticales
Lección A • estar a la moda • los valores de los jóvenes • cómo se definen los jóvenes • las aspiraciones de los jóvenes **Lección B** • conocer los problemas de otros jóvenes • describir el mundo de los niños y niñas de la calle • hablar de la importancia de seguir los estudios	• cómo se definen y qué valoran • cómo viven • cómo hablan	**Lección A** • la influencia de la moda • los jóvenes en su tiempo libre • metas y aspiraciones de los jóvenes • el lenguaje de la gente joven • la mayoría de edad **Lección B** • los jóvenes indígenas • albergues para jóvenes • la emancipación de los jóvenes • los niños soldados • los hispanoamericanos en Estados Unidos • los niños y niñas de la calle • los peligros de la tecnología	**Lección A** • *ser, estar* y *haber* • verbos reflexivos y construcciones reflexivas • *por* y *para* • *acabar* + gerundio • *pero, sino, sino que* **Lección B** • el futuro • los tiempos perfectos • los participios pasados • la voz pasiva • algunos usos del subjuntivo • *tomar* y *hacer* • *respeto* y *respecto* • *volverse, ponerse, hacerse, quedarse*

Capítulo 3 ¡Que aproveche!

Comunicación	Temas	Cultura	Gramática y tapitas gramaticales
Lección A • hablar de diferentes platos tradicionales • describir una receta • opinar sobre la comida • hablar de la influencia culinaria de otras culturas **Lección B** • hablar de las comidas y las dietas • discutir el tema del hambre mundial • hablar del impacto de la propaganda sobre lo que comemos	• comidas típicas • alimentos • restaurantes	**Lección A** • la comida típica de diferentes países hispánicos • el origen de ciertos alimentos • comida tradicional y comida moderna • el mate • auge de la comida latina **Lección B** • los *freegans* • la alimentación vegetariana • la carne • el hambre • comer en Madrid • hábitos cuando va de compras • los menús escolares • la comida rápida • la comida como Patrimonio de la Humanidad • los alimentos alterados genéticamente	**Lección A** • el presente del subjuntivo • el subjuntivo en cláusulas nominales • los mandatos y la voz pasiva • formación de adjetivos • *el hecho de que* • formas del progresivo • identificar ciertos tiempos verbales • artículo masculino con sustantivos femeninos • el orden de los pronombres • *que aproveche* y otras expresiones con *que* **Lección B** • el imperfecto, el presente perfecto y el pluscuamperfecto del subjuntivo • el condicional perfecto del indicativo • las preposiciones que siguen a algunos verbos • *ni...ni* • los demostrativos • algunos usos del subjuntivo • el significado de *crear* y *creer* • los prefijos *des-* e *hiper-*

Capítulo 4 Personalidad y personalidades

Comunicación	Temas	Cultura	Gramática y tapitas gramaticales
Lección A • opinar sobre personas y personalidades • hablar sobre manías y fobias • hablar sobre el amor, la envidia y las mentiras • describir cómo nos comunicamos • opinar sobre el poder de la mente **Lección B** • hablar de los famosos • opinar sobre los héroes • discutir el impacto de los hispanos en Estados Unidos	• cómo es el ser humano • héroes, villanos y otros famosos • hispanos influyentes	**Lección A** • conceptos del amor • fobias, manías y miedos • atracción por lo malo o prohibido • la comunicación no verbal • elementos de la personalidad • los mentirosos **Lección B** • la influencia de los hispanos en Estados Unidos • George López • Penélope Cruz • Salma Hayek • Cristina Saralegui • meteduras de pata que han hecho historia	**Lección A** • el subjuntivo en cláusulas adjetivales • el subjuntivo en cláusulas adverbiales • *aun* y *aún* • expresiones con *lo* • los nexos • el orden de los adjetivos **Lección B** • preposiciones • pronombres • comparaciones • expresiones idiomáticas con *dar, poner* y *ponerse* • cognados y falsos cognados

Capítulo 5 El rincón literario

Comunicación	Temas	Cultura	Gramática y tapitas gramaticales
Lección A • hablar de los géneros literarios • conocer a algunos autores hispanos • leer y hablar sobre personajes de la literatura y su entorno • charlar sobre fragmentos de obras importantes literarias **Lección B** • hablar de poesía • hablar de ensayistas, escritores de teatro, filósofos • aprender de escritores de cuentos cortos • aprender sobre el impacto de la poesía en una sociedad • leer y charlar sobre la importancia de escribir y de la imaginación	• la literatura • el idioma español • el arte de escribir	**Lección A** • los géneros literarios • el Premio Nobel • Isabel Allende • Junot Díaz • Arturo Pérez Reverte • Ana María Matute • Mario Vargas Llosa • Gabriel García Márquez • Carlos Ruiz Zafón **Lección B** • Pablo Neruda • el festival de poesía de Medellín • Gustavo Adolfo Bécquer • Miguel de Unamuno • Federico García Lorca • Juan Rulfo	**Lección A** • repaso de tiempos verbales • repaso de preposiciones • el *se* impersonal • pronombres demostrativos • el orden de los adjetivos **Lección B** • repaso general • verbos con preposición

Capítulo 6 Puro deporte

Comunicación	Temas	Cultura	Gramática y tapitas gramaticales
Lección A • hablar de los deportes **Lección B** • hablar de la violencia en los deportes • hablar de los sobornos y el dopaje • expresar opiniones sobre las corridas de toros • describir el impacto de la competencia en los deportes	• los deportes • los atletas • los Juegos Olímpicos	**Lección A** • ESPN en español • los Juegos Olímpicos • los deportes en América Latina • el Quidditch • guerreros de la serpiente emplumada • la pelota vasca **Lección B** • la mujer y el deporte • la historia del baloncesto • las asociaciones deportivas • los deportes en Cuba • el fútbol en Argentina • los toros	**Lección A** • los sustantivos • repaso del uso del indicativo y del subjuntivo • *al* + infinitivo • *enfrentarse* + preposición • el imperfecto del subjuntivo • *mayoritariamente* • otros verbos + preposición • *en cuanto a* • el género • *pero y sino* **Lección B** • los verbos con preposiciones • repaso de tiempos verbales • expresiones con *lo* • *solamente, solo y sólo* • verbos usados como sustantivos • participios pasados usados como adjetivos • *para o por* • los tiempos verbales • *aun y aún* • adverbios • nexos • *tras y después*

Capítulo 7 ¡Conéctese a su mundo!

Comunicación	Temas	Cultura	Gramática y tapitas gramaticales
Lección A • hablar del impacto de la tecnología • hablar de la importancia de los idiomas • describir los problemas ecológicos **Lección B** • discutir algunos temas ecológicos • hablar del proceso de aprender idiomas	• inventos y tecnología • idiomas • ecología	• la tecnología • Latinoamérica (período precolombino, religión y diversidad étnica) • los telegramas • móviles • el español en EE.UU. • Internet y su efecto • los bosques • La Amazonia **Lección B** • el problema del narcotráfico • el idioma y la Internet • adicciones a las redes sociales • el problema del agua • los océanos en peligro	**Lección A** • repaso de los tiempos verbales • el comparativo y el superlativo • verbos con preposición • palabras negativas y afirmativas • expresiones impersonales con subjuntivo • pronombres relativos • la terminación *-quiera* • reconocer ciertos tiempos verbales • formas apócopes • *ambos* **Lección B** • el subjuntivo • el progresivo • el participio presente y pasado • repaso de los tiempos verbales • el infinitivo • verbos seguidos de preposiciones • *lo* y *lo que* • *por, por qué, para* y *para que* • transformar adjetivos en adverbios • los usos y omisión del artículo definido • los adjetivos y pronombres demostrativos

Capítulo 8 Festival de Arte

Comunicación	Temas	Cultura	Gramática y tapitas gramaticales
Lección A • hablar de las bellas artes • comprender el arte de varios artistas hispanos • entender el impacto de la población hispana en la televisión norteamericana • comparar las telenovelas en el mundo hispano y EE.UU. **Lección B** • hablar de arte • discutir las clasificaciones de películas • hablar de la moda • hablar del cine • debatir sobre la controversia en el arte	• el arte • el baile • la música • el cine, la radio y la televisión	**Lección A** • El Museo Guggenheim Bilbao • Fernando Botero • la televisión hispana en Estados Unidos • Pablo Picasso • Frida Kahlo • las telenovelas **Lección B** • El arte moderno • La Ruta Quetzal • la ópera • El arte para ciegos • "Accidentes" millonarios • Salvador Dalí • La Oreja de Van Gogh • Shakira y su obra social • La moda de Zara • Polémica en los museos • El cine	**Lección A** • tiempos perfectos • el imperfecto del subjuntivo • repaso de tiempos en pasado • *gran* y *grande* • *y* o *sin* • el género de los sustantivos • números ordinales • *ser* y *estar* • *por* y *para* • los sustantivos compuestos **Lección B** • la posición de los adjetivos • el presente perfecto • los pronombres relativos • las preposiciones • el uso de *lo* • el sufijo *-azo* • el género de los sustantivos • *sino* y *pero* • la omisión del artículo • formas apócopes • los nexos

At a Glance

¡A toda vela! Components

A variety of products makes teaching and learning meaningful and fun.

The Student Text

¡*A toda vela!* methodically inspires students to zero in on the opportune and relevant ideas within each theme-based chapter, supplies ample familiarity of these topics, and provides liberal practice so that students gain confidence in reading, listening, speaking, and writing. The text breaks new ground in motivating students and increases their proficiency in Spanish by efficiently combining vocabulary, grammar, and authentic sources in a series of eight carefully designed chapters that are divided into two lessons. The first lesson of each chapter deals primarily with generic content about the chapter topics, with abundant and engaging points for reflection and discussion that are of high interest to students. The second lesson presses the generic and high interest information of the chapter topics onto more pensive and contemplative discussions, stirs some debate, and is sure to incite some spirited exchanges among students.

Each lesson reinforces the chapter theme with substantial vocabulary and grammar exercises in context, readings and recordings from a generous cross section of Spanish-language media, and a multitude of tasks that incorporate the focal changes in the Advanced Spanish Language Exam. ¡*A toda vela!* helps students to develop the competence to synthesize information from these texts, to assess the content, register, tone, and background of each source, and to draw conclusions from them. Students will learn to decode and interpret the main ideas and details of authentic sources and to make inferences from them when comparing and contrasting two or more of these sources before completing tasks such as writing an essay or making an oral presentation.

Students will also have the opportunity to complete a range of writing and speaking activities that they might do alone, with a partner, in a small group, or with the entire class. These activities include guided conversations, blogs and forums, vocabulary exercises in context, intuitive grammar exercises in context, quotes, proverbs, or sayings and fun facts, oral or written presentations, informal and formal writing, and projects. The use of authentic materials motivates students to expand their knowledge of the Spanish-speaking world. Clear and concise intuitive grammar exercises oblige students to use their prior knowledge in order to personalize a solid understanding of Spanish grammar with increasing accuracy. Students strengthen practical and meaningful speaking skills in Spanish through diverse communicative activities. The many text-related photographs provide appealing, authentic visual support for the themes of every chapter.

The key features of each lesson include:

- a list of the communication, grammar, and culture objectives for each lesson
- ten introductory questions that elicit the students' prior knowledge about the theme and encourage discussion
- creation of short dialogues with prompts
- extensive presentation, practice, and word association lists, and a review of vocabulary in context with exercises that accompany each authentic source article
- succinct inductive grammar exercises through numerous tasks that accompany various authentic source articles in each lesson
- pair, small-group, and full-class tasks that invite students to share learning, observations, and insights throughout each lesson
- several quotes, proverbs, or sayings (*Cita, Refrán, Dicho*) and interesting facts (*Dato curioso*) interwoven throughout the lesson and which encourage additional

- conversation, thoughts, and observations about the topics in each lesson
- many focused comparison (*Compare*) questions to engage communication regarding connections of the Spanish-speaking world and student's own world
- extensive reading practice of authentic texts with follow-up comprehension questions, numerous listening comprehension recordings with representative voices and registers from many Spanish-speaking countries, and pertinent exercises, projects, and prompts that creatively integrate the vocabulary and grammar from the lesson
- some helpful hints, rubrics, charts, and pointers for organizing, developing, and presenting essays, emails, letters, debates, and presentations included in each lesson
- a comprehensive vocabulary list of the key words from the lesson

Activity icons

Pair Activity

Reading Activity

Vocabulary or Grammar Activity

Writing Activity

Integrated Skills Activity

Listening Activity

Speaking Activity

Small Group Activity

Workbook

Assessment

The Annotated Teacher's Edition (ATE)

The **Teacher Resources** section lists when to use *¡A toda vela!* support materials.

The **Additional Activities** section expands on textbook content with ideas for extra speaking, reading, and writing activities and dozens of games and communicative activities that can be incorporated into your daily lessons. Refer to pages TE24–TE29 for detailed descriptions.

Answers save you valuable time

Instructional Notes provide teaching suggestions that enhance your presentation of each lesson's theme.

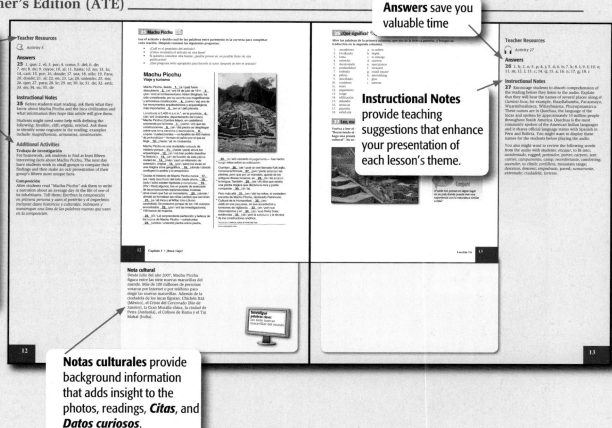

Notas culturales provide background information that adds insight to the photos, readings, *Citas*, and *Datos curiosos*.

Program Resources

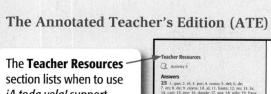

The **eBook** provides the entire textbook in a digital format (online and CD).

The **Teacher Resources DVD** includes all program resources: Annotated Teacher's Edition, Student Workbook, Workbook Answer Key, Audio for Textbook, Workbook and Assessment, and *ExamView* Assessment Suite.

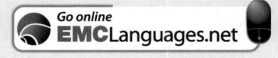

EMCLanguages.net is an online learning management system that delivers authentic, interactive and motivating activities.

The comprehensive **workbook** provides ample opportunity for students to review troublesome grammatical topics and expand already solid skills. Authentic texts including news articles, short stories, and poems give students reading and writing practice. Paragraph completion exercises and informal and formal writing activities help prepare students for college-level exams. The workbook also provides a new take on traditional review exercises. Audio recordings support workbook content.

SCOPE & SEQUENCE
CLASSROOM
IN THE
TRANSCRIPTS
AP TESTS
AT A GLANCE

Textbook and Teacher's Edition Tour

The contents and special features of *¡A toda vela!* make teaching and learning effective and fun.

Chapter topics are listed

Each chapter offers an attractive and representative photo of one of the chapter topics

Overview gives a thumbnail sketch of each chapter

Capítulo 1

¡Buen viaje!

Temas
- Los viajes
- El turismo
- La inmigración

1

Nota cultural
Un arqueólogo de Yale, Hiram Bingham, encontró Machu Picchu en 1911. Los incas crearon esta pequeña, pero increíble ciudad. En las terrazas que había alrededor, cultivaban la comida necesaria para toda la población. La ciudad no se puede ver desde abajo (está a una altitud de 2.400 metros), y es por lo que fue olvidada por tanto tiempo. Las piedras que la forman fueron hechas y unidas con tal precisión (se dice que ni siquiera se pueda meter la cuchilla de una navaja entre ellas), que ha creado todo tipo de leyendas. Los dos edificios más destacados son la Casa de la Ñusta — probablemente una zona de baños— y el intihuatana, u observatorio astronómico, ya que los incas estudiaban los movimientos del sol.

Overview of chapter 1
The photographs on the chapter openers depict one of the themes or places to be explored; here, the subject is Machu Picchu, an Inca stronghold in the Andes, some 80 km northwest of Cusco, Peru. Engage students in a discussion of this site as both a cultural and tourist destination, possibly talking about its cultural importance, the pros and cons of traveling to such isolated places, and any special preparation travelers might need to make. Perhaps you or one of the students has visited this site (or knows someone who has) and could share his or her experience with the rest of the class.

Instructional Notes
You might want to ask the following questions related to the topics of this chapter: *¿Qué es lo primero que les viene a la mente cuando se habla de viajar? ¿Qué relación o diferencia hay entre ser turista y ser viajero? ¿Prefieren ser Uds. turistas o viajeros? ¿Por qué? ¿Qué tipo de turismo ofrece su comunidad o estado/región? ¿Qué problemas enfrentan los inmigrantes en los Estados Unidos?*

Suggestions to enhance teaching with the photo or topics of each chapter

Cultural information related to photo on opener here, and to theme-related topics on other pages

1

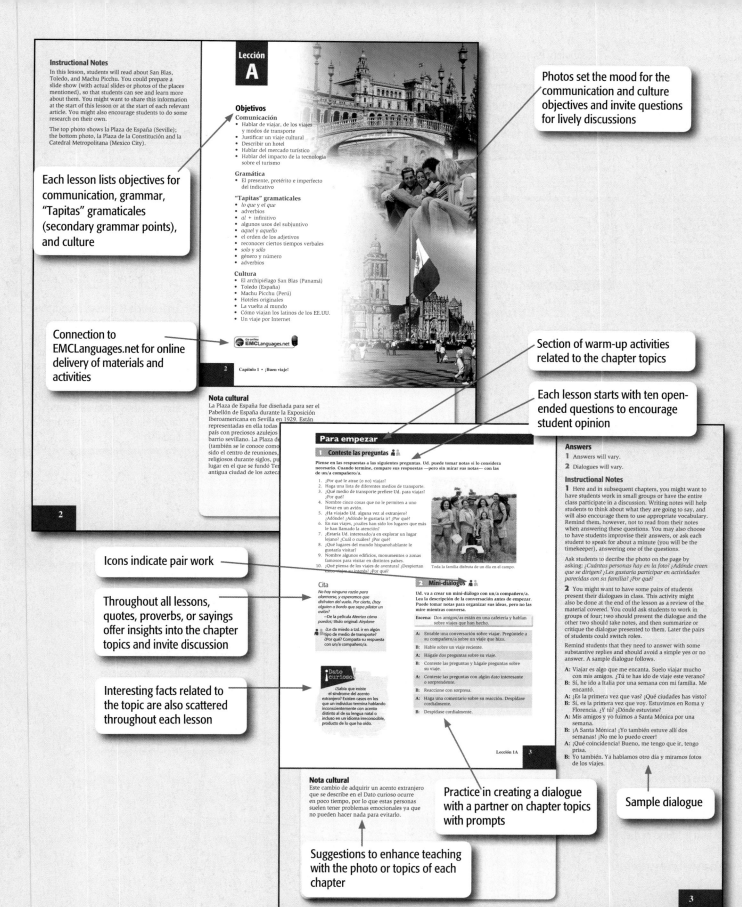

Instructional Notes
In this lesson, students will read about San Blas, Toledo, and Machu Picchu. You could prepare a slide show (with actual slides or photos of the places mentioned), so that students can see and learn more about them. You might want to share this information at the start of this lesson or at the start of each relevant article. You might also encourage students to do some research on their own.

The top photo shows la Plaza de España (Seville); the bottom photo, la Plaza de la Constitución and la Catedral Metropolitana (Mexico City).

Each lesson lists objectives for communication, grammar, "Tapitas" gramaticales (secondary grammar points), and culture

Connection to EMCLanguages.net for online delivery of materials and activities

Lección A

Objetivos

Comunicación
- Hablar de viajar, de los viajes y modos de transporte
- Justificar un viaje cultural
- Describir un hotel
- Hablar del mercado turístico
- Hablar del impacto de la tecnología sobre el turismo

Gramática
- El presente, pretérito e imperfecto del indicativo

"Tapitas" gramaticales
- lo que y el que
- adverbios
- al + infinitivo
- algunos usos del subjuntivo
- aquel y aquello
- el orden de los adjetivos
- reconocer ciertos tiempos verbales
- solo y sólo
- género y número
- adverbios

Cultura
- El archipiélago San Blas (Panamá)
- Toledo (España)
- Machu Picchu (Perú)
- Hoteles originales
- La vuelta al mundo
- Cómo viajan los latinos de los EE.UU.
- Un viaje por Internet

EMCLanguages.net

2   Capítulo 1 • ¡Buen viaje!

Nota cultural
La Plaza de España fue diseñada para ser el Pabellón de España durante la Exposición Iberoamericana en Sevilla en 1929. Están representadas en ella todas... país con preciosos azulejos... barrio sevillano. La Plaza de... (también se le conoce como... sido el centro de reuniones,... religiosos durante siglos, pu... lugar en el que se fundó Te... antigua ciudad de los aztec...

Photos set the mood for the communication and culture objectives and invite questions for lively discussions

Section of warm-up activities related to the chapter topics

Each lesson starts with ten open-ended questions to encourage student opinion

Para empezar

1 Conteste las preguntas

Piense en las respuestas a las siguientes preguntas. Ud. puede tomar notas si lo considera necesario. Cuando termine, compare sus respuestas —pero sin mirar sus notas— con las de un/a compañero/a.

1. ¿Por qué le atrae (o no) viajar?
2. Haga una lista de diferentes medios de transporte.
3. ¿Qué medio de transporte prefiere Ud. para viajar? ¿Por qué?
4. Nombre cinco cosas que no le permiten a uno llevar en un avión.
5. ¿Ha viajado Ud. alguna vez al extranjero? ¿Adónde? ¿Le gustaría ir? ¿Por qué?
6. En sus viajes, ¿cuáles han sido los lugares que más le han llamado la atención?
7. ¿Estaría Ud. interesado/a en explorar un lugar lejano? ¿Cuál o cuáles? ¿Por qué?
8. ¿Qué lugares del mundo hispanohablante le gustaría visitar?
9. Nombre algunos edificios, monumentos o zonas famosos para visitar en distintos países.
10. ¿Qué piensa de los viajes de aventura? ¿Despiertan estos viajes su interés? ¿Por qué?

Toda la familia disfruta de un día en el campo.

Cita
No hay ninguna razón para alarmarse, y esperamos que disfruten del vuelo. Por cierto, ¿hay alguien a bordo que sepa pilotar un avión?
—De la película Aterriza cómo puedas; título original: Airplane

¿Le da miedo a Ud. el ir en algún tipo de medio de transporte? ¿Por qué? Comparta su respuesta con un/a compañero/a.

Dato curioso
¿Sabía que existe el síndrome del acento extranjero? Existen casos en los que un individuo termina hablando inconscientemente con acento distinto al de su lengua natal o incluso en un idioma irreconocible, producto de lo que ha oído.

2 Mini-diálogos

Ud. va a crear un mini-diálogo con un/a compañero/a. Lea la descripción de la conversación antes de empezar. Puede tomar notas para organizar sus ideas, pero no las mire mientras conversa.

Escena: Dos amigos/as están en una cafetería y hablan sobre viajes que han hecho.

A: Entable una conversación sobre viajar. Pregúntele a su compañero/a sobre un viaje que hizo.
B: Hable sobre un viaje reciente.
A: Hágale dos preguntas sobre su viaje.
B: Conteste las preguntas y hágale preguntas sobre su viaje.
A: Conteste las preguntas con algún dato interesante o sorprendente.
B: Reaccione con sorpresa.
A: Haga un comentario sobre su reacción. Despídase cordialmente.
B: Despídase cordialmente.

Lección 1A   3

Nota cultural
Este cambio de adquirir un acento extranjero que se describe en el Dato curioso ocurre en poco tiempo, por lo que estas personas suelen tener problemas emocionales ya que no pueden hacer nada para evitarlo.

Icons indicate pair work

Throughout all lessons, quotes, proverbs, or sayings offer insights into the chapter topics and invite discussion

Interesting facts related to the topic are also scattered throughout each lesson

Practice in creating a dialogue with a partner on chapter topics with prompts

Suggestions to enhance teaching with the photo or topics of each chapter

Answers
1 Answers will vary.
2 Dialogues will vary.

Instructional Notes
1 Here and in subsequent chapters, you might want to have students work in small groups or have the entire class participate in a discussion. Writing notes will help students to think about what they are going to say, and will also encourage them to use appropriate vocabulary. Remind them, however, not to read from their notes when answering these questions. You may also choose to have students improvise their answers, or ask each student to speak for about a minute (you will be the timekeeper), answering one of the questions.

Ask students to describe the photo on the page by asking: ¿Cuántas personas hay en la foto? ¿Adónde creen que se dirigen? ¿Les gustaría participar en actividades parecidas con su familia? ¿Por qué?

2 You might want to have some pairs of students present their dialogues in class. This activity might also be done at the end of the lesson as a review of the material covered. You could ask students to work in groups of four; two should present the dialogue and the other two should take notes, and then summarize or critique the dialogue presented to them. Later the pairs of students could switch roles.

Remind students that they need to answer with some substantive replies and should avoid a simple yes or no answer. A sample dialogue follows.

A: Viajar es algo que me encanta. Suelo viajar mucho con mis amigos. ¿Tú te has ido de viaje este verano?
B: Sí, he ido a Italia por una semana con mi familia. Me encantó.
A: ¿Es la primera vez que vas? ¿Qué ciudades has visto?
B: Sí, es la primera vez que voy. Estuvimos en Roma y Florencia. ¿Y tú? ¿Dónde estuviste?
A: Mis amigos y yo fuimos a Santa Mónica por una semana.
B: ¡A Santa Mónica! ¡Yo también estuve allí dos semanas! ¡No me lo puedo creer!
A: ¡Qué coincidencia! Bueno, me tengo que ir, tengo prisa.
B: Yo también. Ya hablamos otro día y miramos fotos de los viajes.

Sample dialogue

Complete answer key

Vocabulary enrichment and contextualized grammar section

Readings with vocabulary words highlighted in blue, grammar in red

Icon indicates that students are expected to read the following article

Activities to increase vocabulary and categorize according to part of speech

Icon indicates that students should go back to search for answers

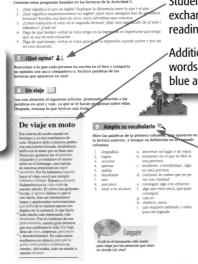

Students work in pairs to exchange opinions about the reading

Additional reading; vocabulary words always highlighted in blue and grammar in red

Each article is always accompanied by a corresponding vocabulary activity so students can learn this vocabulary in the context of the article; the words in all such activities will always be in the same order in which they appear in the reading. Some of these activities match targeted words with definitions in Spanish

Grammar-based activities based on, or related to, the reading. Students will review grammar on their own and should answer all such questions in Spanish

Reference to workbook for additional activities

Icon indicates that students need to write a response

Students write responses in a variety of formats

Students must complete a passage with the correct form of the word given

Students review and practice grammar and are asked to intuitively formulate the grammar rule as it is found in the article

Suggestions for additional activities

Students enrich their vocabulary by completing a word family chart

Teacher Resources

Activity 4

Answers

19 1. se acercan; 2. el riesgo; 3. el comienzo; 4. sorprendidos; 5. divertida; 6. atrevido; 7. cercano; 8. susto; 9. asiento; 10. llueva

Instructional Notes

18 You might have students complete this activity in pairs until they feel more confident doing it alone. You could also go over some of the rules regarding the formation of nouns and adjectives from verbs.

After students complete the activity, ask them to do *El desafío del minuto* or *Familia de palabras.* See p. TE27.

19 Students could work in pairs until they feel more confident comp[leting] the activity by them[selves]. Ask them to pay sp[ecial] attention to the wor[ds] surrounding the bla[nk] because they offer c[lues] as to the part of spe[ech]. Encourage them to [ ] underline key words that will help them figure out the correct answer. Remind them to consider the gender and number for nouns, and for verbs the person, tense, and mood. You might want to do a couple of sentences with the entire class.

Additional Activities

Composición
After students have completed activity 19, ask them to write a paragraph using as many words as they can and from the three different parts of speech shown in the table (*verbo, sustantivo, adjetivo*). Ask a few students how many new words they used and stress the importance of using these words in context in order to retain the meaning.

---

18 Verbos
acercarse (a) *to get close (to)*
adaptarse (a) *to adapt oneself (to)*
alejarse (de) *to go away (from)*
alquilar *to rent*
arriesgarse (a) *to risk*
asustarse (de) *to be frightened (by)*
aterrizar *to land*
atreverse (a) *to dare (to)*
comenzar (a) *to start/begin (to)*
divertirse *to have a good time*
emocionarse *to be moved, excited*
llover *to rain*
lograr *to obtain, achieve*
sentarse *to sit down*
sorprenderse (de) *to be surprised (by)*

Sustantivos
la cercanía *closeness, proximity*
la adaptación *adaptation*
la lejanía *distance*
el alquiler *rent*
el riesgo *risk*
el susto *fright*
el aterrizaje *landing*
el atrevimiento *daring*
el comienzo *beginning*
la diversión *fun*
la emoción *excitement*
la lluvia *rain*
el logro *achievement*
el asiento *seat*
la sorpresa *surprise*

Adjetivos
cercano *close*
adaptable *adaptable, versatile*
lejano *far away*
[ ]
(estar) sentado *to be seated*
sorprendente *surprising*

Students complete fill-in-the blank exercises based on the word families

---

Idioma

18 Familia de palabras

Complete la tabla con el verbo, sustantivo o adjetivo apropiado, y la traducción correspondiente.

Verbos		Sustantivos		Adjetivos	
acercarse (a)	_____	la cercanía	*closeness, proximity*	_____	*close*
_____	*to adapt oneself (to)*	la adaptación		adaptable	*adaptable, versatile*
alejarse (de)	_____	la lejanía		lejano	_____
_____	*to rent*	_____	*rent*	_____	*rented*
arriesgarse (a)	*to risk*	_____	*risk*	arriesgado	*risky*
asustarse (de)	_____	_____		X	*easily frightened*
_____	*to land*	el aterrizaje			
atreverse (a)	_____	el atrevimiento	*daring*	X	*brave, daring*
comenzar (a)	_____	_____	*beginning*	_____	
divertirse	_____	_____	*fun*	divertido	_____
emocionarse	*to be moved, excited*	_____	*excitement*	emocionado	*moved, excited*
llover	_____	_____		X	*rainy*
_____	*to obtain, achieve*	el logro	*achievement*		
_____	*to sit down*	_____	*seat*	(estar) sentado	
sorprenderse (de)	*to be surprised (by)*	la sorpresa	*surprise*	X	*surprising*

19 ¿Verbo, sustantivo o adjetivo?

Complete las oraciones usando la forma correcta de las palabras que aparecen en la tabla, ya sea verbo, sustantivo o adjetivo. En el caso del sustantivo puede que necesite artículo. Siga el modelo.

MODELO Carmen siempre nos cuenta historias muy ___ (*divertirse*).
divertidas

1. Cuando ___ (*acercarse*) las vacaciones de verano algunas mujeres buscan la fórmula mágica para obtener una nueva figura.
2. Según las autoridades, durante esta semana, si viaja por carretera existirá siempre ___ (*arriesgarse*) de encontrar un atasco.
3. Desde ___ (*comenzar*) acordaron separarse al alguno de los dos deseaba cambiar de ruta.
4. Los turistas por lo general están ___ (*sorprenderse*) por la cordialidad y hospitalidad de la gente de la isla.
5. Si la nueva programación infantil del hotel no resultara ___ (*divertirse*), podrían producirse bajas de hasta un 30 por ciento.
6. Lo importante es ser ___ (*atreverse*). Con miedo jamás descubrirás nuevas experiencias.
7. Se paralizarán las reformas del aeropuerto por encontrarse muy ___ (*acercarse*) a un complejo turístico.
8. Cuando perdimos el equipaje el miércoles pasado, nos llevamos un buen ___ (*asustarse*).
9. ¡Reserve hoy su ___ (*sentarse*) en la guagua para visitar la zona histórica de Santo Domingo!
10. Aviso: En caso de que hoy ___ (*llover*), quedarán suspendidas las actividades al aire libre.

Cita
Cuando se viaja en avión solamente existen dos clases de emociones: el aburrimiento y el terror.
—Orson Welles (1915–1985), actor y director de cine estadounidense

¿Está de acuerdo con lo que dice? ¿Por qué? Hable sobre sus experiencias o las de alguien conocido.

Dato curioso!
El origen de las banderas de los países fue militar. Según cuentan, se empezaron a usar para no confundirse y no atacar al ejército equivocado. La bandera de Bolivia tiene tres rayas. La roja representa la lucha popular, la amarilla la riqueza del suelo y la verde la agricultura.

8 Capítulo 1 • ¡Buen viaje!

Juego
After students complete activity 19, ask them to play *Voluntario, derecha e izquierda* to practice the words in the *Familia de palabras.* See p. TE27.

Mini proyecto
Assign a different Hispanic country to small groups of students and ask them to research that nation's flag. They should be prepared to explain the meaning of the colors and other elements in the flag to their classmates.

You could also ask students to work in groups and design a flag. They should explain the meaning of the colors, design, and symbols they have chosen.

Nota cultural
En la bandera de Costa Rica el azul representa los ideales, los retos, el cielo y las oportunidades al alcance. El blanco significa pensamiento, sabiduría y paz. El rojo significa la gente de Costa Rica y su amor, el calor de su pueblo y la lucha por su liberación.

Investigue palabras clave:
kuna, San Blas, mola

Computer icon suggests topics that you might assign for further research

8

TE13

Teacher Resources

📖 Activity 5

Answers

25 1. que; 2. el; 3. por; 4. como; 5. del; 6. de; 7. en; 8. de; 9. cuyos; 10. al; 11. hasta; 12. no; 13. la; 14. casi; 15. por; 16. donde; 17. sea; 18. sólo; 19. Para; 20. donde; 21. al; 22. en; 23. La; 24. uniendo; 25. sin; 26. que; 27. para; 28. le; 29. se; 30. la; 31. de; 32. está; 33. en; 34. su; 35. de

Instructional Notes

25 Before students start reading, ask them what they know about Machu Picchu and the Inca civilization and what information they hope this article will give them.

Students might need some help with defining the following: *farallón*, cliff; *erigida*, erected. Ask them to identify some cognates in the reading; examples include: *magnificencia, armoniosa, construcción.*

Additional Activities

Trabajo de investigación
For homework, ask students to find at least fifteen interesting facts about Machu Picchu. The next day have students work in small groups to compare their findings and then make an oral presentation of their group's fifteen most unique facts.

Composición
After students read "Machu Picchu" ask them to write a narration about an average day in the life of one of its inhabitants. Tell them: *Escriban la composición en primera persona y usen el pretérito y el imperfecto. Incluyan datos históricos y culturales. Subrayen y mantengan una lista de las palabras nuevas que usan en la composición.*

---

25 Machu Picchu 📖

Lea el artículo y decida cuál de las palabras entre paréntesis es la correcta para completar cada oración. Después conteste las siguientes preguntas:

- ¿Cuál es el propósito del artículo?
- ¿Cómo resumiría el artículo en una frase?
- Si quisiera consultar otra fuente, ¿podría pensar en un posible título de una publicación?
- ¿Qué pregunta sería apropiada para hacerle al autor después de leer el artículo?

Machu Picchu
Viaje y turismo

Machu Picchu, desde **1.** (*a* / *que*) fuera descubierta **2.** (*el* / *en*) 24 de julio de 1911 **3.** (*por* / *con*) el norteamericano Hiram Bingham, ha sido considerada, por su asombrosa magnificencia y armoniosa construcción, **4.** (*como* / *es*) uno de los monumentos arquitectónicos y arqueológicos más importantes **5.** (*en el* / *del*) planeta.

Localizada a 2,400 m.s.n.m.*, en la provincia **6.** (*de* / *en*) Urubamba, departamento del Cusco, Machu Picchu (*Cumbre Mayor, en castellano*) sorprende por la forma **7.** (*como* / *en*) que las construcciones **8.** (*de* / *en*) piedra se despliegan sobre una loma estrecha y desnivelada, **9.** (*cuyos* / *cuales*) bordes —un farallón de 400 metros de profundidad— forman el cañón por el que se llega **10.** (*hacia* / *al*) río Urubamba.

Machu Picchu es una ciudadela rodeada de misterio porque **11.** (*hasta* / *para*) ahora los arqueólogos **12.** (*sí* / *no*) han podido descifrar la historia y **13.** (*el* / *la*) función de esta pétrea ciudad de **14.** (*más* / *casi*) un kilómetro de extensión, erigida **15.** (*por* / *para*) los incas en una mágica zona geográfica, **16.** (*donde* / *dónde*) confluyen lo andino y lo amazónico.

Quizás el misterio de Machu Picchu nunca **17.** (*es* / *sea*) descifrado del todo; hasta ahora, **18.** (*solo* / *sólo*) existen hipótesis y conjeturas. **19.** (*Por* / *Para*) algunos, fue un puesto de avanzada de las proyecciones expansionistas incaicas; otros creen que fue un monasterio, **20.** (*donde* / *dónde*) se formaban las niñas (*acllas*) que servirían **21.** (*a* / *al*) Inca y al Willac Uno (*Sumo sacerdote*). Se presume porque de los 135 cuerpos encontrados **22.** (*por* / *en*) las investigaciones,

25. (*o* / *sin*) cemento ni pegamento— han hecho surgir mitos sobre su edificación.

Cuentan **26.** (*de* / *que*) un ave llamada Kak'aqllu, conocía la fórmula **27.** (*por* / *para*) ablandar las piedras, pero que por un mandato, quizás de los antiguos dioses incaicos, se **28.** (*la* / *le*) arrancó la lengua. También **29.** (*se* / *él*) dice que existía una planta mágica que disolvía la roca y podía compactar **30.** (*le* / *la*).

Pero más allá **31.** (*en* / *de*) los mitos, el verdadero encanto de Machu Picchu, declarado Patrimonio Cultural de la Humanidad, **32.** (*es* / *está*) en sus plazuelas, en sus acueductos y torreones de vigilancia, **33.** (*en* / *por*) sus

---

Students must complete a passage from an authentic text by choosing one of two possible answers. Essential vocabulary always highlighted in blue

Identifies recorded audio material

---

26 ¿Qué significa? 🔍

Mire las palabras de la primera columna, que son de la lectura anterior, y busque su traducción en la segunda columna.

1. asombroso	a. to soften	
2. localizada	b. depth	
3. loma	c. to emerge	
4. estrecho	d. uneven	
5. desnivelado	e. speculation	
6. profundidad	f. revealed	
7. rodeado	g. small square	
8. pétreo	h. astonishing	
9. descifrado	i. glue	
10. conjetura	j. narrow	
11. muro	k. surrounded	
12. pegamento	l. of stone	
13. surgir	m. wall	
14. edificación	n. to pull out	
15. ablandar	o. located	
16. arrancar	p. hill	
17. plazuela	q. building	
18. sabiduría	r. wisdom	

27 Lea, escuche y escriba/presente 🧩🎧

Vuelva a leer el texto completo sobre Machu Picchu, y luego escuche la grabación "Recorriendo el Camino Inca". Tome notas de las dos fuentes y escriba un ensayo o haga una presentación en clase sobre "Razones por las que se aconseja hacer un viaje cultural". No se olvide de citar las fuentes debidamente.

Compare

¿Puede Ud. pensar en algún lugar en su país donde pueda vivir una experiencia con la naturaleza similar a ésta?

Teacher Resources

🎧 Activity 27

Answers

26 1. h; 2. o; 3. p; 4. j; 5. d; 6. b; 7. k; 8. l; 9. f; 10. e; 11. m; 12. i; 13. c; 14. q; 15. a; 16. n; 17. g; 18. r

Instructional Notes

27 Encourage students to absorb comprehension of the reading before they listen to the audio. Explain that they will hear the names of several places along *el Camino Inca*; for example, Huayllabamba, Pacaymayo, Wuarmihuañusca, Wiñayhuayna, Phuyupatamarca. These names are in Quechua, the language of the Incas and spoken by approximately 10 million people throughout South America. Quechua is the most commonly spoken of the American Indian languages and it shares official language status with Spanish in Peru and Bolivia. You might want to display these names for the students before playing the audio.

You also might want to review the following words from the audio with students: *encajar*, to fit into; *accidentado*, rugged; *porteador*, porter; *carpero*, tent carrier; *campamento*, camp; *reconfortante*, comforting; *ascender*, to climb; *cordillera*, mountain range; *descenso*, descent; *empedrado*, paved; *sumamente*, extremely; *ciudadela*, fortress.

Students will need to reread one or more articles and then listen to the audio in order to generate either a written or an oral response

Activities to strengthen vocabulary by matching targeted words with definitions in English

Icon indicates that students will use several sources to complete this activity

Problematic or key words from the audio are defined. Complete transcript of audio material is included in front matter of the ATE

Challenge students to compare elements of the spanish-speaking world and make connections to their own

Pre-reading questions encourage conversation between partners (or with whole class)

Students read completed passages from authentic texts

Teacher Resources

Activities 6–15

Instructional Notes

31 Students could work in small groups to answer the questions for this activity. A whole-class discussion could follow. You could also ask them: *¿Les gustaría dar la vuelta al mundo? ¿Por qué? ¿Qué países les gustaría visitar? ¿Con quién les gustaría hacer el viaje? ¿Por qué?*

32 Ask students the following question using as many variations as needed for practice: *¿Cuántas horas crees que dura un viaje en avión desde "X" (ciudad de Ud.) a "Y" (Buenos Aires, Madrid, Santiago)?* This activity keeps the students talking and reviewing geography and distances.

Additional Activities

Repaso Expreso
See p. TE28.

Juego
Ask students to play *Hablar hasta por los codos.*
See p. TE24.

¡A leer!

31 Antes de leer

¿Ha viajado Ud. —o le gustaría viajar— a muchos sitios? ¿Por qué? ¿Le gustan los viajes en los que ve muchas cosas en poco tiempo? ¿Por qué? ¿Sabe quién era Julio Verne?

32 Un viaje

Lea con atención el siguiente artículo. Después conteste las siguientes preguntas:

- ¿Cuál es el propósito del artículo?
- ¿Cómo resumiría el artículo en una frase?
- Si quisiera consultar otra fuente, ¿podría pensar en un posible título de una publicación?
- ¿Qué pregunta sería apropiada para hacerle al autor después de leer el artículo?

El viaje
Un pulso a Julio Verne
JAVIER PÉRES DE ALBÉNIZ

Cuando recojo la maleta en el aeropuerto de Barajas mis articulaciones chirrían como goznes oxidados. Tengo en los riñones el recuerdo de 30 despegues y aterrizajes, y en los músculos el castigo de 75 horas de vuelo. No lo veo, ni lo siento, pero sé que mi trasero tiene la forma del asiento de un Boeing 767 de Lan Chile. Once nuevos sellos de otros tantos países ilustran mi pasaporte, y en la cabeza me bulle un torbellino de sensaciones. Acabo de dar la vuelta al mundo y ¡me río de los que sienten el jet lag! Cuando das la vuelta al mundo en 15 días ni te paras a pensar en estos pequeños inconvenientes: comes, duermes y vives sumergido en ese jet lag, una sensación

¿Es posible ver o aprender algo, desplazándose a este frenético ritmo? La respuesta es sí. Sí, siempre que los vuelos se coordinen con precisión milimétrica, que estén muy claros los lugares a visitar y que el viajero no se arrugue ante la falta de sueño o de comodidades. «¡Lejos! ¡Lejos! ¡Aquí el lodo está formado por nuestros llantos!»,

Guided Study questions for post-reading comprehension

Answers

35 *Ejemplos:*
1. ¿Cuántas veces despegó y aterrizó el autor del artículo? 2. ¿Cuántos sellos tiene ya el autor en el pasaporte? 3. ¿Cuántos días duró su viaje alrededor del mundo? 4. ¿Quién imaginó una vuelta al mundo en cuarenta días? 5. ¿Quién era un tipo adinerado, flemático y lento? / ¿Quién fue el protagonista de una obra de Julio Verne? 6. ¿Qué hace falta para disfrutar de una vuelta al mundo? 7. ¿Cuántas horas de vuelo duró este viaje? 8. ¿Quién lo esperaba a la vuelta? / ¿Quién le dice "mala cara"? 9. ¿Cómo le contesta a su hija?

36 Answers will vary, but students should mention that doing these activities just for the sake of doing them shows no appreciation or understanding of them *(hacer estas actividades por el mero hecho de hacerlas no demuestra que uno las aprecia ni las comprende, o sea que uno no disfruta de lo que está haciendo).*

---

35 ¿Cuál es la pregunta?

Según lo que acaba de leer, escriba una pregunta lógica para estas respuestas.

1. Treinta veces
2. Once
3. Quince días
4. Julio Verne
5. Phileas Fogg
6. Muchísima organización
7. Setenta y cinco
8. Su hija
9. Con humor

Students need to provide possible questions, based on the reading, for answers given

36 ¿Qué piensa Ud.?

¿Qué cree que significa la expresión "viajar por viajar", "viajar por comer", "hablar por hablar" y "leer por leer"?

Some activities call for open-ended answers

37 ¿Recuerda,…?

¿Ha leído Ud. la novela del escritor francés Julio Verne *La vuelta al mundo en 80 días*? Si no, puede buscar la información. Tome la identidad de Phileas Fogg y haga un resumen de su viaje.

- Explique donde vivía y en qué época.
- ¿Qué le hizo viajar?

---

33 ¿Qué significa?

Mire las palabras de la primera columna, que aparecen en la lectura anterior, y busque su traducción en la segunda columna.

1. recoger — a. el momento en el que el avión inicia el vuelo
2. maleta — b. la parte que une los huesos en el cuerpo
3. articulaciones — c. coger
4. riñón — d. pasarlo bien
5. despegue — e. rapidez
6. aterrizaje — f. bajar
7. nube — g. mezcla de tierra y agua
8. desafiar — h. hacer arrugas (líneas en la piel)
9. adinerado — i. simple
10. rebajar — j. el momento en el que el avión termina su vuelo y toca tierra
11. cifra — k. tener cara de cansado o enfermo
12. disfrutar — l. mi amor, mi corazón (palabra afectiva)
13. velocidad — m. órgano del cuerpo que limpia la sangre
14. arrugar — n. bolsa de viaje grande o equipaje
15. lodo — o. acumulación de vapor en el cielo
16. sencillo — p. retar, animar a alguien a hacer algo difícil
17. tener mala cara — q. rico
18. cariño — r. número, cantidad

34 ¿Ha comprendido?

1. ¿Qué le ocurre al protagonista de la historia en el aeropuerto de Barajas?
   a. Pierde su maleta.
   b. Describe sus últimas horas de viaje.
   c. Recuerda su viaje en avión.
   d. Describe la sensación de cansancio que tiene.

2. ¿Qué acaba de hacer el autor del texto?
   a. Se ha recuperado del *jet lag*.
   b. Se ríe recordando su travesía.
   c. Ha dado la vuelta al mundo.
   d. Ha pasado una quincena en casa con su hija.

3. ¿Qué piensa nuestro escritor acerca de un viaje tan rápido?
   a. No es posible disfrutar a ese ritmo.
   b. Aprendes mucho, pero sobre todo de la precisión de los aviones.
   c. La falta de sueño te impide sentirte bien en este viaje.
   d. Es una buena experiencia, con la que se aprende y disfruta si se descansa y si todo está bien organizado.

4. ¿Qué cambiaría el protagonista de este viaje?
   a. Visitaría menos países.
   b. Nada, de esta forma le parece perfecto.
   c. Lo pensará cuando ponga en orden sus ideas.
   d. Quince días están bien, pero preferiría hacerlo en 40.

5. ¿Qué ocurre con su hija a la llegada al aeropuerto?
   a. Su hija está muy agotada y de muy mal humor.
   b. Le dice cuántos años lleva viajando.

Comprehension questions in a variety of formats follow each reading

---

Answers

33 1. c; 2. n; 3. b; 4. m; 5. a; 6. j; 7. o; 8. p; 9. q; 10. f; 11. r; 12. d; 13. e; 14. h; 15. g; 16. i; 17. k; 18. l

34 1. d; 2. c; 3. d; 4. d; 5. c

Instructional Notes

33 Ask students to use ten or more of the new words from "Un pulso a Julio Verne" in a short paragraph. Then have students work in small groups, reading their work to others and comparing the words selected. They should explain the meaning of some of the new words or give synonyms for them.

Additional Activities

Juego
Ask students to play *¿Verdadero o falso?* See p. TE25.

---

y cuál le gustó más.

¡Dato curioso!
Cuando Colón llegó a Costa Rica vio que muchos nativos llevaban bonitas joyas alrededor del cuello. Por eso los españoles pensaron que habían llegado a una costa muy rica.

Compare
¿Cuánto cree que tardaría... la gente en... ...d.? ¿Suele Ud.... ...donde vi...

Teacher Resources

🎧 Activity 52

📖 Activity 16

Answers

52 1.c; 2. b; 3. d; 4. c

Instructional Notes

52 You might want to review the following words with students before they listen to the audio: *provechoso*, beneficial/useful; *equivocado*, wrong; *pesadilla*, nightmare; *supuestamente*, supposedly; *tapado*, covered; *de golpe*, suddenly; *crisparse los nervios mutuamente*, to get on each other's nerves; *placentera*, pleasant; *por culpa de*, because of.

¡A escuchar!

52 Vacaciones: ¿una verdadera pesadilla? 🎧

Esta grabación trata de las vacaciones, con las cuales no siempre se termina teniendo una buena experiencia. La grabación dura aproximadamente 7.5 minutos. Lea las posibles respuestas primero y después escuche la grabación "Vacaciones, ¿una verdadera pesadilla?" Luego, escoja la mejor respuesta para cada pregunta. Después, conteste la pregunta: ¿Cuál es el propósito del artículo?

1. ¿Qué parece ocurrir entre las familias durante la época de vacaciones?

   a. Salen a visitar a familiares.
   b. Toman su descanso con armonía.
   c. Desaparece el bienestar y todo se complica.
   d. En ocasiones el tiempo o el hotel puede ocasionar imprevistos.

2. ¿Qué se recomienda antes de viajar de vacaciones?

   a. Planearlo todo previamente para evitar imprevistos.
   b. No crear falsas ilusiones para evitar sentirse frustrado con el mundo real.
   c. Evitar viajar con niños porque se ponen insoportables.
   d. Asegurarse de que el tráfico, el hospedaje y el tiempo serán favorables.

3. ¿Por qué surge el deterioro de la pareja durante las vacaciones?

   a. Porque cada uno tiene una idea diferente de las vacaciones y distintos gustos por las actividades que quieren realizar
   b. Porque no existe comunicación entre ambos y en ocasiones no hablan más de 20 minutos al día
   c. Porque la pareja no está preparada para afrontar una convivencia así de intensa
   d. Las respuestas a y c

4. ¿Cuál es la diferencia entre las expectativas masculinas y femeninas?

   a. El hombre valora más el descanso mientras que la mujer prefiere el lujo.
   b. La mujer prefiere este tiempo para realizar algún deporte pero el hombre se inclina por la relajación y el descanso.
   c. La mujer desea tomar el tiempo como descanso y el hombre prefiere realizar otras actividades.
   d. El lujo y la comodidad son más importantes para el hombre; para la mujer, basta con el descanso.

24 Capítulo 1 •

24

53 Hoteles originales 🎧

Esta grabación es sobre hoteles originales como el hotel Jules' Undersea Lodge que está bajo el agua, el hotel Library Hotel que cuenta con una amplia gama de libros en cada habitación, el Hotel Palacio de Sal que está en un salar en Uyuni o el Pippa Pop-ins de Londres, no apto para mayores. La grabación dura aproximadamente 5.5 minutos. Escuche las grabaciones sobre "Hoteles originales" y luego conteste las preguntas. Después piense en una pregunta que sería apropiada para hacerle al director de cada hotel.

Primer hotel
1. ¿Qué se les da a los clientes cuando llegan al hotel?
2. ¿Quién les lleva la comida a las habitaciones?
3. ¿Cómo se entretienen en el hotel?

Segundo hotel
1. ¿Dónde se encuentra este hotel?
2. ¿Qué es especial de este hotel?
3. ¿Quiénes son los dos escritores que se mencionan?
4. Mencione tres temas diferentes de los libros que hay en las habitaciones que uno puede reservar.

Tercer hotel
1. ¿Qué tipo de hotel es?
2. ¿Dónde está ubicado?
3. ¿Qué se hace con el ingrediente que se menciona?
4. ¿A qué se parece el paisaje que rodea el hotel?
5. ¿Cuál es la mejor época del año para ir? ¿Por qué?

Cuarto hotel
1. ¿Dónde se encuentra este hotel?
2. ¿Cuál es el requisito para poder ser un cliente de este hotel?
3. ¿Cómo entretienen a los jóvenes?
4. ¿Cómo se visten para las cenas de gala?
5. ¿Qué hacen con los huéspedes antes de irse a dormir?

54 Participe en una conversación 🎧

Ud. va a participar en una conversación. Primero lea la descripción de la conversación y piense en algunas palabras o expresiones que serían útiles. Organice sus ideas, haciendo predicciones sobre lo que se le pueda preguntar o comentar. Una descripción de lo que va a escuchar aparece abajo en color. Participe en la conversación grabando las respuestas o escribiéndolas en su cuaderno.

Escena:	Ya están planeando Macarena y Ud. una escapada para el fin de semana.
Macarena:	*(Suena el teléfono.)* Macarena llama por teléfono.
Ud.:	• Conteste.
Macarena:	Le explica por qué ha llamado.
Ud.:	• Dele una excusa.
Macarena:	Sigue la conversación. Le hace una pregunta.
Ud.:	• Conteste su pregunta, sorprendido/a por su sugerencia.
Macarena:	Sigue la conversación. Le hace otras preguntas.
Ud.:	• Háblele sobre sus preferencias para estos tipos de viajes. Explique las razones.
Macarena:	Sigue la conversación y le hace más preguntas.
Ud.:	• Haga un comentario y despídase.

Lección 1A 25

Teacher Resources

🎧 Activity 53
   Activity 54

📖 Activity 17

Answers

53 **Primer hotel** 1. Una tarjeta para la habitación y un traje de buzo; 2. Un buzo con un contenedor que se puede meter en el agua; 3. Pueden ver la televisión o una película en el DVD, pero lo mejor es sentarse junto a la ventana para ver pasar los peces.

Segundo hotel 1. En la famosa avenida Madison de Nueva York; 2. Ofrece más de 6.000 libros a sus clientes. 3. Lord Byron y Neruda; 4. *Any three of the following:* Poesía, botánica, astronomía y cuentos de hadas.

Tercer hotel 1. Es como si fuera un palacio de sal. 2. En Uyuni (*Tell students that Uyuni is in Bolivia.*); 3. Todo: las camas, las sillas, las mesas, las paredes y el techo; 4. El polar (por ser blanco y azul); 5. La mejor época es de julio a noviembre. Es cuando el salar está seco.

Cuarto hotel 1. En Londres; 2. Ser menor de doce. 3. Con juegos, bailes y cenas de gala; 4. Las niñas de princesas y los niños, de superhéroes; 5. Les leen un cuento.

Instructional Notes

53 You might want to review the following words with students before they listen to the audio: *traje de buzo*, diver's suit; *comodidad*, comfort; *contenedor sumergible*, submersible container; *presumir*, to boast; *repartido*, distributed; *aderezar*, to season; *pizca*, pinch; *temática*, subject matter; *cuentos de hadas*, fairy tales; *sobrar*, to be left over; *materia prima*, raw material; *disponer de*, to have; *lodo*, mud; *entorno*, environment; *salar*, salt flat; *acudir*, to attend; *despistado*, absentminded; *módico*, modest.

54 Remind students that the speaker they will hear on the audio will provide cues for them to answer or elaborate on. You may choose to have students record their portions of the conversation, or have them write their responses in their notebooks.

Encourage students to use the vocabulary reviewed in the lesson for their conversation with Macarena. You may want students to brainstorm the meanings of some of the common expressions from these conversations. Ask them to start a list and add to it during the school year. Some expressions from this conversation are: *anda*, come on; *dar una vuelta*, take a (short) walk; *apenas*, hardly; *animarse*, to feel like; *apetecerse*, to feel like.

Audioscript Activity 54

Macarena: Hola, ¿qué tal? ¿Qué haces?
[STUDENT RESPONSE]
Macarena: Anda, vente a dar una vuelta con nosotros.
[STUDENT RESPONSE]
Macarena: Ah, vale. Entonces quedamos otro día. Oye, de todas formas te llamaba porque quería saber si has visto el anuncio en el tablón de anuncios. Hay una oferta muy buena para pasar una semana de deportes de aventura en las montañas. ¿Qué te parece?
[STUDENT RESPONSE]
Macarena: Ja, ja. Ya me conoces. Apenas hemos vuelto de nuestras vacaciones y ya estoy pensando en las siguientes. ¿Te importa hacer viajes largos? ¿Qué tipo de medio de transporte prefieres?
[STUDENT RESPONSE]

Macarena: Bueno, la verdad es que ahora estoy pensando en otra posibilidad. Ya que nunca salgo del país. ¿Te animas a hacer un viaje a China? He oído que hay una buena oferta. ¿Te apetece? ¿Qué piensas?
[STUDENT RESPONSE]

25

Students write a variety of informal texts (e-mails, postcards, blogs, forums or letters) on given topics

Section of writing activities

Reference to Pautas to guide student writing

Students write essays on given topics

Students work with a partner and correct one another's work

Suggestions and tips for writing are given

Suggestions and tips for formal presentations are given

Instructional Notes

55–58 Make sure students go over the expectations outlined in the *Pautas* (Guidelines) on p. 480 of the *Apéndice* before they prepare any of the writing activities in this section.

59 Tell students that even if they might feel uncomfortable about correcting someone else's paper, it is part of the learning process. They should be prepared to explain why they have made the corrections. If there is disagreement over any such corrections, they need to discuss their reasoning and perhaps consult a grammar reference, or you could be the arbitrator.

Additional Activities

...a y páselo

...a carta

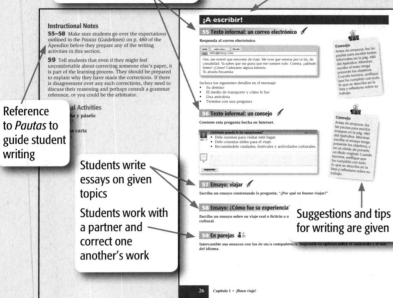

¡A escribir!

55 Texto informal: un correo electrónico

Responda al correo electrónico.

Oye, me enteré que estuviste de viaje. Me tuve que enterar por tu tía, de casualidad. Ya sabes que me gusta que me cuentes todo. Cuenta, ¿adónde fuiste? ¡Cómo! Cuéntame alguna historia.
Tu abuela Encarnita

Incluya los siguientes detalles en el mensaje:
• Su destino
• El medio de transporte y cómo le fue
• Una anécdota
• Termine con una pregunta

Consejo
Antes de empezar, lea las pautas para escribir textos informales en la pág. 480 del Apéndice. Mientras escribe el texto tenga presente los objetivos. Cuando termine, verifique que se ha cumplido con la lista y reflexione sobre su trabajo.

56 Texto informal: un consejo

Conteste esta pregunta hecha en Internet.

¿Adónde puedo ir de vacaciones?
• Dele razones para visitar este lugar.
• Dele lugares útiles para el viaje.
• Recomiéndele ciudades, festivales y actividades culturales.

Consejo
Antes de empezar, lea las pautas para escribir ensayos en la pág. 480 del Apéndice. Mientras escribe el ensayo tenga presente los objetivos, y no se olvide de ponerle un título original. Cuando termine, verifique que ha cumplido con todo lo que se describe en la lista y reflexione sobre su trabajo.

57 Ensayo: viajar

Escriba un ensayo contestando la pregunta, "¿Por qué es bueno viajar?"

58 Ensayo: ¿Cómo fue su experiencia?

Escriba un ensayo sobre su viaje real o ficticio a un... cultural.

59 En parejas

Intercambie sus ensayos con los de un/a compañero/a. Exprese su opinión sobre el contenido y el uso del idioma.

26   Capítulo 1 • ¡Buen viaje!

¡A hablar!

60 Charlemos en el café

Ud. va a debatir los siguientes temas con un/a compañero/a. Uno estará a favor de lo que se ha dicho y otro en contra. El debate durará varios minutos. El/La estudiante que esté de acuerdo comenzará el debate y hablará por unos dos minutos. Cuando el/la profesor/a lo indique, el/la otro/a estudiante tomará la palabra y expresará su opinión por otros dos minutos, y así sucesivamente.

1. La gente joven sabe viajar mejor que los mayores.
2. La mejor época para viajar es el verano.
3. Los políticos deberían viajar frecuentemente a otros países.
4. El presidente de un país debería hablar al menos un idioma.
5. Es mejor viajar solo que acompañado.

61 ¿Qué opinan?

Converse con un/a compañero/a sobre estas situaciones o preguntas.

1. Hablen sobre las ventajas y desventajas de hacer un viaje con un gran presupuesto o con bajo presupuesto.
2. ¿Cuáles cree que son los dos países hispanohablantes más visitados?

62 Presentemos en público

Conteste una de las siguientes preguntas o haga una presentación sobre uno de los temas durante varios minutos en clase. Organice sus ideas antes de hacer la presentación, busque las palabras necesarias y, después de practicar, presente en clase sin mirar las notas.

1. ¿Cree que viajar hace que uno aprecia más su país? ¿Por qué?
2. Si pudiera ser embajador/a de Estados Unidos en algún país hispanohablante, ¿adónde le gustaría ir? ¿Por qué?
3. Va a ser un gran experto sobre un país hispanohablante. Presente el país a sus compañeros. Hable de su historia, sistema político, lugares para visitar, fauna, etc., y prepárese para las preguntas que le harán.
4. Explique cómo los viajes o ideas de los exploradores, inventores, escritores, viajeros o historiadores han tenido un impacto en la vida de los demás.

Consejo
Antes de empezar, lea las pautas para presentaciones formales en la pág. 481 del Apéndice. Mientras formule su presentación tenga presente los objetivos. Cuando termine la presentación, verifique que ha cumplido con todo lo que se describe en la lista y reflexione sobre el trabajo que hizo.

Lección 1A   27

Durante la presentación
1. Haga un esfuerzo por sonar natural y mostrar que domina el tema sobre el que está presentando.
2. Durante la presentación recuerde mirar a su audiencia a los ojos (no mire a sus pies, a su PowerPoint o exclusivamente a una persona).
3. Concéntrese en su acento, sobre todo la pronunciación de las letras *t, s, p, d y r,* y en su entonación.
4. No termine las frases con entonación ascendente.
5. Demuestre que ha trabajado en su presentación y que la ha practicado, pero no suene como un robot que ha memorizado toda la información.

6. No olvide a su público. Si se gana al público, es posible que se le perdonen algunos de los errores.

Share the rubric for oral presentations with students so they understand how you will be grading them (see below).

Rubric for Oral Presentations
Grade each question from 1–5 (5 being the highest, 1 the lowest).
1. ¿Trató todos los objetivos?
2. ¿Hizo la presentación de forma organizada y coherente?
3. ¿Usó el idioma adecuadamente?
4. ¿Tuvo una buena entonación?
5. ¿Fue una presentación creativa?
6. ¿Consiguió captar la atención del público?

Teacher Resources

📄 Activity 18

Instructional Notes

60 Because all students will speak, allow them time to prepare this activity. Be sure to tell students which issue and which side of the issue they will be debating, so that they can do some research and practice before their debate.

After students have debated these issues with a partner, you might want them to continue the debate in small groups, or even have a discussion with the whole class on one or two of these topics.

You might want to display the new vocabulary to make sure students incorporate it into their debates.

61 Encourage students to review the vocabulary, including the expressions, at the end of the lesson in order to enhance their discussions. They need to pay attention to the grammar, pronunciation, and intonation, and use appropriate vocabulary to contradict or agree with their partner's comments. After students discuss these questions with a partner, you could hold a whole-class discussion.

62 Have students brainstorm what it takes to be an effective presenter. Then refer them to the *Pautas para presentaciones formales* on p. 481 to compare their ideas with the ones listed. Also write or state the following guidelines (*Antes y durante una presentación*) so they know what is expected of them. Students should copy this information and refer to it before making presentations in later chapters.

Antes de la presentación
1. Debe estar preparado/a; busque la información necesaria.
2. Practique en casa en voz alta.
3. Tome nota del tiempo que dura su presentación.
4. Asegúrese de que usa la gramática adecuada; debe de escribir su presentación, al igual que lo haría con una en su propio idioma.
5. Busque las palabras que necesite usar en un diccionario (no pregunte estas palabras a su profesor/a en medio de la presentación y no use inglés).
6. Asegúrese de que tiene una introducción y una conclusión (no se apresure en terminar).
7. Para hacer la presentación más interesante, siempre es bueno incluir una pequeña historia o anécdota.

Students work on theme-based projects that synthesize the vocabulary and grammar acquired throughout the lesson

Icon indicates that students will work in groups

Instructional Notes

Give students the following questions before they start the project. These questions will help them understand what is expected of them, and can also guide them in organizing their time and goals more effectively. After they complete their project, they should self-assess their work as a team using the grading system 1–5 (5 being the highest, and 1 the lowest) and write a grade next to each question. After they turn in their work or make their presentation to the class, you will review their project and write your comments and evaluation next to theirs.

Rubric is a guide for grading student projects

Rubric for Projects
1. ¿Tratamos todos los objetivos del proyecto?
2. ¿Se buscó la información debidamente?
3. ¿Fue presentado de forma ordenada y coherente?
4. ¿Cómo presentó cada uno su parte?
5. ¿Cómo fue presentado visualmente?
6. ¿Conseguimos conectar con la audiencia?
7. ¿Hubo algo creativo u original?
8. ¿Cómo fue el uso de la gramática y la ortografía en la parte escrita del proyecto?
9. ¿Cómo fue el uso del vocabulario?
10. ¿Usamos estructuras adecuadas?
11. ¿Cómo fue nuestra entonación?
12. ¿Cómo fue nuestra pronunciación?
13. ¿Cómo presentamos la idea a la audiencia?
14. ¿Cómo conectamos con la audiencia?

Proyectos

63 ¡Manos a la obra!

Trabaje en un grupo de cuatro o cinco estudiantes para llevar a cabo uno de los siguientes proyectos y presentarlo en clase.

1. El ayuntamiento de tu ciudad ha decidido mejorar la imagen de tu ciudad para impulsar el turismo. Va a haber un concurso para decidir a qué compañía le darán el proyecto. Su objetivo es convencer al representante del área de turismo de que su compañía es la mejor para llevar a cabo el proyecto.
   a. Piensen en el nombre de su compañía.
   b. Hablen sobre la experiencia que tiene en este campo y los trabajos anteriores que hicieron.
   c. Presenten los problemas que hay en su ciudad.
   d. Propongan ideas para mejorar la imagen de su ciudad.

2. Les han encargado que trabajen en la sección de viajes del periódico local y les han pedido que escriban sobre un país hispano. Les han dado dos hojas del periódico para hacerlo. Decidan el país y los diferentes temas; por ejemplo, la historia, el ocio, los lugares de interés, y los formatos: la publicidad, las cartas al director, las tiras cómicas. Luego elaboren los artículos.

3. Presenten un país del mundo hispano a la clase. Hablen de su historia, situación geográfica, sistema de gobierno, gastronomía, tradiciones y turismo.

4. Hagan un anuncio para promover el uso del transporte público en su ciudad. Decidan si va a ser un anuncio gráfico, de radio o de televisión.

5. Inventen un producto que haga que los viajes sean más placenteros. Preséntenselo a sus posibles compradores/compañeros. Puede ser un producto realmente interesante o absurdo. En cualquier caso, deben pensar en una buena estrategia para convencer al público.

28   Capítulo 1 • ¡Buen viaje!

SCOPE & SEQUENCE AT A GLANCE · CLASSROOM IN THE · TRANSCRIPTS · AP TESTS

Essential vocabulary from lesson is listed according to part of speech

Verbs shown with corresponding preposition

Practical expressions

Additional vocabulary enrichment

A variety of assessment options are available on ExamView

Vocabulario

Verbos

abrocharse	to fasten
albergar	to house
apetecer	to feel like
arrancar	to pull up/out, start
arrugar(se)	to wrinkle
ascender (ie)	to raise
asegurar	to ensure
caber	to fit
colgar (ue)	to hang (up)
convencer	to convince
desafiar	to challenge
discurrir	to go by (time, life)
encabezar	to lead, head
golpear	to hit
guiar	to guide
influir	to influence, have influence
intentar	to try
lanzar	to throw
lograr	to achieve, obtain
padecer	to suffer
perseguir (i)	to pursue
pretender	to expect, to try
provocar	to cause
rebajar	to lower
recoger	to pick up
recorrer	to travel, go through
reñir (i)	to quarrel
soler (ue)	to be in the habit of
surgir	to come up
volar (ue)	to fly
volver(se) (ue)	to go back, to become

Verbos con preposición

verbo + a:
atreverse a	to dare to
conducir a	to drive to
llegar a	to arrive at
regresar a	to return to

verbo + con:
abrigarse con	to keep warm with
quedar con	to arrange to meet with

verbo + de:
acabar de + infinitivo	to have just finished doing something
alejarse de	to move away from
datar de	to date from
disfrutar (de)	

verbo + en:
alojarse en	to stay in
quedar en + infinitivo	to agree to do something
sentarse (ie) en	to sit down in/on

verbo + por:
conducir por	to drive by
pasar por	to go by

Sustantivos

el	alojamiento	accommodations
el/la	anfitrión/anfitriona	host, hostess
la	arena	sand
el	atasco	bottleneck
el	aterrizaje	landing
la	belleza	beauty
la	bienvenida	welcome
la	calefacción	heat
la	caminata	long walk
el	cariño	affection; *in direct speech:* darling
la	cifra	figure
el	cinturón	seatbelt, belt
la	despedida	good-bye
el	despegue	takeoff
el	destino	destination
el/la	dueño/a	owner
la	edificación	building
el	entorno	environment, surroundings
la	época	period
el	equipaje	luggage
el	guión	script
la	herramienta	tool
el	hogar	home
el	horario	schedule
la	lentitud	slowness
la	llegada	arrival
la	muchedumbre	crowd
la	niebla	fog
la	nube	cloud
la	orilla	shore, riverbank
el	paisaje	landscape, scenery
el	paraíso	paradise
el/la	pariente/a	relative, family member
el	percance	mishap

Teacher Resources

Activities 19–24

Go online
EMCLanguages.net

Additional Activities

Juegos
To practice and reinforce the lesson's vocabulary, have students play any of the following games: *Relevos, Cada uno una,* and *Cadena de palabras.* See pp. TE24 and TE25.

Juegos
To practice the culture topics presented in the lesson, ask students to play *¿Verdadero o falso?* or *¿Quién quiere ser millonario?* See p. TE25.

To review the lesson's vocabulary, have students do *El desafío del minuto* or *Vocabulario.* See pp. TE27 and TE29.

---

la	piedra	stone
el/la	portavoz	spokesperson
la	profundidad	depth
el	promedio	average
el	relato	tale, story
el	reto	challenge
el	rostro	face
la	sabiduría	wisdom
el	salón	living room
el	sello	loneliness; solitude
el	soledad	serenity, peace
el	sosiego	bulletin board
el	tablón de anuncios	season
la	temporada	(one) third
el	tercio	touch
el	toque	traveler
el/la	viajero/a	view
la	vista	widow
la	viuda	

Adjetivos

adinerado, -a	rich
apasionado, -a	enthusiastic
asombroso, -a	amazing, astonishing
aventurero, -a	adventurous
desafiante	challenging
desnivelado, -a	uneven
dispuesto, -a	willing
entusiasmado, -a	excited
espantoso, -a	horrible
estrecho, -a	narrow
estupendo, -a	wonderful
forzado, -a	forced
inolvidable	unforgettable
lujoso, -a	luxurious
mareado, -a	dizzy, seasick
masificado, -a	overcrowded
nocturno, -a	night, nocturnal
peligroso, -a	dangerous
poblado, -a	populated
profundo, -a	deep
rebajado, -a	reduced
reciente	recent
rodeado, -a	surrounded
sencillo, -a	simple

silvestre	wild
último, -a	last

Adverbios

a menudo	often
demasiado	too, too much
lógicamente	logically
rara vez	rarely, not usually
temprano	early

Expresiones

a las afueras de	in the outskirts of
a lo largo de	along, through
(acomodarse) a sus anchas	(to make oneself) at home
con retraso	delayed
dar la bienvenida	to welcome
dar pánico	to get scared by smthg
dar saltos	to jump
de primeras, en principio	at first
estar al alcance de	to be reachable, obtainable
estar al tanto de	to be up-to-date
estar dispuesto a	to be willing to
(la) falta de	(the) lack of
hacer cola	to wait in line
(la) hora de vuelo	flight time
lo primero que	the first (thing) that
muchas gracias de antemano	to thank beforehand
no perder de ojo/vista	not to lose sight of
para todos los gustos	for all tastes
¡Qué va!	No way!
(la) reserva de plaza	reservation
(el) siguiente paso	(the) next step
tener falta de sueño	to be deprived of sleep
tener m...	
tres cua...	

Lección 1A   29

A tener en cuenta

Formación de sustantivos

Algunos nombres se forman con el participio de un verbo:
comer, la comida; entrar, la entrada
ir, la ida; llegar, la llegada
mirar, la mirada; salir, la salida
volver, la vuelta

Sustantivos femeninos:
-dad: la ciudad, la soledad
-ión: la excursión, la impresión
-tad: la dificultad, la facultad
-umbre: la costumbre, la muchedumbre
las islas: las Baleares, las Malvinas
las letras del abecedario: la *a*, la *b*, la *c*, la *d*,...

Sustantivos masculinos:
-aje: el equipaje, el pasaje
-án: el holgazán, el huracán
los colores: el azul, el gris, el morado
los números: el uno, el veintitrés
los días y meses: el lunes, el último octubre
los árboles: el manzano, el naranjo
los lagos, océanos, ríos, mares y montañas: el Amazonas, los Andes, el Everest
algunos que terminan en -*ma*: el clima, el dilema, el idioma
nombres compuestos: el abrelatas, el paraguas, el rascacielos

Teacher Resources

EXAMVIEW
ASSESSMENT SUITE

See ExamView for assessment options.

30   Capítulo 1 • ¡Buen viaje!

Lección 1A   31

30

31

TE18

Guidelines for written or oral presentations

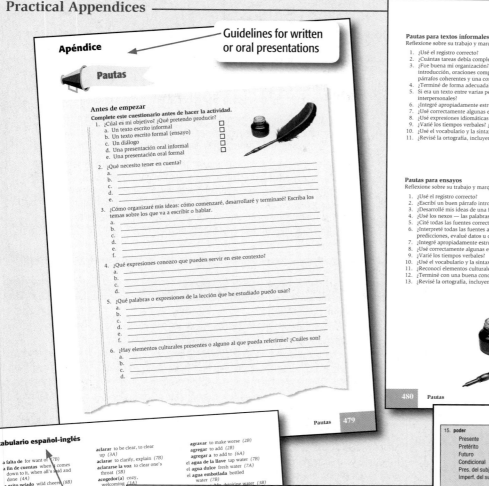

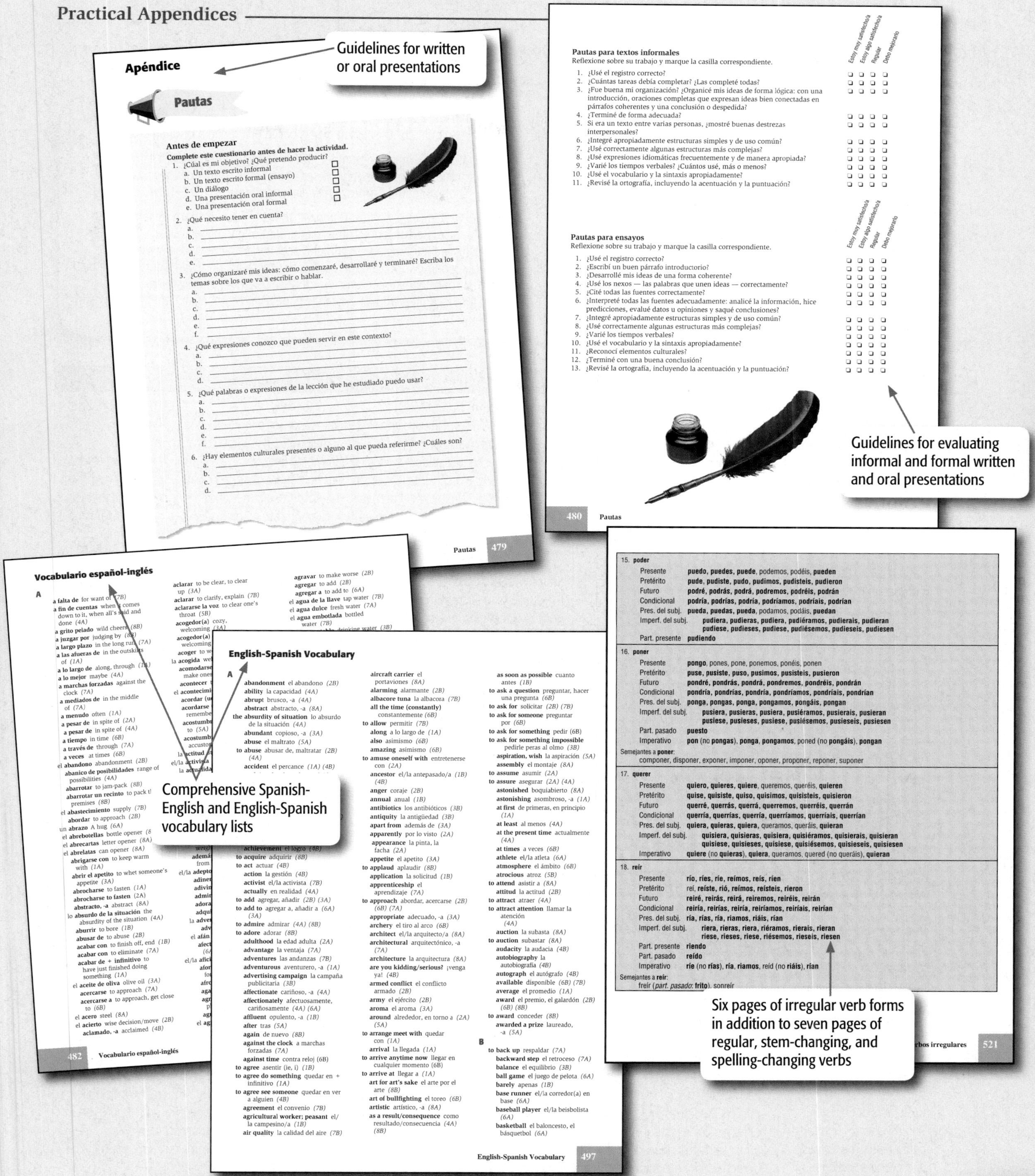

Apéndice

Pautas

Antes de empezar
Complete este cuestionario antes de hacer la actividad.

1. ¿Cuál es mi objetivo? ¿Qué pretendo producir?
   a. Un texto escrito informal
   b. Un texto escrito formal (ensayo)
   c. Un diálogo
   d. Una presentación oral informal
   e. Una presentación oral formal

2. ¿Qué necesito tener en cuenta?
   a. _____
   b. _____
   c. _____
   d. _____

3. ¿Cómo organizaré mis ideas: cómo comenzaré, desarrollaré y terminaré? Escriba los temas sobre los que va a escribir o hablar.
   a. _____
   b. _____
   c. _____
   d. _____
   e. _____
   f. _____

4. ¿Qué expresiones conozco que pueden servir en este contexto?
   a. _____
   b. _____
   c. _____
   d. _____

5. ¿Qué palabras o expresiones de la lección que he estudiado puedo usar?
   a. _____
   b. _____
   c. _____
   d. _____
   e. _____
   f. _____

6. ¿Hay elementos culturales presentes o alguno al que pueda referirme? ¿Cuáles son?
   a. _____
   b. _____
   c. _____
   d. _____

Pautas 479

Pautas para textos informales
Reflexione sobre su trabajo y marque la casilla correspondiente.

1. ¿Usé el registro correcto?
2. ¿Cuántas tareas debía completar? ¿Las completé todas?
3. ¿Fue buena mi organización? ¿Organicé mis ideas de forma lógica: con una introducción, oraciones completas que expresan ideas bien conectadas en párrafos coherentes y una conclusión o despedida?
4. ¿Terminé de forma adecuada?
5. Si era un texto entre varias personas, ¿mostré buenas destrezas interpersonales?
6. ¿Integré apropiadamente estructuras simples y de uso común?
7. ¿Usé correctamente algunas estructuras más complejas?
8. ¿Usé expresiones idiomáticas frecuentemente y de manera apropiada?
9. ¿Varié los tiempos verbales? ¿Cuántos usé, más o menos?
10. ¿Usé el vocabulario y la sintaxis apropiadamente?
11. ¿Revisé la ortografía, incluyendo la acentuación y la puntuación?

Pautas para ensayos
Reflexione sobre su trabajo y marque la casilla correspondiente.

1. ¿Usé el registro correcto?
2. ¿Escribí un buen párrafo introductorio?
3. ¿Desarrollé mis ideas de una forma coherente?
4. ¿Usé los nexos — las palabras que unen ideas — correctamente?
5. ¿Cité todas las fuentes correctamente?
6. ¿Interpreté todas las fuentes adecuadamente: analicé la información, hice predicciones, evalué datos u opiniones y saqué conclusiones?
7. ¿Integré apropiadamente estructuras simples y de uso común?
8. ¿Usé correctamente algunas estructuras más complejas?
9. ¿Varié los tiempos verbales?
10. ¿Usé el vocabulario y la sintaxis apropiadamente?
11. ¿Reconocí elementos culturales?
12. ¿Terminé con una buena conclusión?
13. ¿Revisé la ortografía, incluyendo la acentuación y la puntuación?

480 Pautas

Guidelines for evaluating informal and formal written and oral presentations

---

Vocabulario español-inglés

A
a falta de for want of (7B)
a fin de cuentas when it comes down to it, when all's said and done (4A)
a grito pelado wild cheers (8B)
a juzgar por judging by (8A)
a largo plazo in the long run (7A)
a las afueras de in the outskirts of (1A)
a lo largo de along, through (1A)
a lo mejor maybe (4A)
a marchas forzadas against the clock (7A)
a mediados de in the middle of (7A)
a menudo often (1A)
a pesar de in spite of (2A)
a pesar de in spite of (4A)
a tiempo in time (3A)
a través de through (7A)
a veces at times (6B)
el abandono abandonment (2B)
abanico de posibilidades range of possibilities (4A)
abarrotar to jam-pack (8B)
abarrotar un recinto to pack the premises (8B)
el abastecimiento supply (7B)
abordar to approach (2B)
un abrazo A hug (4A)
el abrebotellas bottle opener (8A)
el abrecartas letter opener (8A)
el abrelatas can opener (8A)
abrigarse con to keep warm with (1A)
abrir el apetito to whet someone's appetite (3A)
abrocharse to fasten (1A)
abrocharse to fasten (2A)
abstracto, -a abstract (8A)
lo absurdo de la situación the absurdity of the situation (4A)
aburrir to bore (1B)
abusar de to abuse (2B)
acabar con to finish off, end (1B)
acabar con to eliminate (7A)
acabar de + infinitivo to have just finished doing something (1A)
el aceite de oliva olive oil (3A)
acercarse to approach (1A)
acercarse a to approach, get close to (6B)
el acero steel (3A)
el acierto wise decision/move (2B)
aclamado, -a acclaimed (4B)

aclarar to be clear, to clear up (3A)
aclarar to clarify, explain (7B)
aclararse la voz to clear one's throat (5B)
acogedor, -a cozy, welcoming (3A)
acogedor(a) welcoming
acoger to we...
la acogida we...
acomodarse
acontecer to...
el acontecimi...
acordar (u...
acordarse
remembe...
acostumbr...
to (5A)
acostumb...
accustom...
la actitud a...
el/la activis...
la actividad

agravar to make worse (2B)
agregar to add (2B)
agregar a to add to (6A)
el agua de la llave tap water (7B)
el agua dulce fresh water (7A)
el agua embotellada bottled water (7B)
...a drinking water (3B)

Comprehensive Spanish-English and English-Spanish vocabulary lists

482 Vocabulario español-inglés

English-Spanish Vocabulary

A
abandonment el abandono (2B)
ability la capacidad (4A)
abrupt brusco, -a (4A)
abstract abstracto, -a (8A)
the absurdity of situation lo absurdo de la situación (4A)
abundant copioso, -a (3A)
abuse el maltrato (5A)
to abuse abusar de, maltratar (2B) (4A)
accident el percance (1A) (4B)
achievement el logro (4B)
to acquire adquirir (7A)
to act actuar (4B)
action la gestión (4B)
activist el/la activista (1B)
actually en realidad (4A)
to add agregar, añadir (2B) (3A)
to add to agregar a, añadir a (6A) (3A)
to admire admirar (4A) (8B)
to adore adorar (8B)
adulthood la edad adulta (2A)
advantage la ventaja (4A)
adventures las andanzas (7B)
adventurous aventurero, -a (1A)
advertising campaign la campaña publicitaria (3B)
affectionate cariñoso, -a (1A)
affectionately afectuosamente, cariñosamente (4A) (6A)
affluent opulento, -a (1B)
after tras (5A)
again de nuevo (8B)
against the clock a marchas forzadas (7A)
against time contra reloj (6B)
to agree asentir (ie, i) (1B)
to agree do something quedar en + infinitivo (1A)
to agree see someone quedar en ver a alguien (4B)
agreement el convenio (7B)
agricultural worker; peasant el/la campesino/a (1B)
air quality la calidad del aire (7B)

aircraft carrier el portaviones (8A)
alarming alarmante (2B)
albacore tuna la albacora (7B)
all the time (constantly) constantemente (6B)
to allow permitir (7B)
along a lo largo de (1A)
also asimismo (6B)
amazing asimismo (6B)
to amuse oneself with entretenerse con (2A)
ancestor el/la antepasado/a (1B)
anger coraje (2B)
annual anual (1B)
antibiotics los antibióticos (3B)
antiquity la antigüedad (3B)
apart from además de (3A)
apparently por lo visto (2A)
appearance la pinta, la facha (2A)
appetite el apetito (3A)
to applaud aplaudir (8B)
application la solicitud (1B)
apprenticeship el aprendizaje (7A)
to approach abordar, acercarse (2B) (6B) (7A)
appropriate adecuado, -a (3A)
archery el tiro al arco (6B)
architect el/la arquitecto/a (8A)
architectural arquitectónico, -a (7A)
architecture la arquitectura (8A)
are you kidding/serious? ¡venga ya! (4B)
armed conflict el conflicto armado (2B)
army el ejército (2B)
aroma el aroma (3A)
around alrededor, en torno a (2A) (5A)
to arrange meet with quedar con (1A)
arrival la llegada (1A)
to arrive anytime now llegar en cualquier momento (6B)
to arrive at llegar a (1A)
art for art's sake el arte por el arte (8B)
art of bullfighting el toreo (6B)
artistic artístico, -a (8A)
as a result/consequence como resultado/consecuencia (4A) (8B)

as soon as possible cuanto antes (1B)
to ask a question preguntar, hacer una pregunta (6B)
to ask for solicitar (2B) (7B)
to ask for someone preguntar por (6B)
to ask for something pedir (6B)
to ask for something impossible pedirle peras al olmo (3B)
aspiration, wish la aspiración (5A)
assembly el montaje (8A)
to assume asumir (2A)
to assure asegurar (2A) (4A)
astonished boquiabierto (8A)
astonishing asombroso, -a (1A)
at first de primeras, en principio (1A)
at least al menos (1A)
at the present time actualmente (4A)
at times a veces (6B)
athlete el/la atleta (6A)
atmosphere el ámbito (6B)
atrocious atroz (5B)
to attend asistir a (8A)
attitud la actitud (2B)
to attract atraer (4A)
to attract attention llamar la atención (4A)
auction la subasta (8A)
to auction subastar (8A)
audacity la audacia (4B)
autobiography la autobiografía (4B)
autograph el autógrafo (8B)
available disponible (6B) (7B)
average el promedio (2A)
award el premio, el galardón (6B) (8B)
to award conceder (8B)
awarded a prize laureado, -a (5A)

B
to back up respaldar (7A)
backward step el retroceso (7A)
balance el equilibrio (3B)
ball game el juego de pelota (6A)
barely apenas (1B)
base runner el/la corredor(a) en base (6A)
baseball player el/la beisbolista (6A)
basketball el baloncesto, el básquetbol (6A)

English-Spanish Vocabulary 497

---

15. poder
Presente	**puedo, puedes, puede**, podemos, podéis, **pueden**
Pretérito	**pude, pudiste, pudo, pudimos, pudisteis, pudieron**
Futuro	**podré, podrás, podrá, podremos, podréis, podrán**
Condicional	**podría, podrías, podría, podríamos, podríais, podrían**
Pres. del subj.	**pueda, puedas, pueda**, podamos, podáis, **puedan**
Imperf. del subj.	**pudiera, pudieras, pudiera, pudiéramos, pudierais, pudieran pudiese, pudieses, pudiese, pudiésemos, pudieseis, pudiesen**
Part. presente	**pudiendo**

16. poner
Presente	**pongo**, pones, pone, ponemos, ponéis, ponen
Pretérito	**puse, pusiste, puso, pusimos, pusisteis, pusieron**
Futuro	**pondré, pondrás, pondrá, pondremos, pondréis, pondrán**
Condicional	**pondría, pondrías, pondría, pondríamos, pondríais, pondrían**
Pres. del subj.	**ponga, pongas, ponga, pongamos, pongáis, pongan**
Imperf. del subj.	**pusiera, pusieras, pusiera, pusiéramos, pusierais, pusieran pusiese, pusieses, pusiese, pusiésemos, pusieseis, pusiesen**
Part. pasado	**puesto**
Imperativo	**pon** (no **pongas**), **ponga, pongamos**, poned (no **pongáis**), **pongan**

Semejantes a **poner**:
componer, disponer, exponer, imponer, oponer, proponer, reponer, suponer

17. querer
Presente	**quiero, quieres, quiere**, queremos, queréis, **quieren**
Pretérito	**quise, quisiste, quiso, quisimos, quisisteis, quisieron**
Futuro	**querré, querrás, querrá, querremos, querréis, querrán**
Condicional	**querría, querrías, querría, querríamos, querríais, querrían**
Pres. del subj.	**quiera, quieras, quiera**, queramos, queráis, **quieran**
Imperf. del subj.	**quisiera, quisieras, quisiera, quisiéramos, quisierais, quisieran quisiese, quisieses, quisiese, quisiésemos, quisieseis, quisiesen**
Imperativo	**quiere** (no **quieras**), **quiera**, queramos, quered (no queráis), **quieran**

18. reír
Presente	**río, ríes, ríe, reímos, reís, ríen**
Pretérito	**reí, reíste, rió, reímos, reísteis, rieron**
Futuro	**reiré, reirás, reirá, reiremos, reiréis, reirán**
Condicional	**reiría, reirías, reiría, reiríamos, reiríais, reirían**
Pres. del subj.	**ría, rías, ría, riamos, riáis, rían**
Imperf. del subj.	**riera, rieras, riera, riéramos, rierais, rieran riese, rieses, riese, riésemos, rieseis, riesen**
Part. presente	**riendo**
Part. pasado	**reído**
Imperativo	**ríe** (no **rías**), **ría**, riamos, reíd (no **riáis**), **rían**

Semejantes a **reír**:
freír (part. pasado: **frito**), sonreír

Verbos irregulares 521

Six pages of irregular verb forms in addition to seven pages of regular, stem-changing, and spelling-changing verbs

Sample Lesson Plan

iA toda vela! allows you to **focus** on your instructional goals with a **flexible** and **fun** program.

Notes

- The authors recommend that you spend approximately 10 days presenting each of the 16 lessons (8 divided chapters) of *iA toda vela!* The remaining days of the school year can provide extended time for testing, projects, and presentations. Because each lesson is packed with culture and exercises that practice and integrate reading, writing, listening, and speaking, no matter what you choose to include in your lessons, your students will become confident and proficient communicators.

- This general lesson plan, based on a 45-minute class, can be used for both Lesson A and B. It is meant to be a general reference, so you can adapt it to your students' specific needs. Because *iA toda vela!* offers so much material, you might not use every activity in each lesson. Choose what you want to present to your students, depending on what is appropriate according to the level, ability,

- and prior knowledge of your students. The sample lesson is just a guideline of what you could do. This lesson plan is based on Lesson A of Chapter 1.

- Consult the ATE margins for other ideas, including the suggested games and activities, to enhance your presentation of the lesson, or use any of the suggestions from the Games and Activities section, pp. TE24–TE29.

- The *Citas, Refranes, Dichos, Compare* and *Datos curiosos* are versatile. They can be discussed at various times: at the start or end of each class, while other students are finishing an assignment, or as a warm-up exercise while you are checking homework. Students can discuss these features with a partner, in small groups, or with the entire class, or express their thoughts in writing. Students can turn in written work or exchange papers with another student for review and editing.

Day 1 — Introduction to lesson topics

- As a homework assignment from the previous day, ask students to review the photos on the chapter and lesson openers and make a list of words and expressions that come to mind.
- The photos on the chapter and lesson openers set the tone for the communication and culture objectives. Use these visuals to introduce pertinent information and enable discussions that will allow students to draw conclusions, seek out similarities and differences, and share prior knowledge. Also ask the students to review the questions from Activity 1, making notes of their answers and the answers of classmates, looking up new words to include in their responses.

Talk about the photos and answer questions (5 minutes)
- Refer to questions that appear in the ATE to begin a discussion that frames the chapter and lesson content. Students should be prepared to tell a story based on each photo. They should respond to the questions such as: Who appears in the photo? Where was the photo taken? What is each person in the photo doing? Why is this person's action significant? What might happen next? Encourage students to use their imagination and go beyond what they see.
- Direct students to talk about what they see and think based on the photos. Inspired by the photographs, students can discuss and share related traditions, cultural facts, news events, and personal experiences.

Discuss questions (10 minutes)
- Students should work in pairs and share their responses orally to the ten questions from Activity 1 without looking at their notes. It is a good idea to use a timer so that students can keep track of the time.
- Ask students to work in small groups or have the entire class participate in a discussion. Students may prepare a notecard to help them use appropriate vocabulary and to remember what they are going to say.
- You may ask students to improvise their answers or speak for one minute answering just one of the questions.

Share with the class (5 minutes)
Ask students to share with the large group what they discussed in smaller groups. Write appropriate vocabulary on the board and suggest that students include these words in their notebooks.

Prepare *mini-diálogo* (7 minutes)
Students should read and prepare one side of the mini-dialogue and then practice it with a partner who has prepared the other half.

Present *mini-diálogo* (12 minutes)
Pairs of students present their dialogues. Elicit student comments and suggestions after each presentation. Add your own comments as needed.

Cita, Dato curioso, Compare* and *Nota cultural (4 minutes)
Present and discuss these elements. Share the *Nota cultural* with students.

Homework and Wrap-up (2 minutes)
- For homework, assign exercises related to vocabulary and grammar in the workbook. If time allows, students may begin their assignment.
- Go over what has been discussed in class. Use suggestions from the Games and Activities section.

Day 2 — Lesson-related vocabulary and intuitive grammar

Warm-up (3 minutes)
Review any new vocabulary from the previous day using flash cards, Power-Point, a game or activity.

Correct homework (10 minutes)
Check exercises and review new vocabulary with students by defining terms in Spanish, or English, using synonyms or through pantomime. The Games and Activities section provides additional ideas.

Vocabulary and grammar in context (20 minutes)
- In pairs, ask students to complete Reading Activity 3 and then complete the related vocabulary exercise, Activity 4.
- Ask students to record the words in blue and red, as well as any others they need to review from the readings, and to add new vocabulary words as they work in each section of the lesson, adding English translations as needed. Encourage students to use these words when doing the activities later in the lesson.
- Direct students to complete Activities 5–7 that relate to the first reading.
- In Activity 5, students will create their own summary of the present tense, and of other grammar points in subsequent activities. In grammar exercises like this one that appear in each lesson, students should seek more information about any aspects that they found difficult. Students should answer all questions in Spanish even if they find the task challenging. Offer guidance and support as students recall what they already know and prepare a base for future lessons. If needed, review the list of grammar terms in Spanish on p. TE29.

Correct activity (10 minutes)
Review Activities 4–7. Add or explain grammatical points or concepts as needed.

Homework and Wrap-up (2 minutes)
- For homework, assign exercises related to vocabulary and grammar objectives from the workbook.
- To deepen reading comprehension, ask students to write original sentences with the new words from the lesson, find synonyms or similar expressions for them in Spanish, or even create a crossword puzzle using the new vocabulary presented in the reading selections.
- Play the game suggested in the ATE.

Lesson-related vocabulary and intuitive grammar

Day 3

Warm-up (2–3 minutes)
Review previously-taught grammar and vocabulary topics.

Correct homework (5 minutes)
Review grammar and vocabulary material.

Activity completion (20 minutes)
- Ask students to read Activity 8. Complete any or all of Activities 9–13. Review some of these exercises in class, correcting and offering explanations as needed.
- Assign Activities 14–17.

Assessment (15 minutes)
Administer a lesson quiz.

Homework and Wrap-up (3–4 minutes)
- Introduce students to the *Idioma* section by assigning Activities 18 and 19 for homework.
- Invite students to play one of the suggested games.

Language

Day 4

Warm-up (3 minutes)
Review applicable grammar and vocabulary material.

Correct homework (8–10 minutes)
Correct Activities 18 and 19.

Activity completion (30 minutes)
- Assign and check Activities 20 and 21. Assign Activities 22–24.
- Ask students to figure out the meaning of the highlighted words in the reading by using context clues and cognates. If this strategy does not work, they should look up new words in a dictionary, and write their meanings or translations in their notebooks.
- Remind students that skimming is another effective reading strategy.

Homework and Wrap-up (2–4 minutes)
Ask students to complete applicable activities in the workbook for homework.
Suggest that students play "Una noche en Toledo."

Day 5

Warm-up (3 minutes)
Review previously-taught grammar and vocabulary topics.

Correct homework (10 minutes)
Correct homework and review vocabulary and grammar topics.

Activity completion (30 minutes)
Ask students to complete any or all of Activities 25–29. Review some of these exercises in class, correcting and offering explanations as needed.

Homework and Wrap-up (2 minutes)
- Assign Activity 30 and suggested workbook activities as homework.
- Ask students to play one of the two games suggested in the ATE.

Reading

Day 6

Warm-up (3 minutes)
Review previously-taught grammar and vocabulary topics.

Correct homework (10 minutes)
Correct homework.

Activity completion (30 minutes)
Assign any or all of Activities 31–37. Review some of these exercises in class, correcting and offering explanations as needed.

Homework and Wrap-up (2 minutes)
Assign activities in the workbook.

Day 7

Warm-up (5 minutes)
Ask students to discuss Activity 38 with partners, in small groups, or as a whole class.

Activity completion (35 minutes)
Ask students to complete any or all of Activities 39–51. Review some of these exercises in class, correcting and offering explanations as needed.

Homework and Wrap-up (5 minutes)
- Assign related activities in the workbook.
- Ask students to present one of the additional activities cited in the ATE. To review, ask students to play a game or complete an activity from the Game and Activities section pp. TE24–TE29.

Listening and Writing

Day 8

Warm-up (2–3 minutes)
Review new vocabulary that appears in Activity 51 with students before listening to it.

Activity completion (40 minutes)
- Ask students to complete Listening Activities 52–54.
- Ask students to write their responses to *Participe en una conversación*.
- Direct students to complete Informal Writing Activities 55 and 56.

Homework and Wrap-up (2–3 minutes)
- Assign related activities in the workbook.
- Ask students to prepare their assigned debate questions for Activity 60 as well as their answers or presentations for Activity 62.
- Assign Formal Writing Activities 57 and/or 58 as homework.

Writing and Speaking

Day 9

Activity completion (43 minutes)
- Ask students to exchange their essays with a partner.
- Direct students to present speaking activities 60-62.

Homework and Wrap-up (2 minutes)
Assign applicable activities from the workbook.

Projects and Assessment

Day 10

Projects (10–15 minutes)
Direct students to present their projects.

Assessment (30 minutes)
Administer lesson test.

Homework (2 minutes)
Assign workbook activities.

The National Standards and Philosophy behind *¡A toda vela!*

Correlations with standards and extensive research create the framework for *¡A toda vela!*

National Standards for Learning Spanish

The *Goals 2000: Educate America Act* of 1994 provided funding for improving education. One result of this funding was the establishment of content standards in foreign-language education as determined by a K–12 Student Standards Task Force. In 1996, the task force defined a national framework of content standards in foreign-language education. The new framework, revised and expanded in 1999, *Standards for Foreign Language Learning in the 21st Century including Chinese, Classical Languages, French, German, Italian, Japanese, Portuguese, Russian, and Spanish,* includes information about standards application in specific languages. Following are the main points of the National Standards as applied to Spanish. More information can be found at *www.actfl.org.*

Communication — Goal 1

Communicate in Spanish

Standard 1.1 Students engage in conversations, provide and obtain information, express feelings and emotions, and exchange opinions.

Standard 1.2 Students understand and interpret spoken and written Spanish on a variety of topics.

Standard 1.3 Students present information, concepts, and ideas in Spanish to an audience of listeners or readers on a variety of topics.

Cultures — Goal 2

Gain Knowledge and Understanding of the Cultures of the World

Standard 2.1 Students demonstrate an understanding of the relationship between the practices and perspectives of Hispanic cultures.

Standard 2.2 Students demonstrate an understanding of the relationship between the products and perspectives of Hispanic cultures.

Connections — Goal 3

Connect with Other Disciplines and Acquire Information

Standard 3.1 Students reinforce and further their knowledge of other disciplines through Spanish.

Standard 3.2 Students acquire information and recognize the distinctive viewpoints that are only available through the Spanish language and its cultures.

Comparisons — Goal 4

Develop Insight into the Nature of Language and Culture

Standard 4.1 Students demonstrate understanding of the nature of language through comparisons between Spanish and English.

Standard 4.2 Students demonstrate understanding of the concept of culture through comparisons between Hispanic cultures and their own.

Communities — Goal 5

Participate in Communities at Home and around the World

Standard 5.1 Students use Spanish both within and beyond the school setting.

Standard 5.2 Students show evidence of becoming lifelong learners by using Spanish for personal enjoyment and enrichment.

Performance Assessment

The numerous communicative performance assessments in each lesson provide abundant opportunities to practice and to gradually achieve significant success with integrated skills and tasks and additional assessment in the same or familiar formats. The supplementary activities in the workbook and the accompanying audio recordings, on the Web page, and on the quizzes and tests offer ample practice to succeed with confidence.

Cross-curricular Learning

There is a powerful connection between the authentic source articles in Spanish and many other academic disciplines and life skills. Students can understand and enjoy the real-life application of the synthesized information from the articles and relate it to art, geography, history, current events, literature, music, film, dance, social studies, sociology, psychology, ecology, and contemporary culture.

The Multiple Intelligences

Howard Gardner's theory of multiple intelligences suggests that people have different abilities in many different areas of thought and learning, and that these varying abilities affect their interests and how quickly they assimilate new information and skills.

¡A toda vela! has utilized Gardner's research to provide teachers with a plethora of learning activities. By using the wide variety of materials that complement *¡A toda vela!*, teachers can create innovative lessons that address diverse learning styles so that each student can maximize his or her individual potential.

The general characteristics associated with each of these eight identified intelligences are described below.

 • **Bodily-Kinesthetic:** These students learn best by doing what they enjoy. They learn through movement and touch, and express their thoughts with body movement. They are good with hands-on activities, such as woodworking, dancing, athletics, and crafts.

 • **Interpersonal:** These students are natural leaders who communicate well, empathize with others, and often know what someone is thinking or feeling without having to hear the person speak.

 • **Intrapersonal:** People with intrapersonal intelligence may appear to be shy but are self-motivated and aware of their own thoughts and feelings about a given subject.

 • **Linguistic:** This type of student demonstrates a strong appreciation for, and fascination with, words and language. These students enjoy writing, reading, word searches, crossword puzzles, and storytelling.

 • **Logical-Mathematical:** This type of student likes establishing patterns and categorizing words and symbols. Students with logical-mathematical intelligence enjoy mathematics, experiments, and games that involve strategy or rational thought.

 • **Musical:** These students can be observed singing or tapping out a tune on a desk or other object. Students who demonstrate musical intelligence are discriminating listeners who catch what is said the first time.

 • **Naturalist:** Students with naturalist intelligence might have a special ability to observe, understand, and apply learning to the natural environment.

 • **Spatial (Visual):** These students think in pictures and can conceptualize well. They often like complicated puzzles, drawing, and constructing.

Games and Activities

Reinforce, review, and practice grammar, vocabulary, and culture.

> The following games and activities can be used at several points throughout the chapters. Although suggestions for using them are given on specific pages of this Annotated Teacher's Edition, you may use them at any time to reinforce and review grammar, vocabulary, or culture topics, or to give students more practice with reading, writing, listening, and speaking skills.

Juegos

Aplausos o chasquidos

Before class prep: Prepare a short paragraph in Spanish that uses two different tenses or moods that you would like students to practice (for example, the preterite and imperfect, or the indicative and subjunctive moods).

Tell students that you are going to read a paragraph, but without saying certain verb tenses or moods. You will only tell them the infinitive, and they will need to figure out the correct tense or mood, by either applauding for one or snapping their fingers for the other. You might say something like this: *Voy a leerles un texto, pero sin decir el tiempo (el modo) de algunos verbos. Uds. van a escucharme y, cuando haga una pausa, les voy a decir el verbo en el infinitivo. Uds. deben aplaudir si creen que el verbo va en pretérito (indicativo) o hacer un chasquido con los dedos si creen que debe ir en imperfecto (subjuntivo).*

If you want a less noisy version of this game, have students either raise their hands or put one hand on their foreheads to indicate the tenses or moods. You can also ask them to show different-colored cards, depending on the tense or mood.

Cada uno una

Five minutes before the class ends, ask each student to stand up and say one word or expression from the lesson. The next student should translate that word into English and say another word in Spanish. Words and expressions cannot be repeated. If a student repeats a word, students will need to start from the beginning again.

Variation: Play as above, but students who repeat a word, or give the wrong translation, are out of the game. Continue playing until all students have had a chance to say a word and the winner/s is/are the last one/s standing.

Cadena de palabras

Ask a student to cite a word from the lesson. Then the next student cites another word (also from the lesson or related to it) that starts with the last letter of the previous word. If the student cannot say one, he or she is out. The game continues until all students have had a chance to say a word, or until there is only one player left.

Dibuje, defina o gesticule

Before class prep: Prepare slips of paper with the relevant vocabulary, conjugated verbs, or short sentences that you want students to practice and place them in a bag. If you choose to play this game with two teams, you will need to prepare duplicate slips of paper with these expressions and place them in two separate bags.

To review vocabulary and grammar, have students pick one of the words, verbs, or short sentences from a bag. Then give students a piece of paper and ask them to either draw or describe in Spanish what they have chosen, or to describe these words or sentences with gestures. The rest of the class must guess the word.

Variation: You may also want to divide the class into two teams. Both teams play simultaneously; taking turns, each team member picks a word or short sentence from his or her team's word bag and draws or describes it for the team. The team that correctly guesses the most words in a given time is the winner.

Hablar hasta por los codos

Divide the class into two teams. Tell students that each team member will need to speak for a minute on any give topic. You might want to do a coin toss to see which team goes first. If a player stops talking, or starts repeating information, he or she is out of the game and the other team takes a turn. However, if the player talks for a minute, his or her team continues playing. The winning team is determined by the higher number of players left after you call time.

¡Háganlo!

Ask the class to do the things you tell them to do. You can practice just commands, or commands that use adjectives, or lesson-related vocabulary. For example:

Just commands: suban los brazos, tóquense el codo, levántense

Commands with adjectives: toquen algo blanco, agarren algo suave, pongan un dedo sobre algo de madera

Commands with lesson-related vocabulary (food): pongan el mantel, frían unos huevos, hagan unas galletas

Variation: You can also write similar commands to one student at a time, have the student pantomime them, and then ask the others to guess what these commands are.

Historias en cadena

Start a story by telling students the first couple of sentences to set the tone, and ask them to continue by writing the story using the grammar that you would like to review. Remind students to also use transitional words, vocabulary from the lesson, and any other appropriate grammar or cultural information.

Variation: You might start reading from the beginning of a real article or short story that students will be reading later in class. The students can continue the story by making predictions of what they think will happen. Later, as they read the article or story, they can compare it to their versions and see if any of their predictions were true.

El juego de la alarma

This is a fun and quick way to review vocabulary or grammar. Have the whole class stand up and form a circle to play. Place a timer with a very loud ring in a bag and ask students to take turns passing the bag and holding it as they say any word from a list you would like to review, a conjugated verb from the lesson, or a comment about an article they have read in class. Should the alarm go off while a student is left "holding the bag," that student is out.

Lo tengo en la punta de la lengua

One student defines a word, and another must guess what it is. Then that student defines a new word, and another student must guess it. The game continues until all students have had a chance to define or guess a word.

¿Quién quiere ser millonario?

Ask students to write questions similar to the ones asked on the popular game show, using the new vocabulary. Then put their questions in bags, according to their monetary value. Draw a pyramid that shows increasing amounts of pesos, euros, or any other currency from a Spanish-speaking country (from 100 to a million) and see how long it takes someone to win the top prize. Students won't have any "lifelines" in this version. If they miss a question, they're out. You might also assign the questions for homework, making sure that students assess a monetary value to each one.

Relevos

Divide the class into two teams. Give a marker to one student on each team. Write or say the names of the sections or readings that you want to review, and ask students to take turns writing as many words related to these sections as they can within a given period of time. After a student writes a word, he or she passes the marker on to the next team member. You might also use this to review verb tenses or any other grammar issue.

Trivia

Ask students to come up with questions (and answers) related to any of the culture, grammar, or vocabulary covered in the lesson. Students can write them on slips of paper and turn them in, or e-mail them to you. You might want to review their answers. At the end of each lesson, students compete against each other by answering questions you pose to them.

¿Verdadero o falso?

Ask students to work in small groups and research some interesting facts about a country or culture topic. Then ask them to write four sentences that describe the subject matter, making sure that one of the sentences is false. When they read their sentences aloud, the other students have to identify the false statement and, wherever possible, correct it or explain why they think it is wrong.

Voluntario, derecha e izquierda

This game helps students practice the words in *Familia de palabras*. Tell students that you will say a verb from the word family table in English. A volunteer will translate the verb into Spanish. Then the student to the volunteer's right will say the corresponding Spanish noun and the student to the volunteer's left, the Spanish adjective. Repeat until students have practiced all the words in the table.

¡A escribir juntos!

Establish a situation, and explain that the students are all going to contribute to a message that you or a volunteer will start. You could write something on the board to show what type of message it will be; for example, an e-mail, a postcard, or a diary entry. Each student will come to the board to complete the message, and everyone will help to make sure that it is correct. Don't discuss the content until the very end, and then encourage a whole-class discussion.

A escribir por quince minutos

Tell students that they cannot talk with each other for 15 minutes, but written messages about the topic selected are allowed. Ask them to have several pieces of paper available so they can pass their messages along to their classmates. Make sure that everyone is involved. You could have students write messages about a literature selection, the weather, a film, the events of the day, some news, plans for the weekend, or anything that is related to the lesson. Encourage students to use the grammar points and new vocabulary from the lesson.

Amnesia

Before class prep: Determine who the "victim" is going to be and bring in some items from home to help establish the person's identity, including objects that give clues to the person's interests, job or student status, age, and personality. Place the items in a bag or backpack.

Tell students that someone has suffered a bump on the head and now has amnesia. To help this person figure out his or her identify, students need to be detectives and analyze the contents of the victim's backpack. Start pulling out items from the bag (or backpack). As students try to unravel the puzzle, encourage them to use the vocabulary and/or grammar presented in the lesson.

Canción

Find a song that uses commands, subjunctive forms, or any other structure or vocabulary that you would like to review. A good example is "La tortura" by Shakira. You can leave out some words and ask students to supply them, or give them a word bank with possible choices.

¿Cómo están relacionados?

Before class prep: To do the following activity, bring in some photos or pictures from magazines that show various people, animals, places, or things.

Show two apparently unrelated photographs to students and ask them how they are connected. For example, you might want to show a picture of yourself and one of an elected official, and perhaps a baby and a kitten. Assure them that there are no right or wrong answers. You can make this a whole-class or small-group activity. It is a good way to have them think about similarities and differences and to recycle vocabulary.

Corrija una carta

Write a letter from the point of view of one of the characters in a book you are reading, or from a well-known piece of children's literature (like the wolf in *Little Red Riding Hood* who apologizes to the grandmother for all the trouble caused). Be sure to include some of the most common errors that students have made in a recent test or essay, and ask them to find these mistakes. Be sure to specify the number and kind of errors to look for (for example, 5 accents, 7 tenses, 2 connectors, 3 in punctuation, 4 prepositions, 5 misspellings). You could prepare a checklist so students can check off what they find.

Variation: You might also ask students to write letters—inserting errors—in order to go over them in class. Another option is to use an article and modify some of the words to create errors so that students can identify and correct the mistakes.

¿Cuál es la pregunta?

Write an interesting fact on the board, or read it to the class. It could be a statistic, the title of a book, a culture fact, or any other information based on the lesson. Ask students to think of an appropriate question for this answer. For example: *Se le conocía con el nombre de El Libertador.* Students might come up with the question: *¿Con qué nombre se le conocía a Simón Bolívar?*

¿Cuáles son las diferencias?

Before class prep: To do the following activity, bring two similar texts to class. One will be the "original," the other, one to which you have made several obvious changes.

Ask students to work with a partner and give each one a different version of the article you have prepared. Tell them that the articles they have are similar, but that there are differences between them and that their task is to discover what these differences are. (You might want to specify the number of differences.) Without reading each other's texts, students should discuss the content and ask each other questions in order to discover these differences. The activity provides a good way to review vocabulary, and perfects students' observations of details while reading and listening. The articles you prepare could also reflect some of the culture topics of the lesson.

De periodistas

Before class prep: Find two different articles and make sufficient copies of them to distribute among students, so half the class receives one article, and the other half, the other.

Tell students that the point of this activity is to practice good note taking. Ask students to work with a partner and give each one a different article to read and take notes. Establish a time frame to do this, and when you call time, ask students to get together with their partner to exchange articles and review the notes in order to determine who is the better note taker. While reviewing their classmates' notes, they should make corrections or add comments regarding the quality of the work. Encourage students to use the grammar structures that you are working on.

La definición interminable
Ask students to define a word, for example, *pobreza*. A student might answer: *"Lo contrario de riqueza"*; if so, you could then ask: *"¿Y qué es riqueza?"* To which another student might reply: *"Cuando se tiene mucho de algo."* To this you could ask: *"¿Qué es tener?"*, and continue this way for while. You could also ask other questions that answer *quién, cuándo, dónde, cómo,* or *por qué.*

El desafío del minuto
For homework, ask students to review the vocabulary from this lesson. The next day, give them a minute to write as many of these words as they can. They may work alone or with a partner. You might want students to write sentences using certain words you have selected.

El desafío del minuto con el subjuntivo
For homework, ask students to review the expressions that are followed by the subjunctive. The next day, give them a minute to write as many of these expressions as they can. They may work alone or with a partner.

Encuesta
Ask students to work in small groups and write down ten questions for a survey on a topic related to the lesson. They will need to decide what type of questions to ask. The groups can work on the same topic, or on different ones. If time allows, you could have the groups survey their classmates (or another Spanish class) and share their feedback.

Familia de palabras
Before class prep: Write the words from the *Familia de palabras* chart on different-colored cards, but use the same color to indicate that certain words are from the same family.

Divide the cards among the students and ask them to put the words grouped by a certain color ("family") together. To reinforce the parts of speech, students could draw, for example, a square around all the verbs, a circle around the nouns, and a triangle around the adjectives. Redistribute these cards and have students group them so that the parts of speech are all together. Call on a student to say or write one of these words on the board and identify its part of speech, and have the other "family members" identify themselves and explain what part of speech they are; for example: _____ *es un adjetivo; soy el sustantivo_____; soy el verbo _____.* Then have the "family" come up with an original sentence that uses all the words they have presented in *la familia.*

El foro
Ask students to use programs such as Blackboard, or any other program that has a similar feature, to send messages to each other. They could use this during class time or, if possible, have them connect at the same time from home in order to discuss a given topic. Ask them to write to every person in the class, and to stay online for half an hour.

Gráfico sobre un tema
Ask students to work in small groups and assign them a topic related to the lesson. Tell them to divide the topic into several categories and to write these categories on poster board or different sheets of paper, describing them with as many words as they can, and encouraging them to use new vocabulary from the lesson. When they are done, display their work. Students should review what other groups have written, correcting any errors, or adding additional words they may know.

Hablen sobre esta foto
Bring a photo or a picture from a magazine to class and show it to the students. Ask them to tell a story related to what they see in the picture, practicing the grammar and vocabulary from the lesson.

Variation: You could ask students to record their stories and even incorporate some special sound effects (they can find them easily in any search engine, and for free). These stories can become Audio Short Stories, and you can put them up on your Web site or in a blog, so other students can listen to them.

Imágenes que cuentan
Before class prep: Bring in different pictures from magazines that show people doing a variety of activities and in different places, as well as pictures of animals, things, and places.

Show or project several of the pictures on a screen. Ask students to think about how they are related and then write a story based on them. You can use the pictures to review the vocabulary, grammar, or culture related to the lesson. Students might also do this activity with a partner. Ask volunteers to read their stories aloud.

Inserte una frase
Before class prep: Prepare a short paragraph from a literature selection, the news, or a culture topic related to the lesson, leaving out a relevant sentence. Show students the paragraph on an overhead projector, and also tell or show them the omitted sentence. They need to figure out where this sentence belongs.

Intuyendo por una foto
Show students a photo from an article that you want them to read or listen to. Ask them to work with a partner to talk about the image and to make predictions about what they think the article will be about.

Lea, escriba y páselo
Students will work in small groups and write in a format you choose (for example, a postcard, e-mail, or diary entry). When you call time, they should pass what they have written to the person on their right, who will add to what is written. They repeat this until they receive the paper they started. They need to read what has been written and, as a group, decide on any appropriate corrections.

Mensajeándonos por 20 minutos

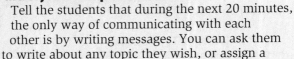

Tell the students that during the next 20 minutes, the only way of communicating with each other is by writing messages. You can ask them to write about any topic they wish, or assign a particular one. They could also do this with e-mails if you have the time and the resources.

La noticia del día

Encourage students to read a news article (there are many Spanish-language publications online), print it and bring it to class, and then ask them to present it in their own words to their partner. A question-and-answer period between partners could follow. The next day, the partner will do the same with another article.

Variation: You could ask the student who is listening to take notes and then make a written or oral summary of the article from these notes.

Las noticias de hoy

Find a current and interesting news article, bring it to class, and share it with students. Make up a question based on the article with four answer choices. Present only the possible answers to students and ask them to guess what the question could be.

Variation: You can also present a culture topic or a literature selection. As students feel more confident with this activity, you might ask them to select a topic, prepare the answers, and present this to class.

Expand: You can ask students to read or listen to the article afterwards, since some newspapers like Madrid's *El Mundo* (*www.elmundo.es*) offer audio for selected news items. Students can also click on related articles for more information or another point of view. After they have read more about the topic, you might ask them to write a short article summarizing the information or make a brief presentation to the class.

¡Pongámonos de acuerdo!

Choose a list of words from the reading or lesson to be defined in Spanish. Have the entire class discuss options before deciding on suitable definitions, or ask students to work in small groups. After each group has come up with definitions, ask the class to discuss all the possibilities and decide on the most suitable definitions.

Variation: Ask the class to come up with the words that they would like to learn in a given article or short story. They should come up with the definitions as a class.

¡Post-it!

Ask students to write their three favorite words and their three least favorite ones on one post-it note. Place their notes around the classroom and invite students to walk around to see what their classmates' vocabulary likes and dislikes are. Encourage students to share their preferences, by asking each other questions such as: *¿Cuál te gusta más, y a cuál le tienes manía?*

Los premios

Ask students to look for information about any of the awards given in the arts, sciences, medicine, or humanitarian or peacekeeping efforts and the recipients of these prizes. Ask them to write a paragraph describing the award and including some brief biographical information of some winners, as well as an interesting anecdote. You might want to ask some students to read their papers or make a brief presentation to the class.

¿Qué falta?

Before class prep: Select or create a few sentences or a short paragraph, omitting some essential words.

Present what you have prepared to students and ask them to supply the missing text.

Variation: You could use news articles, quotations, proverbs, sayings, selections from literature, or even famous lines from movies.

¡Que no es así!

Read a text aloud and include some mistakes or nonsense facts. You could use a well-known children's story, a current events article, or something that the students have just read. Ask students to volunteer the correct information. For example, if you choose *La Cenicienta*, you could say: *Había una vez una niña que vivía con sus cinco hermanas.* The students should say: "*¡No, que no es así! Vivía con sus dos hermanastras.*"

Variation: If you prepare the texts and make copies, you could do this as a reading activity.

Repaso Expreso

At the end of class or at the beginning of the next one, write a list of expressions, verbs with prepositions, and other vocabulary from previous activities, but without defining them in English. Ask students to write the words and their translation in their notebooks and to share them with a small group or the whole class. You might want to use this activity to review for quizzes or tests.

Responda a esta situación

You need to be an actor for the students and describe someone's fictitious dilemma, but pretend that it is real. Then stop and ask students to offer advice or suggestions to the person. You may choose to have them do this orally or in a written format. If you ask students to do this as a written activity, you might specify the format they should use (for example, a letter, an e-mail, or a dialogue between the student and the person).

Tengo memoria de mosquito

Every once in a while, pick up a common object from the class or bring in something of your own, and ask students to define it. The objects can range from the most commonplace ones (a pencil, a cell phone, a rubber band) to the most unexpected (an old edition of a well-known book) and amusing ones (an old gym shoe). Ask questions such as: *¿Para qué usamos esto?*

¿Vale más una imagen que mil palabras?

Bring some Spanish-language ads to class, but cover up what they are advertising. Ask students to guess what the product or service is and then to come up with a product or service of their own. They will need to create an advertising slogan and write their own product/service description. You might want to display their ads, and invite the class to critique their classmates' work.

Variation: You could ask students to look for ads online (they can easily be found in places like YouTube) and share them with the class.

 Vocabulario

Write a list of words and expressions on the board or show them on an overhead projector. Tell students to make a three-column table in their notebooks with the following headings: 1. *Sé lo que significa*; 2. *Creo que lo sé*; 3. *No sé lo que significa,* and to categorize the words you have listed accordingly. Ask them to compare their lists with a partner and to work on the words they do not know well.

Grammar-related Vocabulary

Vocabulario relacionado con la gramática

Because students will need to explain grammar rules in Spanish, the following words and phrases will be useful to them in order to do this. Share this vocabulary with the class; it is also available on the Web site.

Sustantivos

El género (masculino o femenino)
El número (singular o plural)
El artículo (definido o indefinido)
Los diminutivos / aumentativos
La mayoría de los sustantivos terminados en "..." son masculinos / femeninos
Es una excepción
En la mayoría de los casos
La terminación "..." generalmente indica el género femenino / masculino del sustantivo
El sustantivo se forma / se hace cambiando "..." por "..."
Se forma / hace añadiendo "..."
Se le añade una *a*
Tiene una sola forma tanto para masculino como femenino
No cambia / no varía
Si termina en vocal / consonante
Si la vocal está acentuada
Si termina en vocal átona o no acentuada
Es contable / no contable / colectivo
Si concuerda / no concuerda
Es informal / formal / coloquial / literario / poco usado / de uso muy / poco frecuente

Pronombres

Los demostrativos
Los personales
Los posesivos
Los relativos
El pronombre complemento directo / indirecto

Adjetivos

Los adjetivos concuerdan con el sustantivo en género y número
Se forma / hace cambiando "..." por "..."
Se forma / hace añadiendo "..."
No cambia
Es irregular / una excepción
La "..." se transforma / se cambia a / se convierte en "..."
El adjetivo se pone antes del / delante del sustantivo
Se pone para dar énfasis / destacar

Se usa en el lenguaje literario / retórico / poético / informal / coloquial
La apócope
Se le quita la última vocal cuando va delante de un sustantivo
Los adjetivos que terminan en "..."
Los comparativos
Los superlativos
Las formas sustantivadas y adverbiales
Los demostrativos

Verbos

Vebos terminados en *-ar, -er, -ir*
El infinitivo
El participio / el gerundio
El modo indicativo / subjuntivo
La voz activa / pasiva
El presente / pretérito / imperfecto / futuro / condicional / presente perfecto / pluscuamperfecto / futuro perfecto / condicional perfecto (compuesto)
Expresa una acción (no) terminada
Este tiempo se usa para expresar una acción que...
Expresa una acción que tiene lugar en el presente / pasado / futuro
No precisa el principio ni el final de la acción
Expresa acciones realizadas en el pasado y que perduran en el presente
Expresa acciones pasadas y terminadas con relación a otras acciones pasadas
Describe una acción habitual
Indica probabilidad, prohibición, duda, incertidumbre, especulación, suposición, deseo, negación
Es una expresión impersonal
Expresa lo irreal / hipotético, algo que no está verificado, que refleja duda, incertidumbre, emociones, consejos
Se refiere a personas o cosas ambiguas
Los mandatos / El imperativo
Primera persona del singular / plural
Segunda persona del singular / plural (formal o informal)
Tercera persona del singular / plural
Para conjugar / La conjugación de este verbo...

En algunas personas, como la primera persona del singular, la "..." cambia a "..."

Se construye / hace cambiando la terminación "..." por "..."

Todos sus compuestos siguen la misma regla

(No) concuerda con "..."

El cambio consiste en que...

Haber es un verbo auxiliar

Este tiempo verbal se forma...

Hay que fijarse en el acento, pues éste nos ayudará a diferenciar...

Si nos fijamos en "..." podemos ver / observar / comprobar que...

¿Dónde se pone / coloca el acento?

¿Dónde va el acento?

En la *a*, *e*...

¿Cómo se escribe? / ¿Cómo se deletrea?

No está claro por el contexto

Por el contexto deducimos que...

¿En qué letra termina? / ¿Cuál es la terminación?

Hay un cambio ortográfico

¿Cuál es la regla?

¿En qué termina?

¿Cómo se conjuga?

¿Cómo se forma?

¿Por qué se hace?

¿Qué se le añade?

¿Qué se le quita?

¿Qué se cambia? / ¿Por qué se cambia... ?

Los verbos con cambio en la raíz

Es un verbo de cambio en la raíz (el radical)

Se le añade "..." a la raíz del verbo

Es una excepción

Pertenece al grupo de...

Es irregular sólo en la forma *yo*, *él*,...

Se le quita "..." y se le añade la terminación "..."

Dependiendo de si lleva *se* / acento, su significado cambia

La mayor parte de los verbos

Para expresar un estado emocional o transitorio

¿Hay alguna excepción?

¿Por qué letra empieza?

Partículas

El adverbio

La preposición

La locución preposicional

La conjunción

La interjección

Oraciones

La oración simple / compuesta

La cláusula principal / subordinada

La cláusula adjetival / adverbial / nominal

Acentos / Acentuación

La pronunciación

¿Cómo se pronuncia?

Es una palabra aguda, llana o esdrújula

Según dónde vaya el acento, el significado cambia

Según la palabra lleve tilde o no, va a tener un significado u otro

Es un monosílabo, o palabra formada sólo por una sílaba

La tilde

Si la palabra termina en consonante (excepto -*n* o -*s*)

Si la palabra termina en vocal, -*n* o -*s*

Siempre lleva tilde

Cuando hay dos vocales seguidas

Cuando hay un diptongo

Cuando hay un triptongo

Signos ortográficos

.	el punto
,	la coma
;	el punto y coma
:	los dos puntos
( )	el paréntesis
[ ]	los corchetes
¿ ?	la interrogación
¡ !	la admiración / exclamación
" "	las comillas
...	los puntos suspensivos
ü	la diéresis
—	la raya, el guión largo (o corto)

Transcripts

Transcript for Student Book Listening Activities

The listening comprehension activities in the *¡A toda vela!* student book are indicated by the icon 🎧. All such activities are recorded and are available in the Teachers Resources DVD. What follows is the transcript of these recorded activities for teachers who wish to read them aloud instead of using the recorded audio, or for the convenience of having printed verification of the recorded material. Please note that we have *not* included the audioscripts for the *Participe en una conversación* sections; these may be found in the wrap under the corresponding activity.

Capítulo 1, Lección A

Actividad 24 (3:32)
Al encuentro de la aventura

Viajan. Se rebelan contra las normas. Buscan otras respuestas y en sus cabezas se acumulan las preguntas, los retos. Disfrutan con el riesgo y el peligro. Son aventureros, los motores de la humanidad. Una estirpe de soñadores de ayer y de hoy, víctimas del demonio de la curiosidad que les ha llevado a penetrar en lugares y espacios hasta ahora desconocidos. ¿De dónde surge esta necesidad de aventura en el hombre? ¿A dónde le conduce?

No se puede describir con palabras. Este impulso, esta necesidad no es algo racional, ni se puede controlar. Está impresa en la naturaleza humana como un sello, herencia de su Creador, y nace en los sueños de algunos hombres que no se conforman con lo que ven, y quieren buscar respuestas más allá de las fronteras de lo "razonable". "La aventura —comenta Sebastián Álvaro— primero es intelectual. Y aquí hablamos de la imaginación, del poder de la mente, antes que aventura de la acción. Para que Colón y los navegantes portugueses pudieran atreverse a navegar por un océano desconocido que representaba todos los miedos de la época, antes tuvo que haber un Galileo, un Alejandro, un Aristóteles... gente que pensó y alimentó la aventura intelectual que luego, el aventurero de acción, ejecuta. Pero al mismo tiempo, estos descubrimientos han hecho que otra persona vuelva a pensar e imaginar otros mundos que luego otros los harán posibles. Ahora en alpinismo, por ejemplo, se están haciendo cosas que alguien imaginó a mediados de los setenta o principios de los ochenta". Es adentrarse en otro mundo donde no existen fronteras, sólo un sueño lleno de aventuras "imposibles" que esperan ser vividas, donde sólo es necesaria una cosa: creer en ellas y desear vivirlas. El aventurero Ramón Larramendi, que acaba de completar con éxito la primera travesía de Groenlandia (Este-Oeste) a bordo de su invento —el catamarán polar—, coincide en que "toda aventura primero nace en tu cabeza. Es absolutamente fundamental soñar, imaginar, e incluso la fantasía. El viaje lo inicias en ese sueño, luego queda la tarea de plasmarlo en la realidad".

www.revistafusion.com

Vocabulario útil: disfrutar, *to enjoy*; sello, *stamp*; herencia, *heritage*; alpinismo, *mountain climbing*; adentrarse, *to go into*; travesía, *crossing*; plasmar, *to capture*

Actividad 27 (5:26)
Recorriendo el Camino Inca

En el Valle del Urubamba, Machu Picchu encaja dentro del marco espectacular proporcionado por la exuberante vegetación de la selva cercana y con el paisaje accidentado. El Camino Inca es sólo una pequeña parte del sistema de carreteras incas que integraba a las cuatro regiones del Imperio del Tawantinsuyo. Esta caminata de aproximadamente 43 kilómetros dura cuatro días terminando en la Ciudadela de Machu Picchu.

Lo que hace tan especial a esta excursión es la combinación de restos incas, vistas increíbles, vegetación exótica y la extraordinaria variedad ecológica.

Día 1: Cusco—kilómetro 82—Huayllabamba

A las seis y media de la mañana nuestro guía pasará por el hotel para luego transportarnos en bus hasta el kilómetro 82, donde estaremos llegando aproximadamente a las once de la mañana; en este lugar tendremos el gusto de conocer al equipo de personas que nos acompañará durante nuestro trekking: los porteadores, carperos, cocineros, etc. Comenzaremos la caminata. Este primer día es bastante fácil; en los primeros kilómetros, tendremos una hermosa vista del nevado la Verónica y caminaremos al lado del río Vilcanota hasta llegar al grupo arqueológico de Patallacta, donde podremos almorzar para recuperar fuerzas y continuar hasta llegar a Huayllabamba, donde realizaremos nuestro primer campamento.

Día 2: Huayllabamba—Pacaymayo

Después de un reconfortante desayuno, comenzará nuestro segundo día de trekking, tal vez el más difícil ya que tendremos que ascender hasta el abra de Wuarmihuañusca a 4.200 metros sobre el nivel del mar. En este lugar podremos gozar de una vista panorámica de las cordilleras de esta región. Después del almuerzo comienza el descenso hacia el valle del Pacaymayo, donde realizaremos nuestro segundo campamento.

Día 3: Pacaymayo—Wiñayhuayna

En la mañana, temprano, a sólo 30 minutos de camino encontraremos al grupo arqueológico de Runquracay. A partir de este lugar podremos encontrar el Camino Inca, que está empedrado en su totalidad —en ciertos lugares llega a tener hasta 2 metros de ancho y se puede observar la calidad de arquitectura inca; visitaremos Sayacmarca, hermoso complejo arquitectónico. También pasaremos por un túnel para luego llegar al grupo arqueológico de Phuyupatamarca. Comenzaremos a descender por un camino sumamente interesante, con una vegetación tupida de la ceja de selva, muy rica en flora y fauna. Luego de dos horas llegaremos a Wiñayhuayna donde pasaremos nuestro tercer campamento.

Día 4: Wiñayhuayna—Machu Picchu—Cusco

Después del desayuno, empezaremos el trekking para luego llegar a Intipunku ("puerta del sol"), conocido como la puerta de entrada a Machu Picchu, desde donde se tiene una impresionante vista panorámica de la ciudadela. A la llegada a Machu Picchu, tour guiado de la ciudadela, visitando los principales restos y monumentos, tales como la Plaza Principal, la Torre Circular, el Sagrado Reloj Solar, los cuartos reales, el templo de las Tres Ventanas y los cementerios. Tiempo libre para pasear por la ciudadela para luego encontrarse con el resto del grupo y ser trasladados en bus a Aguas Calientes para almorzar. En la tarde, regreso a Cusco en tren. A la llegada a Cusco, traslado al hotel seleccionado.

www.enjoyperu.com

Vocabulario útil: encajar, *to fit into*; accidentado, *rugged*; porteador, *porter*; carpero, *tent carrier*; campamento, *camp*; reconfortante, *comforting*; ascender, *to climb*; cordillera, *mountain range*; descenso, *descent*; empedrado, *paved*; sumamente, *extremely*; ciudadela, *fortress*

Actividad 44 (3:15)

Un domingo sin automóviles, compromiso ciudadano

Ourense se suma a la celebración del Día Europeo sin coches el 22 de septiembre

La jornada pretende mostrar las consecuencias del uso irracional del transporte

La ciudad de Ourense en pleno se suma este año a la celebración del Día Europeo *A cidade sen o meu coche*, con un programa cargado de actividades participativas y de sensibilización, organizadas por el Concello y con la colaboración de la Federación de Asociaciones de Veciños Limiar, el Clube Ciclista Ourensán, las empresas Ourense de Transportes y Ciclos Moure, el Centro Iris de Medio Ambiente con la gestión de la empresa Altega.

Jornada europea

La jornada, que se celebra simultáneamente en todos los países de la Unión Europea el 22 de septiembre, se presenta bajo el lema de *A cidade sen o meu coche. Un compromiso cidadán*. Con esta iniciativa se pretende dar un nuevo y valioso paso en la concienciación y sensibilización sobre los graves impactos medioambientales del uso irracional del transporte. Asimismo, también se refuerza la necesidad de promover una nueva movilidad urbana, que evite las consecuencias negativas del uso abusivo del automóvil en la ciudad, fomentando el uso del transporte público y de otros alternativos.

Objetivos

La iniciativa de dejar el automóvil aparcado durante todo el domingo pretende, sobre todo, estimular un comportamiento ciudadano compatible con el desarrollo urbano sostenible, en particular con la protección de la calidad del aire, la prevención del efecto invernadero y el consumo racional de los recursos energéticos.

Del mismo modo, la jornada sin coches es una buena oportunidad para que los ciudadanos ourensanos utilicen los medios de transporte alternativos al automóvil, de forma que puedan «redescubrir» la ciudad, con sus gentes y su vasto patrimonio cultural, en un ambiente saludable y relajado.

Así pues, el concello de Ourense y los organizadores de la jornada invitan a todos los ourensanos a que participen activamente en todas y cada una de las actividades que están programadas para el domingo. Pero sobre todo, que sea a partir de hoy mismo cuando la sociedad, no sólo ourensana, sino europea, se conciencie de la necesidad de cuidar el medio ambiente que, al fin y al cabo, es patrimonio de todos.

El concello y los organizadores aconsejan a los ourensanos a que rescaten de los desvanes las bicicletas y todos aquellos medios de transporte alternativos y no contaminantes.

lavozdegalicia.com

Vocabulario útil: sumarse, *to add*; cargado, *filled*; gestión, *negotiation*; lema, *motto/slogan*; reforzarse, *to strengthen*; fomentar, *to promote*; comportamiento, *behavior*; efecto invernadero, *greenhouse effect*; patrimonio, *heritage*; desván, *loft, attic*

Actividad 51 (2:51)

Viajes por la cara

No es necesario contar con mucho dinero para realizar el viaje soñado. Hay páginas que lo facilitan.

No renuncies a un viaje (en Semana Santa) por falta de dinero. Internet te da la posibilidad de viajar prácticamente gratis, gracias a que un grupo de jóvenes, viajeros empedernidos y adictos a la red, han tenido una original idea para viajar sin rascarse el bolsillo. Pensaron que si ellos eran capaces de viajar haciendo autostop por todo el mundo, ¿por qué no crear una Web para contactar con gente de cualquier lugar y realizar el viaje en buena compañía compartiendo gastos? El único requisito que se necesita para poder inscribirte en hitchikers.org, es tener ganas de hacer un viaje con cierta dosis de aventura y la suerte de coincidir con otro compañero de viaje que se amolde a tus fechas e itinerarios y tenga plazas libres.

No sólo te puedes ahorrar los gastos del transporte, además también puedes encontrar alojamientos gratis en Internet. La red Couchsurfing permite la comunicación entre viajeros y las personas que están dispuestas a alojar a los trotamundos gratis en sus casas. Esta red abarca 189 países de todo el mundo y cuenta con más de 60.000 usuarios. Con este proyecto no sólo se pretende hospedaje de gorra sino poder hacer planes en grupo con otros usuarios de la Web.

Ramón Stoppelenburg fue uno de los primeros cibernautas al que se le ocurrió dar la vuelta al mundo totalmente gratis por ese medio. Este holandés decidió un día que quería viajar pero tenía un pequeño inconveniente: el dinero. De ahí que se le ocurriera crear su página, letmestayforaday.com, en la que anunciaba que cualquiera que quisiera podía colaborar en su proyecto invitándole a su casa, ayudándole así a culminar con éxito su travesía. En su *site* se puede consultar su diario de viaje, donde cuenta su experiencia y muestra fotos junto a sus anfitriones. Y es que cada vez son más los turistas que se aventuran a explorar formas menos convencionales de viajar.

Revista *Tiempo*

Vocabulario útil: empedernido, *compulsive*; rascarse el bolsillo, *to pay up*; compartir gastos, *to share expenses*; requisito, *requirement*; amoldarse, *to adapt*; plaza libre, *vacancy*; estar dispuesto a, *to be ready to*; trotamundos, *globetrotter*; abarcar, *to include/take in*; hospedaje de gorra, *free accommodations*; culminar, *to end*; anfitrión, *host*

Actividad 52 (7:25)

Vacaciones: ¿una verdadera pesadilla?

Lo único que se necesita para disfrutar en toda su capacidad estos días es paciencia, serenidad, saber que no todo saldrá como quiere y, por supuesto, desear pasear con los seres que ama.

Si junto con su familia tiene planeado alejarse del ajetreado ritmo de trabajo y se va a ir a descansar a algún punto retirado del país o del extranjero, recuerde que es necesario poner de su parte no sólo dinero, sino también una actitud positiva. Así verdaderamente estos días de descanso resultarán provechosos.

Muchas familias acostumbran en esta época salir de paseo con su familia, a la playa o a visitar a unos parientes que viven en otra ciudad, por ejemplo. Se supone que estos días son de paz y felicidad, pero no siempre es así. A veces, la imaginación vuela demasiado alta y no se consideran imprevistos desagradables. Se prevé todo perfecto: el tiempo, la playa, el hotel y también el amor. Pero a veces el tema se complica en esta "época de felicidad".

En muchas parejas parece que durante las vacaciones el amor también viajó, pero en el vuelo equivocado; la pareja tan querida se vuelve criticona; los niños, si los hay, se ponen insoportables y así no es posible pasarla bien. Entonces, el sueño del descanso tiene el peligro de convertirse en pesadilla; si de verdad ama a su familia y esposa o esposo, es importantísimo que evite en todo lo posible las peleas.

Las vacaciones se imaginan como la época más linda del año, donde se disfrutarán nuevas y divertidas experiencias, además de descansar y gozar plenamente cada día. Por eso, durante estos viajes, se tienen expectativas muy elevadas y, si no se cumplen, la desilusión y frustración son tan grandes que evitan disfrutar las cosas agradables. Lo mejor es no abrigar ilusiones de perfección, o si se tienen, controlarlas, para no crear expectativas de más que causan frustración.

Muchos de los problemas en vacaciones se deben al mal clima, a un hospedaje no tan bueno y a la falta de dinero, pero un gran porcentaje (25%) es por causa de las peleas familiares. Todos los problemas empiezan porque hombres y mujeres tienen una idea muy diferente sobre lo que supuestamente son las mejores semanas de todo el año. En ese momento, al empezar a planear las vacaciones, no se ponen de acuerdo acerca de adónde ir y qué hacer durante esos días.

Otra causa de discusiones en los viajes de descanso es el tener mucho tiempo disponible; demasiado para pensar y estar junto a la pareja, lo que implica conversar, y de no pocos temas. Si no se está acostumbrado o preparado para esto, entonces se convierte en un gran problema, ya que según algunas estadísticas una pareja estable no conversa más de 20 minutos al día. Ahora, si se tiene que platicar todo el tiempo, enseguida surgen frases como "esto te lo quiero decir desde hace mucho tiempo...". Y entonces se da una gran sorpresa, se descubre que la relación no es tan buena como parecía. De repente sale todo lo tapado por el trabajo, el estrés y las obligaciones. De golpe los esposos se gritan y se crispan los nervios mutuamente. Para evitar esto, es necesario comprender que en las vacaciones se va a disfrutar de la familia y su compañía; no se viaja solo y sin nadie a quien ver. Además es importante que las vacaciones sean un tiempo de reconciliación y acercamiento. Si no tuvo tiempo antes, ahora es cuando decir y demostrar cuánto quiere y ama a su familia.

Pasarla bien en vacaciones no es tan difícil como parece si todos los miembros de la familia le echan ganas; si discuten y planean con anticipación, entonces sus vacaciones serán inolvidables y verdaderamente placenteras. Para darse una idea de los diferentes gustos que tienen los hombres y las mujeres chequee los siguientes datos:

Una encuesta realizada en varias de las más conocidas playas europeas afirmó que más del 60% de las mujeres quiere, simplemente, descansar y disfrutar.

Esta es una aspiración que comparten solamente un 38% de los hombres.

De esta misma forma, a las mujeres les parece indispensable el lujo durante las vacaciones (66%), pero a los hombres no tanto (34%).

En cuanto a los gustos masculinos, casi el 60% de ellos quiere practicar deportes, pero por parte de las mujeres sólo lo desea un 43% de ellas.

Si no se pone de acuerdo con su pareja acerca de lo que desean hacer en vacaciones, entonces, al llegar al sitio paradisíaco, empezará la tormenta y no por culpa del mal tiempo.

Revista semanal *Domingo*, de Diario *HOY*, del Ecuador

Preguntas

1. ¿Qué parece ocurrir entre las familias durante la época de vacaciones?
2. ¿Qué se recomienda antes de viajar de vacaciones?
3. ¿Por qué surge el deterioro de la pareja durante las vacaciones?
4. ¿Cuál es la diferencia entre las expectativas masculinas y femeninas?

Vocabulario útil: provechoso, *beneficial/useful*; equivocado, *wrong*; pesadilla, *nightmare*; supuestamente, *supposedly*; tapado, *covered*; de golpe, *suddenly*; crisparse los nervios mutuamente, *to get on each other's nerves*; placentera, *pleasant*; por culpa de, *because of*

Actividad 53 (5:27)

Hoteles originales

1. Jules' Undersea Lodge

Dormir bajo el agua

En este hotel subacuático de Florida, junto con la tarjeta de registro le harán entrega del traje de buzo. Y es que para llegar hay que hacerlo a nado. En el interior del minisubmarino hay dos dormitorios al estilo *Buscando a Nemo* que comunican con una sala central con todo tipo de comodidades, incluida televisión y DVD, aunque es más entretenido sentarse frente a las ventanas y ver pasar los peces. El servicio de habitaciones lo presta un buzo con un contenedor sumergible. Para su seguridad, el hotel está monitorizado desde la superficie 24 horas.

2. Library Hotel

"Silencio, se lee"

Situado en la famosa avenida neoyorkina de Madison y a pie de la National Library, este curioso hotel presume de ofrecer a sus clientes una colección de 6.000 libros repartidos por todo el establecimiento. El sistema de clasificación es el mismo que usan las grandes bibliotecas del mundo, el Dewey. Hay libros en las habitaciones, en recepción, en el restaurante y, cómo no, en el Poetry Garden, donde los habitantes de la Gran Manzana pueden saborear un cóctel acompañados de versos de Lord Byron, o aderezar el clásico Manhattan con una pizca de Neruda. Las habitaciones son muy confortables y al hacer la reserva se puede solicitar la temática preferida, desde Botánica y Astronomía hasta cuentos de hadas.

3. Hotel Palacio de Sal

En el fin del mundo

Si hay algo que sobra en Uyuni, es sal. Pues con esta materia prima se puede hacer uno un hotel, como el Palacio de Sal. Todo está hecho de sal: la cama, las sillas, las mesas, las paredes, el techo... Cuenta con 30 habitaciones con baño privado y dos suites presidenciales. Además, dispone de un spa completamente renovado con piscina de salmuera, sauna seca, de vapor, jacuzzi, salas de masajes, sala de baños en lodo, camas de sal y relax de salmuera entre otras comodidades. Pero si bonito es el lugar, más bonito es el entorno. En el Salar se disfruta de un paisaje similar al de las regiones polares, en las que se funden el azul y el blanco. Por cierto, la temperatura es dura. La mejor época para viajar es de julio a noviembre, cuando el salar se encuentra seco.

4. Pippa Pop-ins

Sólo para niños

Londres tiene hoteles de todas las categorías y estilos, pero en el Pippa Pop-ins hay una condición para alojarse: tener menos de 12 años. Y es que Pippa Pop-ins es un hotel exclusivamente para niños. De día, es una guardería como otra cualquiera con sus clases y su patio de recreo. Por la noche, los padres tienen la opción de dejar a sus hijos a dormir en habitaciones compartidas llenas de juguetes y decoradas con más parafernalia que las suites del Ritz. Para hacer la estancia más agradable a sus pequeños huéspedes, el Pippa Pop-ins les organiza actividades dignas de la mejor fiesta infantil: juegos, bailes y hasta cena de gala a las que ellas acuden disfrazadas de princesas y ellos, los niños, de superhéroes. Como no podía ser de otra manera, antes de dormir, les leen un cuento. El desayuno, con cereales, está incluido en el precio, y para los padres despistados o aquellos a quienes les guste improvisar, pueden proporcionar a los pequeños un pijama extra por un módico precio.

www.elmundo.es

Vocabulario útil: traje de buzo, *diver's suit*; comodidad, *comfort*; contenedor sumergible, *submersible container*; presumir, *to boast*; repartido, *distributed*; aderezar, *to season*; pizca, *pinch*; temática, *subject matter*; cuentos de hadas, *fairy tales*; sobrar, *to be left over*; materia prima, *raw material*; disponer de, *to have*; lodo, *mud*;

entorno, *environment*; salar, *salt flat*; acudir, *to attend*; despistado, *absentminded*; módico, *modest*

Actividad 54 (3:02)
Participe en una conversación
Capítulo 1, Lección B

Actividad 22 (1:58)
Inmigrantes y mercado laboral

Muchos autores sostienen que la inmigración beneficia a los empleados, consumidores y hasta la posición económica internacional de los países que reciben esta clase de población. Incluso, sostienen que no afecta negativamente las oportunidades de trabajo de la población nativa ni los excluye de trabajos complementarios.

Por supuesto, la inmigración afecta segmentos de la población del país receptor de distintas maneras. Los consumidores, inversores y compañías que emplean inmigrantes se benefician de la inmigración. Para los trabajadores en general, es más una mezcla de beneficios con posibles pérdidas de oportunidades.

Alrededor del 10 al 15% de los inmigrantes en los países ricos son ilegales, un poco más en Estados Unidos, un poco menos en Australia y Canadá.

Los inmigrantes no autorizados típicamente entran por vías ilegales, aunque una gran mayoría de ellos (alrededor del 40% en Estados Unidos) entran legalmente y no se van al expirar sus visas. Otra categoría involucra a aquellos que entran con una visa pero violan sus términos, usualmente trabajando.

En Estados Unidos muchos inmigrantes sin autorización actualmente están llevando a cabo un proceso legal de solicitud de inmigración pero están esperando visas disponibles.

La mayoría de los inmigrantes ilegales se concentran en trabajos que han sido abandonados por la fuerza local y legal de trabajo. En Japón, por ejemplo, muchos de esos trabajos se caracterizan por "las tres K": "kiken, kitsui y kitanai", que en japonés significan: peligroso, difícil y sucio.

www.mequieroir.com

Vocabulario útil: sostener, *to maintain;* inversor, *investor;* mezcla, *mixture;* involucrar, *to involve;* violar, *to violate*

Actividad 25 (3:19)
El bilingüismo le da seguridad

El grupo estadounidense de tercer grado interpretó varios bailes y canciones en japonés en el Pentágono, como parte del programa titulado "Una Vida Aprendiendo un Idioma". Los niños de tercer grado se inscribieron en un programa de inmersión bilingüe en Great Falls, Virginia.

La conexión entre idioma y el Pentágono no era accidental. David S. C. Chu, subsecretario de Defensa para la Preparación y el Personal, el orador principal del evento, insistió en la importancia de los idiomas y las culturas para Estados Unidos.

Chu señaló que los idiomas extranjeros son esenciales para las áreas económica, política y social, pero también para la seguridad nacional.

En varios años recientes la importancia de los idiomas en los asuntos internacionales se ha hecho evidente a cualquiera que ponga un poquito de atención.

La guerra contra el terrorismo es tanto sobre la fuerza como sobre la información, la cual sólo puede acceder a través de la habilidad del idioma.

El trabajo de interpretación también es tan vital en Iraq que un comandante del Ejército dijo que sus hombres no podrían hacer dos tercios de su trabajo si no fuera por los intérpretes.

Desafortunadamente, nosotros no tenemos suficiente personal con habilidades de lenguajes. Poco después del 9/11 fue revelado que un gran número de datos no había sido analizado debido al limitado recurso lingüístico.

Un informe militar señaló que el Ejército de Estados Unidos no tiene suficientes lingüistas para hacer su trabajo en Afganistán e Iraq.

La Agencia Central de Inteligencia (CIA) sólo tiene 100 oficiales clandestinos que hablan árabe. Eso no es suficiente. Además, esa cifra disfraza el número de personas que pueden tratar con las diferentes variedades de árabe ya que el idioma no es uniforme en el mundo árabe. Aunque ese idioma es estándar por escrito, el lenguaje oral puede variar considerablemente lo cual puede evitar que un argelino entienda a un iraquí.

Debido a que algunos idiomas clave son críticos en la lucha contra el terrorismo, el gobierno de Estados Unidos comenzó a impulsar la enseñanza de los idiomas en las escuelas. El árabe, por ejemplo, ha sido designado como un lenguaje estratégico y algunos fondos están siendo proporcionados a las escuelas de todo el país para introducir y ampliar sus ofrecimientos.

www.laopinion.com

Vocabulario útil: orador, *speaker*; cifra, *number*; disfrazar, *to disguise*; argelino, *Algerian*; clave, *key*

Actividad 27 (1:55)
El luto en diferentes países
¿Sabías el origen del luto?

Cuando se produce una defunción es costumbre mostrar el dolor y la pena mediante el luto.

La extensión y duración del mismo varía de un lugar a otro y depende de otros factores como el grado de parentesco, la costumbre local o la época.

El origen del luto lo encontramos en el ancestral miedo a los muertos. Como gran misterio de la vida que es, la muerte siempre ha inquietado a la Humanidad. El no saber con certeza qué es lo que hay más allá, ha llevado a la formulación de creencias y religiones que siempre han mostrado un respeto a los muertos, conocedores del gran enigma.

Pero no tan sólo respeto, sino miedo. Miedo a lo que pueda hacer el alma de un muerto, su espíritu, una vez abandonada el cuerpo mortal expelida por el último suspiro. Miedo a que dicho espíritu sea reacio a abandonar el mundo e intente poseer otro cuerpo.

Para impedir que ocurra algo semejante nada mejor que ocultarse a ellos vistiendo ropas negras como la noche. Mudando de tal forma el atuendo que desoriente al muerto y haga irreconocible al vivo.

Como curiosidad, comentar que algunas tribus primitivas (de África y Oceanía) blanqueaban sus oscuras pieles con cenizas o tinturas blancas con el mismo fin. En Nueva Guinea se expresa el luto cubriéndose de barro. Y el color negro es el color del luto en España desde la Alta Edad Media, aunque hasta el siglo XI el color del luto fue el blanco.

www.1de3.com

Vocabulario útil: defunción, *death*; parentesco, *relationship*; inquietar, *to disturb*; con certeza, *for certain*; alma, *soul*; suspiro, *breath*; impedir, *to avoid*; semejante, *similar*; atuendo, *attire*; blanquear, *to whiten*; barro, *mud*

Actividad 32 (3:57)

Entre dos mundos

Como muchos hijos de padres inmigrantes, Christine Yvette Nieva aprendió dos idiomas, dos culturas, dos himnos y hasta dos formas de jugar al fútbol, pero en la cancha, su verdadera pasión es sólo una: jugar por México.

"Era muy inquieta cuando tenía seis años y entonces mi papá me inscribió en un club de fútbol de un amigo suyo para ver si así me tranquilizaba un poco. El fútbol me encantó desde aquel día", comentó para *La Voz* la joven que en la actualidad es integrante de la selección femenil mexicana. Nacida en la ciudad de Dallas, Texas, Christine aprendió a querer a México a través de los relatos de sus padres, quienes emigraron del Distrito Federal en busca de mayores oportunidades de vida.

"Participé en muchos torneos y campeonatos en Texas, hasta que hace dos años un buscador de talentos de la Federación Mexicana de Fútbol me dijo que si quería hacer una prueba con el Tri, algo que nos emocionó a toda la familia", recordó la joven que se ha abierto puertas en la vida literalmente a "patadas". En aquella prueba, el técnico mexicano Leonardo Cuéllar notó las habilidades de la joven en la media cancha y desde entonces la ha convocado para numerosos encuentros internacionales.

"Cuando era niña admiré a muchas de las figuras de la selección estadounidense, pero desde que empecé a utilizar mi doble nacionalidad y defender la camiseta verde, las vi como rivales", aseguró la joven, que estudia la carrera de entrenadora en la Universidad Estatal de Arizona, en Tempe. Christine participó recientemente en las eliminatorias para el Mundial y junto a sus compañeras, consiguió su pase al Mundial Juvenil de Rusia 2006, tras vencer 4–1 a su similar de Jamaica, en una serie de encuentros realizados en varias ciudades del estado de Veracruz en México.

"Con la selección he jugado en Portugal y Canadá, en torneos oficiales y amistosos. Pronto nos concentraremos para el mundial de agosto. Me gusta estar en la selección, porque se mantiene un ambiente muy padre cuando estamos juntas", recordó la deportista, quien comenta que incluso llevan la ayuda de una psicóloga en los viajes. En enero pasado México enfrentó a los Estados Unidos, partido en el que la texana sintió la firme necesidad de vencer a sus también compatriotas, mientras que, desde las gradas, su madre no dejó de llorar desde que iniciaron los himnos nacionales.

"Ahora también soy parte del equipo de fútbol ASU, por lo que estoy permanentemente preparada y lista para cuando reciba la llamada de México. Me gustaría enfrentar a Brasil o Alemania, en las finales", dijo la futbolista, que ve en el entrenador mexicano a uno de los mejores del mundo.

"Me gustaría que las mujeres entendieran que se pueden conseguir lo que se propongan en la vida y con el apoyo de la familia es fácil cumplir cualquier sueño y que sí, se puede," finalizó Nieva, con esa seguridad que le brinda su doble corazón.

www.lavozdegalicia.es

Vocabulario útil: cancha, *field*; inquieto, *restless*; inscribir, *to inscribe*; en la actualidad, *at present*; relato, *tale*; torneo, *tournament*; a patadas, *by kicking*; convocar, *to call on*; asegurar, *to assure*; encuentro, *meet/match*; enfrentar a, *to play against*; apoyo, *support*; brindar, *to offer*

Actividad 38 (3:14)

España aumenta un 6% la llegada de turistas extranjeros en el primer semestre, con 25,5 millones

España acogió a un total de 25,5 millones de turistas extranjeros durante el primer semestre del año, lo que supone un crecimiento del 6% con respecto al mismo período del año anterior, informó hoy el Ministerio de Industria, Turismo y Comercio en la encuesta de Movimientos Turísticos en Fronteras.

En cuanto al mes de junio, España recibió 5,6 millones de turistas internacionales, un 5,5% más que en el mismo mes de 2005. El primer mercado emisor a España en el primer semestre fue Reino Unido. El número de turistas alemanes que llegó a España durante los seis primeros meses se situó en los 4,6 millones, un 4,3% más. Por lo que respecta el mercado francés, el tercer emisor más importante para España, su comportamiento siguió la tendencia de los anteriores. Del resto de mercados emisores, que representan porcentajes muy inferiores sobre el total, destaca el crecimiento en los seis primeros meses de las llegadas de italianos, así como de turistas de Países Bajos y de países nórdicos.

Cataluña, principal destino

Cataluña se mantiene como primer destino nacional en este primer semestre, con un total de 6,5 millones de turistas, lo que supone un crecimiento del 10,8%. Su principal mercado emisor fue Francia, cuyo incremento se situó en el 13,1%. El archipiélago canario se sitúa como segundo destino de los turistas internacionales hasta junio. Sus principales mercados siguieron siendo Reino Unido y Alemania. Baleares fue el tercer destino más importante en España en el primer semestre al recibir un total de 4 millones de turistas. Por lo que respecta el mes de junio, Baleares, Cataluña fueron los principales destinos elegidos por los turistas internacionales, junto con Andalucía.

Cada vez menos paquetes turísticos

La mayor parte de los turistas extranjeros visitaron España sin haber contratado paquete turístico, confirmando así la tendencia de los últimos años. El avión fue utilizado por 19,4 millones de turistas, registrando un crecimiento del 6% hasta junio. La carretera se situó como segunda vía de acceso.

En cuanto a tipo de alojamiento, el más utilizado por los turistas extranjeros fue el hotelero. El alojamiento extrahotelero creció un 9,8%, hasta los 9 millones de visitantes.

www.europapress.es

Vocabulario útil: acoger, *to welcome*; comportamiento, *behavior*

Actividad 44 (3:12)

Conocer el mundo

Se inició como periodista, y fue el primer viajero español en pisar el Polo Sur. Le siguió un trabajo como corresponsal de Radio y Televisión Española en Italia y en Suecia, pero su meta era grabar una serie documental sobre las etnias del planeta. Así nació "Otros Pueblos", de la que se han emitido hasta el día de hoy 74 capítulos, y que ha sido recientemente adquirida por National Geographic.

P: ¿Conservan los pueblos de la tierra una raíz común?
R: Hay una identidad básica en la humanidad que se refleja en algunos puntos que se comparten: el amor o el respeto por la vida, el sentido familiar...
P: ¿Compartes la idea de que el futuro pasa por la fusión de pueblos y culturas?
R: Eso sí, porque yo —ni nadie que trabaje en estos temas y sea decente en ese aspecto— no soy partidario de recluir a las poblaciones en zoos para deleite de antropólogos y de reporteros

que ven cosas muy primitivas en ellos. Y mucho menos en esta época. Esa gente muchas veces necesita medicinas, educación, y por lo tanto hay transformaciones y cambios. Por otro lado veo que una de las mejores recetas para prevenir los males del racismo es el mestizaje, la fusión de la gente. Y eso lo veo absolutamente positivo.

P: ¿Estamos realmente tan alejados unos pueblos de otros o simplemente son cuestiones culturales las que nos separan?

R: Las mayores barreras son culturales. Tú puedes cruzar los Pirineos en unas horas, pero al llegar a Francia hay una lengua que separa un pueblo de otro y que ha sido acuñada a lo largo de milenios. En sí misma, la lengua es una diferencia, y a partir de ella hay otras más. Las religiones, por ejemplo, realmente separan más que unen.

P: ¿Por qué crees que tu serie "Otros Pueblos" interesó tanto a National Geographic para llegar a comprarla?

R: Eso ha sido un gran honor. Es difícil para mí decirlo, pero a lo mejor han visto ciertos criterios de objetividad, un trabajo continuado a lo largo del tiempo y haber encontrado temas bonitos e interesantes. Por lo tanto es un privilegio para mí que lo difundan en los Estados Unidos.

P: ¿Entiendes la vida sin viajar?

R: Eso ya no. Porque "Viajar es vivir" como decía Andersen, ese escritor de cuentos que también publicó libros de viajes. La frase evoca que alguien puede dedicar su vida a viajar a menudo.

P: Una curiosidad: ¿cuánto tiempo aguantas en casa sin hacer al menos un pequeño viaje?

R: Poco: dos o tres meses. A los tres meses si no encuentro trabajo por algún motivo, me monto yo un viaje. Vamos, que intento por todos los medios ir a Barajas.

www.resvistafusion.com

Vocabulario útil: pisar, *to step*; corresponsal, *correspondent*; grabar, *to record*; deleite, *delight*; alejado, *far from*; difundir, *to spread/ disseminate*; a menudo, *often*; aguantar, *to tolerate/stand*; por todos los medios, *in every possible way*

Actividad 45 (4:32)
Benditos sean los animales

El tradicional rito atrajo a todas las especies, incluso a los candidatos a la alcaldía, con sus mascotas.

Perros, gatos, pericos, conejos, caballos, vacas, víboras, iguanas, ratones, puercos, gallinas, chivos, palomas y otras clases de animales desfilaron ayer por la Placita Olvera para recibir la bendición por parte del cardenal Roger Mahony.

Se trató de la celebración religiosa anual que precede al Viernes Santo establecida desde el siglo IV por San Antonio Abad, reconocido como el santo patrono de los animales.

En esos tiempos, la gente llevaba a sus animales al sacerdote para que fueran bendecidos y pedir a Dios por la fertilidad y salud de sus criaturas. La ceremonia pretende hacer un reconocimiento al reino animal por sus tremendos servicios y aportaciones al ser humano.

En la Placita Olvera esta tradición data de 1930, primero se llevaba a cabo el 17 de enero, día de San Antonio Abad, pero debido a las condiciones climáticas que imperan en esa temporada, la fecha se cambió al Sábado de Gloria.

"Edward", una vaca propiedad de Wendy y Jim Morrow, y "La Carbonera", otra vaca propiedad del Club de Charros El Vergel, fueron los animales que encabezaron la procesión.

La vaca es por tradición la que encabeza esta ceremonia porque se considera el animal que más ofrece al ser humano.

"Es una forma de agradecer a los animales todo lo que nos dan, que es compañía y en muchos casos la comida", comentó Wendy Morrow.

Para Cristian Mateos, la ceremonia de bendición de animales es ya una tradición que les fue heredada por sus abuelos y aunque no sabe ciertamente lo que significa, él acudió con su mascota "Kyra", una cachorrita cocker spaniel.

Los charros de El Vergel, de El Monte, llevaron nueve de sus caballos para que fueran bendecidos. Don Juan Guerrero, presidente de la organización, dijo que la bendición es una forma de proteger tanto a caballos como jinetes en el peligroso oficio de la charrería.

Entre los animales que más había eran los escandalosos perros chihuahua, como "La Güera", que se le ponían al brinco a "Spanky", un gran danés que la veía con indiferencia y que de haber querido la hubiera aplastado con una de sus enormes patas.

"Yo lo traje porque ya es parte de la familia y pues también tiene que ser bendito", dijo Yadira Monterrosa, dueña de Spanky.

Por su parte, Gloria Hidalgo, quien llevaba a "La Güera", a otros dos perros chihuahua más "Minnie" y "Junior", una periquita de nombre "Rosita" y un hámster conocido como "Ham", comentó que la bendición de los animales es una ceremonia que realizaba San Antonio Abad y por ello desde hace cuatro años su familia acude a la Placita Olvera a bendecir a todas sus mascotas.

Entre los asistentes estuvieron los candidatos a la alcaldía, James Hahn y Antonio Villaraigosa, acompañados de sus respectivos perros. Hahn llevaba a "Roxy", un perro negro sacado de un refugio de animales de Harbor, mientras que Villaraigosa llevaba a "Butterscotch", un labrador dorado.

Durante la bendición, el cardenal Roger Mahony mencionó: "Los animales creados por Dios habitan el cielo, la tierra y el mar, y comparten la vida del hombre con todas sus vicisitudes; Dios que derrama sus beneficios sobre todo ser viviente, más de una vez se sirvió de la ayuda de los animales o también de su figura para insinuar en cierto modo los dones de la salvación".

www.laopinion.com

Vocabulario útil: rito, *ceremony*; atraer, *to attract*; a la alcaldía, *for mayor*; perico, *parakeet*; víbora, *snake*; chivo, *billy goat*; desfilar, *to march (in a parade)*; sacerdote, *priest*; aportación, *contribution*; imperar, *to rule*; encabezar, *to head/lead*; heredar, *to inherit*; acudir, *to attend*; jinete, *rider*; al brinco, *piggyback*; gran danés, *Great Dane*; aplastar, *to squash*; pata, *paw*; vicisitud, *vicissitude/hardship*; derramar, *to scatter*; don, *gift*

Actividad 46 (5:29)
Lenguas perdidas

Según el último informe de la UNESCO, entre 3.000 y 6.000 lenguas vivas del mundo están en peligro de extinción. No pueden competir con el empuje de otras mucho más sólidas y que cuentan con el respaldo de medios globales. Una lengua no es para sus hablantes únicamente un medio para comunicarse, sino el símbolo de toda una cultura que posiblemente sea olvidada si se pierde el lenguaje que lo abandera.

Sólo hay veinte lenguas que sean habladas por millones de personas. De las cerca de 6.000 que existen en la actualidad, únicamente la mitad cuentan con más de 10.000 hablantes, muy pocos, si tenemos en cuenta que una lengua tiene posibilidades de sobrevivir sólo si cuenta con más de 100.000 hablantes. Se espera, además que en unos años el número descienda radicalmente. Mucho se perderá con cada una de ellas.

La mayoría no tiene posibilidades de competir. El inglés arrasa. Domina, con mayoría aplastante, todos los foros. Es la lengua que predomina en Internet, la que todo el mundo que quiera moverse en el mundo global debe conocer si no quiere perderse. Sólo el 10% de la población mundial lo habla; sin embargo, es el idioma utilizado en el 80% de las páginas Web. La explicación es que domina el mercado. La mayoría de las transacciones comerciales que se producen en el mundo se llevan a cabo en inglés, una lengua sencilla, sin las complicaciones gramaticales de otras, como el español sin ir más lejos. Es el esperanto que se buscaba, e Internet es su medio. "El inglés es un idioma muy fácil que merece ser aprendido por todo el mundo, pero no merece tener un dominio exclusivo sobre todos los demás", comenta el periodista Miguel Jiménez, del Centro de Colaboraciones Solidarias.

Las lenguas que tienen más posibilidades de desaparecer son originarias de países o de pueblos que no tienen acceso a Internet, como por ejemplo los pueblos indígenas. La tecnología crea diferencias a veces imposibles de salvar.

"Hay muchos idiomas que han nacido muertos porque han nacido en comunidades muy pequeñas, de quinientas personas como mucho. Además, ni siquiera los propios estados las defienden".

¿Qué ocurre cuando desaparecen todas las personas que hablan una determinada lengua? "Cuando se pierde una lengua se pierde una cultura, se pierde una filosofía de ver el mundo, se pierde una historia, que suele ser la historia de un pueblo dominado por otro".

www.revistafusion.com

Vocabulario útil: empuje, *push*; respaldo, *support*; abanderar, *to champion*; arrasar, *(fig.)*, *takes it all*; aplastante, *overwhelming*; llevarse a cabo, *to carry out*; sencillo, *simple*; como mucho, *at most*

Preguntas
1. ¿Cuántas lenguas están en peligro de extinción?
2. ¿Qué constituye una lengua para un pueblo?
3. ¿Cuántas lenguas existen en el mundo?
4. ¿Cuántas personas deben hablar una lengua para que sobreviva?
5. ¿Por qué se está imponiendo el inglés a otras lenguas?
6. ¿Qué le pasa a las lenguas que tienen menos acceso a Internet?

Actividad 47 (2:46)
Participe en una conversación

Capítulo 2, Lección A

Actividad 24 (5:22)
Nuestros problemas
Seducidos por la moda
¿Por qué los adolescentes se sienten tan atraídos por la moda? ¿Por qué buscan maneras extravagantes de vestir y de actuar?

Esto no es asunto privado de la época actual, ya que una característica distintiva de los adolescentes de todas las épocas ha sido la necesidad de encontrarse a sí mismos, de descubrir su identidad. Para lograrlo, se dejan seducir por las modas, ya que a través de ellas, tratan de marcar una clara diferencia entre su mundo y el de los niños, del cual sienten haberse desprendido.

Según el reconocido terapeuta Erik Erikson, quien define la propia identidad como dar sentido a la propia vida y responde a la pregunta: ¿quién soy yo en realidad?, la búsqueda de la propia identidad constituye una de las principales tareas de todo adolescente.

Para desarrollarla, el adolescente trata de experimentar, y para ello prueba diferentes caminos, explora formas de ser, actuar y expresarse, hasta que encuentre aquellas con las que se siente

cómodo y con las cuales se identifica. Esto constituye un proceso normal y necesario.

Para los adolescentes de hoy, ese proceso de búsqueda y de experimentación con las cosas que están de moda, se ha complicado, puesto que en ninguna época anterior, había tenido a su alcance tantas opciones.

Hay muchísimas posibilidades en cuanto a estilo de vida, maneras de vestir, alternativas para trabajar o para estudiar, formas para expresarse o maneras de protestar y la moda interviene en todas ellas, porque no sólo rige la manera de vestir, sino la forma de actuar, las expresiones, el vocabulario, las actividades recreativas y hasta cursos y carreras que en su momento están de moda. Ante todo eso, la situación se torna difícil, pues entre más opciones, más confusión.

Generadora de conflictos
Ese proceso de experimentación y de búsqueda en el que tarde o temprano todos los jóvenes se ven enfrascados, puede resultar angustioso y estresante para los padres, ya que los adolescentes suelen manifestarse rebeldes, temperamentales y malhumorados durante ese proceso de reafirmación de la propia identidad.

Lo que más desconcierta a los padres durante esos períodos, es el hecho de que las manifestaciones de la personalidad, los estilos en el vestir y las amistades cambian frecuentemente, y los períodos de tensión que dichos cambios generan son tan impredecibles que pueden durar unas cuantas horas, o prolongarse por meses.

Los peligros de la moda
Cuando la moda se centra en una cabellera más o menos larga o en un vestuario que raya en lo ridículo, no hay mucho de qué preocuparse, pues tarde o temprano las aguas del río llegarán a su nivel y el día de mañana los muchachos dejarán a un lado los vestuarios estrafalarios.

Sin embargo, cuando los jóvenes, para sentirse a la moda, desarrollan conductas antisociales o actúan en contra de los valores, el respeto y la dignidad, están entrando en terreno peligroso. En ocasiones puede verse como una moda el quebrantar todas las normas de la escuela. También se puede adoptar la moda de un trato irrespetuoso o de utilizar un lenguaje agresivo, vulgar y ofensivo.

Es importante orientar y apoyar a los jóvenes para que tomen decisiones correctas pues, con esos comportamientos tan de moda entre muchachos y muchachas, se corre el riesgo de sentar bases equivocadas, que indudablemente van a repercutir negativamente en sus relaciones familiares futuras.

www.masalto.com

Vocabulario útil: asunto, *issue*; desprendido, *detached*; terapeuta, *therapist*; constituir, *to make up*; regir, *to rule*; tornarse, *to become*; enfrascado, *involved*; angustioso, *anguished*; desconcertar, *to disturb*; cabellera, *head of hair*; vestuario, *clothes*; rayar en lo ridículo, *to border on the ridiculous*; estrafalario, *odd/eccentric*; quebrantar, *to break*; repercutir, *to have an effect*

Actividad 27 (3:09)
Historias de crackers y hackers
Un factor inesperado que lleva la cultura del hacker al dominio popular fue la película "Juegos de guerra" (*War Games*) en la que un joven hacker entra a la computadora del departamento de defensa. Por primera vez no se trató de la caricatura del geek, sino que el hacker se mostró como una especie de héroe romántico, donde al final se queda con la muchacha. Para ser de Hollywood la película era bastante exacta en algunos aspectos técnicos, así que,

como en una especie de profecía autocumplida, muchos jóvenes se dedicaron a tratar de entrar a sitios gubernamentales para sentirse hackers, y en muchas revistas de computación se anunciaba la venta de equipo "igual que el de la película". Pero tener el equipo y saberlo usar es otra cosa, así que muchos jóvenes causaron mucho daño en las redes de cómputo. Lo que no benefició mucho la imagen del hacker.

Con esto, el gobierno de Estados Unidos comenzó a desarrollar una paranoia contra todo lo que sonara a hacker; un tal Kevin Mitnick penetró a varios sistemas de cómputo, con lo que fue el primer hacker (o cracker) que tuvo el honor de tener su cartel del FBI con el famoso letrerito de "se busca". Eventualmente fue arrestado y sentenciado. Se le acusó de daños multimillonarios (que no se pudieron documentar) y a varios años de prisión. También, se le aplicó un castigo sin precedentes: se le prohibió acercarse de por vida a cualquier equipo de cómputo, hablar sobre computación y no tocar ningún sistema de televisión por cable. La sentencia que se le dio a Mitnick fue exagerada (que yo sepa a ningún ladrón de autos se le ha prohibido acercarse a un automóvil...) y por todas partes hackers que incluso no estaban de acuerdo con las acciones de Kevin empezaron a protestar. Nació la costumbre de "hackear" o mejor dicho, en el argot del medio, "deface" páginas de Internet de las compañías, para burlarse de su seguridad y ponerles un letrerito de "Liberen a Kevin". Costumbre que sigue a la fecha, pues algunos aprendices de hackers aún no saben que Kevin ya está libre...

www.paralax.com

Vocabulario útil: inesperado, *unexpected*; cómputo, *computation*; cartel, *poster*; letrerito, *sign*; castigo, *punishment*; burlarse de, *to ridicule/make fun of*; liberar, *to free/liberate*

Actividad 44 (2:32)
¿Qué es el lenguaje de los jóvenes?
A menudo en la televisión o en la radio analizan "cómo hablan los jóvenes". Aquí conocerás los modismos más utilizados por los jóvenes en la actualidad.

A menudo en la televisión o en la radio analizan "cómo hablan los jóvenes". Y se equivocan... Enumeran palabras y actitudes que hace rato dejaron de ser "juveniles"... Los modismos cambian cada minuto, porque el lenguaje está vivo y nos ofrece muchos recursos. Además, es aburrido hablar siempre igual.

La palabra "joven" es bastante vieja. Viene del latín *iuvenis* y ha sido aplicada a millones de personas alguna vez. Jóvenes que luego fueron adultos y más tarde viejos... Entonces, si hablamos de "lenguaje juvenil" también deberíamos hablar de "lenguaje de los niños", "de los adultos", "de los viejos" (adultos mayores suena mejor).

Pero es un hecho que "los jóvenes" entregan muchas palabras nuevas a una lengua. Quizá porque también son quienes en mayor medida experimentan la necesidad de expresar ideas o sensaciones de manera distinta. Y como los adultos siempre tratan de copiarles, para acercarse, para sentirse ellos también un poco más jóvenes o para hacer programas de televisión... Se hace urgente crear palabras nuevas.

Los escritores suelen poner por escrito los modismos o las expresiones coloquiales. Pensemos en Julio Cortázar para los argentinos y entre los chilenos, Nicanor Parra, Oscar Hahn o Rodrigo Lira. ¿Por qué? Les habrá parecido eficaz, habrán visto que el modismo tenía alguna gracia. O se les ocurrió no más...

Aunque suene obvio, con el lenguaje el único problema es cuando no puedes comunicarte... Es decir, hablas de un modo tan específico o extraño que nadie te entiende. O sea, quedarse hablando solo: pelar el cable, rallar la papa. Que de repente se te apague la tele. ¿Se

entiende? ¿Qué es el lenguaje de los jóvenes? El lenguaje que todos quisieran hablar. Porque todos quisieran ser jóvenes. Juventud, divino tesoro. Qué frase más vieja.

www.educarchile.cl

Vocabulario útil: modismo, *idiom*; sonar mejor, *to sound better*; es un hecho, *it's a fact*; tener alguna gracia, *to be funny*; de un modo, *one way*; o sea, *that is to say*; divino tesoro, *divine treasure*

Actividad 50 (1:25)
A los niños no les gustan los programas para niños
Esta contradicción se percibe, por ejemplo, en la efímera conciencia de la infancia que tienen los propios niños. Los creadores de la mítica serie de televisión infantil *Barrio Sésamo* se han visto sorprendidos por el descenso progresivo de la edad de sus espectadores. Lo que en un principio fue ideado como un producto para niños de 5 a 7 años, hoy lo ven los críos de 2. Los fabricantes de juguetes, los compositores de música infantil y los autores de productos de entretenimiento perciben la misma tendencia. Parece que el tránsito de los gustos infantiles a los adultos ya no es progresivo: ocurre de golpe y los pequeños pasan de cantar las canciones de Los Payasos a pedir a sus padres el último disco de David Bustamante, de *Operación Triunfo*. Del mismo modo, los juguetes tradicionales que antes servían hasta los 9 ó 10 años, hoy son sustituidos por videojuegos u ordenador antes de los 7 años de edad.

Revista *Muy Interesante*

Vocabulario útil: efímera, *ephemeral*; descenso, *drop*; crío, *child*; fabricante, *manufacturer*

Actividad 51 (5:24)
Con el punto de mira en Wall Street
Brooklyn, Nueva York. Daniel Rivas es un joven muy motivado a sus veinte años. Daniel organiza a sus compañeros y los aconseja sobre las oportunidades de trabajo y carreras que pueden seguir una vez terminados sus estudios universitarios. Este inmigrante dominicano con sus ojos puestos en Wall Street, nunca ha dejado nada a medias.

"Mis padres siempre me inculcaron que la educación era lo único que me podían garantizar que nunca me faltaría; por esta razón he tenido que trabajar duro y recordar en todo momento mis raíces y, por supuesto, devolver los favores a aquéllos que me han ayudado a conseguir mis metas," dice Daniel, quien se está preparando para su último año en el programa honorífico de Long Island University en el campus de Brooklyn. Daniel recientemente visitó su escuela secundaria donde estuvo dando una charla a los jóvenes e incluso participó como tutor de matemáticas.

El tercero de cinco hermanos, Rivas se mudó con su familia al sur del Bronx después de haber emigrado de la República Dominicana cuando tenía tres años. Con su carrera universitaria en filosofía e informática, Rivas se aventuró en una nueva etapa este verano cuando trabajó para el Credit Suisse en la ciudad de Nueva York, resultado de haber recibido una beca de la oficina de educación y oportunidades universitarias (SEO). Daniel es el primer estudiante de Long Island University que ha sido otorgado con el prestigioso premio que está designado a proveer experiencia profesional y oportunidades de desarrollo para minorías estudiantiles.

"Wall Street es un negocio, el cual se aprende trabajando en él," dice Rivas, de cuerpo atlético y una altura de 6 pies y 2 pulgadas. Él tiene planeado conseguir un puesto fijo en el mundo de la banca de inversión, una vez que se gradúe de la universidad en mayo. Después, Daniel quiere estudiar administración de empresas y le gustaría poder establecer unas becas y otro tipo de ayudas para jóvenes necesitados.

"Una de las mejores cualidades de la comunidad latina es la ética profesional," dice Rivas. "La discriminación y la barrera económica tienden a hacer que muchos jóvenes latinos decidan no continuar sus estudios universitarios y profesionales ya que tienden a pensar que no tienen suficiente potencial. Los jóvenes latinos necesitan ver cómo otros latinos han logrado sus metas para mostrarles que es posible alcanzar el éxito. Necesitan motivación".

Este otoño, Rivas intentará conseguir otra beca en Wall Street trabajando para Forest Capital Markets mientras sigue trabajando en el campus de Brooklyn, reclutando estudiantes para el SEO. Seguirá siendo un ejemplo para otros jóvenes y trabajará con la organización estudiantil latina, Latinos Unidos, compartiendo su talento como bailarín de salsa. "He aprendido que uno puede conseguir sus metas poniendo toda tu mente en ello," dice Daniel. Y añade: "si trabajas duro, mi experiencia es una prueba de ello".

www.brooklyn.liu.edu

Vocabulario útil: punto de mira, *target/objective*; a medias, *half done*; inculcar, *to instill*; raíz, *root*; mudarse, *to move*; etapa, *stage*; beca, *grant*; otorgar *to grant*; premio, *award*; minoría, *minority*; puesto fijo, *steady job*; banca de inversión, *investment bank*; tender a, *to tend to*; reclutar, *to recruit*; prueba, *proof*

Preguntas
1. ¿Por qué es Daniel Rivas un muchacho tan motivado?
2. ¿Daniel es de familia numerosa?
3. ¿Qué ha conseguido Daniel?
4. ¿Qué metas tiene este joven latino?

Actividad 52 (3:46)
¿A qué edad nos convertimos en adultos? Ya soy mayor

Los jóvenes, según el estudio de la Fundación Santa María, priorizan y valoran como objetivo en sus vidas sobre todo lo cotidiano, lo cercano; esto es, la familia (80%) y los amigos (63%), dando por supuesta la salud (82%). En último lugar está lo que tiene que ver más con lo ideológico: la política (7%). En medio estarían el trabajo (60%), ganar dinero (55%) o llevar una vida digna (52%). "La evolución de la importancia de los valores en los jóvenes españoles en los últimos años, muestra que una buena relación familiar, unos buenos amigos (no sólo compañeros), sin olvidar la salud, conforman la triada básica, el sustrato desde donde edifican su universo simbólico", recoge dicho informe.

Un estudio realizado un año antes por el INJUVE ("Sondeo de opinión y situación de la gente joven") aporta otro dato curioso: la inmensa mayoría de jóvenes (97%) está satisfecha con sus relaciones familiares. ¿Las razones? Permisividad a la hora de llegar a casa. Ocho de cada diez no tienen hora de llegada, y las chicas se quejan de no disfrutar de la misma libertad que los chicos a la hora de regresar a casa: un 23% de féminas tenía problemas con este tema, frente a un 16% de varones. Ante la afirmación "los jóvenes no se van a vivir fuera de la casa de sus padres, porque temen perder el nivel de vida", algo más de la mitad (53%) de los consultados se muestran "de acuerdo", mientras que el 44% está en "desacuerdo".

Vayamos un poco más allá. ¿Cuál es el modelo de familia que defienden? Sin duda en estos últimos años han variado las pautas y ellos asumen otros modelos de familia que no tienen nada que envidiar —a su juicio— al esquema tradicional del matrimonio con o sin hijos. Fruto de las separaciones, los divorcios u otro tipo de relación, se han creado diferentes modelos sociales que no tienen que ver con aquel matrimonio para toda la vida. Parejas con hijos de distintos matrimonios, familias monoparentales, uniones homosexuales con o sin hijos y las uniones de hecho, todo ello

ha entrado a formar parte de este nuevo universo y ellos parecen ser tolerantes y abiertos. Pero, por otro lado, también hay muchos que defienden fórmulas tradicionales. Al menos eso se desprende del estudio "Jóvenes y política. El compromiso con lo colectivo" realizado por la Fundación de Ayuda a la Drogadicción (FAD), el INJUVE y la Obra Social de Caja Madrid. Según esta investigación, para la mayoría (57%) casarse y tener hijos es un proyecto vital de futuro. Por cierto, eso de vivir en soledad no les atrae en absoluto (1%).

www.revistafusion.com

Vocabulario útil: lo cotidiano, *daily things*; llevar una vida digna, *to have a decent life*; sustrato, *foundation*; edificar, *to build*; sondeo, *poll*; fémina, *female*; varón *male*; nivel de vida, *standard of living*; desacuerdo, *disagreement*; pauta, *guideline/model*; envidiar, *to envy*; a su juicio, *in their opinion*; no tener que ver con, *to not have anything to do with*; por cierto, *to be sure*; soledad, *solitude*; en absoluto, *at all*

Actividad 53 (3:12)
Participe en una conversación

Capítulo 2, Lección B

Actividad 23 (3:36)
Adolescentes en peligro

Dos jóvenes latinas, víctimas de pandilleros, encabezan una cumbre para contrarrestar el problema de la violencia entre pandillas en el Este de Los Ángeles

Jeannette Porcho y Virginia Romero tienen muchas cosas en común: las dos son jóvenes y latinas, las dos están discapacitadas por culpa de pandilleros y las dos quieren cambiar la historia de jóvenes de secundaria que estén considerando involucrarse con pandillas.

"Que nos vean cómo terminamos a causa de las pandillas; porque lo que hagan o dejen de hacer esos jóvenes puede impactar sus vidas y la vida de los demás para siempre", dijo Virginia Romero, una joven de 26 años que perdió la vista durante una balacera entre pandilleros.

Romero como Porcho son parte de Adolescentes en Riesgo, un programa que busca alejar a jóvenes de primaria y de secundaria del ambiente de las pandillas.

"Yo me involucré con pandillas porque siempre veía a los pandilleros que salían, que eran unidos, que se divertían y que conducían buenos carros. Yo quise ser como ellos", comentó Romero, durante un foro anual entre residentes del Este de Los Ángeles que busca educar a padres de familia sobre cómo alejar a sus hijos de las pandillas.

Ramona Jiménez, una mujer que vive cerca de la escuela secundaria Hollenbeck, donde se organizó el foro, aseguró que ella está a favor de ese tipo de eventos, porque "hay mucha violencia en esa zona", pero desconocía que la comunidad estuviera organizando ese tipo de foros.

"Si van a hacer eventos de concienciación deberían invitar a toda la gente, porque como le digo, yo no sabía nada de eso", dijo Jiménez.

De acuerdo al Departamento de Policía de Los Ángeles (LAPD), durante los primeros dos meses del año, se registraron 18 homicidios en esa zona, la mayoría de ellos relacionados con las pandillas.

"Es triste ver cómo se matan nuestros jóvenes, por eso queremos hacer algo, hacer una diferencia. Y es cierto, hace falta más difusión, pero hacemos lo que podemos", dijo Jimmy Valenzuela, organizador del foro.

Mientras tanto, jóvenes como Jeannette Porcho, no pierden las esperanzas y aseguran que, aunque no en la magnitud que ellos quisieran, sí hacen una diferencia en la vida de muchos jóvenes.

"Porque a veces no necesariamente tienes que ser pandillero, sino estar en un ambiente de ésos, como yo, que no era pandillera, pero.

mis hermanos sí. Un día llegaron dos muchachos, de 14 y 13 años, buscando a uno de mis hermanos, lo encontraron y le dispararon; varios de los disparos me dieron en la espalda", dijo Porcho.

Desde entonces, Porcho está atada a una silla de ruedas... "y por el resto de mi vida", dijo.

Los responsables nunca fueron arrestados. Ahora Porcho se dedica a aconsejar a los jóvenes para que se alejen de las pandillas, para que no se involucren en este tipo de actividades porque pueden terminar mal.

www.laopinion.com

Vocabulario útil: pandillero, *gang member*; cumbre, *top*; contrarrestar, *to counteract*; discapacitado, *handicapped*; involucrarse con, *to get involved with*; balacera, *shooting/shootout*; alejar, *to move away*; ambiente, *surroundings*; asegurar, *to assure*; esperanza, *hope*; disparar, *to shoot*; atado, *tied/confined*; silla de ruedas, *wheelchair*

Actividad 26 (3:25)
La emancipación de los jóvenes en España
La juventud, como el resto de la población española, ha mejorado sensiblemente de situación durante el último cuarto de siglo. La elevación general del nivel de vida, la progresiva igualación intersexual, el logro de las libertades políticas, la integración internacional y la expansión cultural a través de medios han configurado un espacio vital más habitable. Los jóvenes disfrutan actualmente de un nivel formativo impensable hace dos décadas, la tolerancia en el seno de la familia hace irreconocibles las formas autoritarias de antaño y la conjunción del saber adquirido y la libertad alcanzada permiten disfrutar de un grado de realización personal muy superior al que experimentaron sus antecesores.
Sin embargo, algunas cuestiones básicas han sufrido un deterioro que afecta de manera crucial la construcción de sus biografías, como son el paro y la rotación laboral, que condenan a los recién llegados a una inestabilidad contractual fomentada por una legislación mal adaptada.

El desempleo y la inestabilidad en el puesto de trabajo configuran un escenario en el que las nuevas trayectorias de integración social se llenan de incertidumbres. Este camino incierto tiene un resultado gravoso para los jóvenes: cada día es más difícil irse de la casa paterna. La vivienda propia se ha convertido en un bien inaccesible para una mayoría de jóvenes. Estos prolongan incesantemente sus estudios para huir de la noria de la rotación a través del paro y los empleos temporales.

La estrategia de seguir estudiando es un factor positivo para la mejora de la capacidad productiva de quienes lo hacen y, en consecuencia, de la sociedad en su conjunto. Asimismo, se convierte en un activo de primer orden para fomentar y consolidar la participación laboral de la mujer. Su carácter de refugio no resuelve indefinidamente los problemas de emancipación de los jóvenes en España. Las dificultades en la formación de nuevas familias es uno de los factores clave en la disminución de la natalidad.

Por todo esto, se hace necesario estudiar el retraso en la emancipación que soportan las últimas generaciones, analizar sus causas y su extensión. El Instituto Nacional de la Juventud (INJUVE), que ha tratado la cuestión de la emancipación en varias investigaciones anteriores, ha querido concentrar su atención en este tema estratégico en el que se reflejan algunos de los problemas más acuciantes de la juventud española. Con ese interés se publica este libro cuyos autores son profesores de reconocido prestigio en el análisis social de la juventud y de la familia en España, que cuentan con una larga y fructífera trayectoria de investigación. Este texto, que contiene propuestas teóricas y logros empíricos, es el fruto de la reelaboración de una investigación realizada por los autores para el INJUVE.

www.ilo.org

Vocabulario útil: logro, *achievement*; medios, *media*; impensable, *unthinkable*; en el seno de la familia, *in the heart of the family*; irreconocible, *unrecognizable*; de antaño, *of days gone by/of the past*; antecesor, *predecessor*; paro, *unemployment*; trayectoria, *path*; incertidumbre, *uncertainty*; gravoso, *costly*; refugio, *shelter*; retraso, *delay*; acuciante, *urgent*; fructífera, *productive*; propuesta, *proposal*

Actividad 43 (2:16)
¿Oportunidades?
Prisión, prostitución, esclavitud, violencia y muerte son los destinos más habituales que aguardan a los niños de la calle. En Europa (por ejemplo en Bulgaria), las bandas de skinheads cometen ataques racistas contra los niños de las calles rumanas. En muchos casos los niños han nacido en sociedades castigadas por la brutalidad de la guerra: Angola, Liberia, Guatemala, El Salvador, y por lo tanto han crecido rodeados de una violencia que tratan de imitar. Son antiguos soldados que han asumido la violencia como una conducta normal y pasan a formar parte de los batallones policiales que se encargan de limpiar las calles de los sin techo.

La asesina más eficaz de estos niños es la indiferencia. Cerca de un millón de menores (sobre todo niñas) ingresan cada año en el mercado de la prostitución infantil, para sobrevivir o colaborar con la economía familiar. El turismo sexual se ha convertido en una industria que mueve billones de dólares. En Mauritania y Sudán, los niños pueden comprarse como esclavos por poco más de 15 dólares.

Todavía hoy miles de ellos continúan muriendo cada año. Y sin embargo, aún hay ejemplos para la esperanza: En Luanda, Angola, se fundó una escuela para niños y niñas de la calle en 1991. En Centroamérica, Casa Alianza está trabajando para internacionalizar el perfil de los niños de la calle a la vez que favorece su rehabilitación. Todos los estados deberían establecer planes de acción al respecto, como la publicidad y el cumplimiento de los artículos recogidos en la Convención sobre Derechos del Niño o creando ministerios específicos de atención para niños y adolescentes.

EFE/www.enbuenasmanos.com

Vocabulario útil: esclavitud, *slavery*; aguardar, *to await*; rumanas, *Rumanian*; los sin techo, *homeless*; fundarse, *to be founded*; perfil, *profile*; cumplimiento, *execution*

Actividad 49 (2:18)
Adictos a los medicamentos
Según la Organización Mundial de la Salud, la fármaco dependencia es un estado caracterizado por la dependencia de un ser vivo a un fármaco, la cual puede llevar a cambios en la conducta y la salud. Un tanto por ciento bastante alto de personas adictas a los fármacos también lo son a otros tipos de drogas, como puede ser el alcohol o tabaco.

Está empezando a ser común entre algunos jóvenes consumir determinados medicamentos que producen los mismos efectos que algunas drogas ilegales. Con estos medicamentos pueden sentir una sensación de euforia o energía que ellos creen que necesitan para huir de un mundo que no les ofrece lo que buscan, mientras otros los usan para mejorar sus resultados en exámenes. Pero todo también tiene su lado negativo: estos medicamentos, los cuales tratan normalmente trastornos mentales o físicos, tomados sin control, pueden presentar efectos secundarios muy peligrosos para la salud, e incluso pueden poner en peligro sus vidas. Éstos son mucho más baratos que algunas drogas, no son ilegales y los pueden encontrar incluso en sus propias casas. Muchos jóvenes que abusan de medicamentos los toman porque creen que son menos peligrosos que las drogas ilícitas. Se ha comprobado que no es así, estos medicamentos son iguales o más peligrosos.

Los gobiernos de Estados Unidos y Latinoamérica se han concienciado sobre este tema y han creado anuncios publicitarios, panfletos y revistas avisando a padres, los cuales no suelen estar informados del consumo desorbitado de determinados medicamentos por parte de su familia, y de los graves peligros que suponen el consumo de determinados medicamentos en exceso, con o sin prescripción médica.

Mari Sierra Ramos Castro

Vocabulario útil: fármaco dependencia, *drug dependency*; un tanto por ciento bastante alto, *a rather high percentage*; comprobar, *to prove*; concienciar, *to raise the conscience of*; avisar, *to warn*; desorbitado, *astronomical*; suponer, *to suppose*; prescripción médica, *prescription*

Actividad 50 (5:50)
Deserciones escolares
¿Por qué son tan altos los niveles de deserción escolar entre los estudiantes latinos en Estados Unidos? La periodista Pilar Marrero, del diario *La Opinión*, se lo preguntó a un grupo de jóvenes en Los Ángeles, que decidieron abandonar sus estudios.

Soy José Santa Cruz. Tengo 19 años.
"En México vivía en un pueblo muy pequeño y casi no estudié porque sólo había una escuela y a veces el maestro faltaba. Luego, cuando llegué aquí, sí estudié un tiempo pero no me iba bien y comencé a trabajar a tiempo parcial en un restaurante de comida rápida y comencé a ganar dinero y entonces quería seguir ganando más dinero.

Entonces me pinteaba (faltaba a la escuela) para trabajar más horas. Se me cerró la mente, no quise saber más nada de los estudios. También me metí en un curso de locución y quise ser policía, pero la consejera de la escuela me dijo que para eso hacen falta papeles migratorios y yo no tengo. Me desilusioné mucho.

Yo lo que quiero es trabajar en la radio. Pagué 1.200 dólares por un curso de locución. Me prometieron que sería famoso y hasta ahora no veo resultados. Pero lo que yo quiero es trabajar en la radio y decirle a los demás que no hagan lo que yo hice. Hoy cuando vine a la escuela para la entrevista vi el lugar y me sentí como un tonto por no haber terminado, porque ya estaba en último año. Me dieron ganas de llorar".

Soy Rosa Ochoa. Tengo 19 años.
"Dejé la escuela en el octavo grado porque tuve un problema familiar y tuve que ir a México durante un largo tiempo. Allá no quisieron hacerme válidos los estudios de aquí y, de todas maneras, no me gusta estudiar. Cuando regresé a Estados Unidos ya tenía 18 años y no me aceptaron en la escuela regular, sino que tenía que ir a una de adultos. Luego comencé a trabajar y me hice independiente, por lo que ya no quise seguir estudiando.

Ahora trabajo y vivo independiente. Me fui de mi casa y no quiero regresar".

Soy Claudia Hernández. Tengo 19 años.
"Dejé la escuela porque me llevaba mal con una maestra y me pinteaba mucho. Luego me dio vergüenza regresar por lo que fueran a decir. En realidad, yo comencé a venir aquí muy pequeña porque aquí estaban mi padre y mis hermanos y yo iba y venía a México con mi mamá.

Pasábamos una temporada aquí y otra allá, así que nunca podía completar la escuela en ningún lugar. Mi papá era obrero de la construcción pero ahora ya está mayor y se regresó a México con mi mamá, y yo me quedé aquí con mis hermanos.

Ahora no hago nada, pero sueño a veces y me pasan por la cabeza muchas cosas. Como ser enfermera. Pero no hablo bien inglés ni lo escribo, así que nunca realmente pude estudiar bien aquí. Tampoco sabía a quién acudir para saber qué podía hacer y sobre todo, me daba vergüenza regresar a mi vieja escuela porque, ¿qué iban a decir?

Mi hermana y mis padres me dicen que estudie pero yo no sé. Pero la verdad, sí quisiera estudiar".

http://news.bbc.co.uk

Vocabulario útil: deserciones escolares, *school desertions/dropouts*; faltar, *to not be (present)*; mente, *mind*; darle ganas de, *to feel like*; temporada, *period of time*; sobre todo, *above all*

Preguntas
1. ¿Por qué no estudió José Santa Cruz cuando era pequeño?
2. ¿Cuál es la ilusión de José Santa Cruz?
3. ¿Por qué no ha vuelto Rosa Ochoa a la escuela?
4. ¿Por qué dejó la escuela Claudia Hernández?
5. ¿Qué le pasa a Claudia Hernández?
6. ¿Qué significa la expresión "me pasan por la cabeza muchas cosas"?

Actividad 51 (3:13)
Voto Latino
Voto Latino (VL) es una organización nacional conducida por jóvenes, fundada con el propósito de crear una voz unificada para la juventud latina y jóvenes adultos sobre asuntos que impactan sus vidas diariamente.

Asimismo, VL es también una organización sin fines de lucro dedicada a la política pública y a advocar, cuya misión principal es darle poder a los jóvenes latinos de los Estados Unidos para que participen en el proceso democrático a través de una comunicación bien informada y objetiva que permitirá a los constituyentes promover y apoyar de manera efectiva el mejoramiento social, político y económico entre las diferentes comunidades latinas en los Estados Unidos.

VL también trabajará con organizaciones locales y nacionales esperando conseguir apoyo financiero para actividades de alcance local e iniciativas de registro de votos.

Nuestra visión
Voto Latino, una iniciativa para la toma de conciencia sobre asuntos, reafirmará la existencia de los latinoamericanos en América, a pesar de que muchos latinoamericanos tienen nuestras raíces en otros lugares.

VL es una campaña que le da el poder a los jóvenes latinos y jóvenes adultos de mirar este país como propio, y les provee un incentivo para hacer que los cambios sucedan desde sí mismos; le habla directamente a la próxima generación de votantes latinos

bilingües (la más grande que el país haya visto) y los motiva con el espíritu de acción que caracteriza al resto de sus vidas.

Nuestra misión
Voto Latino tocará asuntos cruciales para los latinos aquí en los Estados Unidos, buscando el apoyo de artistas musicales y celebridades para la difusión y toma de conciencia.

La idea tras Voto Latino será el uso responsable de esfuerzos, actitud y música para motivar a jóvenes latinos a interesarse en su bienestar político.

Actualmente hay 7 millones de votantes latinos registrados en los Estados Unidos, pero hay más de 8 millones no registrados que están calificados para hacerlo. La misión de VL es activar esta base para comprometerla en el proceso político y, al hacerlo, ofrecer un vehículo para posibilitar un cambio positivo en sus comunidades.

Los asuntos

Voto Latino está dedicado a mejorar la vida de los jóvenes latinos y jóvenes profesionales focalizándose en curas para las injusticias sociales, económicas y políticas. Nuestros asuntos incluyen, pero no están limitados a:

Empleos, Carrera Profesional y Atribución de Poder Económico

Acceso Educativo

Registración de Voto y Educación Cívica

Representación en los Medios de Comunicación

Entretenimiento y Noticias

Atribución de Poder Político

Estructura Familiar y Valores

www.votolatino.org

Vocabulario útil: apoyo, *support*; campaña, *campaign*; comprometer, *to commit to*

Actividad 53 (3:03)
Participe en una conversación

Capítulo 3, Lección A

Actividad 24 (5:55)
La comida de México

La gastronomía mexicana se caracteriza por su intenso aroma y el contraste de sabores.

La comida mexicana tradicional se transmite de generación en generación, por lo que las recetas más típicas y sabrosas, lejos de olvidarse, se han ido enriqueciendo con el paso del tiempo, hasta el punto de que la cultura culinaria ha dado lugar a una nueva cocina mexicana, caracterizada por sofisticados platos presentados con un mimo exquisito pero que no se han alejado de la sapiencia popular. En México las cocinas más reconocidas son las de los estados de Puebla, Oaxaca y Yucatán, y en menor grado, pero también característica, la de Veracruz. En general son cocinas criollas, diferentes de las caribeñas, un litoral donde también tiene un sabor característico.

Desayunos tempranos

En general, el desayuno tiene lugar hacia las siete de la mañana y se mantiene como una de las comidas más fuertes y completas del día. Sobre el mantel se puede degustar platos tan variados como los típicos chilaquiles (tortillas rellenas de tomate, chile, ajo y cebolla que pueden acompañarse de pescado o carne), las tortitas de maíz o los huevos a la mexicana con chile y cebolla. Y, para terminar, nada mejor que un refrescante zumo de naranja y una taza de café al más típico estilo mexicano, es decir, intenso y con un toque a canela. Para aquellos que no son amigos del desayuno fuerte puede esperar a degustar estos platos en el almuerzo, o inclinarse por probar los tamales (pasta hecha con harina de maíz, envuelta en hojas de mazorca o de plátano, cocida al vapor y rellenos para todos los gustos (de cerdo, de gallina, vegetal), el atole (una bebida a base de maíz, leche o agua y fruta o chocolate. Es ligeramente espeso, y aunque es típico, no es de consumo cotidiano en las ciudades) o cualquier guiso junto con unas tortitas.

Una comida típicamente mexicana

La comida se suele servir entre la una y las cuatro de la tarde y tiende a ser más abundante que en otros países. En general consta de un primer plato bastante suave y ligero que suele componerse de caldos típicos como el tlalpeño (un caldo a base de pollo y garbanzos) o el sudado (una sopa de camarones y moluscos), o de una ensalada, cuya variedad de ingredientes la convierten en un plato muy refrescante y realmente original. Los segundos platos, en cambio, resultan bastante más contundentes y entre ellos se encuentra uno de los más típicos de México, el pollo con mole blanco, que contiene ingredientes tan variados como almendras, chocolate, chile, ajo, pimienta, plátano... Del mole, existen muchas variedades. De los más conocidos es el mole poblano, originario de la ciudad de Puebla. Es de chiles secos, almendras, chocolate, especias. Su sabor es dulzón, y efectivamente el típico es con pollo. Del estado de Oaxaca es típico el mole negro, el más conocido, aunque también están el rojo, el amarillo y el verde. En este estado se utiliza mucho la hierba llamada Hoja Santa o Acuyo, de sabor ligeramente anisado.

Otro de los platos que no se puede perder un visitante son los famosos "burritos", tortitas de harina rellenas de casi cualquier tipo de alimento guisado. Pero si se prefiere tomar un buen plato de pescado o marisco, la cocina mexicana también nos ofrece gran variedad de posibilidades. Entre ellos destacan el huachinango servido con diferentes salsas o la langosta y los camarones al mojo de ajo. Y de postre, nada mejor que un buen dulce, como el jamoncillo de leche, los flanes típicos, o cualquier tarta o helado.

Meriendas y cenas dulces

La merienda es el momento del día en el que se degustan alimentos tan variados como el chocolate a la española o los antojitos, en los que se engloban platos como las enchiladas, las quesadillas o los tacos. La cena tiene lugar generalmente hacia las ocho o nueve de la noche y normalmente está constituida por un plato único que consiste en tortitas, memelas, queso o chorizos, que en algunos casos se acompaña de una taza de chocolate y un trocito de pan dulce.

www.consumer.es

Vocabulario útil: enriquecer, *to enrich*; litoral, *coastal region*; mantel, *tablecloth*; canela, *cinnamon*; mazorca, *corncob*; al vapor, *steamed*; rellenos, *stuffed/filled*; tender a, *to tend to*; constar de, *to be made up of*; caldo, *broth*; moluscos, *mollusks*; contundente, *weighty*; ligeramente, *lightly*; anisado, *flavored with anise/anise seed*; destacar, *to emphasize*

Actividad 30 (3:43)
El sabor de Argentina

La cocina argentina es muy variada y diversa gracias a la interacción entre sus recetas más tradicionales y las costumbres gastronómicas de otros países.

Las pizzas y la pasta (sobre todo la rellena) importadas por los italianos, se han convertido en una de las mayores especialidades de la gastronomía argentina. De hecho, en el centro de la cocina de muchas casas es frecuente encontrar una enorme mesa en la que se amasa la base de las pizzas e incluso la pasta.

La carne, imprescindible

El alimento más importante de la dieta de los argentinos es, sin duda, la carne. Entre sus platos destacan el asado argentino, elaborado con distintas partes de la vaca que se asan a la brasa, o el bife de chorizo, parte de carne sin hueso de la cara externa del lomo del animal con forma entre triangular y cilíndrica, de ahí que se le denomine chorizo.

Es probable que quien visite Argentina no vuelva a probar una carne asada tan sabrosa como la que se puede degustar en ese país, ya que sus habitantes manejan como nadie el corte de la carne y la administración del fuego, puntos clave para obtener un excelente asado. Gracias al estupendo sabor de estos platos, es común que la carne se sirva sola ya que no necesita de más acompañamiento; sin embargo, si se desea, se puede optar por una salsa como guarnición, entre las que destaca el "chimichurri", una sabrosa salsa elaborada con diferentes especias y vegetales como ajo, pimiento rojo, perejil, orégano, ají, tomillo, cebolla y laurel, que se mezclan con agua, vinagre, azúcar, sal y aceite.

La cocina criolla

Muchos de los platos que forman parte de la cocina criolla tradicional permiten degustar los sabores aborígenes más típicos y representativos de la cultura gastronómica argentina.

Algunos de los bocados más sabrosos son las empanadas de humita, típicos bollos de maíz con salsa, o el curanto, un plato que posee una curiosa técnica de elaboración, ya que se prepara un agujero en la tierra en el que se encienden las brasas sobre las que se colocan la carne y las verduras que vayan a formar parte del plato. A continuación, los alimentos se cubren con hojas de nalca (una variedad patagónica del ruibarbo) y se tapan con tierra para que se vaya cocinando todo lentamente. Como es de suponer, el sabor del plato puede resultar tan espectacular como el modo en que se cocina.

El mate

Argentina es el país del mate por excelencia. En ninguna otra parte del mundo se consume tanta cantidad de esta infusión como la que se toma en este país. Resulta curioso observar la originalidad de los recipientes en los que se toma el mate, ya que éstos, que también reciben el nombre de mate, pueden estar elaborados con muy diferentes materiales, como el cuero, la madera, la porcelana o incluso la calabaza.

Además del mate tradicional elaborado con hojas desecadas, ligeramente tostadas y desmenuzadas de la hierba de mate, existen diferentes variantes como el mate con pomelo, o el mate helado con limón, realmente refrescantes.

www.consumer.es

Vocabulario útil: sobre todo, *above all*; amasar, *to knead*; lomo, *loin*; denominar, *to name*; clave, *key*; estupendo, *marvelous*; guarnición, *garnish*; bocado, *bite to eat*; agujero, *hole*; brasa, *hot coal*; cuero, *leather*; calabaza, *pumpkin*; desecar, *to dry up*; desmenuzar, *to crumble*; pomelo, *grapefruit*

Actividad 36 (3:24)

El chocolate. Un dulce rodeado de mitos

Los perjuicios de los que se acusa a uno de los alimentos más deseados no tienen base.

El chocolate se ha convertido en uno de los placeres gastronómicos más extendidos en el mundo.

Cualquiera puede degustar el amplio surtido de chocolates que se produce. El 70% del cacao, su ingrediente principal, se obtiene de África ecuatorial, donde países como Costa de Marfil —el mayor productor del mundo— y Ghana dependen en gran medida de sus exportaciones a los principales países fabricantes de chocolate y derivados del cacao: EE.UU., Alemania, Reino Unido, Francia y Brasil. Las variedades más importantes del cacao son: Theobroma criollo, Theobroma forastero y el cruce que se obtiene entre ambas. El Criollo supone un 10% de la producción mundial; se cultiva en Venezuela y Ecuador, y posee un aroma y sabor excelentes. El 90% restante es tipo Forastero y variedades del mismo, con una calidad inferior pero que permite una mayor producción. En cuanto a su consumo, datos indican que en España se toman en torno a 3,5 kilogramos per cápita al año, cantidad muy inferior a la de otros países europeos y en la que el mayor porcentaje corresponde al chocolate en tableta.

Calidad del chocolate

La calidad de un chocolate viene determinada por el origen y porcentaje de componentes del cacao, el resto de ingredientes y por su proceso de elaboración. Los chocolates que se elaboran con cacao de Ecuador, Venezuela, Ghana y Costa Rica son de buen sabor y gusto fino, los de Indonesia poseen un sabor suave, los de Brasil aportan un sabor y aroma muy variables, mientras que los de la República Dominicana son los menos sabrosos.

En general, los chocolates de mayor calidad son los que contienen un alto porcentaje de componentes de cacao (cacao y manteca de cacao) y los que se someten a un proceso denominado "concheado". Éste consiste en remover el chocolate líquido en una máquina entre doce horas y siete días. Lo ideal es prolongarlo una semana, ya que de este modo el chocolate se enriquece en sabor, desaparece todo resto de amargor y su textura queda más aterciopelada. Respecto a otros ingredientes, cabe destacar que con el extracto puro de vainilla se fabrican chocolates de primera calidad, mientras que para el resto se recurre a la vainillina, un sustituto más económico.

www.revista.consumer.es

Vocabulario útil: surtido, *selection*; aportar, *to contribute*; someter, *to submit*; amargor, *bitterness*; aterciopelada, *velvety*

Actividad 43 (1:18)

Comida latina, primer lugar en Estados Unidos

La comida latina ha alcanzado el primer lugar de crecimiento en los Estados Unidos, superando a todas las opciones culinarias étnicas, reveló la Asociación Nacional de Restaurantes.

En entrevista con Efe, la directora de Mercadotecnia Internacional de la agrupación, Denyse Selesnick, informó que los platillos latino-americanos, especialmente los mexicanos, se imponen rápidamente en el paladar de los comensales estadounidenses.

Refirió que en una industria que este año espera ventas por 511 mil millones de dólares, el consumo de la comida hispana en los restaurantes de la nación creció casi un 8 por ciento el año pasado, seguida muy de cerca por los platillos asiáticos.

Selesnick explicó que dicho incremento no sólo obedece a que los hispanos se erigen ya como el primer grupo étnico de Estados Unidos, sino al hecho de que los alimentos latinos satisfacen los exigentes paladares de millones de comensales aventureros.

www.laraza.com

Vocabulario útil: paladar, *palate*; erigir, *to set up*

Actividad 44 (3:56)

Descubrir el sabor de Colombia

Influencias africanas, árabes y españolas se mezclan para dar lugar a platos de gran diversidad de sabores, colores y texturas.

Las mesas de las casas y restaurantes colombianos son una gran combinación de colores y aromas, gracias a la presencia de diferentes platos que se mezclan con frutas exóticas, o a la carne asada que inunda los comedores con su aroma.

Platos típicos de cada región

A lo largo y ancho de todo el país, el visitante puede degustar platos tan tradicionales como el arroz con pollo, las arepas (pedazos de pan que se suelen rellenar con queso) o la "bandeja paisa", un gran plato en el que se sirven alimentos propios de la región en la que se encuentre, como huevo, carne, frijoles, plátano, arroz y chorizo, entre muchos otros.

La sopa "ajiaco", preparada con pollo y patatas, es una de las especialidades de Bogotá, y se recomienda no abandonar el país sin haberla probado. En el Tolima, una región andina del país, la "lechona" es el plato protagonista; elaborado con carne de cerdo rellena de arroz, es una fuente importante de energía. Pero sin duda, es en los Santanderes, región situada en la zona norte del país, donde se encuentra uno de los platos más llamativos de la gastronomía colombiana. Su nombre "hormiga culona" no esconde ningún secreto ya que el alimento que constituye este plato son las

hormigas fritas —con la parte trasera de gran tamaño, por cierto—, todo un reto para los turistas más aventureros.

La fruta, el tesoro colombiano

Gracias a su suave clima tropical, Colombia posee una enorme variedad de frutas que pueden formar parte de cualquier plato y que, cómo no, suponen uno de los postres más exquisitos del país. Papayas, mangos, ciruelas, mandarinas, sandías, piñas y otras menos conocidas como el zapote, con forma de manzana y carne oscura, la guanábana, de forma alargada, color verde y cubierta de espinas, o el corozo, un fruto de color negro y del tamaño de una avellana, son sólo algunos ejemplos de la riqueza frutícola del país.

Además de toda esta gran variedad de frutas, Colombia posee postres tradicionales de calidad como las obleas o la cuajada con melao, a la que se le añade caramelo de panela, azúcar integral de caña.

Y si lo que se desea es degustar la fruta de la forma más dulce posible —para muchos paladares resultará empalagosa—, la propuesta es el dulce de piña o coco, que consiste en rallar la fruta y mezclarla con azúcar. Al coco, como tiene menos agua, se le añade un poco de leche para poder mezclarlo mejor con el azúcar. Estos típicos postres se pueden disfrutar en cualquiera de los puestos situados en el llamado "portal de los dulces" —un lugar curioso que se encuentra en Cartagena, la preciosa ciudad amurallada, y en él se concentran un buen número de vendedores de pan, frutas, dulces... que permiten al visitante conocer el agradable ambiente popular.

www.consumer.es

Vocabulario útil: inundar, *to flood*; bandeja, *platter*; rellena de, *stuffed with*; llamativo, *flashy/striking*; parte trasera, *backside*; sandía, *watermelon*; zapote, *a kind of plum*; espina, *thorn*; avellana, *hazelnut*; caña, *sugarcane*; empalagosa, *sickly sweet*; rallar, *to grate*; amurallada, *walled*

Actividad 45 (5:13)
Sazón con tradición

En el restaurante ¡Y arriba y arriba! el menú está pensado para mover nuestras raíces culturales.

No importa cuántos años hace que dejó su tierra natal, para el latino que vive en Estados Unidos reencontrarse con platillos típicos de sus tierras es siempre motivo de alegría. Eso es precisamente lo que le ofrece el restaurante ¡Y arriba y arriba!, ubicado en el nuevo complejo de Disneyland.

Alex García, chef ejecutivo del recién estrenado negocio, y quien ha participado en la apertura de numerosos restaurantes en Nueva York y Miami, explicó que la idea es darle a la clientela un poquito de cada país latinoamericano, incluyendo además a España y Portugal.

"Tenemos antojitos de 22 países, además de una selecta variedad de postres, cafés y bebidas", dice García.

Enmarcado en el baile, la música y la diversión que caracteriza a los latinos, el restaurante tiene en su menú desde churrasco argentino, hasta tequeños, de Venezuela, pasando por pastel de pollo y choclo de Bolivia, envueltos de plátano maduro con relleno de frijoles molidos, de Guatemala, y carimañolas, unas frituras de yuca rellenas con carne de res, de Panamá.

Para seleccionar el menú, García dijo que escogió lo que más se extraña de cada tierra. Para ello, se valió de sus múltiples visitas por Latinoamérica y la experiencia de haber trabajado con reconocidos chefs, entre ellos Douglas Rodríguez.

"Hace algunos años trabajé en un crucero que juntó a 60 de los mejores chefs de Latinoamérica y ahí aprendí más de lo que pude aprender en mis años de escuela", dijo García. "Conocí ingredientes que nunca antes había visto o que conocía con otros nombres, aprendí a utilizar nuevos condimentos y a preparar platillos nuevos".

García también es el conductor de varios programas de cocina para la cadena de televisión Food Network, como "The Melting Pot" y "Taste of Mexico".

Una de las grandes atracciones que tiene el restaurante es el menú de ceviches, preparados con diferentes productos de mar y marinados con jugos de limón y de lima, para luego servirlos adornados con tomate, cebolla colorada y cilantro. Entre ellos hay ceviche de langosta, atún, camarón, vieiras, mejillones, ostiones, corvina, almejas y el mixto, con camarones, escalopes, calamares y pescado.

También deben probar el café. Según García, cada mes tendrán aproximadamente tres cafés exportados de diferentes países; por ejemplo, Antigua, de Guatemala, Terrazú, de Costa Rica, y Supremo, de Colombia. Hay, además, café de olla y yerba mate.

Los platillos se sirven en pequeñas porciones o tapas, por lo que si va en grupo puede pedir diferentes opciones y hacer varias combinaciones. Tienen, además, platillos acompañados con arroz blanco, papas fritas, frijoles negros, tostones, yuca frita, pan de bono, arroz con coco, palmitos, arepas y totopos con guacasalsa, una salsa especial de la casa.

El ambiente del restaurante es de fiesta, mucho baile y buena música en vivo. Los precios son moderados y la atención muy buena.

www.laopinion.com

Vocabulario útil: antojitos, *typical snacks*; enmarcado, *framed*; churrasco, *barbecued steak*; tequeños, *small cheese pancakes*; choclo, *corncob*; envuelto, *wrapped*; fritura de yuca, *fried cassava/manioc*; extrañarse, *to be missed*; crucero, *cruise*; langosta, *lobster*; vieiras, *scallops*; mejillones, *mussels*; ostiones, *large oysters*; corvina, *a kind of fish*; almejas, *clams*; tostones, *fried plantains*; palmitos, *hearts of palm*; arepas, *corn pancakes*; totopos, *taco chips*

Preguntas
1. ¿A partir de cuándo le apetece al latino que deja su tierra tomar comida típica de su país?
2. ¿De dónde proviene el menú del restaurante?
3. ¿Qué seleccionó el chef García para su menú?
4. ¿Qué es lo más interesante que ofrece el chef en su restaurante?

Actividad 46 (3:43)
Participe en una conversación

Capítulo 3, Lección B

Actividad 24 (3:16)
¿Por qué comer carne es malo para el planeta?
Comer carne produce un costo en el medio ambiente que las generaciones futuras se verán forzadas a pagar.

La tierra: De toda la tierra destinada a la agricultura en Estados Unidos, el 87 por ciento es utilizada para alimentar a animales criados para comida. Eso es el 45 por ciento de toda la tierra en Estados Unidos.

El agua: Más de la mitad del agua que se consume en Estados Unidos está destinada a los animales de la industria alimenticia. Se necesitan 2.500 galones de agua para producir una sola libra de carne, pero sólo 25 galones para producir una libra de trigo. Una dieta vegetariana requiere 300 galones de agua por día, mientras que una dieta carnívora requiere más de 4.000 galones de agua por día.

La polución: Los animales destinados a ser convertidos en comida producen 130 veces más excremento que el de toda la población humana: o sea, ¡87.000 libras por segundo! Gran parte de los desperdicios de las granjas industriales y mataderos van a parar a los ríos.

La energía: Producir tan sólo una hamburguesa requiere suficiente petróleo para manejar un automóvil pequeño por 20 millas y suficiente agua para 17 duchas.

La deforestación: ¡Cada vegetariano salva un acre de árboles por año! Las selvas tropicales también están siendo destruidas para proveer de pastizajes al ganado. Cincuenta y cinco pies cuadrados de selva húmeda podrían ser arrasados para producir una libra de hamburguesa.

Los recursos: En Estados Unidos, los animales criados para ser comida son alimentados con más del 80 por ciento del maíz producido y más del 95 por ciento de la avena. Solamente el ganado mundial consume una cantidad de alimentos equivalentes a las necesidades calóricas de 8.700 millones de personas: más que toda la población humana del mundo.

Personas por la Ética en el Trato de los Animales (PETA)
www.petaenespañol.com

Vocabulario útil: desperdicios, *waste products*; matadero, *slaughterhouse*; pastizaje, *pastureland*; arrasado, *razed (to the ground)*; avena, *oats*

Actividad 42 (1:45)
McDonald's informará al consumidor del valor nutritivo de la comida

La multinacional de la hamburguesa por antonomasia, McDonald's, informará a partir del año próximo a los consumidores, del contenido nutritivo de los alimentos que les ofrece, informó la empresa en un comunicado recogido hoy en la prensa. Los envoltorios de las hamburguesas, papas fritas y demás productos lucirán cinco "iconos" para indicar sus niveles de calorías, proteínas, grasas, carbohidratos y sodio, en términos absolutos y como porcentaje del consumo diario recomendable. McDonald's se convierte así en la primera cadena de "comida rápida" en informar al cliente sobre los valores nutritivos de sus alimentos, asegura la empresa en el comunicado presentado ayer en su sede en Chicago... Para finales de 2006, los nuevos envoltorios informativos estarán en 20.000 de los 30.000 restaurantes de la cadena en todo el mundo. "Los clientes acuden a nosotros en números récord y tomamos muy en serio su confianza en nuestra marca. Por eso queremos que tengan información fácil de entender sobre los valores nutritivos. Estamos poniendo la información que necesitan los consumidores en sus manos", comentó el director gerente de McDonald's, Jim Skinner.

www.laraza.com

Vocabulario útil: por antonomasia, *par excellence*; envoltorio, *wrapper/packaging*; acudir, *to come/respond*

Actividad 43 (5:44)
Todas las dietas funcionan; el que falla es el ser humano

"No hay milagros. Esfuerzo en la dieta y ejercicio es la única receta para adelgazar"

"El cuerpo tiene defensas para tolerar una hambruna, pero no para la obesidad"

Arturo Rolla, argentino "de Corrientes", reside desde hace 33 años en Boston (Estados Unidos), donde ejerce como endocrinólogo del hospital Beth Israel. Profesor de la Universidad de Harvard, la pasada semana acudió a Bilbao para impartir la conferencia Obesidad: ¿culpable o inocente? en la Universidad de Deusto.

P: Trabaja como endocrinólogo en un país donde el sobrepeso supone un problema de salud fundamental.

R: Ésa es una de las mentiras que nos hacemos en todo el mundo, que la obesidad es un problema solamente de Estados Unidos. Es un problema de todo el planeta.

P: ¿No se da sólo en los países más avanzados?

R: No, los países más avanzados están más avanzados también en obesidad, pero en diez años Europa va a estar a la misma altura que Estados Unidos. Y la paradoja es que aún en los países pobres está habiendo un gran aumento de la obesidad, y no están preparados desde el punto de vista financiero y sanitario para poder tratar los estragos que hace la obesidad sobre la salud.

P: De comilonas está la historia llena.

R: El número de obesos y el tamaño de los obesos nunca fue tan grande como ahora.

P: ¿Obesidad y anorexia son dos manifestaciones de una misma enfermedad?

R: Para ser sincero, no lo sabemos. Si bien hemos avanzado muchísimo en lo que es el control del apetito, todavía no sabemos cuáles son las alteraciones que te pueden llevar a la obesidad o a su opuesto, la anorexia nerviosa. Cómo una persona joven puede llegar a tener un control tan estricto y rígido del apetito hasta el punto de producirse una malnutrición severa e incluso la muerte. Y cómo, por el otro lado, estamos viviendo en una sociedad que facilita la sobrealimentación. Lo que sí sabemos es que desde el punto de vista genético estamos mejor preparados para tolerar una hambruna que la abundancia.

P: ¿Y eso?

R: Desde el punto de vista fisiológico tenemos una serie de cambios metabólicos muy importantes para tolerar la falta de calorías. De entrada, inmediatamente te aumenta el apetito, disminuyen todos los pensamientos que no sean los dirigidos a la comida y te baja el metabolismo basal un 30%. Por contra, cuando tienes abundancia de calorías, nada te defiende. Puedes seguir comiendo a pesar de no tener hambre.

P: ¿Cómo se ha llegado a este estado de una excesiva obesidad?

R: Estamos en una situación en que la comida se ha hecho muy fácil, barata y más sabrosa. Al tiempo, nuestra actividad física ha disminuido mucho. Comemos más de lo que tenemos que comer y apenas hacemos ejercicio.

P: No todos los obesos son iguales.

R: Hay muchas formas de obesidad y hay que tratar a cada una individualmente. En cuanto al sexo también hay diferencias. Cuanto menor es el nivel sociocultural hay más obesidad entre las mujeres; en cambio, entre los hombres hay más obesos cuanto mayor es el nivel sociocultural.

P: ¿Cómo debe ser una dieta para bajar de peso?

R: Hay un gran debate científico sobre este tema, si debe ser baja en carbohidratos, alta en proteínas o incluso alta en grasas.

P: Muchas dietas funcionan, aun sin base científica.

R: Todas las dietas funcionan. Lo que no funcionan somos los humanos. Las dietas no fallan, los humanos fallamos. Si haces una dieta, cualquiera, que reduce el número de calorías y la haces bien, bajas de peso.

P: Pero habrá alguna mejor.

R: Yo recomiendo la dieta PEPE. Son las iniciales de Persistencia y Ejercicio, primero, y luego, Persistencia y Ejercicio. Es el secreto.

P: Dieta y ejercicio. No existen milagros.

R: No. Esfuerzo en la dieta y ejercicio es la única receta.

P: En el crecimiento de la obesidad ha influido la comida basura.

R: La publicidad de la comida basura asocia el tomar estos alimentos con éxito y felicidad en la vida, y subliminalmente se queda el mensaje de que la felicidad y el amor están en las calorías y eso no es cierto.

P: El chocolate o un buen helado alivian cuando uno está deprimido.

R: La comida no es amor, no es felicidad. Las calorías no resuelven el problema que uno tiene y que le hace estar deprimido. Intentar solucionar la depresión comiendo, es lo que se llama el apetito emociogénico. No comemos porque tengamos hambre, sino por una necesidad emocional, pensando que eso nos va a hacer felices. Y a ese engaño contribuye la publicidad de alimentos y bebidas calóricas que nos muestra gente feliz y delgada.

www.elpais.es

Vocabulario útil: fallar, *to fail*; impartir, *to give*; paradoja, *paradox*; estragos, *havoc*; comilona, *glutton/huge meal*; engaño, *deceit*

Actividad 44 (8:32)
Dietas

Voy a hacer una confesión. Estoy a dieta. Sí, ya sé que no es nada original, pero para mí es algo nuevo en mi vida. Hace un par de semanas me dio por pesarme y descubrí que estaba ligeramente excedido de peso, poca cosa en realidad, unos 4 ó 5 kilos de más, según esas tablas de tanto mides tanto pesas, pero noté su presencia al ponerme unos pantalones de pre verano y comprobar que entraba en ellos justito.

El caso es que tomé la decisión, la reforcé con buenas dosis de voluntad, me informé correctamente, y aquí estoy, ignorando el chocolate, el pan, los pasteles, las galletas con mantequilla y mermelada del desayuno y, sobre todo, las patatas fritas.

Las patatas fritas, elixir de vida, néctar divino que acompaña a los huevos fritos, o al pescado, o a lo que sea, porque hacen tan bien su papel de acompañante que se las puede llevar a cualquier parte. Pues no señor, ni tocarlas.

Y lo mismo sucede con el pan. Aquel pan fresquito, oloroso, crujiente, que parece que hace siglos que no pruebo y que fue sustituido en un arrebato demencial por unas rebanadas de una cosa dura, insípida, inolora que, además, se parte en trozos y no te permite mojar nada con él, aunque pensándolo bien tampoco tienes nada que mojar, porque las salsas han desaparecido de mi vida. No más salsas.

Pero lo peor de las dietas es cuando te introduces en ellas: al principio, con aplomo, seguridad y decisión y, se supone, las ideas muy claras. Entonces empiezas a descubrir que el alcance del evento va mucho más allá de lo previsible, que muchas más cosas de las que te imaginaste se pusieron del lado de lo prohibido, de lo intocable. Y empiezas a sospechar que te engañaron o que no te dijeron toda la verdad.

Entonces sufres un bajón anímico y una voz maligna te empieza a susurrar muy bajito... "¿Dónde te has metido?" "Te han engañado", "yo que tú no lo haría", "seguro que enfermas", etc., etc. Una

verdadera batalla entre tu estómago y tu mente, entre tu gula y tu razón.

Y esta batalla tiene su punto álgido, culminante, cuando un día te encuentras de repente solo en la cocina y tu vista tropieza, por casualidad, claro, con un trozo de empanada que alguien, también por casualidad, dejó en un plato.

Entonces lo más oscuro de ti se pone en funcionamiento, escuchas con atención si alguien se acerca, compruebas que no hay espías, la tensión en tu interior crece, y cuando tu mano, por propia cuenta, se extiende hacia lo prohibido, entonces algo te sacude, te zarandea con violencia y te grita... "¿Qué vas a hacer?" "¿Qué fue de tu voluntad?" y reconoces en ello a tu propia conciencia que no se duerme nunca, que parece no necesitar nunca ni un tenue descanso.

A renglón seguido abandonas la cocina deprimido, incómodo, no sin antes echar un último vistazo al trozo de empanada y decir por lo bajo... "seguro que no estaba tan buena". Qué le vamos a hacer.

Pero la experiencia actúa como revulsivo y a partir de ahí renuevas tu voluntad, tu propósito y, de paso, conoces más a tu enemigo.

Luego están los demás, los que te rodean, esos que suponías que te apreciaban pero que ahora se ensañan con comentarios culinarios, masticando a tu lado con más estridencia y, cómo no, preparando para ellos platos más olorosos y apetecibles que nunca, auténticos manjares que hacen más difícil tu aventura aunque, eso sí, más valiosa. Individuos que no se preocupaban de ti cuando engordabas y que ahora parece como si hubieran asumido el papel de guardianes, actitud que encierra en realidad grandes dosis de mala leche y que va acompañada de preguntas tales como "¿Cómo va tu dieta?" "¿Tampoco puedes comer de esto?" "Pues yo no veo que estés adelgazando". O sea, que sería perfectamente comprensible que alguien pasara automáticamente de ser un simple sujeto que desea recuperar línea a convertirse en un asesino en serie, por venganza, claro. También por envidia.

El caso es que la dieta está cambiando en mí aspectos importantes en mi valoración de los demás. Antes, los que hacían dietas, salvo casos extremos o de enfermedad, me parecían frívolos. Ahora me parecen héroes, auténticos héroes dignos de medallas y honores, mitos en el escalafón de la cadena alimenticia.

En fin, a la semana siguiente me pesé y había bajado dos kilos. Genial, me sentí genial, claro está se lo conté inmediatamente a esos, a los "amigos", a los que no me veían progresos.

Así, afronté la segunda semana con más seguridad y también con ciertas "irregularidades", ya me entienden: podía hacerlo, dominaba la situación, ¿qué puede suponer una galleta rellena de chocolate en la inmensidad de una dieta? Al final de la segunda semana la báscula me abofeteó en pleno rostro, no sólo no había seguido el proceso descendente sino que había engordado cien gramos. "¿Estará estropeada?" No, no lo estaba. Era un aviso, una lección de humildad, una señal.

Empiezo la tercera semana consciente ya de que esto no es sólo una dieta, es todo un proceso iniciático donde se conjugan todas las fuerzas de la creación y donde está en juego algo más que tus michelines, o sea, tu dignidad, tu honor, el ser o no ser.

Que la Fuerza me acompañe...

www.revistafusion.com

Vocabulario útil: medir, *to measure (height)*; elixir, *elixir/cure-all*; crujiente, *crusty*; arrebato, *rage*; con aplomo, *with composure*; bajón, *slump/drop*; susurrar, *to whisper*; gula, *gluttony*; zarandear, *to shake*; a renglón seguido, *immediately afterwards*; manjar, *delicacy*;

escalafón, *ladder*; abofetear, *to slap in the face*; estropeada, *broken*; michelines, *spare tires/love handles*

Preguntas

1. ¿Hace cuánto tiempo está el narrador de dieta?
2. ¿Cuánto peso quiere el narrador perder?
3. ¿Qué evento provoca esta decisión de ponerse a dieta?
4. ¿Qué alimentos le va a costar no tocar al narrador?
5. ¿Dónde hay una batalla al principio de una dieta?
6. Según el narrador, ¿por qué hacen los demás comentarios sobre la dieta?
7. ¿Cómo ha cambiado la actitud del narrador de los que se ponen a dieta?

Actividad 45 (3:24)
Participe en una conversación

Actividad 54 (1:50)
La comida mexicana, patrimonio cultural

Charles de Gaulle se quejaba de lo difícil que era gobernar una nación con más de 500 tipos de quesos. Lo mismo puede decirse de México y sus chiles. El único rasgo común de esta diversidad es el siguiente: cuando le preguntas a un mexicano si algo pica, te dice que no. No conozco al mesero capaz de advertirle al comensal que la boca se le va a incendiar. Se considera traición a la patria reconocer la misión esencial de un chile de árbol o chipotle, que consiste en sacar intensas gotas de sudor en la coronilla del afectado. "Yo soy como el chile verde, picante pero sabroso", dice una de las más extravagantes letras de la canción ranchera. En la dramática nación de Jorge Negrete, lo picante es sabroso. "Aunque algunas variantes de lo picoso perforan el duodeno, cuando hablamos del chile nos limitamos a enunciar que tiene mucha vitamina C y que se parece a nuestros políticos en que cada vez se le descubren más propiedades", bromea el escritor mexicano Juan Villoro. Lo que no es broma es que el libre comercio está afectando a los productores locales de este alimento. Según datos oficiales, cada mexicano consume al año 8,5 kilos de este producto, pero el 35% es importado de China, India y otros sitios.

www.lostiempos.com

Vocabulario útil: incendiar, *to set fire to*; sudor, *sweat*; coronilla, *crown (of the head)*

Actividad 55 Actividad opcional (3:44)
La cocina puertorriqueña en todo su esplendor

Puerto Rico: la gran cocina del Caribe, un extenso, hermoso e informativo volumen, es un seductor recorrido por la historia culinaria de la isla, que arrancando de los ingredientes primigenios de la tierra y la alimentación de los primeros habitantes nos trae hasta nuestros días en una especie de constatación de por qué la isla ha pasado a ser la capital gastronómica del Caribe. En el vistoso y ameno recorrido encontramos los platos que han complacido los paladares borinqueños, desde sus arepas de la isla de Vieques hasta los ostiones de Salinas, pasando por elegantes y deliciosos platos de la más moderna expresión de la cocina del trópico como anota uno de los prologuistas. Pero eso se salió parte del cometido. Porque los autores—del reconocido crítico gastronómico José Luis Díaz de Villegas, el fotógrafo Jochi Melero y el diseñador José Díaz de Villegas Freyère—se propusieron también ponernos al día en cuanto a lo mejor que tienen para ofrecer algunos de los chefs más notables de la isla. Allí están sus perfiles, sus historias y sus recetas más exitosas, bellamente ilustradas y minuciosamente explicadas para quienes quieran intentar seguir los pasos por sus propias manos... ¡Pero también están las historias! Porque Díaz de Villegas, además de periodista y crítico gastronómico, tiene una vocación evidente por las narraciones cautivantes y las historias bien contadas, y nos va relatando las pautas y minucias entretenidas sobre los primeros establecimientos de comida de Puerto Rico, así como las aventuras, encuentros y anécdotas de los chefs. También, a manera de prueba, ofrecemos en uno de los recuadros, "Un galleguito que comía distintos", un breve aparte del libro, de hecho una singular historia, que nos explica por qué el chef José Rey adquirió su gusto por las comidas picantes y las fusiones con la gastronomía oriental. Además de dos capítulos introductorios, "Un florecer gastronómico" y "Frutos de mi tierra", el libro incluye cuatro interludios, que recalcan las raíces culturales de la isla, su herencia caribeña, española y africana, y las influencias recibidas de Francia, otros países de Europa y de Estados Unidos. Al final nos queda una clara visión del pasado y las vertientes que ha recorrido la cocina puertorriqueña, pero también una noción del excitante momento que está atravesando la gastronomía de ese país: "Hoy en día, muchos chefs, extremadamente creativos y talentosos, extraen su inspiración de la liberalidad de Puerto Rico y están reinventando su cocina", afirma en uno de los prólogos Eric Ripert, chef propietario del restaurante Le Bernardin en Nueva York. "Ellos escogen los mejores ingredientes en el ámbito local e importan lo que les falta para crear una inteligente fusión entre su propia herencia y la influencia oriental y occidental". El libro, sin duda, resultará un verdadero gusto para los amantes de la buena mesa, de la actividad culinaria, de la historia de la gastronomía, así como los amantes de las historias amenas y bien contadas.

www.eldiariony.com

Vocabulario útil: arrancar, *to take off/start*; primigenio, *original*; constatación, *verification*; ameno, *pleasant*; paladar, *palate*; borinqueño, *Puerto Rican*; recuadro, *section*; galleguito, *Galician (used to refer to someone from Spain)*; florecer, *flourishing*; recalcar, *to emphasize*

Capítulo 4, Lección A

Actividad 22 (2:31)
Todos tenemos alguna manía

Luis: Oye, José, anoche me tuve que levantar de la cama cuatro veces.

José: ¿Y eso, Luis?

Luis: A mirar las puertas porque no sabía si las había cerrado bien. No estaba seguro.

José: A mí me pasa algo parecido, pero lo mío es con el despertador. Tengo que mirarlo tres o cuatro veces porque nunca estoy seguro de que lo haya puesto a su hora.

Laura: ¿Saben que lo que tienen es una manía y que puede llegar a convertirse en obsesión?

José: Anda, anda, Laura. No seas exagerada...

Laura: Sí, claro, ahora mismo los veo lavándose las manos cada vez que toquen algo, sea lo que sea. Hay un montón de gente a la que le pasa eso. Y llega a convertirse en verdaderos problemas para ellos y para la gente que les rodea. Les afecta en el trabajo y en sus relaciones familiares y sociales.

Luis: Pero a nosotros no nos va a pasar eso, ¿A qué no, José?

José: Ahora que lo pienso... Luis, ¿tú no me dijiste que te lavas los dientes cada vez que sales a la calle?

Luis: ¡No! Si ahora me van a decir que estoy loco...

Laura: No te enfades, Luis. No estás loco, es sólo que tienes una serie de obsesiones que por tu bien deberías superarlas.

Luis: ¿Y cómo lo hago?

José: Quizás deberías sólo lavarte los dientes tres veces y evitar las demás, así acostumbras a tu cuerpo, y tu mente, a este cambio y dentro de unas semanas ni te acuerdas de estas manías tuyas. Y luego, también mira la puerta una vez y procura recordar que lo has hecho y no levantarte más...

Luis: Bueno, José, pues aplícate tú también el cuento...

José: ¿Yo?

Mari Sierra Ramos Castro

Vocabulario útil: montón, *crowd*; rodear, *to surround*; procurar, *to try to*

Actividad 25 (3:23)

Atracción por lo imposible

¿Por qué los humanos soñamos con cosas imposibles? La mayoría de los inventos y hazañas vienen de esta necesidad, de hacer o

crear algo que sea extraño e inexplicable a la vista de los demás. ¿Por qué Lindberg decidió cruzar el Atlántico con *El espíritu de San Luis*? Porque era temeroso, imposible para muchos y difícil. ¿Por qué a Colón se le ocurrió hacer lo mismo en sentido contrario, y en barco, más de cuatrocientos años antes? Exactamente por lo mismo.

Somos seres racionales, pero algunas veces tenemos menos sentido común que algunos animales. Apostamos como locos a la lotería, sabiendo a ciencia cierta que no vamos a conseguir nada, ya que probablemente le tocará el premio a alguien que no conocemos y que nunca nos encontraremos, porque a ciencia cierta, en cuanto se entere de la noticia, dejará su trabajo y se irá a Hawai o a otra isla del Pacífico. Y entonces, ¿por qué motivo lo hacemos? Por esperanza; esa gran palabra.

La esperanza de conseguir lo imposible, esa utopía. Lo curioso de todo esto es que avanzamos, evolucionamos y revolucionamos gracias a esa palabra; y aunque, en principio, todo sea un sueño, no dejamos de soñar, lo consigamos o no.

Desde comienzos de la humanidad hemos deseado cosas inalcanzables y tarde o temprano lo hemos conseguido: volar, llegar al espacio, curar... Pero nos quedan miles y miles: Muchas vacunas, el elixir de la eterna juventud (y esto aunque haya miles de cremas que lo aseguran, os puedo asegurar que no funcionan), tener una animada conversación con un extraterrestre (otros aseguran esto, pero yo no les haría tampoco mucho caso...).

Todos estamos motivados para conseguir cosas que antes no se han podido realizar, y a la pregunta de por qué lo hacemos, la respuesta es realmente simple: por placer. No hay nada mejor que todo el mundo te aprecie y te quiera por haber hecho algo que a nadie se le había ocurrido antes. ¿No os dan ganas de abrazar a la persona que inventó el Chupa-Chups o la piruleta cada vez que os los metéis en la boca? Algo tan simple como un caramelo pegado a un palo y a nadie se le había ocurrido antes. Curiosamente fue un español, aunque, como es de esperar, muchos le copiaron la idea; pero él fue el inventor moral.

Así que ya lo sabemos todos: necesitamos evolucionar y revolucionar de la mejor manera, inventando. Así que manos a la obra, ya sabéis que las mejores cosas siempre vienen sin que las esperes.

Mari Sierra Ramos Castro

Vocabulario útil: hazañas, *heroic deeds/feats/exploits*; temeroso, *fearful*; apostar, *to bet*; a ciencia cierta, *for certain/for a fact*; palo, *stick*

Actividad 36 (3:09)

Necesito más emoción

Miles de nuevas palabras han entrado en nuestro vocabulario en estos últimos años: *puenting*, rafting, *parapente*, *ala delta*...

describen deportes relacionados con el riesgo y con la emoción, tan emocionantes que en muchos de ellos nos jugamos la vida. ¿Por qué necesitamos ese "subidón" de adrenalina para sentirnos realizados de alguna manera?

Quizás sea por escapar de la monotonía de nuestras vidas. Nos levantamos de lunes a viernes a la misma hora, comemos en el mismo sitio y con la misma gente y probablemente tengamos las mismas conversaciones; por eso, cuando llega el fin de semana necesitamos algo distinto y un paseíto por el campo es demasiado "light". Así que lo mejor de todo es quedar con un grupo de amigos y escalar una montaña, o bien, bajar los rápidos de un río, y todo eso sin anestesia, ni tan sólo local.

Ya no nos conformamos con ver una película de miedo o de risa para "desconectar"; no nos basta con gastar miles de pañuelos mientras Rick se despide de su querida Ilsa en la famosísima película *Casablanca* con estas palabras: Siempre nos quedará París... ¡Queremos volar por bicicleta, y como lo hace el entrañable ET: con la luna de fondo! No estaría mal tampoco que tuviéramos un hermano caritativo que nos invitara a entrar en el juego en el que participa Michael Douglas en esa estupenda película; sería divertido, si sales vivo y no te da un infarto antes de que termine todo. Lo increíble del asunto es que algo parecido podemos experimentarlo ya: Puedes contratar una empresa para que te secuestre. ¿Nos estamos volviendo locos o qué? Si quieres que te amordacen y luego te inviten a comer sólo tienes que pagar 35 ó 40 euros en el sur de España.

Las emociones nos aturden y descolocan, nos hacen sentir vulnerables hasta que las superamos. Ponemos en riesgo nuestra existencia y nuestro futuro simplemente por un minuto (o menos) de placer. Otras emociones son menos arriesgadas: la de la lotería, la montaña rusa o el meterse en pleno diciembre en el mar de agua helada (eso sí que es una emoción fuerte comparada con otras), y nos causa esa misma sensación de miedo y desesperación, sobre todo esta última.

Pero, para buscar emociones fuertes y agradables, no es necesario que te secuestren, ni es preciso que salgas de casa. Si no quieres el baño frío, recurre a lo clásico: busca una buena película, un bol de palomitas y un brazo del que agarrarte.

Mari Sierra Ramos Castro

Vocabulario útil: puenting, *bungee jumping*; parapente, *paragliding*; ala delta, *hang gliding*; subidón, *rush/high*; sentirnos realizados, *to feel fulfilled*; entrañable, *close (friend)*; de fondo, *in the background*; caritativo, *charitable*; infarto, *heart attack*; secuestrar, *to kidnap*; amordacer, *to gag*; aturdir, *to stun*; descolocar, *to dislocate*; montaña rusa, *roller coaster*; en pleno diciembre, *at the height of December*; palomitas, *popcorn*; agarrar, *to hold on to*

Actividad 49 (2:09)

Pero, ¡deja de mentir!

Carlos: ¡Hola, Alfredo! ¿Sabes que ayer vi a Michael Jordan por la calle?

Alfredo: Venga ya, Carlos, no digas mentiras.

Carlos: En serio... y me fui con él a tomar un café. Estuvimos charlando de miles de cosas.

Alfredo: Sí, claro, Carlos, y luego se fueron Uds. a echar unas canastas... y encima le ganaste. ¿A qué he acertado?

Carlos: Pero, ¿por qué no me crees?

Alfredo: Porque siempre estás diciendo mentiras. Cuando no te ha tocado la lotería, has visto a alguien famoso o a un extraterrestre...

Carlos: Oye, que lo del extraterrestre es cierto. Me dijo que se había perdido, que estaba buscando su nave espacial para regresar a su planeta. Me quería llevar, pero le dije que tenía que ir al dentista.

Alfredo: ¡Ay, Carlos! Yo sigo pensando que tienes un problema, y bastante grande. Siempre dices mentiras. ¡Eres un mentiroso compulsivo! Y lo peor de todo es que mientes tan mal que siempre te pillamos las mentiras. Deberías ir a ver a un médico, seguro que te puede ayudar a superarlo.

Carlos: ¡Que yo no tengo ningún problema!

Alfredo: Pero no te pongas así, es sólo un consejo. Creo que sería bueno para ti ir a ver a un especialista, que te ayude; porque, seguro que si no los tienes ya, vas a tener un montón de problemas con el trabajo y con los amigos.

Carlos: Mira, has conseguido enfadarme, me voy a ver a mi prima Salma.

Alfredo: Tu prima... ¿quién?

Carlos: Mi prima Salma, es actriz.

Alfredo: *(suspira)* No tienes remedio...

Carlos: Como te estás poniendo así te voy a contar la verdad. Es que he quedado esta noche con tu hermana. Llevamos saliendo tres meses. Sí, y como a mí se me da tan mal mentir, pues me he inventado las excusas que he podido. Bueno, lo de los extraterrestres era bastante creíble, ¿no?

Alfredo: *(gritando enfadado)* ¡Mi hermana!

Mari Sierra Ramos Castro

Vocabulario útil: echar unas canastas, *to shoot some hoops*; nave espacial, *spaceship*; pillarle las mentiras, *to catch someone in a lie*

Actividad 50 (4:10)
El hombre que dijo que llamaría

Lola: Bueno, Tamara, ¿qué onda? Cuéntame: ¿qué tal la noche pasada con el chico con el que saliste a cenar?

Tamara: La pasamos padrísimo, Lola. Cenamos y conversamos muchísimo, y no paramos de reírnos hasta la puerta de mi apartamento.

Lola: ¡Oh! ¿Te acompañó a casa caminando? ¡Eso suena bien! Parece que el joven está interesado.

Tamara: Sí... yo también creo que hubo algo especial entre nosotros. ¡Dijo que me llamaría hoy!

Lola: ¿En serio? ¡¡Wuuauu!! ¿Y te ha llamado?

Tamara: No.

Lola: Mmmm... Pues, ¿no dices que todo salió de maravilla y dijo que te llamaría?

Tamara: Sí, bueno, por eso es que quiero llamarlo yo...

Lola: ¡No! ¡No lo hagas! ¡Nunca llames a un hombre que prometió llamarte y no lo hizo! ¡Es injusto! Él tiene que cumplir su palabra. No fuiste tú la que dijo que lo llamaría.

Tamara: Es que puede tener su teléfono averiado, o que haya tenido un accidente grave... ¿Y si ha perdido mi teléfono porque le han robado la cartera? ¡Oh Dios mío! ¿Y si le han secuestrado? ¡Tengo que llamarlo! Es una cuestión de seguridad, ¡¡puede estar ocurriendo algo horrible a nuestro alrededor, y nosotras aquí cruzadas de brazos sin hacer nada por ayudar a un pobre joven que está a punto de morir!! ¡Ay...!

Lola: ¿Estás perdiendo la cabeza? Olvídate de llamarlo, no necesitas a ese chico. No es fácil admitirlo, pero no le gustaste y es mejor saberlo ya, ¿no crees?

Tamara: Bueno, Lola. ¡Pero anoche yo llevaba un peinado ho-rrible! No estaba guapa. Ese fue el problema. ¡Tengo que llamarlo, salir con él de nuevo para que vea lo bien que estoy con el cabello suelto! ¡Es mi última oportunidad!

Lola: ¿Sabes qué te digo? Haz lo que quieras: llámalo si quieres, invítalo a salir, si eso va a hacer que te sientas mejor... Pero, si después de haberlo llamado, sigues pensando en qué más deberías hacer, Tamara, entonces olvídate de mí que estás siendo muy pesada. Y lo más divertido de todo esto es que los chicos no son como nosotras. Ni siquiera él debe estar pensando en el tema de llamarte o no, y tú haces de esto el centro de tu vida. Desde luego, eres caso aparte.

Isabel Segundo Marcos

Vocabulario útil: ¿qué onda?, *what's happening?*; de maravilla, *fantastic*; cumplir su palabra, *to keep one's word*; averiado, *broken down*; ser caso aparte, *to be something else/a piece of work*

Preguntas
1. ¿Sobre qué hablan las dos amigas?
2. ¿Por qué parece que el chico está interesado en Tamara?
3. ¿Llamó el joven a Tamara?
4. ¿Quiere Tamara llamar al joven?

Actividad 51 (2:42)
El Amor y el Tiempo

Había una vez una isla muy linda y de naturaleza indescriptible, en la que vivían todos los sentimientos y valores del hombre: El Buen Humor, la Tristeza, la Sabiduría... como también, todos los demás, incluso el Amor.

Un día se anunció a los sentimientos que la isla estaba por hundirse.

Entonces todos prepararon sus barcos y partieron. Únicamente el Amor quedó esperando solo, pacientemente, hasta el último momento.

Cuando la isla estuvo a punto de hundirse, el Amor decidió pedir ayuda.

La Riqueza pasó cerca del Amor en una barca lujosísima y el Amor le dijo:

—Riqueza, ¿me puedes llevar contigo?

—No puedo porque tengo mucho oro y plata dentro de mi barca y no hay lugar para ti. Lo siento, Amor...

Entonces el Amor decidió pedirle al Orgullo que estaba pasando en una magnífica barca. —Orgullo, te ruego... ¿puedes llevarme contigo?

—No puedo llevarte, Amor... —respondió el Orgullo. —Aquí todo es perfecto, podrías arruinar mi barca y... ¿cómo quedaría mi reputación?

Entonces el Amor dijo a la Tristeza que se estaba acercando:

—Tristeza, te lo pido, déjame ir contigo.

—No, Amor, —respondió la Tristeza. —Estoy tan triste que necesito estar sola.

Luego el Buen Humor pasó frente al Amor, pero estaba tan contento que no sintió que lo estaban llamando.

De repente una voz dijo:

—Ven, Amor, te llevo conmigo.

El Amor miró a ver quien le hablaba y vio a un viejo. El Amor se sintió tan contento y lleno de gozo que se olvidó de preguntar el nombre del viejo.

Cuando llegó a tierra firme, el viejo se fue. El Amor se dio cuenta de cuánto le debía y le preguntó al Saber:

—Saber, ¿puedes decirme quién era éste que me ayudó?

—Ha sido el Tiempo —respondió el Saber, con voz serena.

—¿El Tiempo? —se preguntó el Amor. —¿Por qué será que el Tiempo me ha ayudado?

Porque sólo el Tiempo es capaz de comprender cuán importante es el Amor en la vida.

www.enbuenas manos.com

Vocabulario útil: indescriptible, *indescribable*; sabiduría, *wisdom*; hundirse, *to sink*; partir, *to leave*; estar a punto, *to be ready*; lujosísima, *very luxurious*; rogar, *to beg/plead*; arruinar, *to ruin*; lleno de gozo, *full of joy*; saber, *knowledge*

Actividad 52 (3:46)
Participe en una conversación

Capítulo 4, Lección B

Actividad 27 (2:13)
Cristina Saralegui

Es una de las periodistas más admiradas y respetadas de Estados Unidos. Es considerada una mujer moderna y tenaz que ha conseguido el éxito gracias a su trabajo y a la visión de lo que podría interesar a los espectadores. Es cubana de nacimiento, pero con once años tuvo que dejar el país para comenzar una nueva vida en otro. Su abuelo, el copropietario de algunas revistas, fue el que la introdujo al periodismo.

Estudió esta licenciatura en Miami mientras trabajaba en revistas para mujeres. En 1989 empezó su popularidad para el gran público; es cuando le propusieron estrenar un programa, *El Show de Cristina*. Millones de personas, no sólo en Norteamérica, sino también en Latinoamérica y Europa, siguen uno de los programas más premiados de la historia de la televisión mundial.

Desde hace tiempo también es directora ejecutiva de *Cristina la Revista*, una publicación editada en Miami que se comercializa una vez al mes. También tiene la oportunidad de hacer un programa de radio que se escucha en Estados Unidos por la única cadena que transmite en español durante todo el día.

Cristina es una persona preocupada por los problemas que afectan a la sociedad actual. Es fundadora, junto a su marido, de una asociación para ayudar a personas enfermas de SIDA, que trata de investigar esa enfermedad y buscarle remedio. En 1998 escribió su autobiografía *Confesiones de una rubia*, publicada en inglés y español. Asimismo posee su propia línea de gafas de estilo italiano; es una de las personalidades más influyentes de la cultura latina en Estados Unidos, incluso ha aparecido en una serie junto a George López, como invitada estelar.

Mari Sierra Ramos Castro

Vocabulario útil: licenciatura, *degree*; estrenar, *to premiere*; premiado, *awarded*; asimismo, *also*; estelar, *stellar/special (guest) appearance*

Actividad 42 (2:21)
Sentido del ridículo

FEMALE: Ayer me avisaron para la entrevista de trabajo, y no he podido dormir en toda la noche, estoy tan nerviosa que no pienso en otra cosa. Si te soy sincera, he pensado incluso en quedarme en casa y no ir a la cita.

MALE: Qué tontería, así nunca conseguirás un trabajo, siempre andas teniéndole miedo a todo.

FEMALE: Pero, es que... ¿Y si preguntan algo de lo que yo no tengo ni idea?

MALE: Mira, lo mejor es no pensar las cosas tanto. Nadie nace sabiendo, siempre se comenten errores, las personas nunca dejamos de aprender.

FEMALE: Tú es que lo ves muy fácil porque tú tienes una forma de ser muy positiva, pero no todos somos igual que tú.

MALE: ¡No es mi forma de ser! Es simplemente que pienso que si algo sale mal, pues saldré adelante en seguida. ¡Hay que reírse un poco de uno mismo!

FEMALE: Es que no quiero quedarme callada en la mitad de la entrevista.

MALE: Todo el mundo se pone un poco nervioso hablando en público, es normal, pero piensa que es sólo al principio, en seguida perderás el miedo.

FEMALE: ¿Por qué no me acompañas mañana tú a la entrevista? Contigo sería mucho más fácil, me servirías de apoyo...

MALE: Es algo que debes hacer tú sola, es un gran paso para ti misma y merece la pena intentarlo. ¡Sólo pruébalo! Eres una persona con mucho talento, pero nadie te va a regalar nada en la vida. Mi abuelito me decía que a veces no nos atrevemos a hacer las cosas porque son difíciles, pero son difíciles porque no nos atrevemos a hacerlas. "Ten el valor de equivocarte", decía Hegel; o cuando Charles Dickens dijo: "El hombre nunca sabe de lo que es capaz hasta que lo intenta". Así es como tantas personas que admiras han encontrado el éxito.

FEMALE: Pues, ya que estás con las citas, te recuerdo el refrán: Es más fácil decirlo que hacerlo.

Isabel Segundo Marcos

Vocabulario útil: avisar, *to let know*; apoyo, *support*; es más fácil decirlo que hacerlo, *easier said than done*

Actividad 50 (3:12)
Manías y extravagancias de famosos

Ana: ¡Uf! Al fin terminé de remodelar y pintar mi apartamento. ¡Está precioso, he elegido el color blanco para toda la casa, en todas las salas!

Belinda: ¿En serio? Ana, ¡me recuerdas a Jennifer López! En los hoteles pide que todo el decorado de las habitaciones sea completamente blanco. ¿No te parece ser un poco caprichosa?

Ana: Bueno, Belinda, tampoco me parece una exageración. Pienso que es parte de su trabajo: sentirse como en casa mientras está de gira. Lo que sí me parece gracioso es que los Rolling Stones se llevan sus propios muebles, ¡para mí eso sí es demasiado!

Belinda: ¿Qué me dices? ¿Sus propios muebles? ¿Cómo lo sabes?

Ana: Lo leí hace unas semanas en un periódico local... Contaban excentricidades de Woody Allen y Leonardo Di Caprio. ¿Sabías que Cameron Díaz abre las puertas con los codos?

Belinda: ¡Qué locura! ¿Para qué?

Ana: ¡Para no colocar sus manos donde hay bacterias de las manos de los demás!

Belinda: Oh, Ana, ¡eso es pedir demasiado!

Ana: Yo creo que eso es por el dinero, todos se convierten en maniáticos y caprichosos...

Belinda: Si te digo la verdad, ¡mi marido puede ser tan maniático como ellos, pero nosotros no tenemos ni un peso!

Ana: Fíjate, ¡mi marido dice que la maniática soy yo! Belinda, nadie está libre de culpa.

Isabel Segundo Marcos

Preguntas
1. ¿Qué es lo que acaba de hacer Ana?
2. Según Belinda, ¿quién es una persona caprichosa?

3. ¿Qué manía tienen los Rolling Stones?
4. ¿Quién tiene una extraña manía al abrir las puertas?

Actividad 53 (2:42)
Mamá, quiero ser famosa

Mi más temprano recuerdo de la niñez se remonta a los tiempos a los que mi tía Anita, la más joven de los hermanos de mi madre, me preguntaba: "Y tú, pequeña, ¿qué quieres ser de mayor?" Yo no lo dudaba un segundo, yo quería ser... ¡astronauta! Obviamente, cambié mi nave espacial por un computador. Me convertí en la secretaría adjunta del vicepresidente de una compañía holandesa. Pero aún conservo ese recuerdo, tenía una ilusión por ser alguien grande. Con el casco de la motocicleta de mi padre y gritando: "¡Houston, Houston, tenemos un problema!" Saltaba del suelo a la mesa y de la mesa al sofá, intentando vencer la fuerza de la gravedad.

Ahora, soy yo la que pregunta a mi hija de diez años: "Cariño, ¿qué quieres ser cuando seas una chica grande?" Y ella, casi sin prestarme atención, me responde: "Famosa". Y le digo: "Oh, ¿sí? ¿Famosa? ¿Por qué motivo?" Y, entonces, mirándome como si mi pregunta hubiera sido una estupidez, vuelve a responderme: "¡Famosa, mamá! Quiero salir en la televisión... pero ¡no preguntes tanto!" "Pero, hija mía", le digo yo, "¿te gustaría cantar, bailar, pintar... ser médica, profesora?" "¡Yo no quiero estudiar, mamá!" dice la pequeña, dando un grito... "no quiero estudiar, ¡sólo quiero ser famosa!"

Oh, Dios mío... mi hija, ¡de tan sólo diez años! Totalmente desmotivada, esperando estar ociosa el resto de su vida... ¡ay! No quiero sonar protectora, ¡pero es que detesto la televisión!

Ya empezó mi pesadilla, ¡mi hija... mi hija desfilando por las televisiones, vendiendo exclusivas, maquillada como un payaso! ¡No! ¡Se acabó, se acabó! Hoy he decidido, que se acabó la televisión, y los cantantes de moda, y la computadora. Mañana le compro un maletín, y a jugar a los médicos, como todo el mundo.

Isabel Segundo Marcos

Vocabulario útil: remontarse, *to go back*; adjunta, *associate*; estupidez, *stupidity*; desmotivada, *unmotivated*; ociosa, *idle*; desfilar, *to parade*; payaso, *clown*; maletín, *suitcase*

Actividad 54 (3:16)
Participe en una conversación

Capítulo 5, Lección A

Actividad 46 (3:50)
Venden rara edición de obras de Shakespeare

Una rara edición de un libro con las principales obras del escritor británico William Shakespeare (1564-1616) se vendió ayer en una puja en la casa de subastas londinense Sotheby's por más de 4 millones de euros. Se trata de un ejemplar conocido como *First Folio* (*Primer Folio*), un volumen recopilatorio publicado después de la muerte del escritor, que fue la base de todas las ediciones posteriores de su obra, ya que en vida sólo publicó dieciséis trabajos. Descrito por Sotheby's "como el libro más importante de la literatura inglesa", el volumen vendido fue impreso en 1623, siete años después de la muerte del maestro de la literatura. Ha sido un marchante de Londres, que no ha querido revelar ni su identidad ni el futuro destino del libro, quien se ha adjudicado la obra por 4.060.644 euros, que al parecer fue vendida originalmente por tan sólo 20 chelines. La subasta del *First Folio* ha levantado una gran expectativa en Sotheby's, donde parte del numeroso público congregado ha tenido que seguir la puja desde una pantalla fuera de la sala donde se ha desarrollado la subasta, por falta de espacio. Sin embargo, la venta de este ejemplar, una de las pocas copias que se han conservado hasta la actualidad, no ha alcanzado los 3,5 millones de libras (unos 5,25 millones de euros) que la casa de subastas esperaba obtener por ella.

www.lostiempos.com

Vocabulario útil: puja en la casa de subastas londinense, *bid at the London auction house*; pantalla, *screen*

Preguntas
1. ¿Cuál es un sinónimo de *inglés* cuando se refiere a la nacionalidad?
2. ¿Dónde se vendió esa rara edición?
3. ¿Quién la compró?
4. ¿Por qué tenían que continuar la subasta en otro lugar?
5. ¿Qué esperaba recibir Sotheby's por esta edición?

Actividad 47 (5:03)
Isabel Allende presenta su nuevo libro en Madrid

La escritora chilena Isabel Allende presenta una nueva novela que escribió a partir de las hazañas del legendario héroe justiciero "El Zorro" y defiende la figura de los "héroes anónimos", que "luchan por mejorar el mundo".

"Necesitamos muchísimos 'Zorros' contra la política de hoy, ya que la labor de este legendario protector de los pobres ayudaría a crear conciencia, a mantener viva la antorcha del idealismo", aseguró la escritora en una entrevista telefónica. La escritora dice que, "desgraciadamente", no conoce a nadie que encarne sus valores, pero cree que "hay héroes anónimos, que defienden la justicia y que luchan por mejorar este mundo". La escritora publica una novela de aventuras en la que imagina las primeras hazañas de "El Zorro", que vivió en el sur de California a principios del siglo XIX, cuando esa región pertenecía aún a la Corona española. "La idea del libro surgió de los dueños del 'copyright' del personaje de El Zorro, que vinieron a mi casa y me dijeron que habían hecho de todo con él menos una obra literaria", explicó desde su residencia en California (EE.UU.) la autora, que confesó haber crecido con las series de televisión del legendario justiciero. El niño que luego se convertiría en el enigmático Zorro crece rodeado de la magia indígena, por un lado, y de las costumbres hispanas, por otro. "Yo al Zorro le pongo la cara de Antonio Banderas, pero para el de mi novela, Antonio ya está un poquito mayor", señaló Allende. "Es un tipo —precisó— con una espada y un látigo que defiende a los pobres y a los indios, y que además no es trágico, sino de corazón liviano y si puede no mata, sino que humilla al otro" plantándole una "Z" en su vestimenta. El protagonista de esta nueva novela de Isabel Allende reúne también algunas cualidades de otros mitos: el amor por la justicia, del Che Guevara; la cualidad de quitar a los ricos para dar a los pobres, de Robin Hood; y el corazón liviano y un sentido no trágico de la vida, de Peter Pan, explicó la escritora. Además del mestizaje, determinante en la trayectoria vital del protagonista, la autora traslada a Diego de la Vega (El Zorro) a Barcelona, donde entra en contacto con una España convulsionada, en plena expansión de la Revolución Francesa.

www.lostiempos.com

Vocabulario útil: encarnar, *to embody*; espada, *sword*; látigo, *whip*

Preguntas
1. ¿Por qué es Zorro un héroe justiciero?
2. Según la autora, ¿dónde se necesita este tipo de héroe hoy en día?
3. ¿Conoce la escritora a alguien que encarne los valores de Zorro hoy en día?
4. ¿Dónde tiene lugar la historia del libro?

5. ¿Cómo humilla Zorro a sus adversarios?
6. En el libro de Isabel Allende, ¿qué mito *no* usa la autora?

Actividad 48 (3:13)
Participe en una conversación

Capítulo 5, Lección B

Actividad 25 (4:23)
Escritores y niños
Stephen King, creador de muchas historias de terror en novelas y películas, cuenta cómo empezó a escribir en la escuela

"Escribir es un trabajo solitario. Tener alguien que cree en ti hace una gran diferencia. Ellos no tienen que escribirte discursos. Simplemente que crean en ti es suficiente".

Así dice el escritor Stephen King en su libro *On writing*.
Cuando él era pequeño, como tú, le gustaba leer muchas historias. Y una vez copió una y se la presentó a su mamá.
—¿Es tuya? —le preguntó su mami. Y cuando se dio cuenta que no era así, le recomendó:
—Pero, mi hijo, ¡tú tienes más talento para hacer las tuyas!
Fue así como Stephen King hizo un cuentito y se lo dio a su mamá, a quien le gustó tanto que le dijo: "de esta historia fácilmente se puede hacer un libro".
—Mi madre sabía que yo quería ser escritor, pero me animó a que consiguiera mis credenciales de profesor —dice King— para que tuviera algo que me respaldara en caso de que me fuera mal.
King le hizo caso y, además, trabajaba de profesor y en una lavandería de ropa de hospital. Para entonces, ya se había casado con Tabitha y tenía dos hijos.
El pequeño Steve casi no conoció a su padre. Su mamá cuidó de él y de su hermano Dave, quien también fue a la universidad.
De chico le pasaron todo tipo de accidentes. Un día, jugando con un bloque de cemento se encontró con un avispero y al soltar el bloque se aplastó los dedos además de que las avispas lo picotearon. Otro día, iban caminando por la carretera y le dieron ganas de hacer del cuerpo. Su hermano le dijo que hiciera ahí entre la hierba y que se limpiara con las hojas. Lo hizo, pero se limpió con hiedra venenosa (bembericua) y estuvo varios días con el cuerpo hinchado.
Las visitas con el médico fueron terribles. Con infecciones en el oído a veces tenían que encajarle una aguja para sacarle el pus. En la casa donde vivían había ratas; además, conoció a una abuelita a quien a veces no le funcionaba bien la cabeza y mandaba a que le pusieran de comer a un caballo inexistente.
Steve leía y leía novelas de terror, incluso un día escribió su propia versión de "El pozo y el péndulo". Las 40 copias de este cuento las empezó a vender en la escuela con un letrero que decía: "A V.I.B. Book".

Aunque las copias se vendían bien, todo terminó cuando la directora, Miss Hisler, le preguntó por qué escribía esa basura si podía escribir mejores cosas.

Eso no lo supo Steve hasta muchos años después.

Fue un día en que le hablaron por teléfono para decirle que su novela *Carrie* se vendió por 400 mil dólares.

Pero eso nunca fue superior a la alegría que sintió cuando su madre lo felicitó por su escritura.

Nelli Ruth Pillsbury King, incluso cuando murió, tenía una novela de su hijito a un lado, la misma que le acababan de leer en voz alta.

Escribir puede ser algo que dé mucho dinero. Otras veces, como el caso de los periodistas, te da, como el oficio de plomero, sólo lo necesario para más o menos sobrevivir.

Pero siempre es bonito escribir historias reales o inventadas.

www.laopinion.com

Vocabulario útil: animar, *to encourage*; respaldar, *to support*; avispero, *wasps' nest*; picotear, *to sting*; hiedra venenosa, *poison ivy*; hinchado, *swollen*; encajar, *to insert*; aguja, *needle*; pozo, *pit*

Actividad 46 (12:25)
La felicidad de escribir
Isabel Allende, la autora de *La casa de los espíritus*, vuelve a la literatura con un libro sobre El Zorro, el héroe de leyenda. La escritora chilena confiesa su pasión por la literatura y habla en su oficina de Sausalito y más tarde en su casa de San Rafael, frente a la bahía de San Francisco, horas antes del nacimiento de dos mellizas, hijas de Ernesto, el hombre que estuvo casado con su hija Paula, quien murió hace 13 años. Ernesto se volvió a casar con una chica americana, que nació el mismo día que Paula.

P: ¿Estos nacimientos le consuelan o le vuelven a abrir la herida? ¿Qué efecto le hacen en el recuerdo de su hija?

R: Me dan una gran felicidad, porque pienso que Ernesto merece ser feliz y que Paula lo protege desde el cielo, o desde donde sea.

P: Para usted la familia es fundamental.

R: ¿Sabes que me dicen "el Padrino"? Porque dicen que soy igual a Marlon Brando, en la película, que yo quiero tener a toda mi familia en varias casas cercadas con guardaespaldas para que no salgan. Esto que tenemos no es como yo quisiera, pero la verdad es que mi familia y yo vivimos en tres casas que quedan a una o dos cuadras de distancia, a minutos caminando. Nos vemos todo el tiempo. Anoche cociné para 20 personas, hoy me tocan 17.

P: Qué contraste en una sociedad como la estadounidense, en la que la familia no es precisamente una estructura fuerte.

R: Sí, es un poco raro, pero a todo el mundo le acomoda, porque nos ayudamos mutuamente.

P: ¿Cómo ve su fortuna en la vida?

R: Yo creo que tengo una vida muy feliz. Una vida en la que me han pasado muchas cosas, pero una vida muy rica. Comparado con otras personas, he tenido mucho. He tenido éxito, he tenido fracasos, dolor y alegría. He tenido mucho amor siempre... En todas las vidas hay pérdidas, hay desgracias, hay separaciones, hay abandonos. A todos nos toca una cuota. Para mí, esa cuota ha sido compensada con cosas extraordinarias: como este tiempo que estoy viviendo ahora, que no va a durar mucho, en el que estamos todos juntos, que los nietos están creciendo en un ambiente familiar... Eso no va a durar siempre. Los niños van a ser adolescentes, se van a ir a la universidad y no les vamos a ver más que para Acción de Gracias. Por eso hay que gozarlo ahora. Y después, ya veremos.

P: ¿Qué cosas haría diferente si pudiera volver a empezar?

R: Habría tratado de ir a la universidad y estudiar una carrera, habría tratado de casarme un poco más tarde... Habría tenido más cuidado de no pasar como un tanque por encima de las vidas ajenas, produciendo dolor a otra gente. Y habría tratado de empezar a escribir más temprano.

P: El Zorro es una novela de encargo, ¿no?

R: A mí no se me hubiera ocurrido nunca escribirla. El Zorro tiene dueño: la familia Gertz compró en 1920 los derechos del personaje al autor, el novelista Johnson McCulley, quien hizo como setenta historietas, que luego fueron seriales de televisión en los cincuenta. John Gertz vino a mi casa en agosto de 2003 y me dijo que habían hecho de todo con El Zorro menos una obra literaria, y que si yo quería hacerla.

P: ¿Y cuál fue su respuesta?

R: A mí me pareció completamente descabellada la idea. Además, me sentí ofendida y pensé: ¿qué se imagina esta gente, que yo escribo por encargo? ¿Y El Zorro? Imagínate, era como escribir sobre Batman. Pero me dejaron una caja con vídeos, con películas, con libros..., era verano, y yo de todas formas tenía que esperar hasta el 8 de enero para empezar a escribir un libro del que ya tenía preparado todo el material. Vi las películas, y luego empecé a leer sobre el momento histórico en el que supuestamente nació El Zorro, una época fascinante: la expansión de las ideas de la Revolución Francesa, las guerras napoleónicas, las guerras de independencia en América... de todo. En California no pasaba nada; había indios, vacas y unos pocos misioneros, así que dije: bueno, si este muchacho nace aquí, tiene que salir de aquí. Y al estudiar la época, ya me fascinó el tema.

P: ¿Y después?

R: Después empecé a estudiar a El Zorro, y descubrí que sentía una gran simpatía por el personaje, porque es un héroe liviano de sangre, alegre de corazón.

P: ¿Qué le pidieron al encargarle el libro?

R: Yo tenía toda la libertad del mundo, con las limitaciones de no salirme de las características básicas: El Zorro se viste de negro, tiene máscara, usa látigo y espada, y defiende la justicia. Tenía un sirviente que se llama Bernardo, que a mí no me gustó en la televisión, y lo cambié por completo; tenía un caballo, que se llamaba Tornado, y tenía a su padre, Don Alejandro de la Vega. Pero con la época podía hacer lo que yo quería, porque se trataba de los primeros veinte años de El Zorro, cuando todavía no es El Zorro.

P: En el libro se dice que "los años dan flexibilidad a la gente", ¿es más flexible ahora que hace 20 ó 30 años?

R: Claro que soy más flexible, pero ahora cuestiono mucho más. Antes yo no cuestionaba el socialismo, por ejemplo. Cuando yo tenía 25 años pensaba que el futuro del mundo era socialista; después, uno tiene que cuestionárselo, porque dices: bueno, esto no resultó de la manera en la que yo creía que iba a resultar. Me he cuestionado muchas cosas del feminismo; he sido siempre feminista, pero me cuestiono las formas en que se hacen las cosas y los objetivos: ¿queremos una supermujer que se echa todo a la espalda o queremos una mujer y un hombre que participan igual en la gerencia del mundo? Yo no pensaba así cuando tenía 20. Entonces, el hombre era el enemigo; hoy día, es el aliado natural.

P: "Si uno vive lo suficiente, alcanza a revisar sus convicciones y enmendar algunas". Habla Diego de la Vega, pero parece Isabel Allende...

R: Claro. Te alcanza, si vives lo suficiente, para ver la relación entre las cosas, cómo todo es causa y efecto. Todo lo que uno hace trae consecuencias; si no de inmediato, a la larga. Todo. Y todo se paga, lo bueno y lo malo: yo he vivido 62 años, yo ya sé que eso es así. Y ando por el mundo con cuidado porque sé que si meto la pata, pago. La gente que no cambia me da miedo. Y más aun la gente a la que no le importan las consecuencias, porque creen que no las van a vivir. Y la gente que tiene poder y cree que no debe rendir cuentas a nadie. No hay nada peor que el poder con impunidad. La gente hace horrores cuando tiene poder y tiene impunidad. Cuando me preguntan qué es lo que más temo, siempre digo: el poder con impunidad. Porque las cosas que somos capaces de hacer son brutales. Brutales.

P: Usted vivió el golpe de Estado que depuso a su tío, Salvador Allende, el 11 de septiembre de 1973 en Chile, y vivió aquí, en Estados Unidos, los atentados del 11 de septiembre de 2001. ¿Tienen cosas en común esos días?

R: Mucho. Aparte de que ambos días fueron un martes 11 de septiembre, casi a la misma hora de la mañana, en las dos ocasiones se trató de un atentado terrorista contra una democracia. En los dos sitios murieron muchos inocentes. Cuando vi en la televisión el 11 de septiembre en Nueva York, con los edificios que caían, el humo, el pánico, las explosiones, las caras de la gente..., todo eso lo viví en Chile el 11 de septiembre, cuando bombardearon La Moneda y cuando se tomaron el país. No eran imágenes tan diferentes. Tanto los chilenos como los americanos cambiaron después de ese día, se dieron cuenta de que aquello —un golpe, un atentado— también les podía pasar a ellos. Los americanos se sintieron vulnerables por primera vez. Y en Chile había esta especie de soberbia de que un golpe ocurría en las repúblicas bananeras, jamás pasaría en Chile. Y pasó.

P: ¿Qué descubrió el 11 de septiembre?

R: Me sentí conectada con los americanos por primera vez. Yo llevaba mucho tiempo aquí, pero siempre tenía la sensación de que era completamente extranjera, de que me era muy difícil relacionarme con un pueblo que tenía una especie de inocencia perenne con respecto al mundo, con una sensación como de que tienen derecho a la felicidad, y a la comodidad, y a la seguridad. Esa sensación no la hubo por un tiempo después del atentado. Luego volvió lentamente, pero en aquel período sentí por primera vez que pertenecía a Estados Unidos.

P: Usted es la escritora latinoamericana más leída del mundo. Pero aquí abre la puerta de su oficina, conduce su coche, hace la comida para su familia...

R: Yo tengo una vida bien privada. Todo lo que tiene que ver con las novelas pasa en un círculo externo en el que estoy cuando salgo, cuando viajo para la promoción. Pero mi vida es simple. Y la familia me mantiene humilde: si se me van los humos a la cabeza, tengo varios nietos que me tiran para abajo. El otro día, uno me preguntaba: ¿en tu tiempo había electricidad? Éste es mi tiempo, para empezar, le dije, y sí, había electricidad. Escribo porque es lo único que sé hacer, porque me gusta contar historias, y porque puedo ganarme la vida así. Si no pudiera, tendría que hacer otra cosa, porque siempre voy a tener que mantener una familia. Preparo mis libros como quien hace empanadas, de a poco y con cariño, y me encierro todo el día en mi cabaña. Paso desde las ocho de la mañana hasta las siete de la tarde. Mi marido, Willie, cocina todas las noches cuando estoy escribiendo; si no, compartimos. Yo no tengo nada más que hacer que escribir. Es fascinante poder hacerlo; no era así al principio, cuando escribía de noche, porque de día tenía un trabajo con sueldo fijo.

P: Y ahora, ¿es casi la felicidad?

R: Total. Es la felicidad total poder hacerlo. Yo misma me envidio, porque no tengo que hacer nada más que eso. Qué envidia me daría una persona que tiene una casita al fondo del patio y puede encerrarse ahí, y tiene un montón de gente a su alrededor que la ayuda. ¡Cómo no va a ser fantástico!

www.elpais.es

Vocabulario útil: mellizas, *twins*; padrino, *godfather*; guardaespaldas, *bodyguard*; de encargo, *commissioned*; descabellado, *crazy/mindless*; liviano, *fickle*; aliado, *ally*; enmendar, *to correct*; meter la pata, *to put one's foot in one's mouth*; rendir cuentas, *to be accountable*; con impunidad, *without punishment*; soberbia, *pride*; perenne, *everlasting*; sueldo, *salary*

Actividad 47 (8:03)
No somos más ricos por tener más letras
El detonante de este articulito fue el contenido de la "lista de letras" del alfabeto español en un libro de enseñanza universitaria. En este libro se trataba "rr" como letra, y a sabiendas de que no lo era, nos pusimos a calcular cuántas letras teníamos, y su potencial

necesidad. Lo primero, fue ir a consultar el escaparate oficial de la lengua, la Academia (RAE), y nos encontramos con un texto desfasado (es el de 1803). Primero se indica que las letras del español son 29: a, b, c, ch, d, e, f, g, h, i, j, k, l, ll, m, n, ñ, o, p, q, r, s, t, u, v, w, x, y, z. Inmediatamente, se descalifica esta lista pues, según parece, se incluyó por contentar a algunas academias americanas que nunca aceptaron bien la desaparición de "ch" y "ll" como letras. Cómo se debe interpretar esta concesión no sé, pero hay buenas razones para concluir que letras y sonidos son distintos perros ataviados con distintos collares. Sin duda, éste es un buen fondo al que anclarse: una letra no es un sonido, ni pretende serlo.

Las letras son herramientas para facilitar la lectura. Se crearon para la identificación de las palabras, no de los sonidos. La activación de imágenes neurofónicas (poder oír en la mente los sonidos que se leen) fue un hallazgo fortuito de los griegos, un efecto secundario derivado de la incorporación de las vocales a la escritura. Nuestra capacidad cognitiva evolucionó facilitando la reorientación de la dirección de la escritura: se empezó a escribir de izquierda a derecha, rompiendo con la tradición heredada de los vecinos semitas. La herencia recibida, por tanto, aunque reconoce la importante correlación entre letras y sonidos (distintivos), no se centra sólo en la preocupación por ser preciso en su representación sino en facilitar la identificación gráfica de la lengua. Por supuesto, queremos preservar un equilibrio letra-sonido, pero una representación demasiado fidedigna, en forma de transcripción fonética o fonológica, es poco práctica para el lector.

Volvamos al alfabeto, ¿cuántas letras hay entonces en el alfabeto español? Para contestar a esta pregunta se impone hacer una distinción obligada: no tienen por qué coincidir las letras que necesitamos, con las que usamos. El español es bastante inconsistente en esto. Por ejemplo, la "k" y la "w" son añadidos innecesarios. La "w" sólo existe en palabras extranjeras, inglesas preferentemente, que podrían ser sustituidas con sólo proponérselo. Nótese que podemos escribir sin esfuerzo "Huasinton" por "Washington". No haciéndolo, perdemos la posibilidad de representar fielmente la parte fónica; aunque la lectura, por suerte, no se ve afectada al entrar en juego para su reconocimiento nuestra memoria visual. De la "k" poco hay que decir. Las palabras en que aparece son tan marginales que avergüenza tener esta letra para lo que la usamos. Después de pensar brevemente en ello, la única lógica para retenerla es mantener una semejanza entre las abreviaturas (importantes) "km" o "kg", y pocas más, con su desarrollo; tanto quilómetro como quilogramo no se parecerían a sus abreviaturas. A pesar de ello, nadie negará que es antieconómico mantenerla. Lo más sorprendente de todo es que la "k" sería el candidato número uno para sustituir en un futuro, quizás no lejano, combinaciones del tipo "ca" y "que". Con el tiempo, Dios dirá.

Debemos concluir provisionalmente que la "k" y la "w" no son letras del español, aunque las usemos tipográficamente. Con ello tendríamos 25 letras en nuestro "alfabeto". Aquí no se agota el tema. ¿Cómo distinguimos recursos auxiliares de letras? Por ejemplo, la "A" mayúscula y la "a" minúscula, ¿son letras diferentes o es la misma letra en dos trazos diferentes? La pregunta sería ¿cuáles son los requisitos para ser letra? Si lo que queremos es sólo representar sonidos, la respuesta debería ser inmediata: son una letra única; aunque si éste es el único argumento, no es mucho, ya que "ca", "que", y "ki" también representan el mismo sonido y nadie diría que son la misma letra.

www.laopinion.com

Vocabulario útil: escaparate, *showcase*; desfasado, *outdated*; herramienta, *tool*; hallazgo fortuito, *fortunate discovery*; heredado, *inherited*; provisionalmente, *temporarily*; trazo, *stroke*

Preguntas
1. ¿Cuántas letras había en el alfabeto español antiguo de 1803?
2. ¿Es una letra un sonido?
3. ¿Qué se les atribuye a los griegos?
4. ¿Quiénes escribieron de derecha a izquierda?
5. ¿Qué letra sólo existe en palabras extranjeras, en particular palabras inglesas?
6. ¿Qué letra sería el primer candidato en abandonar el alfabeto español?
7. Entonces, ¿cuántas letras existen en el alfabeto español que son verdaderamente "españolas"?

Actividad 48 (3:46)
Participe en una conversación

Capítulo 6, Lección A

Actividad 26 (1:51)
Beijing ya se alista para las Olimpiadas
Beijing inició la cuenta atrás de 1.000 días para la celebración de los Juegos Olímpicos de 2008 con la celebración, ayer, de diversas actividades y el comienzo de la venta de productos conmemorativos y mascotas. El Comité Organizador de los Juegos Olímpicos de Beijing organizó una carrera de larga distancia para diplomáticos, hombres de negocios y periodistas extranjeros en el Palacio de Verano. La conmemoración de los 1.000 días se celebró ayer con la presentación de las cinco mascotas olímpicas: el pez Beibei, el oso panda Jingjing, la antorcha Huanhuan, el antílope tibetano Yingying y la golondrina Nini. Por primera vez, sellos postales conmemorativos y otros 300 productos con licencia de estas mascotas se pusieron ayer a la venta en 188 tiendas autorizadas en todo el país, como camisetas, gorras, lapiceros y bolsas con el logotipo olímpico, informó el diario China Daily. Los precios oscilan entre ocho yuanes (un dólar) por un lapicero fluorescente hasta miles de yuanes por objetos fabricados en metal.

www.eluniverso.com

Vocabulario útil: mascota, *mascot*; antorcha, *torch*; golondrina, *swallow (bird)*; lapicero, *pencil holder*; oscilar, *to vary*

Actividad 32 (2:57)
La historia y la geografía: dos perspectivas para entender mejor el fútbol
En Costa Rica, por mucho tiempo el fútbol fue visto como un canal de ascenso económico alternativo a la educación. De este modo, era visto como normal que los buenos futbolistas, en general y salvo ejemplarizantes excepciones, no concluyeran la enseñanza media. De ahí que no fuera extraño la política de ciertos clubes grandes de no incentivar el desarrollo intelectual de sus deportistas. Para estas asociaciones simplemente el estudio y el fútbol no rimaban. En la actualidad, se vislumbran algunos cambios y ya hay más futbolistas que estudian y que han logrado títulos profesionales. La mayoría de los equipos empiezan a cambiar, aunque aún se sigue privilegiando lo deportivo sobre lo intelectual, diversos dirigentes y entrenadores formados en las Universidades estatales insisten en que el joven futbolista se forme integralmente y pueda estudiar y obtener una profesión.

Para muchos expertos, es claro que el "alma" de un país o de una región se traduce en el modo de jugar al fútbol. Así, algunos seleccionados serían más violentos, otros más espontáneos y otros más creativos. En Costa Rica, donde el fútbol es el deporte rey, un triunfo significa la euforia y una derrota tristeza y desgraciadamente en ambos contextos puede generar muchas situaciones violentas.

El deporte ocupa en todo el mundo un lugar de privilegio, los Estados invierten en deportes y se crean instituciones especializadas para organizar las competencias deportivas. El gusto por ciertos deportes es más fuerte en unos países que en otros, pero el fútbol ha llegado a convertirse en el deporte que mueve más espectadores, dinero e intereses. Un ejemplo de relación complementaria entre fútbol y estados-nación, ocurrió en la Copa del Mundo de 1998, realizada en Francia, cuando se enfrentaron las selecciones de Irán y de los Estados Unidos. Los jugadores iraníes entregaron a sus adversarios un ramo de flores. Esto no impidió que el juego terminase con la victoria de uno de los dos equipos (en este caso Irán) y que en Teherán fuesen quemadas banderas norteamericanas, como de costumbre.

Unidos de ahí en adelante; el fútbol también puede ser visto como un lenguaje. En algunos casos, es un código que todos los hombres tienen que ser capaces de utilizar. El fútbol pasa a ser una forma de hablar sobre el país o sobre identidad nacional.

www.efdeportes.com

Vocabulario útil: ejemplarizante, *exemplary*; rimar, *to rhyme*; vislumbrar, *to make out/discern*; estatal, *state*; invertir, *to invest*; ramo, *bouquet*

Actividad 47 (6:17)
Pueblo defiende guerreros de la Serpiente Emplumada
Tula, México. Los pobladores han puesto el grito en el cielo para impedir un plan de mover las columnas de 4.6 metros (15 pies) con los gigantes esculpidos que datan de los remotos tiempos en que floreció la cultura precolombina de los Toltecas. Algunos arqueólogos temen que la dañina contaminación emitida por una planta petroquímica cercana podría eventualmente provocar un desastre en los gigantes esculpidos, que orgullosamente dominan un sitio arqueológico y la ciudad de Tula, 80 km al norte de la Ciudad de México. Después de pasar varias horas en el sitio arqueológico, que incluye un campo del ritual juego de pelota prehispánica, pirámides y muros delicadamente tallados, Simon De la Rue, un visitante británico, declaró que las columnas, conocidas como los Atlantes de Tula, son "imponentes". Los expertos no están seguros de cuánto daño ha causado la polución, y esperan emprender un estudio al final de este año. Pero no importa lo que indiquen los estudios. Los residentes están decididos a que sus orgullosos guerreros permanezcan en su pueblo original. Casi toda la gente en el pueblo insiste en que poner los originales en un museo y reemplazarlos con copias simplemente, no sería lo mismo.

"Los turistas no viajarían desde lejos para ver imitaciones", dijo un ciudadano ante las obras maestras del arte prehispánico. No obstante, dos de las cuatro estatuas son imitaciones, un hecho fácilmente detectable por los visitantes. Uno de los originales ya está en el Museo Nacional de Antropología de la Ciudad de México. Se piensa que la ciudad antigua de Tula fue la capital tolteca que floreció del siglo X al siglo XIII de nuestra era. Su legado ha jugado un papel crucial en la historia del México antiguo.

Los anales aztecas posteriores mencionan a un sacerdote gobernante quien se dedicó al culto de Quetzalcóatl, el dios benevolente de la serpiente emplumada que ha sido encontrado en varios restos de las culturas prehispánicas de Mesoamérica. Siglos más tarde, el gobernante rey de los aztecas, Moctezuma, abrió las puertas de su opulento imperio al conquistador español Hernán Cortés, pensando que el blanco y barbado invasor montado sobre una bestia era Topiltzin, quien regresaba como una reencarnación del propio dios Quetzalcóatl. Cinco siglos después de la conquista, el legado de Quetzalcóatl ha unificado al pueblo de su capital ancestral. Uno de los propósitos es construir un domo transparente alrededor de las estatuas, pero lo más simple sería colocar un techo directamente

sobre las columnas, restaurándolas en su lugar original. Una cosa es clara: cualquier sugerencia de mover las columnas encenderá, en los descendientes de los Toltecas, el espíritu de guerra con la misma terca determinación proyectada por los orgullosos guerreros de Quetzalcóatl.

www.laraza.com

Vocabulario útil: guerreros de la Serpiente Emplumada, *Plumed Serpent warriors*; esculpido, *sculpted*; dañino, *harmful/destructive*; petroquímico, *petrochemical*; tallado, *carved*; imponente, *imposing*; emprender, *to undertake*; legado, *legacy*; barbado, *bearded*; domo, *dome*

Preguntas
1. ¿Contra qué plan expresa el pueblo su desacuerdo?
2. ¿Por qué están de acuerdo con el plan algunos arqueólogos?
3. ¿Qué causa el daño?
4. ¿Qué desean los pobladores de Tula?
5. ¿Quién era Quetzalcóatl?
6. Cuando los aztecas vieron a Hernán Cortés por primera vez, ¿por quién lo tomaron?
7. ¿Cuál es uno de los propósitos para solucionar la crisis?

Actividad 49 (3:48)
Los cambios en la pelota tienen mucho que ver con la televisión
La antropóloga Olatz González Abrisketa dedicó siete años a investigar el juego de la pelota vasca para elaborar su tesis doctoral, en la que ha basado el ensayo "Pelota vasca: un ritual, una estética".

P: ¿Por qué la pelota es un juego tan masculino?
R: La pelota ha sido ante todo un acontecimiento público, central para el establecimiento de relaciones entre los hombres. Las mujeres han estado, y siguen estando todavía en muchos aspectos, confinadas a la esfera privada. Su visibilidad social ha sido prácticamente nula.
P: ¿Cómo explica que las mujeres se hayan ido abriendo hueco en casi todos los deportes y en pelota haya disminuido el número de federadas?
R: Uno de los valores centrales de la pelota es la fuerza. Se puede decir que es la virtud más idealizada. Es una cualidad tan importante como la fuerza, si no más, para jugar bien. Sin embargo, es en la fuerza, el sufrimiento y la dureza donde se ha colocado la identidad de la pelota.
P: Sitúa el inicio de la pelota vasca en el siglo XVI. A lo largo de este tiempo se habrán dado muchos cambios, pero ¿cuáles han sido los más importantes en los últimos años?
R: Tienen que ver sobre todo con su adecuación a la televisión, a sus tiempos y exigencias. La pelota tiene muchos tiempos muertos que la televisión necesita llenar de imágenes espectaculares. Por ejemplo, el público tradicional que espera tranquilamente sentado el inicio del tanto, charlando o apostando, no es atractivo para la televisión. Necesita mostrar el fervor del acontecimiento, sea o no un partido apasionante. Es curioso cómo este fenómeno, sin haber estado dirigido, se da en la pelota.
P: ¿Cómo anda de salud la pelota?
R: Hay mucha gente que juega a pelota y que ni tiene licencia federativa, ni va al frontón como espectador. Es decir, no entra en estadísticas. En Euskadi la pelota no puede medirse como otros deportes, aunque se intente. Creo que cuanto menos se regule su práctica, mejor para ella, y cuanto más se le obligue a equipararse con otros deportes, peor.
P: Señala en su ensayo que la pelota ha constituido un referente simbólico central en la construcción de la identidad vasca.
R: La pelota forma parte de ese núcleo ideológico que ha hecho que

los vascos se sitúan de una determinada manera frente al mundo, y que ha tenido que ver sobre todo con la idea de nobleza y con el respeto al principio de autoridad. Esto no quiere decir que todos los vascos vean el mundo de una manera. Cada uno lo ve y lo construye según sus posibilidades y circunstancias.

P: Dice también que la pelota vasca forma parte del imaginario nacionalista.

R: Es parte del imaginario nacionalista en el sentido de que se ha pensado como componente de la diferencialidad de lo vasco. En principio, la pelota, como el resto de juegos agónicos, representa aquello que la sociedad quiere evitar: un conflicto entre dos partes.

Vocabulario útil: vasco, *Basque*; acontecimiento, *happening*; esfera, *sphere*; frontón, *court where* la pelota *is played*; Euskadi, *Basque region in Spain*; agónico, *agonizing/dying out*

Actividad 50 (3:10)
Participe en una conversación

Capítulo 6, Lección B

Actividad 27 (1:30)
Arantxa Sánchez Vicario: a las tenistas les falta carisma

La tenista española Arantxa Sánchez Vicario, en cuyo palmarés figuran 29 torneos individuales, entre ellos los tres conseguidos en Roland Garros, analizó el actual circuito femenino en el cual, a diferencia de cuando ella estaba en activo, acusa la ausencia de "jugadoras con carisma". "Ahora juegan todas con un mismo estilo, más plano y con un patrón de juego muy parecido. La nueva generación va cambiando y van surgiendo nuevas tenistas, sobre todo del Este y de Rusia", explicó la tenista catalana a Europa Press. Sánchez Vicario explicó que el tenis ha pasado de ser "un deporte publicitario" y subrayó que "antes las tenistas estaban más centradas en ganar torneos, mientras que ahora no sólo es importante ganar partidos, sino cómo te vistes, si vas a tener contratos publicitarios, o si las casas comerciales te quieren o no o si eres más guapa". No obstante, la ex número uno del mundo indicó que para alcanzar la cima mundial "tienes que ganar torneos" y después "te ayuda el tema publicitario".

Vocabulario útil: palmarés, *list of achievements*; plano, *flat/even*; cima, *top*

Actividad 33 (2:32)
El doping como resultado de las presiones en los deportistas, y su relación con las adicciones

Como sabemos, las presiones juegan un papel preponderante en el deportista de alto rendimiento, quien en muchas ocasiones, busca superarse a partir de la obtención del éxito, sobre todo del inmediato. El uso del doping aparece como una errónea alternativa de solución mágica que involucra no sólo al deportista sino también a su entorno. En la actualidad prácticamente han desaparecido los casos en que los deportistas acudían al doping solitariamente. De acuerdo con el Comité Olímpico Internacional (COI), el doping es la administración o uso por parte de un atleta de cualquier sustancia ajena al organismo, o cualquier sustancia fisiológica tomada en cantidad anormal o por una vía anormal, con la sola intención de aumentar de un modo artificial y deshonesto su actuación en la competición; antes, durante o después de la competencia misma. Para implementar este concepto, el COI ha publicado una lista de sustancias prohibidas y ha desarrollado un programa de detección de drogas en las olimpiadas y competencias relacionadas, para detener el uso de estas sustancias. No obstante, con todos los esfuerzos realizados, pareciera que ésta es una lucha ardua que no termina, ya que vemos como los casos en que el resultado del doping es positivo, se suceden uno tras otro. El uso de drogas en ciertas sociedades del mundo ha existido durante siglos. Desde mediados del siglo XX, las drogas se han usado más y más. No sólo para combatir enfermedades, sino también para ayudar a personas bajo stress. Las drogas se usan para corregir problemas de sueño, estados de ansiedad, para aumentar o disminuir el apetito, etc. Muchas personas creen que cualquier problema o condición puede ser resuelta por las drogas. Se sigue buscando, con una ilusión tan antigua como el mundo, aquel producto milagroso capaz de transformar al individuo común y corriente en un superhombre.

Vocabulario útil: preponderante, *predominant*; rendimiento, *performance*; involucrar, *to involve*; acudir, *to turn to*; ajeno a, *alien to/that doesn't belong*; arduo, *difficult*; milagroso, *miraculous*

Actividad 45 (4:15)
Las contradicciones del fútbol brasileño

Otro ejemplo de la popularidad del fútbol es la fidelidad de los hinchas hacia sus equipos. En Brasil, esa fidelidad viene desde el día del nacimiento, cuando el niño recibe un nombre, una religión y un equipo de fútbol del cual va a ser simpatizante por el resto de su vida. A lo largo de la infancia, hay un continuo proceso de inculcación de valores y hábitos positivos sobre el equipo de la familia, y negativos en relación a equipos adversarios. De esta manera se aprende en nuestro país a hinchar por un determinado equipo de fútbol, a diferencia de los equipos de voleibol o básquetbol que, representando a empresas, cambian de nombre cada temporada. El fútbol se constituiría, por un lado, en una imagen de la sociedad brasileña y, por otro, en un ejemplo que le permitiría expresarse. El hombre brasileño se conduce en la vida como en un partido de fútbol, con chances de ganar o perder — y algunas veces empatar. El fútbol es una manera que tienen los brasileños de expresar sus características emocionales profundas, tales como pasión, odio, felicidad, tristeza, placer, dolor, fidelidad, resignación, coraje, debilidad y muchas otras. Constituye una forma de expresión de la identidad nacional. Brasil es el único país que participó en todas las Copas del Mundo y el único tetra-campeón. Su fútbol es respetado y temido por otras selecciones. Somos el principal exportador de jugadores del mundo, jugadores que han ganado reconocimiento en varios países. Tenemos los más grandes estadios del mundo. El salario promedio de los jugadores brasileños es bajo. La gran mayoría de los equipos brasileños están endeudados, retrasando permanentemente el pago a los jugadores. Muchos políticos utilizan el fútbol para conseguir votos. Un deporte con esta popularidad, que ocupa un enorme espacio en los medios de comunicación de masas, crea continuamente nuevos héroes, que serán endiosados por las personas, envidiados, imitados por los niños y servirán como modelo de conducta. Pelé fue y todavía es un ídolo producido por el fútbol y, hoy, hay Ronaldinho. El papel del árbitro de fútbol también presenta características interesantes. En el fútbol el árbitro es el dueño y señor del juego. Ese poder absoluto del árbitro de fútbol contrasta con la dificultad que él tiene para marcar todo correctamente y, frecuentemente, comete errores. Errores que perturban a los jugadores y a la hinchada. Hablamos de las contradicciones del fútbol brasileño, apenas aparentes si intentamos comprender la lógica cultural de este importante fenómeno nacional. Brasil es el país de los contrastes y las ambigüedades. Es un país que mezcló todas las razas; un país cuyo pueblo consigue conciliar creativamente la superstición con la religiosidad y la ciencia y un país que encontró en el fútbol su mejor interpretación, haciendo de él una de sus más genuinas expresiones.

Vocabulario útil: inculcación, *indoctrination*; tetra-campeón, *four-time champion*; endeudado, *in debt*; endiosado, *deified*

Actividad 46 (4:50)

Un doble enfoque de la utilización de los fármacos: ¿dopaje o salud?

El hombre hace cosas para mejorar su cuerpo. La industria farmacéutica desarrolla fármacos con el objetivo de transformar los buenos hombres en los mejores; los normales en muy buenos y los discapacitados en personas capaces. Además de la industria farmacéutica, los investigadores utilizan de todo para obtener recetas para la aptitud física y deportiva. Hay muchas desinformaciones entre las personas que utilizan medios para mejorar su desempeño, las cuales tienen fácil acceso a los fármacos (naturales y artificiales). Hoy, muchas drogas son consumidas por la población, muchos fármacos son utilizados para obtener alguna mejora física. Sólo algunas personas que utilizan estos productos lo hacen con una supervisión médica y sus propósitos son bien específicos. Otro problema que surgió son los expertos, que ganan dinero con las ventas de estos productos en el mercado, que dicen de todo para persuadir a las personas que su producto es natural, no causa daño a la salud. Por ejemplo, la creatina es muy utilizada entre los deportistas. "Se sabe que aproximadamente el 50% de los deportistas participantes en Juegos Olímpicos y el 90% de los culturistas y levantadores de pesas la ingieren habitualmente". Es especialmente común en deportes de resistencia: en el ciclismo profesional y en el esquí de fondo. El dopaje sanguíneo tiene el objetivo de ayudar el transporte de oxígeno hasta el músculo. No son sólo los deportistas que utilizan este recurso para obtener ventajas. El dopaje sanguíneo no es un problema restringido a deportistas profesionales, puesto que actualmente implica también a aficionados y a deportistas jóvenes. Es claro que en todos estos casos las personas están utilizando productos con el objetivo de obtener ventajas sobre los demás. El Comité Olímpico Internacional (COI) define como doping el "uso de cualquier sustancia con la intención de aumentar el desempeño del atleta en una competición".

www.efdeportes.com

Vocabulario útil: fármacos, *medicine*; desempeño, *performance*; creatina, *creatine/performance-enhancing drug*; culturista, *body builder*; ingerir, *to consume*; esquí de fondo, *cross-country skiing*; dopaje sanguíneo, *injection of performance-enhancing drugs in the blood*; restringido, *restricted*

Preguntas

1. Según el artículo, ¿por qué hace el hombre el ejercicio físico?
2. ¿Dónde hay mucha desinformación en esta área?
3. ¿Cuál es el mejor método de usar esos fármacos?
4. ¿Qué es la creatina?
5. ¿Quién usa el dopaje sanguíneo para obtener ventajas a los demás?
6. ¿Cuál es la definición del dopaje según el Comité Olímpico Internacional?

Actividad 47 (2:18)

UNESCO se dispone a adoptar primer texto vinculante contra dopaje

La Conferencia General de la UNESCO votará mañana un Convenio de lucha contra el dopaje en el deporte, que se convertirá en un instrumento internacional para luchar contra el dopaje. Tras recibir el visto bueno del máximo órgano rector de la Organización de las Naciones Unidas para la Educación, la Ciencia y la Cultura (UNESCO), el Convenio tendrá que ser ratificado por 30 países para que entre en vigor. No parece que vaya a tener problemas, ya que el texto cuenta con un gran respaldo internacional y, en particular, con

el apoyo de los 25 países miembros de la Unión Europea. El texto parte del convencimiento de que la UNESCO debe desempeñar un papel esencial en la lucha contra el uso de estímulos prohibidos en el deporte. A través de 42 artículos y varios anexos, la Convención plantea una lucha contra el dopaje en el deporte por medio de diversas vías y establece la imposibilidad para los deportistas de contar con sustancias o métodos prohibidos, salvo con fines médicos legítimos. En el terreno preventivo, el Convenio propone que los Estados financien programas de control de dopaje y un mayor peso de las sanciones, incluidas las financieras. Recomienda la realización de programas de educación y formación para persuadir de la inconveniencia de recurrir a sustancias prohibidas en la competición y sugiere fomentar la investigación para luchar contra ese fenómeno. El proyecto del Convenio prevé la creación de un fondo económico con aportaciones de los países firmantes que servirán para intentar alcanzar el objetivo de erradicar el dopaje. El Convenio prevee la posibilidad de incorporar otras nuevas a medida que avance la investigación y se descubran nuevas técnicas o productos dopantes.

www.laraza.com

Vocabulario útil: vinculante, *binding*; el visto bueno, *approval*; entrar en vigor, *to come into effect*; respaldo, *endorsement*; partir de, *to start from the premise*; desempeñar un papel, *to play a part*; recurrir a, *to resort to*; prever, *to foresee*; erradicar, *to eliminate*

Actividad 49 (2:59)

Participe en una conversación

Actividad 25 (2:32)

Hacker noruego descubre manera de piratear protección de Apple

El hacker noruego Jon Lech Johansen, conocido como DVD-Jon, ha descubierto una nueva manera de burlar el código de seguridad anti-copia de los ficheros de la tienda de música interactiva Apple iTunes. El informático de 22 años de edad y nacido al sur de Oslo, ha realizado un programa titulado PyMusique que burla el código de seguridad anti-copia de los ficheros de la tienda de música Apple iTunes. Apple iTunes incluye la tecnología que impide la copia y distribución de material protegido en todas las canciones de su tienda virtual, aunque ésta sólo funciona después de haber comprado y descargado los ficheros en el ordenador. PyMusique se sirve de este hecho para liberar el fichero de la protección, permitiendo al usuario copiarlo y distribuirlo por el espacio internauta. Johansen descubrió con 15 de años de edad la manera de evitar el código de seguridad de los DVD para poder visualizar películas en el entorno Linux. El 22 de diciembre del 2003 fue absuelto por el tribunal de apelación de Oslo, tras varios años de litigios iniciados por las poderosas asociaciones norteamericanas Motion Picture Association of America y DVD Copy Control Association. El tribunal falló que Jon no había cometido ningún acto ilegal por descifrar el código de seguridad de los DVD y distribuirlo en Internet ya que, según los jueces, esas acciones estaban justificadas bajo la doctrina legal del uso privado de la propiedad intelectual. Johansen trabaja actualmente en colaboración con la facultad francesa École Centrale de París, en el desarrollo de tecnología digital para aplicaciones multimedia.

www.laraza.com

Vocabulario útil: burlar el código, *to trick the code*; fichero, *file*; informático, *computer technician*; descargar, *to download*; internauta, *related to the Internet*; entorno, *program/environment*;

absuelto, *acquitted*; fallar, *to pronounce sentence on*; descifrar, *to decipher/decode*

Actividad 45 (3:52)
La Tierra no "crece" más

Los seres humanos somos por naturaleza poco proclives a preocuparnos demasiado por el futuro, más allá de lo que esperamos vivir nosotros mismos o nuestros hijos. Diría que la mayoría prefiere no pensar en el futuro de largo plazo, sino en el presente y el futuro inmediato. Es por eso que los cálculos que hacen los científicos acerca del calentamiento global de la Tierra, o de la escasez de alimentos que habrá en algunas décadas más, no son temas prioritarios de conversación. Por eso esta semana en vez de abordar el informe que hizo el Banco de Reserva Federal sobre la baja en el ritmo económico en Estados Unidos, decidí comentar un dato que me encontré en la internet y que me impactó con fuerza: la humanidad hoy podría consumir —si todos comieran bien— los recursos de una superficie equivalente a 13.500 millones de hectáreas, cuando el planeta sólo cuenta con 11.300 millones de hectáreas de tierra cultivable y productiva. O sea, desgraciadamente el hambre de millones de personas en África y Asia es lo que ha evitado una crisis alimentaria a nivel global. Revisando las estadísticas demográficas de la Organización de las Naciones Unidas (ONU) hallé que en la época de Pericles, el llamado Siglo de Oro en la Grecia antigua, unos 400 años antes de Cristo, el mundo tenía unos 200 millones de habitantes. Cuando llegó el segundo milenio, 1.400 años después, la cifra era de 254 millones, y cuando Cristóbal Colón pisó tierra en la actual República Dominicana había 425 millones de habitantes. O sea, en dos mil años la población mundial apenas se duplicó. Sin embargo, en 1950 éramos 2.400 millones, hoy somos 6.600 millones y en 2050 habrá 9.220 millones de terrícolas. De manera que en sólo cien años la población casi se habrá cuadruplicado. Con la misma superficie terrestre —lamentablemente la Tierra no "crece"—, cada año se agregan 75 millones de bocas más que hay que alimentar, a un ritmo de 205 mil diarias. Lo más significativo es que del total mundial, sólo un 18% de los habitantes vive en naciones desarrolladas y el 82% restante, es decir, 5.410 millones, en países en desarrollo, con una mayoría en las 50 naciones más pobres de África y Asia. Para 2050 el 13% vivirá en el Primer Mundo, y los otros 8.024 millones en el Tercer Mundo, debido a que sólo ocho países africanos y asiáticos serán responsables de la mitad del crecimiento poblacional mundial. Es mucho lo que debemos hacer hoy en materia de productividad, educación y desarrollo económico y social para tratar de aliviar al menos ese sombrío panorama futuro del que nos alertan hoy los científicos.

www.laopinion.com

Vocabulario útil: proclive, *inclined to*; de largo plazo, *in the long run*; hallar, *to find*; sombrío, *dark/somber*

Actividad 46 (6:03)
Se busca la palabra más bella del castellano

Tiritar, cereza, piropo, libélula, estrella, amor. Cualquiera de los cientos de miles de palabras en castellano reconocidas por la Real Academia Española podría ser elegida como la palabra más bella del idioma. Desde el 31 de marzo y hasta el 21 de abril, la Escuela de Escritores pide a los internautas de habla hispana que voten por la que consideran la palabra más hermosa. La Escuela de Escritores, un centro de talleres literarios con sede en Madrid, decidió festejar el 23 de abril, Día del Libro, homenajeando a las palabras. "Esperamos una respuesta masiva de todos los que amamos nuestro idioma: el español merece una gran fiesta y su palabra más bonita merece ser coronada entre todos", declaró Javier Sagarna, jefe de Estudios de la Escuela, tras el lanzamiento de la convocatoria que llevó el nombre "Tienes la palabra". Aunque la invitación es para elegir una palabra a base de la belleza de su construcción y sonoridad, muchas de las palabras enviadas han sido elegidas por su significado o por lo que representan. Palabras tan universales como *amor, esperanza, madre, oasis* o *abuelita* figuran entre las que ya han recibido algunos votos, aunque también aparecen las inesperadas *pitaya, zampatortas, ñiquiñaque, vivalavirgen* y *clavicordio.* Desde el día en que fue lanzada la convocatoria, miles de personas de distintos países han participado en la elección, incluidos políticos, académicos, escritores y artistas. José Luis Rodríguez Zapatero, presidente del gobierno español, eligió la palabra *generosidad* porque "es la palabra que más humanos nos hace. El ser humano es dar para recibir". Arturo Pérez Reverte, académico y escritor, eligió la palabra *ultramarino* porque "tiene latín, tiene mar, historia, aroma y memoria...". La académica y escritora Ana María Matute eligió *resplandor*, porque "es una palabra que en sí misma, sin estar inscrita entre otras, tiene mucha poesía". Darío Jaramillo, poeta y narrador colombiano, eligió *caravana*, "cuatro sílabas sonoras, cada una en *a, aes* en fila como una fila de camellos o de camiones". Lila Downs, cantante mexicana, eligió *camino*, "porque es donde siempre he andado y me hace pensar en tomarlo sin tener que imaginar dónde me lleve". Jorge Eduardo Benavides, escritor peruano, optó por *desasosiego*, que para él es "como un viejo tren que inicia su marcha". Para participar en esta iniciativa sólo se tiene que llenar un formulario que aparece en línea en la página de la escuela (www.escueladeescritores.com). Los requisitos son que la palabra elegida no sea un nombre propio y que esté recogida en los diccionarios de lengua castellana. Una vez que se ha enviado el término favorito, con una pequeña explicación de las razones de su elección, el participante tiene la posibilidad de votar por un máximo de cinco palabras diferentes enviadas por otros participantes. Los resultados se darán a conocer el próximo 23 de abril.

www.laopinion.com

Vocabulario útil: tiritar, *to shiver*; libélula, *dragonfly*; taller, *workshop*; sede, *headquarters*; convocatoria, *announcement*; sonoridad, *sound*; pitaya, *type of cactus*; zampatortas, *hog/glutton*; ñiquiñaque, *worthless thing/person*; vivalavirgen, *carefree person*; clavicordio, *clavichord (type of piano)*; resplandor, *brilliance*; desasosiego, *uneasiness*; requisito, *requirement*

Preguntas
1. ¿Quién patrocina el concurso?
2. ¿Quién va a elegir la palabra?
3. ¿Cómo se caracterizan las palabras que ya se han enviado?
4. ¿Por qué escogió Ana María Matute la palabra *resplandor*?
5. ¿Qué característica es aceptable para la palabra más bella del castellano?

Actividad 47 (6:14)
Celularmanía

Los hay de todos colores y son cada vez más pequeños. La mayoría incorpora la internet inalámbrica, y cada vez son más las cosas que se pueden hacer con ellos: son prácticos y convenientes, envían y reciben e-mails, se puede consultar el precio de las acciones, resultados deportivos y el horóscopo, indican el clima, organizan juegos de "monitos" a distancia, reconocen la voz en varios idiomas, sirven como módems, tienen altavoces y capacidad de almacenar música, e incluso empieza a haberlos a todo color. Éstas y muchas otras funciones son la oferta que compañías de telecomunicaciones y fabricantes de teléfonos celulares inalámbricos hacen a diario al consumidor, prometiendo cada vez más cosas; por ejemplo, minutos de uso, pese a que la mayoría de las personas todavía sólo los usa como simples teléfonos portátiles debido a que son difíciles de operar. "Hoy por hoy, los usuarios aún no son especialistas en todas las funciones que tienen los inalámbricos", dice Tod Hallenbeck, director asociado de Soluciones Tecnológicas de Verizon Wireless.

"Idiomas como el español, francés y portugués son de gran demanda", dice Scott Gaines, gerente de productos de la firma multinacional. Según el Yankee Group, una compañía de asesoría e investigación de internet en Boston, en Estados Unidos hay 110 millones de personas que utilizan teléfonos celulares. Según reportes de Sprint PCS, la firma cuenta en la actualidad con un millón de usuarios utilizando la internet inalámbrica regularmente. Un número similar de usuarios se encuentran conectados a la red mediante AT&T Wireless y Verizon Wireless. Las páginas de muchas publicaciones, lo mismo que los anuncios radiofónicos y televisivos, destacan la cantidad de minutos disponibles para hablar, siempre y cuando se contrate el servicio con la firma anunciante. "Obviamente, quisiéramos que los usuarios estuviesen con nosotros para siempre. Es así como les podemos proporcionar cosas gratuitas", dijo Hallenbeck. El ejecutivo se refirió a los descuentos en los aparatos telefónicos, los 500 minutos adicionales por el uso durante los fines de semana, además de algunos otros especiales y promociones que introducen mes a mes. Otras compañías como Cingular dicen ofrecer uso ilimitado entre usuarios siempre y cuando ambos sean clientes de la compañía, algo que dicen está atrayendo una gran cantidad de nuevos suscriptores.

"Sprint PCS se vanagloria de ser la única compañía en ofrecer un período de 14 días para que los usuarios se decidan por un plan. Hay personas que hablan en ciertas áreas, o a ciertas horas o en ciertos días. Nuestra política es la de dejar la opción abierta al cliente para que sea él quien tome la decisión", dice un ejecutivo de la compañía.

Puede que los planes sean tan diferentes como los modelos en oferta, pero lo cierto es que la telefonía inalámbrica se encuentra en una fase de despegue sin aparente marcha atrás. "El gobierno tendrá que subastar nuevas frecuencias para que podamos implementar tecnologías de tercera generación inalámbrica (3G) mucho más rápida y avanzada. Hasta que ese día llegue, seguiremos ofreciendo lo más parecido posible con las funciones que estos aparatos pueden realizar", finaliza diciendo Hallenbeck.

www.laopinion.com

Vocabulario útil: inalámbrico, *wireless*; acciones, *stock*; almacenar, *to store*; destacar, *to emphasize*; vanagloriarse, *to boast*; despegue, *takeoff*; subastar, *to auction off*

Preguntas

1. ¿Qué son prácticos, convenientes y cada vez más pequeños?
2. ¿Qué función no es parte de las compañías de telecomunicaciones y fabricantes de teléfonos celulares inalámbricos?
3. ¿Cuántas personas usan teléfonos celulares en los Estados Unidos?
4. ¿Qué compañía ofrece un período de 14 días para que los usuarios se decidan por un plan?
5. ¿Quién tendrá que subastar nuevas frecuencias para que Verizon pueda implementar tecnologías más avanzadas?

Actividad 48 (2:19)
Participe en una conversación

Capítulo 7, Lección B

Actividad 25 (2:26)
Más de 1,5 millones de palabras del quechua en Windows y Office
Más de 1,5 millones de palabras de la lengua quechua ingresaron

en junio pasado a la base de datos de los sistemas operativos Windows y Office, dijeron hoy directivos de Microsoft que celebran un congreso en Cartagena, Colombia. El gerente de la firma para la región andina, Luis Alberto González, declaró a los periodistas que desde el pasado 28 de junio se pueden realizar operaciones en computadoras en lengua quechua, incluso en Internet. Precisó que la innovación es parte del Programa Mundial de Idiomas Nativos de Microsoft y quedó al alcance de unos 10 millones de quechua hablantes que hay en Suramérica, 30.000 de ellos en el sur de Colombia. A la asamblea andina de la multinacional fue invitado el indígena peruano Nelson Copa, quien declaró que el ingreso del quechua a los sistemas operativos y a la red "es como un sueño". "Yo nunca había salido de Cusco, pero ahora conozco gente de todo el mundo", expresó. En la cita también participa la jefa de Educación de Microsoft en Perú, Marushka Chocobar, quien señaló que esta herramienta facilitará las campañas contra el analfabetismo en las comunidades indígenas. González indicó que otra lengua aborigen que en el futuro podría entrar a los sistemas operativos es el wayúu, que hablan los indígenas que habitan en la Guajira, zona desértica compartida por Colombia y Venezuela, que se calculan en 3 millones de personas. Microsoft presentará mañana una versión del programa en Bolivia, en donde unas 2,6 millones de personas hablan quechua, que contará con la participación del presidente de ese país, Evo Morales.

www.laraza.com

Vocabulario útil: ingresar, *to enter*; congreso, *conference*; analfabetismo, *illiteracy*

Actividad 45 (4:06)
El verdadero valor del agua
Un vicepresidente del Banco Mundial señaló en 1995 que las guerras del siglo XX fueron por petróleo, asegurando que los conflictos del siglo siguiente iban a ser sobre el agua. Bienvenidos a esta nueva era donde el líquido, tan vital para la vida, es cada vez más escaso, convirtiéndose en una de las inversiones comerciales más rentables. El manejo adecuado de este preciado elemento es debatido desde los países pobres del Tercer Mundo hasta los condados de California, como Los Ángeles, que dependen del abastecimiento externo. El martes 22 de marzo, Día Mundial del Agua, comenzó la campaña de las Naciones Unidas, "El agua, fuente de vida" para reducir en los próximos diez años la mitad de la gente que hoy no tiene acceso sustancial al líquido. Se estima que cerca de 1.200 millones de personas no tienen acceso a agua potable y que otros 2.400 millones no gozan de servicios sanitarios adecuados. Por lo menos tres millones de niños mueren anualmente debido a enfermedades causadas por agua sucia. A lo largo del mundo, desde el África, al Asia Central y al Medio Oriente el tema del agua surge como un problema permanente entre naciones capaces de desembocar en las armas. La indiscutible importancia del agua la convirtió, según la revista *Forbes*, "en la mejor inversión del siglo" atrayendo a multinacionales al proceso de privatización de servicios. Esto transforma al líquido en un objeto más del mercado, con la peculiaridad que nadie y nada puede sobrevivir sin él. Por fortuna, todavía hay sitios como Chile que otorga subsidio de agua para los más pobres y Uruguay, que el año pasado rechazó en un plebiscito la privatización reafirmando que el líquido era un derecho humano de manejo público y no un bien de lucro. Mientras tanto, en California, las firmas agrícolas se benefician con los nuevos contratos federales para el Proyecto del Valle Central que desalientan el ahorro. El abastecimiento de Los Ángeles, por su parte, depende de las capas de nieve montañosas, que se reducen por el calentamiento global, y el Río Colorado que se halla bajo una larga sequía. Las fuertes nevadas son una gran ayuda para este año, pero es imprescindible

la construcción de más depósitos de agua a lo largo del estado para enfrentar las exigencias de los centros urbanos. El agua no puede ser un producto inalcanzable, es necesario un esfuerzo internacional serio para cubrir las necesidades mundiales. Esta demanda también puede ser controlada a partir de la responsabilidad personal de ahorrar y reconocer el verdadero valor del agua.

www.laopinion.com

Vocabulario útil: escaso, *scarce*; inversión, *investment*; rentable, *profitable*; condado, *county*; abastecimiento, *supply*; agua potable, *drinking water*; desembocar, *to culminate*; plebiscito, *plebiscite*; de lucro, *for profit*; desalentar, *to discourage*; ahorro, *saving*; capas de nieve montañosas, *mountainous snow caps* ; sequía, *drought*; nevada, *snowfall*; inalcanzable, *unreachable*

Actividad 46 (3:48)

No existe relación entre celulares y tumores cerebrales

Un estudio de médicos daneses ha confirmado que no existe relación entre el uso de teléfonos móviles o celulares y la aparición de tumores cerebrales, reveló hoy la revista *Neurology*. Los facultativos interrogaron a 427 personas con tumores cerebrales y 822 sin ese problema respecto al uso del teléfono móvil. Señalaron que no se registró ningún aumento de los tumores cerebrales vinculado a la frecuencia del uso de ese medio de comunicación. Estos resultados se ajustan a los de otros estudios, incluyendo uno recientemente publicado por un grupo científico sueco, manifestó Christopher Johansen, autor del estudio y director de la Sociedad de Oncología de Dinamarca. "Son muy pocos los estudios que han señalado un aumento del riesgo de desarrollar tumores cerebrales debido al uso del teléfono celular. Sin embargo, se ha criticado el diseño de esos estudios", añadió. A un pequeño grupo de participantes —27 con tumores y 47 totalmente sanos— los científicos no sólo les preguntaron sobre el uso del teléfono, sino que revisaron sus cuentas telefónicas. No hubo diferencias entre ambos grupos, señaló el científico y añadió que tampoco, en el caso de personas con tumores, éstos se presentaron con mayor frecuencia en el lado en que el paciente utilizaba el aparato. El estudio contó con el respaldo de la Comisión Europea, de la Unión Internacional contra el Cáncer, el Instituto Internacional de Epidemiología y la Sociedad Danesa contra el Cáncer.

www.laraza.com

Vocabulario útil: danés, *Danish*; facultativo, *doctor*; vinculado, *connected*; sueco, *Swedish*; riesgo, *risk*

Preguntas

1. ¿De qué país eran los médicos que hicieron este estudio?
2. ¿Cuántas personas en total entrevistaron para este estudio?
3. ¿Qué resultado señalaron los doctores?
4. ¿Qué otro estudio cita el artículo?
5. ¿Encontraron los médicos algunos tumores causados por el uso del celular?

Actividad 47 (2:57)

Pros y contras de restringir el uso del celular

Para evitar accidentes relacionados con los celulares y adoptar medidas legislativas adecuadas, la Oficina Nacional para la Seguridad en las Carreteras (NHTSA) recomienda considerar los siguientes puntos: En primer lugar, los estados deben hacer más énfasis en hacer cumplir las leyes que prohíben conducir de manera imprudente o distraída, al margen de la causa que provoque tal comportamiento. Cuando la policía observe que alguien maneja de forma distraída debido al teléfono celular, debe reportarlo. Las propuestas presentadas hasta ahora en algunos estados prohíben el uso de celulares que requieran que el conductor utilice las manos para sostener el aparato. Estas iniciativas parecen estar basadas en

la presunción de que los teléfonos que dejan las manos libres son aceptables mientras se maneja. Si bien estos aparatos reducen el esfuerzo del conductor para marcar, sostener y colgar el aparato, no mitigan la distracción potencial que representa el hecho de conversar. De manera inadvertida, la legislación propuesta podría promover un mayor uso de los celulares entre los conductores que actualmente limitan o evitan su uso mientras manejan, ante la suposición de que los celulares que dejan libres las manos son más seguros. Sería necesario examinar la relación entre el costo y el beneficio de las leyes sobre el uso del celular mientras se conduce. Los costos potenciales del uso sin restricciones del celular pueden incluir aquellos asociados con los accidentes provocados por la distracción causada por estos aparatos. Por otra parte, los beneficios del uso sin restricciones del celular incluyen un empleo más eficiente del tiempo destinado a transporte, la capacidad de recibir ayuda de emergencia y la posibilidad de mantener mayor comunicación con la familia, los negocios y la comunidad. Los costos de las restricciones legislativas pueden resultar en una necesidad de invertir en equipo celular más caro y complejo, acceso limitado mientras se maneja y gastos asociados con el cumplimiento de la ley. Los beneficios potenciales de la legislación incluirían ahorros en lesiones personales, daño a la propiedad y costos causados por las demoras en el tráfico a causa de accidentes.

www.laraza.com

Vocabulario útil: restringir, *to restrict*; medida, *measure*; comportamiento, *behavior*; propuesta, *proposal*; sostener el aparato, *to hold the apparatus/machine*; marcar, *to dial*; colgar, *to hang up*; mitigar, *to alleviate*; invertir, *to invest*; lesión, *injury*; demora, *delay*

Actividad 48 (3:14)

Participe en una conversación

Capítulo 8, Lección A

Actividad 26 (3:23)

Radio hispana: un negocio que nadie se quiere perder

Los grandes medios quieren un pedazo de la torta de la audiencia radial hispana y se preparan para acaparar un negocio a corto y largo plazo al convertirse la radio en español en una fuente de oportunidades crecientes.

"Los 40 millones de hispanos, la capacidad de consumo de los hispanos que alcanza los 750.000 millones de dólares anuales, el altísimo intercambio comercial entre EE.UU. y Latinoamérica y el flujo de una nueva generación de inmigrantes que mantiene vigente la práctica del español, hacen muy atractiva la inversión en el mercado hispano, y en especial de la radio", explicó a EFE William Restrepo, director de noticias de Caracol Radio. De acuerdo con un informe de la revista *Hispanic Business*, desde 2003 la inversión en la radio hispana creció del 3 por ciento al 17 por ciento interanual, y hay nuevos mercados (además de los tradicionales como Nueva York, Los Ángeles o Miami) donde comienza a hacerse un hecho la inversión y difusión de emisoras en español, como son Seattle, Washington o Charlotte. La mayoría de las 923 emisoras hispanas AM y FM que existen en Estados Unidos son muy pequeñas y de carácter local, a las que producir contenidos les sale muy costoso.

CNN lleva varios años vendiendo sus servicios informativos a otras emisoras. Es un mercado que ya fue descubierto, pero que aún tiene enormes y crecientes posibilidades. Desde 1998, el número de emisoras de radio hispanas ha aumentado un 300 por ciento. "Es un tiempo fascinante para el negocio de la radio hispana", comentó Jorge Plasencia, Vicepresidente de Comunicaciones Corporativas de Univisión Radio. Univisión adquirió en 2003 la Corporación Hispanic Broadcasting, la más amplia cadena de radio hispana, por

3.200 millones de dólares, y con esta compra persigue posicionarse como los líderes del ramo en los 20 mercados más importantes del país. Las emisoras que generaron más utilidades en los años 2003 y 2004 se encuentran en Los Ángeles, Nueva York, Miami, Houston, Dallas y Chicago. La radio tiene que entretener, educar e informar. Es un medio de compañía permanente, y los escuchas, ya educados en una radio muy desarrollada en sus países, serán más fieles si, además de entretenerlos, se les informa sobre sus posibilidades educativas y sanitarias; si se les previene de peligros legales. Es cuestión de encender la radio y escuchar lo que sucede.

www.laraza.com

Vocabulario útil: radial, *related to the radio*; a corto y largo plazo, *in the short and long run*; flujo, *flow*; cadena, *chain*; ramo, *branch*

Actividad 32 (2:42)
MoMA restaura *Las señoritas de Aviñón*
El Museo de Arte Moderno (MoMA) ha emprendido un laborioso proyecto de restauración de *Las señoritas de Aviñón*, obra maestra del arte moderno del artista español Pablo Picasso, perteneciente a su colección permanente desde 1939. Un examen cuidadoso realizado por los conservadores del museo determinó que esta pintura al óleo, ejecutada en 1907, se encuentra en "condición estable", explica el museo en una página en la internet dedicada exclusivamente al proceso de restauración. El análisis también reveló que la acumulación de polvo en la superficie, la decoloración de la cera y el barniz utilizados en restauraciones anteriores y aplicaciones posteriores de pintura de forma desigual han afectado la apariencia de la obra. La restauración, limpieza y retoque de la pintura, así como la documentación de este proceso, se han realizado a lo largo de los últimos seis meses, y el Moma espera finalizar el proyecto en las próximas semanas. Desde su creación hace 97 años, esta simbólica obra —acaso la más importante de la colección permanente del Moma— ha sido sometida a siete tratamientos de restauración. Este último implica la remoción de capas de pintura y retoques decolorados de las restauraciones de 1950 y 1963, y la eliminación de residuos adhesivos en la superficie del lienzo, lo que dejará a la obra en "un estado más cercano a su condición original". *Las señoritas de Aviñón* es conocida como una obra clave del modernismo y ha sido descrita como "el corazón del laboratorio de Picasso" por el escritor y poeta francés André Breton. El MoMA posee una excepcional colección de obras de Picasso (1881–1973), incluidas 55 pinturas representativas de su prolífica carrera artística.

www.eldiariony.com

Vocabulario útil: emprender, *to undertake*; polvo, *dust*; cera, *wax*; barniz, *varnish*; retoque, *touch-up*; remoción, *removal*; capa, *layer*; lienzo, *canvas*

Actividad 45 (2:30)
Inaugurada mayor exposición en España de obras de Frida Kahlo
La mayor exposición en España con obras de la artista mexicana Frida Kahlo se inauguró el viernes en la ciudad gallega de Santiago de Compostela. La muestra procede del museo Dolores Olmedo de México y se trata de una colección que fue exhibida hasta principios de octubre en el museo Tate Modern de Londres, donde atrajo en cuatro meses a unos 375.000 visitantes.

La exposición incluye varios lienzos de Frida Kahlo que muestran el sufrimiento y el dolor que sufrió en su vida, tras contraer la poliomielitis que la dejó coja y sufrir un accidente de circulación a los 16 años en el que resultó gravemente herida en la columna vertebral, la cadera y la matriz. Tras ser intervenida quirúrgicamente,

pasó meses postrada en una cama, donde comenzó a dibujar, y luego a pintar al conocer al artista mexicano Diego Rivera, con el que contrajo matrimonio y mantuvo una conflictiva relación sentimental.

Fallecida hace medio siglo, Frida Kahlo está considerada una leyenda y uno de los símbolos de la lucha por la liberación de la mujer en su país.

En su intervención en la inauguración de la muestra, el presidente del Gobierno regional de Galicia, Emilio Pérez Touriño, consideró esta exposición el "acontecimiento artístico más relevante de este año" en esta región. Touriño destacó que muestra la creación de una "mujer de leyenda" que exhibe "su cuerpo herido y su alma atormentada". Él indicó que México fue una "segunda patria" para miles de republicanos, tanto gallegos como del resto de España, que se exiliaron durante el régimen franquista y que "dejaron allí lo mejor de su arte y de su ciencia", contribuyendo así a reforzar las relaciones con Latinoamérica.

Al acto de inauguración asistieron también el embajador mexicano en Madrid, Gabriel Jiménez Remus, quien invitó a los gallegos y españoles a disfrutar de las "mágicas expresiones" de Frida Kahlo como una de las muestras representativas de su país.

www.eldiariony.com

Vocabulario útil: gallego, *Galician (region of Spain)*; poliomielitis, *polio*; cojo, *lame*; cadera, *hip*; matriz, *uterus/womb*; postrado, *laid up*; fallecer, *to die*; destacar, *to emphasize*; franquista, *related to General Francisco Franco, dictator of Spain, 1939–1975*; reforzar, *to reinforce*

Actividad 46 (3:46)
Cristina Saralegui premiada como humanitaria
Cristina Saralegui, la presentadora más reconocida en la televisión hispanohablante, recibirá el Premio de Humanitaria Internacional y Visión Mundial por su labor internacional humanitaria y su visión mundial, de parte de la organización Mujeres en el Cine y la Televisión Internacional. El premio será otorgado durante la Celebración Latina, una noche dedicada a la promoción del cine y la televisión latinoamericana y al homenaje de la mujer hispana que ejemplifica tal visión global de la experiencia latina en los Estados Unidos. La fiesta Celebración Latina ofrecerá muestras de la cocina, la música y los bailes típicos de Latinoamérica. En ella participarán cineastas de renombre, diplomáticos, invitados estelares y miembros de las industrias del cine y la televisión. La jefa de WIFTI, Fiona Milburn de Auckland, Nueva Zelanda, se encargará de presentar la ceremonia. La homenajeada, Cristina Saralegui, presentadora y productora ejecutiva de *El Show de Cristina*, el programa de entrevistas número uno de la televisión en español en los Estados Unidos, cuenta con una audiencia mundial de 100 millones. Además, Cristina es activista social y luchadora en contra del SIDA.

www.laraza.com

Vocabulario útil: presentadora, *talk-show hostess*; cineasta, *filmmaker*; estelar, *star*

Preguntas
1. ¿Por qué recibió Cristina Saralegui este premio?
2. ¿Qué es Celebración Latina?
3. ¿Qué forma parte de la Celebración Latina?
4. ¿Quiénes estarán presentes durante la Celebración Latina?
5. ¿De qué nacionalidad es la presentadora del premio?
6. ¿Quién es activista social y luchadora en contra del SIDA?

Actividad 47 (3:40)
"Don Francisco" recibe homenaje de congresistas

El popular y veterano presentador chileno Mario Kreutzberger, mejor conocido como "Don Francisco", recibió hoy un homenaje de varios congresistas por sus veinte años de presencia en la televisión hispana de Estados Unidos. En un acto celebrado en las escalinatas del Congreso estadounidense, "Don Francisco", de 65 años, recibió de manos de la representante de origen cubano Ileana Ros-Lehtinen, republicana por el estado de Florida, una bandera de Estados Unidos. Kreutzberger dedicó este homenaje a "sus compañeros de trabajo" que "llevan conmigo 20 años en Univisión, y al público que ha estado conmigo todos estos años". Desde 1986 la cadena de televisión hispana Univisión emite para Estados Unidos y Latinoamérica el espacio *Sábado Gigante*, que presenta "Don Francisco" y que tiene una audiencia de 100 millones de personas. Según Ros-Lehtinen, el presentador chileno fue homenajeado por su compromiso con la comunidad hispana y "por sus esfuerzos en cerrar la brecha entre la cultura latinoamericana y estadounidense, así como por su determinación de enseñar los valores y oportunidades ilimitadas que esta nación ofrece".

"Este reconocimiento congresional es muy merecido porque 'Don Francisco' ha sido una influencia increíble para los hispanos en toda América, y su personalidad, carisma, su deseo de ayudar a otros menos afortunados y su increíble talento le han asegurado un lugar prominente en los anales de la historia de la televisión", sostuvo Ros-Lehtinen. Por su parte, Kreutzberger afirmó que el reconocimiento recibido es un "auténtico honor".

"Vine a este país con un sueño y un propósito y hoy con orgullo puedo decir que he llegado más lejos de lo jamás soñé. Agradezco los esfuerzos de los congresistas por considerarme merecedor de este gran privilegio y quisiera agradecer especialmente a nuestra comunidad hispana y a Univisión por permitirme disfrutar estos 20 años de éxito con *Sábado Gigante*", dijo el homenajeado. En declaraciones a los periodistas, tras el homenaje, "Don Francisco" señaló que tras 44 años en la profesión —los primeros 20 en la Corporación de Televisión de la Universidad Católica de Chile— todavía no piensa en retirarse. "Nadie se retira. Sólo lo hacen el físico, la salud, la capacidad intelectual o la cuota de pantalla. Si logramos entretener, informar y orientar, hay que seguir en la batalla diaria de la televisión", mantuvo Kreutzberger.

Tras confesar sus 65 años, sus 44 años de casado y explicar que tiene tres hijos y nueve nietos, dijo que es un privilegio el poder haber estado tantos años al frente de un espacio que incluso ha sido reconocido por el *Libro Guinness de los Récords* como el "programa de variedades que más tiempo ha estado en antena". En este sentido, reconoció que el logro también es obra de sus compañeros detrás de las cámaras, "que llevan tanto tiempo como yo", y del "público fiel". "Yo creo que con buen criterio podemos llegar a una reforma positiva para todos", dijo el periodista chileno, quien agregó que no hay que olvidar que EE.UU. es, fundamentalmente, un país de inmigrantes.

www.laraza.com

Actividad 48 (2:42)
Participe en una conversación

Capítulo 8, Lección B

Actividad 32 (C2:05)
Guadalajara se inaugura como capital de la cultura

Célebre por la música del mariachi y sede de la feria del libro más importante de Hispanoamérica, la ciudad de Guadalajara, al oeste de México, abre este año como la Capital Americana de la Cultura. La ciudad vivirá una efervescencia cultural que se verá apoyada con inversiones de capitales privados, además de una inyección de 10 millones de dólares que hará el ayuntamiento en infraestructura, según anunció el alcalde de Guadalajara, Emilio González. Aunque el título de Capital Americana de la Cultura —en relevo de Santiago de Chile— arrancó con el primer día del año, Guadalajara tendrá su primer evento formal en febrero. Para ese mes se contemplan varias actividades a lo largo de once días. A lo largo del año se tienen programados 25 eventos culturales de alto impacto pero la cantidad podría incrementarse en un 50 por ciento, ya que aún se busca concretar encuentros que den mayor realce al nombramiento. Entre los eventos ya programados destacan el Quinto Festival Internacional de Blues, el Encuentro Internacional de Promotores y Gestores Culturales, la Cátedra UNESCO de la Cultura y la Bienal de Fotografía para Mujeres. A estos actos se suman los que año tras año se realizan en la ciudad como el Festival Internacional de Cine, el Festival Cultural de Mayo, que tiene como invitada a Austria, la Muestra Internacional de Danza Contemporánea y el Encuentro Internacional del Mariachi y la Charrería. También se realizará la Cátedra "Julio Cortázar", que organiza la Universidad de Guadalajara, así como la Feria Internacional del Libro (FIL), que ha logrado distinguir a la ciudad a nivel mundial y que tendrá este año a Perú como país invitado.

www.eldiariony.com

Vocabulario útil: inversión, *investment*; ayuntamiento, *city hall*; alcalde, *mayor*; realce, *enhancement*; cátedra, *chaired professorship*; charrería, *horsemanship and rodeo riding*

Actividad 46 (4:53)
Vida de niños de la calle al cine

Cuando visitó la República Dominicana por primera vez, la periodista Mercedes Jiménez Ramírez se sintió impresionada por dos cosas. Primero, la belleza del país, el folklore y la gente. Pero relata que también le cautivó la personalidad de un joven niño limpiabotas llamado Alfredito. El muchachito, a quien Jiménez Ramírez conoció en Boca Chica, tenía entonces unos doce años de edad, pero lucía aún menor a causa de la malnutrición. Relata Jiménez Ramírez que el joven limpiabotas caminaba kilómetros para llegar a Boca Chica a limpiar zapatos, con el fin de sostener a su familia: su mamá y ocho hermanos. Cuando Jiménez Ramírez regresó a la República Dominicana, fue con la intención de realizar un documental sobre Alfredito. Pero como ocurre a menudo con este tipo de proyecto, la idea se amplió y Jiménez Ramírez terminó realizando un documental más extenso sobre la vida de los niños de la calle que, aunque parezca increíble, están en peor situación todavía que Alfredito. Se trata de los niños llamados "palomos", que no tienen familia y viven en las calles, adictos a sustancias como el cemento que se usa para pegar zapatos. Los niños son llamados "palomos", porque, como esas aves, "viven en la calle, comen las sobras, andan en grupos, duermen en las cuevas", dice la periodista. Y además, "vuelan" bajo los efectos de la adicción al pegamento. En el documental, titulado "Palomos: Hijos de la Calle", Jiménez Ramírez muestra los rostros de estos niñitos y deja que en sus propias palabras relaten sus historias. Esas entrevistas son intercaladas en el documental con los datos que Jiménez Ramírez obtuvo en sus investigaciones, como el hecho de que la

República Dominicana ocupa un muy alto lugar en la lista de países con problemas de trata de blancas y tráfico de niños. Además, la periodista investigó la historia sórdida de la goma de zapatero que intoxica a estas criaturas de la calle. Con esta sustancia ocurre lo que ocurre con muchos otros materiales tóxicos, indica Jiménez. Su venta no es aceptable en los Estados Unidos, pero se manufactura en este país como producto de exportación. El documental, que ha sido mostrado en diversos festivales, obtuvo el premio de Mejor Documental en el pasado Festival de Cine de La Habana en Nueva York.

www.laraza.com

Vocabulario útil: palomo, *pigeon*; pegar, *to glue*; cueva, *cave*; trata de blancas, *white-slave trade*; goma, *glue*

Preguntas

1. ¿Qué cosas le impresionaron a la periodista durante su visita a la República Dominicana?
2. ¿Qué es Boca Chica?
3. ¿Cómo es la familia del joven?
4. ¿Qué comen los niños de la calle?
5. ¿De qué tipo de pegamento se habla en el documental?
6. ¿Qué premio recibió la película?

Actividad 47 (3:03)

La piratería musical generó 4.600 millones de dólares en 2004

El 34 por ciento de los discos vendidos en todo el mundo en 2004 fueron copias no legales, en un negocio que movió 4.600 millones de dólares, según el Informe Mundial de Piratería Discográfica presentado hoy en Madrid. Este estudio, que habitualmente se presenta en Londres, se ha dado a conocer en Madrid por el presidente de la Federación Internacional de Productores Discográficos (IFPI), John Kennedy, debido, afirmó, al "enorme problema de la piratería en España".

Según este informe de la IFPI, los diez países donde la piratería hace estragos son Paraguay (99 %), China (85 %), Indonesia (80 %), Ucrania (68 %), Rusia (66 %), México (60 %), Pakistán (59 %), India (56 %), Brasil (52 %) y España, que con un 24 % es el único país de la Unión Europea que figura en esta lista. Paraguay, considera el estudio, es el principal punto de tránsito de discos que aviva los mercados piratas de Latinoamérica, especialmente de Brasil y Argentina, aunque ha habido algún progreso en su control gracias a la puesta en marcha de una unidad policial especializada en piratería. En México, que ha dejado de ser uno de los mercados discográficos más importantes del mundo por el efecto de la piratería, en opinión de la IFPI, una iniciativa en Guadalajara para convertir las tiendas piratas en puntos de venta legales ha tenido un efecto positivo. Al tiempo, el Gobierno mexicano ha promovido cambios legislativos para criminalizar esta actividad ilegal y también las medidas policiales han mejorado en 2004. Las ventas piratas en Brasil, asegura el informe, superaron a las legales el año pasado, a pesar de la recuperación parcial del mercado... La Federación Internacional de Productores Discográficos considera que el mercado pirata "destruye empleo, perjudica la inversión y financia el crimen organizado"... El informe también llama la atención sobre el creciente fenómeno de la piratería en Internet que, junto con la piratería física, va a centrar las prioridades de actuación de la industria durante los próximos años.

www.laraza.com

Vocabulario útil: hacer estragos, *to wreak havoc*; avivar, *to intensify*; puesta en marcha, *setting in motion*; promover, *to promote*; superar, *to exceed*; actuación, *performance*

Actividad 48 (3:09)
Participe en una conversación

¡A toda vela! meets the Advanced Placement Spanish Language Course Requirements —————

Advanced Placement Spanish Language Course Requirements

The College Board has provided several curricular requirements that an Advanced Placement Spanish Language course must fulfill. The following set of comments are a delineation of the College Board curricular requirements and how ¡A toda vela! matches each requirement.

The teacher uses Spanish almost exclusively in class and encourages students to do likewise.	*¡A toda vela!* uses Spanish throughout for vocabulary and grammar exercises as well as the listening exercises for all the tasks and activities in each lesson.
Instructional materials include a variety of authentic audio and video recordings and authentic written texts such as newspaper and magazine articles, as well as literary texts.	The audio recordings that accompany *¡A toda vela!* offer a variety of authentic voices, accents, and cultures from the Spanish-speaking world. The written texts originate from a cross section of the Spanish-speaking media, including newspapers, magazines, literary texts, and Web sites.
The course provides opportunities for students to demonstrate their proficiency in spoken and written Interpersonal Communication in a variety of situations in the Intermediate to Pre-Advanced range.	*¡A toda vela!* offers abundant opportunities to speak informally and formally with a partner, in a group, or as a whole class. Students respond by stating and supporting opinions to readings and debate topics. The writing assignments provide frequent opportunities to respond to letters, text messages, blogs, and emails.
The course provides opportunities for students to demonstrate their ability in Interpretive Communication to understand and synthesize information from a variety of authentic audio, visual, audio-visual, written and print resources.	*¡A toda vela!* provides opportunities for students to synthesize information and demonstrate understanding of information presented in different sources. The students are asked to summarize presented material, present a comparison of two or more articles from different sources, and organize data in a graphic organizer.
The course provides opportunities for students to demonstrate their proficiency in spoken and written Presentational Communication in the Intermediate to Pre-Advanced range.	*¡A toda vela!* provides abundant options for students to produce a variety of oral presentations using research and acquired knowledge to organize and deliver. Rubrics are available to assist in presentation preparation and grading.
The course incorporates interdisciplinary topics across all six course themes: Global Challenges, Science and Technology, Contemporary Life, Personal and Public Identities, Families and communities and beauty and Aesthetics.	*¡A toda vela!* is organized into eight theme-based chapters which implement the interdisciplinary topics of the six course themes presented by the College Board. A chapter may incorporate activities to encompass all six course themes.
The course provides opportunities for students to demonstrate an understanding of the products, practices, and perspectives of the target cultures.	*¡A toda vela!* engages students in numerous readings and listening activities that highlight cultural products, practices and perspectives incorporating corresponding vocabulary.
The course provides opportunities for students to make comparisons between and within languages and cultures.	Each lesson of *¡A toda vela!* includes comparison questions related to readings, quotes, and listening activities. There are also *Compare* sections where students are asked to compare and make connections between the material presented and their own personal experiences as well as other cultures and disciplines.
The course prepares student to use Spanish in real-life settings.	*¡A toda vela!* has purposeful, real life objectives. It prepares learners to use Spanish independently and confidently for global communication.

EMC **Español Avanzado**

¡A toda vela!

Second Edition

Carmen Herrera
Paul Lamontagne

EMC Publishing

ST. PAUL

Editorial Director: Alex Vargas
Developmental Editor: Elizabeth Millán
Production Specialist: Julie Johnston
Associate Editor: Tanya Brown
Copy Editor: Kristin Hoffman

Cover Designer: Leslie Anderson
Text Designer: Leslie Anderson
Reviewers: Ana García, Anne Gaston
Illustrator: Rolin Graphics, Inc.
Cover Image: GettyImages; Sail and Sky, Johner collection

ISBN 978-0-82196-277-0

© 2013 by EMC Publishing, LLC
875 Montreal Way
St. Paul, MN 55102
E-mail: educate@emcp.com
Web site: www.emcp.com

To the Student

Welcome to *EMC Español Avanzado ¡A toda vela!*, a comprehensive advanced Spanish language text that uses integrated skills and tasks to help you develop competence and confidence in reading, writing, listening, and speaking in Spanish. Perfect for any advanced Spanish course, *¡A toda vela!* also provides the breadth and depth of material to make it a valuable resource for you to prepare for the current Advanced Placement Spanish Language exam or any other upper level high school or college Spanish exam in your future.

¡A toda vela! uses authentic written and recorded materials, which include subjects as diverse and interesting as travel, art, geography, history, current events, literature, music, sports, movies, dance, social studies, sociology, and contemporary culture. These topics will give you unique insight into the Spanish-speaking world, as well as other cultures, and inspire thought-provoking in-class discussions.

As you polish your Spanish-language skills through a variety of activities—often in pairs or groups—you'll take part in guided conversations, blogs, and forums; complete challenging vocabulary and grammar exercises in context; analyze quotes or sayings; observe fun facts; and take part in preparing presentations, essays, and projects. The unique grammar exercises compel you to use your prior knowledge in order to personalize a solid and meaningful response to Spanish grammar.

Are you ready to meet the challenges and opportunities that *¡A toda vela!* holds for you?

Acknowledgments

We wish to express our sincere appreciation to the following colleagues for the many valuable suggestions they offered and their indispensable support to finalize this important project: Kent Ahern, Daniel Bender, Bant Breen, Raúl Camacho, Candelaria Díaz, Sol Gaitán, Glorianne Hamm, Michele Landry, Juan Lizcano, Don Nicole, Raquel Quintero, Isabel Segundo, Mari Sierra Ramos, Nuria Bueso, and colleagues at New Trier High School (Winnetka, Illinois) and The Dalton School (New York City).

We also extend our sincere appreciation to the staff at EMC Publishing: Alex Vargas, Editorial Director; Charisse Litteken, Product Manager; Leslie Anderson, Senior Graphic Designer; Julie Johnston, Production Specialist; Bob Dreas, Production Editor; Hannah da Veiga and Tanya Brown, Associate Editors; and Kristin Hoffman, Copy Editor. And a special thanks goes to our editor, Elizabeth Millán.

Last, but not least, *gracias* to Alejandro and Nicholas Breen-Herrera for their great patience and unconditional love.

Temas

- La literatura
- El idioma español
- El arte de escribir

Temas

- Los deportes
- Los atletas
- Los Juegos Olímpicos

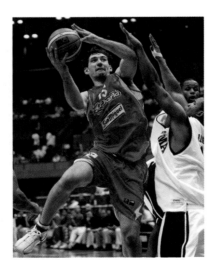

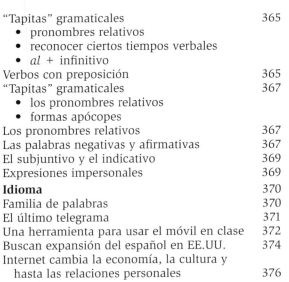

Temas

- El arte
- El baile
- La música
- El cine, la radio y la televisión

Lección A   420

Comunicación

- Hablar de las bellas artes
- Comprender el arte de varios artistas hispanos
- Entender el impacto de la población hispana en la televisión americana
- Comparar las telenovelas en el mundo hispano y EE.UU.

Capítulo 1

¡Buen viaje!

Temas

- Los viajes
- El turismo
- La inmigración

1

Overview of chapter 1

The photographs on the chapter openers depict one of the themes or places to be explored; here, the subject is Machu Picchu, an Inca stronghold in the Andes, some 80 km northwest of Cusco, Peru. Engage students in a discussion of this site as both a cultural and tourist destination, possibly talking about its cultural importance, the pros and cons of traveling to such isolated places, and any special preparation travelers might need to make. Perhaps you or one of the students has visited this site (or knows someone who has) and could share his or her experience with the rest of the class.

Instructional Notes

You might want to ask the following questions related to the topics of this chapter: *¿Qué es lo primero que les viene a la mente cuando se habla de viajar? ¿Qué relación o diferencia hay entre ser turista y ser viajero? ¿Prefieren ser Uds. turistas o viajeros? ¿Por qué? ¿Qué tipo de turismo ofrece su comunidad o estado/región? ¿Qué problemas enfrentan los inmigrantes en los Estados Unidos?*

Nota cultural

Un arqueólogo de Yale, Hiram Bingham, encontró Machu Picchu en 1911. Los incas crearon esta pequeña, pero increíble ciudad. En las terrazas que había alrededor, cultivaban la comida necesaria para toda la población. La ciudad no se puede ver desde abajo (está a una altitud de 2.400 metros), y es por lo que fue olvidada por tanto tiempo. Las piedras que la forman fueron hechas y unidas con tal precisión (se dice que ni siquiera se pueda meter la cuchilla de una navaja entre ellas), que ha creado todo tipo de leyendas. Los dos edificios más destacados son la Casa de la Ñusta —probablemente una zona de baños— y el intihuatana, u observatorio astronómico, ya que los incas estudiaban los movimientos del sol.

Instructional Notes

In this lesson, students will read about San Blas, Toledo, and Machu Picchu. You could prepare a slide show (with actual slides or photos of the places mentioned), so that students can see and learn more about them. You might want to share this information at the start of this lesson or at the start of each relevant article. You might also encourage students to do some research on their own.

The top photo shows la Plaza de España (Seville); the bottom photo, la Plaza de la Constitución and la Catedral Metropolitana (Mexico City).

Lección A

Objetivos

Comunicación
- Hablar de viajar, de los viajes y modos de transporte
- Justificar un viaje cultural
- Describir un hotel
- Hablar del mercado turístico
- Hablar del impacto de la tecnología sobre el turismo

Gramática
- El presente, pretérito e imperfecto del indicativo

"Tapitas" gramaticales
- *lo que* y *el que*
- adverbios
- *al* + infinitivo
- algunos usos del subjuntivo
- *aquel* y *aquello*
- el orden de los adjetivos
- reconocer ciertos tiempos verbales
- *solo* y *sólo*
- género y número
- adverbios

Cultura
- El archipiélago San Blas (Panamá)
- Toledo (España)
- Machu Picchu (Perú)
- Hoteles originales
- La vuelta al mundo
- Cómo viajan los latinos de los EE.UU.
- Un viaje por Internet

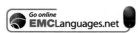

Go online
EMCLanguages.net

Nota cultural

La Plaza de España fue diseñada para ser el Pabellón de España durante la Exposición Iberoamericana en Sevilla en 1929. Están representadas en ella todas las regiones del país con preciosos azulejos de Triana, un barrio sevillano. La Plaza de la Constitución (también se le conoce como el Zócalo) ha sido el centro de reuniones, protestas y actos religiosos durante siglos, puesto que es el lugar en el que se fundó Tenochtitlán, la antigua ciudad de los aztecas.

Para empezar

1 Conteste las preguntas 🧑🏻

Piense en las respuestas a las siguientes preguntas. Ud. puede tomar notas si lo considera necesario. Cuando termine, compare sus respuestas —pero sin mirar sus notas— con las de un/a compañero/a.

1. ¿Por qué le atrae (o no) viajar?
2. Haga una lista de diferentes medios de transporte.
3. ¿Qué medio de transporte prefiere Ud. para viajar? ¿Por qué?
4. Nombre cinco cosas que no le permiten a uno llevar en un avión.
5. ¿Ha viajado Ud. alguna vez al extranjero? ¿Adónde? ¿Adónde le gustaría ir? ¿Por qué?
6. En sus viajes, ¿cuáles han sido los lugares que más le han llamado la atención?
7. ¿Estaría Ud. interesado/a en explorar un lugar lejano? ¿Cuál o cuáles? ¿Por qué?
8. ¿Qué lugares del mundo hispanohablante le gustaría visitar?
9. Nombre algunos edificios, monumentos o zonas famosos para visitar en distintos países.
10. ¿Qué piensa de los viajes de aventura? ¿Despiertan estos viajes su interés? ¿Por qué?

Toda la familia disfruta de un día en el campo.

Cita

No hay ninguna razón para alarmarse, y esperamos que disfruten del vuelo. Por cierto, ¿hay alguien a bordo que sepa pilotar un avión?

—De la película *Aterriza cómo puedas*; título original: *Airplane*

🧑🏻 ¿Le da miedo a Ud. ir en algún tipo de medio de transporte? ¿Por qué? Comparta su respuesta con un/a compañero/a.

¡Dato curioso!

¿Sabía que existe el síndrome del acento extranjero? Existen casos en los que un individuo termina hablando inconscientemente con acento distinto al de su lengua natal o incluso en un idioma irreconocible, producto de lo que ha oído.

2 Mini-diálogos 🧑🏻

Ud. va a crear un mini-diálogo con un/a compañero/a. Lea la descripción de la conversación antes de empezar. Puede tomar notas para organizar sus ideas, pero no las mire mientras conversa.

Escena: Dos amigos/as están en una cafetería y hablan sobre viajes que han hecho.

A: Entable una conversación sobre viajar. Pregúntele a su compañero/a sobre un viaje que hizo.

B: Hable sobre un viaje reciente.

A: Hágale dos preguntas sobre su viaje.

B: Conteste las preguntas y hágale preguntas sobre su viaje.

A: Conteste las preguntas con algún dato interesante o sorprendente.

B: Reaccione con sorpresa.

A: Haga una comentario sobre su reacción. Despídase cordialmente.

B: Despídase cordialmente.

Lección 1A | 3

Nota cultural

Este cambio de adquirir un acento extranjero que se describe en el Dato curioso ocurre en poco tiempo, por lo que estas personas suelen tener problemas emocionales ya que no pueden hacer nada para evitarlo.

Answers

1 Answers will vary.

2 Dialogues will vary.

Instructional Notes

1 Here and in subsequent chapters, you might want to have students work in small groups or have the entire class participate in a discussion. Writing notes will help students to think about what they are going to say, and will also encourage them to use appropriate vocabulary. Remind them, however, not to read from their notes when answering these questions. You may also choose to have students improvise their answers, or ask each student to speak for about a minute (you will be the timekeeper), answering one of the questions.

Ask students to describe the photo on the page by asking: *¿Cuántas personas hay en la foto? ¿Adónde creen que se dirigen? ¿Les gustaría participar en actividades parecidas con su familia? ¿Por qué?*

2 You might want to have some pairs of students present their dialogues in class. This activity might also be done at the end of the lesson as a review of the material covered. You could ask students to work in groups of four; two should present the dialogue and the other two should take notes, and then summarize or critique the dialogue presented to them. Later the pairs of students could switch roles.

Remind students that they need to answer with some substantive replies and should avoid a simple yes or no answer. A sample dialogue follows.

A: Viajar es algo que me encanta. Suelo viajar mucho con mis amigos. ¿Tú te has ido de viaje este verano?
B: Sí, he ido a Italia por una semana con mi familia. Me encantó.
A: ¿Es la primera vez que vas? ¿Qué ciudades has visto?
B: Sí, es la primera vez que voy. Estuvimos en Roma y Florencia. ¿Y tú? ¿Dónde estuviste?
A: Mis amigos y yo fuimos a Santa Mónica por una semana.
B: ¡A Santa Mónica! ¡Yo también estuve allí dos semanas! ¡No me lo puedo creer!
A: ¡Qué coincidencia! Bueno, me tengo que ir, tengo prisa.
B: Yo también. Ya hablamos otro día y miramos fotos de los viajes.

3

Answers

4 *Some answers might vary; for example, students might not consider words such as* aperitivos *or* deseando *to be related to travel.* **Sustantivos:** destino, auxiliares de vuelo, aperitivos, cinturón, pasillo, pasajeros, equipaje de mano, viajes programados, horario, rutas, mochila, caminatas; **Adjetivos:** incómodos, amables; **Verbos:** despega, aterriza, deseando, distraen, te abroches, estresa, haces cola, empujan, lanzarme a, me apetece; **Expresiones:** me dan pánico, trato de, de manera que

5 **1.** Además del uso común, se usa en lugar del futuro para acciones planeadas (*mañana nos vamos al campo*), con *hacer* para expresar el tiempo que uno lleva en hacer algo: *hace* + (tiempo) + *que* + presente (*hace tres días que estudio para el examen*), presente + (*desde*) *hace* + tiempo (*vivo en Valencia desde hace dos años*), y presente + *desde* + adjetivo (*estudio español desde pequeño*). **2.** Ejemplos: me dan pánico, considero, despega, aterriza, estoy, son, distraen, pueden, etc. (uso común); Este verano nos vamos (en lugar del futuro). **3.** *I have been*; **4.** Ejemplos: dar, doy; estar, estoy; ser, soy; distraer, distraigo; hacer, hago; ir, voy; decir, digo; tener, tengo; **5.** Ejemplos: ser, estar, ir, construir, destruir, haber, oír, oler; **6.** En los foros: poder (o > ue), recordar (o > ue), negarse (e > ie), querer (e > ie); otros verbos: jugar (u > ue), pedir (e > i); Los ejemplos variarán. **7.** Ejemplos: deshacer, sostener, entretener, obtener, mantener, componer, contraer, atraer, distraerse, prevenir; **8.** La *g* se convierte en *j* para conservar el mismo sonido del infinitivo. Ejemplos: influir > influyo; dirigir > dirijo; conseguir > consigo; conducir > conduzco; permanecer > permanezco; **9.** actúo, actúas, actúa, actuamos, actuáis, actúan; envío, envías, envía, enviamos, enviáis, envían; Se coloca el acento en la *u* en *actuar* y en la *i* en *enviar* en todas las personas del singular y en la tercera persona del plural. Otros verbos incluyen: confiar, desafiar, desviar, esquiar, resfriarse, vaciar, variar; continuar, graduarse, puntuar.

Instructional Notes

5 For question 5, ask students to write the complete conjugations for some of these verbs. You might want to point out the difference between an irregular verb and a spelling-changing one.

Additional Activities

3 As a homework assignment, students could also write original sentences with these words, find synonyms or similar expressions for them in Spanish, or even create a crossword puzzle using the new vocabulary.

Vocabulario y gramática en contexto

3 Un foro 👤👤 📖

Túrnese con un/a compañero/a para leer los comentarios que dos personas han escrito en un foro sobre viajar. Fíjese en las palabras que aparecen en azul (relacionadas con el vocabulario) y en rojo (relacionadas con la gramática), ya que en las siguientes actividades se le harán preguntas sobre ellas.

> **Viajar**
>
> 👤 **Yolanda**
>
> Los aviones me dan pánico, además los considero muy incómodos. Desde que despega el avión hasta que aterriza estoy siempre estresada, deseando llegar a mi destino. Menos mal que los auxiliares de vuelo son bastante amables y te distraen como pueden con aperitivos, y cuando te recuerdan que te abroches el cinturón o que subas a la mesita. Lo que más me estresa es cuando haces cola en el pasillo y los pasajeros se empujan los unos a los otros mientras
> ⁵ que sacan impacientemente el equipaje de mano del avión. Este verano nos vamos de viaje y ya les he dicho a mis amigos que me niego a que vayamos en avión a ningún lugar.
>
> 👤 **Nacho**
>
> Para mí, la mejor forma de viajar es en tren. No puedes ir en uno de esos viajes programados porque no te relajas al estar siempre preocupado de un horario y las rutas. A mí, lo que de verdad me gusta es coger mi mochila y lanzarme a la aventura con un mapa en la mano. Intento evitar los lugares turísticos y trato de ir con tiempo suficiente, de manera que si me apetece quedarme más tiempo en un sitio pueda hacerlo. Llevo bastante tiempo
> ¹⁰ recorriendo diferentes lugares, y considero que es importante que tenga la flexibilidad de hacer las caminatas que quiera y cuando quiera.

4 Amplíe su vocabulario 🔍

Clasifique las palabras que aparecen en azul en las lecturas anteriores según sean sustantivos, adjetivos, verbos o expresiones relacionadas con viajar.

5 El presente del indicativo 🔍

Conteste estas preguntas o haga las siguientes actividades relacionadas con las lecturas de la Actividad 3.

1. ¿Cuándo se usa el presente del indicativo en español?
2. Busque dos usos diferentes del presente del indicativo en los comentarios del foro.
3. ¿Cómo se traduce *llevo* en este contexto?
4. Haga una lista de cinco verbos que aparecen en los foros y cuya forma en la primera persona del singular es irregular. Escriba el infinitivo del verbo y la primera persona singular.
5. Haga una lista de siete verbos que recuerde que sean irregulares en más de una persona. No es necesario que aparezcan en el texto.
6. Haga una lista de cuatro verbos de cambio vocálico en el presente que se usan en los foros. Escriba el infinitivo e indique el cambio

7. vocálico. Aparte de estos verbos, ¿cuáles son los otros cambios vocálicos que siguen los verbos? Dé varios ejemplos de otros verbos.
8. Haga una lista de al menos un verbo compuesto de cada uno de los siguientes: *hacer, tener, poner, traer* y *venir*. Por ejemplo: *hacer, rehacer*.
9. El verbo *escoger* tiene un cambio ortográfico en la primera persona singular del presente. ¿Cuál es el cambio y por qué se hace? Muestre los cambios que sufren los verbos con la terminación en *-uir, -gir, -guir* y *-cir/-cer*, dando un ejemplo de cada caso.
10. Conjugue *actuar* y *enviar*. ¿Dónde se coloca el acento? Escriba otros verbos que sigan la regla.

6 "Tapitas" gramaticales

Conteste estas preguntas basadas en las lecturas de la Actividad 3.

1. ¿Qué significa *lo que* en inglés? Explique la diferencia entre *lo que* y *el que*.
2. ¿Qué significa *impacientemente* en inglés? ¿Qué otros ejemplos hay de adverbios en las lecturas? Escriba una lista de otros cinco adverbios que conozca.
3. ¿Cómo traduciría *al estar* en la segunda lectura? ¿Hay otro significado de *al* más el infinitivo? ¿Cuál es?
4. Diga de qué tiempo verbal se trata *tenga* en la expresión *es importante que tenga* y por qué se usa en esta situación.
5. Diga de qué tiempo verbal se trata *quiera* en la expresión *cuando quiera* y por qué se usa en esta situación.

7 ¿Qué opina?

Reaccione a lo que cada persona ha escrito en el foro y comparta su opinión con un/a compañero/a. Incluya palabras de las lecturas que aparecen en azul.

8 Un viaje

Lea con atención el siguiente artículo, prestando atención a las palabras en azul y rojo, ya que se le harán preguntas sobre ellas. Después, resuma lo que leyó en una frase.

De viaje en moto

Era todavía de noche cuando mi hermano y yo nos marchamos de casa. Dejamos atrás a nuestros padres con una sonrisa forzada, diciéndonos
5 adiós con la mano por un buen rato. Nunca les gustaron las despedidas. Alejandro y yo teníamos el mismo dolor en el estómago, una mezcla de nuestras emociones en aquel
10 momento. Por fin habíamos logrado hacer el viaje con el que siempre habíamos soñado. Íbamos a recorrer Sudamérica en la vieja moto de nuestro abuelo. El viento nos golpeaba
15 la cara, y apenas oíamos lo que el otro decía. Aun así manteníamos largas y apasionadas conversaciones. La niebla de la mañana apenas nos dejaba ver la carretera, lo que hacía
20 todo mucho más interesante, más desafiante. Fue el comienzo de una gran aventura, nuestra gran aventura que nos cambiaría la vida. Un viaje lleno de retos, sorpresas, percances
25 y descubrimientos. En cada cuesta rezábamos en silencio para que la pobre moto pudiera continuar su camino. Ahí estaba, todo un mundo a nuestro alcance.

9 Amplíe su vocabulario

Mire las palabras de la primera columna, que aparecen en la lectura anterior, y busque su definición en la segunda columna.

1. despedida
2. lograr
3. recorrer
4. apenas
5. niebla
6. desafiante
7. reto
8. percance
9. estar a tu alcance

a. atravesar un lugar o un espacio
b. momento en el que se dice adiós a una persona
c. incidente, contratiempo, algo que no está previsto
d. conjunto de nubes que no permite ver con claridad
e. conseguir algo con esfuerzo
f. algo que está cerca, que puedes conseguir
g. casi no
h. objetivo, meta
i. que requiere estímulo y esfuerzo para ser logrado

Compare

¿Cuál es el transporte más usado para viajar por las personas que viven en donde Ud. vive?

5

Answers

6 1. *what* (en oraciones de relativo o con valor ponderativo); *el que* = *the one who/that*; La diferencia es su significado; *lo que* se refiere a un concepto o idea; *el que* se refiere a un sustantivo o pronombre. 2. *impatiently*; además, muy, siempre, bastante, más, cuando, mientras; Otros ejemplos: lentamente, cordialmente, apasionadamente, ahora, anoche, todavía, etc. 3. *when you're*; Sí, a veces significa *on* o *upon* más la forma *-ing* del verbo. 4. el presente del subjuntivo; Es una expresión impersonal. 5. el presente del subjuntivo; Expresa la idea de futuro.

7 Students' reactions will vary. Remind students to write the words from the readings in a notebook and to keep track of how many they use in their comments.

9 1. b; 2. e; 3. a; 4. g; 5. d; 6. i; 7. h; 8. c; 9. f

Additional Activities

Juego
Have students play *Aplausos o chasquidos* after they read "De viaje en moto." See p. TE24.

Notas culturales

Diarios de motocicleta es una película que narra parte de la vida del revolucionario argentino Ernesto "Che" Guevara y su viaje en moto con su amigo Alberto Granado. Durante este viaje los dos jóvenes entran en contacto con la pobreza y la miseria. Se ofrecen como voluntarios en una colonia de leprosos en el norte de Perú. Esta experiencia, entre otras, cambia el modo de ver al mundo de Guevara, poco a poco convirtiéndolo en el "Che" revolucionario unos años después. Durante el viaje los dos amigos recorren más de 12.000 kilómetros, desde la Argentina pasando por Chile, Perú y Colombia hasta llegar a Venezuela en junio de 1952.

En algunos países hispanohablantes es común el uso de las motos. Los jóvenes no consiguen el permiso de conducir hasta que cumplen dieciocho años, y aun entonces no todos se sacan el carné o el permiso de manejar porque es más costoso y difícil que en los Estados Unidos. En las escuelas no hay clases de conducir, pero sí hay algunos jóvenes con motos y otros muchos que usan el transporte público.

Pregúnteles a los estudiantes: *¿Qué impacto tendría en la vida de los jóvenes en los Estados Unidos si no pudieran conseguir el permiso de conducir hasta los 18 años?*

Answers

11 1. *Pretérito*: nos marchamos, dejamos, gustaron, fue; *Imperfecto*: era, teníamos, habíamos, íbamos, golpeaba, oíamos, decía, manteníamos, dejaba, hacía, rezábamos, estaba; 2. *Conjugations will vary. Ser, ir* y *ver* son irregulares; ser: era, eras, era, éramos, erais, eran; ir: iba, ibas, iba, íbamos, ibais, iban; ver: veía, veías, veía, veíamos, veíais, veían. En *ser* e *ir* se coloca el acento en la primera persona del plural; en *ver* hay un acento en la *i* en todas las formas. 3. Se usa el imperfecto para: indicar lo que pasaba mientras otra acción ocurrió; indicar hechos que continuaron en el pasado por un período de tiempo no especificado; indicar el transcurso de tiempo o la hora (Hacía meses que no lo veía. Eran las dos de la tarde.); sustituir al condicional (Prometí que pagaba/pagaría.); hablar de los pensamientos y sentimientos.

12 1. *aquel + sustantivo; Aquello* nunca precede a un sustantivo. 2. *Gran* delante del sustantivo cambia el significado a "great". *Vieja* delante de *moto* es de uso poético aunque en otros ejemplos también cambia el significado. No es posible decir *grande aventura* porque *grande* tiene que seguir al sustantivo. 3. Pluscuamperfecto del indicativo; es compuesto; Presente perfecto: hemos soñado; futuro perfecto: habremos soñado; presente perfecto del subjuntivo: hayamos soñado; 4. El subjuntivo; Rezo/Rezamos para que la pobre moto pueda continuar.

13 Emails will vary.

14 1. Fue; 2. llegué; 3. se acercó; 4. deshizo; 5. dejó; 6. dejó; 7. estaba; 8. había; 9. se alejó; 10. estaba; 11. tenía; 12. Estaba; 13. tenía; 14. Estaba; 15. dolían; 16. fue; 17. quería; 18. tuve

Instructional Notes

12 To expand question 2, you might want to mention adjectives that change their meaning depending on whether they precede or follow the nouns they are modifying. Examples include:

	Después del sustantivo	Antes del sustantivo
medio	average	half
pobre	poor (not rich)	wretched/miserable
puro	pure/clean	sheer
rico	rich	delicious
varios	assorted/various	several

13 Have students brainstorm expressions that could be useful to begin and end an email. Encourage them to write a list of these expressions and keep adding to it during the school year.

---

10 El tiempo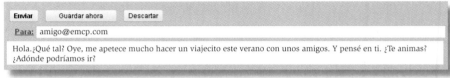

Con un/a compañero/a haga una lista de las palabras o expresiones que conozcan relacionadas con el tiempo atmosférico. Piensen en otras palabras o expresiones relacionadas que les gustaría saber y búsquenlas en el diccionario.

11 El imperfecto del indicativo

Conteste estas preguntas relacionadas con el artículo "De viaje en moto".

1. Haga una lista de todos los verbos en pretérito, y al menos cinco en imperfecto, que aparecen en el texto.
2. Conjugue tres verbos de diferentes terminaciones en imperfecto. Diga cuáles son los verbos irregulares en este tiempo y conjúguelos. ¿Dónde se coloca el acento?
3. Explique el uso del imperfecto del indicativo.

12 "Tapitas" gramaticales

Conteste estas preguntas basadas en "De viaje en moto".

1. ¿Por qué decimos *aquel momento* y no *aquello*?
2. ¿Por qué dice el autor *gran aventura* y *vieja moto*? ¿Por qué cree Ud. que pone el adjetivo delante del sustantivo? ¿Es posible decir *grande aventura*? ¿Por qué?
3. ¿Qué tiempo verbal es *habíamos soñado*? ¿Es simple o compuesto? ¿Cómo se expresarían el presente perfecto y futuro perfecto del indicativo y el presente perfecto del subjuntivo?
4. ¿Qué tiempo verbal sigue a la expresión *para que*? Escriba la misma oración en presente.

13 Escriba

Conteste este correo electrónico de un amigo.

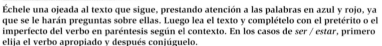

Enviar	Guardar ahora	Descartar

Para: amigo@emcp.com

Hola. ¿Qué tal? Oye, me apetece mucho hacer un viajecito este verano con unos amigos. Y pensé en ti. ¿Te animas? ¿Adónde podríamos ir?

- Sugiera un recorrido para ir juntos/as.
- Hable de las ventajas o desventajas de este medio de transporte.
- Hable de los retos del viaje.

14 ¿Pretérito o imperfecto?

Échele una ojeada al texto que sigue, prestando atención a las palabras en azul y rojo, ya que se le harán preguntas sobre ellas. Luego lea el texto y complételo con el pretérito o el imperfecto del verbo en paréntesis según el contexto. En los casos de *ser / estar*, primero elija el verbo apropiado y después conjúguelo.

No creo que quiera ser más aventurero después de mi experiencia en mi último viaje. __1.__ (*Ser / Estar*) un desastre. En cuanto __2.__ (*llegar*) a la aduana, __3.__ (*acercarse*) un policía y __4.__ (*deshacer*) todo mi equipaje. Después de un par de horas por fin me __5.__ (*dejar*) ir. Más tarde un extrañísimo taxista me __6.__ (*dejar*) abandonado en una calle que __7.__ (*ser / estar*) bastante oscura, y en un lugar muy solitario. Apenas __8.__ (*haber*) gente por allí. En
5 cuanto __9.__ (*alejarse*) me di cuenta de que se había llevado mi cartera en su taxi sin querer, así que me puse a caminar. A este punto __10.__ (*ser / estar*) completamente mojado por la lluvia y hambriento, y he de reconocer que __11.__ (*tener*) hasta un poco de miedo. __12.__ (*Ser / Estar*) muy débil y no __13.__ (*tener*) fuerzas ni para hacer una llamada a mis padres para pedirles ayuda. __14.__ (*Ser / Estar*) agotado física y moralmente y me __15.__ (*doler*) los huesos.
10 Ese __16.__ (*ser / estar*) sólo el comienzo de un agotador viaje. Yo __17.__ (*querer*) aventura..., bien, ¡pues la __18.__ (*tener*)!

Additional Activities

Vocabulario
You might want to have students do this activity after they have completed activity 10. Tell them:

Hagan cuatro columnas para las cuatro estaciones del año y escriban palabras o expresiones que describen el tiempo típico de cada una. Por ejemplo: La primavera: llovizna, llover a cántaros, chispear, el granizo, la tormenta, los rayos, los truenos.

Comunicación
To practice speaking skills, have students work with a partner and talk about which seasons they like most and which they like least. You could also ask: *¿Quién puede dar un ejemplo de un país que tenga una estación diferente a la nuestra en este momento? (Argentina) ¿A qué se debe? (Está en el hemisferio sur.)*

15 Amplíe su vocabulario

Ponga la palabra en el espacio adecuado. Haga los cambios convenientes.

acercarse	agotador	alejarse	cartera	débil	deshacer	equipaje
mojado	oscuro	solitario				

1. Iba a ir con amigos pero al final decidí hacer mi viaje en ___.
2. Llegué, ___ mi maleta y salí a dar un paseo por la ciudad.
3. ¡No me lo podía creer! Cuando llegué a Málaga me dijeron que había perdido mi ___.
4. No salimos por la noche porque las calles estaban muy ___.
5. Cuando llegamos al primer pueblo yo ___ a un anciano a pedirle direcciones.
6. En cuanto vimos que el lugar no era seguro todos ___ de allí.
7. Gracias a Dios llevaba dinero en mi ___.
8. Después de la lluvia los chicos estaban muy ___.
9. El viaje fue largo y ___ pero lo haría otra vez.
10. Al no comer mucho, después de la caminata estaba un poco ___.

16 El pretérito y el imperfecto

Conteste estas preguntas relacionadas con el texto de la Actividad 14.

1. ¿Qué verbos aparecen en pretérito? ¿Y en imperfecto?
2. ¿Cuándo se usa el pretérito, y cuándo el imperfecto? Incluya ejemplos.
3. ¿Cuál es la diferencia entre estas oraciones?

Conocimos a un vagabundo.	Conocíamos a un vagabundo.
Ángela no quiso salir.	Ángela no quería salir.
José Manuel tuvo unas ideas estupendas.	José Manuel tenía unas ideas estupendas.
El carro costó una millonada.	El carro costaba una millonada.

¿Puede pensar en algún otro ejemplo similar? ¿Cuál?

17 "Tapitas" gramaticales

Conteste estas preguntas basadas en el texto de la Actividad 14.

1. ¿Cuál es la diferencia entre *solo* y *sólo*?
2. Hable sobre el género y número de la palabra *policía*.
3. ¿Qué hacemos cuando tenemos dos adverbios seguidos en una oración?

¡Dato curioso!

¿Sabía que México significa "en el ombligo de la luna"? La palabra viene del idioma náhuatl *Metztli* (luna) y *xictli* (ombligo). Los aztecas lo pronunciaban *Meshico*. Los españoles lo escribían *México* ya que no existía la pronunciación de la *j*. Cuando cambió la grafía de la *x* a la *j* se le empezó a llamar *Méjico* pero se siguió escribiendo *México*.

Cita

He descubierto que no hay forma más segura de saber si amas u odias a alguien que hacer un viaje con él.
—Mark Twain (1835–1910), escritor y periodista estadounidense

¿Está Ud. de acuerdo con lo que dice? ¿Por qué? Hable con un/a compañero/a sobre esto. Compartan sus experiencias.

Teacher Resources

Activity 3

Answers

15 1. solitario; 2. deshice; 3. equipaje; 4. oscuras; 5. me acerqué; 6. nos alejamos; 7. cartera; 8. mojados; 9. agotador; 10. débil

16 1. *Pretérito*: fue, llegué, se acercó, deshizo, dejó, se alejó, me di cuenta, tuve; *Imperfecto*: estaba, había, tenía, dolían, quería; **2**. Pretérito: expresa acciones realizadas y terminadas en el pasado sin tener relación con el presente; imperfecto: expresa acciones pasadas sin precisar el principio ni el final de la acción o se refiere a acciones que se repetían en el pasado. Los ejemplos variarán. **3**. Conocimos: *We met*; Conocíamos: *We knew / We used to know*; no quiso: *refused*; no quería: *didn't want*; tuvo: *had (once, in the past)*; tenía: *had (usually)*; costó: *cost (statement of fact)*; costaba: *implies that it cost so much that I didn't buy it*

Ejemplos:
supe = *I found out;* sabía = *I knew;* no pude = *I did not manage/get;* no podía = *I could not, was not able.*

17 1. solo = *alone, lonely;* sólo = *only;* **2**. Cuando se refiere a la profesión se usa con *el* o *la*, según el caso; cuando se refiere a la institución se usa *la* y un verbo en singular. **3**. Añadimos el sufijo *-mente* sólo al segundo adverbio.

Additional Activities

Juego
After students complete the exercises in this section, ask them to play *Dibuje, defina o gesticule* and/or *Relevos* to review vocabulary and grammar. See pp. TE24 and TE25.

Nota cultural
Además de la *j*, otra letra que con el tiempo cambió en el idioma fue la *f* a *h*; por ejemplo, *facer* cambió a *hacer*. Algunas palabras, como *satisfacer*, no hicieron ese cambio, pero no obstante siguen la regla de los compuestos de *hacer*. El presente indicativo es *satisfago* y el presente del subjuntivo, *satisfaga*.

Answers

19 1. se acercan; 2. el riesgo; 3. el comienzo; 4. sorprendidos; 5. divertida; 6. atrevido; 7. cercano; 8. susto; 9. asiento; 10. llueva

Instructional Notes

18 You might have students complete this activity in pairs until they feel more confident doing it alone. You could also go over some of the rules regarding the formation of nouns and adjectives from verbs.

After students complete the activity, ask them to do *El desafío del minuto* or *Familia de palabras.* See p. TE27.

19 Students could work in pairs until they feel more confident completing the activity by themselves. Ask them to pay special attention to the words surrounding the blanks, because they offer clues as to the part of speech. Encourage them to underline key words that will help them figure out the correct answer. Remind them to consider the gender and number for nouns, and for verbs the person, tense, and mood. You might want to do a couple of sentences with the entire class.

18 Verbos
acercarse (a) *to get close (to)*
adaptarse (a) *to adapt oneself (to)*
alejarse (de) *to go away (from)*
alquilar *to rent*
arriesgarse (a) *to risk*
asustarse (de) *to be frightened (by)*
aterrizar *to land*
atreverse (a) *to dare (to)*
comenzar (a) *to start/begin (to)*
divertirse *to have a good time*
emocionarse *to be moved, excited*
llover *to rain*
lograr *to obtain, achieve*
sentarse *to sit down*
sorprenderse (de) *to be surprised (by)*

Sustantivos
la cercanía *closeness, proximity*
la adaptación *adaptation*
la lejanía *distance*
el alquiler *rent*
el riesgo *risk*
el susto *fright*
el aterrizaje *landing*
el atrevimiento *daring*
el comienzo *beginning*
la diversión *fun*
la emoción *excitement*
la lluvia *rain*
el logro *achievement*
el asiento *seat*
la sorpresa *surprise*

Adjetivos
cercano *close*
adaptable *adaptable, versatile*
lejano *far away*
alquilado *rented*
arriesgado *risky*
asustadizo *easily frightened*
X
atrevido *brave, daring*
X
divertido *funny*
emocionado *moved, excited*
lluvioso *rainy*
X
(estar) sentado *to be seated*
sorprendente *surprising*

Additional Activities

Composición
After students have completed activity 19, ask them to write a paragraph using as many words as they can and from the three different parts of speech shown in the table (*verbo, sustantivo, adjetivo*). Ask a few students how many new words they used and stress the importance of using these words in context in order to retain the meaning.

---

18 Familia de palabras

Complete la tabla con el verbo, sustantivo o adjetivo apropiado, y la traducción correspondiente.

Verbos		Sustantivos		Adjetivos	
acercarse (a)	_____	la cercanía	*closeness, proximity*	_____	*close*
_____	*to adapt oneself (to)*	la adaptación	_____	adaptable	*adaptable, versatile*
alejarse (de)		la lejanía		lejano	
_____	*to rent*		*rent*	_____	*rented*
arriesgarse (a)	*to risk*		*risk*	arriesgado	*risky*
asustarse (de)	_____	el susto	_____	_____	*easily frightened*
_____	*to land*	el aterrizaje	_____	X	
atreverse (a)	_____	el atrevimiento	*daring*	_____	*brave, daring*
comenzar (a)	_____		*beginning*	X	
divertirse	_____		*fun*	divertido	
emocionarse	*to be moved, excited*		*excitement*	emocionado	*moved, excited*
llover				X	*rainy*
_____	*to obtain, achieve*	el logro	*achievement*	X	
	to sit down		*seat*	(estar) sentado	_____
sorprenderse (de)	*to be surprised (by)*	la sorpresa	*surprise*	_____	*surprising*

19 ¿Verbo, sustantivo o adjetivo?

Complete las oraciones usando la forma correcta de las palabras que aparecen en la tabla, ya sea verbo, sustantivo o adjetivo. En el caso del sustantivo puede que necesite artículo. Siga el modelo.

> **MODELO** Carmen siempre nos cuenta historias muy ___ (*divertirse*).
> <u>divertidas</u>

1. Cuando ___ (*acercarse*) las vacaciones de verano algunas mujeres buscan la fórmula mágica para obtener una nueva figura.
2. Según las autoridades, durante esta semana, si viaja por carretera existirá siempre ___ (*arriesgarse*) de encontrar un atasco.
3. Desde ___ (*comenzar*) acordaron separarse si alguno de los dos deseaba cambiar de ruta.
4. Los turistas por lo general están ___ (*sorprenderse*) por la cordialidad y hospitalidad de la gente de la isla.
5. Si la nueva programación infantil del hotel no resultara ___ (*divertirse*), podrían producirse bajas de hasta un 30 por ciento.
6. Lo importante es ser ___ (*atreverse*). Con miedo jamás descubrirás nuevas experiencias.
7. Se paralizarán las reformas del aeropuerto por encontrarse muy ___ (*acercarse*) a un complejo turístico.
8. Cuando perdimos el equipaje el miércoles pasado, nos llevamos un buen ___ (*asustarse*).
9. ¡Reserve hoy su ___ (*sentarse*) en la guagua para visitar la zona histórica de Santo Domingo!
10. Aviso: En caso de que hoy ___ (*llover*), quedarán suspendidas las actividades al aire libre.

Cita

Cuando se viaja en avión solamente existen dos clases de emociones: el aburrimiento y el terror.
—Orson Welles (1915–1985), actor y director de cine estadounidense

 ¿Está de acuerdo con lo que dice? ¿Por qué? Hable sobre sus experiencias o las de alguien conocido.

¡Dato curioso!

El origen de las banderas de los países fue militar. Según cuentan, se empezaron a usar para no confundirse y no atacar al ejército equivocado. La bandera de Bolivia tiene tres rayas. La roja representa la lucha popular, la amarilla la riqueza del suelo y la verde la agricultura.

Juego
After students complete activity 19, ask them to play *Voluntario, derecha e izquierda* to practice the words in the *Familia de palabras*. See p. TE27.

Mini proyecto
Assign a different Hispanic country to small groups of students and ask them to research that nation's flag. They should be prepared to explain the meaning of the colors and other elements in the flag to their classmates.

You could also ask students to work in groups and design a flag. They should explain the meaning of the colors, design, and symbols they have chosen.

Nota cultural
En la bandera de Costa Rica el azul representa los ideales, los retos, el cielo y las oportunidades al alcance. El blanco significa pensamiento, sabiduría y paz. El rojo significa la gente de Costa Rica y su amor, el calor de su pueblo y la lucha por su liberación.

Échele una ojeada al artículo que sigue para ver de qué se trata, prestando atención a las palabras en azul, ya que se le harán preguntas sobre su significado después. Luego lea el artículo y decida cuál de las dos palabras entre paréntesis es la correcta para completar cada oración y escríbala. Después, resuma lo que leyó en una frase.

Un destino para los Robinson del siglo XXI
FRANCISCO LÓPEZ-SEIVANE

El archipiélago de San Blas lo componen una ringlera de islitas que __1.__ (se ubicaron / se ubican) a lo largo de la ⁵costa caribeña de Panamá. Los indios kuna, dueños y señores de __2.__ (los / las) islas y de la larga franja de tierra firme que __3.__ (se ¹⁰extiende / se extienda) frente a ellas a lo largo de 226 kilómetros, sólo __4.__ (ocupa / ocupan) unas pocas y no permiten que nadie __5.__ (construye / construya) hoteles en sus paraísos. ¹⁵Prefieren que los visitantes __6.__ (llegan / lleguen) con cuentagotas, dispuestos a __7.__ (alojan / alojarse) en los precarios chamizos de que disponen. La fórmula funciona para __8.__ (aquel / aquellos) viajeros que, huyendo de las playas masificadas, buscan refugio en ²⁰lugares auténticos, donde la falta de comodidades se ve ventajosamente compensada por el sosiego, __9.__ (el / la) belleza incontaminada, el contacto

directo con __10.__ (un / una) naturaleza de tarjeta postal y el atractivo de __11.__ (descubren / descubrir) ²⁵la cultura indígena.
Lo primero que se __12.__ (percibe / perciben) nada más descender de la pequeña avioneta que nos __13.__ (trae / traer) dando saltos desde Panamá es que el tiempo discurre con gran parsimonia y la gente __14.__ ³⁰(se mueve / se mueven) con extraña lentitud, como si __15.__ (el / la) realidad formara parte de una película a cámara lenta. __16.__ (Los / Las) sonrisas duran una eternidad en los rostros y nadie parece tener prisa en dar __17.__ (el / la) siguiente paso. Sobre el barrizal de ³⁵la selva, alguien ha __18.__ (haga / hecho) un camino de sacos de arena que __19.__ (hay / haya) que transitar hasta la playa. Me acompaña en silencio __20.__ (un / una) muchedumbre colorida y curiosa de indios kuna que __21.__ (ha / han) acudido a recibir el avión de la ⁴⁰mañana. Soy el único pasajero, así que me acomodo a mis anchas en el pequeño cayuco a motor que __22.__ (espera / espere) en la orilla y __23.__ (un / unos) minutos más tarde desembarcamos en Uaguitupu ("la casa del delfín"), __24.__ (una / unas) de las 400 islas ⁴⁵del archipiélago.
www.elmundo.es

21 ¿Qué significa?

Mire las palabras de la primera columna, que aparecen en la lectura anterior, y busque su traducción en la segunda columna.

1. a lo largo de
2. dueño
3. permitir
4. paraíso
5. dispuesto
6. masificado
7. falta de
8. sosiego
9. belleza
10. lo primero que
11. dar saltos
12. discurrir
13. lentitud
14. rostro
15. siguiente paso
16. selva
17. arena
18. muchedumbre
19. a mis anchas
20. orilla
21. desembarcar

a. elevarse del piso/suelo con un impulso y volver a caer
b. cara
c. multitud, gran cantidad de personas
d. es parecido a la tierra y la encuentras en las orillas de ríos, mares au océanos
e. salir de un barco, avión o tren
f. la extensión de tierra más cercana al mar, río o lago
g. propietario
h. hermosura, armonía, encanto
i. sentirse a gusto
j. pasar
k. a través de
l. con demasiadas personas
m. jungla
n. calma, estado de paz, armonía
o. preparado a, decidido para hacer algo
p. lo contrario de rapidez
q. ausencia de, escasez de
r. lugar idílico, muy agradable
s. dejar, consentir; lo contrario de prohibir
t. lo contrario de "lo último que"
u. lo próximo

Compare

¿Hay alguna zona protegida cerca de donde vive? ¿Cómo cree que el turismo ha cambiado para bien o para mal en lugares emblemáticos de su país?

Nota cultural
La zona donde los indios kuna viven también es conocida como "El archipiélago de las Mulatas". Según la ley de Panamá los kuna tienen poder sobre su territorio, y por lo tanto hacen lo que sea necesario para conservar sus tradiciones, mitos y creencias religiosas. También controlan cómo explotar el turismo en su zona.

Investigue palabras clave:
kuna, San Blas, mola

Answers

20 1. se ubican; 2. las; 3. se extiende; 4. ocupan; 5. construya; 6. lleguen; 7. alojarse; 8. aquellos; 9. la; 10. una; 11. descubrir; 12. percibe; 13. trae; 14. se mueve; 15. la; 16. Las; 17. el; 18. hecho; 19. hay; 20. una; 21. han; 22. espera; 23. unos; 24. una

21 1. k; 2. g; 3. s; 4. r; 5. o; 6. l; 7. q; 8. n; 9. h; 10. t; 11. a; 12. j; 13. p; 14. b; 15. u; 16. m; 17. d; 18. c; 19. i; 20. f; 21. e

Instructional Notes

20 Students can extract the meaning of some new words in the article by using cognates, such as: *archipiélago, precarios, refugio, auténticos, compensada, incontaminada, parsimonia.* They might also use root words they know to figure out the meaning of new words; for example: *cómodo, comodidades, me acomodo.*

Help students define the less common words in the reading: *franja*, strip (of land); *cuentagotas*, dropper; *chamizos*, huts; *barrizal*, bog, quagmire; *cayuco*, boat.

Answers

22 1. un; 2. sirve; 3. una; 4. desarrollará; 5. los;
6. buscan; 7. lleno; 8. El; 9. aquellas; 10. escuchado;
11 Los; 12. la; 13. la; 14. invitándole; 15. hace;
16. el; 17. hiciera; 18. la; 19. caer; 20. las; 21. extraña;
22. padece; 23. remontarse; 24. ser; 25. perseguido;
26. los

Additional Activities

Una noche en Toledo

Ask students to imagine that they spent a few days in a strange place like this one in Toledo. One by one, each student makes up one or two sentences describing the experience and using the preterite and the imperfect, or any other combination of tenses or moods that they have practiced in the reading. Students will do this orally, and they can't repeat the experiences of their classmates.

Variations: You may prefer to have students write about their experiences; when you call time, students exchange papers with a partner who reads it, adds to it, and then returns it. This can go on for several more rounds, or even with several more students, until you call final time. You might want students to underline the new vocabulary. Call on some students to read their compositions aloud.

You could also use this activity as a vocabulary review and have two or four teams play this as a game for points. Each time a student uses a word from the reading in his or her description that also appears in the vocabulary activity, the other team must clap in response to get a point; to the contrary, the student's team gets the point.

 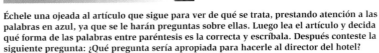

Échele una ojeada al artículo que sigue para ver de qué se trata, prestando atención a las palabras en azul, ya que se le harán preguntas sobre ellas. Luego lea el artículo y decida qué forma de las palabras entre paréntesis es la correcta y escríbala. Después conteste la siguiente pregunta: ¿Qué pregunta sería apropiada para hacerle al director del hotel?

Para los amantes del misterio, del miedo y del suspense
Ocio, diversión y mucha imaginación

Una alternativa especial para un fin de semana diferente
Patricia Iglesias/Redacción digital

Se trata de __1.__ (*un*) fin de semana en una casa rural a las afueras de San Martín de Montalbán (Toledo), conocida como *La Quinta de la Casa de Melque*. Esta casa rural, con capacidad para
5 veinticinco personas, __2.__ (*servir*) de telón de fondo para __3.__ (*un*) noche muy especial. Los visitantes o viajeros —junto a un grupo de actores— serán los protagonistas de una misteriosa historia llena de miedo y suspense
10 que se __4.__ (*desarrollar*) en el interior de la casa rural de la Quinta de Melque y en sus recintos exteriores, como el Cementerio de la familia Montalbán, la Noria, el Pozo...

Un viaje alternativo para __5.__ (*el*) amantes
15 de los viajes curiosos y originales y para los que sencillamente __6.__ (*buscar*) pasar un fin de semana inolvidable y __7.__ (*lleno*) de emociones.

__8.__ (*El*) guión se nutre de __9.__ (*aquel*) leyendas urbanas que todos hemos __10.__

20 (*escuchar*) alguna vez y cuenta, además, con referencias cinéfilas a clásicos del género como __11.__ (*El*) *otros* o *La residencia*.

Antes de __12.__ (*el*) llegada a __13.__ (*el*) mansión —previa reserva de plaza— el visitante
25 recibe por correo, email o fax una carta de Doña Julia Almazán, viuda de Sotogrande, __14.__ le (*invitar*) a su casa tras un largo retiro de la vida pública. La misiva también __15.__ (*hacer*) algunas recomendaciones para asistir a su casa: "incluir
30 en __16.__ (*el*) equipaje indumentaria apropiada para el banquete y una prenda de abrigo por si __17.__ (*hacer*) frío en las inmediaciones de la casa. Por razones personales, __18.__ (*el*) anfitriona no permitirá el uso de teléfonos móviles,
35 entre otras cuestiones".

Al __19.__ (*caer*) el sol, el séquito de sirvientes de la Sra. Almazán recibe a los invitados y los conduce a __20.__ (*el*) habitaciones, último refugio de luz en una casa condenada a la penumbra
40 por la __21.__ (*extraño*) enfermedad que __22.__ (*padecer*) su dueña...

Gracias a sus actores, guionistas y especialistas es posible __23.__ (*remontarse*) a otra época formando parte de aventuras en las que se puede
45 __24.__ (*ser*) ayudado por un mago, aconsejado por un anciano arqueólogo, __25.__ (*perseguir*) por ladrones del desierto, cautivado por una bailarina del vientre, aventuras con __26.__ (*el*) piratas...

www.lavozdegalicia.com

Notas culturales

Toledo se considera como una de las ciudades con más monumentos. Tuvo una gran importancia durante la Edad Media y fue la capital de España hasta el siglo XVI. Convivían en esa época, al igual que pasó con Córdoba, cristianos, judíos y musulmanes.

En el texto hacen ilusión a la película *Los otros* (*The Others* en inglés). Fue grabada en Galicia y dirigida por Alejandro Amenábar, el mismo director español que hizo la versión española de *Vanilla Sky* y *Mar Adentro*.

Investigue palabra clave:
Toledo

23 ¿Qué palabra es?

Mire las palabras de la primera columna, que aparecen en la lectura anterior, y busque su sinónimo, antónimo o definición en la segunda columna.

1. a las afueras de
2. telón
3. protagonista
4. desarrollar
5. amante
6. inolvidable
7. guión
8. llegada
9. reserva de plaza
10. viuda
11. indumentaria
12. anfitriona
13. último
14. penumbra
15. padecer
16. perseguir

a. ropa
b. salida
c. lo que se recuerda
d. casada
e. invitada
f. cortina
g. primero
h. sufrir
i. enemigo
j. en el centro
k. personaje principal
l. progresar
m. pedir una habitación
n. andar tras de
o. sol
p. lo que leen los actores

24 Lea, escuche y escriba/presente

Vuelva a leer los textos completos de las Actividades 20 y 22. Luego escuche la grabación "Al encuentro de la aventura" y tome las notas necesarias. Escriba un ensayo o haga una presentación en clase contestando esta pregunta: "¿Qué hace que las personas sientan la necesidad de irse de aventura?" No se olvide de citar las fuentes debidamente.

Cita

Viajar es una buena forma de aprender y de superar miedos.
—Luis Rojas Marcos (1943–), psiquiatra español

 ¿Está de acuerdo con lo que dice? ¿Por qué? Dé ejemplos que ilustren esta cita y compártalos con un/a compañero/a.

¡Dato curioso!

Los indios mazatecas en México viven en el estado de Oaxaca. En su idioma se llaman *ha shuta enima*, que quiere decir "los que trabajamos el monte, humildes, gente de costumbre". Su idioma es tonal, y por eso a los que no son de la región les parece una lengua silbada o cantada.

 Compare

¿Qué actividades o viajes originales se pueden hacer en los EE.UU? Hable sobre tres de ellos.

Teacher Resources

🎧 Activity 24

Answers

23 1. j; 2. f ; 3. k; 4. l; 5. i; 6. c; 7. p; 8. b; 9. m; 10. d; 11. a; 12. e; 13. g; 14. o; 15. h; 16. n

Instructional Notes

24 Encourage students to absorb comprehension of the two readings before they listen to the audio. Ask them to take notes and pay attention to key words and ideas, writing down key concepts, words, or interesting ideas from both the readings and the audio so that they can refer to them while composing their essays or preparing their presentations. You might also suggest that students retell the audio using the words they noted. They could do this individually or in small groups and either orally or in writing, as homework or on the board as a classroom activity.

Before they listen to the audio, you might want to review the following words: *disfrutar*, to enjoy; *sello*, stamp; *herencia*, heritage; *alpinismo*, mountain climbing; *adentrarse*, to go into; *travesía*, crossing; *plasmar*, to capture.

Nota cultural

Aunque casi todos los mazatecas son católicos, continúan con algunas de sus antiguas creencias, como cultos a varios dioses y fe en el poder de los brujos para curar el mal de ojo.

Teacher Resources

 Activity 5

Answers

25 1. que; 2. el; 3. por; 4. como; 5. del; 6. de; 7. en; 8. de; 9. cuyos; 10. al; 11. hasta; 12. no; 13. la; 14. casi; 15. por; 16. donde; 17. sea; 18. sólo; 19. Para; 20. donde; 21. al; 22. en; 23. La; 24. uniendo; 25. sin; 26. que; 27. para; 28. le; 29. se; 30. la; 31. de; 32. está; 33. en; 34. su; 35. de

Instructional Notes

25 Before students start reading, ask them what they know about Machu Picchu and the Inca civilization and what information they hope this article will give them.

Students might need some help with defining the following: *farallón*, cliff; *erigida*, erected. Ask them to identify some cognates in the reading; examples include: *magnificencia, armoniosa, construcción*.

Additional Activities

Trabajo de investigación

For homework, ask students to find at least fifteen interesting facts about Machu Picchu. The next day have students work in small groups to compare their findings and then make an oral presentation of their group's fifteen most unique facts.

Composición

After students read "Machu Picchu" ask them to write a narration about an average day in the life of one of its inhabitants. Tell them: *Escriban la composición en primera persona y usen el pretérito y el imperfecto. Incluyan datos históricos y culturales. Subrayen y mantengan una lista de las palabras nuevas que usan en la composición.*

---

25 Machu Picchu

Lea el artículo y decida cuál de las palabras entre paréntesis es la correcta para completar cada oración. Después conteste las siguientes preguntas:

- ¿Cuál es el propósito del artículo?
- ¿Cómo resumiría el artículo en una frase?
- Si quisiera consultar otra fuente, ¿podría pensar en un posible título de una publicación?
- ¿Qué pregunta sería apropiada para hacerle al autor después de leer el artículo?

Machu Picchu
Viaje y turismo

Machu Picchu, desde **1.** (*a / que*) fuera descubierta **2.** (*el / en*) 24 de julio de 1911 **3.** (*por / con*) el norteamericano Hiram Bingham, ha sido considerada, por su asombrosa magnificencia [5] y armoniosa construcción, **4.** (*como / es*) uno de los monumentos arquitectónicos y arqueológicos más importantes **5.** (*en el / del*) planeta.

Localizada a 2,400 m.s.n.m.*, en la provincia **6.** (*de / en*) Urubamba, departamento del Cusco, [10] Machu Picchu (*Cumbre Mayor, en castellano*) sorprende por la forma **7.** (*como / en*) que las construcciones **8.** (*en / de*) piedra se despliegan sobre una loma estrecha y desnivelada, **9.** (*cuyos / cuales*) bordes —un farallón de 400 metros [15] de profundidad— forman el cañón por el que se llega **10.** (*hacia / al*) río Urubamba.

Machu Picchu es una ciudadela rodeada de misterio porque **11.** (*hasta / para*) ahora los arqueólogos **12.** (*sí / no*) han podido descifrar [20] la historia y **13.** (*el / la*) función de esta pétrea ciudad de **14.** (*más / casi*) un kilómetro de extensión, erigida **15.** (*por / para*) los incas en una mágica zona geográfica, **16.** (*donde / dónde*) confluyen lo andino y lo amazónico.

[25] Quizás el misterio de Machu Picchu nunca **17.** (*es / sea*) descifrado del todo; hasta ahora, **18.** (*solo / sólo*) existen hipótesis y conjeturas. **19.** (*Por / Para*) algunos, fue un puesto de avanzada de las proyecciones expansionistas incaicas; [30] otros creen que fue un monasterio, **20.** (*donde / dónde*) se formaban las niñas (*acllas*) que servirían **21.** (*a / al*) Inca y al Willac Uno (*Sumo sacerdote*). Se presume porque de los 135 cuerpos encontrados **22.** (*por / en*) las investigaciones, [35] 109 fueron de mujeres.

23. (*El / La*) sorprendente perfección y belleza de los muros de Machu Picchu —construidos **24.** (*unidos / uniendo*) piedra sobre piedra,

25. (*o / sin*) cemento ni pegamento— han hecho [40] surgir mitos sobre su edificación.

Cuentan **26.** (*de / que*) un ave llamada Kak`aqllu, conocía la fórmula **27.** (*por / para*) ablandar las piedras, pero que por un mandato, quizás de los antiguos dioses incaicos, se **28.** (*la / le*) arrancó [45] la lengua. También **29.** (*se / él*) dice que existía una planta mágica que disolvía la roca y podía compactar **30.** (*le / la*).

Pero más allá **31.** (*en / de*) los mitos, el verdadero encanto de Machu Picchu, declarado Patrimonio [50] Cultural de la Humanidad, **32.** (*es / está*) en sus plazuelas, en sus acueductos y torreones de vigilancia, **33.** (*en / por*) sus observatorios y en **34.** (*su / sus*) Reloj Solar, evidencias **35.** (*de / por*) la sabiduría y la técnica [55] de los constructores andinos.

*m.s.n.m.= metros sobre el nivel del mar

www.enjoyperu.com

Nota cultural

Desde julio del año 2007, Machu Picchu figura entre las siete nuevas maravillas del mundo. Más de 100 millones de personas votaron por Internet o por teléfono para elegir las nuevas maravillas. Además de la ciudadela de los incas figuran: Chichén Itzá (México), el Cristo del Corcovado (Rio de Janeiro), la Gran Muralla china, la ciudad de Petra (Jordania), el Coliseo de Roma y el Taj Mahal (India).

Investigue palabras clave: las siete nuevas maravillas del mundo

26 ¿Qué significa?

Mire las palabras de la primera columna, que son de la lectura anterior, y busque su traducción en la segunda columna.

1.	asombroso	a.	to soften
2.	localizada	b.	depth
3.	loma	c.	to emerge
4.	estrecho	d.	uneven
5.	desnivelado	e.	speculation
6.	profundidad	f.	revealed
7.	rodeado	g.	small square
8.	pétreo	h.	astonishing
9.	descifrado	i.	glue
10.	conjetura	j.	narrow
11.	muro	k.	surrounded
12.	pegamento	l.	of stone
13.	surgir	m.	wall
14.	edificación	n.	to pull out
15.	ablandar	o.	located
16.	arrancar	p.	hill
17.	plazuela	q.	building
18.	sabiduría	r.	wisdom

27 Lea, escuche y escriba/presente

Vuelva a leer el texto completo sobre Machu Picchu, y luego escuche la grabación "Recorriendo el Camino Inca". Tome notas de las dos fuentes y escriba un ensayo o haga una presentación en clase sobre "Razones por las que se aconseja hacer un viaje cultural". No se olvide de citar las fuentes debidamente.

Compare

¿Puede Ud. pensar en algún lugar en su país donde pueda vivir una experiencia con la naturaleza similar a ésta?

Lección 1A **13**

13

Answers

28 1. en; 2. el; 3. son; 4. la; 5. a; 6. la; 7. más; 8. una; 9. de; 10. una; 11. el; 12. que; 13. la; 14. a; 15. para; 16. es; 17. Por; 18. una; 19. Las; 20. hasta; 21. un; 22. donde; 23. las; 24. la; 25. en; 26. fue; 27. que; 28. Después; 29. más; 30. ser; 31. son; 32. fuera; 33. tiene; 34. donde; 35. al; 36. a; 37. una; 38. la; 39. de; 40. fueron; 41. que; 42. Cada; 43. de; 44. hay; 45. hace; 46. que; 47. la; 48. de; 49. los; 50. para; 51. que; 52. También

Additional Activities

To practice sentence completion without prompts, have students do *¿Qué falta?* See p. TE28.

Échele una ojeada al artículo que sigue para ver de qué se trata, prestando atención a las palabras en azul, ya que se le harán preguntas sobre ellas. Luego lea el artículo y decida cuáles son las palabras que mejor completan las oraciones y escríbalas. No se olvide de escribir y acentuar las palabras correctamente.

Especial: Hoteles
Dulces (y originales) sueños

Entrar __1.__ (en / x) prisión, dormir bajo __2.__ (el / a) agua, refugiarse en un faro o alojarse en un iglú __3.__ (son / están) algunas de las originales alternativas para pasar __4.__ (el / la) noche frente __5.__ (a / x) los tradicionales hoteles de las grandes urbes. De Europa a Oceanía, damos __6.__ (el / la) vuelta al mundo y rescatamos los alojamientos __7.__ (tan / más) innovadores, divertidos y originales del atlas. Desde __8.__ (un / una) cárcel en Australia hasta un submarino en Florida, sin olvidar un palacio __9.__ (en / de) sal en Bolivia, el hotel sólo para niños de Londres, una fábrica de té en Sri Lanka o __10.__ (un / una) antigua estación de tren de Cádiz.

Un clásico del hielo

La vida se puede ver de muchos colores y en Jukkasjarvi predomina __11.__ (el / x) blanco. En la Escandinavia profunda de hielos y nieves perpetuas, hay __12.__ (que / x) ser un poco esquimal para sobrevivir. En este entorno, __13.__ (una / la) idea de un hotel de hielo parece hasta lógica, pero si además convencen __14.__ (para / a) artistas de todo el mundo __15.__ (por / para) que cada temporada construyan las habitaciones, la rentabilidad está asegurada. Así, cada iglú __16.__ (es / está) distinto, aunque en todos el equipamiento es básico: una cama de hielo cubierta de pieles de reno y sacos de dormir contra la hipotermia. __17.__ (por / para) la mañana el cliente se despierta con una bebida caliente hecha de frutos silvestres, __18.__ (un / una) especie de anticongelante para poder desayunar a continuación. __19.__ (Unas / Las) actividades son incontables, desde pesca en hielo __20.__ (por / hasta) baño nocturno en un jacuzzi.

Suecia. Jukkasjarvi. Tel: 00 46 980 66 800 Internet: www.icehotel.com
Habitaciones: 30 / Precio: 1.900 coronas

The Tea Factory
"Reciclaje" industrial

Estamos en la antigua Ceilán, ante __21.__ (de / un) paisaje increíble __22.__ (donde / dónde) la niebla roza __23.__ (en / las) montañas de Nuwara Eliya. Entre __24.__ (el / la) densidad de los arbustos del té, un edificio blanco se perfila en el horizonte — The Tea Factory, una antigua procesadora de té convertida __25.__ (para / en) hotel. La plantación __26.__ (estuvo / fue) el sueño del señor Flowerdew, un inglés victoriano __27.__ (cual / que) eligió Ceilán como hogar. __28.__ (Por / Después) de muchos años y diferentes dueños, la fábrica se cerró en 1973. Veinte años __29.__ (en / más) tarde y después de un gran trabajo de rehabilitación, pasó a __30.__ (estar / ser) un hotel. Las vistas __31.__ (son / están) espectaculares y las actividades dentro y __32.__ (en / fuera) del hotel incontables. Como toque sentimental, el edificio __33.__ (hay / tiene) una pequeña fábrica __34.__ (para / donde) los clientes, tras recolectar las hojas de té, asisten __35.__ (al / por) proceso de secado y empaquetado.

Sri Lanka. Kandapola, Nuwara Eliya. Reservas en Aitken Spence Hotels (315 Vauxhall St. Colombo, 2.Tel: 0094 11 230 84 08. Internet: www.aitkenspence-hotels.com/teafactory). Habitaciones: 57 / Precio: 115 dólares.

Cuevas Pedro Antonio de Alarcón
Tiempo de bandoleros

Así de primeras, lo de las cuevas suena __36.__ (a / en) troglodita o bandolero, pero __37.__ (un / una) vez que se visitan __38.__ (el / la) realidad es bien distinta. Las cuevas son las originales, y datan __39.__ (de / por) la época en que los moros __40.__ (estuvieron / fueron) expulsados de Granada; aquéllos __41.__ (que / cuales) se resistían a abandonar el aire andaluz construyeron unas cuevas como refugio. __42.__ (Cada / X) cueva es un pequeño apartamento con cocina, salón, dormitorio y cuarto __43.__ (de / x) baño. En algunas __44.__ (hay / están) chimenea y en todas, calefacción. En verano no __45.__ (hay / hace) falta aire acondicionado ya __46.__ (que / x) la propia construcción mantiene __47.__ (el / la) temperatura constante __48.__ (de / para) 19 grados. Además hay cuevas para todos __49.__ (el / los) gustos, con jacuzzi __50.__ (por / para) parejas románticas, con dos habitaciones para los __51.__ (que / quienes) viajan con niños... El edificio central alberga un restaurante y una sala de conferencias. __52.__ (También / Tampoco) tiene piscina.

Granada. Barriada San Torcuato. Guadix. Tel: 958 664 986. Internet: www.andalucia.com/cavehotel/cuevas.htm. www.elmundo.es

29 ¿Qué significa?

Mire las palabras de la primera columna, que aparecen en la lectura anterior, y busque su traducción en la segunda columna.

1. faro
2. alojamiento
3. fábrica
4. predominar
5. profundo
6. temporada
7. asegurado
8. reno
9. saco de dormir
10. silvestre
11. nocturno
12. paisaje
13. rozar
14. convertido
15. hogar
16. vista
17. toque
18. bandolero
19. de primeras
20. datar
21. salón
22. chimenea
23. calefacción
24. para todos los gustos
25. albergar

a. porción de terreno que se ve desde un sitio
b. lo que usas para dormir en una tienda de campaña
c. apenas tocar
d. antiguo ladrón de caminos
e. casa
f. el paisaje que ves
g. transformado
h. lugar temporal donde te quedas a dormir
i. lugar industrial donde se producen objetos
j. que está distante, interna, muy dentro
k. poner la fecha a cuando algo fue construido o hecho
l. animal con cuernos que vive en las zonas frías, apreciado por cazadores
m. torre alta en la costa que avisa a los que navegan
n. para todas las formas de apreciar las cosas, todas las preferencias
o. nota, característica
p. lugar con fuego que usas en casa para calentarte
q. ser numeroso, abundante
r. (que hace cosas) por la noche
s. aparato eléctrico que calienta la casa
t. en principio
u. segura
v. admitir en tu casa o lugar al que perteneces
w. espacio de tiempo
x. que crece solo, de forma natural en el campo
y. habitación en la casa donde te reúnes o recibes visitas

30 Su hotel

Ud. es una persona muy creativa y aventurera y acaba de abrir un hotel muy original. Haga una descripción del hotel similar a las que aparecen en la lectura anterior. Se la va a mandar a la sección de anuncios de un periódico, para así captar a posibles clientes. Escriba el artículo usando el tiempo presente e intente usar algunas de las "tapitas" gramaticales y el vocabulario que ha repasado en esta lección.

Cita

Si quieres viajar hacia las estrellas, no busques compañía.
—Heinrich Heine (1797–1856), escritor alemán

¿Está de acuerdo con este comentario? ¿Por qué cree que hay gente que prefiere viajar sola?

¡Dato curioso!

¿Dónde está la Península "No entiendo"? La península de Yucatán (México) tiene ese curioso nombre. Se cuenta que al llegar los conquistadores españoles a ese lugar, preguntaron cómo se llamaba. Los indígenas les contestaron: "Yucatán, Yucatán". Y así se le llamó Yucatán a la península. *Yucatán* en el idioma indígena significaba "No entiendo".

Nota cultural

La península de Yucatán es famosa por el turismo —aquí están Cancún, Cozumel, Playa del Carmen, Isla Mujeres y las ruinas mayas— y por ser el lugar donde cayó un enorme meteorito que, según algunos, acabó con los dinosaurios.

Answers

29 1. m; 2. h; 3. i; 4. q; 5. j; 6. w; 7. u; 8. l; 9. b; 10. x; 11. r; 12. a; 13. c; 14. g; 15. e; 16. f; 17. o; 18. d; 19. t; 20. k; 21. y; 22. p; 23. s; 24. n; 25. v

30 Descriptions will vary.

Instructional Notes

30 Encourage students' creativity and have them share their ideas in small groups when they finish. You might ask students to accompany their descriptions with a drawing.

Additional Activities

Hablen sobre esta foto
See p. TE27.

Juego
Ask students to play *Lo tengo en la punta de la lengua* and/or *¡Háganlo!*. See pp. TE24 and TE25.

Teacher Resources

 Activities 6–15

Instructional Notes

31 Students could work in small groups to answer the questions for this activity. A whole-class discussion could follow. You could also ask them: *¿Les gustaría dar la vuelta al mundo? ¿Por qué? ¿Qué países les gustaría visitar? ¿Con quién les gustaría hacer el viaje? ¿Por qué?*

32 Ask students the following question using as many variations as needed for practice: *¿Cuántas horas crees que dura un viaje en avión desde "X" (ciudad de Ud.) a "Y" (Buenos Aires, Madrid, Santiago)?* This activity keeps the students talking and reviewing geography and distances.

Additional Activities

Repaso Expreso
See p. TE28.

Juego
Ask students to play *Hablar hasta por los codos*.
See p. TE24.

¡A leer!

31 Antes de leer

¿Ha viajado Ud. —o le gustaría viajar— a muchos sitios? ¿Por qué? ¿Le gustan los viajes en los que ve muchas cosas en poco tiempo? ¿Por qué? ¿Sabe quién era Julio Verne?

32 Un viaje

Lea con atención el siguiente artículo. Después conteste las siguientes preguntas:

- ¿Cuál es el propósito del artículo?
- ¿Cómo resumiría el artículo en una frase?
- Si quisiera consultar otra fuente, ¿podría pensar en un posible título de una publicación?
- ¿Qué pregunta sería apropiada para hacerle al autor después de leer el artículo?

El viaje
Un pulso a Julio Verne
JAVIER PÉRES DE ALBÉNIZ

Cuando recojo la maleta en el aeropuerto de Barajas mis articulaciones chirrían como goznes oxidados. Tengo en los riñones el recuerdo de 30 despegues y aterrizajes, y en los músculos el castigo de 75 horas de vuelo. No lo veo, ni lo siento, pero sé que mi trasero tiene la forma del asiento de un Boeing 767 de Lan Chile. Once nuevos sellos de otros tantos países ilustran mi pasaporte, y en la cabeza me bulle un torbellino de sensaciones. Acabo de dar la vuelta al mundo y ¡me río de los que sienten el jet lag! Cuando das la vuelta al mundo en 15 días ni te paras a pensar en estos pequeños inconvenientes: comes, duermes y vives sumergido en ese jet lag, una sensación algodonosa que te mantiene las 24 horas del día en una nube. Cuando das la vuelta al mundo en 15 días viajas contra el tiempo, desprecias la lógica, desafías la razón y pones tu cuerpo contra las cuerdas. Tus experiencias anteriores no sirven de nada: dar la vuelta al mundo es comenzar a viajar. Es iniciar una nueva forma de vida. Julio Verne imaginó una vuelta al mundo en un tiempo récord: 40 días. Phileas Fogg era un tipo adinerado y flemático, pero muy lento. Cien años después de la muerte del escritor francés hemos rebajado esa cifra soñada hasta dejarla en 15 días. Quince días, once países de los cinco continentes, 75 horas de vuelo, 50.598 kilómetros... ¿Se puede disfrutar de un viaje realizado a esta velocidad?

¿Es posible ver o aprender algo, desplazándose a este frenético ritmo? La respuesta es sí. Sí, siempre que los vuelos se coordinen con precisión milimétrica, que estén muy claros los lugares a visitar y que el viajero no se arrugue ante la falta de sueño o de comodidades. «¡Lejos! ¡Lejos! ¡Aquí el lodo está formado por nuestros llantos!», escribió un Baudelaire que pensaba que cada viaje es un cambio de vida, y que los verdaderos viajeros son aquéllos que parten por partir. (...) Nunca es sencillo regresar de un buen viaje. No es fácil poner en orden tantas imágenes, sensaciones, cambios de olor, de horario... Julio Verne tenía razón, se puede dar la vuelta al mundo en 15 días, pero hubiese preferido hacerlo en 40.
—Pareces cansado, tienes mala cara —me dice mi hija.
—No son los años, cariño, son los kilómetros —le contesto imitando a Indiana Jones.
www.elmundo.es

Nota cultural

Barajas es el aeropuerto de Madrid. Lan es una línea aérea de Chile. Phileas Fogg fue el protagonista que dio la vuelta al mundo en el famoso libro de Julio Verne, *La vuelta al mundo en 80 días*, publicado en 1873.

33 ¿Qué significa?

Mire las palabras de la primera columna, que aparecen en la lectura anterior, y busque su traducción en la segunda columna.

1.	recoger	a.	el momento en el que el avión inicia el vuelo
2.	maleta	b.	la parte que une los huesos en el cuerpo
3.	articulaciones	c.	coger
4.	riñón	d.	pasarlo bien
5.	despegue	e.	rapidez
6.	aterrizaje	f.	bajar
7.	nube	g.	mezcla de tierra y agua
8.	desafiar	h.	hacer arrugas (líneas en la piel)
9.	adinerado	i.	simple
10.	rebajar	j.	el momento en el que el avión termina su vuelo y toca tierra
11.	cifra	k.	tener cara de cansado o enfermo
12.	disfrutar	l.	mi amor, mi corazón (palabra afectiva)
13.	velocidad	m.	órgano del cuerpo que limpia la sangre
14.	arrugar	n.	bolsa de viaje grande o equipaje
15.	lodo	o.	acumulación de vapor en el cielo
16.	sencillo	p.	retar, animar a alguien a hacer algo difícil
17.	tener mala cara	q.	rico
18.	cariño	r.	número, cantidad

34 ¿Ha comprendido?

1. ¿Qué le ocurre al protagonista de la historia en el aeropuerto de Barajas?
   a. Pierde su maleta.
   b. Describe sus últimas horas de viaje.
   c. Recuerda su viaje en avión.
   d. Describe la sensación de cansancio que tiene.

2. ¿Qué acaba de hacer el autor del texto?
   a. Se ha recuperado del *jet lag*.
   b. Se ríe recordando su travesía.
   c. Ha dado la vuelta al mundo.
   d. Ha pasado una quincena en casa con su hija.

3. ¿Qué piensa nuestro escritor acerca de un viaje tan rápido?
   a. No es posible disfrutar a ese ritmo.
   b. Aprendes mucho, pero sobre todo de la precisión de los aviones.
   c. La falta de sueño te impide sentirte bien en este viaje.
   d. Es una buena experiencia, con la que se aprende y disfruta si se descansa y si todo está bien organizado.

4. ¿Qué cambiaría el protagonista de este viaje?
   a. Visitaría menos países.
   b. Nada, de esta forma le parece perfecto.
   c. Lo pensará cuando ponga en orden sus ideas.
   d. Quince días están bien, pero preferiría hacerlo en 40.

5. ¿Qué ocurre con su hija a la llegada al aeropuerto?
   a. Su hija está muy agotada y de muy mal humor.
   b. Le dice cuántos años ha estado viajando.
   c. Tiene una corta conversación con una pequeña broma.
   d. Hablan sobre cine.

Answers

35 *Ejemplos:*

1. ¿Cuántas veces despegó y aterrizó el autor del artículo? 2. ¿Cuántos sellos tiene ya el autor en el pasaporte? 3. ¿Cuántos días duró su viaje alrededor del mundo? 4. ¿Quién imaginó una vuelta al mundo en cuarenta días? 5. ¿Quién era un tipo adinerado, flemático y lento? / ¿Quién fue el protagonista de una obra de Julio Verne? 6. ¿Qué hace falta para disfrutar de una vuelta al mundo? 7. ¿Cuántas horas de vuelo duró este viaje? 8. ¿Quién lo esperaba a la vuelta? / ¿Quién le dice "mala cara"? 9. ¿Cómo le contesta a su hija?

36 Answers will vary, but students should mention that doing these activities just for the sake of doing them shows no appreciation or understanding of them *(hacer estas actividades por el mero hecho de hacerlas no demuestra que uno las aprecia ni las comprende, o sea que uno no disfruta de lo que está haciendo).*

Instructional Notes

37 Divide the class into four groups and have each group be responsible to research one of the bullet points. After the groups have found their information have them report to the class their findings.

38 You might have students work in small groups to answer the questions for this activity, or have a whole-class discussion. The questions correspond to the reading on p. 19.

Additional Activities

Trabajo de investigación

Assign students a city or country in order to research the origins of that city or country's name, and present their findings to the class. Their research might include how the city or country was founded, and who named it (and why).

---

35 ¿Cuál es la pregunta?

Según lo que acaba de leer, escriba una pregunta lógica para estas respuestas.

1. Treinta veces
2. Once
3. Quince días
4. Julio Verne
5. Phileas Fogg
6. Muchísima organización
7. Setenta y cinco
8. Su hija
9. Con humor

36 ¿Qué piensa Ud.?

¿Qué cree que significa la expresión "viajar por viajar"? ¿Y otras similares como "comer por comer", "hablar por hablar" y "leer por leer"?

37 ¿Recuerda,...?

¿Ha leído Ud. la novela del escritor francés Julio Verne *La vuelta al mundo en 80 días*? Si no, puede buscar la información. Tome la identidad de Phileas Fogg y haga un resumen de su viaje.

- Explique donde vivía y en qué época.
- ¿Qué le hizo viajar?
- ¿Qué medios de transporte usó?
- Hable de algunos de lugares que visitó y cuál le gustó más.

Cita

Olviden toda idea acerca de ciudades perdidas, viajes exóticos y agujerear el mundo. No hay mapas que lleven a tesoros ocultos y nunca hay una X que marque el lugar.
—De la película *Indiana Jones y la última cruzada*

¿Piensa que existen tesoros ocultos? Si encontrara Ud. un mapa que mostrara donde hay un tesoro, ¿lo buscaría o se lo daría a las autoridades? Hable de lo que haría con un/a compañero/a.

Cuando Colón llegó a Costa Rica vio que muchos nativos llevaban bonitas joyas alrededor del cuello. Por eso los españoles pensaron que habían llegado a una costa muy rica.

38 Antes de leer

¿Cuál es el medio de transporte preferido por la gente en su ciudad o país? ¿Y por su familia? ¿Y por Ud.? ¿Suele Ud. comprar algún recuerdo cuando viaja? ¿Qué recuerdos le gusta comprar (o recibir)?

Compare

¿Cuánto cree que tardaría en llegar desde donde vive a la capital de los siguientes países: España, Chile, Argentina, Panamá y México?

Nota cultural

Hace muchísimos años, los griegos y cartagineses llamaron lo que hoy es España, "Iberia", por el gran río Iber (actualmente el Ebro). Roma prefirió la palabra *Hispania*, que significa "tierra de conejos" (por la gran cantidad de estos animales en el país) y que incluía lo que ahora es España y Portugal. Luego el nombre evolucionó a Spania y, finalmente, pasó a ser España.

Lea con atención el siguiente artículo. Después conteste las siguientes preguntas:

- ¿Cuál es el propósito del artículo?
- ¿Cómo resumiría el artículo en una frase?
- Si quisiera consultar otra fuente, ¿podría pensar en un posible título de una publicación?

Viajan y gastan más

Los latinos de este país hacen más paseos en auto, tren o avión que otros grupos minoritarios

Lourdes López
Redactora de Vida y Estilo

Un estudio reciente de la Asociación Estadounidense de la Industria de Viajes (TIAA) mostró cómo los latinos encabezan la lista de viajeros respecto a otros grupos minoritarios, ya sea en automóvil, autobús, tren o
[5] avión. Esto ha ayudado al repunte del sector turismo, el cual fue uno de los más afectados a consecuencia de los atentados del 11 de septiembre de 2001.

"Hemos detectado un fuerte mercado entre las familias latinas con un 20% de crecimiento en dos
[10] años, comenta la portavoz de TIAA, Cathy Keefe, quien enfatiza un ascenso en el crecimiento del sector turismo paralelo al aumento de la población, al referirse especialmente a la minoría más grande de Estados Unidos. "Los resultados del estudio *The Minority*
[15] *Traveler* indicaron viajes más frecuentes entre los latinos y con un mayor número de personas debido a la tendencia de viajar con la familia, incluyendo niños y otros parientes".

Les gusta la compañía

Según el estudio de TIAA, el 33% de los latinos
[20] prefiere viajar con tres o más miembros de la familia, incluyendo hijos menores de 18 años. El estudio también descubrió que prefieren más el automóvil a otros medios de transporte. "El 75% de ese grupo utiliza el automóvil en sus viajes y en promedio tienen
[25] una edad de 45 años, un poco más joven del promedio nacional que es de 47 años", explica Keefe.

"Un poco más de tres cuartos del total de este grupo viaja por recreación y sólo el 10% lo hace por negocios. Se ha notado también que los latinos prefieren primero
[30] lugares abiertos, más económicos, y también les gusta visitar lugares históricos, festivales y eventos con diferentes actividades". Los diez estados con mayor número de viajeros latinos son: California, Texas, Florida, Nuevo México, Nueva York y Arizona.

Recursos

[35] TIAA ha creado un sitio de la Internet, especial para apoyar y facilitar el itinerario a los aficionados a los viajes. Ingrese a seeamerica.org desde el sitio de TIIA, donde encontrará información detallada de los estados y los destinos más importantes de este país.

[40] "El sitio seeamerica.org es una herramienta eficiente y de uso fácil para programar un viaje en este país", explica Keefe. "La información está dividida por regiones, por parques nacionales y cuenta con mapas, fotos, itinerarios y la descripción de destinos más
[45] populares. También se describen las principales atracciones, ofertas, paquetes, consejos y otros".

Otros resultados

- El estudio de TIAA también detectó que los viajeros latinos tienden a pasear a lugares cercanos a su domicilio, con excepción de familias que tienen
[50] parientes en otros estados o países.
- Los latinos gastan en viajes un promedio de 523 dólares por año sin incluir el transporte.
- Un tercio de sus viajes incluyen a menores de 18 años.
- [55] Las preferencias del 34% de este grupo son las compras, le siguen los sitios abiertos en un 16%, y en el 14% se ubican los parques de diversiones. Los paseos a sitios históricos y playas ascienden ambos a un 13% respectivamente.
- [60] Sólo el 15% de los viajeros latinos opta por utilizar el avión. Existe una tendencia a usar el autobús y el tren.
- Ciudades preferidas por los viajeros latinos: Las Vegas, NV; San Antonio, TX; San Diego,
[65] CA; Houston, TX; Orlando, FL; Riverside/San Bernardino, CA; Phoenix-Mesa, AZ; Orange County, CA; San Francisco, CA.

www.laopinion.com

Instructional Notes

39 Enable a whole-class discussion on the students' preferences in travel: mode of transportation, cities or places visited, time spent there, etc.

Answers

Instructional Notes

43 Asking students to come up with another title for "Viajan y gastan más" will encourage their creativity. At the same time, you will help them focus on the titles of subsequent readings and audio, enabling them to predict what the content might be.

40 Vocabulario

Mire las palabras que aparecen en la primera columna abajo y que también aparecen en azul en la lectura anterior. Busque su correspondiente sinónimo o definición entre las palabras de la segunda columna.

1. reciente
2. encabezar
3. portavoz
4. pariente
5. en promedio
6. tres cuartos
7. itinerario
8. herramienta
9. un tercio
10. ascender

a. estar entre los primeros
b. subir
c. la media
d. ¾
e. instrumento utilizado para trabajar manualmente
f. persona que representa algo o a alguien
g. ruta, camino sugerido con paradas y lugares de interés
h. ⅓
i. familiar
j. de hace poco

41 ¿Ha comprendido?

1. ¿A qué ha ayudado la movilidad de los latinos en Estados Unidos?
   a. Al resto de minorías que viven en Estados Unidos
   b. A la mejora del tren y otros medios de transporte
   c. A superar el trágico 11 de septiembre de 2001
   d. A la mejora económica del sector turístico

2. ¿Por qué ha crecido el turismo de los latinos en Estados Unidos?
   a. Son una parte importante del mercado.
   b. Son la minoría más grande en el país.
   c. Viajan varios miembros de una misma familia al mismo tiempo.
   d. Todas las respuestas anteriores

3. ¿Cuál es el propósito más común de los viajes de los latinos?
   a. Usar el automóvil como medio de transporte
   b. Negocios, fundamentalmente
   c. Viajes de ocio a lugares económicos y con diferentes actividades
   d. Viajar con tres o más miembros de la familia

4. ¿Qué proporciona el sitio Web seeamerica.org?
   a. Información sobre el turismo en algunos estados de Estados Unidos
   b. Foros para aficionados a los viajes internacionales
   c. Información para programar un viaje por Estados Unidos
   d. Itinerarios, lugares de interés fuera de Estados Unidos

5. ¿Qué opción es la preferida entre los viajeros latinos?
   a. Parques de diversiones
   b. Sitios históricos y playas
   c. Lugares abiertos y festivales
   d. Viajes organizados

42 Responda brevemente

¿Cree Ud. que existe un mercado turístico destinado solamente a los grupos minoritarios? Si su respuesta es afirmativa, ¿qué lugares son? Si su respuesta es negativa, ¿qué destinos crearía Ud. para algunos grupos minoritarios?

43 Se titula...

Piense en otro título para el artículo que acaba de leer. ¿Por qué lo ha escogido?

44 Lea, escuche y escriba/presente

Vuelva a leer el texto completo de "Viajan y gastan más" y luego escuche la grabación "Un domingo sin automóviles, compromiso ciudadano". Tome notas y escriba un ensayo o haga una presentación en clase contestando la pregunta, "¿Hacemos un uso responsable del transporte?" Mencione las consecuencias ambientales y no se olvide de citar las fuentes debidamente.

45 Antes de leer

¿Cómo suele Ud. planear un viaje? ¿Ha ido alguna vez a una agencia de viajes? ¿Qué piensa de las agencias de viajes en en el lugar donde vive? ¿Cree que terminarán desapareciendo? Después de un viaje, ¿con quién comparte sus experiencias cuando regresa?

46 Los viajes

Lea con atención el siguiente artículo. Después conteste las siguientes preguntas:

- ¿Cuál es el propósito del artículo?
- ¿Cómo resumiría el artículo en una frase?
- Si quisiera consultar otra fuente, ¿podría pensar en un posible título de una publicación?

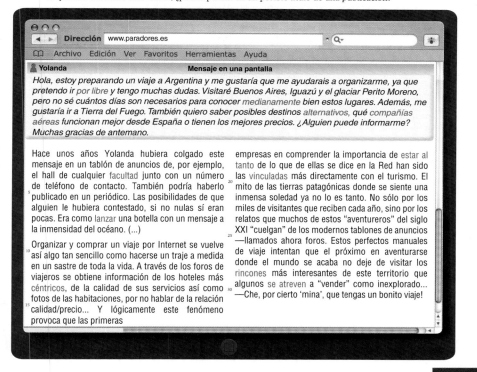

Dirección www.paradores.es

Archivo   Edición   Ver   Favoritos   Herramientas   Ayuda

Yolanda   **Mensaje en una pantalla**

Hola, estoy preparando un viaje a Argentina y me gustaría que me ayudarais a organizarme, ya que pretendo ir por libre y tengo muchas dudas. Visitaré Buenos Aires, Iguazú y el glaciar Perito Moreno, pero no sé cuántos días son necesarios para conocer medianamente bien estos lugares. Además, me gustaría ir a Tierra del Fuego. También quiero saber posibles destinos alternativos, qué compañías aéreas funcionan mejor desde España o tienen los mejores precios. ¿Alguien puede informarme? Muchas gracias de antemano.

Hace unos años Yolanda hubiera colgado este mensaje en un tablón de anuncios de, por ejemplo, el hall de cualquier facultad junto con un número de teléfono de contacto. También podría haberlo publicado en un periódico. Las posibilidades de que alguien le hubiera contestado, si no nulas sí eran pocas. Era como lanzar una botella con un mensaje a la inmensidad del océano. (...)

Organizar y comprar un viaje por Internet se vuelve así algo tan sencillo como hacerse un traje a medida en un sastre de toda la vida. A través de los foros de viajeros se obtiene información de los hoteles más céntricos, de la calidad de sus servicios así como fotos de las habitaciones, por no hablar de la relación calidad/precio... Y lógicamente este fenómeno provoca que las primeras

empresas en comprender la importancia de estar al tanto de lo que de ellas se dice en la Red han sido las vinculadas más directamente con el turismo. El mito de las tierras patagónicas donde se siente una inmensa soledad ya no lo es tanto. No sólo por los miles de visitantes que reciben cada año, sino por los relatos que muchos de estos "aventureros" del siglo XXI "cuelgan" de los modernos tablones de anuncios —llamados ahora foros. Estos perfectos manuales de viaje intentan que el próximo en aventurarse donde el mundo se acaba no deje de visitar los rincones más interesantes de este territorio que algunos se atreven a "vender" como inexplorado... —Che, por cierto 'mina', que tengas un bonito viaje!

Lección 1A   **21**

Investigue
palabras clave:
Buenos Aires, Tierra del Fuego, Iguazú, glaciar Pedrito Moreno

Instructional Notes

47 Have students create original sentences with the
vocabulary words.

49 After students have interviewed their family,
have students gather and present the answers of six
students using a chart of graph. Students will find some
similarities and differences between the responses from
the family members. Use this as a conversation starter
to talk about trends in certain decades.

Additional Activities

¡Post-it!
See p. TE28.

Juego
Have students play *¿Verdadero o falso?* See p. TE25.

---

47 Vocabulario

Mire las palabras que aparecen en la primera columna abajo y que también aparecen en
azul en la lectura anterior. Busque su correspondiente sinónimo o definición entre las
palabras de la segunda columna.

1. por libre
2. medianamente
3. alternativo
4. compañía aérea
5. facultad
6. lanzar
7. céntrico
8. estar al tanto
9. vincular
10. rincón
11. atreverse a

a. otra opción
b. tirar, arrojar
c. por cuenta propia, solo
d. lugar escondido
e. situado en el centro de una ciudad
f. unir, relacionar
g. empresa que organiza el vuelo
h. más o menos, aproximadamente
i. parte de la universidad
j. arriesgarse a hacer algo
k. informado, saber qué pasa

48 ¿Ha comprendido?

1. ¿De qué se trata el artículo?
   a. Sobre alguien que pide ayuda en la preparación de su viaje
   b. Sobre los comentarios y respuestas que uno encuentra en un blog
   c. Sobre viajeros que usan Internet como la herramienta más útil antes de un viaje
   d. Las agencias de viajes y su futuro en el siglo XXI

2. ¿Qué escribe Yolanda?
   a. Un email a un compañero para indicarle la ruta de su viaje
   b. Una consulta acerca de los precios en España para volar a Argentina
   c. Un mensaje en un blog pidiendo ayuda para la organización de su viaje
   d. Una respuesta a un comentario en un blog argentino

3. ¿Por qué Internet resulta lo más sencillo para el viajero?
   a. Es más cómodo hacerlo desde casa.
   b. La calidad del servicio de la página es mejor que la de una agencia.
   c. La información es más concreta y el viajero configura su propio viaje.
   d. Uno puede ver las fotos de los lugares donde planea ir.

4. Según el texto, ¿ayudan los relatos de los foros en Internet a conocer nuevos lugares?
   a. Sí, son los nuevos manuales de viajes, donde uno puede encontrar información
      detallada de lugares desconocidos.
   b. No ayudan cuando alguien quiere realizar un viaje a un lugar inexplorado.
   c. Sí, ayudan, pero hay que ser cauto porque muchas veces no son reales.
   d. No ayudan, porque siempre quieren vender algo nuevo.

49 Conexiones

Hable con su familia y pregúnteles cómo solían viajar y cómo hacían las reservas cuando
eran jóvenes. Compare la información con sus compañeros.

1. ¿Dónde buscaban sus padres los viajes cuando tenían su edad? ¿Y Uds. ahora?
2. ¿Adónde solían ir y por qué? ¿Y Uds. ahora?
3. ¿Qué medio de transporte usaban por lo general? ¿Y Uds. ahora?
4. ¿Con quiénes solían viajar? ¿Y Uds. ahora?

50 ¿Inglés o español?

En el texto anterior aparece la palabra hall. ¿Cree que existe esta palabra en español? Piense en otras palabras de origen inglés que han pasado a formar parte del castellano, y las de origen español que ya son parte del inglés. Dé algunos ejemplos.

51 Lea, escuche y escriba/presente

Vuelva a leer el artículo completo de "Mensaje en una pantalla", y luego escuche la grabación "Viajes por la cara". Tome notas y escriba un ensayo o haga una presentación en clase contestando la pregunta, "¿Cómo han cambiado los viajes con la tecnología?" Incluya información de las dos fuentes citándolas debidamente.

Cita

Jamás viajo sin mi diario. Siempre debería llevarse algo estupendo para leer en el tren.
—Oscar Wilde (1854–1900), dramaturgo y novelista irlandés

Cuando viaja Ud., ¿escribe en su diario? ¿Piensa que es una buena idea? Comparta su opinión con un/a compañero/a.

 ¡Dato curioso! La palabra *guagua* significa autobús en varios países de Latinoamérica como Cuba y la República Dominicana. Dicen que tiene su origen en la época en la que los americanos llegaron a Cuba, a principios del siglo XX cuando trajeron unos carros a los que llamaban *wagon*. Al no saber los cubanos pronunciar la palabra en inglés bien, de ahí surgió la palabra.

Las cataratas de Iguazú son las más grandes de Latinoamérica. Las cataratas lindan con Argentina y Brasil, y están a pocos kilómetros de Paraguay.

Nota cultural

También existe otra teoría sobre el origen de la palabra *guagua*. Se dice que un empresario de transportes no les cobraba a los niños, a quienes se les conocía como *guaguas*. Como había muchos pícaros que intentaban evitar pagar transporte se les decía "Va de guagua" y de ahí el nombre a estos autobuses.

🎧 Activity 51

Answers

50 La palabra *hall* existe en español y es aceptada por la Real Academia Española. Examples of English words: *living* (for living room *[sala]* in Spain), *email, suspense, marketing, eslogan, esquí, esmoquin* (for tuxedo), *suéter*; examples of Spanish words: *siesta, patio, rodeo, plaza.*

Instructional Notes

51 Encourage students to absorb comprehension of the reading before they listen to the audio. You might need to explain that the expression *por la cara* means "for free or nothing." Other words you might review before students listen to the audio are: *empedernido,* compulsive; *rascarse el bolsillo,* to pay up; *compartir gastos,* to share expenses; *requisito,* requirement; *amoldarse,* to adapt; *plaza libre,* vacancy; *estar dispuesto a,* to be ready to; *trotamundos,* globetrotter; *abarcar,* to include/take in; *hospedaje de gorra,* free accommodations; *culminar,* to end; *anfitrión,* host.

Additional Activities

Trabajo de investigación
Ask students to visit a Spanish-language Web site on travel and print out some comments. Then have them work with a partner to compare remarks. Before students begin their research, review suitable Web site addresses and share these with students; these should be Web sites of cities or regions in Spain or Latin America.

Teacher Resources

 Activity 52

 Activity 16

Answers

52 1. c; 2. b; 3. d; 4. c

Instructional Notes

52 You might want to review the following words with students before they listen to the audio: *provechoso*, beneficial/useful; *equivocado*, wrong; *pesadilla*, nightmare; *supuestamente*, supposedly; *tapado*, covered; *de golpe*, suddenly; *crisparse los nervios mutuamente*, to get on each other's nerves; *placentera*, pleasant; *por culpa de*, because of.

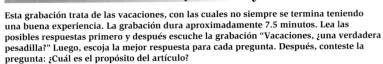

¡A escuchar!

52 Vacaciones: ¿una verdadera pesadilla?

Esta grabación trata de las vacaciones, con las cuales no siempre se termina teniendo una buena experiencia. La grabación dura aproximadamente 7.5 minutos. Lea las posibles respuestas primero y después escuche la grabación "Vacaciones, ¿una verdadera pesadilla?" Luego, escoja la mejor respuesta para cada pregunta. Después, conteste la pregunta: ¿Cuál es el propósito del artículo?

1. ¿Qué parece ocurrir entre las familias durante la época de vacaciones?

    a. Salen a visitar a familiares.
    b. Toman su descanso con armonía.
    c. Desaparece el bienestar y todo se complica.
    d. En ocasiones el tiempo o el hotel puede ocasionar imprevistos.

2. ¿Qué se recomienda antes de viajar de vacaciones?

    a. Planearlo todo previamente para evitar imprevistos.
    b. No crear falsas ilusiones para evitar sentirse frustrado con el mundo real.
    c. Evitar viajar con niños porque se ponen insoportables.
    d. Asegurarse de que el tráfico, el hospedaje y el tiempo serán favorables.

3. ¿Por qué surge el deterioro de la pareja durante las vacaciones?

    a. Porque cada uno tiene una idea diferente de las vacaciones y distintos gustos por las actividades que quieren realizar
    b. Porque no existe comunicación entre ambos y en ocasiones no hablan más de 20 minutos al día
    c. Porque la pareja no está preparada para afrontar una convivencia así de intensa
    d. Las respuestas a y c

4. ¿Cuál es la diferencia entre las expectativas masculinas y femeninas?

    a. El hombre valora más el descanso mientras que la mujer prefiere el lujo.
    b. La mujer prefiere este tiempo para realizar algún deporte pero el hombre se inclina por la relajación y el descanso.
    c. La mujer desea tomar el tiempo como descanso y el hombre prefiere realizar otras actividades.
    d. El lujo y la comodidad son más importantes para el hombre; para la mujer, basta con el descanso.

53 Hoteles originales

Esta grabación es sobre hoteles originales como el hotel Jules' Undersea Lodge que está bajo el agua, el hotel Library Hotel que cuenta con una amplia gama de libros en cada habitación, el Hotel Palacio de Sal que está en un salar en Uyuni o el Pippa Pop-ins de Londres, no apto para mayores. La grabación dura aproximadamente 5.5 minutos. Escuche las grabaciones sobre "Hoteles originales" y luego conteste las preguntas. Después piense en una pregunta que sería apropiada para hacerle al director de cada hotel.

Primer hotel
1. ¿Qué se les da a los clientes cuando llegan al hotel?
2. ¿Quién les lleva la comida a las habitaciones?
3. ¿Cómo se entretienen en el hotel?

Segundo hotel
1. ¿Dónde se encuentra este hotel?
2. ¿Qué es especial de este hotel?
3. ¿Quiénes son los dos escritores que se mencionan?
4. Mencione tres temas diferentes de los libros que hay en las habitaciones que uno puede reservar.

Tercer hotel
1. ¿Qué tipo de hotel es?
2. ¿Dónde está ubicado?
3. ¿Qué se hace con el ingrediente que se menciona?
4. ¿A qué se parece el paisaje que rodea el hotel?
5. ¿Cuál es la mejor época del año para ir? ¿Por qué?

Cuarto hotel
1. ¿Dónde se encuentra este hotel?
2. ¿Cuál es el requisito para poder ser un cliente de este hotel?
3. ¿Cómo entretienen a los jóvenes?
4. ¿Cómo se visten para las cenas de gala?
5. ¿Qué hacen con los huéspedes antes de irse a dormir?

54 Participe en una conversación 🎧

Ud. va a participar en una conversación. Primero lea la descripción de la conversación y piense en algunas palabras o expresiones que le serían útiles. Organice sus ideas, haciendo predicciones sobre lo que se le pueda preguntar o comentar. Una descripción de lo que va a escuchar aparece abajo en color. Participe en la conversación grabando las respuestas o escribiéndolas en su cuaderno.

Escena:	Ya están planeando Macarena y Ud. una escapada para el fin de semana.
Macarena:	*(Suena el teléfono.)* Macarena llama por teléfono.
Ud.:	• Conteste.
Macarena:	Le explica por qué ha llamado.
Ud.:	• Dele una excusa.
Macarena:	Sigue la conversación. Le hace una pregunta.
Ud.:	• Conteste su pregunta, sorprendido/a por su sugerencia.
Macarena:	Sigue la conversación. Le hace otras preguntas.
Ud.:	• Háblele sobre sus preferencias para estos tipos de viajes. Explique las razones.
Macarena:	Sigue la conversación y le hace más preguntas.
Ud.:	• Haga un comentario y despídase.

Audioscript Activity 54

Macarena: Hola, ¿qué tal? ¿Qué haces?
[STUDENT RESPONSE]
Macarena: Anda, vente a dar una vuelta con nosotros.
[STUDENT RESPONSE]
Macarena: Ah, vale. Entonces quedamos otro día. Oye, de todas formas te llamaba porque quería saber si has visto el anuncio en el tablón de anuncios. Hay una oferta muy buena para pasar una semana de deportes de aventura en las montañas. ¿Qué te parece?
[STUDENT RESPONSE]
Macarena: Ja, ja. Ya me conoces. Apenas hemos vuelto de nuestras vacaciones y ya estoy pensando en las siguientes. ¿Te importa hacer viajes largos? ¿Qué tipo de medio de transporte prefieres?
[STUDENT RESPONSE]

Macarena: Bueno, la verdad es que ahora estoy pensando en otra posibilidad. Ya que nunca salgo del país. ¿Te animas a hacer un viaje a China? He oído que hay una buena oferta. ¿Te apetece? ¿Qué piensas?
[STUDENT RESPONSE]

Teacher Resources

Answers

53 Primer hotel 1. Una tarjeta para la habitación y un traje de buzo; **2.** Un buzo con un contenedor que se puede meter en el agua; **3.** Pueden ver la televisión o una película en el DVD, pero lo mejor es sentarse junto a la ventana para ver pasar los peces.

Segundo hotel 1. En la famosa avenida Madison de Nueva York; **2.** Ofrece más de 6.000 libros a sus clientes. **3.** Lord Byron y Neruda; **4.** *Any three of the following:* Poesía, botánica, astronomía y cuentos de hadas.

Tercer hotel 1. Es como si fuera un palacio de sal. **2.** En Uyuni (*Tell students that Uyuni is in Bolivia.*); **3.** Todo: las camas, las sillas, las mesas, las paredes y el techo; **4.** El polar (por ser blanco y azul); **5.** La mejor época es de julio a noviembre. Es cuando el salar está seco.

Cuarto hotel 1. En Londres; **2.** Ser menor de doce. **3.** Con juegos, bailes y cenas de gala; **4.** Las niñas de princesas y los niños, de superhéroes; **5.** Les leen un cuento.

Instructional Notes

53 You might want to review the following words with students before they listen to the audio: *traje de buzo,* diver's suit; *comodidad,* comfort; *contenedor sumergible,* submersible container; *presumir,* to boast; *repartido,* distributed; *aderezar,* to season; *pizca,* pinch; *temática,* subject matter; *cuentos de hadas,* fairy tales; *sobrar,* to be left over; *materia prima,* raw material; *disponer de,* to have; *lodo,* mud; *entorno,* environment; *salar,* salt flat; *acudir,* to attend; *despistado,* absentminded; *módico,* modest.

54 Remind students that the speaker they will hear on the audio will provide cues for them to answer or elaborate on. You may choose to have students record their portions of the conversation, or have them write their responses in their notebooks.

Encourage students to use the vocabulary reviewed in the lesson for their conversation with Macarena. You may want students to brainstorm the meanings of some of the common expressions from these conversations. Ask them to start a list and add to it during the school year. Some expressions from this conversation are: *anda,* come on; *dar una vuelta,* take a (short) walk; *apenas,* hardly; *animarse,* to feel like; *apetecerse,* to feel like.

Instructional Notes

55–58 Make sure students go over the expectations outlined in the *Pautas* (Guidelines) on p. 480 of the Ápendice before they prepare any of the writing activities in this section.

59 Tell students that even if they might feel uncomfortable about correcting someone else's paper, it is part of the learning process. They should be prepared to explain why they have made the corrections. If there is disagreement over any such corrections, they need to discuss their reasoning and perhaps consult a grammar reference, or you could be the arbitrator.

Additional Activities

Lea, escriba y páselo
See p. TE27.

Corrija una carta
See p. TE26.

¡A escribir!

55 Texto informal: un correo electrónico

Responda al correo electrónico.

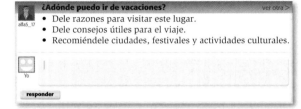

> Oye, me enteré que estuviste de viaje. Me tuve que enterar por tu tía, de casualidad. Ya sabes que me gusta que me cuentes todo. Cuenta, ¿adónde fuiste? ¿Cómo? Cuéntame alguna historia.
> Tu abuela Encarnita

Incluya los siguientes detalles en el mensaje:
- Su destino
- El medio de transporte y cómo le fue
- Una anécdota
- Termine con una pregunta

56 Texto informal: un consejo

Conteste esta pregunta hecha en Internet.

> **¿Adónde puedo ir de vacaciones?**   ver otra >
> alfa5_17
> - Dele razones para visitar este lugar.
> - Dele consejos útiles para el viaje.
> - Recomiéndele ciudades, festivales y actividades culturales.
>
> Yo
>
> **responder**

57 Ensayo: viajar

Escriba un ensayo contestando la pregunta, "¿Por qué es bueno viajar?"

58 Ensayo: ¿Cómo fue su experiencia?

Escriba un ensayo sobre su viaje real o ficticio a un país hispanohablante. Hable de su experiencia cultural.

59 En parejas

Intercambie sus ensayos con los de un/a compañero/a. Exprésele su opinión sobre el contenido y el uso del idioma.

Consejo
Antes de empezar, lea las pautas para escribir textos informales en la pág. 480 del Apéndice. Mientras escribe el texto tenga presente los objetivos. Cuando termine, verifique que ha cumplido con todo lo que se describe en la lista y reflexione sobre su trabajo.

Consejo
Antes de empezar, lea las pautas para escribir ensayos en la pág. 480 del Apéndice. Mientras escribe el ensayo tenga presente los objetivos, y no se olvide de ponerle un título original. Cuando termine, verifique que ha cumplido con todo lo que se describe en la lista y reflexione sobre su trabajo.

¡A hablar!

60 Charlemos en el café

Ud. va a debatir los siguientes temas con un/a compañero/a. Uno estará a favor de lo que se ha dicho y otro en contra. El debate durará varios minutos. El/La estudiante que esté de acuerdo comenzará el debate y hablará por unos dos minutos. Cuando el/la profesor/a lo indique, el/la otro/a estudiante tomará la palabra y expresará su opinión por otros dos minutos, y así sucesivamente.

1. La gente joven sabe viajar mejor que los mayores.
2. La mejor época para viajar es el verano.
3. Los políticos deberían viajar frecuentemente a otros países.
4. El presidente de un país debería hablar al menos un idioma.
5. Es mejor viajar solo que acompañado.

61 ¿Qué opinan?

Converse con un/a compañero/a sobre estas situaciones o preguntas.

1. Hablen sobre las ventajas y desventajas de hacer un viaje con un gran presupuesto o con bajo presupuesto.
2. ¿Cuáles cree que son los dos países hispanohablantes más visitados? ¿A qué se debe?

62 Presentemos en público

Conteste una de las siguientes preguntas o haga una presentación sobre uno de los temas durante varios minutos en clase. Organice sus ideas antes de hacer la presentación, busque las palabras necesarias y, después de practicar, presente en clase sin mirar las notas.

1. ¿Cree que viajar hace que uno aprecie más su país? ¿Por qué?
2. Si pudiera ser embajador/a de Estados Unidos en algún país hispanohablante, ¿adónde le gustaría ir? ¿Por qué?
3. Va a ser un gran experto sobre un país hispanohablante. Presente el país a sus compañeros. Hable de su historia, sistema político, lugares para visitar, fauna, etc., y prepárese para las preguntas que le harán.
4. Explique cómo los viajes o ideas de los exploradores, inventores, escritores, viajeros o historiadores han tenido un impacto en la vida de los demás.

Consejo

Antes de empezar, lea las pautas para presentaciones formales en la pág. 481 del Apéndice. Mientras formula su presentación tenga presente los objetivos. Cuando termine la presentación, verifique que ha cumplido con todo lo que se describe en la lista y reflexione sobre el trabajo que hizo.

Durante la presentación

1. Haga un esfuerzo por sonar natural y mostrar que domina el tema sobre el que está presentando.
2. Durante la presentación recuerde mirar a su audiencia a los ojos (no mire a sus pies, a su PowerPoint o exclusivamente a una persona).
3. Concéntrese en su acento, sobre todo la pronunciación de las letras *t, s, p, d* y *r*, y en su entonación.
4. No termine las frases con entonación ascendente.
5. Demuestre que ha trabajado en su presentación y que la ha practicado, pero no suene como un robot que ha memorizado toda la información.

6. No olvide a su público. Si se gana al público, es posible que se le perdonen algunos de los errores.

Share the rubric for oral presentations with students so they understand how you will be grading them (see below).

Rubric for Oral Presentations

Grade each question from 1–5 (5 being the highest, 1 the lowest).

1. ¿Trató todos los objetivos?
2. ¿Hizo la presentación de forma organizada y coherente?
3. ¿Usó el idioma adecuadamente?
4. ¿Tuvo una buena entonación?
5. ¿Fue una presentación creativa?
6. ¿Consiguió captar la atención del público?

Teacher Resources

 Activity 18

Instructional Notes

60 Because all students will speak, allow them time to prepare this activity. Be sure to tell students which issue and which side of the issue they will be debating, so that they can do some research and practice before their debate.

After students have debated these issues with a partner, you might want them to continue the debate in small groups, or even have a discussion with the whole class on one or two of these topics.

You might want to display the new vocabulary to make sure students incorporate it into their debates.

61 Encourage students to review the vocabulary, including the expressions, at the end of the lesson in order to enhance their discussions. They need to pay attention to the grammar, pronunciation, and intonation, and use appropriate vocabulary to contradict or agree with their partner's comments. After students discuss these questions with a partner, you could hold a whole-class discussion.

62 Have students brainstorm what it takes to be an effective presenter. Then refer them to the *Pautas para presentaciones formales* on p. 481 to compare their ideas with the ones listed. Also write or state the following guidelines (*Antes y durante una presentación*) so they know what is expected of them. Students should copy this information and refer to it before making presentations in later chapters.

Antes de la presentación

1. Debe estar preparado/a; busque la información necesaria.
2. Practique en casa en voz alta.
3. Tome nota del tiempo que dura su presentación.
4. Asegúrese de que usa la gramática adecuada; debe de escribir su presentación, al igual que lo haría con una en su propio idioma.
5. Busque las palabras que necesite usar en un diccionario (no pregunte estas palabras a su profesor/a en medio de la presentación y no use inglés).
6. Asegúrese de que tiene una introducción y una conclusión (no se apresure en terminar).
7. Para hacer la presentación más interesante, siempre es bueno incluir una pequeña historia o anécdota.

Instructional Notes

Give students the following questions before they start the project. These questions will help them understand what is expected of them, and can also guide them in organizing their time and goals more effectively. After they complete their project, they should self-assess their work as a team using the grading system 1–5 (5 being the highest, and 1 the lowest) and write a grade next to each question. After they turn in their work or make their presentation to the class, you will review their project and write your comments and evaluation next to theirs.

Rubric for Projects

1. ¿Tratamos todos los objetivos del proyecto?
2. ¿Se buscó la información debidamente?
3. ¿Fue presentado de forma ordenada y coherente?
4. ¿Cómo presentó cada uno su parte?
5. ¿Cómo fue presentado visualmente?
6. ¿Conseguimos conectar con la audiencia?
7. ¿Hubo algo creativo y original?
8. ¿Cómo fue el uso de la gramática y la ortografía en la parte escrita del proyecto?
9. ¿Cómo fue el uso del vocabulario?
10. ¿Usamos estructuras adecuadas?
11. ¿Cómo fue nuestra entonación?
12. ¿Cómo fue nuestra pronunciación?
13. ¿Cómo presentamos la idea a la audiencia?
14. ¿Cómo conectamos con la audiencia?

Proyectos

63 ¡Manos a la obra!

Trabaje en un grupo de cuatro o cinco estudiantes para llevar a cabo uno de los siguientes proyectos y presentarlo en clase.

1. El ayuntamiento de tu ciudad ha decidido mejorar la imagen de tu ciudad para impulsar el turismo. Va a haber un concurso para decidir a qué compañía le darán el proyecto. Su objetivo es convencer al representante del área de turismo de que su compañía es la mejor para llevar a cabo el proyecto.
   a. Piensen en el nombre de su compañía.
   b. Hablen sobre la experiencia que tiene en este campo y los trabajos anteriores que hicieron.
   c. Presenten los problemas que hay en su ciudad.
   d. Propongan ideas para mejorar la imagen de su ciudad.

2. Les han encargado que trabajen en la sección de viajes del periódico local y les han pedido que escriban sobre un país hispano. Les han dado dos hojas del periódico para hacerlo. Decidan el país y los diferentes temas; por ejemplo, la historia, el ocio, los lugares de interés, y los formatos: la publicidad, las cartas al director, las tiras cómicas. Luego elaboren los artículos.

3. Presenten un país del mundo hispano a la clase. Hablen de su historia, situación geográfica, sistema de gobierno, gastronomía, tradiciones y turismo.

4. Hagan un anuncio para promover el uso del transporte público en su ciudad. Decidan si va a ser un anuncio gráfico, de radio o de televisión.

5. Inventen un producto que haga que los viajes sean más placenteros. Preséntenselo a sus posibles compradores/compañeros. Puede ser un producto realmente interesante o absurdo. En cualquier caso, deben pensar en una buena estrategia para convencer al público.

Vocabulario

Verbos

abrocharse	to fasten
albergar	to house
apetecer	to feel like
arrancar	to pull up/out, start
arrugar(se)	to wrinkle
ascender (ie)	to raise
asegurar	to ensure
caber	to fit
colgar (ue)	to hang (up)
convencer	to convince
desafiar	to challenge
discurrir	to go by (time, life)
encabezar	to lead, head
golpear	to hit
guiar	to guide
influir	to influence, have influence
intentar	to try
lanzar	to throw
lograr	to achieve, obtain
padecer	to suffer
perseguir (i)	to pursue
pretender	to expect, to try
provocar	to cause
rebajar	to lower
recoger	to pick up
recorrer	to travel, go through
reñir (i)	to quarrel
soler (ue)	to be in the habit of
surgir	to come up
volar (ue)	to fly
volver(se) (ue)	to go back, to become

Verbos con preposición

verbo + a:

atreverse a	to dare to
conducir a	to drive to
llegar a	to arrive at
regresar a	to return to

verbo + con:

abrigarse con	to keep warm with
quedar con	to arrange to meet with

verbo + de:

acabar de + infinitivo	to have just finished doing something
alejarse de	to move away from
datar de	to date from
disfrutar (de)	to enjoy (doing something)
marcharse de	to go away from
regresar de	to return from

verbo + en:

alojarse en	to stay in
quedar en + infinitivo	to agree to do something
sentarse (ie) en	to sit down in/on

verbo + por:

conducir por	to drive by
pasar por	to go by

Sustantivos

el	alojamiento	accommodations
el/la	anfitrión/anfitriona	host, hostess
la	arena	sand
el	atasco	bottleneck
el	aterrizaje	landing
la	belleza	beauty
la	bienvenida	welcome
la	calefacción	heat
la	caminata	long walk
el	cariño	affection; *in direct speech:* darling
la	cifra	figure
el	cinturón	seatbelt, belt
la	despedida	good-bye
el	despegue	takeoff
el	destino	destination
el/la	dueño/a	owner
la	edificación	building
el	entorno	environment, surroundings
la	época	period
el	equipaje	luggage
el	guión	script
la	herramienta	tool
el	hogar	home
el	horario	schedule
la	lentitud	slowness
la	llegada	arrival
la	muchedumbre	crowd
la	niebla	fog
la	nube	cloud
la	orilla	shore, riverbank
el	paisaje	landscape, scenery
el	paraíso	paradise
el/la	pariente/a	relative, family member
el	percance	mishap

Teacher Resources

 Activities 19–24

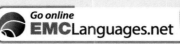
Go online
EMCLanguages.net

Additional Activities

Juegos

To practice and reinforce the lesson's vocabulary, have students play any of the following games: *Relevos*, *Cada uno una*, and *Cadena de palabras*. See pp. TE24 and TE25.

Juegos

To practice the culture topics presented in the lesson, ask students to play *¿Verdadero o falso?* or *¿Quién quiere ser millonario?* See p. TE25.

To review the lesson's vocabulary, have students do *El desafío del minuto* or *Vocabulario*. See pp. TE27 and TE29.

la	**piedra**	stone
el/la	**portavoz**	spokesperson
la	**profundidad**	depth
el	**promedio**	average
el	**relato**	tale, story
el	**reto**	challenge
el	**rostro**	face
la	**sabiduría**	wisdom
el	**salón**	living room
el	**sello**	stamp
la	**soledad**	loneliness; solitude
el	**sosiego**	serenity, peace
el	**tablón de anuncios**	bulletin board
la	**temporada**	season
el	**tercio**	(one) third
el	**toque**	touch
el/la	**viajero/a**	traveler
la	**vista**	view
la	**viuda**	widow

Adjetivos

adinerado, -a	rich
apasionado, -a	enthusiastic
asombroso, -a	amazing, astonishing
aventurero, -a	adventurous
desafiante	challenging
desnivelado, -a	uneven
dispuesto, -a	willing
entusiasmado, -a	excited
espantoso, -a	horrible
estrecho, -a	narrow
estupendo, -a	wonderful
forzado, -a	forced
inolvidable	unforgettable
lujoso, -a	luxurious
mareado, -a	dizzy, seasick
masificado, -a	overcrowded
nocturno, -a	night, nocturnal
peligroso, -a	dangerous
poblado, -a	populated
profundo, -a	deep
rebajado, -a	reduced
reciente	recent
rodeado, -a	surrounded
sencillo, -a	simple

silvestre	wild
último, -a	last

Adverbios

a menudo	often
demasiado	too, too much
lógicamente	logically
rara vez	rarely, not usually
temprano	early

Expresiones

a las afueras de	in the outskirts of
a lo largo de	along, through
(acomodarse) a sus anchas	(to make oneself) at home
con retraso	delayed
dar la bienvenida	to welcome
dar pánico	to get scared by smthg
dar saltos	to jump
de primeras, en principio	at first
estar al alcance de	to be reachable, obtainable
estar al tanto de	to be up-to-date
estar dispuesto a	to be willing to
(la) falta de	(the) lack of
hacer cola	to wait in line
(la) hora de vuelo	flight time
lo primero que	the first (thing) that
muchas gracias de antemano	to thank beforehand
no perder de ojo/vista	not to lose sight of
para todos los gustos	for all tastes
¡Qué va!	No way!
(la) reserva de plaza	reservation
(el) siguiente paso	(the) next step
tener falta de sueño	to be deprived of sleep
tener mala cara	to look bad/sick
tres cuartos de	three quarters of

A tener en cuenta

Formación de sustantivos

Algunos nombres se forman con el participio de un verbo:
comer, la comida; entrar, la entrada
ir, la ida; llegar, la llegada
mirar, la mirada; salir, la salida
volver, la vuelta

Sustantivos femeninos:
-dad: la ciudad, la soledad
-ión: la excursión, la impresión
-tad: la dificultad, la facultad
-umbre: la costumbre, la muchedumbre
las islas: las Baleares, las Malvinas
las letras del abecedario: la *a*, la *b*, la *c*, la *d*,...

Sustantivos masculinos:
-aje: el equipaje, el pasaje
-án: el holgazán, el huracán
los colores: el azul, el gris, el morado
los números: el uno, el veintitrés
los días y meses: el lunes, el último octubre
los árboles: el manzano, el naranjo
los lagos, océanos, ríos, mares y montañas: el Amazonas, los Andes, el Everest
algunos que terminan en -*ma*: el clima, el dilema, el idioma
nombres compuestos: el abrelatas, el paraguas, el rascacielos

Teacher Resources

See ExamView for assessment options.

You might want to ask students to review the grammar objectives, including the *"Tapitas" gramaticales.* Ask them to define the terms mentioned.

Find out what the students know about the culture topics of this lesson by asking: *¿Cuáles son las ventajas de ser bilingüe? ¿Qué significa ser bicultural? ¿Cuáles son algunos aspectos positivos de la inmigración? ¿Y los negativos? ¿Qué costumbres o tradiciones conocen de los países hispanohablantes? ¿Cómo se parecen o se diferencian de las costumbres o tradiciones de este país? ¿Qué pueden decir de Cochabamba, Bolivia, o de Bolivia en general? ¿Cuáles son algunos grupos indígenas de las Américas? ¿Qué saben de los problemas con los que se enfrentan? ¿Podría nombrar algunas lenguas de estos grupos indígenas? ¿Cuáles son?*

Engage students in a discussion on the Hispanic influence in the United States. Ask them how the photos on this page reflect this influence. (The top photo shows an Ecuadorian grocery store in Jackson Heights, New York; the middle image is of parade-goers celebrating Puerto Rican Day in New York City; and the bottom image is part of an ad campaign to encourage voter registration among Hispanics in Texas.) You might ask: *¿Por qué serán tan populares las tiendas étnicas? ¿Qué celebraciones hispanas conocen Uds. en los Estados Unidos? ¿Qué impacto tiene el voto latino en su ciudad/estado?*

Lección
B

Objetivos

Comunicación
- Hablar de la inmigración
- Explorar las tribulaciones y el impacto del turismo
- Discutir el bilingüismo y el biculturalismo
- Hablar de las tradiciones

Gramática
- El pretérito y el imperfecto del indicativo

"Tapitas" gramaticales
- el género de los sustantivos
- el sufijo *-ísimo*
- palabras negativas
- verbos reflexivos
- apócopes: *algún/alguno; cualquier/cualquiera*
- algunos usos del subjuntivo
- verbos como *gustar*
- usos de *e, al, la mayoría de* y *todos los*

Cultura
- La inmigración
- Tradiciones y costumbres
- Cochabamba (Bolivia)
- Los indígenas y sus lenguas

Go online
EMCLanguages.net

Nota cultural

El aprendizaje de un segundo idioma no es un concepto nuevo. Los romanos aprendían griego, y más tarde el latín fue el segundo idioma de la gente educada en Europa. Hoy en día se hablan unos 500 idiomas en Latinoamérica; muchos hablan un idioma diferente en casa, y reciben la educación en las escuelas en español y portugués. En África hay al menos 1.000 lenguas (siendo el swahili, inglés y francés las oficiales, dependiendo de la zona), y en India se hablan alrededor de 150. En los países de la antigua Unión Soviética se hablan al menos 50 lenguas, y en Suiza y España hay cuatro lenguas oficiales.

A finales del siglo XIX y a principios del XX era bastante común en Estados Unidos enseñar varios idiomas en las escuelas, siendo el alemán el más común. Con el estallido de la Primera Guerra Mundial hubo un gran rechazo del aprendizaje de otras lenguas, sobre todo el alemán, hasta tal punto que más de 20 estados aprobaron una ley en contra de la enseñanza de idiomas extranjeros.

Durante los años 50 la enseñanza de idiomas empezó a ponerse de moda otra vez, entre otros motivos por la Segunda Guerra Mundial. Se desarrolló un método fundamentalmente oral, para ser usado por los soldados en sus destinos. Luego muchos profesores adoptaron este método en sus clases.

Para empezar

1 Conteste las preguntas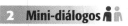

Piense en las respuestas a las siguientes preguntas. Ud. puede tomar notas si lo considera necesario. Cuando termine, compare sus respuestas —pero sin mirar sus notas— con las de un/a compañero/a.

La Tomatina

1. Explique la diferencia entre "viajar por placer" y "viajar por obligación".
2. Nombre diferentes situaciones en las que las personas se ven obligadas a viajar.
3. ¿Qué piensa de la inmigración? ¿Por qué son necesarios los inmigrantes para un país?
4. ¿Hay muchos inmigrantes en la zona donde vive? ¿De dónde viene la mayoría de ellos?
5. ¿Cree que es fácil para los hijos de los inmigrantes adaptarse al nuevo país? ¿Por qué?
6. ¿Qué piensa que ocurre con la cultura y tradiciones cuando una persona se muda a otro país?
7. ¿Es fácil adaptarse a otras culturas? ¿Por qué? ¿Ha tenido Ud. problemas para comunicarse con gente que habla otro idioma?
8. ¿Cree que las personas saben apreciar otras culturas y costumbres cuando viajan? ¿A qué se debe?
9. ¿Piensa que el turismo puede afectar a la gente de un país o región? ¿De qué manera?
10. ¿Qué tradiciones de otros países conoce?

2 Mini-diálogos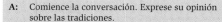

Ud. va a crear un mini-diálogo con un/a compañero/a. Lea la descripción de la conversación antes de empezar. Puede tomar notas para organizar sus ideas, pero no las mire mientras conversa.

Escena: En la parada del metro dos amigos/as ven a una persona con una extraña vestimenta, típica de su país, y comienzan una conversación sobre las tradiciones.

A: Comience la conversación. Exprese su opinión sobre las tradiciones.

B: Hágale preguntas sobre sus comentarios. Pregúntele su opinión al respecto.

A: Exprese su opinión. Pregúntele sobre su tradición preferida.

B: Contéstele. Hable sobre algo que es tradicional en su familia.

A: Reaccione a su comentario. Hable sobre algo que es tradicional en su familia.

B: Reaccione a su comentario. Háblele de una tradición en un país hispanohablante.

A: Reaccione a su comentario. Háblele de otra tradición en un país hispanohablante.

B: Despídase cordialmente.

A: Despídase cordialmente.

Cita

La tradición no se hereda, se conquista.
—André Malraux (1901–1976), novelista y político francés

 ¿Está Ud. de acuerdo con lo que dice? ¿Por qué? ¿Qué tradiciones sigue su familia? Comparta su opinión con un/a compañero/a.

¡Dato curioso!

La tomatina es una tradición en España. Se celebra en Buñol, un pueblo de Valencia. Todos los años la semana de celebraciones en honor a su santo termina con la gran batalla final, en la que los participantes se tiran más de 90.000 libras de tomates. Por la mañana, las casas y tiendas se preparan. Se cubren con plásticos mientras que empiezan a llegar los numerosos camiones cargados de tomates.

Lección 1B   33

Answers

1 Answers will vary.

2 Dialogues will vary.

Instructional Notes

2 After students complete this activity with their partners, invite some to share their dialogues with the rest of the class. Afterwards, you might have students participate in a class discussion of different customs and traditions in the Spanish-speaking world and compare and contrast them with celebrations in the USA.

Ask students the following questions about the photo: *¿Han oído hablar de esta fiesta? ¿Dónde se celebra? ¿En qué consiste? ¿Estarían interesados en participar? ¿Qué piensan que hacen los habitantes de este pueblo para proteger sus casas?*

Notas culturales

La Tomatina se celebra en Buñol, Valencia. Cuentan que la fiesta comenzó en los años 40 cuando un grupo de amigos comenzó una batalla entre ellos con tomates y terminaron incluyendo a muchos más del pueblo. Como fue tan divertida decidieron volver a repetirla. Ahora, antes de la batalla colocan grandes hojas de plástico en los edificios para protegerlos, y luego limpian todo muy bien con mucha agua. Los participantes consideran esta fiesta una "amistosa batalla" en la cual suelen participar unos 40.000 "guerrilleros" y más de 110 toneladas de tomates maduros.

3 Talk to students about the effectiveness of learning words in context, rather than in isolation, since they will be asked to use these new words in exercises in later chapters. Also encourage them to think about the grammar in context. Ask students to create a similar exercise to this one, in which they should use short paragraphs and underline new words in one color, and grammar points in another, and cite the rules of grammar.

Answers

4 *Ejemplos:*

de otra forma: de otra manera; para arriba y para abajo: constantemente (viajando); sin embargo: no obstante; no era oro todo lo que relucía: aunque pareciera algo bueno, no siempre lo era; por otro lado: por otra parte; estaba muerto de cansancio: estaba destrozado, cansadísimo; en cuanto llegaba: tan pronto como llegaba; solía madrugar: normalmente me despertaba muy temprano; gozar de: disfrutar de; apenas: casi no; mujer: esposa, señora casada; conseguí: logré algo (implica un esfuerzo); bastante: mucho; me despidió: me echó del trabajo; a menudo: muchas veces; al igual que: de la misma manera/forma que; noticias: medio de información en la televisión, noticiero; al mismo tiempo: a la vez; en cuanto: tan pronto como; nos hacía gracia: nos hacía reír, nos resultaba divertido; en el fondo: en realidad; parientes: familiares; tenían miedo de ser: temían; asentíamos: decíamos que sí; por desgracia: lamentablemente, desgraciadamente

5 **1.** *Pedro Ruiz:* acepté, pensé, pude, conseguí, gané, tuve, conseguí, oyó, despidió, sorprendí, abracé, pensó; *Isabel Segundo:* explicaron, se vinieron, nacimos, dijimos, quisieron, dejaron, sospeché, pasaron; conseguimos; fallecieron; **2.** subí, subiste, subió, subimos, subisteis, subieron; fui, fuiste, fue, fuimos, fuisteis, fueron; di, diste, dio, dimos, disteis, dieron; me despedí, te despediste, se despidió, nos despedimos, os despedisteis, se despidieron; **3.** supe, supo; anduve, anduvo; quise, quiso; vine, vino; produje, produjo; cupe, cupo; traduje, tradujo; obtuve, obtuvo; **4.** hube, hubiste, hubo, hubimos, hubisteis, hubieron; **5.** me equivoqué, nos equivocamos (*to be wrong*); tragué, tragamos (*to swallow*); saqué, sacamos (*to pull out*); marqué, marcamos (*to dial, mark*); me ahogué, nos ahogamos (*to drown*); alcancé, alcanzamos (*to reach*); colgué, colgamos *(to hang up)*; aterricé, aterrizamos (*to land*); **6.** huiste, huyó; concluiste, concluyó; te caíste, se cayó; **7.** advertí, advertiste, advirtió, advertimos, advertisteis, advirtieron; seguí, seguiste, siguió, seguimos, seguisteis, siguieron; conseguí, conseguiste, consiguió, conseguimos, conseguisteis, consiguieron; reí, reíste, rió, reímos, reísteis, rieron

---

Vocabulario y gramática en contexto

3 Un foro 👤👥 📖

Túrnese con un/a compañero/a para leer los comentarios que dos personas han escrito en un foro sobre sus diferentes experiencias en otros países. Fíjese en las palabras que aparecen en azul (relacionadas con el vocabulario) y en rojo (relacionadas con la gramática), ya que en las siguientes actividades se le harán preguntas sobre ellas.

Mi trabajo

👤 **Pedro Ruíz**

Cuando acepté el trabajo pensé que todo iba a ser de otra forma. No es que no me interesara lo que hacía, el problema era que siempre estaba con mi maleta para arriba y para abajo. Algunos colegas tenían celos de mí porque pensaban que tenía la oportunidad de ver sitios nuevos e ir a hoteles lujosos. Sin embargo no era oro todo lo que relucía. De
5 las ciudades a las que iba sólo veía el aeropuerto, a mi taxista y la sala de reuniones. Por otro lado nunca disfrutaba de los hoteles ya que estaba muerto de cansancio y sólo quería dormir en cuanto llegaba de mis reuniones de negocios, y al día siguiente solía madrugar. Lo peor de todo es que no pude gozar de mi familia durante esos años, pues apenas la veía. Eso sí, mi mujer estaba contentísima porque conseguí muchas millas para volar a
10 Florida con la familia. Aunque gané bastante dinero y tuve mucho éxito profesional, no conseguí acostumbrarme a este estilo de vida. Cuando mi jefe oyó lo desgraciado que era me despidió al instante. Sorprendí a mi jefe cuando lo abracé unas cien veces. Estoy seguro de que nunca pensó que un empleado reaccionaría así al recibir este tipo de noticia.

Nuestra tierra

👤 **Isabel Segundo**

Nunca me explicaron muy bien mis padres por qué se vinieron a vivir aquí pero sé que a menudo se acordaban de su tierra. Siempre me decían que preferían no hablar del tema y cambiaban de conversación inmediatamente, al igual que hacían cuando veían a un político platicar en las noticias. "Tonterías" —decían los dos al mismo tiempo en
5 cuanto los oían. A mi hermana y a mí nos hacía gracia y siempre nos mirábamos y nos reíamos. Las dos nacimos acá, pero somos de allá según nuestros padres. Aunque nunca les dijimos nada, en el fondo nos resultaba difícil sentirnos de algún sitio que nunca habíamos visto. Mis padres siempre quisieron llevarnos un día a "nuestra tierra" —como ellos la solían llamar. Siempre lo decían, aunque nunca lo hacían. "Un día iremos todos
10 juntos" —gritaban emocionados cuando durante la sobremesa nos contaban anécdotas de los parientes que dejaron allá. Pero creo que en el fondo tenían miedo de ser extranjeros en su propia tierra, de que ya no se sintieran de ningún país. Nosotros siempre asentíamos y les decíamos "¡Claro que sí!, un día vamos todos". Por desgracia, tal y como siempre sospeché, los años pasaron y no conseguimos ir a "nuestra tierra" como ellos la llamaban.
15 Quizás ese día nunca llegue. Mis padres fallecieron y ya no sería lo mismo.

4 Amplíe su vocabulario

Defina en español o escriba un sinónimo o expresión similar para cada una de las palabras o expresiones que aparecen en azul en las lecturas anteriores.

5 El pretérito 👥 🔍

Trabaje con un/a compañero/a y conteste estas preguntas basadas en, o relacionadas con, los textos de la Actividad 3.

1. ¿Qué verbos del texto están en pretérito?
2. Conjuguen los verbos *subir, ir, dar* y *despedirse* en pretérito.
3. Escriban el pretérito de estos verbos en la primera y tercera persona singular: *saber, andar, querer, venir, producir, caber, traducir, obtener.*
4. ¿Cuál es el pretérito de *haber*?
5. Escriban el pretérito de estos verbos en la primera persona del singular y plural, y escriban su significado: *equivocarse, tragar, sacar, marcar, ahogarse, alcanzar, colgar, aterrizar.*
6. ¿Cuál es el pretérito de la segunda y tercera persona del singular de *huir, concluir* y *caerse*?
7. ¿Cuál es el pretérito de los siguientes verbos: *advertir, seguir, conseguir, reír*?

6 "Tapitas" gramaticales 🔍

Conteste estas preguntas basadas en las lecturas de la Actividad 3.

1. Explique por qué usamos las siguientes palabras en el género indicado: *el problema, la oportunidad, el taxista, unas cien veces, ese tema, un día.* Piense en otros ejemplos para cada caso y escriba dos ejemplos de cada uno.
2. ¿Por qué se usa la palabra *e* en la frase "ver sitios nuevos e ir a hoteles lujosos"? Piense en otros ejemplos que ilustren la regla.
3. Explique *contentísima.* Piense en la regla, incluyendo las formas irregulares. No se olvide de ilustrar su explicación con ejemplos.
4. Explique *aunque gané.* ¿De qué tiempo verbal se trata? ¿Podemos decir *aunque gane?* Explique su respuesta.
5. Explique el uso de las palabras negativas en *nunca les dijimos nada.* ¿Por qué usamos *nada* y no *algo*? Haga una lista de las palabras negativas al lado de su correspondiente afirmativa. Escriba las reglas.
6. ¿Son verbos reflexivos *mirar* y *reír*? Explique *nos mirábamos* y *nos reíamos.* Ilustre la explicación con otros ejemplos.
7. Explique por qué se utiliza *algún* en la frase *de algún sitio.* ¿Cuándo se utilizan *alguno* y *algunos*?
8. ¿De qué tiempo verbal se trata en la oración "Quizás ese día nunca llegue"? Explique por qué se usa en este contexto. *Llegue* es también la conjugación para otro tiempo verbal. ¿De cuál se trata?

7 ¿Qué opina? ✒

Reaccione a lo que cada persona ha escrito en el foro y hágale un comentario por escrito a cada uno. Incluya palabras del vocabulario nuevo que aparecen en azul y algunas "tapitas" gramaticales de la Actividad 6.

8 En mi opinión... ✒

Ud. es auxiliar de vuelo. Escriba su opinión en un foro de trabajo.

- Hable de las razones por las que Ud. eligió este trabajo.
- Cuente algo que le pasó en uno de sus viajes.
- Diga si se lo recomendaría a otra persona. Explique su respuesta.

6. Con los pronombres reflexivos, sí; aunque el primero generalmente es recíproco. *Nos mirábamos* puede significar *we looked at ourselves* (reflexivo) o *we looked at each other/one another* (recíproco); nos reíamos (*we laughed*) es reflexivo. Otros ejemplos: me siento (reflexivo: *I sit down*); El camarero nos sentó cerca de la ventana (transitivo: *The waiter seated us near the window.*). El pobre siempre se hablaba a sí mismo. (reflexivo: *The poor man was always talking to himself.*) Hace tiempo que no nos hablamos. (recíproco: *It's been a while since we've spoken.*) **7.** Se usa la forma apócope (*algún*) delante de un sustantivo masculino singular. Se usa *alguno* sola (como pronombre) y *algunos* delante de un sustantivo masculino plural. Ejemplos: No conozco ningún restaurante por aquí. ¿Conoces alguno? Sí, conozco algunos restaurantes colombianos muy buenos. (*Nota:* Cuando se usa *alguno* después del sustantivo en redacciones formales, tiene el significado enfático de *ningún*: Estas reglas no tienen sentido alguno. *These rules have no sense whatsoever.*) **8.** Es el presente del subjuntivo. Se usa con *quizás* para expresar duda. También es mandato formal.

7–8 Answers will vary.

Teacher Resources

📝 Activities 1–2

Answers

6 **1.** *El problema* es una palabra masculina porque es de origen griego; el sufijo *-dad* indica una palabra femenina; *el* o *la taxista* depende del género de la persona; *unas* concuerda con *veces* y *cien* se usa delante de sustantivos; *tema* es otra palabra de origen griego y es masculina; *día* es una palabra masculina. Ejemplos: el clima, el crucigrama, el dilema, el diploma; la autoridad, la capacidad, la popularidad, la universidad; el/la estudiante, el/la intérprete, el/la joven, el/la mártir; el guardarropa, el mapa, el planeta, el yoga; **2.** Usamos *e* cuando la palabra que sigue comienza con *i* o *hi* y cuando ésta tiene el sonido *e.* No se usa cuando estas palabras comienzan con el sonido *y*; por ejemplo: carbón *y* hierro, pero: padre *e* hijo, María *e* Isabel, Raúl *e* Ignacio, ermitas *e* iglesias. **3.** Es el superlativo absoluto. Se quita la letra final y se añade el sufijo *-ísimo* (*-ísima, -ísimos, -ísimas*). Algunas formas irregulares incluyen: simpatiquísimo, riquísimo, felicísimo, vaguísimo, amabilísimo, jovencísimo, antiquísimo, cursilísimo, lejísimo, facilísimo. **4.** El pretérito; sí, aunque cambia completamente el significado; aunque gané = *although I won*; aunque gane = *although I win (will win, might win)* e implica incertidumbre porque indica lo que va a pasar en el futuro. **5.** Porque se usa el doble negativo en español.

Positivo	Negativo
sí	no
alguien	nadie
alguno/a/os/as	ninguno/a/os/as
algún	ningún
algo	nada
siempre	nunca, jamás (*extremo*)
otra vez	nunca más
también	tampoco
y también	ni tampoco, ni siquiera (*extremo*)
con	sin
o... o	ni... ni
todavía	ya no

Algunas reglas son:
no + verbo + palabra negativa (No viajo nunca.)
palabra negativa + verbo (Nunca/Jamás viajo.)
palabra negativa + verbo + *si no* (Nadie quiere ir si no voy.)
You might want to explain that *nada* also means "not at all" (*No soy nada viajera.*) and show a comparison using the word *nunca*: *Te quiero más que nunca.*

Activity 3

Answers

10 *Ejemplos:*
1. retos: desafíos; **2.** comienzos: orígenes, principio de algo; **3.** resultaba: era; **4.** ocasiones: momentos o circunstancias en las que ocurre un hecho; **5.** largas: extensas; **6.** vestimentas: ropa; **7.** de arriba abajo: completamente; **8.** tatuajes: dibujos permanentes en la piel; **9.** estaban faltos de sueño: necesitaban dormir más; **10.** un par de: dos; **11.** por lo que: así que; **12.** antojos: deseos muy grandes y temporales de algo

11 *Pretérito:* expresa acciones realizadas y terminadas en el pasado sin tener relación con el presente.
Imperfecto: expresa acciones pasadas sin precisar el principio ni el final de dicha acción. Las oraciones variarán.

12 **1.** *Importar* es un verbo como *gustar;* es especial porque se usan sólo las formas de la tercera persona singular y plural, más un pronombre del objeto indirecto. Otros verbos que siguen esta regla son: *aburrir, agradar, apetecer, bastar, convenir, doler, encantar, faltar, fascinar, fastidiar, hacer falta, interesar, molestar, parecer, preocupar, quedar, sobrar, sorprender, tocar.* **2.** *Al contar = As they had counted (on),* al verlos = *upon/on seeing them;* no; **3.** no; **4.** mensualmente; anualmente; **5.** *Cualquiera* es un pronombre (y es lo que hace falta aquí) y *cualquier* es un adjetivo. (**Nota:** Cuando *cualquiera* le sigue a un sustantivo, significa *any at all* o *any old*: Deme un bolígrafo cualquiera. = *Give me any [old] pen.*); **6.** Usamos el doble negativo en español.

Instructional Notes

10 Ask students to work in pairs to complete this activity until they feel more confident doing it alone.

Additional Activities

Comunicación
Have students look at the list of verbs that are similar to *gustar* on p. 58 and ask them to write a sentence with each one. When they finish, they should share their sentences with a partner or the entire class. Encourage them to come up with humorous sentences to "break the ice" and use their acting skills to make it more entertaining. For example: *Me molesta cuando prestas un lápiz y te lo devuelven mordido.*

Comunicación
Find out what really bothers or delights students by asking individuals: *¿Qué le molesta o fastidia? ¿Qué le encanta o fascina?* They should give examples. Then, in small groups they should make a list of what they like and what bothers them and share it with the rest of the class.

---

9 Una gira

Lea con atención el siguiente artículo, prestando atención a las palabras en azul y rojo, ya que se le harán preguntas sobre ellas. Después, resuma lo que leyó en una frase.

De gira

El grupo tuvo sus retos en sus comienzos. Aunque eran jóvenes y no les importaba viajar, no siempre resultaba fácil. Al contar con bajo presupuesto, cada viaje era siempre una pequeña aventura. En
5 la mayoría de las ocasiones viajaban largas horas en autobuses públicos, compartiendo asientos con otras personas que al verlos con esas vestimentas, los examinaban de arriba abajo desaprobando su ropa y tatuajes. Siempre estaban faltos de sueño
10 antes de un concierto, tuvieron un par de accidentes leves e innumerables incidentes. Debían pasar 24 horas al día juntos durante estas largas giras por lo que terminaban con una pelea prácticamente diaria, como nos relata con una sonrisa uno de ellos. No
15 obstante, según cuentan, esos viajes, todas esas horas juntos, les aseguró una amistad para toda la vida. Con tres Grammys ganados, es un grupo que sigue prefiriendo viajar en autobús por mucho que ganen. Eso sí, ya no van como antes pues ni
20 toman transporte público ni comparten la misma habitación. Ahora van siempre en tres autobuses privados cualquiera que sea su destino, decorados como los más lujosos hoteles de cinco estrellas y con todas las comodidades imaginables como un
25 jacuzzi, sala de masajes y otros pequeños antojos que los ricos y famosos se pueden permitir.

---

10 Amplíe su vocabulario

Defina las palabras o expresiones que aparecen en azul, o escriba un sinónimo o expresión similar para cada una.

11 El pretérito y el imperfecto

¿Cuándo usamos cada tiempo? Escriba una oración para cada situación en la que se use el pretérito o el imperfecto.

12 "Tapitas" gramaticales

Conteste las siguientes preguntas relacionadas con el artículo anterior.

1. Explique qué es especial del verbo *importar*. Escriba una lista de otros ocho verbos que siguen la misma regla.
2. ¿Cuál es la diferencia entre *al contar* y *al verlos*? ¿Significa *al* lo mismo en las dos frases?
3. ¿Se puede usar *la mayoría de* en masculino?
4. *Diario* significa "todos los días". ¿Cómo cree que se dice "todos los meses"? ¿Y "todos los años"?
5. ¿Por qué decimos *cualquiera que sea* y no *cualquier que sea*? ¿Qué diferencia hay entre las dos palabras?
6. ¿Por qué usamos *ni...ni* y no *o...o* después de la expresión *ya no*?

13 Conexiones

¿Qué personas famosas estudió en sus clases de arte o historia que tuvieron que viajar por motivos de trabajo? Haga una lista y explique brevemente por qué tuvieron que hacerlo.

14 ¿Por qué dejó su trabajo?

Responda al correo electrónico.

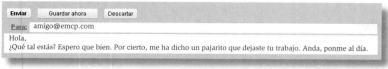

| Enviar | Guardar ahora | Descartar |

Para: amigo@emcp.com

Hola,
¿Qué tal estás? Espero que bien. Por cierto, me ha dicho un pajarito que dejaste tu trabajo. Anda, ponme al día.

- Explíquele en qué consistía su trabajo.
- Cuéntele por qué tenía que viajar tanto.
- Comparta alguna anécdota.

Cita

El mundo es un libro, y los que no viajan leen solamente una página.
—San Agustín (354–439), obispo, filósofo y Padre de la Iglesia Latina

 ¿Está de acuerdo con lo que dice? ¿Por qué? Hable sobre sus experiencias o las de alguien conocido con un/a compañero/a.

¡Dato curioso! Uno de los medios de transporte más populares en Argentina es el "colectivo". Aunque hay más de cien líneas diferentes de autobuses en Buenos Aires, cada una tiene un color distinto según la línea que sea. Otro tipo de autobús —aunque más caro— es el "diferencial", donde ofrecen aperitivos y bebidas, y puede hasta tener asientos reclinables y aseo.

Baggage and way out
Equipajes y salida

Gates
Puertas H16 and/y H18

Gates
Puertas H22 to/a H37 J K R S

Nota cultural

En el período precolombino, los incas usaban un sistema de caminos muy básico, pero eficiente, y que se extendía por más de 20.000 millas. A pie o en llamas, iban personas y mercancías por su imperio. También construyeron numerosos puentes de cuerdas que unían montañas; esto fue un gran logro arquitectónico. Los europeos tuvieron una gran influencia en el medio de transporte usado cuando llegaron a Latinoamérica. El transporte por agua se convirtió en uno de los preferidos, ya que era el mejor para transportar mercancías. También fue introducido el transporte a caballo, mula y sobre ruedas que hasta entonces no existía. En 1928 se decidió construir una carretera que uniera los territorios desde Alaska a Tierra de Fuego.

Answers

14 Emails will vary.

Instructional Notes

14 You may want to practice vocabulary related to professions. Brainstorm different professions with the class and ask students to identify those that require a lot of travel. Students should add these words to their vocabulary lists that they have been building during the year.

Additional Activities

Viaje cultural
Ask students to prepare an interesting cultural trip to a Spanish-speaking country. They should create a brochure or make an oral presentation (with photos and in PowerPoint, if possible) and focus on a tradition or celebration in the country chosen. They will be experts on this tradition or celebration and will answer their classmates' questions. They might even include giving an estimate of how much such a trip would cost, where travelers could stay, and what other points of interest are in the area.

Answers   15

16 1. aspiraban; 2. los beneficios; 3. el cruce; 4. decepción; 5. el desarrollo; 6. descendió; 7. encabeza / encabezó; 8. impulsiva; 9. ingreso; 10. móvil; 11. protegidas;

Instructional Notes

15 The word *separatista* can also be used as a noun. *Protegido* ("protected") is another adjective for the word family *proteger*.

Additional Activities

Juego
Ask students to play *Voluntario, derecha e izquierda.* See p. TE25.

Composición
Ask students to write a paragraph or two using as many of the words from the table as they can. They should underline each of these words, identify the part of speech, and be ready to say how many words from the table they used in the paragraph.

Familia de palabras
See p. TE27.

El desafío del minuto
See p. TE27.

Verbos
aspirar *to aspire*
beneficiar *to benefit*
cruzar *to cross*
decepcionar *to deceive*
desarrollar *to develop*
descender *to descend, fall*
encabezar *to lead, head*
impulsar *to promote, stimulate*
ingresar *to come in, enter*
mover *to move*
proteger *to protect*
separar *to separate*
sorprender *to surprise*
transportar *to transport; to take*
vivir *to live*

Sustantivos
la aspiración *aspiration, ambition*
el beneficio *benefit*
el cruce *crossing*
la decepción *disappointment*
el desarrollo *development*
el descenso *fall*
el encabezamiento, el encabezado *heading*
el impulso *impulse, stimulus*
el ingreso *entry, admission*
el movimiento *movement*
la protección *protection*
la separación *separation*
la sorpresa *surprise*
el transporte / la transportación *transportation*
la vida *life*

Adjetivos
X
beneficioso *useful, beneficial*
cruzado *crossed*
decepcionante, decepcionado *deceptive*
desarrollado *developed*
descendente *descending*
X
impulsivo *impulsive*
X
móvil, movible *mobile, movable*
protectivo *protective*
separado, separatista *separated, separatist*
sorprendente *surprising*
transportable *transportable*
vivo *alive*

Idioma

15 Familia de palabras

Complete la tabla con el verbo, sustantivo o adjetivo apropiado y la traducción correspondiente.

Verbos		Sustantivos		Adjetivos	
aspirar	to aspire	_____	aspiration, ambition	X	
beneficiar	_____	_____	benefit	_____	useful, beneficial
_____	to cross	_____	crossing	cruzado	crossed
decepcionar	_____			decepcionante, decepcionado	
desarrollar	_____	_____	development	_____	developed
_____	to descend, fall	el descenso	fall	descendente	descending
_____	to lead, head	el encabezamiento, el encabezado	heading	X	
impulsar	to promote, stimulate	_____	impulse, stimulus	impulsivo	impulsive
ingresar	to come in, enter	_____	entry, admission	X	
mover	_____	el movimiento	_____	_____ ,	mobile, movable
_____	to protect	_____	protection	movible	protective
_____	to separate	_____	separation	separado, separatista	separated, separatist
sorprender	_____			_____	surprising
transportar	to transport; to take	_____	transportation	transportable	_____
vivir	_____	_____	life		alive

16 ¿Verbo, sustantivo o adjetivo?

Complete las oraciones usando la forma correcta de las palabras que aparecen en la tabla, ya sea verbo, sustantivo o adjetivo. En el caso del sustantivo puede que necesite artículo. Siga el modelo.

> **MODELO** Desgraciadamente, el gobierno no se preocupa de ___ (*vivir*) digna de ese grupo étnico.
> _la vida_

1. Manifestó ante la multitud que admiraba el valor de quienes dejaban sus países porque ___ (*aspirar*) a una vida mejor.
2. La compañía aérea está actualmente promocionando ___ (*beneficiar*) de tener una tarjeta de fidelidad con ellos.
3. Parece ser que hubo un accidente grave en ___ (*cruzarse*) que hay por aquí cerca.
4. La nueva cadena hotelera de origen alemán ha despertado reacciones que van desde la ilusión hasta la completa ___ (*decepcionar*). Compruébelo visitando el foro de clientes.
5. La mayoría de los sociólogos que he tenido ocasión de conocer, defienden la importancia de los inmigrantes en ___ (*desarrollar*) de la parte norte del país.
6. Según los últimos estudios, hace unos años ___ (*descender*) el número de estudiantes que viaja con esa agencia de viajes.
7. Puerto Vallarta ___ (*encabezar*) la lista de los principales destinos en la costa de México.
8. No le dieron el trabajo a Juan como auxiliar de vuelo por considerarlo una persona demasiado ___ (*impulsar*) y con gran dificultad para controlar sus emociones.
9. No olvide de leer las condiciones de ___ (*ingresar*) para ciudadanos con nacionalidad puertorriqueña.
10. Gracias a la tecnología, especialmente al uso del teléfono ___ (*mover*), la distancia y el tiempo dejaron de ser un problema en su profesión.
11. En esta zona existían numerosas áreas ___ (*proteger*) pero ha costado mucho que sean respetadas tanto por los gobiernos, como por la misma población.

12. Hace poco leí en la prensa sobre un juicio muy famoso en el que una aerolínea hizo que una madre de nacionalidad argentina viajara ___ (*separar*) de su hijo de diecinueve meses. ¡No me lo puedo creer!
13. Es ___ (*sorprender*) que esa línea aérea no haya aumentado las tarifas.
14. Van a tener que hacer algo con el problema del ___ (*transportar*) en esta ciudad. Hoy he tardado una hora y media en llegar.
15. Después de nuestro viaje a Brasil, ya pude apreciar cómo ___ (*vivir*) los indígenas de ese país.

17 Un viaje peligroso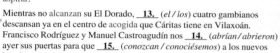

Lea el artículo y complete los espacios con la palabra adecuada. Después conteste las siguientes preguntas:

- ¿Cuál es el propósito del artículo?
- ¿Cómo resumiría el artículo en una frase?
- Si quisiera consultar otra fuente, ¿podría pensar en un posible título de una publicación?
- ¿Qué pregunta sería apropiada para hacerle al autor después de leer el artículo?

Con el miedo al mar en el cuerpo

Ellos tuvieron suerte, otros no __1.__ (*pueden / puedan*) contarlo. Sambú, Sirifo, Jerry y Ansu lo tienen claro: no __2.__ (*vuelvan / volverían*) a cruzar el Atlántico en patera. La experiencia __3.__ (*fue / era*) tan dura que les ha dejado huella. Pero ahora no piensan en __4.__ (*vuelven / volver*). De
⁵momento __5.__ (*conseguían / han conseguido*) llegar a España y ya __6.__ (*duermen / duerman*) y __7.__ (*coman / comen*) caliente. Ahora les __8.__ (*queda / quedan*) por delante la difícil tarea de conseguir un trabajo. En principio todos miran al otro extremo del país, hacia Girona y Barcelona donde __9.__ (*residen / residan*) sus familiares y amigos y donde tienen
¹⁰más posibilidades de conseguir un empleo. Será en condiciones de miseria pero, en __10.__ (*ellas / sus*) circunstancias, sin papeles y con __11.__ (*un / una*) orden de expulsión a la espalda, a poco más __12.__ (*pueden / puedan*) aspirar.

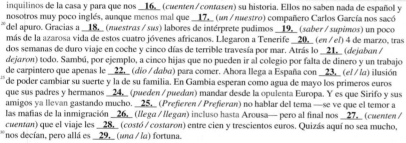

Mientras no alcanzan su El Dorado, __13.__ (*el / los*) cuatro gambianos
¹⁵descansan ya en el centro de acogida que Cáritas tiene en Vilaxoán. Francisco Rodríguez y Manuel Castroagudín nos __14.__ (*abrían / abrieron*) ayer sus puertas para que __15.__ (*conozcan / conociésemos*) a los nuevos inquilinos de la casa y para que nos __16.__ (*cuenten / contasen*) su historia. Ellos no saben nada de español y nosotros muy poco inglés, aunque menos mal que __17.__ (*un / nuestro*) compañero Carlos García nos sacó
²⁰del apuro. Gracias a __18.__ (*nuestras / sus*) labores de intérprete pudimos __19.__ (*saber / supimos*) un poco más de la azarosa vida de estos cuatro jóvenes africanos. Llegaron a Tenerife __20.__ (*en / el*) 4 de marzo, tras dos semanas de duro viaje en coche y cinco días de terrible travesía por mar. Atrás lo __21.__ (*dejaban / dejaron*) todo. Sambú, por ejemplo, a cinco hijas que no pueden ir al colegio por falta de dinero y un trabajo de carpintero que apenas le __22.__ (*dio / daba*) para comer. Ahora llega a España con __23.__ (*el / la*) ilusión
²⁵de poder cambiar su suerte y la de su familia. En Gambia esperan como agua de mayo los primeros euros que sus padres y hermanos __24.__ (*pueden / puedan*) mandar desde la opulenta Europa. Y es que Sirifo y sus amigos ya llevan gastando mucho. __25.__ (*Prefieren / Prefieran*) no hablar del tema —se ve que el temor a las mafias de la inmigración __26.__ (*llega / llegan*) incluso hasta Arousa— pero al final nos __27.__ (*cuenten / cuentan*) que el viaje les __28.__ (*costó / costaron*) entre cien y trescientos euros. Quizás aquí no sea mucho,
³⁰nos decían, pero allá es __29.__ (*una / la*) fortuna.

De momento, Sambú y __30.__ (*su / sus*) compañeros pasarán unos días en la casa de San Cibrán, compartiendo vida con otras personas sin hogar entre los __31.__ (*quienes / cuales*) hay, también, inmigrantes como ellos. Franklin y Sadu ya llevan una temporadita allí, de modo que __32.__ (*puedan / podrán*) enseñarles cómo funciona el centro. Cáritas da comida, ropa, cobijo y cariño pero también tiene un fantástico
³⁵invernadero y una hermosa huerta en la que __33.__ (*hay / haya*) mucho por hacer. Lo próximo que toca es plantar patatas, así que no sería raro ver a Jerry y Ansu con el *sacho* en la mano.

www.lavozdegalicia.es

Lección 1B   **39**

Answers

16 12. separada; 13. sorprendente; 14. transporte; 15. viven

17 1. pueden; 2. volverían; 3. fue; 4. volver; 5. han conseguido; 6. duermen; 7. comen; 8. queda; 9. residen; 10. sus; 11. una; 12. pueden; 13. los; 14. abrieron; 15. conociésemos; 16. contasen; 17. nuestro; 18. sus; 19. saber; 20. el; 21. dejaron; 22. daba; 23. la; 24. puedan; 25. Prefieren; 26. llega; 27. cuentan; 28. costó; 29. una; 30. sus; 31. cuales; 32. podrán; 33. hay

Instructional Notes

17 This article deals with the dilemma of many Africans who risk their lives every day coming to Spain on flimsy open motorboats known as *pateras*. These *pateras* are packed beyond capacity mostly by young men, many of whom perish during the trip. The Canary Islands (Tenerife is the largest of the seven islands that make up this archipelago) are a logical destination for these people, since they are off the western coast of Africa. Many of these illegal immigrants are turned away and returned to their countries of origin. Others, like those described in this article, are able to go on to cities and towns throughout Spain, often to be reunited with family members. Vilaxoán and Arousa, mentioned here, are two cities in Galicia; they are in the far western end of Spain, while Girona and Barcelona are in the far eastern part. The men in the article are from Gambia, a very small and poor African nation that borders with Senegal and the Atlantic; Gambia's official language is English.

You might want to explain that Cáritas, mentioned in the article, is part of an international charitable organization. The Spanish chapter was founded in 1947 and among its objectives is "*la ayuda a la promoción humana y al desarrollo integral de la dignidad de todas las personas que se encuentran en situación de precariedad.*" Ask students to name other charitable organizations they know.

Note that euros are mentioned; the exchange rate is approximately 1 euro = US$1.50, so these dangerous trips on the Atlantic cost between US$150 and US$450.

Encourage students to add more words to their vocabulary by choosing some that they would like to learn, and that are related to the topic of the reading. They could do this with a partner and then share these words with the rest of the class. All students could then add this vocabulary to their lists.

Ask students the meaning of *sacar de un apuro* ("to get [someone] out of a jam") and to use it in a sentence (lines 19–20 in the reading).

Investigue palabras clave: inmigración (en España), patera (cayuco), Gambia

18 ¿Qué significa?

Elija la mejor definición de cada palabra o expresión entre las dos opciones dadas.

1. tenerlo claro
   a. tener duda   b. no tener duda

2. dejar huella
   a. dejar olor   b. dejar una marca

3. quedar por delante
   a. quedar todavía, no haberse terminado algo   b. queda en la parte de enfrente

4. conseguir
   a. lograr   b. seguir, continuar

5. residir
   a. vivir   b. resumir

6. aspirar
   a. tratar de   b. respirar aire

7. alcanzar
   a. conseguir   b. comprender

8. acogida
   a. bienvenida   b. despedida

9. inquilino
   a. cliente que alquila   b. persona que alquila su casa

10. menos mal
    a. gracias a Dios   b. hay menos cosas malas

11. azaroso
    a. bonito   b. difícil

12. opulento
    a. que pertenece al Opus Dei   b. rico, lujoso

13. ya llevar
    a. hace tiempo que, por ahora   b. usar algo, llevar ropa

14. incluso hasta
    a. hasta   b. ingresado

15. compartir
    a. dar la mitad   b. dar una parte de algo

16. temporadita
    a. período de tiempo   b. época

17. de modo que
    a. así que   b. mientras que

18. funcionar
    a. trabajar   b. ir bien, hacer su función

19. cobijo
    a. lugar para protegerse   b. lugar donde cocinar

20. raro
    a. único   b. extraño

19 En sus propias palabras

Haga un resumen oral o por escrito de lo que acaba de leer.

20 Los inmigrantes

Échele una ojeada al artículo que sigue para ver de qué se trata, prestando atención a las palabras en azul. Decida qué forma de las palabras entre paréntesis es la correcta y escríbala. No se olvide de escribir y acentuar las palabras correctamente.

Nuestra buena gente

Hablar sobre los inmigrantes es oscilar entre dos extremos

Los manifiestos públicos sobre los extranjeros que han **1.** (*llegar*) a vivir en este país **2.** (*ir*) de un lado a otro: o se **3.** (*hacer*) discursos grandiosos y casi siempre muy generales indicando lo beneficiosos que **4.** (*ser*) para esta sociedad, o se **5.** (*el*) denigra indicando **6.** (*el*) que roban, **7.** (*el*) que quitan, **8.** (*el*) que consumen en servicios públicos.

Pero cada día, en **9.** (*este*) ciudad (y en muchas otras), **10.** (*mil*) de inmigrantes trabajan. Y no **11.** (*el*) hacen sólo en el campo, en la fábrica, en el restaurante o en **12.** (*el*) esquina. También **13.** (*ser*) maestros, científicos, artistas, escritores, religiosos, periodistas y **14.** (*tanto*) otras profesiones que no **15.** (*pertenecer*) a **16.** (*ninguno*) grupo o raza en particular.

www.laopinion.com

21 ¿Cuál no está relacionada?

Mire las palabras a continuación. De cada grupo de cuatro, escoja la que no esté relacionada con la palabra del artículo anterior.

1. oscilar
   a. variar   b. oponer
   c. fluctuar   d. vacilar
2. extranjero
   a. nacional   b. ajeno
   c. extraño   d. remoto
3. beneficioso
   a. provechoso   b. útil
   c. costoso   d. benéfico
4. denigrar
   a. difamar   b. desacreditar
   c. denotar   d. calumniar
5. pertenecer
   a. ser de   b. corresponder
   c. ser aceptado d. provocar
6. ninguno en particular
   a. todos   b. ni uno solo
   c. ningunos   d. nadie

22 Lea, escuche y escriba/presente

Vuelva a leer el texto completo de "Nuestra buena gente". Luego escuche la grabación "Inmigrantes y mercado laboral" y tome las notas necesarias. Escriba un ensayo o haga una presentación en clase desde el punto de vista de un inmigrante, y sugiera algunas soluciones para el problema de la falta de trabajo en su país. Puede consultar otras fuentes, pero cite todas debidamente.

Refrán

Más vale lo malo conocido, que lo bueno por conocer.

 ¿Está de acuerdo con este refrán? ¿Piensa que se puede aplicar a la vida de un inmigrante? ¿Cree que puede aplicarlo a otros contextos que no estén relacionados con viajar? Dé ejemplos y compártalos con un/a compañero/a.

¡Dato curioso!

Es tradición arrojarle arroz a los novios. Esto comenzó en una época de escasez, cuando se lo tiraba a los jóvenes para desearles que tuvieran suficiente alimento y prosperidad. En Babilonia y Mesopotamia echaban dulces a los esposos frente a la puerta de su nuevo hogar, para compartir con ellos lo dulce y lo bueno que puede ofrecer la vida en pareja.

 ### Compare

¿Cómo celebran las bodas en donde vive? ¿Ha oído hablar de otras tradiciones populares en las bodas en otros lugares o países?

Lección 1B   **41**

Nota cultural

Una costumbre bastante común entre las novias de muchos países es que la novia lleve algo nuevo, viejo, prestado y azul. Lo nuevo simboliza la nueva vida que se le presenta a la pareja; lo viejo, las tradiciones y la familia; lo prestado, la amistad; y lo azul, fidelidad. Luego cada país tiene sus costumbres específicas. En El Salvador es tradición regalarle a la novia una muñeca con un traje igual al que llevará en la boda. Otra costumbre es el baile del dólar, en el que los amigos del novio le dan un dólar a la novia para bailar con ella. Al final, ella termina con más dinero ahorrado para su boda.

Teacher Resources

 Activity 22

Answers

21 1. b; 2. a; 3. c; 4. c; 5. d; 6. a

Instructional Notes

22 To help students comprehend the material on the recording, and before they start listening to it, you may want to tell them that they will hear the following words in the selection, all of which are recognizable cognates: *población, excluye, complementarios, expirar, proceso legal*.

You may wish to have them write down any other cognates they hear on the audio; for example: *beneficia, consumidores, posición económica internacional, negativamente, oportunidades, nativa, segmentos, receptor, ilegales, autorizados, típicamente, se concentran, abandonados, local, legal, se caracterizan, significan*.

You might want to review the following words before students listen to the audio: *sostener*, to maintain; *inversor*, investor; *mezcla*, mixture; *involucrar*, to involve; *violar*, to violate.

Before students write their essays, remind them to take a look at the *Pautas* on p. 480.

Ask students if they can think of an English-language equivalent for the saying in the *Refrán* ("Better the devil you know than the devil you don't") or to create one with a similar meaning in Spanish.

Additional Activities

Trabajo de investigación
For homework, ask students to look for information about wedding or courtship customs and traditions in some Spanish-speaking countries. The next day, have them share this information with the rest of the class. You might want to have them compare and contrast these traditions with those in the USA.

23 Un turista

Lea el artículo y complete los espacios con la palabra adecuada. Después conteste las siguientes preguntas:

- ¿Cómo resumiría el artículo en una frase?
- ¿Qué pregunta sería apropiada para hacerle al autor después de leer el artículo?

Tribulaciones de un turista en Shangai

En __1.__ (a / un) reciente viaje organizado a China, viví muchas anécdotas por culpa de las diferencias __2.__ (de la / del) idioma. En __3.__ (las / los) calles de Shangai, muchos letreros no __4.__ (son / están)
⁵ escritos en inglés sino en un ininteligible mandarín. Era verano y hacía mucho calor de bochorno. Me __5.__ (entró / tuve) sed y le dije al guía que me separaba un momento del grupo __6.__ (por / para) entrar en una tienda a comprar una botella de
¹⁰ agua. "¿Necesita ayuda?", dijo amablemente el encargado de la agencia de viajes. "No __7.__ (hace / es) falta, ya llevo un diccionario", indiqué. Entré en la tiendecilla y pedí agua al venerable anciano que estaba sentado en el mostrador junto
¹⁵ a unos nietos. "Shuǐ", pronuncié muy despacio __8.__ (al / mientras) leía la palabra en el diccionario. El hombre sonrió, se metió en un rincón y volvió con unas frutas. "Shuǐ gŭo", contestó con una sonrisa. __9.__ (Tuve / Puse) cara de decepción y
²⁰ repetí "Shuǐ".
El viejo y los nietos asintieron y rebuscaron en unas estanterías. Pero __10.__ (trajo / volvió) con unas gafas de sol. "Shuǐ", insistí __11.__ (en / con) una sonrisa cortés. Desesperado, abrí el frigorífico
²⁵ y tomé una botella de agua mineral. "Shuǐ", aclaré mientras la ponía en el mostrador.
__12.__ (Un / El) dependiente y los niños mostraron

una cara __13.__ (de / con) sorpresa y luego se __14.__ (les / los) iluminó el rostro. No paraban __15.__ (x /
³⁰ de) reír y de repetir "Shuǐ".
__16.__ (Con / Sin) entender nada, puse un billete grande en su mano y, tras hacer una reverencia, me marché con mi botella. __17.__ (El / La) guía me explicó que gafas, fruta o agua __18.__ (se / los)
³⁵ pronuncian parecido pues sólo varía el acento, que puede ser ascendente, descendente o plano. __19.__ (Solo / Sólo) un nativo es capaz de apreciar la diferencia. __20.__ (Todas / Todos) los días se aprende algo nuevo.
⁴⁰ www.europamochila.es

24 ¿Cuál no pertenece?

Mire las palabras a continuación. De cada grupo de cuatro, escoja la que no esté relacionada con la palabra de la lectura.

1. reciente
   a. ayer
   b. esta mañana
   c. hace años
   d. hace poco

2. por culpa de
   a. por error
   b. en nombre de
   c. debido a
   d. culpable

3. letrero
   a. licenciado
   b. cartas
   c. anuncio
   d. cartel

4. ininteligible
   a. poco claro
   b. muy inteligente
   c. difícil de comprender
   d. sin mucho sentido

5. mostrador
   a. que molesta
   b. mueble para servir
   c. que muestra
   d. mesa

6. rincón
   a. lugar
   b. esquina
   c. ritmo
   d. sitio

7. cortés
   a. bien educado
   b. amable
   c. agradable
   d. antipático

8. desesperado
   a. muy molesto
   b. disgustado
   c. sin esperanza
   d. muy feliz

9. billete
   a. libro
   b. moneda
   c. dinero (en papel)
   d. en efectivo

25 Lea, escuche y escriba/presente

Vuelva a leer el texto completo de "Tribulaciones de un turista en Shangai" y luego escuche la grabación "El bilingüismo le da seguridad". Tome notas de las dos fuentes y escriba un ensayo o haga una presentación en clase sobre "Los desafíos de viajar a un país donde no hablen su idioma". No se olvide de citar las fuentes debidamente.

26 Las tradiciones

Lea el artículo y complete los espacios con la palabra adecuada. Después conteste las siguientes preguntas:

- ¿Cómo resumiría el artículo en una frase?
- ¿Qué pregunta sería apropiada para hacerle al autor después de leer el artículo?

Las uvas de la suerte

1. (*Hay / Haya*) muchas tradiciones **2.** (*que / cuales*) se han llevado a cabo en un país o región durante años, pero hay **3.** (*ninguna / algunas*) que son más recientes de **4.** (*el / lo*) que creemos o que han tenido un origen muy
5 diferente **5.** (*a / al*) que nos imaginábamos. Es el caso de las uvas de fin de año, que se ha convertido en una de las tradiciones más esperadas en España. Me contaron que **6.** (*el / x*) origen en este caso no fue ni cultural ni religioso, **7.** (*sino / si no*) que fue más bien económico. A
10 **8.** (*principio / principios*) del siglo XIX los productores de uvas no sabían qué hacer con un excedente que tuvieron ese año. Un grupo de empresarios **9.** (*tuvo / tenía*) una original idea, creando **10.** (*un / una*) tradición que se continúa desde entonces. Hoy en día todos celebran esta costumbre, que consiste **11.** (*en / sobre*)
15 tomarse estas doce uvas al son de las campanadas para **12.** (*tenga / tener*) buena suerte el resto del año. Yo me río **13.** (*de / a*) estas cosas, y más ahora que me he enterado **14.** (*de / x*) cómo surgió. No obstante cumplo con la tradición ya que tampoco me atrevo **15.** (*a / x*) no tomar las uvas. Por lo tanto todos los años, en Noche Vieja, una a una me **16.** (*los / las*) tomo todas bien calladita... por si acaso. ¿Y **17.** (*si / sí*) fuera verdad?

27 Lea, escuche y escriba/presente

Vuelva a leer el texto completo de "Las uvas de la suerte" y luego escuche la grabación "El luto en diferentes países". Tome notas de las dos fuentes y escriba un ensayo o haga una presentación en clase sobre "El origen de las tradiciones". No se olvide de citar las fuentes debidamente.

Dato curioso
En muchos países latinos la Navidad es una gran celebración; es cuando las familias se reúnen y siguen muchas de las tradiciones. En Venezuela por ejemplo encontramos en estas fechas las parrandas, las paraduras del niño, las patinatas, los aguinaldos, el pesebre, las gaitas, las misas de aguinaldos, la mesa navideña, las danzas de los pastores o el velorio del niño Jesús, El día de los Santos inocentes, el día de Los locos y locaínas, los Reyes Magos, el año nuevo y el año viejo, entre otras.

Cita

Si rechazas las costumbres, tienes miedo de la religión, evitas hablar a la gente y nunca pruebas la comida, mejor quedarte en casa.
—James Michener (1907–1997), escritor estadounidense

¿Por qué piensa que pudo haber hecho este comentario? Comparta su opinión con un/a compañero/a.

Compare

¿Qué tradiciones conoce en su país o en otros para celebrar el último día del año?

Teacher Resources

🎧 Activity 25
Activity 27

Answers

26 1. Hay; 2. que; 3. algunas; 4. lo; 5. al; 6. el; 7. sino; 8. principios; 9. tuvo; 10. una; 11. en; 12. tener; 13. de; 14. de; 15. a; 16. las; 17. si

Instructional Notes

25 Some of the cognates students will hear on the audio are: *conexión, accidental, subsecretario, preparación, personal, principal, acceder, interpretación, comandante, analizado, lingüistas, cladestinos.* You might want to highlight *idiomas clave* (key languages), and point out that *clave* is a noun used as an adjective here and, as such, is singular.

You might also want to review the following words before students listen to the audio: *orador*, speaker; *cifra*, number; *disfrazar*, to disguise; *argelino*, Algerian; *clave*, key.

27 Before students listen to the audio, make sure they understand the meaning of the word *luto* ("mourning").

You might also want to review the following words before students listen to the audio: *defunción*, death; *parentesco*, relationship; *inquietar*, to disturb; *con certeza*, for certain; *alma*, soul; *suspiro*, breath; *impedir*, to avoid; *semejante*, similar; *atuendo*, attire; *blanquear*, to whiten; *barro*, mud.

Additional Activities

Trabajo de investigación
For homework, have students use the Internet to research some other holiday traditions in Spanish-speaking countries and be prepared to give a brief presentation in class.

Proyecto
Students should choose a traditional celebration — including New Year's Eve— in any country, region, or city of the world and prepare an official poster to publicize and promote it. Have the class vote for the most original poster.

Notas culturales

Hace veinte años y más, era muy común que las personas (sobre todo las mujeres) se vistieran de negro por la muerte de un familiar y que llevaran ropa negra durante años. Había mujeres que estaban de luto durante décadas (debido a la muerte de diferentes familiares). Esta costumbre del luto se está perdiendo.

Según la tradición de los indígenas zapotecas, cuando una persona fallece emprende un viaje largo y duro. En esta jornada cruza montañas, desiertos y ríos; por lo tanto, en su ataúd se suele incluir comida y otros objetos que le serán útiles para llegar a su destino.

Investigue palabras clave:
luto (costumbres de), zapotecas

Teacher Resources

Activities 6–14

Instructional Notes

28 Encourage a whole-class discussion on these questions.

29 Because some students may have seen the movie *Spanglish*, you could ask them to explain the plot. Otherwise tell them that the movie deals with a Mexican mother and daughter and their relationship and vicissitudes when they leave Mexico for the United States. It is a comedy full of cultural references. You could ask students to describe what they think would be the major obstacles in adjusting to a new country and language.

There isn't a Spanish-language version available in the USA, but many parts of the film are in Spanish. You might be able to buy or order the movie from abroad in Spanish, or you could also show some scenes where Spanish is spoken.

¡A leer!

28 Antes de leer

¿Su familia siempre ha vivido donde vive ahora? ¿Se ha mudado en alguna ocasión? ¿De dónde? ¿Cuáles son los motivos por los que una familia se muda a otro lugar o a otro estado? Cuando alguien se muda, ¿qué cree que es lo que suele hacer para adaptarse mejor? ¿Le gustaría vivir en otro lugar? ¿Adónde se iría a vivir? ¿Qué haría para adaptarse mejor a la nueva situación? ¿Cree que le costaría hacerlo? ¿Por qué?

29 Una carta

Lea con atención la siguiente carta que es parte del guión de la película *Spanglish*. Después conteste la siguiente pregunta: ¿Cuál es el propósito del artículo?

> Para el Decano de Admisiones.
> Universidad de Princeton
>
> **La persona más influyente: mi mamá. Sin comparación.**
>
> Creo que he estado preparándome para esta redacción desde hace... doce años, en México, el día en que mi papá se fue.
>
> Tanta era la necesidad de mi mamá de protegerme, que no me dejaba verla llorar. El truco consistía en superarlo cuanto antes y lo más a solas posible. Tanta era mi
> 5 necesidad de protegerla a ella, que yo siempre fingía que no la oía.
>
> Mi mamá me retuvo en México todo el tiempo que pudo para arraigarme en todo lo latino hasta que por fin vio llegar nuestra última oportunidad para cambiar.
>
> Nos iríamos a Estados Unidos. "No más de una lágrima. No más de una... una... pero bien 'llorá'".
>
> 10 Ella sería mi México. Como esta solicitud de admisión es un documento público diré simplemente que nuestro viaje a los Estados Unidos lo hicimos en... tercera clase.
>
> Para poder educarme debidamente mi mamá necesitaba toda la seguridad posible de su propia cultura. Así que pasamos de largo Texas, con sólo el 34% de hispanos, camino de Los Ángeles, con el 48% de hispanos.
>
> 15 Unos pocos minutos perdidas en un ambiente extranjero y a la vuelta de la esquina, volvíamos a estar en casa.
>
> La prima favorita de mi mamá, Mónica, nos dio cobijo. En los seis años siguientes ninguna de nosotras se aventuró al exterior de nuestra nueva comunidad. Mamá hacía dos trabajos, cobrando un total de 450 dólares a la semana. Y las dos
> 20 hacíamos todo lo posible para que las cosas funcionasen. Estábamos contentas y bien. Ojalá hubiera tenido siempre seis años... pero yo estaba floreciendo y... quedó claro que tendría que dejar su trabajo nocturno para tenerme vigilada.
>
> A los pocos días se dirigía a una entrevista de trabajo. Necesitaba 450 dólares de un sólo empleo y eso significaba que después de estar tanto tiempo en Estados
> 25 Unidos, por fin entraba en una tierra extranjera.
>
> Cristina Moreno

30 ¿Cuál es la palabra?

Mire las palabras de la primera columna, que aparecen en la lectura anterior, y busque su traducción en la segunda columna.

1. decano		a.	to pretend
2. influyente		b.	application
3. redacción		c.	to charge
4. dejar ver		d.	own
5. consistir en		e.	to pass through
6. cuanto antes		f.	dean
7. fingir		g.	everything possible
8. arraigarse		h.	interview
9. solicitud		i.	as soon as possible
10. propio		j.	influential
11. pasar de largo		k.	to consist of
12. cobrar		l.	written piece
13. todo lo posible		m.	to take root
14. entrevista		n.	to allow to see

31 ¿Ha comprendido?

1. ¿Qué edad tiene Cristina Moreno?
2. ¿Por qué sentía la madre de Cristina Moreno la necesidad de protegerla?
3. ¿Cómo cree Ud. que llegaron a Estados Unidos?
4. ¿Cómo encontraron la seguridad que iban buscando en Estados Unidos? ¿Por qué era tan esencial para su madre?
5. ¿Cuánto tiempo se quedaron con Mónica?
6. Explique el significado de la última oración: "...eso significaba que después de estar tanto tiempo en Estados Unidos, por fin entraba en una tierra extranjera".
7. En esta carta que escribe para el decano hay muchas connotaciones culturales. Nómbrelas.
8. ¿Qué empleo piensa Ud. que termina consiguiendo la madre de Cristina? ¿Qué otras posibilidades hay para un extranjero que no sepa hablar inglés muy bien?

32 Lea, escuche y escriba/presente

Vuelva a leer el guión de la película *Spanglish* y luego escuche la grabación "Entre dos mundos". Tome notas de las dos fuentes y escriba un ensayo o haga una presentación en clase sobre el siguiente tema: "Viviendo entre dos culturas". No se olvide de citar las fuentes debidamente.

33 Antes de leer

Cochabamba está en Bolivia. Mire la siguiente información y haga predicciones. Diga si la siguiente información es verdadera o falsa.

1. Cochabamba está en un valle rodeado de montañas de los Andes.
2. El clima es muy duro durante todo el año. Se le llama "La ciudad de la eterna primavera".
3. Cochabamba está en Colombia. Se llama así porque está en <u>Co</u>lombia y bailan mucha <u>samba</u>.
4. Cochabamba tiene una estatua del Cristo de la concordia que es mayor que la famosa estatua de Brasil.

🎧 Activity 32

Answers

30 1. f; 2. j; 3. l; 4. n; 5. k; 6. i; 7. a; 8. m; 9. b; 10. d; 11. e; 12. c; 13. g; 14. h

31 *Ejemplos:*
1. Unos 18 años; **2.** Porque estaban solas (Cristina no habla de su padre); para su madre, Cristina era su vida. **3.** Probablemente ilegalmente; **4.** Siempre se quedaban en lugares con un alto porcentaje de hispanos; así, conservaba sus raíces mexicanas. **5.** Seis años; **6.** Por fin aceptó la idea de integrarse al país. **7.** El deseo de la madre de no querer dejarle a su hija verla llorar; el deseo de arraigar a su hija en todo lo latino; vivir con una parienta (Mónica) al llegar a los Estados Unidos; el deseo de vivir entre hispanos en los Estados Unidos; el sentido de protección que sentía la madre hacia Cristina a medida que ésta iba creciendo. **8.** Quizá en una fábrica; trabajar en lugares donde hay otros hispanos que la ayuden a entender el idioma.

33 1. verdadera; 2. falsa; 3. falsa; 4 verdadera

Instructional Notes

32 Students will hear the expression *muy padre* on the audio. Explain that this is a common expression in Mexico that means "great" or "wonderful"; *padrísimo* is a variation.

You might want to review these other words with students before they listen to the audio: *cancha*, field; *inquieto*, restless; *inscribir*, to inscribe; *en la actualidad*, at present; *relato*, tale; *torneo*, tournament; *a patadas*, by kicking; *convocar*, to call on; *asegurar*, to assure; *encuentro*, meet/match; *enfrentar a*, to play against; *apoyo*, support; *brindar*, to offer.

Remind students to go over the *Pautas* on p. 480 before they start writing their essays.

Additional Activities

Composición
After students complete Activity 31, have them write a letter pretending they are Flor, Cristina's mother. In it, Flor explains to her sister back in Mexico how they came to the States, and how Cristina finally got into Princeton.

Additional Activities

Comunicación

After students have read the article on tourism in Cochabamba, have them work in pairs and make a list of the factors that impact tourism in a given area. They might mention places of interest, monuments, museums, climate, price, political situation, crime, easy access, etc.

34 Cochabamba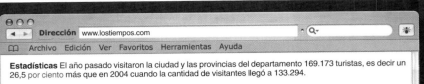

Lea con atención el siguiente artículo. Después conteste las siguientes preguntas:

- ¿Cuál es el propósito del artículo?
- Si quisiera consultar otra fuente, ¿podría pensar en un posible título de una publicación?

Dirección www.lostiempos.com

Archivo Edición Ver Favoritos Herramientas Ayuda

Estadísticas El año pasado visitaron la ciudad y las provincias del departamento 169.173 turistas, es decir un 26,5 por ciento más que en 2004 cuando la cantidad de visitantes llegó a 133.294.

Turismo reportó altas ganancias este año; esperan un año similar

La práctica del turismo en Cochabamba generó un movimiento económico aproximado de 11,4 millones de dólares durante la gestión este año y se constituyó en una de las principales actividades generadoras de empleo.

Representantes del sector prevén que el próximo año el rubro experimente también buenas ganancias, especialmente por la estabilidad.

Según estadísticas de la Unidad de Turismo de la Prefectura, del total de ingresos percibidos por la actividad turística, el rubro de la hostelería se benefició con 27,2 por ciento, alimentos con 15,9 por ciento, transporte con 13,7, artesanías con 10,6, recreación con 12,9 y otros, como el comercio, con el 19,7 por ciento.

El año pasado llegaron a la ciudad y a las provincias del departamento 169.173 turistas (32.545 extranjeros y 136.628 nacionales), es decir un 26,5 por ciento más que en 2004 cuando la cantidad de visitantes fue de 133.294 (22.827 extranjeros y 110.467 nacionales).

Considerando que los visitantes tienen una permanencia promedio de dos noches y realizan un gasto promedio diario de 50 dólares los extranjeros y 30 dólares los nacionales, se establece que el turismo dejó un beneficio neto de $11,4 millones para el departamento, sin tomar en cuenta el movimiento económico generado por el turismo familiar o comunitario, muy frecuente en los últimos años.

Esta última modalidad turística capta visitantes extranjeros y nacionales en viviendas familiares de la ciudad o comunidades campesinas de las provincias, con un promedio de permanencia que supera los cinco días y gastos promedio día de 25 a 30 dólares, que van en directo beneficio de los anfitriones, que les proporcionan hospedaje y alimentación a precios módicos.

No existen estadísticas sobre la cantidad de visitantes y el movimiento económico que genera este tipo de turismo, pero se estima que uno de cada 10 turistas que llega a Cochabamba opta por el turismo comunitario o solidario, que es impulsado por varios municipios de las 16 provincias del departamento.

El jefe de la Unidad de Turismo de la Prefectura, Salvador Lobo, dice que este año la afluencia de turistas puede fácilmente registrar un crecimiento mayor al 30 por ciento, considerando que todos los indicadores económicos, sociales e incluso políticos son favorables, para convertirse en una de las principales actividades generadoras de empleo y movimiento económico en Cochabamba y el país.

Laguna en Pairumani (Cochabamba)

Entre los indicadores mencionó la estabilidad social, la transitabilidad de las carreteras, la capacidad hotelera instalada en la ciudad y el trópico de Cochabamba, la cada vez mayor conciencia en autoridades municipales sobre la incidencia del turismo en el desarrollo regional, el clima y la variedad de comidas, la diversidad de pisos ecológicos, la arquitectura colonial de las provincias, la arqueología incaica y más de 1.000 atractivos.

46 Capítulo 1 • ¡Buen viaje!

Nota cultural

Cochabamba es la tercera ciudad más importante de Bolivia. Su nombre viene del quechua, una de las lenguas indígenas habladas en Argentina, Bolivia, Chile, Colombia, Ecuador y Perú. *Qhocha* significa *"swamp"*, y *pampa* significa *"llanura"*. Se le conoce como la ciudad de la eterna primavera, o la ciudad jardín, por su clima y sus parques.

Investigue palabras clave: Cochabamba, Bolivia (turismo)

35 ¿Qué palabra es?

Complete las oraciones con la palabra apropiada del recuadro. Escriba el artículo cuando sea necesario.

por ciento	según	alimentos	promedio de
beneficio neto	precios módicos	crecimiento	

1. ___ los expertos, el turismo ha mejorado este año.
2. Los turistas pasan ___ una semana en las playas.
3. ___ de los productos les atraen a los consumidores.
4. Mi negocio va muy bien. Tuve ___ de más de $75.000. Es casi el cincuenta ___ más de lo que gané el año pasado.
5. En aquel país, casi todos ___ son importados.
6. ___ de la economía ha ayudado a muchos trabajadores a vivir mejor que sus padres.

36 ¿Ha comprendido?

1. ¿Por qué se esperan buenas ganancias para la economía de Cochabamba?
   a. Porque vendrá un mayor número de turistas
   b. Porque el crecimiento se mantendrá estable
   c. Porque en este año habrá más empleo
   d. Por la nueva gestión de la economía

2. ¿Qué actividad se benefició más del turismo?
   a. Las actividades de ocio
   b. El sector hotelero
   c. Los medios de transporte
   d. El comercio de artesanía

3. ¿Qué grupos turísticos generan, con total seguridad, mayor riqueza en Cochabamba?
   a. El nuevo turismo familiar
   b. Los turistas que provienen del mismo país
   c. Los visitantes de otros países
   d. Los turistas que pernoctan dos noches

4. ¿Por qué la afluencia de turismo superará el 30%?
   a. Porque generará más empleo
   b. Porque existen favorables indicadores económicos, políticos y sociales
   c. Por la mejora en las infraestructuras, el clima y la diversidad de pisos ecológicos
   d. Las respuestas b y c

5. ¿Parece positiva la incidencia de turistas en Cochabamba?
   a. No para las autoridades municipales
   b. Sí, por generar empleo
   c. Sí, porque ayuda a mover la economía del país
   d. Las respuestas b y c

¡Dato curioso! El español es el idioma oficial en Bolivia. Entre los principales idiomas indígenas están los siguientes por este orden: Quechua, Aymara, Guaraní y otros. Aunque es uno de los dos países con mayores reservas de gas en Latinoamérica es uno de los países más pobres de Latinoamérica y uno con el mayor número de indígenas. También es uno de los mayores productores mundiales de coca. Muchos campesinos ven esto como la única forma de supervivencia. Evo Morales fue elegido presidente en 2005. Es un gran cambio en el país al pertenecer a la población indígena mayoritaria. Él mismo fue un campesino que producía coca, por lo que ha defendido la producción de la hoja de coca entre los indígenas. Evo Morales es un indio aymara muy sencillo y pobre que criaba llamas.

Answers

35 1. Según; 2. un promedio de; 3. Los precios módicos; 4. un beneficio neto; por ciento; 5. los alimentos; 6. El crecimiento

36 1. a; 2. b; 3. b; 4. d; 5. d

Teacher Resources

 Activity 38

Instructional Notes

38 You might want to review the following words with students before they listen to the audio: *acoger*, to welcome; *comportamiento*, behavior.

39 Ask students to create a story based on one of the photos shown.

Additional Activities

Hablen sobre esta foto
See p. TE27.

---

37 Conexiones

¿Quiénes se benefician y quiénes se perjudican con el impacto del turismo? Haga una lista con las personas que Ud. cree que se benefician y se perjudican del turismo en Cochabamba y las razones. Compare esta información con la zona en la que Ud. vive y el impacto del turismo en donde vive.

38 Lea, escuche y escriba/presente

Vuelva a leer el texto sobre el turismo en Cochabamba y luego escuche la grabación "España aumenta un 6% la llegada de turistas extranjeros en el primer semestre, con 25,5 millones". Tome las notas necesarias de las dos fuentes y escriba un ensayo o haga una presentación en clase contestando la pregunta, "¿Qué influencia tiene el turismo en la economía de un país?" No se olvide de citar las fuentes debidamente.

39 Antes de leer

¿Qué sabe Ud. de las poblaciones indígenas? ¿Cree que existen muchos grupos indígenas en la actualidad? ¿Piensa que hay alguno que no haya sido influenciado por las civilizaciones occidentales? ¿Cómo se benefician y cómo se perjudican estas poblaciones con la influencia de la cultura occidental?

Una mujer ecuatoriana

Un hombre peruano

Una señorita ecuatoriana

Lea con atención el siguiente artículo. Después conteste las siguientes preguntas:

- ¿Cuál es el propósito del artículo?
- ¿Qué pregunta sería apropiada para hacerle al autor después de leer el artículo?
- Si quisiera consultar otra fuente, ¿podría pensar en un posible título de una publicación?

Los indígenas: los sacrificados

Son aproximadamente el 5% de la población mundial, y están en franca desventaja frente al empuje arrollador de la cultura occidental. A pesar de ser pocos, representan más del 90% de la
⁵diversidad cultural de nuestro planeta. En medio de la tempestad, tratan de mantener su modo de vida, su cultura, su identidad. Muchos de ellos conservan costumbres que desde el mundo que se autodenomina "civilizado" calificamos como
¹⁰ancestrales o primitivas. Desde occidente se observa con curiosidad —y con impertinencia a veces— sus pinturas corporales, sus plumas y abalorios, sus rituales y sus tradiciones. Se estudian sus leyendas, sus mitos y sus
¹⁵comportamientos. Valoran sobremanera la fuerza del grupo porque son conscientes de que sólo así es posible sobrevivir. Los yanomamis no comprenden la avaricia. Los esquimales no sabrían vivir sin un profundo sentido de la
²⁰solidaridad. Y se cuenta que en Borneo, los penan tienen una sola palabra para designar los conceptos "él", "ella" y "ello", sin embargo tiene seis formas distintas de referirse a "nosotros". ¿Qué forma de vida se esconde detrás de eso?
²⁵¿Qué podrían enseñarnos sobre la relación con los demás?

Lo cierto es que es imposible trazar características en común. Si acaso podría decirse que todos conservan, de formas distintas y en distintas
³⁰intensidades, un mismo tesoro: el contacto con la naturaleza y con la tierra, algo que la cultura occidental ha ido progresivamente perdiendo. La naturaleza es la fuente de todos los remedios que necesitamos, pero su conocimiento está
³⁵lógicamente en manos de quienes no han perdido el contacto con la tierra. Empresas de varios sectores han visto en este conocimiento la gallina de los huevos de oro, una incalculable fuente de beneficios con un coste ridículo. Por
⁴⁰eso las multinacionales persiguen la sabiduría indígena, por los enormes beneficios que ello les reporta. Para elaborar un medicamento, un laboratorio necesita experimentar con alrededor de 10.000 plantas. Cuando echa mano del
⁴⁵conocimiento de las tribus del Amazonas, o de Papúa Nueva Guinea, se elabora un fármaco por cada dos plantas que estudia, con la consiguiente multiplicación de las ganancias. Desde anticonceptivos hasta neutralizadores de
⁵⁰veneno de serpientes, desde anticancerígenos hasta laxantes. La naturaleza es la farmacia más completa, si se sabe dónde buscar. Muchas organizaciones en todo el mundo luchan por preservar estas civilizaciones, ayudándoles a
⁵⁵mantener sus derechos frente al empuje del mercado.

www.revistafusion.com

Nota cultural

Existen alrededor de 350 millones de indígenas en todo el mundo. Son más de 5.000 pueblos con su propia visión del mundo, su propia cultura y lengua. Orgullosos de sus orígenes, luchan por mantener su identidad a pesar de la opresión que han sufrido durante siglos.

Investigue palabras clave: yanomamis, esquimales, penan

41 ¿Qué significa?

Empareje las palabras de la primera columna con las de la segunda columna.

1.	aproximadamente	a.	solución
2.	población	b.	absurdo
3.	desventaja	c.	gusto por acumular riquezas
4.	empuje arrollador	d.	tener en estima
5.	identidad	e.	tal vez
6.	conservar	f.	más o menos
7.	ancestral	g.	de los antepasados
8.	corporal	h.	gran ventaja
9.	valorar	i.	medicina
10.	avaricia	j.	habitantes
11.	profundo	k.	aproximadamente
12.	sin embargo	l.	cuerpo
13.	si acaso	m.	pero
14.	remedio	n.	hondo
15.	la gallina de los huevos de oro	o.	guardar
16.	ridículo	p.	prejuicio
17.	alrededor	q.	gran fuerza
18.	fármaco	r.	descripción

42 ¿Ha comprendido?

1. ¿Cómo se encuentra la población indígena en el mundo?
   a. Intentan preservar su civilización frente al abuso occidental.
   b. Tienen una ventaja con Occidente de un 90%.
   c. Intentan influir en la cultura occidental.
   d. Son pocos pero están en una situación ventajosa.

2. ¿Cuál es su idea de supervivencia?
   a. Piensan que el individuo es el centro de la cultura.
   b. No usan la avaricia para acumular riqueza.
   c. Refuerzan la idea de comunidad y grupo frente al individualismo.
   d. Se encomiendan a la divinidad en sus rituales.

3. ¿Existe algún aspecto que compartan todos los indígenas del planeta?
   a. No es posible encontrar un rasgo en común.
   b. No, entienden el mundo de forma diferente.
   c. Sí, comparten una oposición al mundo occidental.
   d. Sí, comparten un acercamiento al mundo natural.

4. Según el texto, ¿cuál es la posición de las compañías farmacéuticas?
   a. Intentan encontrar nuevas soluciones acudiendo al mundo indígena.
   b. Les interesa encontrar la fórmula indígena para ahorrar costes.
   c. Utilizan los métodos de los indígenas aunque tengan menos ganancias.
   d. No existe una conexión entre el mundo indígena y el mundo globalizado.

5. ¿Por qué recurren al mundo indígena las compañías farmacéuticas?
   a. Amplían sus ganancias con los conocimientos indígenas.
   b. El mundo natural es más eficaz.
   c. Con los conocimientos, los indígenas ganan en rentabilidad.
   d. Las compañías ayudan al desarrollo indígena.

43 Los dos lobos dentro de ti

Lea el siguiente cuento y haga un breve resumen.

El joven indio se sentó junto a su padre. Su padre era el viejo jefe indio de una pequeña tribu que estaba al pie de la montaña. El jefe siempre había sido un hombre de pocas palabras pero al que todos admiraban. Estaba anocheciendo. Los dos estaban sentados enfrente del otro junto al fuego bajo la luna llena. El joven indio observaba con admiración la piel de
⁵ oso que cubría los hombros de su padre. Su padre se dio cuenta y le dijo, "Pertenecía a tu abuelo".

- "¿Cómo era el abuelo? Nunca lo conocí". - preguntó el joven.
- "Tu abuelo fue un buen hombre. No obstante, durante los últimos años de su vida pasó una época difícil. Hubo una pelea entre los dos lobos dentro de él", siguió el anciano mientras
¹⁰ que respiraba profundamente. "Todos los seres humanos tenemos esa pelea a diario dentro de nosotros. Uno de los lobos representa la envidia, la avaricia, la arrogancia y la maldad. El otro por otro lado representa el amor, la generosidad, la esperanza, y la bondad".
Pasaron un par de horas. Ninguno de los dos dijo nada más. Tan solo se oía el chasquido de las ramas al arder en la hoguera. Pronto llegaría el duro invierno y tendrían que mudarse
¹⁵ otra vez para buscar comida para alimentar a su tribu.

- "¿Y cuál de los lobos ganó, padre?"
- "El que tu abuelo alimentó", contestó. El joven indio creyó observar una pequeña sonrisa en el rostro de su padre.

44 Lea, escuche y escriba/presente

Vuelva a leer "Los indígenas: los sacrificados" y el cuento de "Los dos lobos dentro de ti". Luego escuche la grabación "Conocer el mundo". Tome las notas necesarias de las dos fuentes y escriba un ensayo o haga una presentación en clase contestando estas preguntas: "¿La creencia de un pueblo es fruto de su cultura? ¿Qué sucede con la cultura de un país o región cuando llegan personas con otras tradiciones y culturas?" No se olvide de citar las fuentes debidamente. Póngale un título original al ensayo.

Cita
Para conocer a la gente hay que ir a su casa.
   —Johann Wolfgang Goethe
   (1749–1832), poeta, novelista y
   dramaturgo alemán

 ¿Cree que solamente podemos llegar a conocer a las personas en su país? ¿Por qué? ¿A qué se debe? Hable sobre sus experiencias o las de alguien conocido.

Dato curioso
Es una tradición entre los indígenas guaraníes en Bolivia que el pretendiente de una joven trabaje durante un año para su futuro suegro antes de poder casarse.

Compare
¿Qué leyó o aprendió en la clase de historia o estudios sociales sobre los indígenas norteamericanos? ¿Puede encontrar similitudes con lo que leyó en el artículo de los indígenas sacrificados?

Teacher Resources

🎧 Activity 44

Instructional Notes
44 You might want to review the following words before students listen to the audio: *pisar*, to step; *corresponsal*, correspondent; *grabar*, to record; *deleite*, delight; *alejado*, far from; *difundir*, to spread/disseminate; *a menudo,* often; *aguantar*, to tolerate/stand; *por todos los medios*, in every possible way.

Ask students to change some words in the *Cita* given and to discuss the difference in meaning between the original quote and the "new" one.

Additional Activities
Composición
Have students write an eyewitness account from the point of view of an indigenous who witnesses foreigners coming into his or her village for the first time. The narrations should be in the first person.

Nota cultural
En Venezuela la etnia predominante es la warao. Su nombre significa "gente de canoa", al ser muy hábiles con este medio de transporte. Para ellos la Luna es incluso más importante que el Sol, ya que se guían por ella para la pesca, la caza, la siembra y la recolección. Los waraos creen que la Tierra es un disco que flota en el mar. Hay alrededor de 300.000 indígenas en toda Venezuela.

Investigue palabras clave:
warao, guaraní

Teacher Resources

 Activity 45
Activity 46

 Activities 15–16

Answers

45 **1.** Ejemplos: perros, gatos, pericos, conejos, caballos, vacas, víboras, iguanas, ratones, puercos, gallinas, chivos, palomas; **2.** Religiosa; **3.** Desde el siglo IV; **4.** La vaca; **5.** Los perros chihuahua; **6.** Sí (los candidatos a la alcaldía); **7.** Se basa en la tradición de pedir a Dios por la fertilidad y salud de los animales. Así, se rinde homenaje a los animales por sus servicios a los seres humanos. **8.** Answers will vary.

46 **1.** b; **2.** d; **3.** d; **4.** d;

Instructional Notes

45 You might want to review the following words before students listen to the audio: *rito*, ceremony; *atraer*, to attract; *a la alcaldía*, for mayor; *perico*, parakeet; *víbora*, snake; *chivo*, billy goat; *desfilar*, to march (*in a parade*); *sacerdote*, priest; *aportación*, contribution; *imperar*, to rule; *encabezar*, to head/lead; *heredar*, to inherit; *acudir*, to attend; *jinete*, rider; *al brinco*, piggyback; *gran danés*, Great Dane; *aplastar*, to squash; *pata*, paw; *vicisitud*, vicissitude/hardship; *derramar*, to scatter; *don*, gift.

46 You might want to review the following words before students listen to the audio: *empuje*, push; *respaldo*, support; *abanderar*, to champion; *arrasar*, (*fig.*) takes it all; *aplastante*, overwhelming; *llevarse a cabo*, to carry out; *sencillo*, simple; *como mucho*, at most.

¡A escuchar!

45 Benditos sean los animales

Esta grabación trata de la antigua celebración anual en la que se llevan animales a la iglesia para ser bendecidos. La grabación dura aproximadamente 4.5 minutos. Lea las preguntas primero y después escuche la grabación "Benditos sean los animales". Luego conteste las preguntas.

1. Escriba el nombre de cinco animales que nombran en la grabación.
2. ¿Qué tipo de celebración es?
3. ¿Desde cuándo se celebra?
4. ¿Cuál es el animal que normalmente encabeza la procesión?
5. ¿Qué animales eran los más escandalosos?
6. ¿Participaba algún político?
7. ¿Por qué se celebra esta tradición?
8. Si quisiera consultar otra fuente, ¿podría pensar en un posible título de una publicación?

46 Lenguas perdidas

Esta grabación trata de las muchas lenguas que están en peligro de extinción. La grabación dura aproximadamente 5.5 minutos. Lea las posibles respuestas primero y después escuche la grabación "Lenguas perdidas". Después escoja la mejor respuesta para cada pregunta.

1. ¿Cuántas lenguas están en peligro de extinción?
   a. Entre 30.000 y 60.000
   b. Entre 3.000 y 6.000
   c. Entre 13.000 y 16.000
   d. Entre 3.000 y 16.000

2. ¿Qué constituye una lengua para un pueblo?
   a. Un símbolo de una cultura pero no necesariamente un medio de comunicación
   b. Un medio de comunicación pero no es importante para la cultura
   c. Una cultura que quizás se olvide
   d. Un medio de comunicación y un símbolo de una cultura

3. ¿Cuántas lenguas existen en el mundo?
   a. Entre 13.000 y 60.000
   b. Sólo veinte
   c. Más de seis mil
   d. Unas seis mil

4. ¿Cuántas personas deben hablar una lengua para que sobreviva?
   a. Unas 3.000
   b. 6.000
   c. Sólo veinte
   d. Más de 100.000

Notas culturales

En México, un *charro* es un hombre de a caballo. Una *charrería* es la institución folclórica y tradicional de los charros, con sus costumbres, ceremonias y prácticas. Los charros datan de los años 1535 cuando los campesinos mexicanos en la colonia española empezaron a usar sus propios procedimientos para hacer las faenas del campo.

Ailla is un archivo digital de textos y grabaciones de lenguas indígenas en Latinoamérica. Se hablan cientos de lenguas, aunque desafortunadamente la mayoría están en peligro de extinción. Uno de los objetivos de Ailla es preservar esta riqueza grabando información cultural importante para los indígenas en su idioma. Hay zonas, aun cuando la lengua está viva, en que se están perdiendo formas de hablar, como diálogos ceremoniales, leyendas y canciones. Este archivo pretende guardar esto para futuras generaciones.

UNESCO es la sigla de "Organización de las Naciones Unidas para la Educación, la Ciencia y la Cultura".

5. ¿Por qué se está imponiendo el inglés a otras lenguas?

 a. Porque lo hablan millones de personas
 b. Porque lo hablan más de 100.000 personas
 c. Porque tiene su origen en el esperanto
 d. Porque tiene una gramática fácil y por Internet

6. ¿Qué le pasa a las lenguas que tienen menos acceso a Internet?

 a. Que sus hablantes nunca aprenderán inglés
 b. Que estarán más protegidas y se harán más fuertes
 c. Que tendrán más riesgo de desaparecer
 d. Que terminarán siendo salvadas por la tecnología

47 Participe en una conversación

Ud. va a participar en una conversación. Primero lea la descripción de la conversación y piense en algunas palabras o expresiones que le serían útiles. Organice sus ideas, haciendo predicciones sobre lo que se le pueda preguntar o comentar. Una descripción de lo que va a escuchar aparece abajo en color. Participe en la conversación grabando las respuestas o escribiéndolas en su cuaderno.

Escena: Ud. es una persona muy conocida y por su posición tiene que viajar mucho. Hoy, le hacen una entrevista en un programa de televisión.

El presentador:	En un programa de televisión el presentador le pide algo.
Ud.:	• Conteste.
	• Dele la información que le pide.
El presentador:	Sigue la conversación. Le hace una pregunta.
Ud.:	• Conteste su pregunta.
	• Cuente una anécdota muy corta.
El presentador:	Sigue la conversación. Le hace una pregunta.
Ud.:	• Háblele sobre sus preferencias. Explique las razones.
El presentador:	Sigue la conversación. Le hace otra pregunta.
Ud.:	• Contéstele y dele detalles sobre lo que le pide.
El presentador:	Sigue la conversación y le pide algo.
Ud.:	• Haga un comentario e intente usar una expresión que ha aprendido o repasado en esta lección.

Teacher Resources

 Activity 47

Activities 17–18

Answers
46 5. d; 6. c

Audioscript Activity 47

El presentador: Y ahora tenemos a alguien muy conocido para todos. Por favor, preséntese y hable de su profesión.
[STUDENT RESPONSE]

El presentador: ¿Puede explicarnos por qué le obliga a viajar tanto este tipo de trabajo?
[STUDENT RESPONSE]

El presentador: ¿Qué medio de transporte usa normalmente? ¿Cuál es el principal motivo?
[STUDENT RESPONSE]

El presentador: Según su experiencia, ¿cuáles son las ventajas y desventajas de viajar?
[STUDENT RESPONSE]

El presentador: Bueno, muchísimas gracias por pasarse por aquí. Todos sabemos lo ocupadísimo que está. A propósito, ¿me podría firmar un autógrafo para mi hija?
[STUDENT RESPONSE]

¡A escribir!

48 Texto informal: un correo electrónico

Responda al email. Tome el papel de un/a inmigrante ilegal. Escríbale un correo electrónico a su madre hablándole de su experiencia. Incluya lo siguiente:

- Háblele de su experiencia para poder llegar a su destino.
- Hable del medio, o de los medios, de transporte que usó.
- Describa su primera impresión de su nuevo destino.
- Despídase.

Consejo
Antes de empezar, lea las pautas para escribir textos informales en la pág. 480 del Apéndice. Mientras escribe el texto tenga presente los objetivos. Cuando termine, verifique que ha cumplido con todo lo que se describe en la lista y reflexione sobre su trabajo.

| Enviar | Guardar ahora | Descartar |

Para: niño@emcp.com

Cariño,
Llevo mucho tiempo preocupada porque no sé nada de ti. Hace tiempo que saliste a hacer un duro y peligroso viaje en busca de oportunidades. Estoy muy preocupada. No sé si te llegará este correo, pero si lo recibes, por favor, escríbeme para que sepa que estás a salvo.
Te quiere,
Tu madre

49 Texto informal: un correo electrónico

Ud. ha decidido ir a pasar un mes en un país hispanohablante para aprender español. Las cosas no son tan fáciles como esperaba. Responda al correo electrónico de su amigo.

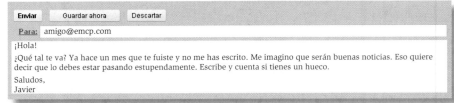

| Enviar | Guardar ahora | Descartar |

Para: amigo@emcp.com

¡Hola!
¿Qué tal te va? Ya hace un mes que te fuiste y no me has escrito. Me imagino que serán buenas noticias. Eso quiere decir que lo debes estar pasando estupendamente. Escribe y cuenta si tienes un hueco.
Saludos,
Javier

Incluya lo siguiente en su respuesta:
- Describa el país en el que está.
- Describa sus primeros días.
- Hable de sus retos y sus miedos.
- Piense en ideas para mejorar la situación.

Consejo
Antes de empezar, lea las pautas para escribir ensayos en la pág. 480 del Apéndice. Mientras escribe el ensayo tenga presente los objetivos, y no se olvide de ponerle un título original. Cuando termine, verifique que ha cumplido con todo lo que se describe en la lista y reflexione sobre su trabajo.

50 Ensayo: estudiar en el extranjero

Escriba un ensayo contestando la pregunta, "¿Piensa que debe ser obligatorio que todos los estudiantes estudien en otro país?"

51 Ensayo: la inmigración

Escriba un ensayo en el que compare las ventajas y desventajas de la inmigración en un país. Su profesor/a le va a decir si debe tomar la postura de un/a inmigrante o de un/a ciudadano/a del país.

52 En parejas

Intercambie sus ensayos con los de un/a compañero/a. Exprésele su opinión sobre el contenido y el uso del idioma.

¡A hablar!

53 Charlemos en el café

Hable con sus compañeros sobre estos temas.

1. ¿Está igualmente aceptado que viaje una madre o un padre por cuestiones laborales? ¿Qué consecuencias tienen estos viajes en la familia?
2. Haga una lista de cinco personas famosas que se ven obligadas a viajar. Hable de los motivos por los que lo deben hacer y su posible impacto en otras personas al viajar.
3. ¿Son todos los inmigrantes tratados por igual? ¿Cuáles serán las razones por las que unos son más aceptados que otros por la sociedad? Explique su respuesta.
4. Cuando Ud. nota que alguien habla con acento extranjero, ¿cómo reacciona? ¿Cómo cree que otras personas reaccionan? ¿Cómo reaccionan otras personas al escuchar su acento cuando habla en español?
5. ¿Cómo cree que el acento extranjero de una persona influye en la percepción que se tiene de ella?

Clienta mexicana en un supermercado de Estados Unidos

54 ¿Qué opinan?

Converse con un/a compañero/a sobre estas preguntas.

1. ¿Cuáles son las costumbres o tradiciones más conocidas de los Estados Unidos?
2. ¿Cuáles son las costumbres o tradiciones más conocidas de otros países?
3. ¿Piensa que en los Estados Unidos se valora el aprendizaje de idiomas? ¿A qué se debe?

55 Presentemos en público

Hable sobre uno de los siguientes temas durante varios minutos en clase. Organice sus ideas antes de hacer la presentación, busque las palabras necesarias y, después de practicar, presente en clase sin mirar las notas.

1. Hable sobre los retos que tienen los hijos de inmigrantes.
2. Hable sobre el choque entre diferentes culturas. ¿Por qué sucede? Conforme pasa el tiempo, ¿piensa que somos más o menos tolerantes? Proponga una solución al problema de la intolerancia con respecto a otras culturas.
3. Hable sobre los diferentes tipos de turistas.
4. ¿Qué piensa de la globalización y de su impacto en las tradiciones y cultura de un país?
5. Hable de las diferentes tradiciones en España.
6. Hable de las diferentes tradiciones en México.
7. Hable de las diferentes tradiciones en Venezuela.

Consejo

Antes de empezar, lea las pautas para presentaciones formales en la pág. 481 del Apéndice. Mientras formula su presentación tenga presente los objetivos. Cuando termine la presentación, verifique que ha cumplido con todo lo que se describe en la lista y reflexione sobre el trabajo que hizo.

Teacher Resources

 Activity 22

Instructional Notes

53 Because all students will speak, allow them time to prepare this activity. Be sure to tell students which issue and which side of the issue they will be debating, so that they can do some research and practice before their debate.

After students have debated these issues with a partner, you might want them to continue the debate in small groups, or even have a discussion with the whole class on one or two of these topics.

You might want to display the new vocabulary to make sure students incorporate it into their debates.

54 Encourage students to review the vocabulary, including the expressions, at the end of the lesson in order to enhance their discussions. They need to pay attention to the grammar, pronunciation, and intonation, and use appropriate vocabulary to contradict or agree with their partner's comments. After students discuss these questions with a partner, you could hold a whole-class discussion.

55 Review the *Pautas para presentaciones formales* on p. 481, and refer students to their copies of the guidelines given to them in *Lección 1A* (*Antes y durante una presentación*). (See p. 27 of this Annotated Edition.)

Instructional Notes

56 Before students start their projects, go over the questions from *Lección 1A*, p. 28. Students should have a copy of these questions for each project.

Remind them that after they complete their project, they will self-assess their work as a team using the grading system 1–5 (5 being the highest, and 1 the lowest) and write a grade next to each question. After they turn in their work or make their presentation to the class, you will review their project and write your comments and evaluation next to theirs.

Proyectos

56 ¡Manos a la obra!

Trabaje en un grupo de cuatro o cinco estudiantes para llevar a cabo uno de los siguientes proyectos y presentarlo a la clase.

1. Investiguen sobre una tradición o fiesta original en un país del mundo hispano. Intenten que sea una no muy conocida por los otros compañeros de clase. Promocionen la tradición o fiesta en su escuela o universidad, e intenten conseguir que venga el máximo número de participantes a verla. Pueden usar carteles, camisetas, concursos, etc. para promocionar la fiesta o tradición.

2. Los miembros de su grupo tuvieron que emigrar a otro país. Expliquen en una rueda de prensa los motivos por los que tomaron esta decisión. Hablen de su viaje (pueden mostrar fotos y recuerdos), de los retos, del país donde están ahora y su adaptación al mismo. Prepárense para responder a las preguntas de sus compañeros.

3. Hagan una lista de consejos y reglas para ser un buen turista. Preséntenlo en un cartel, un folleto o en una presentación electrónica.

4. Hagan una rueda de prensa en la que hablan de una persona que ha ganado un premio por ser "el/la mejor turista". Expliquen a la clase qué es lo que hizo para merecer dicho premio.

5. Piensen en películas o series de televisión donde aparezcan personas de otros países o culturas. Hablen sobre las películas y series y describan los personajes. ¿Cómo son tratados? ¿Son estereotipos de extranjeros? ¿Creen que reflejan el problema del choque cultural? Propongan un tema para una película que refleje lo que han aprendido o repasado en este capítulo.

La tradición del gaucho sigue vigente en Argentina y Uruguay.

Vocabulario

Verbos

alcanzar	to reach
arraigarse	to take root, establish oneself in a place
asentir (ie, i)	to agree, consent
cobrar	to charge
compartir	to share
conseguir (i)	to achieve, obtain
conservar	to conserve, keep
denigrar	to discredit
enfrentarse	to face
equivocarse	to be wrong, be mistaken
fingir	to pretend
funcionar	to work
madrugar	to wake up early
pertenecer	to belong
perturbar	to disturb
rechazar	to reject
residir	to live, reside
valorar	to value, to give importance

Verbos con preposición

verbo + a:

acostumbrarse a	to get accustomed to
aprender a	to learn to
dirigirse a	to go to, head toward
renunciar a	to resign

verbo + con:

acabar con	to finish off, end
amenazar con	to threaten to/with
soñar (ue) con	to dream about

verbo + de:

aprovecharse de	to take advantage of
huir de	to run away from
olvidarse de	to forget about
tratar de	to try to

verbo + en:

entrar en	to go into
incluir en	to include in/on
tardar en	to take time to

verbo + por:

luchar por	to fight for
preocuparse por	to worry about

Sustantivos

la	acogida	welcome, reception
el	antepasado	ancestor
el	antojo	craving
el	beneficio	benefit
el	billete	bill
el/la	campesino/a	agricultural worker; peasant
la	censura	censorship
el/la	ciudadano/a	citizen
el	crecimiento	growth
el	desfile	parade
la	desventaja	disadvantage
el	dilema	dilemma
el	discurso	speech
la	economía	economy
el	empleo	employment
el	empuje	push, drive
la	entrevista	interview
el	extranjero	foreigner
el	fármaco	medicine
el/la	gobernante	leader
la	igualdad	equality
el	letrero	sign
el/la	líder	leader
la	meta	goal
la	moneda	coin, currency
la	pobreza	poverty
el	rechazo	denial
el	riesgo	risk
el	rincón	corner
la	solicitud	application

Adjetivos

anual	annual
cortés	polite
desesperado, -a	desperate
diario, -a	daily
influyente	influential
mensual	monthly
opulento, -a	affluent
propio, -a	own
provechoso, -a	profitable, worthwhile
raro, -a	strange

Teacher Resources

See ExamView for assessment options.

Additional Activities

Oraciones

Show students some of Murphy's Laws. Have them rewrite these sentences using verbs like *gustar* that are shown in the *A tener en cuenta* section.

Adverbios

apenas	barely
bastante	sufficiently, quite
debidamente	properly
ya no	no longer

Expresiones

el acuerdo de paz	peace treaty
al + infinitivo	on, when + *-ing* form of verb
al igual que	like, just like
bien educado, -a	well-mannered
la crisis económica	economic crisis
cualquiera que sea su destino/punto de vista/ raza	whatever the destination/ point of view/race
cuanto antes	as soon as possible
de modo que	so that
de otra forma	in another way
dejar huella	to leave a trace, mark
en el fondo	deep down
en la mayoría de las ocasiones	most of the time
estar falto de sueño	to lack sleep
estar muerto de cansancio/sueño/ hambre	to be dead tired/sleepy/ hungry
haber para todos los gustos	to be for all tastes
hacer falta	to need
hacer todo lo posible	to do whatever is possible
(la) mayoría de las veces	most of the time
menos mal	thank goodness
por ciento	percent
por culpa de	because of, through the fault of
por desgracia	unfortunately
por lo que	by what
el régimen político	political regime
según	according to
tenerlo claro	to have no doubt about something
tener miedo de	to be afraid of

A tener en cuenta

Verbos como *gustar*

aburrir	to bore
agradar	to be pleasing, please
apetecer	to crave, yearn for
bastar	to suffice, be enough
convenir	to suit, be convenient
doler (ue)	to hurt
encantar	to delight, charm
faltar	to lack
fascinar	to fascinate
fastidiar	to bother, annoy
hacer falta	to need
importar	to matter
interesar	to interest
molestar	to bother
parecer	to seem
preocupar	to worry
quedar	to be left
sobrar	to be more than enough, be too much
sorprender	to surprise

Capítulo 2

Temas

- Cómo se definen y qué valoran
- Cómo viven
- Cómo hablan

¡Gente joven!

59

Overview of chapter 2

Encourage students to talk to their parents, grandparents, or guardians about the chapter topics in order to discover something about the older generations' values and lifestyles when they were the students' age. Encourage students to explore what their lives were like, how they dressed, how they spoke — for example, what slang terms were popular. Students could then report their findings back to the class and a whole-class discussion could follow, comparing the values, lifestyles, and speech of the students' elders to their own.

Instructional Notes

You might want to ask the following questions related to the topics of this chapter: *¿Qué palabras usarían Uds. para describirse a sí mismos? ¿Y a sus amigos y amigas? ¿Qué es lo que más valoran Uds.? ¿Hablan de una forma diferente a cómo hablan las personas mayores? ¿A qué se debe?*

Nota cultural

Para muchos universitarios europeos el programa Erasmus les ofrece la ocasión de vivir por primera vez en un país extranjero. Por esta razón se ha convertido en un fenómeno social y cultural, y es enormemente popular entre los estudiantes.

El programa fomenta no solamente el aprendizaje y entendimiento de la cultura y costumbres del país anfitrión, sino también el sentido de comunidad entre estudiantes de diversos países. La experiencia de Erasmus se considera una época de aprendizaje y de fomento de la vida social.

La importancia que tiene este programa ha desbordado el mundo académico europeo,

siendo reconocido como un elemento importante para fomentar la cohesión y conocimiento de la Unión Europea entre la población joven. Esto ha hecho que se venga acuñando el término "generación Erasmus" para distinguir a esos estudiantes universitarios que a través de esta experiencia han creado lazos de amistad transfronterizos, poseyendo una clara conciencia ciudadana europea.

El programa de intercambio Erasmus de la Unión Europea ha sido galardonado con el Premio Príncipe de Asturias de Cooperación Internacional 2004 por ser uno de los programas de intercambio cultural más importantes de la historia de la humanidad.

Instructional Notes

Ask students to review the culture topics of the lesson and say which one interests them the most, and why.

Have students make up a story using one of the photos on the page. Give them some time to think about this if you wish to have them do it orally, or assign it as a written piece for homework.

Lección A

Objetivos

Comunicación
- Estar a la moda
- Los valores de los jóvenes
- Cómo se definen los jóvenes
- Las aspiraciones de los jóvenes

Gramática
- *Ser*, *estar* y *haber*
- Verbos reflexivos y construcciones reflexivas
- *Por* y *para*

"Tapitas" gramaticales
- *acabar* + gerundio
- *pero, sino, sino que*

Cultura
- La influencia de la moda
- Los jóvenes en su tiempo libre
- Metas y aspiraciones de los jóvenes
- El lenguaje de la gente joven
- La mayoría de edad

Para empezar

1 Conteste las preguntas

Piense en las respuestas a las siguientes preguntas. Ud. puede tomar notas si lo considera necesario. Cuando termine, compare sus respuestas —pero sin mirar sus notas— con las de un/a compañero/a.

1. ¿Qué suele hacer los fines de semana? ¿Hasta qué hora se queda cuando sale? ¿A qué dedica el domingo?
2. ¿Cree que Ud. cambió mucho cuando llegó a la adolescencia? ¿En qué notó los cambios?
3. ¿Qué tipo de ropa llevan los jóvenes ahora? ¿En qué se diferencia de la ropa que llevan los adultos? ¿Cree que a los mayores les gusta esta moda o que la comprenden?
4. ¿Quiénes están más a la moda? ¿Los quinceañeros, los veinteañeros o los treintañeros?
5. ¿Cómo son los piratas informáticos vistos por su generación?
6. ¿Qué imagen suelen tener los jóvenes de sí mismos?
7. ¿Los jóvenes de su generación tienen más o menos interés en la política que sus padres? ¿A qué se debe?
8. ¿Cómo es el lenguaje de los jóvenes? ¿Cómo se diferencia del lenguaje de sus padres? ¿Y del de sus abuelos?
9. ¿Hasta qué edad se es joven? ¿Se considera joven? ¿Qué marca el final de la juventud?
10. ¿Los jóvenes pueden mejorar el mundo a su alrededor? ¿De qué forma?

2 Mini-diálogos

Ud. va a crear un mini-diálogo con un/a compañero/a. Lea la descripción de la conversación antes de empezar. Puede tomar notas para organizar sus ideas, pero no las mire mientras conversa.

Escena:	En una de sus clases, entre ejercicio y ejercicio su amigo/a y Ud. hacen planes para el fin de semana.

A:	Entable una conversación sobre el fin de semana. Pregúntele sobre sus planes.
B:	Reaccione con frustración. Dígale que no tiene planes. Pregúntele sobre los suyos.
A:	Conteste su pregunta. Invítelo/la.
B:	Acepte la invitación. Sugiérale otra actividad.
A:	Reaccione con emoción. Sugiérale otra actividad.
B:	Reaccione con emoción. Dele su número del móvil.
A:	Hágale un comentario sobre su profesor(a). Despídase.
B:	Despídase. Haga un comentario positivo sobre sus planes del fin de semana.

Cita

De mis disparates de juventud lo que más pena me da no es el haberlos cometido, sino el no poder volver a cometerlos.
—Pierre Benoît (1886–1962), novelista francés, miembro de la Acadèmie française

¿Cree que se cometen muchos disparates por ser joven? ¿A qué se deberá? ¿Se arrepiente de ellos? Comparta sus opiniones con un/a compañero/a.

¡Dato curioso!

El concepto de *joven* ha cambiado con el paso del tiempo. En la época medieval una persona de veintidós años no era considerada joven, al ser ésta la media de esperanza de vida en aquellos tiempos. También influye el país y la cultura sobre el concepto de ser joven.

Nota cultural

El país con mayor esperanza de vida es Japón, donde la edad media es de 82 años. España está entre los primeros con 78 años de promedio. Estados Unidos tiene un promedio de 77 años; 71 en Colombia; 64 en Rusia; 61 en Bolivia; y 45 en Afganistán. Entre los animales, las tortugas galápagos son entre los más longevos, ya que pueden vivir por más de cien años.

Answers

1 Answers will vary.

2 Dialogues will vary.

Instructional Notes

1 You might want to have students work in small groups or have the entire class participate in a discussion.

Ask students to decribe the photo by asking: *¿Qué edad tendrá la persona de la foto? ¿Qué ropa lleva? ¿Qué opinan de esa ropa? ¿La llevarían Uds.? ¿Por qué?*

2 You might want to have some students represent their dialogues in front of the class.

Encourage students to add expressions that they learn, or hear about as the year goes on, to their own vocabulary lists. These expressions should include words used to greet, continue a conversation, and express agreement or disagreement, and that would be useful for this type of activity.

Ask students to define the word *disparate* that appears in the *Cita* (*es algo absurdo o una atrocidad*). You might want students to also discuss the questions in the *Cita* feature in small groups or have the entire class participate in a discussion.

Answers

4 Wording will vary; English translations are also shown.

1. un poco rollo: un poco aburrido; *it's a little bit of a bore (pain)*; **2.** me arreglara: me vistiera; *(for) me to get ready*; **3.** muerta de sueño: muy, muy cansada; *dead tired*; **4.** mono: bonito; *cute*; **5.** ciega: sin poder ver; *blind*; **6.** atento: me hace caso; *attentive*; **7.** gracioso: divertido; *funny*; **8.** sonrisita: una pequeña sonrisa; *little smile*; **9.** guiño: cierro un ojo; *wink*

5 1. Estuvo muy bien: estado
era un poco rollo: descripción
estaba muy segura: estado
estaba lista: descripción
estaba muerta de sueño: con participio pasado para indicar condición o estado
Estaba tan ilusionada: estado
es muy buena gente: rasgo, característica
somos íntimas: característica
estás ciega: una actitud
quién es: descripción
Estaba tan atento: estado
Eran unos dátiles: característica
estaban increíbles: descripción
Fue una noche: descripción
estamos saliendo: con el participio presente
somos novios: característica
amor es ciego: característica

2. había mucha gente, nos habíamos llevado, había preparado, Hay que

3. *to be safe;* Ejemplos: ser frío, estar frío; ser ciego, estar ciego; ser listo, estar listo; ser maduro, estar maduro; ser rico, estar rico; ser vivo, estar vivo; ser verde, estar verde

Instructional Notes

3 La palabra *bacon* (línea 21) se pronuncia beicon; también se le dice *tocino*.

5 Ask students to explain the meanings of the examples they chose for question 3.

Vocabulario y gramática en contexto

3 Una fiesta

Túrnese con un/a compañero/a para leer lo que una chica escribió sobre una fiesta. Fíjese en las palabras que aparecen en azul (relacionadas con el vocabulario) y en rojo (relacionadas con la gramática), ya que en las siguientes actividades se le harán preguntas sobre ellas.

Fiesta

👤 Yolanda

El otro día mis amigos y yo fuimos a una fiesta. Estuvo muy bien aunque al principio era un poco rollo. Yo no estaba muy segura de que quisiera salir ese día. Paula me mandó un mensaje al móvil y me dijo que estaba lista, que me daba media hora para que me arreglara. Yo, aunque estaba muerta de sueño, no pude decirle que no. Estaba tan ilusionada... Ella es muy buena gente y somos íntimas desde hace siglos. Así que me puse un vestido verde muy mono y salimos. Fuimos a una fiesta donde había mucha gente y allí vimos a Fernando. Él y yo nunca nos habíamos llevado bien pero nos quedamos hablando por horas.

Mi amiga se acercaba de vez en cuando y me murmuraba al oído: "Pero, ¿estás ciega? ¿No ves quién es?" A mí, nada de esto me importaba. ¡Estaba tan atento y gracioso! En la fiesta, tomamos unas tapas riquísimas que había preparado Alex. Eran unos dátiles con bacon que estaban increíbles. Fue una noche inolvidable. ¡Ah, se me olvidaba! Desde aquel día Fernando y yo estamos saliendo. Sí, ahora somos novios, y cuando mi amiga me recuerda con una sonrisita que lo odiaba, yo suspiro y le digo con ojos de enamorada: "¿No dicen que el amor es ciego? Hay que hacerle caso a las emociones". Y le guiño un ojo amistosamente.

4 Amplíe su vocabulario

Defina en español las palabras o expresiones que aparecen en azul, o escriba un sinónimo o expresión similar para cada una.

5 Ser, estar y haber

Con un/a compañero/a, haga estas actividades relacionadas con la lectura anterior.

1. Hagan una lista con las palabras y expresiones que aparecen con *ser* y *estar* en la lectura y expliquen la regla para su uso.
2. Escriban los ejemplos donde el verbo *haber* ha sido usado.
3. Ya saben que el significado de algunos adjetivos cambia según se use *ser* o *estar*. Por ejemplo, en la lectura se usa *estar seguro* para significar *to be sure*. ¿Qué significa *ser seguro*? Piensen en otros cinco adjetivos que cambian de significado según se usen con *ser* o *estar*. Pueden usar algunos ejemplos de la lectura además de sus propios ejemplos.

6 ¿Ser, estar o haber?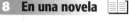

Complete el texto con el verbo *ser*, *estar* o *haber* en el tiempo correspondiente.

Ayer por la noche hubo una reunión para los estudiantes que __1.__ en la clase de mi hermano este curso. __2.__ para formar un club de cine pues todos __3.__ unos fanáticos de la gran pantalla. Aunque yo __4.__ agotado anoche fui para acompañarlo. Al principio no pudimos encontrar la sala, ya que iba a __5.__ en un edificio pero luego __6.__ en otro. Cuando por fin
⁵encontramos la clase, ya __7.__ llegado casi todo el mundo. Apenas __8.__ asientos libres. La reunión __9.__ divertida, todos __10.__ muy agradables y las conversaciones __11.__ muy vivas. Alfonso __12.__ el líder de este grupo y __13.__ bastante listo y vivo. __14.__ estado interesado en el cine durante mucho tiempo. Seguramente __15.__ un actor o director algún día aquí en Argentina. Nos dijo a todos que __16.__ que hacer carteles y hablar con más chicos para que se
¹⁰unan al club. El club __17.__ abierto a todos aquellos que quieran participar. Así que si __18.__ interesado, tú también puedes __19.__ miembro. ¡Anímate! ¡ __20.__ muy bien, en serio!

7 Escriba ✐

Con un/a compañero/a, escriba un diálogo entre jóvenes en el que hablen sobre un club o página de Internet. Subraye los verbos *ser*, *estar* y *haber* que haya usado.

8 En una novela 📖

Lea el siguiente texto literario. Fíjese en las palabras que aparecen en azul y rojo, ya que en las siguientes actividades se le harán preguntas sobre ellas. Después, resuma lo que leyó en una frase.

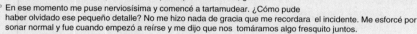

Era uno de esos días que te pasas tumbada en la cama sin nada que hacer. Aquel día decidí que intentaría conseguir mi primera cita con Mauricio. En cuanto le hablé de él a mi amiga Carmen, se empeñó en que tenía que arriesgarme y tratar de vernos.

⁵ Le llamé a su móvil y le dije:

—Hola. Soy Gema Enríquez. Nos conocimos el otro día por el centro. ¿Te acuerdas?

—Pues claro que lo recuerdo. Nos conocimos hace una semana, ¿verdad? Fue cuando me quitaste el sitio para aparcar. Eres tú, ¿no?

¹⁰ En ese momento me puse nerviosísima y comencé a tartamudear. ¿Cómo pude haber olvidado ese pequeño detalle? No me hizo nada de gracia que me recordara el incidente. Me esforcé por sonar normal y fue cuando empezó a reírse y me dijo que nos tomáramos algo fresquito juntos.

"Vaya, vaya. Un gracioso", pensé.

Tenía la costumbre de recordar sólo lo bueno que me pasaba cada día, es por lo que había olvidado que el día
¹⁵ que nos vimos por primera vez era finales de julio. Me había enfadado porque acababa de discutir con Virginia, de quien no te puedes fiar ni un pelo. Estaba de muy mal humor. Así que me fui de compras pero el aparcamiento estaba lleno. Vi que un coche iba a aparcar y le quité el sitio. El conductor era Mauricio, a quien no conocía entonces. Su amigo se enfadó mucho conmigo por lo ocurrido, pero Mauricio me defendió y consoló cuando empecé a llorar como loca. Sí, se me había olvidado esa parte de nuestro primer encuentro. ¡Qué cosas! Ahora
²⁰ tenía una cita con el chico a quien le quité el aparcamiento un par de semanas antes.

Eran las once y diez. Como era de esperar, llegué diez minutos tarde a mi cita para hacerme la interesante. La cena fue inolvidable. Nos reímos a carcajadas por horas, nos divertimos como nunca y nos dimos cuenta de que teníamos mucho en común. Se portó como un auténtico caballero conmigo. Nos miramos el uno al otro y nos despedimos en mi portal. Cuando me volví y miré por encima del hombro, ya no estaba. Se había marchado.
²⁵ Entonces lo vi. Vi a un tipo muy raro con una chaqueta de cuero y una navaja en la mano que se acercaba hacia mí rápidamente. Estaba claro que quería robarme. Me puse nerviosa. Las manos y las piernas me temblaban. Se me cayeron las llaves al suelo y no me dio tiempo recogerlas. Menos mal que en ese momento apareció Mauricio. Acabamos saliendo un par de meses, hasta que choqué con otro coche que conducía este chico muy simpático... Pero eso ya es otra historia.

Gema

---

6 1. están; 2. Fue; 3. son; 4. estaba; 5. estar; 6. fue / estuvo; 7. había; 8. había; 9. fue; 10. fueron / eran; 11. fueron; 12. es; 13. es; 14. Ha; 15. será; 16. había / hay; 17. está; 18. estás; 19. ser; 20. Está

7 Dialogues will vary.

Instructional Notes

7 Remind students to use new words from the readings and to keep track of how many they use in their dialogue. You might want some pairs of students to present their dialogues in small groups or before the entire class.

8 Ask students to talk about how people their age go about meeting others. You might want to share some of your experiences, and talk about the role the new technologies have in this. Talk about the advantages and disadvantages of meeting people online or through a dating service, and ask them to predict how future generations —maybe their grandchildren— will meet their *media naranja*.

Additional Activities

Juego

¿Ser, estar o haber? To play the following game, you will need to prepare a short article or paragraph that uses the verbs *ser*, *estar*, or *haber* so that students can guess which one is correct. Try to vary the tenses and forms of these verbs.
Tell students: *Voy a leerles un texto, pero sin decir si el verbo debe ser* ser, estar *o* haber. *Uds. van a escucharme y, cuando haga una pausa, deben aplaudir si creen que el verbo es* ser, *hacer un chasquido con los dedos si creen que es* estar *y levantar la mano derecha si creen que es* haber. *A continuación, un voluntario debe decirme el tiempo y la forma correspondientes del verbo.*
If you want a less noisy version of this game, have students raise their right hand for *ser*, their left for *estar*, or both hands for *haber*. You can also ask them to show different-colored cards, depending on the verb.

Teacher Resources

📝 Activity 2

Answers

9 1. tumbada, *lying down;* 2. se empeñó, *she insisted;*
3. arriesgarme, *to risk;* 4. Vaya, vaya, *Well, well;*
5. gracioso, *funny (guy);* 6. consoló, *consoled, comforted;*
7. Nos reímos a carcajadas, *We roared with laughter;*
8. portal, *doorway;* 9. tipo, *guy;* 10. cuero, *leather*

10 1. te pasas (*you spend*); se empeñó (*she insisted*);
arriesgarme (*to risk*); ¿te acuerdas? (*do you remember?*);
me puse (*I became*); me esforcé (*I forced myself*);
reírse (*to laugh*); nos tomáramos (*we have a drink*);
no te puedes fiar (*you can't trust*); me fui (*I went out*);
se enfadó (*he got angry*); se me había olvidado (*I had
forgotten*); hacerme (*to make myself out to be*); nos
reímos (*we laughed*); nos divertimos (*we had fun*);
nos dimos cuenta (*we realized*); se portó (*he behaved*);
nos despedimos (*we said good-bye*); me volví (*I turned
around*); se había marchado (*he had gone away*); se
acercaba (*he was approaching*); me puse (*I became*);
se me cayeron (*I dropped*) 2. vernos, nos conocimos,
nos vimos, nos miramos; 3. Se usa para dar énfasis y
concuerda en género y número (por ejemplo, *la una a
la otra, los unos a los otros*). 4. Ejemplos: aprovecharse,
arrepentirse, asustarse, atreverse, enterarse,
equivocarse, esconderse, fiarse, fijarse, levantarse,
parecerse, sentarse, sonreírse, tranquilizarse;
5. Ejemplos: acercar (*to bring closer*), acercarse (*to
approach*); acordar (*to agree*), acordarse (*to remember*);
acostar (*to put to bed*), acostarse (*to go to bed*); dormir
(*to sleep*), dormirse (*to fall asleep*); enfermar (*to make
sick*), enfermarse (*to become sick*); hacer (*to make/do*),
hacerse (*to make oneself out to be*); ir (*to go*), irse (*to
go away, to leave*); levantar (*to lift*), levantarse (*to get
up*); llamar (*to call*), llamarse (*to be called*); negar (*to
deny*), negarse (*to refuse*); parecer (*to seem*), parecerse
(*to look like*); poner (*to put*), ponerse (*to put on, to
become*); probar (*to taste*), probarse (*to try on*); quitar
(*to remove, take away*), quitarse (*to take off*); tratar (*to
try*), tratarse (*to be about*); vestir (*to dress*), vestirse
(*to get dressed*); volver (*to return*), volverse (*to turn
around, to become*); 6. *I dropped the keys* (lit., *The keys
fell to/on me*). El reflexivo (*se*) precede al directo (*me*).

11 1. W*e ended up going out.* Ejemplo: Quería salir
pero acabé viendo una película con unos amigos. 2. Se
traduce como *but*. Ejemplos: Quiero salir pero no tengo
dinero. No lo escribió él, sino ella. No compré el coche,
sino que lo alquilé.

12 1. me levanté; 2. me apetecía; 3. acostarme;
4. hizo; 5. iba; 6. tropecé; 7. creí; 8. me dije;
9. preguntaba; 10. tocó; 11. me acordaba; 12. me puse;
13. acostarme; 14. me fui; 15. me enfermé; 16. se

---

9 Amplíe su vocabulario

Con un/a compañero/a traduzca al inglés las palabras de "En una novela" que aparecen
en azul.

10 Verbos reflexivos y construcciones reflexivas

Con un/a compañero/a, haga estas actividades relacionadas con la lectura de la Actividad 8.

1. Hagan una lista de los verbos reflexivos que aparecen y tradúzcanlos.
2. Escriban los verbos que se usan para indicar que algo es recíproco.
3. ¿Qué función tiene *el uno al otro*?
4. Hagan una lista de otros diez verbos reflexivos que conozcan.
5. Algunos verbos cambian su significado cuando son reflexivos. Escriban diez verbos que
   cambien su significado según lleven pronombre reflexivo o no e incluya la traducción al
   inglés. Por ejemplo: despedir: *to fire*; despedirse: *to say good-bye*.
6. ¿Cómo traduciría al inglés *se me cayeron las llaves*? ¿Cuál es la traducción literal? ¿Cuál es
   la regla?

11 "Tapitas" gramaticales

Conteste estas preguntas basadas en la lectura de la Actividad 8.

1. ¿Cómo se traduce *acabamos saliendo*? Escriba una frase parecida usando *acabar* más
   el gerundio.
2. ¿Cómo se traduce *pero*? Escriba tres oraciones que ilustren el uso de *pero, sino* y *sino que*.

12 ¿Reflexivo o no?

Lea el siguiente texto y escriba la forma correcta de los verbos en pretérito, imperfecto o
infinitivo. Decida si hay que usar el pronombre reflexivo o no.

Ayer yo __1.__ (*levantar / levantarse*) enfermo y
como quien dice con el pie izquierdo; lo único que
__2.__ (*apetecer / apetecerme*) era __3.__ (*acostar /
acostarse*) de nuevo, pero Pablo __4.__ (*hacer /
⁵ hacerse*) que fuera a clase. Cuando yo __5.__ (*ir /
irse*) de camino a clase, __6.__ (*tropezar / tropezarse*)
dos veces con algo que había en el piso. Al
principio __7.__ (*creer / creerse*) que sólo fue
casualidad y __8.__ (*decir / decirse*) que mi suerte iba
¹⁰ a cambiar. Evidentemente no fue así.

Llegué tarde a mi primera clase que era con el profesor más duro de toda la universidad. Este señor a
menudo __9.__ (*preguntar / preguntarse*) sobre la lección anterior a dos o tres de los alumnos, así que
nada más entrar y siguiendo mi mala racha me __10.__ (*tocar / tocarse*) a mí. Obviamente yo no __11.__
(*acordar / acordarse*) de nada. De repente empecé a temblar y a tartamudear, y __12.__ (*poner / ponerse*)
¹⁵ muy nervioso por lo que un par de mis amigos se rieron al verme así. Lo único en lo que yo pensaba
era en __13.__ (*acostar / acostarse*) otra vez. Es por lo que __14.__ (*ir / irse*) a mi casa justo después de
esa clase; creo que __15.__ (*enfermar / enfermarse*) más del mal rato que había pasado. Cuando Pablo
me vio pensó que era una excusa y __16.__ (*enojar / enojarse*) conmigo. Pero no __17.__ (*preocupar /
preocuparse*) lo que me decía. Sabía que necesitaba unas horitas más de sueño. __18.__ (*Negar / Negarse*)
²⁰ rotundamente a __19.__ (*levantar / levantarse*). __20.__ (*Quitar / Quitarse*) los zapatos y __21.__ (*meter /
meterse*) directamente en la cama. Cerré los ojos y __22.__ (*dormir / dormirse*) en seguida. Ya se sabe, lo
que mal empieza peor acaba...

---

enojó; 17. me preocupaba; 18. Me negué;
19. levantarme; 20. Me quité; 21. me metí;
22. me dormí

Instructional Notes

11 You might want to review when *pero,
sino,* and *sino que* are used; although all
mean *but, pero* conveys the meaning of
nevertheless; sino conveys the meaning of
rather when the first part of the sentence
is negative; *sino que* conveys this same
meaning of *rather* when a conjugated verb
follows.

Additional Activities

Más reflexivos
Give the students a list of other reflexive
verbs and ask them to add to it as they learn
new ones during the year.

13 Un diálogo

Con un/a compañero/a escriba un diálogo entre jóvenes sobre algo que les pasó (real o ficticio). Subraye los verbos reflexivos que use.

14 Un mensaje en el teléfono

Lea el siguiente mensaje que un joven le dejó a un amigo en su móvil. Despues, mándele un mensaje a su móvil contestándole.

Hola Marcos:

Soy Francisco. Pasaba por tu casa cuando iba para el trabajo y me paré un momento para saludarte. Tengo un empleo a tiempo parcial por las tardes cerca de tu casa. Para ser una cosa temporal no está mal. Lo hago para sacarme ⁵un dinero extra para las vacaciones. Oye, ¿qué tal si quedamos para mañana por la mañana? Podemos irnos juntos a clase y si nos da tiempo nos vamos por la moto que me compré. Voy a pedirle a Ángel que vaya a trabajar mañana por mí por un par de horas. Para eso están los amigos, ¿a que sí? Llámame. Ay, por cierto, ¹⁰ayer vi por casualidad a Enrique y dice que se va para Cartagena en dos días. Me preguntó por ti. Bueno, ya te cuento.

15 Por y para

Trabaje con un/a compañero/a para hacer estas actividades relacionadas con el mensaje anterior.

1. Hagan una lista de las frases en las que *por* y *para* aparecen en el texto, tradúzcanlas al inglés y expliquen por qué se usa la preposición en cada caso.
2. Expliquen las reglas de cuándo se usa *por* y *para* y escriba una oración para cada una.
3. Escriban diez expresiones que usen *por* o *para*.

16 Un fin de semana

Escriba una composición sobre su fin de semana en la que muestre los distintos usos de *por* y *para*. Numere cada uso y escriba la regla al lado. Comparta su composición con la de un/a compañero/a. Comenten sobre la forma y el contenido.

Compare

Elija un país de habla hispana. Compare lo que piensa que hacen los jóvenes en ese país con lo que hacen los jóvenes en el suyo.

Lección 2A   65

Answers

17 **Diálogo 1:** 1. por; 2. Por; 3. por; 4. por; 5. por;
6. por; 7. Para; 8. por; 9. Por; 10. para; 11. por; 12. para;
13. Por; 14. para; 15. para; 16. por; 17. por; 18. Por;
19. Por; 20. para; 21. Por

Diálogo 2: 1. para; 2. por; 3. Por; 4. por; 5. Para; 6. por;
7. por; 8. para; 9. Por; 10. por; 11. para; 12. por;
13. para; 14. por; 15. por; 16. Para; 17. Por; 18. por;
19. por; 20. Por; 21. para; 22. Para; 23. Por

Additional Activities

Más con *por* y *para*
Ask students to observe other uses and examples of *por*
and *para* in whatever they may read. They should write
these in their notebooks to serve as reference.

La generación ?
Ask students to work in small groups and come up with
an original name for their generation. Then have them
share their names with the rest of the class and explain
how they happened to choose it.

Repaso Expreso
See p. TE28.

---

17 Más con por y para

Lea los siguientes diálogos y complételos con *por* o *para*.

Diálogo 1

Santiago: Hola Luis. ¿Cómo te va? Estaba __1.__ llamarte pero he tenido un mal día. __2.__ fin
han dado la nota del proyecto en el que tanto trabajé y estoy muy frustrado. Ya sabes
que estuve trabajando __3.__ lo menos __4.__ dos semanas en el proyecto y __5.__ lo visto mi
profesor cree que no he puesto suficiente interés. No comprendo __6.__ qué me ha puesto
esta nota. __7.__ todo lo que trabajé, no me la merezco.

Luis: Bueno, no te preocupes __8.__ ahora, ¡que es sábado! ¿ __9.__ qué no dejas todos estos
problemas __10.__ el lunes? Venga, que hoy he salido __11.__ ti. Ya sabes que me quería
quedar en casa __12.__ ver el partido que echaban hoy.

Santiago: De acuerdo. ¿ __13.__ qué no vamos __14.__ la casa de Marcos? Creo que hoy tiene una fiesta
__15.__ celebrar su cumpleaños. Creo que me mandó su dirección __16.__ correo electrónico.
¿Tú la tienes?

Luis: Sí, claro, __17.__ supuesto. ¿ __18.__ cuánto tiempo crees que nos quedaremos? __19.__ lo visto
la fiesta empieza pronto, quizás volvamos a tiempo __20.__ ver el partido. __21.__ si acaso,
voy a llevar mi carro.

Diálogo 2

Verónica: Mañana voy __1.__ Guayaquil, y voy __2.__ mi boleto de tren ahora porque no quiero
quedarme sin él. __3.__ lo visto al ser fiesta el lunes me han recomendado que lo compre
con tiempo __4.__ si se acaba.

Pepe: Pero, ¡qué lata! ¿ __5.__ cuándo estarás de vuelta?

Verónica: Hijo, Pepe, no te enfades __6.__ esto. Sé __7.__ qué lo preguntas y no quiero que te
preocupes. Estaré aquí __8.__ ver juntos el partido de fútbol. __9.__ lo visto es la final y no
quiero perdérmela. Pepe, si quieres de camino a tu casa voy __10.__ algo __11.__ comer.
¿Qué piensas?

Pepe: ¡Hecho! Pues si no te importa, hay un restaurante en una esquina, __12.__ ahí cerca de tu
casa que prepara un ceviche y un pollo frito que están riquísimos. No sé si te gustará pero
__13.__ mí es el más rico del mundo. Además __14.__ un poco de plata comemos __15.__ al
menos dos días. Y no exagero, es que ponen unas porciones enormes.

Verónica: Perfecto. Y si quieres después podemos jugar a algún videojuego nuevo. ¿Jugaste ya a este
último que acaban de sacar? __16.__ mí no merece la pena lo que cuesta. Es carísimo, ¿no
crees?

Pepe: __17.__ supuesto que podemos jugar a algún juego después. Y no, no lo compré porque
querían que pagara mucho dinero __18.__ este videojuego. Estoy de acuerdo. No merece la
pena pagar tanto. Bueno,… luego charlamos. En cuanto a la comida,… estaba pensando
que podemos hacer el pedido de la comida __19.__ teléfono. Creo que tienen servicio a
domicilio. __20.__ si acaso, sacaré unas salchichas __21.__ preparar unos perros calientes. __22.__
ser joven, soy bastante organizado. ¿No crees? Mi madre estaría orgullosa de mí. (Risas)

Verónica: __23.__ eso sabes que prefiero pedir yo la comida. Si no siempre terminamos comiendo perro
caliente siempre. ¡No lo soporto más! (Risas) Bueno, que me voy. Luego nos vemos cariño.

Pepe: Sí, y,… ¡no tardes!

Cita

*Haría cualquier cosa por recuperar
la juventud, excepto hacer ejercicio,
madrugar o ser un miembro útil de
la comunidad.*
— Oscar Wilde (1854–1900),
dramaturgo y novelista irlandés

¿Qué es lo que le da más rabia de
ser joven? ¿Qué es lo que más le
gusta de ser joven? Comparta su
opinión con un/a compañero/a.

¡Dato curioso!

Mientras que
muchos mayores
suspiran por esos recuerdos
de la juventud, y en ocasiones
hacen lo imposible por mantenerla,
muchos jóvenes y niños están
deseando ser mayores. Por el
contrario, a muchos de los "baby
boomers", estadounidenses nacidos
entre 1946 y 1964, les cuesta
renunciar a la idea de que ya no son
jóvenes.

Nota cultural
Cuando les preguntan a los "baby boomers"
su edad, muchos contestan diciendo que son
tres años más jóvenes.

18 Familia de palabras

Complete la tabla con el verbo, sustantivo o adjetivo apropiado, y la traducción correspondiente.

Verbos		Sustantivos		Adjetivos	
agradecer	to be grateful, appreciate	el agradecimiento	_____	_____	grateful
aislar	_____	el aislamiento	_____	_____	isolated
consentir	to allow, consent	el consentimiento	_____	consentido	spoiled
consumir	to consume	el consumismo;	_____	_____	
		el/la consumidor(a)	_____		
_____	to experiment	la experiencia	experience	experimentado	_____
influir	_____	_____	_____	influyente	_____
mentir	to lie	_____	_____	mentiroso	_____
oprimir	_____	la opresión	oppression	oprimido	_____
rebelarse	_____	la rebeldía	_____	_____	_____
_____	to remember	el recuerdo	memory	recordado	remembered
tranquilizar	to calm (down)	_____	_____	_____	calm, quiet, peaceful
valorar	_____	el valor	_____	valorado; valioso	_____ ; valuable

19 ¿Verbo, sustantivo o adjetivo?

Complete las oraciones usando la forma correcta de las palabras que aparecen en la tabla, ya sea verbo, sustantivo o adjetivo. En el caso del sustantivo puede que necesite artículo.

1. Todos coinciden en ___ (*influir*) que tienen los famosos en la moda.
2. Mis padres dicen que mi hermana se ha puesto muy ___ (*rebelarse*) últimamente.
3. Siempre hemos ___ (*agradecer*) el respeto que nos muestran los profesores.
4. Almudena ha enfermado al sentirse ___ (*aislar*) en la clase.
5. El encargado trató de mostrar ___ (*tranquilizar*) todo el tiempo durante la crisis, al tratarse de gente joven.
6. El joven *yuppie* se hizo famoso a base de muchas ___ (*mentir*).
7. Los chicos a menudo se quejaban de ___ (*oprimir*) que sentían para sacar buenas notas.
8. Muchos quisieron ___ (*experimentar*) cuando llegaron a la universidad por lo que se tiñeron el pelo y se dieron un corte raro.
9. Siempre hemos estado ___ (*agradecer*) por el trato recibido por nuestros profes.
10. No tengo muchos ___ (*recordar*) de mi infancia. ¡Qué rabia! Me frustra muchísimo.

Cita

A diferencia de la vejez, que siempre está de más, lo característico de la juventud es que siempre está de moda.

—Fernando Savater (1947–), filósofo español

¿Está de acuerdo con este comentario? ¿Por qué? ¿Qué otras características tiene la juventud? ¿Y la vejez? Comparta su opinión con un/a compañero/a.

Teacher Resources

 Activity 4

Answers

18 Verbos
agradecer *to be grateful, appreciate*
aislar *to isolate/cut off*
consentir *to allow, consent*
consumir *to consume*
experimentar *to experiment*
influir *to influence*
mentir *to lie*
oprimir *to oppress*
rebelarse *to rebel*
recordar *to remember*
tranquilizar *to calm (down)*
valorar *to value*

Sustantivos
el agradecimiento *gratitude*
el aislamiento *isolation*
el consentimiento *consent*
el consumismo; el/la consumidor(a) *consumerism; consumer*
la experiencia *experience*
la influencia *influence*
la mentira *lie*
la opresión *oppression*
la rebeldía *rebellion*
el recuerdo *memory*
la tranquilidad *tranquillity/peacefulness*
el valor *value*

Adjetivos
agradecido *grateful*
aislado *isolated*
consentido *spoiled*
consumido *consumed*
experimentado *experienced*
influyente *influential*
mentiroso *lying/liar*
oprimido *oppressed*
rebelde *rebellious*
recordado *remembered*
tranquilo *calm, quiet, peaceful*
valorado; valioso *valued; valuable*

19
1. la influencia; 2. rebelde; 3. agradecido; 4. aislada; 5. tranquilidad; 6. mentiras; 7. la opresión; 8. experimentar; 9. agradecidos; 10. recuerdos

Additional Activities

Juego
Ask students to play *Voluntario, derecha e izquierda*. See p. TE25.

Familia de palabras
See p. TE27.

Answers

20 1. era; 2. terminó; 3. se sentían; 4. su; 5. comenzó;
6. vinieron; 7. los; 8. Es; 9. ha vuelto; 10. él; 11. sabe;
12. quiere; 13. son; 14. los; 15. está; 16. esa; 17. asusta;
18. llamada; 19. los; 20. producen; 21. van; 22. el;
23. el; 24. La; 25. la; 26. un; 27. está; 28. esta;
29. dijimos; 30. parezca; 31. se sienten; 32. quien;
33. la; 34. deje

20 ¡Y hasta lleva arete…!

Lea el artículo y complete los espacios con la palabra adecuada. Después conteste las siguientes preguntas:

- ¿Cuál es el propósito del artículo?
- ¿Cómo resumiría el artículo en una frase?

¡Y hasta lleva arete…!
LUCÍA LEMOS

Javier **1.** (*fue / era*) un niño muy tranquilo y juicioso hasta que **2.** (*terminó / terminaba*) ⁵la primaria. Sus padres jamás tenían motivo para retarle y **3.** (*se sintieron / se sentían*) muy orgullosos de él. ¹⁰En las vacaciones previas a **4.** (*su / sus*) ingreso a la secundaria, sin embargo, su actitud **5.** (*comenzó / comenzaba*) a cambiar y, con ello, **6.** (*vinieron / venían*) **7.** (*los / las*) ¹⁵dolores de cabeza de los papás. ¡**8.** (*Es / Está*) otro chico!, decían, se **9.** (*ha vuelto / volvía*) revoltoso, y con mal genio; ni **10.** (*el / él*) mismo **11.** (*sepa / sabe*) lo que **12.** (*quiere / quiera*).

²⁰Efectivamente, esos **13.** (*sean / son*) **14.** (*los / las*) síntomas de que el niño **15.** (*esté / está*) dejando de serlo y pasa por **16.** (*ese / esa*) etapa difícil, que **17.** (*asuste / asusta*) a padres y madres de ²⁵familia, **18.** (*llamado / llamada*) adolescencia.

Alrededor de los 11 años en todos **19.** (*los / las*) seres humanos se **20.** (*produzcan / producen*) cambios importantes, que ³⁰**21.** (*vayan / van*) desde lo físico y hormonal, hasta **22.** (*el / la*) carácter y **23.** (*el / la*) comportamiento. **24.** (*El / La*) educación y **25.** (*el / la*) comunicación juegan **26.** (*un / uno*) papel muy ³⁵importante cuando se **27.** (*esté / está*) pasando por **28.** (*este / esta*) situación. Los chicos y chicas, como ya **29.** (*digamos / dijimos*), están atravesando momentos difíciles.

⁴⁰Sin retos ni sermones, ellos, aunque no **30.** (*parece / parezca*), están ávidos de oír a sus padres, están asustados, **31.** (*se sientan / se sienten*) vulnerables y necesitan a alguien en **32.** (*quien / quienes*) confiar ⁴⁵pero que, a **33.** (*el / la*) vez, los **34.** (*deja / deje*) actuar y desarrollarse.

www.hoydomingo.com

Nota cultural

Esta "concienciación" que se menciona en el *Dato curioso* ya ocurrió con el hip-hop, que fue utilizado para involucrar a los jóvenes afro-americanos en la política. Un ejemplo de ello fue la campaña "*Vote or Die*". El reggaeton es un género musical descendiente del reggae jamaicano, e influido por el hip-hop de Nueva York. Es muy popular entre los jóvenes de muchos países de América Latina. Las letras son pegadizas y fáciles. Los temas de las letras originariamente eran de denuncia social, aunque cada vez se han ido haciendo más comerciales. Tanto el disc jockey como el cantante tienen gran influencia en el éxito de la canción. Muchos critican este tipo de música por ser repetitivo, y con temas violentos, machistas y sexuales. Es por lo que muchas cadenas de radio se niegan a emitir este tipo de musica, por considerar que promueve la delincuencia y la violencia. Es música principalmente creada por hombres, pero poco a poco hay participación de algunas mujeres.

21 ¿Qué significa?

Mire las palabras de la primera columna, que aparecen en la lectura anterior, y busque su traducción en la segunda columna.

1. juicioso	a. forma de portarse
2. primaria	b. parar de
3. retar	c. señal
4. orgulloso	d. con miedo
5. actitud	e. discurso
6. revoltoso	f. actuar en cierta manera
7. mal genio	g. tener seguridad en sí mismo
8. síntoma	h. personalidad
9. dejar de	i. pasar por
10. pasar por una etapa difícil	j. escuela antes de secundaria
11. carácter	k. desafiar
12. comportamiento	l. que actúa con madurez
13. jugar un papel	m. tener mucha autoestima, a veces demasiada
14. atravesar	n. carácter fuerte
15. sermón	o. rebelde
16. asustado	p. posición
17. confiar	q. estar en un período difícil

22 Influenciados por la moda

Lea el artículo y complete los espacios con la palabra adecuada. Después conteste las siguientes preguntas:

- ¿Cuál es el propósito del artículo?
- ¿Cómo resumiría el artículo en una frase?

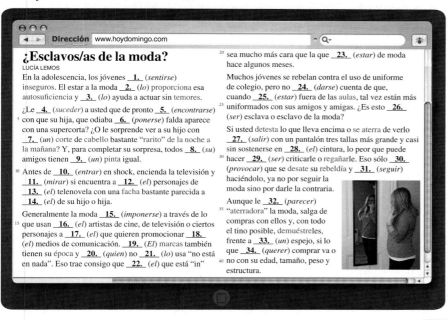

Dirección www.hoydomingo.com

¿Esclavos/as de la moda?

LUCÍA LEMOS

En la adolescencia, los jóvenes __1.__ (*sentirse*) inseguros. El estar a la moda __2.__ (*lo*) proporciona esa autosuficiencia y __3.__ (*lo*) ayuda a actuar sin temores.

¿Le __4.__ (*suceder*) a usted que de pronto __5.__ (*encontrarse*) con que su hija, que odiaba __6.__ (*ponerse*) falda aparece con una supercorta? ¿O le sorprende ver a su hijo con __7.__ (*un*) corte de cabello bastante "rarito" de la noche a la mañana? Y, para completar su sorpresa, todos __8.__ (*su*) amigos tienen __9.__ (*un*) pinta igual.

Antes de __10.__ (*entrar*) en shock, encienda la televisión y __11.__ (*mirar*) si encuentra a __12.__ (*el*) personajes de __13.__ (*el*) telenovela con una facha bastante parecida a __14.__ (*el*) de su hijo o hija.

Generalmente la moda __15.__ (*imponerse*) a través de lo que usan __16.__ (*el*) artistas de cine, de televisión o ciertos personajes a __17.__ (*el*) que quieren promocionar __18.__ (*el*) medios de comunicación. __19.__ (*El*) marcas también tienen su época y __20.__ (*quien*) no __21.__ (*lo*) usa "no está en nada". Eso trae consigo que __22.__ (*el*) que está "in"

sea mucho más cara que la que __23.__ (*estar*) de moda hace algunos meses.

Muchos jóvenes se rebelan contra el uso de uniforme de colegio, pero no __24.__ (*darse*) cuenta de que, cuando __25.__ (*estar*) fuera de las aulas, tal vez están más uniformados con sus amigos y amigas. ¿Es esto __26.__ (*ser*) esclava o esclavo de la moda?

Si usted detesta lo que lleva encima o se aterra de verlo __27.__ (*salir*) con un pantalón tres tallas más grande y casi sin sostenerse en __28.__ (*el*) cintura, lo peor que puede hacer __29.__ (*ser*) criticarle o regañarle. Eso sólo __30.__ (*provocar*) que se desate su rebeldía y __31.__ (*seguir*) haciéndolo, ya no por seguir la moda sino por darle la contraria.

Aunque le __32.__ (*parecer*) "aterradora" la moda, salga de compras con ellos y, con todo el tino posible, demuéstreles, frente a __33.__ (*un*) espejo, si lo que __34.__ (*querer*) comprar va o no con su edad, tamaño, peso y estructura.

Teacher Resources

📝 Activity 5

Answers

21 1. l; 2. j; 3. k; 4. m; 5. p; 6. o; 7. n; 8. c; 9. b; 10. q; 11. h; 12. a; 13. f; 14. i; 15. e; 16. d; 17. g

22 1. se sienten; 2. les; 3. les; 4. sucede; 5. se encuentra; 6. ponerse; 7. un; 8. sus; 9. una; 10. entrar; 11. mire; 12. los; 13. la; 14. la; 15. se impone; 16. los; 17. los; 18. los; 19. Las; 20. quien; 21. las; 22. la; 23. estaba; 24. se dan; 25. están; 26. ser; 27. salir; 28. la; 29. es; 30. provocará; 31. siga; 32. parezca; 33. un; 34. quieren

Additional Activities

Hablar sobre esta foto
See p. TE27.

Teacher Resources

 Activity 24

Answers

23 1. r; 2. m; 3. p; 4. g; 5. a; 6. l; 7. s; 8. d; 9. e; 10. t; 11. n; 12. k; 13. f; 14. c; 15. q; 16. i; 17. o; 18. b; 19. h; 20. j

Instructional Notes

24 Encourage students to absorb comprehension of the two readings before they listen to the audio. You might suggest that they retell the readings or the audio in their own words before they write their essays or make their presentations.

Before students listen to the audio, you might want to review the following words: *asunto,* issue; *desprendido,* detached; *terapeuta,* therapist; *constituir,* to make up; *regir,* to rule; *tornarse,* to become; *enfrascado,* involved; *angustioso,* anguished; *desconcertar,* to disturb; *cabellera,* head of hair; *vestuario,* clothes; *rayar en lo ridículo,* to border on the ridiculous; *estrafalario,* odd/eccentric; *quebrantar,* to break; *repercutir,* to have an effect.

Additional Activities

¿Qué es la moda?

Ask students to define what "fashion" is and what or who determines what is fashionable. You could also ask them to predict what will be fashionable in two years, or in twenty, and tell them to keep in mind that fashions from years past often become popular again.

---

23 ¿Qué palabra es?

Mire las palabras de la primera columna, que aparecen en la lectura anterior, y busque su sinónimo o definición en la segunda columna.

1. inseguro		a.	ocurrir
2. proporcionar		b.	desobediencia
3. autosuficiencia		c.	odiar
4. temor		d.	extraño
5. suceder		e.	de pronto
6. corte		f.	clase
7. cabello		g.	miedo
8. rarito		h.	que da pánico, mucho miedo
9. de la noche a la mañana		i.	reñir
10. pinta		j.	enseñar
11. marca		k.	período
12. época		l.	estilo
13. aula		m.	ofrecer
14. detestar		n.	de un fabricante concreto
15. aterrarse		o.	soltar, dar salida a algo
16. regañar		p.	independencia
17. desatar		q.	asustarse
18. rebeldía		r.	sin seguridad
19. aterradora		s.	pelo
20. demostrar		t.	facha

24 Lea, escuche y escriba/presente

Vuelva a leer los textos completos de las Actividades 20 y 22 y después escuche la grabación "Nuestros problemas" y tome las notas necesarias. Escriba un ensayo o haga una presentación en clase contestando esta pregunta: "¿Por qué les gusta a los jóvenes estar a la moda?" No se olvide de citar las fuentes debidamente.

Cita

La moda que se adelanta diez años a su época es indecente; diez años después de ésta resulta horrorosa; un siglo después se convierte en romántica.
—Anónimo

¿Está de acuerdo con lo que dice? ¿Por qué? Dé ejemplos que ilustren esta cita. Comparta sus opiniones con un/a compañero/a.

Dato curioso

La ropa de moda es un negocio de miles de millones de dólares. Cada vez más jóvenes tienden a comprar ropa de marca de diseñadores famosos. Aunque sean accesorios o cosméticos, pocos jóvenes se escapan de las campañas publicitarias destinadas a atraerlos como clientes.

Nota cultural

Mientras que antes apenas se salía con dinero para golosinas, los jóvenes de hoy cuentan como mayor poder adquisitivo. Un ejemplo de ello es el hecho de que algunos jóvenes de quince años vayan con marcas de diseñadores muy conocidos o tengan su propio teléfono móvil y tarjetas de crédito.

25 ¿Qué quieres ser cuando seas mayor?

Lea el artículo y complete los espacios con la palabra adecuada. Después conteste las siguientes preguntas:

- ¿Cuál es el propósito del artículo?
- ¿Cómo resumiría el artículo en una frase?
- Si quisiera consultar otra fuente, ¿podría pensar en un posible título de una publicación?
- ¿Qué pregunta sería apropiada para hacerle al autor después de leer el artículo?

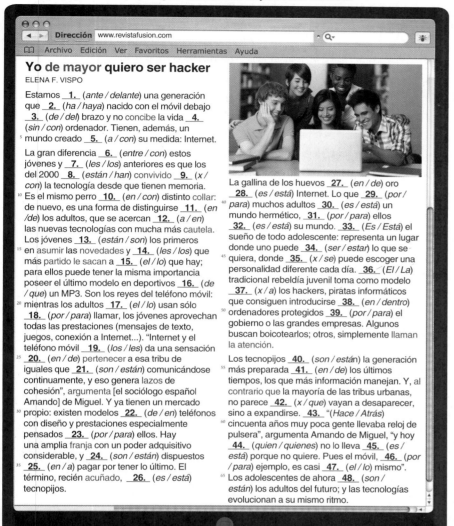

Dirección www.revistafusion.com

Archivo   Edición   Ver   Favoritos   Herramientas   Ayuda

Yo de mayor quiero ser hacker
ELENA F. VISPO

Estamos **1.** (*ante / delante*) una generación que **2.** (*ha / haya*) nacido con el móvil debajo **3.** (*de / del*) brazo y no concibe la vida **4.** (*sin / con*) ordenador. Tienen, además, un
5 mundo creado **5.** (*a / con*) su medida: Internet.

La gran diferencia **6.** (*entre / con*) estos jóvenes y **7.** (*les / los*) anteriores es que los del 2000 **8.** (*están / han*) convivido **9.** (*x / con*) la tecnología desde que tienen memoria.
10 Es el mismo perro **10.** (*en / con*) distinto collar: de nuevo, es una forma de distinguirse **11.** (*en /de*) los adultos, que se acercan **12.** (*a / en*) las nuevas tecnologías con mucha más cautela. Los jóvenes **13.** (*están / son*) los primeros
15 en asumir las novedades y **14.** (*les / los*) que más partido le sacan a **15.** (*el / lo*) que hay; para ellos puede tener la misma importancia poseer el último modelo en deportivos **16.** (*de / que*) un MP3. Son los reyes del teléfono móvil:
20 mientras los adultos **17.** (*el / lo*) usan sólo **18.** (*por / para*) llamar, los jóvenes aprovechan todas las prestaciones (mensajes de texto, juegos, conexión a Internet...). "Internet y el teléfono móvil **19.** (*los / les*) da una sensación
25 **20.** (*en / de*) pertenecer a esa tribu de iguales que **21.** (*son / están*) comunicándose continuamente, y eso genera lazos de cohesión", argumenta [el sociólogo español Amando] de Miguel. Y ya tienen un mercado
30 propio: existen modelos **22.** (*de / en*) teléfonos con diseño y prestaciones especialmente pensados **23.** (*por / para*) ellos. Hay una amplia franja con un poder adquisitivo considerable, y **24.** (*son / están*) dispuestos
35 **25.** (*en / a*) pagar por tener lo último. El término, recién acuñado, **26.** (*es / está*) tecnopijos.

La gallina de los huevos **27.** (*en / de*) oro **28.** (*es / está*) Internet. Lo que **29.** (*por /
40 para*) muchos adultos **30.** (*es / está*) un mundo hermético, **31.** (*por / para*) ellos **32.** (*es / está*) su mundo. **33.** (*Es / Está*) el sueño de todo adolescente: representa un lugar donde uno puede **34.** (*ser / estar*) lo que se
45 quiera, donde **35.** (*x / se*) puede escoger una personalidad diferente cada día. **36.** (*El / La*) tradicional rebeldía juvenil toma como modelo **37.** (*x / a*) los hackers, piratas informáticos que consiguen introducirse **38.** (*en / dentro*)
50 ordenadores protegidos **39.** (*por / para*) el gobierno o las grandes empresas. Algunos buscan boicotearlos; otros, simplemente llaman la atención.

Los tecnopijos **40.** (*son / están*) la generación
55 más preparada **41.** (*en / de*) los últimos tiempos, los que más información manejan. Y, al contrario que la mayoría de las tribus urbanas, no parece **42.** (*x / que*) vayan a desaparecer, sino a expandirse. **43.** "(*Hace / Atrás*)
60 cincuenta años muy poca gente llevaba reloj de pulsera", argumenta Amando de Miguel, "y hoy **44.** (*quien / quienes*) no lo lleva **45.** (*es / está*) porque no quiere. Pues el móvil, **46.** (*por / para*) ejemplo, es casi **47.** (*el / lo*) mismo".
65 Los adolescentes de ahora **48.** (*son / están*) los adultos del futuro; y las tecnologías evolucionan a su mismo ritmo.

Teacher Resources

 Activity 27

 Activity 6

Answers

26 1. precaución; 2. aprovecharse de; 3. con;
4. acuñada; 5. pertenece; 6. concibo; 7. novedades;
8. lazos; 9. llama la atención; 10. argumenta;
11. de mayor; 12. Un collar; 13. asumir; 14. sacar partido

28 1. son; 2. de; 3. es; 4. por; 5. son; 6. de; 7. e; 8. de;
9. de;

Instructional Notes

27 Before students listen to the audio, you might want
to review the following words: *inesperado*, unexpected;
computo, computation; *cartel*, poster; *letrerito*, sign;
castigo, punishment; *burlarse de*, to ridicule/make fun
of; *liberar*, to free/liberate.

28 You might want to define the following terms for
students before they start reading: *la escalada libre*, free
climbing; *el puenting*, bungee jumping (*from a bridge*);
primar, to dominate; *cero patatero*, nothing, or "zero"
(*Spanish slang*); *tergiversar*, to distort. The anglicism
tumbing is the Spanish equivalent of crashing; the
Spanish verb is *tumbarse*.

After students finish reading the article, ask them to
identify the sports that are mentioned and that have
identical or very similar names in English (*trekking,
pádel, tenis, snowboard, hidrospeed, rafting*).

Additional Activities

Comunicación

Ask students to work in small groups and brainstorm
the high-tech devices they could not do without, and
those that they really don't need. Have them think
about the impact the presence or absence of these
devices has, or would have, on their lives. You might
want the groups to later share their opinions with the
entire class and discuss them.

---

26 ¿Cuál de las dos?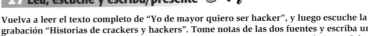

Escoja la mejor palabra para completar cada oración.

1. Si uno hace algo con mucha cautela, lo hace con mucha ___ (*prisa / precaución*).
2. Sacarle partido es ___ (*jugar con / aprovecharse de*) algo.
3. Si convives con tu hermano, vives ___ (*separado de / con*) él.
4. Una palabra nueva es una recién ___ (*argumentada / acuñada*).
5. Marta es parte de nuestro grupo; ella ___ (*pertenece / concibe*) al grupo.
6. Yo no imagino el mundo sin mi teléfono móvil. No ___ (*convivo / concibo*) la idea de vivir sin él.
7. Ricardo siempre tiene las últimas ___ (*franjas / novedades*) de la tecnología.
8. Ellos intentan mantener los ___ (*lazos / collares*) con sus ex colegas. Los ven una vez al mes.
9. Cecilia siempre ___ (*llama la atención / asume*) con esa ropa tan exagerada que lleva.
10. La abogada ___ (*concibe / argumenta*) que las zonas verdes están desapareciendo.
11. Mi hermanito dice que ___ (*de mayor / al contrario que*) quiere ser periodista.
12. ___ (*Una franja / Un collar*) es un adorno.
13. Hay que ___ (*asumir / concebir*) responsabilidad cuando uno es mayor de edad.
14. Les comenté a mis compañeros que deben de ___ (*sacar partido / llamar la atención*) al Internet y les di algunos buenos trucos.

27 Lea, escuche y escriba/presente

Vuelva a leer el texto completo de "Yo de mayor quiero ser hacker", y luego escuche la grabación "Historias de crackers y hackers". Tome notas de las dos fuentes y escriba un ensayo o haga una presentación en clase para contestar la pregunta, "¿Qué piensa del hecho de que muchos jóvenes sueñen con ser hackers?". No se olvide de citar las fuentes debidamente.

28 ¿Qué opinan?

Lea el artículo y complete los espacios con la palabra adecuada. Después conteste las siguientes preguntas:

- ¿Cuál es el propósito del artículo?
- ¿Cómo resumiría el artículo en una frase?
- Si quisiera consultar otra fuente, ¿podría pensar en un posible título de una publicación?
- ¿Qué pregunta sería apropiada para hacerle al autor después de leer el artículo?

Y tú, ¿qué valoras?

La solidaridad y el voluntariado __1.__ valores en alza entre los jóvenes. Eso de donar tiempo y trabajo en favor __2.__ los más desprotegidos __3.__ una idea apoyada __4.__ gran número de
⁵jóvenes. Los espacios de más aceptación __5.__ los referidos a la defensa de los derechos humanos y enfermos __6.__ SIDA. Ecología, pacifismo, ayuda a refugiados __7.__ inmigrantes y movimientos a favor __8.__ la mujer le siguen en la
¹⁰lista __9.__ preocupaciones sociales.

Muchos jóvenes optan por trabajar de voluntarios en comedores de beneficencia.

¿Qué haces __10.__ fines de semana?

La oferta __11.__ muy variada. Su tiempo __12.__ lo ocupan en ir de cafés o cafeterías, ir al cine o teatro, salir de discoteca, ir de excursión, practicar deportes, asistir
[15] a conciertos, etc. Ahora no oiremos __13.__ nadie decir __14.__ se va de monte, sino __15.__ hace trekking. El pádel ha desbancado al tenis y el snowboard __16.__ esquí. La escalada libre, el puenting, el
[20] hidrospeed, el rafting... cuentan __17.__ día con más adeptos. Prima el deporte de riesgo y aventura, aunque el tumbing también tiene sus seguidores. No __18.__ deporte nuevo pero sí muy adecuado __19.__ amenizar
[25] los domingos, después __20.__ haberse levantado tarde. Consiste __21.__ tumbarse en un sofá a ver la televisión, echen __22.__ que echen, cambiando de canal __23.__ intercambiando algún que otro sueñecito.

¿Cómo ves __24.__ los políticos?

[30] Directamente les otorgan un "cero patatero", como diría un famoso político. Los jóvenes constituyen el sector de población __25.__ menos vota; valoran negativamente la política, castigándola __26.__ la indiferencia.
[35] Se ríen __27.__ la imagen que dan nuestros políticos __28.__ en plena campaña electoral visitan los mercados —poniendo cara de normales—, dando la mano __29.__ los tenderos y a las mujeres __30.__ cesta de
[40] la compra y monedero en mano. Les consideran "un grupo de desencantados de __31.__ década prodigiosa que no hablan el lenguaje __32.__ la vida. Sólo exponen utopías y cosas abstractas __33.__ nadie entiende y
[45] que luego tergiversan __34.__ llegan al poder", asegura Luis F. __35.__ veintidós años.

www.revistafusion.com

---

29 Vocabulario

Mire las palabras que aparecen en azul en el artículo anterior y complete las siguientes frases. No necesita usar todas las palabras. Haga los cambios que considere necesarios.

1. Mi amigo me ha comentado que va a ayudar en la _____ del nuevo presidente.
2. Me encantaría que conocieran al nuevo _____ en el puesto de frutas en la calle. Es muy amable.
3. Me niego a hacer puenting contigo. Y sí, ¡claro que creo que tirarse de un puente cabeza abajo es un deporte _____!
4. ¿Viste que mis amigos salieron cantando con su grupo en el _____ local de la televisión?
5. Le molesta que nosotros _____ en el sofá por horas. No lo entiendo.
6. En algunos países se juega un popular deporte parecido al tenis y raqueta de playa que se llama _____.
7. Los cantantes del grupo dicen que ellos _____ lo que ganen a una causa humanitaria.
8. Es muy posible que a mi _____ mis padres por verme fumar el otro día.
9. Creo que es el momento _____ para charlar sobre los "bullies" en la clase.

30 ¿Cuáles son tus aficiones?

Escriba un artículo para un periódico en el que hable sobre las aficiones de los jóvenes de su edad. ¿En qué están interesados? ¿Cómo pasan los fines de semana? Use algunas de las "tapitas" gramaticales y el vocabulario de la lección.

Cita

Oh capitán, mi capitán.
—De la película *El club de los poetas muertos* (*Dead Poets' Society*)

¿Ha visto la película *El club de los poetas muertos*? ¿Qué profesores le han inspirado o le han servido de modelos? ¿Cree que es importante tener buenos modelos? ¿Por qué? Comparta sus opiniones con un/a compañero/a.

¡Dato curioso!

Algo más del 55 por ciento de los usuarios de videoconsolas tienen más de 18 años. Hoy en día se contratan a escritores de prestigio para idear el guión y se cuenta incluso con actores que recrean las expresiones faciales de los personajes y con especialistas que sirven como modelos para que los movimientos sean más realistas.

Nota cultural

Según los principales desarrolladores de entretenimiento, este *Dato curioso* supone en la práctica que muchos usuarios no han soltado el mando desde hace dos décadas. En unos años, aseguran, todo el mundo jugará.

Answers

28 10. los; 11. es; 12. libre; 13. a; 14. que; 15. que; 16. al; 17. cada; 18. es; 19. para; 20. de; 21. en; 22. lo; 23. e; 24. a; 25. que; 26. con; 27. de; 28. cuando; 29. a; 30. con; 31. la; 32. de; 33. que; 34. cuando; 35. de

29 1. compaña electoral; 2. tendero; 3. de riesgo; 4. canal; 5. nos tumbemos; 6. pádel; 7. donarán; 8 me castiguen; 9. adecuado

Instructional Notes

30 Ask some students to read their articles aloud in class.

Additional Activities

Comunicación

Ask students to discuss in small groups the volunteer community activities and services they value or practice and how these activities and services impact their community.

Composición

Ask students to write a letter to one of their favorite teachers. It could be a current teacher, or one they had in elementary school. They should tell this person what they liked about his or her class, and what their favorite memories are.

Comunicación

Ask students to take positions about the following topic and discuss it as a class: *Los nuevos juegos de computadora aislan a los jóvenes y promueven la violencia.*

Teacher Resources

 Activities 7–13

Instructional Notes

31 After students discuss these questions with a partner, encourage a whole-class discussion.

32 After students read the article, ask them to define both the positive and negative characteristics that describe them and their friends; they should also state who their role models are. Then have them compare these results with those in the survey described in the article.

Additional Activities

Hablen sobre esta foto
See p. TE27.

¡A leer!

31 Antes de leer

¿Qué cree que piensan los adultos de los jóvenes? ¿Qué cinco adjetivos usaría Ud. para describir a los jóvenes de su edad? ¿En quién se fijan como modelo los jóvenes de su edad? ¿Por qué?

32 ¿Qué se dice de algunos jóvenes españoles?

Lea con atención el siguiente artículo. Después conteste las siguientes preguntas:

- ¿Cuál es el propósito del artículo?
- ¿Qué pregunta sería apropiada para hacerle al autor después de leer el artículo?
- Si quisiera consultar otra fuente, ¿podría pensar en un posible título de una publicación?

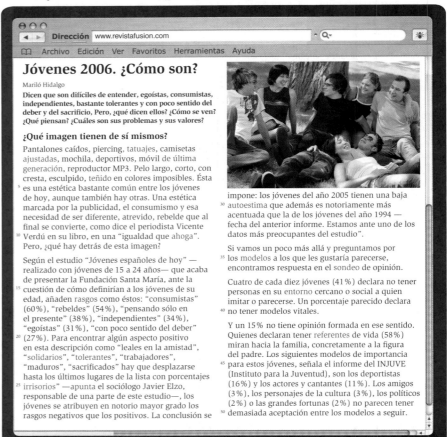

Jóvenes 2006. ¿Cómo son?

Mariló Hidalgo

Dicen que son difíciles de entender, egoístas, consumistas, independientes, bastante tolerantes y con poco sentido del deber y del sacrificio. Pero, ¿qué dicen ellos? ¿Cómo se ven? ¿Qué piensan? ¿Cuáles son sus problemas y sus valores?

¿Qué imagen tienen de sí mismos?

Pantalones caídos, piercing, tatuajes, camisetas ajustadas, mochila, deportivos, móvil de última generación, reproductor MP3. Pelo largo, corto, con cresta, esculpido, teñido en colores imposibles. Ésta
5 es una estética bastante común entre los jóvenes de hoy, aunque también hay otras. Una estética marcada por la publicidad, el consumismo y esa necesidad de ser diferente, atrevido, rebelde que al final se convierte, como dice el periodista Vicente
10 Verdú en su libro, en una "igualdad que ahoga". Pero, ¿qué hay detrás de esta imagen?

Según el estudio "Jóvenes españoles de hoy" — realizado con jóvenes de 15 a 24 años— que acaba de presentar la Fundación Santa María, ante la
15 cuestión de cómo definirían a los jóvenes de su edad, añaden rasgos como éstos: "consumistas" (60%), "rebeldes" (54%), "pensando sólo en el presente" (38%), "independientes" (34%), "egoístas" (31%), "con poco sentido del deber"
20 (27%). Para encontrar algún aspecto positivo en esta descripción como "leales en la amistad", "solidarios", "tolerantes", "trabajadores", "maduros", "sacrificados" hay que desplazarse hasta los últimos lugares de la lista con porcentajes
25 irrisorios" —apunta el sociólogo Javier Elzo, responsable de una parte de este estudio—, los jóvenes se atribuyen en notorio mayor grado los rasgos negativos que los positivos. La conclusión se impone: los jóvenes del año 2005 tienen una baja
30 autoestima que además es notoriamente más acentuada que la de los jóvenes del año 1994 — fecha del anterior informe. Estamos ante uno de los datos más preocupantes del estudio".

Si vamos un poco más allá y preguntamos por
35 los modelos a los que les gustaría parecerse, encontramos respuesta en el sondeo de opinión.

Cuatro de cada diez jóvenes (41%) declara no tener personas en su entorno cercano o social a quien imitar o parecerse. Un porcentaje parecido declara
40 no tener modelos vitales.

Y un 15% no tiene opinión formada en ese sentido. Quienes declaran tener referentes de vida (58%) miran hacia la familia, concretamente a la figura del padre. Los siguientes modelos de importancia
45 para estos jóvenes, señala el informe del INJUVE (Instituto para la Juventud), son los deportistas (16%) y los actores y cantantes (11%). Los amigos (3%), los personajes de la cultura (3%), los políticos (2%) o las grandes fortunas (2%) no parecen tener
50 demasiada aceptación entre los modelos a seguir.

33 ¿Qué significa? 🔍

Mire las palabras de la primera columna, que aparecen en el artículo anterior, y busque su definición o sinónimo en la segunda.

1. tatuaje
2. ajustado
3. de última generación
4. teñido
5. ahogar
6. rasgo
7. solidario
8. tolerante
9. irrisorio
10. apuntar
11. autoestima
12. modelo
13. sondeo
14. entorno
15. referente

a. característica
b. ridículo
c. encuesta
d. confianza en sí mismo
e. alrededor
f. pintura en el cuerpo
g. referencia
h. oprimir, no permitir respirar
i. lo más reciente
j. ejemplo
k. estrecho
l. pintado
m. unido a otros por intereses y responsabilidades
n. que respeta a los demás
o. anotar

34 ¿Ha comprendido?

1. Según el texto, ¿cuál es la estética de los jóvenes de hoy?
   a. Llevan pantalones grandes y el pelo de color.
   b. Usan siempre el móvil y escuchan música.
   c. Intentan ir todos iguales.
   d. Van según la publicidad y la norma de consumo.

2. ¿Se consideran los jóvenes a sí mismos tolerantes?
   a. Sí, lo colocan a la cabeza de la lista.
   b. No, se consideran a sí mismos intolerantes.
   c. No es un valor que destaquen de sí mismos.
   d. Sí, es su segunda característica después de la consumista.

3. ¿Por qué se atribuyen los jóvenes de hoy malos hábitos?
   a. Porque los han educado así
   b. Porque se consideran inferiores, con poca estima hacia sí mismos
   c. Porque están preocupados por los estudios
   d. Porque piensan sólo en el presente

4. Según los sondeos realizados, ¿tienen los jóvenes del 2005 algún modelo o ejemplo?
   a. Sí, los encuentran en la publicidad deportiva.
   b. Sí, es la figura paterna en el 90% de los casos.
   c. Los amigos son el modelo principal.
   d. La mayoría no tiene un modelo claro en quien inspirarse.

35 ¿Cuál es la pregunta?

Según lo que acaba de leer, escriba una pregunta lógica para estas respuestas.

1. La publicidad y el querer sentirse diferente
2. En 2005
3. Está en el último lugar de la lista de los jóvenes.
4. Porque no se valoran a sí mismos
5. La figura del padre
6. En un estudio del Instituto de la Juventud

36 Resuma en un gráfico

Haga un gráfico en el que resuma lo que dice la autora del artículo.

37 Haga una encuesta y un gráfico

Trabajen en grupos pequeños. Hagan una lista de preguntas para averiguar cuales son las cosas que les interesan, les preocupan y les influyen a los otros miembros de la clase. Después de entrevistar a sus compañeros de clase, hagan un gráfico con los resultados para compartirlo con los otros grupos.

Cita
Los jóvenes de hoy no parecen tener respeto alguno por el pasado ni esperanza alguna por el porvenir.
—Hipócrates (460–377 a. de J. C.), médico griego, llamado "el padre de la medicina moderna"

 ¿Piensa que los adultos siempre han opinado igual de los jóvenes? ¿Cree que tienen razón? ¿Piensa que cuando eran jóvenes actuaban de forma diferente? ¿A qué se debe? Comparta su opinión con un compañero/a.

Dato curioso Hoy los jóvenes de España son chicos muy preparados: han salido al extranjero, hablan varios idiomas y han hecho estudios superiores, pero sólo cuatro de cada diez llegarán a tener un trabajo acorde con sus estudios. Los sueldos de los otros jóvenes son muy bajos y les cuesta conseguir vivienda e independizarse.

38 Antes de leer 👥

¿Cree que los jóvenes tienen un lenguaje diferente al de los adultos? ¿Qué palabras o frases son típicas de su generación? ¿Ud. usa muchos vocablos propios de su generación? ¿Cambia Ud. cómo habla, dependiendo de con quién hable? ¿Escribe de la misma manera cuando lo hace por Internet? ¿Comete más o menos faltas de ortografía cuando usa un medio electrónico? ¿Usa la gente joven palabras en otro idioma para sonar más moderna?

39 Las jergas 📖

Lea con atención el siguiente artículo. Después conteste las siguientes preguntas:

- ¿Cómo resumiría lo que leyó en una frase?
- Si quisiera consultar otra fuente, ¿podría pensar en un posible título de una publicación?

Jergas: cada día nace una nueva palabra

Elena F. Vispo

El lenguaje es algo vivo, y las palabras nacen, crecen, evolucionan y, en ocasiones, mueren. A veces ocurre tan rápido que los académicos no lo asimilan y no queda constancia de ellas.

Muchas palabras nacen y mueren con la costumbre, y otras evolucionan con ella. Una de las acepciones de *ocupar* es tomar posesión de un edificio; *okupar*, en cambio, es ⁵una forma de vida.

Si bien el objetivo fundamental de estas *jergas* es diferenciar al que las habla del que no las habla (en este caso, al joven del adulto, o a un grupo o tribu de otra), lo cierto es que casi ¹⁰nunca se inventa nada. La palabra *guiri* (por extranjero), que hace pocos años se empezó a oír en las zonas turísticas, ya la usaba Galdós en sus *Episodios nacionales*. Las palabras de jerga son en su mayoría compuestas, o extraídas ¹⁵por algún tipo de afinidad con su significado original, como *loro* (radiocassette, porque en los años ochenta se puso de moda llevarlo por la calle apoyado en el hombro) o *ciego* (borracho o drogado, porque ve mal).

²⁰El filón es, de nuevo, la tecnología. Este es el terreno donde la jerga tiene un sentido excluyente, especialmente para los adultos. Si no *controlas* no es fácil entender que "en un ²⁵chat me enteré de una web donde bajar archivos piratas de MP3". No es otro idioma, aunque a muchos se lo parezca. O quizá sí: es el lenguaje de Internet. Un lugar donde no hay puntos ni comas, ni *mayúsculas*, ni acentos, cosa de la que muchos educadores están alertando: los ³⁰exámenes universitarios con *faltas de ortografía* y problemas a la hora de expresarse ya no son una excepción. Y no es que los jóvenes sean *incultos*; saben mucho, pero sólo de lo que les interesa.

³⁵La madre de casi todas estas jergas es el inglés, la lengua de las nuevas tecnologías. Los jóvenes del 2000 tienen un inglés fluido; quizá no sea muy académico, pero es más que suficiente para *apañarse en la red*. De modo que ya no se ⁴⁰molestan en traducirlo en los otros terrenos de la vida. Especialmente en la música: durante un *rave party* (fiestas *techno* que suelen *durar*, al menos, un par de días), lo mejor es *reponer fuerzas* en un *chill-out* (sesión de música ⁴⁵*ambient* suave). Está *por todas partes*: aunque no te dé *feeling*, ahora mismo es más *fashion* el *look* de *bad boy* que el *grunge*.

Muchas de estas palabras permanecerán. Así ocurrió con *ratón* y *colega*. Y muchas otras ⁵⁰desaparecerán, pero tampoco importa: siempre habrá jóvenes que necesiten, generación tras generación, reinventar el mundo a través del lenguaje.

www.revistafusion.com

Instructional Notes

39 You might want students to identify as many cognates as they can in the reading. Some examples are: *evolucionan, ocasiones, académicos, asimilan, constancia* (constancy/perseverance), *acepciones* acceptations/meanings).

Notas culturales

Un *okupa* es una persona que va a un edificio abandonado y se instala allí como si fuera su propia casa. Normalmente lo hacen en grupos y viven allí como en una especie de comuna.

Benito Pérez Galdós (1843–1920), novelista y dramaturgo español; fue uno de los escritores más importantes del siglo XIX en España. Algunos lo consideran el escritor español más importante después de Cervantes. Escribió más de sesenta obras. Sus *Episodios Nacionales* es una colección de 46 novelas históricas. Se tratan de la historia de España desde 1805 hasta 1880; Galdós las escribió entre 1872 y 1912.

Teacher Resources

 Activity 44

Answers

40 1. e; 2. h; 3. f; 4. b; 5. c; 6. j; 7. d; 8. g; 9. a; 10. i

41 1. d; 2. b; 3. c

43 Titles will vary.

Instructional Notes

42 You may ask for written or oral answers.

44 Before students listen to the audio, you might want to review the following words: *modismo*, idiom; *sonar mejor*, to sound better; *es un hecho*, it's a fact; *tener alguna gracia*, to be funny; *de un modo*, one way; *o sea*, that is to say; *divino tesoro*, divine treasure.

Explain the following slang terms from the audio: *pelar el cable*, to say or do something that does not make sense (*Se le está pelando el cable diciendo que nos vayamos a India haciendo autostop.*); *rayar la papa*, to keep talking about the same thing over and over; *apagar la tele*, perder la conciencia.

Additional Activities

Comunicación

Ask students to get together and make a list of ten slang words or appropriate expressions that they would like to learn in Spanish. Answer their curiosity.

---

40 Vocabulario

Mire las palabras que aparecen en la primera columna abajo y que también aparecen en la lectura anterior. Busque su correspondiente sinónimo o definición entre las palabras de la segunda columna.

1. jerga	a. recobrar la energía
2. controlar	b. error que se comete al escribir
3. mayúscula	c. que no tiene conocimientos
4. falta de ortografía	d. así que
5. inculto	e. vocabulario típico de un grupo social
6. apañarse	f. lo contrario de minúscula
7. de modo que	g. llevar un período largo de tiempo
8. durar	h. dominar
9. reponer fuerzas	i. en cada lugar
10. por todas partes	j. ser autosuficiente

41 ¿Ha comprendido?

1. ¿Qué significa que una palabra nace y muere?
   a. Que cambia continuamente su significado
   b. Que proviene de otra lengua
   c. Que se usaba en el castellano antiguo
   d. Que se usa durante poco tiempo

2. ¿Cuál es la función de las jergas?
   a. Inventar nuevas palabras
   b. Servir de distintivo social y cultural
   c. Recordar palabras antiguas
   d. Que sólo nos entiendan nuestras amistades

3. ¿De dónde provienen muchas de las nuevas palabras?
   a. De Internet
   b. De la música
   c. Casi siempre, del inglés
   d. De los chats

42 Responda brevemente

¿Le gusta hablar con sus amigos con un lenguaje especial que suelen usar los jóvenes? ¿Por qué? ¿Qué piensa cuando un adulto usa este tipo de lenguaje?

43 Se titula...

Piense en otro título para el artículo que acaba de leer. Explique por qué lo ha elegido.

44 Lea, escuche y escriba/presente

Vuelva a leer "Jergas: cada día nace una nueva palabra" y luego escuche la grabación "¿Qué es el lenguaje de los jóvenes?". Escriba un ensayo o haga una presentación en clase contestando la pregunta, "¿Por qué los jóvenes crean su propio lenguaje?". No se olvide de citar las fuentes debidamente.

45 Antes de leer

¿Cuál cree que es el período más feliz de la vida de una persona: la infancia, la juventud, la madurez o la vejez? ¿Le gusta o le molesta cumplir años? ¿Cree que cambiará de opinión en unos años? ¿Por qué?

46 ¿Cuándo se es adulto?

Lea con atención el siguiente artículo. Después conteste las siguientes preguntas:

- ¿Cómo resumiría lo que leyó en una frase?
- ¿Qué pregunta sería apropiada para hacerle a un joven?

¿A qué edad nos convertimos en adultos?

Ya soy mayor

Se mire por donde se mire, la infancia es el período más feliz (A). Es cierto que nos pasamos toda la niñez deseando crecer, pero inevitablemente, llegados a la edad adulta, tarde o temprano aflora la añoranza
5 del mundo infantil.

Los científicos han querido cuantificar hasta qué grado llega esta nostalgia. El último informe sobre la juventud española elaborada por INJUVE (Instituto de la Juventud) revela, por ejemplo, que el 43% de los
10 jóvenes de entre 15 y 29 años asegura que los niños son mucho más felices (B). Sólo un 6% muestra malos recuerdos de su niñez.

Posiblemente, los datos serían similares si se inquiriera a personas de entre 40 y 50 años sobre sus recuerdos de
15 juventud porque, al fin y al cabo, crecer no es otra cosa que ir dejando atrás etapas que nunca más volverán ¿o, quizás, no?

Hay gente que piensa que el proceso de desarrollo y crecimiento del ser humano es muy simple, que es
20 algo que está escrito en nuestros genes y que, con la compresión completa del genoma conseguiremos un conocimiento pleno del comportamiento de nuestra especie en las diferentes etapas de su vida. Pero otros científicos consideran que la cosa no es tan sencilla
25 y que, en realidad, los pasos de la evolución del ser humano no son tan evidentes. En otras palabras, que no existe respuesta rápida a la pregunta: ¿cuándo dejamos de ser niños?

Basta volver a los datos del informe del INJUVE antes
30 mencionado (C). Dicho estudio sobre la población juvenil española utilizó como muestra a personas de entre 15 y 29 años. Desde el punto de vista de un psicólogo, estas dos edades serían pues, las que marcan el umbral de entre la juventud y la infancia, por debajo,
35 y la juventud y la edad adulta, por arriba. Hoy en día, se considera joven, sin ninguna duda, a una persona menor de 30 años. Pero hace apenas unas décadas (no digamos hace un par de siglos) un treintañero estaba ya en la plenitud de su adultez.
40 En la Edad Media, con 30 años se era ya un anciano. A los 19 años Arthur Rimbaud había escrito la totalidad de su obra importante; a los 21, Cleopatra era una veterana reina de Egipto; a los 22, Charles Darwin empezaba a revolucionar el mundo de la biología a
45 bordo del *Beagle...* Pero en España de comienzos del siglo XXI, a un hombre o una mujer de 29 años se les considera muestra representativa de la juventud y se les pregunta sobre sus miedos antes de convertirse en adulto.

Depende de la cultura y del período histórico
50 No es extraño. La consideración de la juventud no es homogénea entre distintos pueblos, ni entre diferentes períodos históricos. Existen factores sociológicos, biológicos, psicológicos y legales que hacen variar los umbrales de entre los diferentes estados evolutivos.
55 Veamos algunos de ellos. Desde el punto de vista social, la madurez se identifica con la capacidad de desenvolverse de manera independiente afectiva, económica y legalmente en el entorno en que se vive. Si se pregunta a los jóvenes españoles cuándo consideran
60 que van a dejar de serlo, la edad promedio resultante es 34 años. Esos mismos jóvenes creen que dejaron de ser niños, (D), a los 15 años. O sea, que la propia percepción de la juventud que tienen los que de ella aún disfrutan es diferente a la que tienen los adultos.
65 Para un sociólogo, se deja de ser joven a los 30; para un joven, se empieza a ser adulto a los 34.

Si en las sociedades tradicionales el paso de la infancia a la responsabilidad madura era casi directo —el niño se convertía en guerrero y la niña en madre en
70 un solo acto— ahora ese salto es más complejo. Los niños dejan de serlo pronto, sí, pero no para hacerse "mayores" sino para ingresar en una larga etapa de juventud que sólo se abandona cuando se quiere, o se puede dejar el hogar familiar. Y es que cuesta mucho
75 dejar de ser joven.

Revista *Muy Interesante*

Investigue palabras clave:

INJUVE, Arthur Rimbaud, Cleopatra, Charles Darwin

Instructional Notes

46 Because this is the first reading students will see with red letters interspersed within the text, explain that in a later activity (49), these letters will be answer choices for figuring out where additional text might go.

Arthur Rimbaud (1854–1891), French poet; Cleopatra (69–30 b.c.), queen of Egypt; Charles Darwin (1809–1882), English naturalist and author of *The Origin of Species.*

You may want to tell this joke in Spanish about aging: *Un médico famoso le dice a su audiencia en un congreso: Existen tres síntomas típicos de la vejez; uno es la pérdida de memoria, y los otros dos,... ¡se me han olvidado!*

Additional Activities

Repaso Expreso
See p. TE28.

47 Vocabulario 🔍

Mire las palabras a continuación. De cada grupo de cuatro, escoja la que no esté relacionada con la palabra de la lectura.

1. añoranza
   a. melancolía   b. olvido
   c. nostalgia   d. recuerdo

2. inquirir
   a. interrogar   b. preguntar
   c. consultar   d. encontrar

3. etapa
   a. parada   b. fase
   c. período   d. ciclo

4. pleno
   a. total   b. completo
   c. 100%   d. a mitad

5. mencionar
   a. referir   b. nombrar
   c. omitir   d. citar

6. umbral
   a. entrada   b. final
   c. comienzo   d. portal

7. desenvolverse
   a. manejarse   b. apañarse
   c. valerse   d. dormirse

8. ingresar
   a. salir   b. entrar
   c. incorporarse   d. formar parte

48 ¿Ha comprendido?

1. Según el artículo, ¿es la infancia un período feliz en nuestras vidas?
   a. No, solemos tener malos recuerdos de nuestra niñez.
   b. Sí, pero estamos todo el tiempo con nostalgia.
   c. Sí, los niños suelen ser más felices que los mayores.
   d. No, porque nos preocupamos por cosas sin importancia.

2. Hoy en día, en España, ¿cuándo deja una persona de ser joven?
   a. Depende de su comportamiento.
   b. Tiene que decidirlo un psicólogo.
   c. Es adulto a partir de los 30 años.
   d. Se es adulto con 29 años.

3. ¿La edad en la que empieza y termina la juventud es universal?
   a. Sí, las etapas están muy definidas en la sociedad en general.
   b. No, cada persona decide cuándo deja de ser joven.
   c. Sí, un adulto hoy en día es igual en todos los países.
   d. Existen generalidades, pero depende del tiempo y los valores culturales.

4. ¿Qué quiere decir la expresión "Se mire por donde se mire"?
   a. Es importante observar...
   b. Posiblemente...
   c. Considerando todos los aspectos...
   d. Parece ser...

49 ¿Dónde va? 🔍

Las siguientes frases han sido extraídas del artículo anterior. Vuelva a leer las oraciones donde hay una letra en color. Escriba la letra correspondiente al lado de las frases a continuación. Hay una frase que sobra.

1. que los adultos
2. para comprender cuán difíciles son las definiciones en este terreno
3. quienes se creían mayores
4. como media
5. de nuestras vidas

Nota cultural

En algunas culturas la pubertad es un evento muy importante. En el caso de la etnia de los kunas (una de las etnias más importantes de Panamá) la celebran con danzas en las que las mujeres tocan las maracas y los hombres la flauta, todo acompañado por cantores especiales. Muchas mujeres indígenas son ofrecidas en matrimonio, en muchas ocasiones sin su consentimiento, junto con una dote.

Vuelva a leer el artículo "¿A qué edad nos convertimos en adultos?" y luego escuche la grabación, que es parte del mismo artículo. Tome notas y escriba un ensayo o haga una presentación en clase contestando la pregunta, "¿Cree que los niños dejan de ser niños demasiado pronto?" Incluya información de las dos fuentes, citándolas debidamente.

Cita

Los cuarenta son la edad madura de la juventud; los cincuenta la juventud de la edad madura.
—Victor Hugo (1802–1885), escritor francés

 ¿Hasta que edad cree Ud. qué se es joven? ¿Cree que nuestra sociedad valora demasiado o muy poco la juventud? ¿A qué se debe? Comparta sus opiniones con un/a compañero/a.

 **¡Dato curioso!** ¿Qué es el síndrome de Peter Pan? Los psicólogos lo atribuyen a la resistencia a asumir las responsabilidades propias de la edad adulta. El síndrome fue identificado por el estadounidense Dan Kiley y se manifiesta como un estado de ansiedad e inseguridad permanente, ligado a la negativa a independizarse del entorno maternal.

Compare

¿Qué fechas importantes se celebran en los EE.UU. en diferentes culturas y religiones cuando se pasa de la niñez a la adolescencia? Compárelas con las de otros países.

Unas jóvenes latinas celebran una fiesta de quinceañera.

Nota cultural

Peter Pan fue creada por J.M. Barrie, mientras iba contando estas historias a los hijos de una amiga suya. Parece ser que el nombre viene de Peter, el hijo menor de su amiga, y Pan, el travieso dios griego de los bosques.

Teacher Resources

 Activity 50

Instructional Notes

50 Before students listen to the audio, you might want to review the following words: *efímera*, ephemeral; *descenso*, drop; *crío*, child; *fabricante*, manufacturer. You might also explain that the popular children's show *Sesame Street* is known as *Barrio Sésamo* in Spanish.

Teacher Resources

Activity 51
Activity 52

Activity 14

Answers

51 1. c; 2. c; 3. c; 4. d

52 1. La familia, los amigos y la salud; 2. Tienen buenas relaciones familiares. 3. Sí; muchos son fruto de separaciones y divorcios. 4. Sí. 5. Las respuestas variarán.

Instructional Notes

51 Encourage students to guess what the audio will be about, and also what the possible questions may be, based on the choice of possible answers. Encourage them to do some "detective work."

Before students listen to the audio, you might want to review the following words: *punto de mira*, target/objective; *a medias*, half done; *inculcar*, to instill; *raíz*, root; *mudarse*, to move; *etapa*, stage; *beca*, grant; *otorgar* to grant; *premio*, award; *minoría*, minority; *puesto fijo*, steady job; *banca de inversión*, investment bank; *tender a*, to tend to; *reclutar*, to recruit; *prueba*, proof.

52 Before students listen to the audio, you might want to review the following words: *lo cotidiano*, daily things; *llevar una vida digna*, to have a decent life; *sustrato*, foundation; *edificar*, to build; *sondeo*, poll; *fémina*, female; *varón*, male; *nivel de vida*, standard of living; *desacuerdo*, disagreement; *pauta*, guideline/model; *envidiar*, to envy; *a su juicio*, in their opinion; *no tener que ver con*, to not have anything to do with; *por cierto*, to be sure; *soledad*, solitude; *en absoluto*, at all.

Additional Activities

Encuesta
Ask students to tell you what are the most popular professions people their age want to have when they finish school. Write these professions on the board and ask how many require fluency in a foreign language.

¡A escuchar!

51 Wall Street 🎧

Esta grabación es sobre Rivas, un joven inmigrante dominicano que está interesado en trabajar en el mundo de la banca de inversión en Wall Street. La grabación dura aproximadamente 5.5 minutos. Lea las posibles respuestas primero y después escuche la grabación "Con el punto de mira en Wall Street". Luego escoja la mejor respuesta para cada pregunta. Después, conteste la pregunta: ¿Cuál es el propósito del artículo?

1. ¿Por qué es Daniel Rivas un muchacho tan motivado?

    a. Porque sus padres nunca pudieron darle una educación
    b. Porque es latino, y no quiere olvidar sus raíces
    c. Porque sus padres siempre le prometieron una educación
    d. Porque tuvo que trabajar duro para pagar su propia educación

2. ¿Daniel es de familia numerosa?

    a. Sí, tiene cinco hermanos.
    b. Sí, tiene ocho hermanos.
    c. Sí, tiene cuatro hermanos.
    d. No se menciona nada al respecto.

3. ¿Qué ha conseguido Daniel?

    a. Ha trabajado como agente de bolsa en Wall Street.
    b. Ha trabajado en la Universidad de Long Island.
    c. Ha recibido un prestigioso premio otorgado a minorías.
    d. Ha estado empleado por casi un año en el Credit Suisse de Nueva York.

4. ¿Qué metas tiene este joven latino?

    a. Ser bailarín de salsa profesional y profesor de la Universidad de Long Island
    b. Trabajar para el SEO y ser bailarín de salsa
    c. Tener un puesto fijo en la banca y ganar más premios
    d. Tener un puesto fijo en la banca y motivar a otros jóvenes

52 ¿Somos mayores ya? 🎧

Esta grabación es sobre temas que los jóvenes valoran hoy en día, y nos ofrece varias estadísticas. La grabación dura aproximadamente 3.5 minutos. Escuche la grabación "¿A qué edad nos convertimos en adultos? Ya soy mayor" y luego conteste las siguientes preguntas.

1. ¿Cuáles son los tres puntos importantes para los jóvenes?
2. ¿Por qué los jóvenes se demoran tanto para marcharse de la casa de los padres?
3. ¿Están los jóvenes abiertos a otros modelos de familia? ¿Cual es la razón?
4. ¿Quieren los jóvenes comprometerse con una pareja?
5. ¿Cómo resumiría lo que escuchó en una frase?

53 Participe en una conversación

Ud. va a participar en una conversación. Primero lea la descripción de la conversación y piense en algunas palabras o expresiones que le serían útiles. Organice sus ideas, haciendo predicciones sobre lo que se le pueda preguntar o comentar. Una descripción de lo que va a escuchar aparece abajo en color. Participe en la conversación grabando las respuestas o escribiéndolas en su cuaderno.

Escena: Su padre habla con usted sobre los programas televisivos que ve su hermano pequeño.

Padre:	Plantea el problema.
Ud.:	• Conteste.
	• Dele su opinión.
Padre:	Elabora el problema.
Ud.:	• Exprésele su opinión.
Padre:	Sigue elaborando el problema.
Ud.:	• Dele su opinión.
	• Sugiérale una solución.
Padre:	Sigue la conversación.
Ud.:	• Anímele.
	• Propóngale una actividad para realizar en familia.
Padre:	Interrumpe la conversación.

Teacher Resources

 Activity 53

Activity 15

Instructional Notes

53 Before students listen to the audio, you might want to review the following words: *en cuanto*, as soon as; *partidito*, match; *te lo prometo*, I promise you; *¡Hombre!*, Hey!

Audioscript Activity 53

Padre: Tenemos que hablar. He estado muy ocupado últimamente y no he podido prestarle mucha atención a tu hermano. Estoy un poco preocupado porque creo que está viendo demasiada televisión. ¿Qué piensas?
[STUDENT RESPONSE]
Padre: El problema es que cada vez que le digo que la apague se enfada conmigo. Yo, como paso tan poco tiempo en casa por el trabajo, cuando llego quiero que esté contento y me quiera.
[STUDENT RESPONSE]
Padre: El otro día me pidió que le comprara una Play Station. Con lo pequeño que es... hmmm, no sé. Pero en seguida, en cuanto me vio dudando se enfadó y me dijo que quiere ser como los demás.
[STUDENT RESPONSE]
Padre: Sinceramente, ser padre es más difícil de lo que pensaba.
[STUDENT RESPONSE]
Padre: Pero, ¡qué buena idea! Estoy de acuerdo contigo. ¡Qué haría sin ti! Perfecto... (*phone rings*) ¡Ay! Un momento, por favor, que me llaman. ¿Por qué no miras un partidito de tenis o algo mientras que contesto esta llamada? Te lo prometo. Será un minuto. (*in the distance, father's voice:*) ¡Hombre, Manolo...!

Teacher Resources

 Activities 16–17

Instructional Notes

54–57 Remind students to go over the expectations outlined in the *Pautas* on p. 480 before they prepare any of the writing activities in this section.

58 Assure students that even if they might feel uncomfortable about correcting someone else's paper, it is part of the learning process. They should be prepared to explain why they have made the corrections. If there is disagreement over any such corrections, they need to discuss their reasoning and perhaps consult a reference grammar, or you could be the arbitrator.

59 Because all students will speak, allow them time to prepare this activity. Be sure to tell students which issue and which side of the issue they will be debating, so that they can do some research and practice before their debate.
After students have debated these issues with a partner, you might want them to continue the debate in small groups, or even have a discussion with the whole class on one or two of these topics.
You might want to display the new vocabulary to make sure students incorporate it into their debates.

Additional Activities

Corrija una carta
See p. TE26.

¡A escribir!

54 Texto informal: un blog

Escriba en un blog. Hable sobre sus gustos y los de sus amigos. Incluya lo siguiente:

- Hable sobre la ropa que se lleva.
- Hable sobre el tipo de música que se escucha.
- Termine con una pregunta.

55 Texto informal: un correo electrónico

Sus padres quieren saber más sobre lo que le gusta a su generación. Explíqueles en un correo cómo han cambiado los gustos en relación a su generación.

- Hábleles sobre lo que se lleva y lo que es más "in".
- Compare su generación con la de sus padres.
- Recomiéndeles participar en una actividad con sus amigos.

56 Ensayo: los niños mimados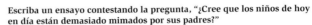

Escriba un ensayo contestando la pregunta, "¿Cree que los niños de hoy en día están demasiado mimados por sus padres?"

57 Ensayo: los videojuegos

Escriba un ensayo en el que exponga los beneficios y consecuencias del uso de los videojuegos por los jóvenes.

58 En parejas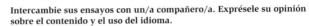

Intercambie sus ensayos con un/a compañero/a. Exprésele su opinión sobre el contenido y el uso del idioma.

Consejo
Antes de empezar, lea las pautas para escribir textos informales en la pág. 480 del Apéndice. Mientras escribe el texto tenga presente los objetivos. Cuando termine, verifique que ha cumplido con todo lo que se describe en la lista y reflexione sobre su trabajo.

Consejo
Antes de empezar, lea las pautas para escribir ensayos en la pág. 480 del Apéndice. Mientras escribe el ensayo tenga presente los objetivos, y no se olvide de ponerle un título original. Cuando termine, verifique que ha cumplido con todo lo que se describe en la lista y reflexione sobre su trabajo.

¡A hablar!

59 Charlemos en el café

Ud. va a debatir los siguientes temas con un/a compañero/a. Uno estará a favor de lo que se ha dicho y otro en contra. El debate durará varios minutos. El/La estudiante que esté de acuerdo comenzará el debate y hablará por unos dos minutos. Cuando el/la profesor/a lo indique, el/la otro/a estudiante tomará la palabra y expresará su opinión por otros dos minutos, y así sucesivamente.

1. Los jóvenes de hoy en día son víctimas de la publicidad.
2. Los niños de hoy en día consiguen todo lo que quieren. Están demasiado mimados.
3. Debido a las nuevas tecnologías los jóvenes no saben relacionarse entre ellos.
4. Los jóvenes siguen la moda para ser aceptados por los demás.
5. Los móviles aíslan a los jóvenes.
6. Ud. tomaría una píldora que le permitiera ser joven toda su vida.

60 ¿Qué opinan?

Converse con un/a compañero/a sobre estas situaciones o preguntas.

1. ¿Cuáles son las cinco cosas más importantes para los jóvenes de su edad? Escríbanlas en orden de importancia y expliquen por qué son importantes.
2. ¿Qué está de moda entre los jóvenes de su generación? ¿Qué está pasado de moda? Hablen sobre música, ropa, deportes, comida, aparatos tecnológicos, etc.

61 Presentemos en público

Conteste una de las siguientes preguntas durante varios minutos en clase. Organice sus ideas antes de hacer la presentación, busque las palabras necesarias y, después de practicar, presente en clase sin mirar las notas.

1. ¿Es fácil ser joven en estos tiempos? ¿Cuáles son las ventajas y los inconvenientes?
2. ¿Está deseando dejar de ser joven?
3. ¿Cuáles son las mejores películas del año?
4. ¿Cuáles son las películas sobre jóvenes con más éxito?
5. ¿Cuáles son los cinco mejores libros para gente de su edad?

Consejo

Antes de empezar, lea las pautas para presentaciones formales en la pág. 481 del Apéndice. Mientras formula su presentación tenga presente los objetivos. Cuando termine la presentación, verifique que ha cumplido con todo lo que se describe en la lista y reflexione sobre el trabajo que hizo.

Proyectos

62 ¡Manos a la obra!

Trabaje en un grupo de cuatro o cinco estudiantes para llevar a cabo uno de los siguientes proyectos y presentarlo a la clase.

1. Les han encargado que trabajen en la sección de gente joven del periódico y les han pedido que diseñen toda esta sección. Tienen asignadas dos hojas del periódico para hacerlo. Decidan los diferentes temas; por ejemplo, música, pasatiempos, los lugares de interés, y los formatos: la publicidad, las cartas al director, las tiras cómicas.
2. Presenten a un joven típico de su edad. Hablen de su vida, metas, amistades, pasatiempos, gustos, etc.
3. Presenten a un joven de su edad, pero esta vez a modo irónico, según la forma en la que los jóvenes son percibidos por algunos mayores.
4. Propongan un nuevo club del colegio o de la universidad que refleje los nuevos gustos y tendencias. Descríbanlo, denle un nombre e intenten captar a nuevos miembros cuando se lo presenten a sus compañeros.
5. Entrevisten a una persona de un país hispanohablante, y pregúntenle sobre los jóvenes en su país. Elaboren de quince a veinte preguntas interesantes y graben las respuestas.

Teacher Resources

Activities 18–23

Go online
EMCLanguages.net

Additional Activities

Juegos
To practice and reinforce the lesson's vocabulary, have students play one of these games: *Cada uno una, Lo tengo en la punta de la lengua.* See pp. TE24 and TE25.

Juego
To practice the vocabulary as well as the culture topics presented in the lesson, ask students to play *¿Quién quiere ser millonario?* See p. TE25.

Juego
To practice vocabulary or grammar, ask students to play *El juego de la alarma.* See p. TE25.

Ask students to do any of the following activities to practice and strengthen the vocabulary presented in this lesson: *El desafío del minuto, Vocabulario, ¿Cómo están relacionados?, ¿Cuáles son las diferencias?, ¡Pongámonos de acuerdo!, La definición interminable.* See pp. TE26–TE29.

Comics
You may want to show students some Hispanic comics that feature young characters (for example, Mafalda). These comics could serve as topics for discussion and to review grammar and vocabulary. Comics students might know, such as Garfield, can also be found in Spanish.

Vocabulario

Verbos

abrocharse	to fasten
añorar	to miss
asegurar	to assure
asumir	to assume, take on
atravesar	to go through
castigar	to punish
consolar (ue)	to console, comfort
desanimar	to discourage
desear	to wish
donar	to donate
durar	to last; to take time
echar de menos	to miss
encajar	to fit in
manejar	to handle; to drive
otorgar	to grant
parecerse	to look like
pasarse	to go too far
ponerse	to become; to place oneself
portarse	to behave
regañar	to scold, rebuke, tell off
reponer fuerzas	to recover
retar	to challenge
señalar	to point (to)
soportar	to stand, bear
suceder	to occur, happen
tartamudear	to stutter
tumbarse	to lie down

Verbos con preposición

verbo + a:

arriesgarse a	to risk
exponerse a	to expose oneself to
pertenecer a	to belong to

verbo + con:

conformarse con	to be satisfied with
contentarse con	to be happy/satisfied with; to make do with
convivir con	to live with
entretenerse con	to amuse oneself with
quedar bien/mal con	to make a good/bad impression on
romper con	to break up with

verbo + de:

avergonzarse (ue) de	to be ashamed of
burlarse de	to make fun of
cansarse de	to become tired of
depender de	to depend on
presumir de	to think one is, boast of being
quejarse de	to complain about

verbo + en:

apoyarse en	to lean/rely on
empeñarse en	to make an effort to, insist on
esforzarse (ue) en	to try very hard to

verbo + para:

tener motivos para	to have reasons for

verbo + por:

interesarse por	to take an interest in
tener por	to take for, considered

Sustantivos

el/la	adepto/a	follower, supporter
el	agradecimiento	gratitude
la	amistad	friendship
el/la	anciano/a	elderly man/woman
la	autoestima	self-esteem
el	carácter	character
el	comportamiento	behavior
el	concepto	concept, idea
el	cuero	leather
los	deportes de riesgo	extreme sports
los	derechos humanos	human rights
el	desempleo	unemployment
el	diseño	design
el	disparate	silly/stupid thing or action
la	edad adulta	adulthood
la	etapa	stage
la	facha	appearance (*colloquial*)
el	fallo	fault, mistake
la	falta de ortografía	spelling mistake
el	filón	gold mine (*colloquial*)
el	ingreso	entry
la	jerga	slang
el	lazo	link
el	mando	remote control
la	marca	brand
la	mayúscula	capital letter
la	navaja	pocketknife, penknife
la	niñez	childhood
el	pacifismo	pacifism
el	paso	step
el	peso	weight
la	pinta	appearance
el	portal	doorway
el/la	quinceañero/a	fifteen-year-old
el	rasgo	feature
el	recuerdo	memory
el	rollo	bore (*slang*)

el	**síntoma**	symptom
el	**sondeo**	poll
el	**tamaño**	size
el	**tatuaje**	tattoo
el	**temor**	fear
el	**terreno**	field
el	**tipo**	type, sort, guy
el/la	**treintañero/a**	thirty-year-old
el/la	**veinteañero/a**	twenty-year-old
el	**voluntariado**	voluntary service

Adjetivos

ajustado, -a	tight
atrevido, -a	daring
caído, -a	fallen; hanging, droopy
capacitado, -a	qualified, trained
complejo, -a	complex
gracioso, -a	funny
inculto, -a	uncultured, uneducated
influyente	influencial
inseguro, -a	unsafe; insecure
leal	loyal
maduro, -a	mature
orgulloso, -a	proud
preocupante	worrisome, worrying
prodigioso, -a	marvelous
realista	realistic
rebelde	rebellious
revoltoso, -a	rebellious
solidario, -a	in solidarity, supportive
teñido, -a	dyed
tolerante	tolerant

Adverbios

alrededor	around
de pronto	suddenly
efectivamente	effectively

Expresiones

a pesar de	in spite of
al fin y al cabo	finally
de última generación	most recent
de verdad	really
desde el punto de vista de	from the point of view of
en serio	seriously

---

hacer locuras	to do crazy things
no estar para bromas	not to be in a joking mood
no ser para tanto	it's not such a big deal
para ser sincero	to be sincere
por lo visto	apparently
por más que	no matter how hard
por poco	by little
por si acaso	if by any chance
por supuesto	of course
por todas partes	everywhere
por último	finally
¡Qué lata!	What a bore!
¡Qué lío!	What a mess!
sacar partido de	to profit from
se mire por donde se mire	wherever one looks
sin embargo	nevertheless
sin ninguna duda	without (any) doubt
tarde o temprano	sooner or later

A tener en cuenta

Usos de *se*:

1. Cuando tenemos dos pronombres. *Le* se convierte en *se*.
   ¿Le diste la fotocopia? Sí, se la di.

2. Reflexivos. Tercera persona.
   Siempre se equivoca cuando maneja el carro.

3. Construcción recíproca.
   No se miran a la cara.

4. El *se* accidental.
   Se me cayeron las hojas al suelo.

5. Impersonal.
   Se busca secretaria / cantante para grupo / informático/a / diseñador(a) de páginas web.

Teacher Resources

See ExamView for assessment options.

Instructional Notes

Ask students to come up with more examples for the uses of *se* described in *A tener en cuenta*.

Instructional Notes

Write the following data on the board:

1. 150 millones
2. Decenas de millones
3. 1.800
4. 30%

Then explain that these figures represent the following:

1. Huérfanos que viven en 93 países subdesarrollados
2. Niños que viven en la calle
3. El número de niños infectados a diario por el SIDA
4. Porcentaje de niños de las zonas rurales que no van a la escuela

Encourage students to look for some more data regarding the plight of children around the world and share it with the class the following day.

Ask students what they know about *niños soldados* and *niños de la calle*, two cultural topics that will be dealt with in this lesson. Also have students describe the photos by asking: *Describan a los jóvenes que aparecen en las fotos. ¿Qué están haciendo? ¿Qué problemas puede que tenga el joven soldado? ¿Qué se puede hacer para eliminar este tipo de problemas?*

Additional Activities

Hablen sobre esta foto
See p. TE27 and use the photos on the lesson opener.

Lección
B

Objetivos

Comunicación
*   Conocer los problemas de otros jóvenes
*   Describir el mundo de los niños y niñas de la calle
*   Hablar de la importancia de seguir los estudios

Gramática
*   El futuro
*   Los tiempos perfectos
*   Los participios pasados
*   La voz pasiva

"Tapitas" gramaticales
*   algunos usos del subjuntivo
*   *tomar* y *hacer*
*   *respeto* y *respecto*
*   *volverse, ponerse, hacerse, quedarse*

Cultura
*   Los jóvenes indígenas
*   Albergues para jóvenes
*   La emancipación de los jóvenes
*   Los niños soldados
*   Los hispanoamericanos en Estados Unidos
*   Los niños y niñas de la calle
*   Los peligros de la tecnología

Go online
EMCLanguages.net

Para empezar

1 Conteste las preguntas

Piense en las respuestas a las siguientes preguntas. Puede tomar notas si lo considera necesario. Cuando termine, compare sus respuestas —pero sin mirar sus notas— con las de un/a compañero/a.

1. ¿Cuáles son los retos que tienen los jóvenes de Estados Unidos?
2. ¿En qué actividades de la comunidad participan los jóvenes?
3. ¿Qué tipo de voluntariado le gustaría hacer a Ud.? ¿Por qué? ¿Qué tipo de voluntariado hace? ¿Por qué?
4. ¿Qué tipo de problemas tienen los jóvenes de su generación? ¿Cómo suelen resolver estos problemas?
5. ¿Qué problemas cree que afrontan los jóvenes de las comunidades indígenas? ¿Son similares a los suyos?
6. ¿A qué edad se suelen emancipar los jóvenes estadounidenses? ¿Por qué cree que muchos jóvenes españoles y latinoamericanos se emancipan más tarde?
7. A la hora de elegir una universidad, ¿suelen los estadounidenses elegir una que esté cerca de casa? ¿La distancia es un factor que influye en su elección? ¿Qué otros factores influyen?
8. ¿Están los niños de todo el mundo protegidos actualmente? ¿Qué problemas afrontan muchos de los jóvenes?
9. ¿Qué sabe de los niños de la calle?
10. ¿Por qué razones dejan algunos jóvenes de estudiar?

2 Mini-diálogos

Ud. va a crear un mini-diálogo con un/a compañero/a. Lea la descripción de la conversación antes de empezar. Puede tomar notas para organizar sus ideas, pero no las mire mientras conversa.

Escena: En el gimnasio Ud. y su amigo/a mantienen una conversación sobre sus ídolos.

A: Hable con su compañero/a sobre alguien famoso que admire. Pregúntele qué piensa de esta persona.

B: Exprese su opinión. Pregúntele más sobre esta persona.

A: Conteste sus preguntas. Pregúntele sobre una de las personas que admira.

B: Conteste su pregunta. Dele detalles.

A: Exprese descontento. Dele razones por la que no le gusta esa persona.

B: Defienda a su ídolo. Y dígale cómo ha influido en su vida.

A: Discúlpese por lo que piensa decirle, pero continúe con sus comentarios. Despídase amistosamente.

B: Despídase de mal humor.

Refrán

El joven conoce las reglas, pero el viejo las excepciones.

 Hable sobre el significado de este refrán. ¿Cree que es cierto? Comparta su opinión con un/a compañero/a.

¡Dato curioso!

Los jóvenes perciben de forma diferente la influencia de sus familias en función de su edad y su nivel económico, pero no por ser chicos o chicas.

Lección 2B **89**

Nota cultural

Los más jóvenes de una familia tienen una mayor influencia familiar (71,2%) que los mayores (52,8%). Al igual que ocurre con los que tienen menores ingresos (76%) frente a los que son más independientes económicamente.

Answers

1 Answers will vary.

2 Dialogues will vary.

Instructional Notes

1 You might want to have students answer these questions orally without first taking notes.

Additional Activities

Comunicación

You may want to do this activity after students read the *Refrán.* Start by asking: *¿Qué esperan los adultos de los jóvenes?* Ask the class to brainstorm answers that they typically hear to this question. Then ask something that is not as commonly asked: *¿Qué esperan los jóvenes de la familia?* Encourage a discussion based on students' answers.

Answers

Vocabulario y gramática en contexto

3 Niñas soldados

Lea el siguiente texto literario. Fíjese en las palabras que aparecen en azul (relacionadas con el vocabulario) y en rojo (relacionadas con la gramática), ya que en las siguientes actividades se le harán preguntas sobre ellas.

Niñas Soldados

—Hemos acordado que esta noche será la noche. Pensamos escapar del campamento de madrugada, cuando todos estén dormidos. Lo hemos planeado minuciosamente durante meses. Les prepararemos la cena a los soldados como de costumbre, mientras que conversamos con las otras chicas del campamento.
⁵ Después Ana y yo nos escaparemos en cuanto veamos el momento adecuado. Saldremos de esta pesadilla, seremos libres y volveremos con nuestros seres queridos. Seremos cuidadosas y no despertaremos ninguna sospecha, todo saldrá bien. Aquí nos estamos volviendo locas. Nos iremos juntas y podremos, ...pero ¿qué será ese ruido? ¿quién gritará tanto?...

¹⁰ De golpe todos los gritos cesaron. Sólo se oía un leve murmullo. María tiró su diario al piso y se acercó a donde estaba el bullicio, abrió paso entre la multitud y allí vio a su amiga. Ana yacía inmóvil. Estaba muerta, aunque tenía una extraña sonrisa de vencedora. De alguna forma había podido escapar de allí. Había triunfado. María siguió con sus planes. "Lo haré sola. Como no lo haga esta noche, nunca saldré
¹⁵ viva de aquí". Y así lo hizo.

Hoy en día reside en Nueva York. Habrá publicado su primer libro en unos meses. En la portada veremos una fotografía de las dos íntimas amigas, sonrientes, antes de que fueran secuestradas por la guerrilla. "¿Será más fácil para mi hija pequeña? ¡Disfruto tanto oyéndola hablar sobre lo que quiere ser de mayor!" —piensa
²⁰ mientras le cepilla el pelo a la niña. "Te recogeré el pelo y te haré una coleta. A Ana le encantaba que la peinara así." —le dice a su hija. María sonríe, aunque se ha puesto un poco sentimental. Las dos amigas se escaparon en algún modo juntas. Sabe que Ana siempre estará a su lado.

4 ¿Qué significa?

Según el contexto del texto anterior, empareje cada palabra de las dos primeras columnas con su traducción correspondiente en la tercera y cuarta columna.

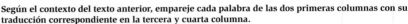

1. acordar	15. bullicio	a. camp	o. winner
2. campamento	16. multitud	b. to wake up	p. close
3. madrugada	17. yacer	c. to cease	q. motionless
4. minuciosamente	18. inmóvil	d. thoroughly	r. ponytail
5. de costumbre	19. vencedor	e. to decide	s. as usual
6. en cuanto	20. triunfar	f. murmur	t. suspicion
7. ser querido	21. residir	g. multitude	u. loved one
8. despertar	22. portada	h. cover	v. suddenly
9. sospecha	23. íntimo	i. to triumph	w. to lie
10. salir bien	24. secuestrado	j. kidnapped	x. to reside
11. de golpe	25. coleta	k. light, slight, trivial	y. dawn
12. cesar	26. en algún modo	l. as soon as	z. somehow
13. leve		m. to go well	
14. murmullo		n. uproar	

5 El futuro

Conteste estas preguntas relacionadas con la lectura de la Actividad 3.

1. ¿Cómo se forma el futuro de los verbos regulares?
2. Escriba 13 verbos irregulares que recuerde en el futuro en la tercera persona del singular. Puede usar verbos compuestos.
3. ¿Qué otros verbos o expresiones se usan para indicar el futuro? Escriba un ejemplo.
4. Haga una lista de los verbos que aparecen en futuro en el texto de la Actividad 3.
5. ¿Cómo se traduce *I hope you will come*? ¿Qué tiempo es?
6. *¿Qué será? ¿Quién gritará? ¿Será más fácil?* ¿Qué tiempo verbal ha sido usado? ¿Por qué se usa en este contexto? ¿Cómo lo traduciría? Escriba otro ejemplo.

6 "Tapitas" gramaticales

Conteste estas preguntas basadas en la lectura de la Actividad 3.

1. ¿Cómo traduciría "Como no lo haga esta noche"? ¿De qué tiempo verbal se trata? Escriba una frase similar.
2. ¿Qué tiempo verbal es *peinara*? Escriba una frase similar usando el mismo tiempo.
3. ¿Cómo se traduce "se ha puesto un poco sentimental"? ¿Puede pensar en otros ejemplos con *ponerse*? ¿Cuáles son? ¿Cuál es la diferencia entre *ponerse, hacerse, quedarse* y *volverse*?

7 Entrevistando a María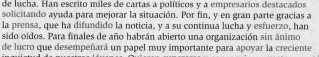

Usted es un/a periodista que ha leído sobre la historia de María, quien fue secuestrada y obligada a ser una niña soldado. Le han pedido a Ud. que le haga una entrevista. Escriba diez preguntas para hacerle a María. Incluya el vocabulario y las "tapitas" gramaticales de las actividades anteriores.

8 Los jóvenes indígenas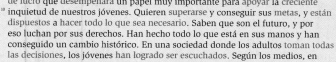

Lea el siguiente artículo, prestando atención a las palabras en azul y rojo, ya que se le harán preguntas sobre ellas. Después, resuma lo que leyó en una frase.

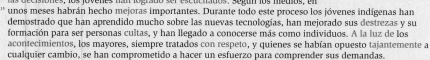

Estos nuevos tiempos representan un reto para los jóvenes indígenas de nuestro país. Todo a nuestro alrededor se mueve a un ritmo acelerado. No obstante, un grupo de jóvenes ha llamado recientemente la atención de los medios de comunicación por su actitud positiva ante las dificultades y por su capacidad
5 de lucha. Han escrito miles de cartas a políticos y a empresarios destacados solicitando ayuda para mejorar la situación. Por fin, y en gran parte gracias a la prensa, que ha difundido la noticia, y a su continua lucha y esfuerzo, han sido oídos. Para finales de año habrán abierto una organización sin ánimo de lucro que desempeñará un papel muy importante para apoyar la creciente
10 inquietud de nuestros jóvenes. Quieren superarse y conseguir sus metas, y están dispuestos a hacer todo lo que sea necesario. Saben que son el futuro, y por eso luchan por sus derechos. Han hecho todo lo que está en sus manos y han conseguido un cambio histórico. En una sociedad donde los adultos toman todas las decisiones, los jóvenes han logrado ser escuchados. Según los medios, en
15 unos meses habrán hecho mejoras importantes. Durante todo este proceso los jóvenes indígenas han demostrado que han aprendido mucho sobre las nuevas tecnologías, han mejorado sus destrezas y su formación para ser personas cultas, y han llegado a conocerse más como individuos. A la luz de los acontecimientos, los mayores, siempre tratados con respeto, y quienes se habían opuesto tajantemente a cualquier cambio, se han comprometido a hacer un esfuerzo para comprender sus demandas.

Nota cultural

México es el octavo país con la mayor cantidad de pueblos indígenas (62 etnias), cada uno con sus propias creenicas y valores. Estos pueblos constituyen la décima parte de la población mexicana, contando con más de 10 millones de personas. Aunque los jóvenes indígenas de México se enfrentan a muchos retos, hay programas que los apoyan y debido a ellos, estos jóvenes están adquiriendo más educación, están adaptándose mejor a los tiempos modernos, y están más abiertos a los cambios. Esto les ayuda a jugar un papel más importante dentro de la sociedad. No obstante, el camino no es fácil, ya que sufren discriminación al tener otras creencias, valores y formas de ver la vida, y suelen tener una desventaja para integrarse con éxito.

Activity 1

Answers

5 1. El futuro se forma añadiéndole las siguientes terminaciones al infinitivo: *-é, -ás, -á, -emos, -éis, -án.* 2. Ejemplos incluyen: cabrá, deshará, dirá, habrá, hará, podrá, pondrá, propondrá, sabrá, saldrá, tendrá, valdrá, vendrá. 3. El presente (Te veo mañana); *ir a* + infinitivo (Van a ir a un campamento). 4. será, prepararemos, escaparemos, saldremos, seremos, volveremos, seremos, despertaremos, saldrá, iremos, podremos, será (indica especulación), gritará (indica especulación), haré, saldré, habrá publicado, veremos, será, recogeré, haré, estará; 5. Espero que venga(s). Es el presente del subjuntivo. 6. Es futuro. Se usa para especular o expresar una posibilidad. Se traduciría *I wonder what that is. I wonder who is screaming. I wonder if it will be easier.* Otro ejemplo: ¿Qué hora será? *I wonder what time it is.*

6 1. *If I don't do it tonight.* Es el presente del subjuntivo. Otro ejemplo: Como no practique más. 2. Imperfecto del subjuntivo. Ejemplo: La profesora me aconsejó que practicara más en clase. 3. *She's become a little sentimental.* Otros ejemplos: se puso rojo/colorado, se puso bravo, se puso enfermo. Se usa para hablar de algo físico o emocional. *Hacerse* + un sustantivo se usa para indicar un cambio en la situación social o económica de alguien: se hizo millonario; *quedarse* se usa para hablar de un cambio físico (puede ser permanenete o no), por ejemplo: se quedó mudo, se quedó ciego; *volverse* es más permanente que *ponerse*: se volvió loco.

Instructional Notes

7 Ask students to work with a partner and, taking on the role of María, answer the questions in the interview. Have some students read their completed interviews aloud.

8 Elicit from students what they know of indigenous peoples in the United States, in Latin America, and from other countries around the world.

Additional Activities

Repaso Expreso
See p. TE28.

Teacher Resources

 Activities 2–4

Answers

9 1. prensa; 2. alrededor; 3. difundió; 4. esfuerzo;
5. destacados; 6. sin ánimo de lucro; 7. desempeña;
8. apoyen; 9. meta; 10 logre; 11. creciente; 12. se superen;
13. tajantemente; 14. mejora; 15. A la luz de;
16. acontecimientos; 17. culta; 18. destreza

10 Answers will vary.

11 1. El presente perfecto se conjuga con el
presente del verbo *haber* y el participio pasado. El
pluscuamperfecto se conjuga con el imperfecto del
verbo *haber* y el participio pasado y el futuro perfecto
con el futuro del verbo *haber* y el participio pasado.
2. Ejemplos: abierto, dicho, escrito, frito, hecho,
impreso, muerto, provisto, puesto, visto, vuelto; 3. Su
raíz (o radical) termina en vocal. Ejemplos incluyen:
creer / creído; caer / caído; leer / leído; reír /reído; traer
/ traído. 4. ***Presente perfecto***: ha llamado, han escrito,
ha difundido, han sido, han hecho, han conseguido,
han logrado, han demostrado, han aprendido, han
mejorado, han llegado, se han comprometido;
Pluscuamperfecto: se habían opuesto; ***Futuro perfecto***:
habrán abierto, habrán hecho

Instructional Notes

10 You might want to challenge students to draw
their graphs, webs, or mind maps using original shapes
and objects that represent the goals and objectives of
the young people mentioned in the article. Display
students' work and have some present and explain their
work to the class.

11 You may want to review with students the present
perfect and the past perfect in the subjunctive.

Additional Activities

El futuro perfecto
Bring some pictures from magazines to class that
show people with a range of emotions. Show them to
students, make a comment about the person, and ask
students to make up sentences using the future perfect
and to speculate as to why the person is feeling that
way. Tell them: *Les voy a enseñar unas fotos y les haré
un comentario sobre la persona en la foto. Uds. deben de
hacer especulaciones sobre los motivos de su estado de
ánimo usando el futuro perfecto. Por ejemplo:* (showing
a photo) *Susana está triste. ¿Cuál creen que es el motivo?*
Elicit from students, for example: *Habrá tenido un mal
día.*

---

9 ¿Qué significa?

Complete las siguientes oraciones con la palabra que sea apropiada del recuadro. Haga los
cambios que sean convenientes.

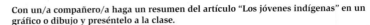

alrededor	destacado	prensa	difundir	esfuerzo
sin ánimo de lucro	desempeñar	apoyar	creciente	superarse
meta	lograr	mejora	destreza	culto
a la luz de	acontecimiento	tajantemente		

1. La noticia sobre los abusos a los indígenas saltó a la luz gracias a la ___.
2. No sabemos con precisión cuántas personas asistieron, me imagino que ___ de un millón.
3. Parece ser que un grupo conocido por anónimo ___ los documentos en la Red.
4. Les agradezco a todos de corazón su ___ para ayudar a estos chicos.
5. Anoche cenamos con políticos ___ para tratar el grave problema.
6. Ana y yo hemos decidido apuntarnos a una organización ___ para ayudar a los demás.
7. ¿No te suena la cara de este señor? Él ___ un papel muy importe en nuestra ciudad.
8. Nos impresiona que tantos chicos ___ a este artista aunque se comporte tan mal.
9. Nuestra ___ es superar nuestros miedos.
10. Es necesario que yo ___ tener una entrevista con estos chicos para hablar del tema.
11. El uso del pegamento como droga es un ___ problema en algunos países.
12. Les impresiona que tantos chicos minusválidos ___ y consigan mejorar su situación con
    su lucha.
13. ¿Sabes que todos se opusieron ___ a las reformas en la universidad?
14. No nos sorprendió en absoluto la ___ en su comportamiento. Es un buen chico.
15. ___ de los acontecimientos, decidieron aplazar al concierto.
16. El país se quedó boquiabierto al ver las noticias sobre los ___ violentos.
17. Sorprendió a todos pues el chico demostró ser una persona muy ___.
18. ¿Podrías echarme una mano? No tengo mucha ___ con la tecnología.

10 Un resumen 🧍🧍

Con un/a compañero/a haga un resumen del artículo "Los jóvenes indígenas" en un
gráfico o dibujo y preséntelo a la clase.

11 Los tiempos perfectos: el presente perfecto, el pluscuamperfecto, el futuro perfecto

Conteste estas preguntas relacionadas con la lectura de la Actividad 8.

1. ¿Cómo se conjuga un verbo en presente perfecto? ¿Y en pluscuamperfecto? ¿Y en futuro
   perfecto?
2. Haga una lista de diez participios pasados irregulares.
3. ¿Por qué lleva acento el verbo *oír* en el participio pasado? ¿Qué otros verbos siguen esta
   regla? Escriba el participio pasado de cinco de estos verbos.
4. Haga una lista de los verbos que aparecen en presente perfecto, pluscuamperfecto o
   futuro perfecto en el texto.

12 El participio pasado

Conteste estas preguntas relacionadas con la lectura de la Actividad 8.

1. ¿Cómo se forma el participio pasado?
2. ¿Qué sucede cuando se usa un participio pasado como adjetivo?
3. Busque casos en los que el participio es usado como adjetivo en la lectura anterior.
4. Escriba cuatro oraciones con participios usados como adjetivos.

13 "Tapitas" gramaticales

Conteste estas preguntas basadas en la lectura de la Actividad 8.

1. ¿Por qué decimos *están dispuestos* y no *son dispuestos*?
2. ¿Por qué se usa el subjuntivo en la frase *hacer todo lo que sea necesario*?
3. ¿Por qué decimos *tomar decisiones* y no *hacer decisiones*?
4. ¿Cuándo se usa *respeto* y cuándo *respecto*?

14 Nuestros retos

Ud. es uno de los jóvenes descritos en el artículo anterior. Escríbale un correo electrónico a un/a amigo/a en el que describa sus experiencias durante todo el proceso. No se olvide de usar el vocabulario y las "tapitas" gramaticales de la lectura.

- Hable de las razones por las que decidió unirse a la lucha.
- Hable de las metas, los logros y los retos.
- Comente sus expectativas para el futuro.

Un dentista voluntario examina a un paciente en Honduras.

15 Los tiempos verbales

Lea el siguiente texto y complételo con el presente perfecto, pluscuamperfecto, futuro perfecto o participio de los verbos entre paréntesis, según el contexto. Después, conteste la pregunta; ¿Cuál cree que es el propósito de este correo electrónico?

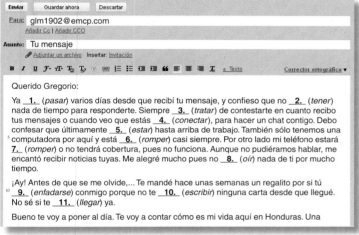

Enviar Guardar ahora Descartar

Para: glm1902@emcp.com
Añadir Cc | Añadir CCO

Asunto: Tu mensaje
Adjuntar un archivo Insertar: Invitación

B *I* U 𝒇 · 𝒯 𝒯 𝒯₊ 𝒯 ✂ ∞ ▦ ⊞ ▤ ⊡ ⊟ ❝ ▤ ▤ ▤ ▤ 𝐼 ◂ Texto   Corrector ortográfico ▾

Querido Gregorio:

Ya __1.__ (*pasar*) varios días desde que recibí tu mensaje, y confieso que no __2.__ (*tener*) nada de tiempo para responderte. Siempre __3.__ (*tratar*) de contestarte en cuanto recibo tus mensajes o cuando veo que estás __4.__ (*conectar*), para hacer un chat contigo. Debo confesar que últimamente __5.__ (*estar*) hasta arriba de trabajo. También sólo tenemos una
⁵computadora por aquí y está __6.__ (*romper*) casi siempre. Por otro lado mi teléfono estará __7.__ (*romper*) o no tendrá cobertura, pues no funciona. Aunque no pudiéramos hablar, me encantó recibir noticias tuyas. Me alegré mucho pues no __8.__ (*oír*) nada de ti por mucho tiempo.

¡Ay! Antes de que se me olvide,... Te mandé hace unas semanas un regalito por si tú
¹⁰__9.__ (*enfadarse*) conmigo porque no te __10.__ (*escribir*) ninguna carta desde que llegué. No sé si te __11.__ (*llegar*) ya.

Bueno te voy a poner al día. Te voy a contar cómo es mi vida aquí en Honduras. Una

continúa

Answers

12 **1.** Se forma quitándole la terminación al infinitivo y añadiendo *-ado* para los verbos en *-ar* e *-ido* para los verbos en *-er* e *-ir*. **2.** Cambia según la palabra sea masculina, femenina, singular o plural. **3.** acelerado, destacados, dispuestos, escuchados, tratados; **4.** Ejemplos: la mesa está puesta, los ejercicios están hechos, las canciones están compuestas, la película fue hecha

13 **1.** *estar* + participio pasado indica una condición y significa *estar preparado. Ser dispuesto* tiene otro significado; se usa para describir a una persona muy trabajadora, aplicada y activa. **2.** Se usa porque es una claúsula adjetival. **3.** Al igual que en otras expresiones, no siempre se traduce palabra por palabra en español. Es una expresión como *hacer una pregunta*. **4.** Son dos palabras diferentes. *Respeto* es un sustantivo que significa *estima; respecto* se usa en la locución adverbial *con respecto a,* que significa *en relación a*.

14 Emails will vary.

15 1. han pasado; 2. he tenido; 3. he tratado; 4. conectado; 5. he estado; 6. rota; 7. roto; 8. había oído; 9. te has enfadado; 10. había escrito; 11. habrá llegado;

Instructional Notes

14 Encourage students to research some organizations that help the indigenous youth in Latin America.

Answers

Instructional Notes

You may want to ask students to come up with an alternative *Refrán* by changing a word or phrase in the one shown on this page. Then ask students to compare their "new" proverb's wisdom with the one given.

Additional Activities

El presente perfecto

As homework, ask students to prepare a story using the present perfect. They may bring photos from magazines or newspapers (or make their own drawings) to help the story along. They should be prepared to tell the story to the class. For a topic, suggest that they describe what they have done during the past few years, including their schoolwork, volunteer activities, or after-school work.

---

amiga y yo **12.** (*inscribirse*) en un programa de voluntariado que se llama *Manos Abiertas*, con el que yo ya **13.** (*trabajar*) en varias ocasiones cuando estaba en nuestra
15 ciudad. Ya **14.** (*hacer*) varios trabajos de voluntariado junto a mis colegas y todos **15.** (*ser / estar*) bastante gratificantes. Hace poco, por haber **16.** (*escribir*) un cuento corto para los niños de aquí me **17.** (*otorgar*) un premio. Dudo que lo acepte. Ya me conoces y siempre **18.** (*ser / estar*) muy vergonzosa para esas cosas, pero lo agradezco igualmente.

20 Gregorio, en tan solo un par de semanas nosotros **19.** (*terminar*) nuestra misión aquí y **20.** (*marcharse*) de aquí. Nos **21.** (*proponer*) que nos quedemos aquí un semestre más, pero la semana que viene volvemos. Espero verte muy pronto porque te extraño mucho. Aquí todos mis compañeros me **22.** (*tratar*) como a una reina, pero no es lo mismo sin ti.

Un abrazo muy fuerte

Gabriela

P.D. Te **23.** (*incluir*) unas fotos que nos **24.** (*hacer*) hace poco.

16 La voz pasiva

Escriba oraciones completas con las palabras que aparecen a continuación. Use el verbo *ser* en futuro y el segundo verbo como participio pasado, más otras palabras que desee añadir. Siga el modelo.

MODELO programa / ser / ver — *El programa será visto por millones de personas.*

1. gritos / ser / oír
2. políticos / ser / secuestrar
3. fuego / ser / apagar
4. niños / ser / obligar
5. armas / ser / romper
6. programa / ser / ver
7. noticia / ser / leer
8. artículo / ser / imprimir
9. ventanas / ser / abrir
10. ensayo / ser / escribir
11. equipaje / ser / proveer
12. patatas / ser / freír

Refrán

La juventud vive de la esperanza, la vejez del recuerdo.

 ¿Está de acuerdo con esta afirmación? ¿Por qué? Comparta su opinión con un/a compañero/a.

Dato curioso! Cada vez hay más jóvenes que triunfan en el mundo de los negocios. Aunque antes hubiera sido impensable, cada vez resulta bastante común ver en la portada de un periódico noticias de jóvenes que se hacen millonarios de la noche a la mañana. A diferencia de los jóvenes de otras generaciones que simplemente soñaban con el éxito, éstos luchan por realizar sus sueños.

Idioma

17 Família de palabras

Complete la tabla con el verbo, sustantivo o adjetivo apropiado, y la traducción correspondiente.

Verbos		Sustantivos		Adjetivos	
abusar	to abuse	el abuso	abuse	abusado	abused
agravar	_____	_____	seriousness	grave	_____
apresar	_____	el preso	prisoner	apresado	_____
encarcelar	_____	la cárcel	_____	_____	jailed
experimentar	_____	la experiencia	_____	_____	experienced
fracasar	_____	_____	failure	fracasado	_____
luchar	_____	la lucha	_____	_____	_____
		la mejora	_____	mejor, mejorado	_____ , _____
oprimir	_____	_____	oppression	oprimido	_____
	to promote	la promoción	_____	promovido	_____
secuestrar	_____	el secuestro	_____	_____	kidnapped
tratar	_____	el trato	treatment	tratado	_____
violar	_____ ; _____	la violación	violation; rape	violado	_____ ; _____

18 ¿Verbo, sustantivo o adjetivo?

Complete las oraciones usando la forma correcta de las palabras que aparecen en la tabla, ya sea verbo, adjetivo o sustantivo. En el caso del sustantivo puede que necesite artículo.

1. Unos empresarios han sido juzgados por ___ (*tratar*) que le han dado a sus empleados.
2. La prensa ha logrado llamar la atención sobre el chico y pensamos que al final no irá a ___ (*encarcelar*).
3. A partir del mes que viene, la organización sin ánimo de lucro en la que trabaja mi hermana ___ (*promover*) el aprendizaje de otro idioma entre los jóvenes.
4. Un grupo de personas cultas hará un estudio sobre ___ (*fracasar*) escolar de estos jóvenes.
5. Una multitud se ha acercado al alcalde para denunciar ___ (*agravar*) de la situación.
6. A la luz de los acontecimientos, ¿___ (*mejorar*) la seguridad en este barrio? Nadie quiere que más jóvenes sean ___ (*violar*).
7. El gobernador ha recibido muchos halagos por apoyar tajantemente ___ (*mejorar*) de las escuelas de la zona.
8. Ha sido muy gratificante comprobar que gracias a que Pili es una gran ___ (*luchar*), ha logrado lo que nadie logró.
9. Seguramente nunca se recuperará, después de ___ (*oprimir*) sufrida en su niñez.
10. Seguramente no le habrán otorgado el premio a Gloria por haber ___ (*fracasar*) en su anterior proyecto.

Refrán

¡Si el joven supiera y el viejo pudiera!

¿Qué cree que significa este refrán? Comparta su opinión con un/a compañero/a. Piensen en ejemplos. Intenten escribir otro refrán con un significado similar.

Dato curioso Cada vez hay más organizaciones y encuentros para promover las habilidades, capacidades creativas y fluidez tecnológica en los niños. Un ejemplo de ello es la organización FRIDA, Fondo Regional para la Innovación Digital en América Latina y el Caribe.

Additional Activities

Juego
Ask students to play *Voluntario, derecha e izquierda*. See p. TE25.

Composición
Tell students to write a paragraph using as many words from the table as they can with the three different parts of speech.

El desafío del minuto
See p. TE27.

Nota cultural
El Programa FRIDA se creó para promover el desarrollo de investigación en los países de las zonas citadas en el *Dato curioso*. Reciben pequeñas subvenciones para desarrollar proyectos en las regiones que ayuden a los sectores más excluidos de la población.

Teacher Resources

 Activity 5

Answers

17 Verbos
abusar *to abuse*
agravar *to make worse*
apresar *to arrest*
encarcelar *to jail*
experimentar *to experiment*
fracasar *to fail*
luchar *to fight/struggle*
mejorar *to improve*
oprimir *to oppress*
promover *to promote*
secuestrar *to kidnap*
tratar *to treat*
violar *to violate; to rape*

Sustantivos
el abuso *abuse*
la gravedad *seriousness*
el preso *prisoner*
la cárcel *jail*
la experiencia *experience*
el fracaso *failure*
la lucha *fight/struggle*
la mejora *improvement*
la opresión *oppression*
la promoción *promotion*
el secuestro *kidnapping*
el trato *treatment*
la violación *violation; rape*

Adjetivos
abusado *abused*
grave *serious*
apresado *arrested*
encarcelado *jailed*
experimentado *experienced*
fracasado *failed*
luchador *fighting*
mejor, mejorado *better, improved*
oprimido *oppressed*
promovido *promoted*
secuestrado *kidnapped*
tratado *treated*
violado *violated; raped*

18 1. el trato; 2. la cárcel; 3. promoverá; 4. el fracaso; 5. la gravedad; 6. mejorará; violadas; 7. la mejora; 8. luchadora; 9. la opresión; 10. fracasado

Instructional Notes

You may want to give students more proverbs related to age in order to help them come up with their own.
El que de joven corre, de viejo trota.
El que de joven no trabaja, de viejo duerme en paja.
Envejecemos cuando nuestros recuerdos superan nuestros proyectos.

Encourage students to add these proverbs to their vocabulary notebooks, and to search for more online. Later, they should try to include some proverbs or sayings in their dialogues, or in some of their writing.

Teacher Resources

 Activity 6

Answers

19 1. explicó; 2. está; 3. les; 4. comiencen; 5. sus;
6. pueden; 7. ofrecen; 8. terminar; 9. ahorrar; 10. Hay;
11. la; 12. estar; 13. alguna; 14. quieran; 15. les;
16. ningún; 17. comportarse; 18. agregó; 19. atender;
20. huyendo; 21. cualquier; 22. eran; 23. quienes;
24. son; 25. Un; 26. algún; 27. los; 28. es; 29. dan;
30. les; 31. atiende

Additional Activities

Trabajo de investigación

Ask some students to research organizations that promote young people's welfare. They should take notes and could print some visuals in order to make a presentation —without looking at their notes— to a partner the next day. After their presentations are completed, you might ask some of the presenters' partners to summarize what they learned about the organization.

---

19 Acogiendo a jóvenes

Lea el artículo y complete los espacios con la palabra adecuada. Después conteste las siguientes preguntas:

- ¿Cuál es el propósito del artículo?
- ¿Cómo resumiría el artículo en una frase?
- Si quisiera consultar otra fuente, ¿podría pensar en un posible título de una publicación?
- ¿Qué pregunta sería apropiada para hacerle al autor después de leer el artículo?

Al rescate de los jóvenes

Andrea Marchetti, director de programas de Jóvenes Inc., __1.__ (*explicó / explicaba*) que el albergue de emergencia __2.__ (*está / es*) preparado para acoger a siete muchachos. Se __3.__ (*les / le*) brinda la oportunidad para que __4.__ (*comiencen / comienzan*) a cambiar __5.__ (*su / sus*) vidas. En la vivienda eventual, __6.__ (*pueden / puedan*) estar hasta
⁵ 18 meses y la __7.__ (*ofrecen / ofrezcan*) a los jóvenes que demuestran que necesitan un lugar estable donde vivir mientras alcanzan sus metas como __8.__ (*terminar / terminen*) de estudiar y __9.__ (*ahorrar / ahorran*) para un apartamento.

" __10.__ (*Hay / Haya*) varias condiciones para __11.__ (*el / la*) vivienda eventual. Los jóvenes tienen que __12.__ (*estar / estén*) trabajando y tener __13.__ (*algún / alguna*)
¹⁰ meta que __14.__ (*quieran / quieren*) alcanzar. Por supuesto que no se __15.__ (*les / los*) permite __16.__ (*ninguna / ningún*) tipo de droga y tienen que __17.__ (*comportarse / se comporten*) bien", señaló Marchetti.

El padre Estrada __18.__ (*agregó / agregaba*) que la idea de los albergues surgió para __19.__ (*atender / atiendan*) a los jóvenes inmigrantes indocumentados que venían
¹⁵ __20.__ (*huyendo / huían*) de la guerra de Centroamérica o de la pobreza en México en la década de los 80 y que por __21.__ (*cualquiera / cualquier*) motivo terminaban solos frente a la Placita Olvera.

"Al principio __22.__ (*eran / fueron*) jovencitos de 11 a 15 años a __23.__ (*quien / quienes*) se atendía en los albergues. Con el tiempo se ha ido modificando y ahora
²⁰ __24.__ (*son / sean*) jóvenes de 18 a 24 años, en la mayoría inmigrantes, que necesitan un lugar donde los guíen para ser productivos", dijo el padre Estrada. " __25.__ (*Uno / Un*) 90% de los jóvenes que ayudamos son inmigrantes, hay __26.__ (*algún / alguno*) que otro afroamericano y asiático, pero en su mayoría son latinos".

Otro de __27.__ (*los / las*) programas de esta organización sin fines de lucro __28.__ (*es / sea*) el Centro de Aprendizaje,
²⁵ donde __29.__ (*dan / den*) clases de computación, de inglés y, además, __30.__ (*los / les*) enseñan cómo conseguir
³⁰ trabajo. Este centro __31.__ (*atiende / atienda*) a tres grupos de veinte muchachos cada uno y trabaja en conjunto con preparatorias locales y con
³⁵ el Departamento de Servicios Familiares del Condado.

www.laopinion.com

Investigue palabras clave:
FRIDA, programa de 4-H

20 Amplíe su vocabulario

Mire las palabras de la primera columna, que aparecen en el artículo anterior, y busque su definición o sinónimo en la segunda.

1. acoger
2. brindar
3. estable
4. alcanzar
5. ahorrar
6. agregar
7. sin fines de lucro

a. lo contrario de gastar
b. añadir
c. ofrecer
d. no pretende ganar dinero
e. admitir, proteger
f. que no cambia
g. conseguir

21 Jóvenes con identidad

Lea el artículo y complete los espacios con la palabra adecuada. Después conteste las siguientes preguntas:

- ¿Cuál es el propósito del artículo?
- ¿Cómo resumiría el artículo en una frase?
- Si quisiera consultar otra fuente, ¿podría pensar en un posible título de una publicación?
- ¿Qué pregunta sería apropiada para hacerle al autor después de leer el artículo?

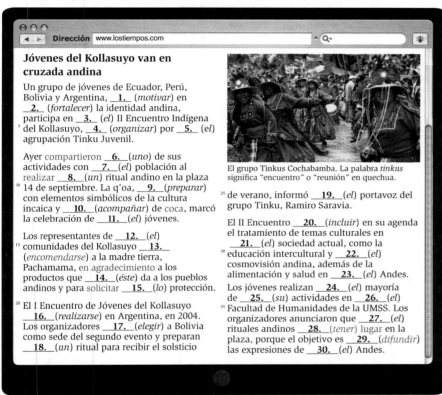

Dirección www.lostiempos.com

Jóvenes del Kollasuyo van en cruzada andina

Un grupo de jóvenes de Ecuador, Perú, Bolivia y Argentina, __1.__ (*motivar*) en __2.__ (*fortalecer*) la identidad andina, participa en __3.__ (*el*) II Encuentro Indígena del Kollasuyo, __4.__ (*organizar*) por __5.__ (*el*) agrupación Tinku Juvenil.

Ayer compartieron __6.__ (*uno*) de sus actividades con __7.__ (*el*) población al realizar __8.__ (*un*) ritual andino en la plaza 14 de septiembre. La q'oa, __9.__ (*preparar*) con elementos simbólicos de la cultura incaica y __10.__ (*acompañar*) de coca, marcó la celebración de __11.__ (*el*) jóvenes.

Los representantes de __12.__ (*el*) comunidades del Kollasuyo __13.__ (*encomendarse*) a la madre tierra, Pachamama, en agradecimiento a los productos que __14.__ (*éste*) da a los pueblos andinos y para solicitar __15.__ (*lo*) protección.

El I Encuentro de Jóvenes del Kollasuyo __16.__ (*realizarse*) en Argentina, en 2004. Los organizadores __17.__ (*elegir*) a Bolivia como sede del segundo evento y preparan __18.__ (*un*) ritual para recibir el solsticio

El grupo Tinkus Cochabamba. La palabra *tinkus* significa "encuentro" o "reunión" en quechua.

de verano, informó __19.__ (*el*) portavoz del grupo Tinku, Ramiro Saravia.

El II Encuentro __20.__ (*incluir*) en su agenda el tratamiento de temas culturales en __21.__ (*el*) sociedad actual, como la educación intercultural y __22.__ (*el*) cosmovisión andina, además de la alimentación y salud en __23.__ (*el*) Andes.

Los jóvenes realizan __24.__ (*el*) mayoría de __25.__ (*su*) actividades en __26.__ (*el*) Facultad de Humanidades de la UMSS. Los organizadores anunciaron que __27.__ (*el*) rituales andinos __28.__ (*tener*) lugar en la plaza, porque el objetivo es __29.__ (*difundir*) las expresiones de __30.__ (*el*) Andes.

20 1. e; 2. c; 3. f; 4. g; 5. a; 6. b; 7. d

21 1. motivados; 2. fortalecer; 3. el; 4. organizado; 5. la; 6. una; 7. la; 8. un; 9. preparada; 10. acompañada; 11. los; 12. las; 13. se encomiendan; 14. ésta; 15. la; 16. se realizó; 17. eligieron; 18. un; 19. el; 20. incluyó; 21. la; 22. la; 23. los; 24. la; 25. sus; 26. la; 27. los; 28. tendrán; 29. difundir; 30. los

Investigue palabra clave: tinkus

Teacher Resources

 Activity 23

Answers

22 1. d; 2. a; 3. e; 4. h; 5. b; 6. g; 7. c; 8. f

Instructional Notes

23 Before students listen to the recording, you might want to review the following words: *pandillero*, gang member; *cumbre*, top; *contrarrestar*, to counteract; *discapacitado*, handicapped; *involucrarse con*, to get involved with; *balacera*, shooting/shootout; *alejar*, to move away; *ambiente*, surroundings; *asegurar*, to assure; *esperanza*, hope; *disparar*, to shoot; *atado*, tied/confined; *silla de ruedas*, wheelchair.

---

22 Amplíe su vocabulario

Mire las palabras de la primera columna, que aparecen en el artículo anterior, y busque su definición o sinónimo en la segunda.

1.	compartir	a.	llevar a cabo, hacer, efectuar
2.	realizar	b.	con gratitud
3.	coca	c.	ocurrir
4.	encomendarse	d.	ofrecer lo que se tiene a los demás
5.	en agradecimiento	e.	planta
6.	solicitar	f.	extender, divulgar una noticia
7.	tener lugar	g.	pedir
8.	difundir	h.	ofrecerse al cuidado o protección de alguien

23 Lea, escuche y escriba/presente

Vuelva a leer los textos completos de las Actividades 19 y 21. Luego escuche la grabación "Adolescentes en peligro" y tome las notas necesarias. Escriba un ensayo o haga una presentación en clase contestando esta pregunta: "¿Cuáles son los problemas con los que se enfrentan los jóvenes en las calles?" No se olvide de citar las fuentes debidamente.

Cita

Lo que se le dé a los niños, los niños darán a la sociedad.
—Karl Menninger (1893–1990), médico estadounidense; uno de los fundadores de la Clínica Menninger, un centro psiquiátrico

¿Está de acuerdo con esta afirmación? ¿Por qué? Comparta su opinión con un/a compañero/a y dele unos ejemplos.

Dato curioso

En Honduras más de 300.000 niños abandonan la escuela para trabajar. Más de la mitad (60%) de estos niños dejan de trabajar y se dedican a pedir por la calle. Se calcula que alrededor de 50 menores de edad son asesinados cada año, y casi nunca se aclaran estos crímenes.

Nota cultural

En Latinoamérica hay alrededor de 40 millones de niños de la calle. En Honduras la mayoría de ellos viven en Tegucigalpa y San Pedro Sula, las dos ciudades más grandes del país. Piden en las calles, roban, buscan en la basura, limpian zapatos o hacen otros trabajos para sobrevivir. La mayoría de ellos son adictos al pegamento amarillo; muchos de estos jóvenes hondureños nunca llegarán a los dieciocho años. Últimamente se ven muchos menos en las calles; desgraciadamente, esto no significa que haya menos. Se debe a que el ejército está patrullando las calles, y los niños se deben esconder y sólo salir por la noche.

24 Emancipándose

Lea el artículo y complete los espacios con la palabra adecuada. Después conteste las siguientes preguntas:

- ¿Cómo resumiría el artículo en una frase?
- Si quisiera consultar otra fuente, ¿podría pensar en un posible título de una publicación?
- ¿Qué pregunta sería apropiada para hacerle a un joven español para saber más sobre el tema? ¿A qué edad se emancipan los jóvenes en los EE.UU.? ¿Qué piensa de esto?

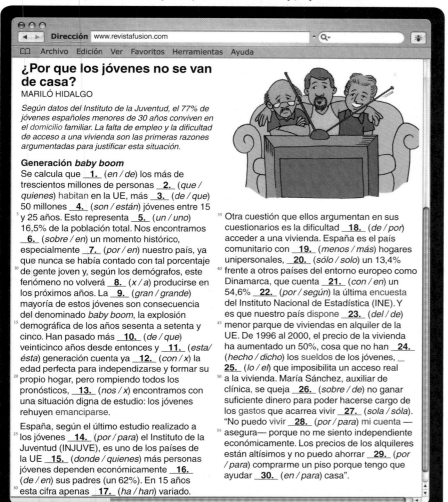

Dirección www.revistafusion.com

Archivo   Edición   Ver   Favoritos   Herramientas   Ayuda

¿Por que los jóvenes no se van de casa?
MARILÓ HIDALGO

Según datos del Instituto de la Juventud, el 77% de jóvenes españoles menores de 30 años conviven en el domicilio familiar. La falta de empleo y la dificultad de acceso a una vivienda son las primeras razones argumentadas para justificar esta situación.

Generación *baby boom*

Se calcula que __1.__ (*en / de*) los más de trescientos millones de personas __2.__ (*que / quienes*) habitan en la UE, más __3.__ (*de / que*) 50 millones __4.__ (*son / están*) jóvenes entre 15 y 25 años. Esto representa __5.__ (*un / uno*) 16,5% de la población total. Nos encontramos __6.__ (*sobre / en*) un momento histórico, especialmente __7.__ (*por / en*) nuestro país, ya que nunca se había contado con tal porcentaje de gente joven y, según los demógrafos, este fenómeno no volverá __8.__ (*x / a*) producirse en los próximos años. La __9.__ (*gran / grande*) mayoría de estos jóvenes son consecuencia del denominado *baby boom*, la explosión demográfica de los años sesenta a setenta y cinco. Han pasado más __10.__ (*de / que*) veinticinco años desde entonces y __11.__ (*esta/ ésta*) generación cuenta ya __12.__ (*con / x*) la edad perfecta para independizarse y formar su propio hogar, pero rompiendo todos los pronósticos, __13.__ (*nos / x*) encontramos con una situación digna de estudio: los jóvenes rehuyen emanciparse.

España, según el último estudio realizado a los jóvenes __14.__ (*por / para*) el Instituto de la Juventud (INJUVE), es uno de los países de la UE __15.__ (*donde / quienes*) más personas jóvenes dependen económicamente __16.__ (*de / en*) sus padres (un 62%). En 15 años esta cifra apenas __17.__ (*ha / han*) variado.

Otra cuestión que ellos argumentan en sus cuestionarios es la dificultad __18.__ (*de / por*) acceder a una vivienda. España es el país comunitario con __19.__ (*menos / más*) hogares unipersonales, __20.__ (*sólo / solo*) un 13,4% frente a otros países del entorno europeo como Dinamarca, que cuenta __21.__ (*con / en*) un 54,6% __22.__ (*por / según*) la última encuesta del Instituto Nacional de Estadística (INE). Y es que nuestro país dispone __23.__ (*del / de*) menor parque de viviendas en alquiler de la UE. De 1996 al 2000, el precio de la vivienda ha aumentado un 50%, cosa que no han __24.__ (*hecho / dicho*) los sueldos de los jóvenes, __25.__ (*lo / el*) que imposibilita un acceso real a la vivienda. María Sánchez, auxiliar de clínica, se queja __26.__ (*sobre / de*) no ganar suficiente dinero para poder hacerse cargo de los gastos que acarrea vivir __27.__ (*sola / sóla*). "No puedo vivir __28.__ (*por / para*) mi cuenta —asegura— porque no me siento independiente económicamente. Los precios de los alquileres están altísimos y no puedo ahorrar __29.__ (*por / para*) comprarme un piso porque tengo que ayudar __30.__ (*en / para*) casa".

Nota cultural
En España, la edad promedio de la emancipación es entre los 28,5 y los 29 años.

Answers

24 1. de; 2. que; 3. de; 4. son; 5. un; 6. en; 7. en; 8. a; 9. gran; 10. de; 11. esta; 12. con; 13. nos; 14. por; 15. donde; 16. de; 17. ha; 18. de; 19. menos; 20. sólo; 21. con; 22. según; 23. del; 24. hecho; 25. lo; 26. de; 27. sola; 28. por; 29. para; 30. en

Instructional Notes

24 After students read the article, you might ask them how they would feel if they knew they had to live at home until they were about 30. Ask them what the advantages and disadvantages would be of such a situation.

Additional Activities

Comunicación
Ask students to work with a partner and write a dialogue between two young Spaniards talking about the issue of coming-of-age and why they want to live independently. Have some students present their dialogues in class.

Teacher Resources

 Activity 26

 Activity 7

Answers

25 1. a; 2. d; 3. g; 4. h; 5. f; 6. c; 7. e; 8. b

27 1. para; 2. Uno; 3. debe; 4. Cada; 5. todo; 6. como; 7. hay; 8. en; 9. son; 10. son; 11. que; 12. si;

Instructional Notes

26 Before students listen to the audio, you might want to review the following words: *logro*, achievement; *medios*, media; *impensable*, unthinkable; *en el seno de la familia*, in the heart of the family; *irreconocible*, unrecognizable; *de antaño*, of days gone by/of the past; *antecesor*, predecessor; *paro*, unemployment; *trayectoria*, path; *incertidumbre*, uncertainty; *gravoso*, costly; *refugio*, shelter; *retraso*, delay; *acuciante*, urgent; *fructífera*, productive; *propuesta*, proposal.

---

25 ¿Qué significa?

Mire las palabras de la primera columna y busque su definición o sinónimo en la segunda.

1.	domicilio	a.	casa, hogar
2.	habitar	b.	solo
3.	emanciparse	c.	salario
4.	encuesta	d.	vivir, alojarse
5.	disponer	e.	lo contrario de ahorro
6.	sueldo	f.	tener, poseer
7.	gasto	g.	irse de la casa de los padres y pagar sus propios gastos
8.	vivir por tu cuenta	h.	una serie de preguntas que se hacen para obtener opiniones

26 Lea, escuche y escriba/presente

Vuelva a leer el texto completo de la Actividad 24. Luego escuche la grabación "La emancipación de los jóvenes en España" y tome las notas necesarias. Escriba un ensayo o haga una presentación en clase sobre este tema: "Los problemas que afrontan los jóvenes en España para emanciparse". No se olvide de citar las fuentes debidamente.

27 Niños soldados

Lea el artículo y complete los espacios con la palabra adecuada. Después conteste las siguientes preguntas:

- ¿Cuál es el propósito del artículo?
- ¿Cómo resumiría el artículo en una frase?
- Si quisiera consultar otra fuente, ¿podría pensar en un posible título de una publicación?

Pequeños soldados

La guerra no es __1.__ (por / para) los niños. __2.__ (Muchos / Uno) de los ingredientes que no deberían faltar en la infancia es la protección. El niño __3.__ (debe / tiene) sentirse seguro en su entorno y con las personas que lo rodean. __4.__ (Cada / Todos) año las guerras desplazan a millones de niños de sus hogares y los separan de sus familias. UNICEF apunta que casi la mitad de los 3,6 millones de personas que murieron en conflictos armados desde 1990 eran menores de edad. Y no sólo eso. Se calcula además que más de 300.000 niños en __5.__ (todo / alrededor) el mundo han sido alistados y luchan __6.__ (como / por) soldados en guerras y conflictos armados. No __7.__ (hay / haya) distinción entre niños y niñas. Los encontramos __8.__ (en / a) África mayoritariamente, pero también en Latinoamérica o Asia.

"En muchos lugares los niños __9.__ (son / sean) considerados ciudadanos de segunda clase porque no __10.__ (son / están) productivos. Las altas tasas de mortalidad infantil hacen __11.__ (que / X) a veces ni siquiera sean registrados, porque no se sabe __12.__ (si / como) van a sobrevivir o no".

Niño soldado del Congo

¹⁰ Son utilizados __13.__ (para / como) mensajeros o como espías. Se __14.__ (les / los) encarga colocar cargas explosivas y tienen que aprender __15.__ (con / a) manejar armas ligeras. También __16.__ (se / sé) les ¹⁵ usa como escudos humanos __17.__ (por / para) protegerse de las ráfagas enemigas. No dispararán __18.__ (contra / hasta) un niño, ¿no? Son un ejército barato, fácil __19.__ (por / de) manipular, poco conflictivo y obediente. ²⁰ ¿ __20.__ (Los / Se) puede pedir más? La mayoría han __21.__ (visto / vistos) morir a sus padres a manos __22.__ (de / del) enemigo y ven en la posibilidad de incorporarse __23.__ (a / al) ejército o a la guerrilla, una ²⁵ puerta abierta hacia un futuro inexistente. Con un fusil en la mano, un niño de diez años se convierte __24.__ (en / a) un adulto y comprueba que impone respeto a su alrededor. A muchos les proporcionan

³⁰ alcohol y drogas __25.__ (por / para) amortiguar los efectos del combate. Algunos son obligados __26.__ (a / en) pasar duras pruebas, como matar a algún miembro __27.__ (de / en) su familia o algún compañero para ³⁵ poder integrarse o sencillamente para salvar la propia vida. Así __28.__ (los / lo) van curtiendo.

La reeducación y reinserción es sumamente complicada. Después __29.__ (de / x) haber ⁴⁰ sido adultos, no toleran fácilmente que se __30.__ (les / le) vuelva a tratar __31.__ (como / por) niños. Algunos han combatido __32.__ (a / desde) los ocho años, están habituados a empuñar un arma —su __33.__ (menos / más) ⁴⁵ preciada posesión— y conseguir con ella __34.__ (lo / el) que quieran. Y luego están los recuerdos de todo lo vivido y de todo lo visto.

www.revistafusion.com

28 ¿Qué significa?

Mire las palabras de la primera columna y busque su definición o sinónimo en la segunda.

1. entorno
2. desplazar
3. alistado
4. tasa de mortalidad
5. encargar
6. ráfaga
7. disparar
8. incorporarse
9. fusil
10. amortiguar
11. empuñar

a. pedir
b. conjunto de disparos
c. hacer menos intenso, suavizar
d. trasladar
e. formar parte de
f. sujetar un arma
g. arma de fuego
h. alrededor, ambiente
i. hacer funcionar un arma
j. número de muertes
k. adscrito al ejército

Compare

En su clase de historia posiblemente estudió sobre los retos que tuvieron los niños y jóvenes en los EE.UU. en diferentes épocas. Piense en un momento histórico y hable de los desafíos con los que tuvieron que enfrentarse los jóvenes.

Dicho

Los jóvenes van por grupos, los adultos en parejas y los viejos van solos.

 ¿Qué piensa de este dicho? ¿Coincide con lo que ha podido observar? Comparta su opinión con un/a compañero/a.

¡Dato curioso! Los niños y niñas soldados suelen tener entre los diez y los dieciocho años, e incluso hay niños más jóvenes. En muchos casos constituyen hasta la cuarta parte de los combatientes. En algunos países son juzgados como adultos, e incluso se les condena a la pena de muerte.

Lección 2B **101**

Notas culturales

Amnistía Internacional denuncia que con las nuevas armas cada vez resulta más fácil y rápido enseñar a estos niños. Los niños soldados sufren traumas indescriptibles y muy difíciles de superar. En muchos casos se ven expuestos a ver atrocidades incluso contra su propia familia, y luego tienen que convivir y luchar con las personas que han cometido estas atrocidades.

En las sociedades primitivas los ancianos jugaban un papel muy importante por su sabiduría, experiencia y conocimientos. Hoy en día hay cada vez un mayor distanciamiento entre los jóvenes y los ancianos, ya que a menudo los familiares consideran a los muy mayores una molestia. Mientras que antes era muy normal que los abuelos se quedaran a vivir en la casa de su familia, ahora es más común que vivan en residencias de ancianos.

Teacher Resources

Activities 8–16

Instructional Notes

29 You might ask students if they think printed books will soon become a thing of the past, or if they will continue to be popular.

30 Before students read this review, ask them to try to find examples of book reviews from Spanish-language sources.

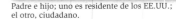

¡A leer!

29 Antes de leer

¿Le gusta leer? ¿Por qué? ¿Qué es lo que más le atrae de la lectura? ¿Cree que la lectura es un hábito común entre los jóvenes? ¿Cuál es su estilo favorito? ¿Cuál es el último libro que ha leído en inglés? ¿Y en español?

30 Entre dos culturas

Lea con atención el siguiente artículo. Después conteste las siguientes preguntas:

Padre e hijo; uno es residente de los EE.UU.; el otro, ciudadano.

- ¿Cuál es el propósito del artículo?
- ¿Qué pregunta sería apropiada para hacerle al autor salvadoreño para saber más sobre el tema?
- Si quisiera consultar otra fuente, ¿podría pensar en un posible título de una publicación?

Novela expone realidad bicultural de jóvenes latinos
Mario Bencastro

Birmingham (Alabama). La más reciente novela del salvadoreño Mario Bencastro explora la compleja realidad bicultural de jóvenes latinos inmigrantes a EE.UU.

Escrita para un público joven, *Viaje a la tierra del abuelo*, de la editorial Arte Público, aborda los conflictos, preocupaciones y sueños de los jóvenes inmigrantes con gran acierto.

Parte de su éxito es que Bencastro buscó la ayuda de estudiantes latinos de las escuelas Belmont High y OnRamp Arts de Los Ángeles, quienes sugirieron temas y opiniones para integrar a la trama.

De este modo, las situaciones e ideas que la novela propone exhiben una vitalidad y una vigencia rara vez vista en la literatura juvenil contemporánea.

La historia se centra en la vida de Sergio, un adolescente que ha pasado la mayor parte de su corta vida en Los Ángeles, pero que a los 16 años comienza a cuestionar su identidad nacional y cultural.

La novela comienza con la muerte repentina del abuelo, quien alguna vez le dijera a Sergio que si la muerte le encontraba en EE.UU. que por favor lo llevara a enterrar a su país.

Entre las aventuras y los obstáculos del joven en su lucha por cumplir con los deseos de su abuelo, el autor logra exponer muchos de los retos que enfrentan los jóvenes latinos al intentar equilibrar el mundo de sus padres y el suyo.

Como toda novela de aprendizaje, el viaje se convierte en herramienta de autodescubrimiento y durante la travesía, el joven comienza a cuestionar las ideas que más arraigadas tenía sobre su identidad.

Sutilmente Bencastro inserta situaciones que resonarán en sus lectores, como las escuelas sucias y abarrotadas —la propia Belmont High donde estudia el personaje—, jóvenes pandilleros, adolescentes embarazadas y estudiantes que se duermen en las clases porque tienen que trabajar de noche para ayudar a sus familias.

Pero de igual modo abundan los personajes clave e inspiradores, como la trabajadora social de la escuela, quienes le inyectan esperanza y optimismo a la historia.

Dos mundos

Como muchos jóvenes latinos, el personaje vive entre dos mundos completamente diferentes aunque con ciertos puntos de contacto entre sí. Ajeno pero heredero del mundo de sus padres, Sergio se esfuerza por comprender la historia de El Salvador, sus tradiciones, su lengua y su política, pero siempre se aventaja el mundo de afuera donde el inglés, la televisión y los deportes capturan su imaginación y le facilitan relacionarse con sus compañeros.

El personaje expone su identidad bifurcada con palabras simples pero abarcadoras, condensando en un solo párrafo la problemática de la juventud bicultural.

"El cuerpo de mis padres estaba en los Estados Unidos, pero su corazón estaba en su patria", escribe.

"Yo estaba de cuerpo y corazón en el país norteamericano, pero cuando llegaba de la calle a la casa, el mundo de mis padres no dejaba de afectarme y entonces yo me sentía como si entrara en un espacio extraño".

De este modo, el viaje a El Salvador y su regreso a EE.UU. constituyen para el personaje la ida y vuelta de un enorme descubrimiento.

Los increíbles percances que le acontecen durante su travesía se hacen más verosímiles con la historia de otros personajes menores cuyas tragedias personales pueden hallarse resumidas en cualquier periódico fronterizo.

Viaje a la tierra del abuelo es una inolvidable novela de aprendizaje que de seguro servirá de trampolín a los jóvenes lectores para adentrarse en la obra madura de Bencastro.

(Bencastro, Mario. *Viaje a la tierra del abuelo*. Houston: Arte Público, 2004)

31 ¿Qué significa?

Mire las palabras de la primera columna y busque su definición o sinónimo en la segunda.

1. abordar		a.	de pronto
2. acierto		b.	mujer que espera un bebé
3. trama		c.	habilidad, éxito, destreza
4. repentino		d.	llevar a cabo, realizar
5. enterrar		e.	completamente
6. cumplir		f.	tratar
7. equilibrar		g.	asunto, argumento
8. arraigado		h.	mantener en proporción
9. abarrotado		i.	afirmado, establecido
10. embarazada		j.	dar sepultura
11. ajeno		k.	imprevisto, contratiempo
12. estar de cuerpo y corazón		l.	lleno
13. percance		m.	suceder
14. acontecer		n.	distante

32 ¿Ha comprendido?

1. ¿Cuál es el tema principal de la novela de Bencastro?
   a. La inmigración de El Salvador a Estados Unidos
   b. Los problemas de los jóvenes con la generación de sus abuelos
   c. La realidad cultural de la joven población emigrada a Estados Unidos
   d. El viaje de un inmigrante joven

2. ¿De dónde procede el éxito de su obra?
   a. De su experiencia como inmigrante salvadoreño
   b. De testimonios reales e ideas de jóvenes
   c. De la promoción de la editorial Arte Público
   d. De los departamentos de las universidades de Los Ángeles

3. ¿Qué problema encuentra Sergio en la novela?
   a. La trágica muerte de su abuelo
   b. La dificultad de llevar a su abuelo a su país de origen
   c. Entender la cultura de su familia
   d. No se siente comprendido por la trabajadora social de la escuela.

4. ¿Qué les ocurría a los padres de Sergio?
   a. Ya no querían volver a su país.
   b. Se sentían frustrados porque su hijo no entendía su cultura latina.
   c. Nunca se separaron emocionalmente de su país de origen.
   d. Querían volver a Latinoamérica con toda la familia.

5. ¿Qué significa la expresión *servirá de trampolín*?
   a. Ayudará.
   b. Impedirá.
   c. Ilusionará.
   d. Saltará.

Answers

31 1. f; 2. c; 3. g; 4. a; 5. j; 6. d; 7. h; 8. i; 9. l; 10. b; 11. n; 12. e; 13. k; 14. m

32 1. c; 2. b; 3. b; 4. c; 5. a

Additional Activities

Repaso Expreso
See p. TE28.

Answers

Instructional Notes

37 After students discuss these questions with a partner, you might want to hold a whole-class discussion.

You may want to share this saying with the class: *Hay que darle al niño malo más amor y menos palo.* Ask students to compare it to the *Cita* on this page.

Additional Activities

Comunicación
Ask students to write ten questions in Spanish that they would ask if they were interviewing a foreign exchange student. They can then use these questions to interview a real exchange student, or a partner posing as one.

---

33 ¿Cuál es la pregunta?

Según el artículo que acaba de leer, escriba una pregunta lógica para estas respuestas.

1. Para cumplir el deseo de su abuelo
2. Quién es realmente
3. Entre dos mundos
4. En un gran descubrimiento

34 ¿Qué piensa Ud.? 🧍🧍

"El cuerpo de mis padres estaba en los Estados Unidos, pero su corazón estaba en su patria". ¿Cree que esto describe el dilema de muchos inmigrantes? ¿Por qué? Discútalo con un/a compañero/a.

35 Comparta experiencias 🧍🧍

Con un/a compañero/a hable sobre el origen de sus antepasados. ¿De dónde vinieron? ¿Por qué razones? Comparta alguna historia curiosa sobre su llegada y adaptación a este país.

36 Se titula…

Piense en otro título para la crítica que acaba de leer. ¿Por qué lo ha escogido?

37 Antes de leer 🧍🧍

¿Quiénes son los niños de la calle? ¿Por qué cree que están en esta situación? ¿En qué países se da este tipo de situación? ¿Cómo cree que sobreviven?

Cita

El mejor medio para hacer buenos a los niños es hacerlos felices.
—Oscar Wilde (1862–1900), dramaturgo y escritor irlandés

🧍🧍 ¿Está de acuerdo con lo que dijo? ¿Cree que si un niño no se comporta bien es porque no es feliz? Comparta su opinión con un/a compañero/a.

Dato curioso

¿Sabía que ahora hay "buzones" para bebés abandonados? A veces las criaturas son abandonadas en plena calle, donde se mueren. Para evitar esta tragedia, en algunas ciudades europeas han instalado las BabyBox, incubadoras callejeras para que las madres dejen a sus bebés dentro, sin que sus vidas corran peligro.

Nota cultural
Los buzones o cabinas que se describen en el *Dato curioso* se han establecido en Roma. Cada vez que se deposita un bebé en su interior, una alarma avisa al hospital. Una cámara de video les confirma a las enfermeras que un niño ha sido dejado; de ser así, un auxiliar médico lo recoge.

38 Los niños de la calle

Lea con atención el siguiente artículo. Después conteste las siguientes preguntas:

- ¿Cuál es el propósito del artículo?
- Si quisiera consultar otra fuente, ¿podría pensar en un posible título de una publicación?
- ¿Puede pensar en una situación en los EE.UU. actual o del pasado que pueda ser similar?

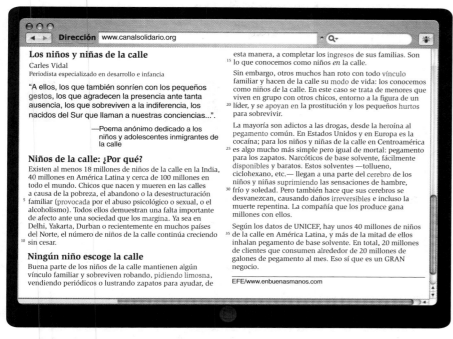

Dirección www.canalsolidario.org

Los niños y niñas de la calle

Carles Vidal
Periodista especializado en desarrollo e infancia

"A ellos, los que también sonríen con los pequeños gestos, los que agradecen la presencia ante tanta ausencia, los que sobreviven a la indiferencia, los nacidos del Sur que llaman a nuestras conciencias...".

—Poema anónimo dedicado a los niños y adolescentes inmigrantes de la calle

Niños de la calle: ¿Por qué?

Existen al menos 18 millones de niños de la calle en la India, 40 millones en América Latina y cerca de 100 millones en todo el mundo. Chicos que nacen y mueren en las calles a causa de la pobreza, el abandono o la desestructuración familiar (provocada por el abuso psicológico o sexual, o el alcoholismo). Todos ellos demuestran una falta importante de afecto ante una sociedad que los margina. Ya sea en Delhi, Yakarta, Durban o recientemente en muchos países del Norte, el número de niños de la calle continúa creciendo sin cesar.

Ningún niño escoge la calle

Buena parte de los niños de la calle mantienen algún vínculo familiar y sobreviven robando, pidiendo limosna, vendiendo periódicos o lustrando zapatos para ayudar, de esta manera, a completar los ingresos de sus familias. Son lo que conocemos como niños *en* la calle.

Sin embargo, otros muchos han roto con todo vínculo familiar y hacen de la calle su modo de vida: los conocemos como niños *de* la calle. En este caso se trata de menores que viven en grupo con otros chicos, entorno a la figura de un líder, y se apoyan en la prostitución y los pequeños hurtos para sobrevivir.

La mayoría son adictos a las drogas, desde la heroína al pegamento común. En Estados Unidos y en Europa es la cocaína; para los niños y niñas de la calle en Centroamérica es algo mucho más simple pero igual de mortal: pegamento para los zapatos. Narcóticos de base solvente, fácilmente disponibles y baratos. Estos solventes —tolueno, ciclohexano, etc.— llegan a una parte del cerebro de los niños y niñas suprimiendo las sensaciones de hambre, frío y soledad. Pero también hace que sus cerebros se desvanezcan, causando daños irreversibles e incluso la muerte repentina. La compañía que los produce gana millones con ellos.

Según los datos de UNICEF, hay unos 40 millones de niños de la calle en América Latina, y más de la mitad de ellos inhalan pegamento de base solvente. En total, 20 millones de clientes que consumen alrededor de 20 millones de galones de pegamento al mes. Eso sí que es un GRAN negocio.

EFE/www.enbuenasmanos.com

39 Amplíe su vocabulario

Mire las palabras de la primera columna y busque su definición o sinónimo en la segunda según el contexto del artículo que acaba de leer.

1. gesto	a. dinero que se gana
2. provocado	b. forma
3. marginar	c. sustancia química que se usa para pegar
4. pedir limosna	d. expresión de la cara o cuerpo
5. ingresos	e. rogar que le hagan un donativo
6. vínculo	f. unión
7. modo	g. parte interior de la cabeza
8. apoyarse en	h. accesible
9. hurto	i. anular, eliminar
10. pegamento	j. robo
11. disponible	k. ayudarse de
12. cerebro	l. lo que no se puede cambiar
13. suprimir	m. causado
14. irreversible	n. aislar

Answers

40 1. a; 2. d; 3. c; 4. d

41 Los niños *de* la calle viven en la calle con otros niños, siendo uno de ellos el líder. Los niños *en* la calle ayudan a su familia, ya que todavía mantienen relaciones con ella.

42 *Ejemplos:*
1. Según el artículo, ¿cuántos niños de la calle hay en el mundo? **2.** ¿Por qué es algo alarmante? **3.** ¿Por qué motivo es peligroso el consumo de pegamento? **4.** ¿Qué constituye este consumo para las empresas que fabrican este medicamento?

Instructional Notes

43 Before students listen to the audio, you might want to review the following words: *esclavitud*, slavery; *aguardar*, to await; *rumanas*, Rumanian; *los sin techo*, homeless; *fundarse*, to be founded; *perfil*, profile; *cumplimiento*, execution.

44 You might take an informal survey in class to see how "high" tech the students are and how dependent they are on these devices. Ask them how they would feel if they had to give up any one of their technological tools.

Additional Activities

Trabajo de investigación
Ask students to look for an organization that protects *niños de la calle*. After they've researched the subject they should be prepared to make a presentation to the class. Encourage them to write down the main points and a list of key words. They could also include some photos in their presentation.

---

40 ¿Ha comprendido?

1. ¿Por qué hay tantos niños de la calle en el mundo?
   a. Por la pobreza, el abandono y la falta de familia
   b. Por el abuso de drogas
   c. Por el alcoholismo infantil
   d. Por el aislamiento social

2. ¿Cómo sobreviven diariamente los niños de la calle?
   a. Con la ayuda de la familia
   b. Gracias a la ayuda de las casas de acogida
   c. Con el apoyo de sus amigos
   d. Con la delincuencia o pequeños trabajos

3. ¿Cuál es la droga más común entre los niños en Centroamérica?
   a. La cocaína
   b. La heroína
   c. El pegamento
   d. El alcohol

4. ¿Cuáles son los efectos secundarios del uso de los solventes?
   a. La muerte lenta
   b. Las alucinaciones
   c. No tienen efectos secundarios.
   d. La supresión de sensaciones

41 Responda brevemente

¿Cuál es la diferencia entre niños *de* la calle y niños *en* la calle?

42 ¿Cuál es la pregunta?

Escriba una pregunta lógica, según el artículo que acaba de leer, para estas respuestas.

1. 100 millones
2. Porque el número continúa creciendo
3. Porque pueden hasta morir y les daña el cerebro
4. Un gran negocio

43 Lea, escuche y escriba/presente

Vuelva a leer "Los niños y niñas de la calle" y luego escuche la grabación "¿Oportunidades?". Tome notas y escriba un ensayo o haga una presentación en clase sobre el tema de los niños de la calle. Mencione las causas y proponga soluciones. No se olvide de citar las fuentes debidamente.

44 Antes de leer

¿Qué tecnología lleva consigo en este momento? ¿Cree que es más fácil para los jóvenes usar la tecnología que para los adultos? ¿A qué se debe?

La barriada de La Ciénaga en Santo Domingo (República Dominicana)

45 Las adicciones

Lea con atención el siguiente artículo. Después conteste las siguientes preguntas:

- ¿Cuál es el propósito del artículo?
- ¿Cómo resumiría el artículo en una frase?
- Si quisiera consultar otra fuente, ¿podría pensar en un posible título de una publicación?
- ¿Qué pregunta sería apropiada para hacerle al autor del artículo para saber más sobre el tema?

Las adicciones sin drogas atrapan a los jóvenes

ELENA ESCALA SÁENZ

Las nuevas tecnologías han dado origen a un tipo de adicción bien distinto al generado por las sustancias químicas. Los chats de Internet, la telefonía móvil o los videojuegos están provocando numerosos
5 casos de dependencia entre los adolescentes en situación de riesgo, que encuentran en estas herramientas un refugio que les aleja de sus problemas emocionales o familiares.

Las nuevas tecnologías han pasado a formar parte de
10 las denominadas adicciones psicológicas o adicciones sin drogas. El uso abusivo de los videojuegos, los teléfonos móviles e Internet ha hecho que muchos jóvenes establezcan una relación de dependencia con estas herramientas.

15 "Se trata de conductas repetitivas que resultan placenteras en las primeras fases, pero que después no pueden ser controladas por el individuo. Es habitual que este tipo de adicciones psicológicas se combinen con una o varias adicciones a sustancias químicas",
20 ha señalado Enrique Echeburua, catedrático de la Facultad de Psicología de la Universidad del País Vasco, durante su participación en las "VI Jornadas sobre Adolescentes, Dependencias y Nuevos Medios de Comunicación", con la colaboración de la Delegación
25 del Gobierno para el Plan Nacional Sobre Drogas.

Pero las nuevas tecnologías no generan por sí mismas la adicción: las personas con determinados problemas previos son las que más recurren a ellas y hacen un uso indebido de las mismas. "Debemos reflexionar
30 sobre su valor educativo y sobre los efectos negativos que tienen en los jóvenes. Bajo el comportamiento adictivo normalmente subyacen problemas más profundos", ha indicado Bartomeu Catalá, presidente de la Asociación Proyecto Hombre.

35 Los jóvenes que se encuentran en situación de riesgo son aquellos que han crecido en un ambiente familiar poco propicio para su desarrollo, que poseen una baja autoestima y que tienden a huir de un mundo adulto que les resulta hostil refugiándose en las nuevas
40 tecnologías.

Adolescentes: firmes candidatos

Los adolescentes parecen ser firmes candidatos a sufrir este tipo de dependencias porque deben adaptarse a numerosos cambios físicos y emocionales. "Muchos jóvenes recurren al teléfono móvil o a los chats de

45 Internet porque son incapaces de aceptar su imagen corporal. Con estas tecnologías pueden distorsionarla y convertirse en el 'yo ideal' que la sociedad reclama", ha indicado Luis Bononato, presidente de la Asociación Proyecto Hombre de Jerez.

50 Este comportamiento les impide desarrollar sus habilidades sociales, les hace hipersensibles a los juicios y acrecienta sus sentimientos de inseguridad. En estos casos la familia debe prestar atención a los primeros signos de alarma que se asocian al
55 comportamiento adictivo, como son la tendencia al aislamiento, la ruptura de las relaciones sociales, el fracaso escolar o la agresividad.

Las claves para superar este tipo de dependencias pasan por solucionar los problemas de base, fomentar la
60 comunicación familiar, restablecer la confianza con los padres y los amigos y aceptar la imagen corporal. En la actualidad dos jóvenes se encuentran bajo tratamiento en Proyecto Hombre debido a su adicción al teléfono móvil, pero son muchos más los que solicitan información sobre
65 este tipo de dependencias.

Tecnofobia y Tecnofilia

El desarrollo tecnológico ha dado origen a dos nuevos términos que se refieren a la actitud que las personas tienen ante los últimos avances:

Tecnofilia: supone un interés acentuado por las
70 tecnologías con cierta dependencia imaginaria con la máquina. Tienen una fe ciega en las tecnologías y se caracterizan por ser consumidores indiscriminados.

Tecnofobia: los tecnofóbicos están convencidos de que los avances tecnológicos producen tensiones sociales
75 y psicológicas, y que son responsables de los desastres que se viven en el campo social, económico y cultural.

www.ondasalud.com
EFE/www.enbuenasmanos.com

Lección 2B **107**

Instructional Notes

45 Before students start reading this article, have them brainstorm possible addictions that do not involve any substance abuse.

Answers

46 1. d; 2. k; 3. i; 4. a; 5. g; 6. b; 7. f; 8. c; 9. e; 10. h; 11. j

47 1. a; 2. d; 3. c; 4. d; 5. c

Additional Activities

Juego

Have students play *El desafío del minuto*. See p. TE27.

---

46 Amplíe su vocabulario

Mire las palabras de la primera columna y busque su definición o sinónimo en la segunda según el contexto del artículo que acaba de leer.

1. dar origen a	a. pertenecer
2. distinto	b. inapropiado
3. herramienta	c. no tener la aptitud de hacer algo
4. formar parte de	d. dar lugar a
5. denominado	e. imposibilitar
6. indebido	f. serio
7. profundo	g. llamado
8. incapaz	h. imprescindible, crucial
9. impedir	i. instrumento
10. clave	j. vencer una dificultad
11. superar	k. diferente

47 ¿Ha comprendido?

1. ¿Por qué las nuevas tecnologías dan lugar a problemas de dependencia en los jóvenes?
   a. Porque los separa de otros problemas como los familiares o sus propias emociones
   b. Porque nunca pueden controlarlas
   c. Porque casi siempre son adictivas
   d. Porque provocan fuertes emociones

2. ¿Es la tecnología siempre adictiva?
   a. Sí, siempre crea dependencia.
   b. No, la adicción es algo exagerado.
   c. Sólo durante la juventud
   d. Sólo cuando se usa de una forma inadecuada

3. ¿Por qué los adolescentes tienen más riesgo de dependencia?
   a. Pasan mucho tiempo solos.
   b. Sus familias no los comprenden.
   c. Se sienten inseguros y necesitan desarrollarse de otro modo.
   d. La sociedad los rechazan continuamente.

4. ¿Cuáles son los síntomas de una dependencia de las nuevas tecnologías?
   a. Que no salen de casa
   b. Que no tienen amigos
   c. Que pasan mucho tiempo delante del ordenador
   d. Poca comunicación, distanciamiento y problemas en la escuela

5. Los tecnofóbicos, ¿piensan que los nuevos adelantos en la tecnología ayudan al desarrollo humano?
   a. Piensan que ayudan pero es mejor no usarlos.
   b. Nunca los han usado, y no tienen ni idea de cómo hacerlo.
   c. Creen que son la causa de los desajustes en el mundo.
   d. Dependen de ellos completamente en su vida diaria.

48 Haga un resumen

Haga un resumen de 200 palabras del artículo que acaba de leer.

49 Lea, escuche y escriba/presente

Vuelva a leer "Las adicciones sin drogas atrapan a los jóvenes" y luego escuche la grabación "Adictos a los medicamentos". Tome notas y escriba un ensayo o haga una presentación en clase sobre "Las adicciones en los jóvenes". No se olvide de citar las fuentes debidamente.

Refrán

Jóvenes y viejos, todos necesitamos consejos.

 ¿Está de acuerdo con este refrán? ¿Acepta Ud. los consejos fácilmente o, por el contrario, le cuesta aceptarlos? ¿Cree que es más fácil aceptar consejos cuando uno es más joven? ¿Por qué? Hable de este tema con un/a compañero/a.

 ¡Dato curioso! La mayoría de los pacientes suele tomar medicamentos de manera responsable, aunque no siempre es así. Tan sólo en Estados Unidos, alrededor de 9 millones de personas hicieron un uso indebido de algún medicamento el año pasado. Mientras que unos lo hicieron de forma no intencional, otros lo hicieron debido a la adicción que algunos de estos medicamentos pueden crear en los pacientes.

 **Compare**

¿Qué adicciones tienen los jóvenes de hoy en día y cómo cree que se diferencian con las que tenían los jóvenes hace 50 años?

Lección 2B   109

Teacher Resources

 Activity 50

 Activities 17–19

Answers

50 1. b; 2. d; 3. b; 4. d; 5. d; 6. b

Instructional Notes

50 Before students listen to the audio, you might want to review the following words: *deserciones escolares,* school desertions/dropouts; *faltar,* to not be (present); *mente,* mind; *darle ganas de,* to feel like; *temporada,* period of time; *sobre todo,* above all.

¡A escuchar!

50 Deserciones escolares

Esta grabación nos narra las razones por las que tres jóvenes dejaron de estudiar. La grabación dura aproximadamente 6 minutos. Lea las posibles respuestas primero y después escuche la grabación "Deserciones escolares". Luego escoja la mejor respuesta para cada pregunta. Después, conteste la pregunta: ¿Cuál es el propósito del artículo?

1. ¿Por qué no estudió José Santa Cruz cuando era pequeño?

   a. No había escuela en su pueblo.
   b. El maestro no iba a las clases todos los días.
   c. No había maestro.
   d. No le gustaba.

2. ¿Cuál es la ilusión de José Santa Cruz?

   a. Hacer un curso de locución
   b. Tener los papeles migratorios para ser policía
   c. Ser famoso y ganar 1.200 dólares al día
   d. Ser un buen locutor y aconsejar a los demás

3. ¿Por qué no ha vuelto Rosa Ochoa a la escuela?

   a. Quiere vivir en México.
   b. Prefiere ser independiente y trabajar.
   c. No le han validado los estudios de México.
   d. Ha vuelto a la escuela de nuevo.

4. ¿Por qué dejó la escuela Claudia Hernández?

   a. Se llevaba mal con una profesora.
   b. Faltaba tanto a clase que le avergonzaba volver.
   c. Volvió a México para siempre y allí no pudo estudiar.
   d. Las respuestas a y b

5. ¿Qué le pasa a Claudia Hernández?

   a. No habla inglés bien.
   b. No sabe a quién pedir consejos.
   c. Se avergüenza de volver a su vieja escuela.
   d. Todas las respuestas son correctas.

6. ¿Qué significa la expresión "me pasan por la cabeza muchas cosas"?

   a. Siempre me duele la cabeza.
   b. Se me ocurren muchas ideas.
   c. No ando bien de la cabeza.
   d. Todas las respuestas son correctas.

Nota cultural

Una de las razones por la que muchos latinos dejan la escuela en los Estados Unidos es el idioma, o sea la falta de buenos conocimientos de inglés. Es por lo que algunas escuelas están pensando en la enseñanza bilingüe, ya que al ser los hispanohablantes un grupo minoritario que va aumentando, su educación es cada vez más importante para el futuro del país.

51 Voto Latino

Esta grabación es sobre la organización Voto Latino, fundada por y para jóvenes. La grabación dura aproximadamente 3 minutos. Antes de escuchar la grabación "Voto Latino" repase las palabras a continuación y escoja la mejor definición.

1. propósito
   a. objetivo   b. historia
2. asunto
   a. miedo   b. tema
3. raíz
   a. origen   b. cereal
4. propio
   a. educado   b. de una persona
5. bienestar
   a. felicidad   b. tristeza
6. cura
   a. efecto de sanarse   b. enfermedad
7. empleo
   a. trabajo   b. trabajador
8. carrera
   a. estudios universitarios   b. estudios en la escuela

52 Voto Latino

Conteste estas preguntas según la grabación.

1. ¿Qué es Voto Latino?
2. ¿Hacia quién está dirigido?
3. ¿Es financiado el grupo sólo por los propios miembros de VL?
4. ¿Cuántos votantes latinos hay registrados en Estados Unidos? ¿Cuántos más deberían de usar su voto?
5. ¿Es necesaria la creación de una organización política y social latina en Estados Unidos? ¿Por qué?
6. ¿Qué pregunta sería apropiada para hacerle a un joven de esta organización?

53 Participe en una conversacíon

Ud. va a participar en una conversación. Primero lea la descripción de la conversación y piense en algunas palabras o expresiones que le serían útiles. Organice sus ideas, haciendo predicciones sobre lo que se le pueda preguntar o comentar. Una descripción de lo que va a escuchar aparece abajo en color. Participe en la conversación grabando las respuestas o escribiéndolas en su cuaderno.

> **Escena:** Su amigo Manuel llega a su casa. Ud. acaba de ver un documental sobre la situación de unos niños. Los dos entablan una conversación.

Manuel:	Le saluda. Le hace una pregunta.
Ud.:	• Conteste. • Háblele un poco sobre ello.
Manuel:	Sigue la conversación y le hace unas preguntas.
Ud.:	• Conteste sus preguntas.
Manuel:	Le hace otra pregunta.
Ud.:	• Dele detalles sobre lo que le pide.
Manuel:	Le hace más preguntas.
Ud.:	• Siga la conversación. • Háblele sobre este tema.
Manuel:	Hace un comentario y le hace una pregunta.
Ud.:	• Piense en una idea para contestarle.

Audioscript Activity 53

Manuel: Hola. ¿Qué tal va esto? ¿Qué haces? ¿Acabas de ver una peli o qué era lo que estabas mirando?
[STUDENT RESPONSE]

Manuel: Ah, creo que una vez oí algo sobre eso. ¿Pero todavía hay niños soldados? ¿Pero cómo es posible? ¿Qué sabes de eso?
[STUDENT RESPONSE]

Manuel: Pero, ¿y los gobiernos? ¿Qué hacen?
[STUDENT RESPONSE]

Manuel: ¿Ha salido algo en el documental que has visto sobre el tema de los niños de la calle? Eso sí que da pena también, ¿verdad?
[STUDENT RESPONSE]

Manuel: Pues la verdad es que me apetece hacer algo. Me quiero sentir útil. Me da rabia quedarme con los brazos cruzados. ¿Se te ocurre algo?
[STUDENT RESPONSE]

Teacher Resources

 Activity 51
Activity 53

Activity 20

Answers

51 1. a; 2. b; 3. a; 4. b; 5. a; 6. a; 7. a; 8. a

52 1. Es una organización nacional de jóvenes que trata asuntos que impactan su vida diaria y, así, mejorarla. También anima a los jóvenes latinos a que participen en el proceso democrático del país. 2. Hacia los jóvenes y jóvenes adultos latinos; 3. No; trabaja con otras organizaciones para conseguir apoyo financiero. 4. 7 millones; 8 millones; 5. Sí; *answers to second part of the question will vary.* Ejemplo: Para darles una voz en la política del país; 6. Answers will vary.

Instructional Notes

52 Before students listen to the audio, you might also want to review the following words, in addition to those in activity 51: *apoyo*, support; *campaña*, campaign; comprometer, to commit to.

53 Before students listen to the audio, you might also want to review the following words: *peli*, movie; *dar pena*, to be terrible/sad; *me da rabia*, it makes me angry; *quedarse con los brazos cruzados*, to stand there and do nothing; *¿Se te ocurre algo?*, Have you got any ideas?

Instructional Notes

54–57 Remind students to go over the expectations outlined in the *Pautas* on p. 480 before they prepare any of the writing activities in this section.

58 Assure students that even if they might feel uncomfortable about correcting someone else's paper, it is part of the learning process. They should be prepared to explain why they have made the corrections. If there is disagreement over any such corrections, they need to discuss their reasoning and perhaps consult a reference grammar, or you could be the arbitrator.

Additional Activities

Corrija una carta
See p. TE26.

Composición
Dictate some original sentences to students or use some from the readings in this lesson. Ask them to rephrase these sentences by using other words or grammar, but without changing the meaning. Ask some students to read their sentences aloud and explain the changes they made.

¡A escribir!

54 Texto informal: un blog

Escriba en un blog. Hable sobre las injusticias que han sufrido los jóvenes de su edad en el lugar donde estudia.

- Hable sobre lo que no le gusta.
- Cuente alguna anécdota.
- Proponga soluciones.
- Termine con una pregunta.

55 Texto informal: un foro

En un foro alguien pide información sobre organizaciones que protegen el bienestar de los niños y jóvenes. Busque información en Internet y ayude a esta persona.

- Dele los nombres de tres o cuatro organizaciones.
- Describa los servicios que prestan.
- Explíquele un poco sobre la historia de estas organizaciones.

56 Ensayo: los jóvenes indígenas

Escriba un ensayo sobre el futuro de los jóvenes indígenas.

57 Ensayo: los estudios

Escriba un ensayo sobre la importancia de no abandonar los estudios.

58 En parejas

Intercambie sus ensayos con los de un/a compañero/a. Exprésele su opinión sobre el contenido y el uso del idioma.

Consejo
Antes de empezar, lea las pautas para escribir textos informales en la pág. 480 del Apéndice. Mientras escribe el texto tenga presente los objetivos. Cuando termine, verifique que ha cumplido con todo lo que se describe en la lista y reflexione sobre su trabajo.

Consejo
Antes de empezar, lea las pautas para escribir ensayos en la pág. 480 del Apéndice. Mientras escribe tenga presente los objetivos, y no se olvide de ponerle un título original. Cuando termine, verifique que ha cumplido con todo lo que se describe en la lista y reflexione sobre su trabajo.

¡A hablar!

59 Charlemos en el café

Ud. va a debatir los siguientes temas con un/a compañero/a. Uno estará a favor de lo que se ha dicho y otro en contra. El debate durará varios minutos. El/La estudiante que esté de acuerdo comenzará el debate y hablará por unos dos minutos. Cuando el/la profesor/a lo indique, el/la otro/a estudiante tomará la palabra y expresará su opinión por otros dos minutos, y así sucesivamente.

1. El comportamiento —tanto malo como bueno— de los famosos influye en sus admiradores.
2. Los jóvenes de hoy están expuestos a más peligros que sus padres y abuelos.
3. Los padres deberían estar más pendientes de sus hijos.
4. Los videojuegos crean adicciones.
5. Las nuevas tecnologías crean demasiados peligros y estrés para los jóvenes.

60 ¿Qué opinan?

Converse con un/a compañero/a sobre estas situaciones o preguntas.

1. Si le dijeran que uno de los productos que consume o usa habitualmente ha sido hecho por mano de obra infantil, ¿lo seguiría comprando? ¿Por qué?
2. ¿Cuáles cree que son tres países en los que el ejército recluta a niños soldados? ¿En qué se basa su opinión? ¿Para qué los reclutarán?
3. ¿Cree que en los países desarrollados aún usan algún tipo de mano de obra infantil? ¿Qué tipo de trabajos suelen ser?
4. ¿Qué famosos dan ejemplo ayudando a los jóvenes? ¿Qué hacen para ayudarlos?
5. ¿Qué impulsa a los jóvenes a dejar sus estudios?

61 Presentemos en público

Hable sobre uno de los siguientes temas durante varios minutos en clase. Organice sus ideas antes de hacer la presentación, busque las palabras necesarias y, después de practicar, presente en clase sin mirar las notas.

1. Los niños de la calle
2. Los problemas más serios que afrontan los jóvenes hoy día y cómo pueden solucionarlos
3. Los mayores no deberían criticar a los jóvenes por la manera en que se visten.
4. Los jóvenes extranjeros en Estados Unidos y los posibles conflictos que puedan tener debido a su biculturalismo
5. Sugerencias para que los jóvenes españoles puedan emanciparse

¿Sabía que Oprah Winfrey ha ayudado a muchos jóvenes?

Consejo

Antes de empezar, lea las pautas para presentaciones formales en la pág. 481 del Apéndice. Mientras formula su presentación tenga presente los objetivos. Cuando termine la presentación, verifique que ha cumplido con todo lo que se describe en la lista y reflexione sobre el trabajo que hizo.

Teacher Resources

📝 Activity 22

Instructional Notes

59 Because all students will speak, allow them time to prepare this activity. Be sure to tell students which issue and which side of the issue they will be debating, so that they can do some research and practice before their debate.
After students have debated these issues with a partner, you might want them to continue the debate in small groups, or even have a discussion with the whole class on one or two of these topics.
Encourage students to use the new vocabulary from this lesson.

60 Encourage students to review the vocabulary, including the expressions, at the end of the lesson in order to enhance their discussions. After students discuss these questions with a partner, you could hold a whole-class discussion.

61 Review the *Pautas para presentaciones formales* on p. 481, and refer students to their copies of the guidelines given to them in *Lección 1A* (*Antes y durante una presentación*). (See p. 27 of this Annotated Edition.) You might want to assign these presentations as homework, so students have more time to prepare.

Additional Activities

La noticia del día
See p. TE28.

Instructional Notes

62 Before students start their projects, go over the questions from *Lección 1A*, p. 28. Students should have a copy of these questions for each project.

Remind them that after they complete their project, they will self-assess their work as a team using the grading system 1–5 (5 being the highest, and 1 the lowest) and write a grade next to each question. After they turn in their work or make their presentation to the class, you will review their project and write your comments and evaluation next to theirs.

Additional Activities

El periódico

Ask students to write a newspaper article for a Latin American country or Spain about one of the issues described in the lesson. In addition to describing the issue, and possibly offering some solutions, they need to include some relevant cultural information or a comment on some current event in the country.

Proyectos

62 ¡Manos a la obra!

Trabaje en un grupo de cuatro o cinco estudiantes para llevar a cabo uno de los siguientes proyectos y presentarlo a la clase.

1. Hagan el papel de un niño soldado. Describan en un diario su experiencia durante los tres primeros días cuando llega al campamento.

2. Hagan un póster en el que denuncien los malos tratos a los niños.

3. Investiguen sobre las *sweatshops* (fábricas donde se explotaban a los trabajadores) y hagan una presentación a la clase.

4. Hagan una campaña publicitaria para denunciar uno de los temas tratados en la lección. Piensen en los anuncios para la radio, la prensa y la televisión.

5. Piensen en una causa que les gustaría defender. Denle un nombre a su organización, establezcan las metas, piensen en la publicidad que le darán y cómo conseguirán el dinero.

6. Hagan diez predicciones para el año 2040 que puedan afectar a los jóvenes. Piensen en algunas que puedan crear controversia. Discútanlas en clase.

7. Hagan predicciones sobre cómo será la vida de sus otros compañeros de clase en el 2025. Escriban un pequeño párrafo sobre cada uno. Hablen sobre su profesión, dónde vivirán, su vida personal, etc.

Niño soldado de Nicaragua

Vocabulario

Verbos

abordar	to approach
acoger	to welcome
acontecer	to happen
acordar (ue)	to decide
agravar	to make worse
agregar	to add
ahorrar	to save
amortiguar	to lessen, cushion, absorb
apoyar	to support
brindar	to provide
cesar	to cease, stop
colocar	to place
cometer	to commit
confesar (ie)	to confess
demostrar (ue)	to demonstrate, show
desempeñar	to carry out, fulfill
desplazar	to displace, move
difundir	to spread
disparar	to shoot
disponer	to dispose
emanciparse	to emancipate, gain independence
encargar	to put in charge, entrust
enterrar (ie)	to bury
explorar	to explore
facilitar	to make easy; to offer
golpear	to beat (up)
habitar	to inhabit
impedir (i)	to impede
justificar	to justify
manipular	to manipulate
nacer	to be born
oprimir	to oppress
plantearse	to take into consideration
proporcionar	to supply
realizar	to carry out
salvar	to save
sobrevivir	to survive
solicitar	to ask for
superarse	to excel
tener lugar	to take place
tolerar	to tolerate
triunfar	to triumph
yacer	to lie (recline)

Verbos con preposición

verbo + a:

encomendarse (ie) a	to commend oneself to
oponerse a	to oppose
resistirse a	to resist

verbo + con:

contar (ue) con	to count on

verbo + de:

abusar de	to abuse
arrepentirse (ie) de	to repent; to regret
dejar de	to stop

verbo + en:

influir en	to influence

verbo + por:

apasionarse por	to become very interested in
terminar por	to end up

Sustantivos

el	abandono	abandonment
el	acierto	wise decision/move
el	acontecimiento	event
la	actitud	stance, attitude
el	arma (f.)	weapon
el	bienestar	well-being
el	bullicio	uproar
la	carrera	career
el	cerebro	brain
la	clave	key
el	conflicto armado	armed conflict
la	convivencia	coexistence, living together
la	creencia	belief
el	daño	pain, damage
la	delincuencia	crime, delinquency
el/la	delincuente	delinquent, criminal
la	demanda	demand
la	destreza	skill
el	domicilio	home address, legal residence
el	ejército	army
el/la	empresario/a	businessman/woman
la	encuesta	poll, survey
el	esfuerzo	effort
la	esperanza	hope
el	gasto	expense
el	gesto	gesture
el	hurto	robbery, theft
la	infancia	childhood
la	juventud	youth
los	medios (de comunicación)	media
la	mejora	improvement
el/la	menor	minor, underage person
el	modo	way
la	mortalidad	mortality
la	multitud	crowd

Teacher Resources

 Activities 23–28

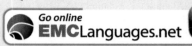 Go online
EMCLanguages.net

Additional Activities

Juegos
To practice and reinforce the lesson's vocabulary, have students play one of these games: *Relevos*, *Cadena de palabras*, *¡Háganlo!* See pp. TE24 and TE25.

Juego
To practice the vocabulary as well as the culture topics presented in the lesson, ask students to play *Hablar hasta por los codos*. See p. TE24.

Juego
To review vocabulary or grammar, ask students to play *El juego de la alarma*. See p. TE25.

To practice any of the culture topics presented in the lesson, ask students to do *Encuesta*. See p. TE27.

Ask students to do any of the following activities to practice and strengthen the vocabulary presented in this lesson: *Vocabulario*, *¡Pongámonos de acuerdo!*, *¡Post-it!*, *Gráfico sobre un tema*. See pp. TE27–TE29.

Teacher Resources

 See ExamView for assessment options.

Instructional Notes

Ask students to come up with more examples for *falsos cognados* in the *A tener en cuenta* feature.

---

el	**murmullo**	murmur	
las	**obras benéficas**	charity	
la	**organización sin ánimo de lucro**	nonprofit organization	
el	**papel**	role	
la	**población**	town; population	
la	**portada**	cover (*of a book, magazine*)	
el	**premio**	prize	
la	**raíz**	root	
el	**ser querido**	loved one	
la	**sospecha**	suspicion	
el	**sueldo**	salary	
la	**vejez**	old age	
el/la	**voluntario/a**	volunteer	

Adjetivos

alarmante	alarming
arraigado, -a	deeply rooted
creciente	growing
culpable	guilty
culto, -a	educated
desamparado, -a	defenseless, vulnerable
desmesurado, -a	excessive
distinto, -a	different
estable	stable
estricto, -a	strict
grave	serious
inmóvil	motionless
íntimo, -a	close, intimate
oprimido, -a	oppressed
repentino, -a	sudden
saludable	healthy

Adverbios

minuciosamente	thoroughly
tajantemente	categorically

Expresiones

¿Cómo está permitido?	How is it allowed?
con tal de que	provided that
¡Es increíble!	It's unbelieveable!
¡Me parece fatal!	It seems terrible/awful!
¡No hay derecho!	That's not fair!
¡No me digas!	You don't say!/I don't believe it!
¡No me lo puedo creer!	I just can't believe it!
¡Pobrecitos!	Poor things!
¡Qué barbaridad!	How terrible/awful!
¡Qué cruel!	How cruel!
¡Qué injusticia!	What injustice!
salir bien	to go well, turn out well
tener el alma en vilo	to be worried
tener ganas de	to feel like

A tener en cuenta
Cognados y falsos cognados

carácter: personality • (*literary*) character: **personaje**
conferencia: lecture • conference: **congreso**
coraje: anger, rage • courage: **valor, valentía**
decepción: disappointment • deception: **engaño**
distinto: different • distinct: **particular, marcado**
embarazada: pregnant • embarrassed: **avergonzado**
gol: soccer goal, scored point • goal: **meta, objetivo**
gracioso: funny • gracious: **amable, cortés**
pena: grief • pain: **dolor**
quieto: still, calm • quiet: **callado, silencioso**
quitar: to remove • to quit: **dejar de, dimitir**
raza: race (*ethnicity*) • race (*sports*): **carrera**
sensible: sensitive • sensible: **sensato**
simpático: nice • sympathetic: **compasivo, comprensivo**
soportar: to tolerate • to support: **apoyar**
sujeto (*persona*): individual • subject: **tema**
tenso: tense, stressed • tense (*of a verb*): **tiempo verbal**
últimamente: lately • ultimately: **en última instancia**

Capítulo 3

¡Que aproveche!

Temas
- Comidas típicas
- Alimentos
- Restaurantes

117

Overview of chapter 3

In this chapter, students will take a gastronomical tour of several Spanish-speaking countries. In addition to exploring some typical foods, drinks, and restaurants, students will learn something about the history of certain foods, the popularity of "Latin" food, and proper diets. The issue of worldwide hunger is also addressed, as is the view of food as part of a nation's patrimony.

Instructional Notes

You might want to ask the following questions related to the topics of this chapter: *Cuando se menciona comida "típica" de países hispanohablantes, ¿qué les viene a la mente? Si un extranjero les pidiera que nombraran el plato "nacional" americano, ¿cuál sería?*

Have students watch a video in Spanish of someone giving instructions on how to make a *paella*. Encourage them to try making one at home and then share their experience with the class through photos or video.

Nota cultural

La paella es el plato más famoso de España. Es originario de Valencia, pero se cocina en toda España con un toque personal de cada región y familia. Hay diferentes tipos de paella: la de carne, la de marisco, la de verduras y la mixta (con carne y pescado). El nombre de la paella viene del recipiente donde se cocina, que se llama "paella". Para hacer una paella, primero dore la carne o el marisco en aceite de oliva. Añada cebolla y ajos. Cuando estén dorados se le añade la verdura. A continuación, ponga tomate y azafrán, y seguidamente eche el arroz y agua (un vaso de arroz y dos de agua) y déjela cocinar a fuego lento. Finalmente, añada la carne o pescado (ya dorado) y adorne con pimientos rojos asados, y si lo desea, limón. ¡Buen provecho con la paella!

You might want to review the grammar objectives, including the *"Tapitas" gramaticales,* before starting the lesson.

The top photo shows a cook in Mexico making tortillas; the middle and bottom photos are typical dishes from Spain: the middle one is *bacalao pil-pil* (codfish) and the bottom image is *callos a la madrileña* (tripe).

Lección A

Objetivos

Comunicación
- Hablar de diferentes platos tradicionales
- Describir una receta
- Opinar sobre la comida
- Hablar de la influencia culinaria de otras culturas

Gramática
- El presente del subjuntivo
- El subjuntivo en cláusulas nominales
- Los mandatos y la voz pasiva

"Tapitas" gramaticales
- formación de adjetivos
- *el hecho de que*
- formas del progresivo
- identificar ciertos tiempos verbales
- el artículo masculino con sustantivos femeninos
- el orden de los pronombres
- *Que aproveche* y otras expresiones con *que*

Cultura
- La comida típica de diferentes países hispánicos
- El origen de ciertos alimentos
- Comida tradicional y comida moderna
- El mate
- Auge de la comida latina

Go online
EMCLanguages.net

Para empezar

1 Conteste las preguntas

Piense en las respuestas a las siguientes preguntas. Ud. puede tomar notas si lo considera necesario. Cuando termine, compare sus respuestas —pero sin mirar sus notas— con las de un/a compañero/a.

1. ¿Qué sabe de la comida de los países hispanohablantes?
2. ¿Le gusta la comida mexicana? ¿Qué platos mexicanos conoce? ¿Qué le parecen?
3. ¿Cuál es la diferencia entre la tortilla española y la tortilla mexicana?
4. ¿Piensa que la comida mexicana es parecida a la española? Explique su respuesta.
5. ¿Qué platos típicos de otros países hispánicos conoce? ¿Cuáles diría que son algunos de los ingredientes básicos de estos platos?
6. ¿Por qué cree que hay tantas diferencias entre las comidas de los distintos países hispanohablantes?
7. ¿Le gusta comer en restaurantes? ¿Por qué? ¿Con quién va normalmente?
8. ¿Qué le gusta pedir cuando va a un restaurante?
9. ¿Le gusta cocinar o le gustaría aprender a hacerlo? ¿Por qué? ¿Cuál es su especialidad?
10. ¿Cuáles diría que son las tres frutas más populares en los Estados Unidos? ¿Cuáles son algunas frutas que nos llegan de Latinoamérica?

Tortilla española hecha con patatas fritas, aceite de oliva, huevo y sal.

2 Mini-diálogos

Va a crear un mini-diálogo con un/a compañero/a. Lea la descripción de la conversación antes de empezar. Puede tomar notas para organizar sus ideas, pero no las mire mientras conversa.

Escena: Ud. va caminando por la calle y de repente ve a un/a amigo/a a quien que no veía desde hacía mucho tiempo.

A: Salúdelo/la. Exprese sorpresa y emoción.

B: Salude a su amigo/a e invítele a comer.

A: Acepte con entusiasmo. Pregúntele sobre sus gustos en la comida. Pregúntele a qué tipo de restaurantes le gusta ir.

B: Dígale el tipo de comida que le gusta a Ud. Sugiera un restaurante.

A: Reaccione a su sugerencia negativamente. Sugiera otro lugar.

B: Continúe la conversación. Invéntese una excusa para no ir.

A: Despídase cordialmente.

B: Despídase cordialmente.

Dicho

Sobre gustos no hay nada escrito.

¿Qué cree Ud. que significa este viejo dicho? ¿Cuál es su equivalente en inglés? Describa una situación en la que sea apropiado usarlo. Comparta sus opiniones y ejemplos con un/a compañero/a.

¡Dato curioso!

El aguacate es una fruta, no una verdura como muchos piensan. Los primeros aguacates datan del año 500 a. de J. C. y se encontraban en la zona de México. Los aztecas le daban mucha importancia, y los primeros españoles que llegaron al país estaban fascinados por esta fruta; no obstante, no se llegó a comercializar hasta principios del siglo XIX. Hoy en día se cultivan más de cuatrocientas especies.

Nota cultural

El aguacate es un árbol que sólo se cultiva en clima cálido, ya que no soporta bien el frío. California y México son los mayores productores, seguidos de Chile y Sudáfrica. Los países que abastecen a Europa de este preciado manjar son España e Israel. Se dice que es la fruta con más calorías de todas, y que tiene propiedades antioxidantes y es buena para el corazón.

Answers

4 **Expresiones positivas:** se les haga la boca agua, merece la pena, no está mal, está para chuparse los dedos

Expresiones negativas: no me entra por los ojos, no tenga buena pinta, estoy harta de, qué asco me da, no puedo ni ver, no me entra en la cabeza, qué rabia me da

Instructional Notes

3 The food shown in the photo is the typical Ecuadorean dish *cuy*. You might want to elicit students' opinions as to whether this dish *les entra por los ojos o no*.

Show students a video about Ecuador, either from a travel show or someone's individual experience. (Try to find one that mentions *cuy*.) Have a discussion about things to do there and typical foods to try.

Vocabulario y gramática en contexto

3 Un blog

Túrnese con un/a compañero/a para leer los comentarios que dos personas han escrito en un blog. Fíjese en las palabras que aparecen en azul (relacionadas con el vocabulario) y en rojo (relacionadas con la gramática), ya que en las siguientes actividades se le harán preguntas sobre ellas.

¡Hay que probarlo!

Juan Pablo

Como estamos de vacaciones en Ecuador, mis padres me dicen todo el tiempo que pruebe cosas nuevas para tener así más experiencias. Insisten en que pruebe el cuy, que es un plato de por aquí un tanto peculiar. Yo les estoy diciendo constantemente que me resulta imposible, ya que no me entra por los ojos, pero nada, que no me
5 hacen caso y me andan insistiendo con tono hasta un poco amenazador. La verdad es que si alguno de Uds. se atreve, vale la pena que lo prueben algún día, aunque no tenga buena pinta. Me extraña que a los de aquí se les haga la boca agua al verlo, pero según ellos merece la pena que todos tengan este tipo de experiencia. Por lo visto no está mal, para ser una especie de conejo de indias. Parece ser que sabe a pollo

10 o algo así, o al menos eso es lo que me han dicho mis padres. Les invito a que lo prueben, pero he de reconocer que yo me avergüenzo de no tener el valor suficiente para hacerlo. Es sorprendente para mí, pues siempre me había
15 considerado muy aventurero. En el fondo, ¡perro ladrador poco mordedor! ¡Ja, ja, ja!

¡Que no sea rojo, por favor! ¡Se lo ruego!

Estrella

Yo estoy harta de que mis padres me digan que tengo que probarlo todo. ¡Qué asco me da cuando hacen que me tome cosas de color rojo! No puedo ni ver el tomate, ni las fresas, ni los pimientos... Nada, es que no me entra en la cabeza cómo quieren que pruebe algo que no me entra por los ojos. Y me enoja que me prometan que si algo
5 está para chuparse los dedos, que si al menos debo probarlo, que si... bla, bla, bla. ¡Es absurdo! No es que no quiera tomarlo, es que no puedo tomarlo. El hecho de que me digan que me van a castigar si no lo como no me ayuda a superarlo para nada. Te pongo por ejemplo lo que me pasó el otro día, para que te hagas una idea de lo que me ocurre un día sí y otro no. El otro día vi una pizza completamente cubierta de salsa
10 de tomate en mi plato y, sin darme cuenta, solté un grito espeluznante que enfadó a mis padres muchísimo. Es por lo que ahora estoy castigada sin salir. ¡Qué rabia me da! Puede que ésta sea la gota del agua que colme el vaso. ¡Esto se tiene que acabar!

4 ¿Positivo o negativo?

Haga una lista y clasifique las expresiones que aparecen en azul en las lecturas anteriores según sean positivas o negativas.

5 Amplíe su vocabulario

Mire las palabras y expresiones de la primera columna y busque su definición en la segunda. ¿Cree que sería correcto usar algunas de estas expresiones en un contexto formal? ¿Cuáles?

1. no entrar por los ojos
2. tener buena pinta
3. hacerse la boca agua
4. merecer la pena
5. no estar mal
6. estar harto de
7. darle asco
8. no poder ni ver algo (o alguien)
9. no entrar en la cabeza
10. estar para chuparse los dedos
11. darle rabia

a. cuando algo está tan exquisito que uno aprovecha hasta el último bocado
b. ser agradable a la vista
c. no interesarle algo porque no le gusta lo que ve
d. no poder comprender algo
e. no gustarle algo para nada y sentir cierto malestar
f. estar muy cansado de algo
g. producir más saliva al ver algo que le gusta
h. detestar algo o a alguien
i. enojar, frustrar
j. valer el esfuerzo
k. ser bastante bueno

6 El presente del subjuntivo

Conteste estas preguntas relacionadas con los blogs anteriores. Todas tienen que ver con el presente del subjuntivo.

1. Escriba los verbos que aparecen en el presente del subjuntivo en los blogs.
2. Conjugue los verbos *comerse*, *ponerse* y *llenarse* en la segunda persona informal del singular.
3. Conjugue los verbos *almorzar*, *oler* y *mostrar* en la segunda persona formal del singular.
4. Conjugue los verbos *masticar*, *sacar*, *apagar*, *utilizar*, *gozar* y *especializarse* en la primera persona del singular.
5. Conjugue los verbos *pedir*, *servir*, *hervir*, *freír* y *advertir* en la primera persona del plural.
6. Conjugue los verbos *escoger*, *elegir* y *fingir* en la segunda persona informal del singular.
7. Conjugue los verbos *sustituir* y *atribuir* en la primera persona del plural.
8. Conjugue los verbos *convencer* y *producir* en la tercera persona del singular.
9. Conjugue *seguir* en la primera persona del plural.
10. Conjugue los verbos *enviar* y *continuar* en la tercera persona del plural.
11. Conjugue *dormir* en la segunda persona informal del singular y la primera persona del plural.
12. ¿Cuántos verbos irregulares recuerda? (No tienen que aparecer en estos blogs.) Haga una lista de diez de ellos en el infinitivo y conjúguelos en la primera persona del singular del presente del subjuntivo.
13. ¿Qué es especial del verbo *dar* en el presente del subjuntivo?

7 "Tapitas gramaticales"

1. Escriba los adjetivos que aparecen en rojo en los blogs y explique lo que se ha hecho para transformarlos en adjetivos. ¿Qué otras formas hay de transformar un infinitivo en adjetivo?
2. ¿Qué tiempo verbal le sigue a *el hecho de que*? ¿Por qué motivo?
3. ¿Qué tiempo verbal es *andan insistiendo*? Escriba otras dos formas para expresar lo mismo.
4. ¿Qué tiempo verbal le sigue a *cuando hacen que*? ¿Por qué?
5. ¿Qué tiempo verbal les sigue a *ya que* y *es que*? ¿Y a *no es que* y *puede que*? ¿Por qué?

Teacher Resources

Activity 1

Answers

5 1. c; 2. b; 3. g; 4. j; 5. k; 6. f; 7. e; 8. h; 9. d; 10. a; 11. i

6 1. pruebe, pruebe, prueben, tenga, haga, tengan, prueben, digan, tome, pruebe, prometan, quiera, digan, hagas, sea, colme; 2. te comas, te pongas, te llenes; 3. almuerce, huela, muestre; 4. mastique, saque, apague, utilice, goce, me especialice; 5. pidamos, sirvamos, hirvamos, friamos, advirtamos; 6. escojas, elijas, finjas; 7. sustituyamos, atribuyamos; 8. convenza, produzca; 9. sigamos; 10. envíen, continúen; 11. duermas, durmamos; 12. Ejemplos: caber, quepa; dar, dé; decir, diga; estar, esté; haber, haya; hacer, haga; huir, huya; ir, vaya; oler, huela; poner, ponga; saber, sepa; salir, salga; ser, sea; tener, tenga; valer, valga; venir, venga; ver, vea; 13. Lleva acento sobre la *e* en la primera y tercera persona del singular (*dé*).

7 1. amenazador, soprendente, aventurero, ladrador, mordedor, espeluznante; Se le ha añadido *-dor, -ente, -ero* o *-ante*. También se le puede añadir *-oso* (ejemplos: perezoso, estudioso). 2. el presente del subjuntivo; Es una expresión impersonal. 3. el progresivo; siguen insistiendo, continúan insistiendo; 4. el presente del subjuntivo; El verbo indica obligación. 5. ya que, es que: el presente del indicativo porque expresa una realidad (una verdad objetiva); no es que, puede que: el presente del subjuntivo porque indica probabilidad

Answers

8 Comments will vary.

9 1. Una claúsula nominal funciona como un sustantivo. Se usa como sujeto u objeto de un verbo. 2. Ejemplos: verbos que expresan emoción, deseo, influencia, voluntad, duda, negación, posibilidad, o con expresiones impersonales; 3. *primer blog:* [me dicen...] que pruebe cosas nuevas; [lo que esperan es] que pruebe el cuy; [vale la pena] que lo prueben algún día; [me extraña] que a los de aquí se les haga la boca agua; [merece la pena] que todos tengan este tipo de experiencia; [les invito a] que lo prueben; *segundo blog:* [estoy harta de] que mis padres me digan; [hacen] que me tome cosas de color rojo; [quieren] que pruebe algo que no me entra por los ojos; [me enoja] que me prometan... ; [no es] que no quiera tomarlo; [el hecho de] que me digan; [puede] que ésta sea la gota...vaso

10 1. Es; 2. vaya; después de una expresión de deseo; 3. es; 4. me apetece; 5. me acerque; después de una expresión impersonal; 6. salvar; 7. conozca; después de una expresión de deseo; 8. llevamos; 9. caiga; después de una expresión de emoción; 10. diga; después de una expresión impersonal; 11. soy; 12. olvida; 13. gusten; después de una expresión de negación; 14. soy; 15. mantenerme; 16. sabe; 17. sea; después de una expresión impersonal; 18. termine; después de una expresión impersonal; 19. termine; después de una expresión de emoción; 20. diga; después de una expresión de emoción; 21. sé

Instructional Notes

8 You could have students volunteer to answer some of the questions posed in the comments.

Encourage students to prepare *salmorejo*, which is described below in the *Nota cultural*, at home. Remind them that it is not a soup, but a creamy dip.

Additional Activities

A cocinar
Have students watch a video in Spanish of someone giving instructions on how to make *gazpacho*. Encourage them to try making it at home and then share their experience with the class through photos or video.

Canción
See p. TE26.

El desafío del minuto con el subjuntivo
See p. TE27.

---

8 ¿Qué opina? 🖊

Reaccione a lo que cada persona ha puesto en el blog y hágale al menos dos comentarios por escrito a cada uno. Incluya palabras del vocabulario que aparecen en azul y subráyelas cuando las use. Termine su blog con una pregunta.

9 Cláusulas nominales

1. ¿Qué es una cláusula nominal?
2. ¿En qué diferentes categorías se pueden clasificar las cláusulas nominales? Nombre cinco.
3. Busque cinco ejemplos de cláusulas nominales en los blogs anteriores.

10 ¿Infinitivo, indicativo o subjuntivo? 📑

Lea el siguiente párrafo y complételo con el infinitivo, el presente del indicativo o el presente del subjuntivo de los verbos entre paréntesis; a veces tendrá que elegir entre *ser* y *estar*. Explique por qué se usa el subjuntivo en cada caso, por ejemplo con una expresión de emoción, de deseo, de duda o negación, o después de una expresión impersonal.

__1.__ (*Ser / Estar*) extraño pero mi novia me ha dicho que __2.__ (*ir*) a comer a su casa dentro de dos días. La verdad __3.__ (*ser / estar*) que no __4.__ (*apetecerme*) para nada, pero me ha dicho que más vale que __5.__ (*acercarse*) por allá si quiero __6.__ (*salvar*) nuestra relación. Se ha empeñado en que __7.__ (*conocer*) a sus padres. Es cierto que nosotros __8.__ (*llevar*)
5 dos años saliendo, pero tengo un poco de miedo de que no les __9.__ (*caer*) bien. Además, más vale que le __10.__ (*decir*) otra vez a Patricia que __11.__ (*ser / estar*) vegetariano, pues normalmente se le __12.__ (*olvidar*), lo que termina siendo un drama. No es que no me __13.__ (*gustar*) sus padres, pero __14.__ (*ser / estar*) un poco tímido y prefiero __15.__ (*mantenerse*) al margen de la familia de mi novia. ¡Quién __16.__ (*saber*)! Es posible que el almuerzo no
10 __17.__ (*ser / estar*) tan malo después de todo y __18.__ (*terminar*) llevándome bien. Por otra parte, temo que __19.__ (*terminar*) agobiado y que no __20.__ (*decir*) ni una palabra durante la velada. Es que... no __21.__ (*saber*) por qué Patricia me mete en estos líos. ¡Qué chica!

11 Una sopa riquísima 📑

Lea con atención la siguiente receta para el gazpacho andaluz.

Sopa fría típica de Andalucía, en el sur de España.

El gazpacho andaluz
Ingredientes para 4 personas

1 pan grande (sólo la miga interior)
4 cucharadas de aceite de oliva
1 kilo de tomates rojos enteros
1 diente de ajo
1 litro de agua
sal y vinagre de vino

Para la guarnición:

1 o 2 pimientos verdes picados
1 cebolla mediana picada
1 pepino
1 huevo duro

Nota cultural

En el sur de España, en particular en Córdoba, se hace salmorejo, que es casi lo mismo que el gazpacho, pero sin apenas agua. Básicamente, es la misma receta, pero no se le añade agua. Después de remojar el pan para quitarle la corteza, éste se exprime con la mano al igual que el tomate. Así se consigue una crema deliciosa para mojar con pan.

Preparación

Se introduce el pan en un recipiente con agua para que así sea más fácil quitarle la corteza. (Cuando el pan esté mojado le podrá sacar la miga fácilmente.) Una vez que se tenga la miga del pan, ésta se pone en un recipiente para batirla con los demás ingredientes. Se le añade el
5 tomate troceado sin piel (para que luego uno no se la encuentre cuando lo tome), el aceite, el ajo, la sal, el vinagre y el agua. A continuación se bate todo junto y se prueba. Si queda muy espeso, se le puede añadir más agua. Si por otro lado está un poco soso, se le echa más sal, y si necesita más ajo, se puede picar más ajo. En resumen, siempre se
10 puede aderezar al final según el gusto de cada uno. Entonces se pican todos los ingredientes para la guarnición y se ponen en un cuenco. Por último, se sirve el gazpacho en recipientes individuales con la guarnición por encima o al lado (esto último es más apropiado), para que cada uno se eche una cucharada de lo que desee. ¡Que aproveche!

12 Amplíe su vocabulario

Según la receta que acaba de leer, ¿qué significan las siguientes expresiones de la receta?

1. el diente de ajo
2. la miga de pan
3. si queda muy espeso
4. soso
5. aderezar

13 Los mandatos y la voz pasiva

Con un/a compañero/a haga las siguientes actividades basadas en la receta.

1. Escriban de nuevo la receta usando el mandato con la forma *tú.*
2. Escriban las siguientes oraciones usando la voz pasiva.
   a. Se introduce el pan.
   b. Se le añade el tomate.
   c. Se pican los ingredientes.
   d. Se sirve el gazpacho.

14 "Tapitas gramaticales"

1. ¿Es masculino o femenino el sustantivo *agua*? ¿Qué artículo definido se usa con *agua*? ¿Y con *aguas*? ¿Por qué? Escriba otros dos sustantivos que sigan la misma regla.
2. Explique la posición de los pronombres en la frase "se le puede añadir más agua". ¿Cuál es la regla?
3. *La sal* es un sustantivo. ¿Cuál es el adjetivo correspondiente?
4. ¿Qué tiempo verbal se utiliza en la siguiente expresión: *¡Que aproveche!*? En inglés, ¿qué tiempo verbal se utilizaría? Escriba otras tres expresiones similares con *que.*

Lección 3A   **123**

Teacher Resources

Activities 3–5

Answers

12 *Ejemplos:*
1. cada una de las partes en la que se divide la cabeza de ajo; **2.** la parte interior del pan; **3.** si está demasiado denso; **4.** lo contrario de *salado*; **5.** sazonar

13 1. *The following verbs show changes to* tú *command form:* Introduce el pan... ; cuando el pan esté mojado... podrás; Una vez que tengas la miga del pan, ponla en un recipiente y bátela con los demás ingredientes. Añádele el tomate troceado sin piel (para que luego no te la encuentres cuando lo tomes),... ; A continuación bate todo junto y pruébalo. Si queda muy espeso, añádele más agua. Si por otro lado... échale más sal; ...más ajo, pica más. En resumen, siempre puedes aderezar al final según tu gusto. Entonces pica todos los ingredientes... y ponlos en un cuenco. Por último, sirve...
2. a. El pan es introducido.
   b. El tomate es añadido.
   c. Los ingredientes son picados.
   d. El gazpacho es servido.

14 1. Es femenino; se usa el artículo masculino *el*; con *aguas* se usa *las*; se usa *el* delante de una palabra que comienza con *a* o *h* acentuada. Ejemplos: el águila, las águilas; el alma, las almas; el área, las áreas; el aula, las aulas; el hacha, las hachas. (Remind students that the indefinite article *un* follows this same rule: *un águila, un aula*.) 2. Cuando hay más de dos pronombres seguidos, y el primero se refiere a la tercera persona, se convierte en *se* para evitar decir *le lo/la/los/las* o *les lo/la/los/las*. 3. salado; 4. presente del subjuntivo; en inglés se usaría el mandato/imperativo; ejemplos: que estudien, que se lo pasen bien, que se relajen

Additional Activities

Juego
Ask students to play *¡Háganlo!* See p. TE24.

Un amigo suyo le pide consejo para prepararle una cena a una chica que le gusta.
Escríbale un correo electrónico dándole consejos. Use expresiones nuevas y subráyelas.

- Aconséjele sobre lo que debe preparar.
- Explíquele cómo debe hacerlo.
- Deséele suerte y dele un par de consejos más para que la cita sea un éxito.

Dicho

Donde comen dos, comen tres.

¿Qué característica humana
cree que describe este viejo
dicho? ¿Qué cree que dice sobre
la cultura latina? Describa una
situación en la que sea apropiado
usarlo. Comparta sus opiniones
con un/a compañero/a.

 El gazpacho
al principio no era
rojo, ya que el tomate no
llegó a España hasta el siglo XVII.
Al principio se le consideraba una
comida de gente humilde, quienes
le echaban agua a la crema de pan
y aceite para poder comer más.
Dicen que la esposa de Napoleón III,
una andaluza, lo puso de moda
entre las clases más altas.

Compare

¿Qué platos son típicos de la
zona donde vive? ¿Cuáles son los
ingredientes que se usan?

Tapas típicas de España: champiñones rellenos de jamón, ajo, perejil, sal y aceite de oliva;
boquerones (anchoas frescas) en vinagre; pulpo a la gallega con pimentón, sal y aceite de oliva

Notas culturales

Tal como se menciona en el *Dicho*, la
tradición de compartir comida, aunque se
tenga poca, está arraigada en la mayoría de
las culturas del mundo.

Algunos autores piensan que la tapa
nació a causa de una enfermedad del Rey
Alfonso X el Sabio de España, que tuvo que
tomar pequeños bocados entre horas, con
pequeños sorbos de vino. Una vez mejorado,
el rey dijo que en las tabernas de Castilla no
se despachara vino si no estaba acompañado
de algo de comida. Según cuentan algunos,
el vino se servía "tapado" con una loncha
de jamón o queso, que tenía dos objetivos:
evitar que entrara polvo o insectos en el vino
y al mismo tiempo acompañar el alcohol
con un alimento sólido, como aconsejaba
Alfonso X, el Sabio.

Instructional Notes

15 Before students offer advice, suggest some
Spanish-language Web sites that post recipes.

Additional Activities

Trabajo de investigación

Ask students to do some research about the origin of a
dish or food. Then ask them to make a presentation in
class.

Idioma

16 Familia de palabras

Complete la tabla con el verbo, sustantivo o adjetivo apropiado y la traducción correspondiente.

Verbos		Sustantivos		Adjetivos	
aderezar	to dress a salad; to season	_____	dressing, seasoning	aderezado	_____, _____
aportar	to contribute	_____, la aportación	contribution	aportado	_____
atender	to serve a customer	la atención	kindness, attention	_____	polite, attentive
_____	to beat (food)	el batido; la batidora		batido	beaten
_____	to cook	_____; el cocido	cook; stew	cocido	cooked; boiled
_____	to cover	el cubierto	piece of cutlery; plates, napkin, etc. before each diner	_____	covered
_____	to taste	la degustación		X	
		el hervor		_____	boiled
remojar	to soak	el remojo	soak, soaking	remojado	soaked
_____	_____	el pegamento	glue	_____	sticky, stuck
pelar	to peel	_____	skin	pelado	peeled, smooth
picar	to be hot	X		_____	spicy
reposar	to let stand, rest (food)	el reposo	rest	reposado	_____
tapar	to put a lid on, cover	_____	lid	tapado	_____
trocear	to slice	_____	slice, piece	troceado	_____

17 ¿Verbo, sustantivo o adjetivo?

Complete las oraciones usando la forma correcta de las palabras que aparecen en la tabla, ya sea verbo, sustantivo o adjetivo. En el caso del sustantivo puede que necesite artículo.

1. ¿Por qué no ___ (tapar) tú la sopa hasta que los invitados se sirvan? Como te descuides se va a enfriar.
2. Después de hacer galletas se me quedaron las manos bastante ___ (pegar).
3. Un buen amigo italiano me ha comentado que es mejor echar la sal al agua antes de que empiece a ___ (hervir).
4. Dicen que es bueno que no le quites ___ (pelar) a la manzana ya que tiene muchas vitaminas.
5. ¿Me das ___ (trocear) de tarta? Ya lo sé. Éste es el tercer ___ (trocear), pero ya sabes que soy muy golosa. ¡Hijo, es que no puedo resistir la tentación!
6. ¡Qué hambre tengo! Acabo de ___ (batir) unas fresas. He hecho un ___ (batir) y estoy por prepararme otro. ¡Cómo me gusta ___ (batir) de fresa!
7. No me apetece ir a este restaurante porque el otro día nos ___ (atender) muy mal. Fueron bastante maleducados con nosotros y tardaron muchísimo en servirnos.
8. ¿Por qué no dejas que ___ (reposar) el arroz con pollo un poco antes de que lo comamos? ¡Ay, qué rico... ya se me está haciendo la boca agua!
9. ¡No me distraigas! No quiero que la comida ___ (pegarse) mientras hablo contigo.
10. Llevo dos horas esperando en la mesa y todavía nadie me ___ (atender). No aguanto más, ¡estoy muerto de hambre!
11. José echó demasiado chile en la salsa. ¡Es tan ___ (picar) que quema! De todas formas soy un adicto al ___ (picar), me lo tomo con todo.
12. No sé qué elegir de la carta. ¿Por qué no pedimos el menú de ___ (degustar)? Por lo visto está para chuparse los dedos.

Teacher Resources

Activity 6

Answers

16 Verbos
aderezar *to dress a salad; to season*
aportar *to contribute*
atender *to serve a customer*
batir *to beat (food)*
cocinar *to cook*
cubrir *to cover*
degustar *to taste*
hervir *to boil*
remojar *to soak*
pegar *to stick/glue*
pelar *to peel*
picar *to be hot*
reposar *to let stand, rest (food)*
tapar *to put a lid on, cover*
trocear *to slice*

Sustantivos
el aderezo *dressing, seasoning*
el aporte, la aportación *contribution*
la atención *kindness, attention*
el batido; la batidora *milkshake; mixer*
el/la cocinero/a; el cocido *cook; stew*
el cubierto *piece of cutlery; plates, napkin, etc. before each diner*
la degustación *tasting*
el hervor *boiling*
el remojo *soak, soaking*
el pegamento *glue*
la piel *skin*
X
el reposo *rest*
la tapa *lid*
el trozo *slice, piece*

Adjetivos
aderezado *dressed, seasoned*
aportado *contributed*
atento *polite, attentive*
batido *beaten*
cocido *cooked; boiled*
cubierto *covered*
X
hervido *boiled*
remojado *soaked*
pegajoso, pegado *sticky, stuck*
pelado *peeled, smooth*
picante *spicy*
reposado *resting*
tapado *covered*
troceado *sliced*

17 1. tapas; 2. pegajosas; 3. hervir; 4. la piel;
5. un trozo, trozo; 6. batir, batido, el batido;
7. atendieron; 8. repose; 9. se pegue; 10. ha atendido;
11. picante, picante; 12. degustación

Answers

18 1. puesta; 2. se pone; 3. ofrecer; 4. se siente; 5. nacen; 6. solicitado; 7. plenas; 8. están; 9. actualiza; 10. apuesta; 11. se adaptan; 12. eran; 13. son; 14. viene; 15. es

19 1. f; 2. e; 3. l; 4. i; 5. h; 6. c; 7. k; 8. m; 9. a; 10. b; 11. d; 12. j; 13. g

Additional Activities

Comunicación
Ask students to work in small groups and talk about their favorite restaurant, including the specialties on the menu.

Comparación
Show students videos of two *paradores* in Spain, from two very distinct regions. Ask them to compare the buildings, the surroundings, the services, the typical food, etc. What do they have in common? How are they unique? Which would the students prefer to visit and why?

Mini proyecto
Tell the students they have X amount of dollars to travel in Spain. They first must convert the amount to euros using the current exchange, and then plan a trip around the peninsula. They need to choose their route, planning only to stay in *paradores*. They can share their itineraries in small groups. Encourage them to include visuals to enhance their project.

Dicho
La vida es como una receta de comida, la sazón se la pones tú.

 ¿Por qué es importante ponerle sazón a la vida? ¿Cuál es la sazón que Ud. pone a la vida? Describa la sazón que aportan unas personas que Ud. admira. Comparta sus opiniones con un/a compañero/a.

¡Dato curioso!
La palabra *tomate* viene de *tomatl*, que es de origen náhuatl, el idioma de muchos de los indígenas de México. A pesar de ser hoy imprescindible en toda cocina, no les llamó la atención a los españoles cuando lo vieron por primera vez. Los italianos no lo usaron hasta el siglo XVIII. ¿Se imagina la comida italiana sin tomate?

18 Los paradores

Échele una ojeada al artículo que sigue para ver de qué se trata, prestando atención a las palabras en azul, ya que se le harán preguntas sobre ellas. Luego lea el artículo y decida cuál de las palabras entre paréntesis es la correcta para completar cada oración y escríbala.

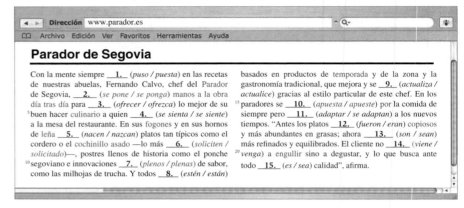

Dirección www.parador.es

Archivo   Edición   Ver   Favoritos   Herramientas   Ayuda

Parador de Segovia

Con la mente siempre __1.__ (*puso / puesta*) en las recetas de nuestras abuelas, Fernando Calvo, chef del Parador de Segovia, __2.__ (*se pone / se ponga*) manos a la obra día tras día para __3.__ (*ofrecer / ofrezca*) lo mejor de su ⁵buen hacer culinario a quien __4.__ (*se sienta / se siente*) a la mesa del restaurante. En sus fogones y en sus hornos de leña __5.__ (*nacen / nazcan*) platos tan típicos como el cordero o el cochinillo asado —lo más __6.__ (*soliciten / solicitado*)—, postres llenos de historia como el ponche ¹⁰segoviano e innovaciones __7.__ (*plenos / plenas*) de sabor, como las milhojas de trucha. Y todos __8.__ (*estén / están*)

basados en productos de temporada y de la zona y la gastronomía tradicional, que mejora y se __9.__ (*actualiza / actualice*) gracias al estilo particular de este chef. En los ¹⁵paradores se __10.__ (*apuesta / apueste*) por la comida de siempre pero __11.__ (*adaptar / se adaptan*) a los nuevos tiempos. "Antes los platos __12.__ (*fueron / eran*) copiosos y más abundantes en grasas; ahora __13.__ (*son / sean*) más refinados y equilibrados. El cliente no __14.__ (*viene / ²⁰venga*) a engullir sino a degustar, y lo que busca ante todo __15.__ (*es / sea*) calidad", afirma.

19 ¿Qué significa?

Según el contexto del artículo que acaba de leer, empareje cada palabra de la primera columna con su definición o sinónimo de la segunda.

1. parador	a. lleno
2. ponerse manos a la obra	b. época del año
3. día tras día	c. parte de un árbol que se trocea y se usa como combustible
4. culinario	d. depositar la confianza en algo
5. fogón	e. comenzar a hacer algo
6. leña	f. edificio histórico convertido en hotel y propiedad del gobierno
7. cochinillo asado	g. tragar casi sin masticar
8. solicitar	h. sección de la cocina donde se calienta la comida
9. pleno	i. relacionado con la cocina
10. temporada	j. abundante
11. apostar por	k. cerdo pequeño al horno
12. copioso	l. a diario
13. engullir	m. pedir

Notas culturales
El tomate, como muchas palabras que terminan en *-ate*, viene del náhuatl, idioma hablado por muchos indígenas de México. Los españoles llevaron las semillas del tomate a España, pero al principio los europeos cultivaban la planta sólo con fines decorativos. En Estados Unidos el tomate no se convirtió en comida popular hasta después de la Guerra Civil (1865).

Los paradores españoles figuran entre los más románticos e históricos hoteles del mundo. La palabra significa "lugar donde parar". Castillos restaurados, monasterios, casonas, fuertes, conventos y palacios han sido transformados en lujosos hoteles y han abierto sus puertas al público. Actualmente hay unos 93 en España. Algunos de los más espectaculares son el Parador de Granada, justo al lado de la Alhambra, el Parador de Santiago de Compostela y el Parador de Ronda.

20 Un chef

Escriba un artículo para un periódico sobre un nuevo chef que está muy de moda últimamente (puede ser real o inventado). Siga el modelo del artículo anterior e incluya tantas palabras nuevas como pueda. Subráyelas en el artículo.

21 La comida mexicana

Lea el artículo y complete los espacios con la palabra adecuada. Después conteste las siguientes preguntas:

- ¿Cuál es el propósito del artículo?
- ¿Cómo resumiría el artículo en una frase?
- ¿Qué pregunta sería apropiada para hacerle al autor después de leer el artículo?

Estrategia

Escribir un artículo sobre una persona para un periódico implica crear interés y presentar las ideas o los hechos con claridad y brevedad. Hay que incluir algunas anécdotas interesantes. Trate de crear una imagen de la persona y organizar lo que va a decir antes de empezar a escribirlo.

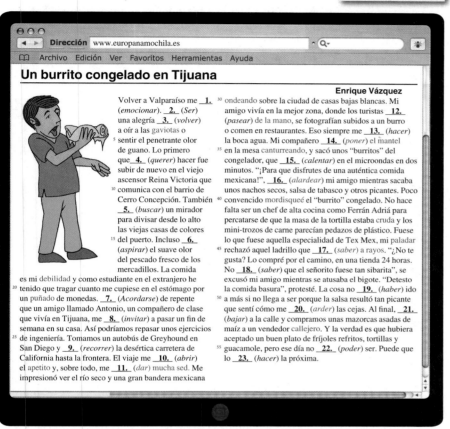

Dirección www.europanamochila.es

Archivo Edición Ver Favoritos Herramientas Ayuda

Un burrito congelado en Tijuana

Enrique Vázquez

Volver a Valparaíso me __1.__ (*emocionar*). __2.__ (*Ser*) una alegría __3.__ (*volver*) a oír a las gaviotas o
5 sentir el penetrante olor de guano. Lo primero que __4.__ (*querer*) hacer fue subir de nuevo en el viejo ascensor Reina Victoria que
10 comunica con el barrio de Cerro Concepción. También __5.__ (*buscar*) un mirador para divisar desde lo alto las viejas casas de colores
15 del puerto. Incluso __6.__ (*aspirar*) el suave olor del pescado fresco de los mercadillos. La comida es mi debilidad y como estudiante en el extranjero he
20 tenido que tragar cuanto me cupiese en el estómago por un puñado de monedas. __7.__ (*Acordarse*) de repente que un amigo llamado Antonio, un compañero de clase que vivía en Tijuana, me __8.__ (*invitar*) a pasar un fin de
25 semana en su casa. Así podríamos repasar unos ejercicios de ingeniería. Tomamos un autobús de Greyhound en San Diego y __9.__ (*recorrer*) la desértica carretera de California hasta la frontera. El viaje me __10.__ (*abrir*) el apetito y, sobre todo, me __11.__ (*dar*) mucha sed. Me impresionó ver el río seco y una gran bandera mexicana

30 ondeando sobre la ciudad de casas bajas blancas. Mi amigo vivía en la mejor zona, donde los turistas __12.__ (*pasear*) de la mano, se fotografían subidos a un burro o comen en restaurantes. Eso siempre me __13.__ (*hacer*) la boca agua. Mi compañero __14.__ (*poner*) el mantel
35 en la mesa canturreando, y sacó unos "burritos" del congelador, que __15.__ (*calentar*) en el microondas en dos minutos. "¡Para que disfrutes de una auténtica comida mexicana!", __16.__ (*alardear*) mi amigo mientras sacaba unos nachos secos, salsa de tabasco y otros picantes. Poco
40 convencido mordisqueé el "burrito" congelado. No hace falta ser un chef de alta cocina como Ferrán Adriá para percatarse de que la masa de la tortilla estaba cruda y los mini-trozos de carne parecían pedazos de plástico. Fuese lo que fuese aquella especialidad de Tex Mex, mi paladar
45 rechazó aquel ladrillo que __17.__ (*saber*) a rayos. "¿No te gusta? Lo compré por el camino, en una tienda 24 horas. No __18.__ (*saber*) que el señorito fuese tan sibarita", se excusó mi amigo mientras se atusaba el bigote. "Detesto la comida basura", protesté. La cosa no __19.__ (*haber*) ido
50 a más si no llega a ser porque la salsa resultó tan picante que sentí cómo me __20.__ (*arder*) las cejas. Al final, __21.__ (*bajar*) a la calle y compramos unas mazorcas asadas de maíz a un vendedor callejero. Y la verdad es que hubiera aceptado un buen plato de fríjoles refritos, tortillas y
55 guacamole, pero ese día no __22.__ (*poder*) ser. Puede que lo __23.__ (*hacer*) la próxima.

Teacher Resources

 Activity 7

Answers

21 1. emocionó; 2. Era; 3. volver; 4. quise; 5. busqué; 6. aspiré; 7. Me acordé; 8. invitó / había invitado; 9. recorrimos; 10. abrió; 11. dio; 12. pasean; 13. hacía; 14. puso; 15. calentó; 16. alardeó; 17. sabía; 18. sabía; 19. habría; 20. ardían; 21. bajamos; 22. pudo; 23. haga

Instructional Notes

20 You might do some research to find out about other chefs who are revolutionizing food preparation, and share this information with the class. Then, you could make this a homework assignment so students write their newspaper articles based on real chefs, like Ferrán Adriá, and later hold a classroom discussion on these new culinary arts.

Additional Activities

Comunicación

Show two videos having to do with molecular gastronomy. (Try to find at least one that highlights Ferrán Adriá, the famous Spanish chef who contributed to making this method popular.) Ask students to work in small groups and discuss their thoughts and opinions on this topic. You could encourage students to do more research for homework and share their opinions the next day in class, citing resources they used.

Teacher Resources

 Activity 24

Answers

22 1. g; 2. n; 3. e; 4. l; 5. a; 6. m; 7. p; 8. o; 9. b; 10. f; 11. d; 12. i; 13. k; 14. h; 15. j; 16. c

23 Stories will vary.

Instructional Notes

24 You might want to present or review the following words before students listen to the audio: *enriquecer*, to enrich; *litoral*, coastal region; *mantel*, tablecloth; *canela*, cinnamon; *mazorca*, corncob; *al vapor*, steamed; *rellenos*, stuffed/filled; *tender a*, to tend to; *constar de*, to be made up of; *caldo*, broth; *moluscos*, mollusks; *contundente*, weighty; *ligeramente*, lightly; *anisado*, flavored with anise/anise seed; *destacar*, to emphasize.

Additional Activities

Comunicación

Show two videos having to do with authentic Mexican food. Ask students to work in small groups and compare the food they saw in the videos with common foods typically eaten in the United States. They could touch on the following topics: ingredients, methods of preparation, popular foods from each country, "Americanized" Mexican food (served in fast food and chain restaurants), Tex-Mex food, personal experiences and preferences, etc. You could encourage students to do more research and share their opinions the next day in class, citing resources they used.

---

22 ¿Qué significa?

Según el contexto del artículo que acaba de leer, empareje cada palabra de la primera columna con su definición o sinónimo de la segunda.

1. gaviota	a. producir la necesidad de beber
2. debilidad	b. cantar en voz baja y tararear
3. puñado	c. de la calle
4. apetito	d. dar pequeños bocados a un alimento
5. dar mucha sed	e. poca cantidad de algo
6. ondear	f. presumir
7. de la mano	g. ave de plumas blancas que vive en la costa
8. poner el mantel	h. saber fatal
9. canturrear	i. sin cocer
10. alardear	j. quemar, abrasar
11. mordisquear	k. ganas de comer
12. crudo	l. parte de la boca que identifica el sabor
13. paladar	m. movimiento que hace una bandera con el viento
14. saber a rayos	n. flaqueza, punto débil
15. arder	o. poner una tela para comer
16. callejero	p. agarrados de la mano

23 Un cuento

Escriba un cuento corto similar al anterior, en el que describa una experiencia que el personaje principal tiene con una comida. Nárrelo en el pasado, pero intente usar tiempos en presente de subjuntivo y mandatos cuando use discurso directo.

Dicho

El amor entra por la cocina.

 ¿Está de acuerdo con esto? ¿Cree que este dicho se refiere por igual a los hombres y a las mujeres? Comparta opiniones con un/a compañero/a.

¡Dato curioso!

La presencia del tenedor en Europa se debe a los italianos, quienes encontraron en él un invento muy útil para comer pasta. Algunos lo rechazaron durante muchos años porque pensaban que estaba relacionado con el demonio. Hasta el siglo XVIII casi todos los europeos comían con los dedos.

Estrategia

Escribir un cuento corto implica saber dar detalles generales del fondo y de los personajes, usar el discurso indirecto o directo, y escribir una introducción y una conclusión. Trate de crear una escena y organizar lo que va a decir antes de empezar a escribirlo.

24 Lea, escuche y escriba/presente

Vuelva a leer el cuento completo de la Actividad 21. Luego escuche la grabación "La comida de México" y tome las notas necesarias. Escriba un ensayo o haga una presentación en clase contestando la siguiente pregunta: "¿Qué es la comida mexicana?" No se olvide de citar las fuentes debidamente.

25 El Mambo Café

Lea el artículo y complete los espacios con la palabra adecuada. Después conteste las siguientes preguntas:

Nota cultural

Aunque muchos consideraban el tenedor como algo cursi, se usaba en Italia en el siglo XVI y en Francia e Inglaterra a mediados del siglo XVII. Catalina de Médicis fue una de las personas que lo hizo famoso en el siglo XVI. Como curiosidad dicen que ella también lo usaba para rascarse la espalda. El gobernador de Massachusetts, John Winthrop, trajo el primer tenedor a las colonias americanas en 1630. La cuchara, sin embargo, ha sido utilizada desde hace muchísimos siglos. Hay evidencia de cucharas primitivas en algunos yacimientos que datan del período paleolítico, o sea, la Antigua Era de Piedra, que data de la prehistoria del ser humano y termina en el año 8,000 a. de J. C. Hasta el siglo XVI, junto con la navaja o cuchillo, la cuchara era el único instrumento utilizado para comer, y se hacía normalmente de madera.

Investigue
palabra clave:
tenedor (historia de)

- ¿Cuál es el propósito del artículo?
- ¿Cómo resumiría el artículo en una frase?
- ¿Qué pregunta sería apropiada para hacerle al dueño del restaurante?

Frutas y especias del Caribe
Unidas dan sazón al menú del restaurante Mambo Café

KATIA RAMÍREZ BLANKLEY

Cuando __1.__ (*es / se*) habla de cocina caribeña, la __2.__ (*mayor / mayoría*) de la gente piensa en comida cubana: plátanos fritos, frijoles negros, ropa vieja y fricasé de pollo. Pero, como dice Aureliano Moreno, [5] propietario __3.__ (*de / del*) restaurante Mambo Café, un auténtico negocio de comida de este tipo tiene __4.__ (*x / que*) incluir la sazón de Puerto Rico, Jamaica, República Dominicana y las __5.__ (*unas / demás*) islas del Caribe. Y ése es precisamente el éxito del negocio de Moreno, [10] ubicado __6.__ (*x / en*) el 10032 del bulevar Venice en Culver City, donde __7.__ (*algunos / además*) de unos deliciosos platanitos fritos y frijoles negros, el comensal puede degustar una exquisita variedad __8.__ (*de / con*) platos sazonados con frutas y exóticas especias [15] caribeñas.

__9.__ (*Un / Uno*) de los platillos más llamativos es el pollo en salsa de mango y curry, que consiste en una pechuga de pollo asada a __10.__ (*una / la*) parrilla, cubierta __11.__ (*con / por*) una salsa que incluye [20] mango en tiritas, tomate, curry, piña y pasas. Muy sabrosa, también, la paella de mariscos, el pollo negro, condimentado con diez especias diferentes y salsa inglesa y el pollo preparado __12.__ (*por / con*) una receta tradicional de Jamaica, que lleva siete clases __13.__ (*en / [25] de*) chiles. También tienen aperitivos, sopas, ensaladas, sándwiches y una rica variedad de postres.

"El secreto de nuestra cocina es el balance adecuado de __14.__ (*los / unos*) ingredientes", dice Moreno, __15.__ (*cual / quien*) se confiesa enamorado __16.__ (*de / con*)

[30] la cocina caribeña. "Así como __17.__ (*un / una*) artista mezcla colores y texturas, nosotros combinamos carnes, vegetales, frutas, hierbas y especias para obtener sabores diferentes y que __18.__ (*la / le*) gusten a la gente."

El menú de Mambo Café no es muy extenso, pero es que [35] todo se prepara justo cuando el cliente lo ordena.

__19.__ (*Sin / Con*) embargo, a diario hay entre cuatro o cinco platillos especiales que elaboran con ingredientes que estén en temporada. "Durante la hora de almuerzo los platillos que más se venden son los hechos de pollo o [40] los vegetarianos; pero en la noche tienen más salida los mariscos", cuenta Moreno.

En el Mambo Café, además __20.__ (*de / con*) la rica comida y el esmerado servicio, el cliente encuentra entretenimiento en vivo y __21.__ (*el / un*) ambiente muy [45] acogedor. Los jueves por la noche hay música tipo blues latino a cargo __22.__ (*de / del*) argentino Massimo Corsini, y los viernes y sábados hay un conjunto que interpreta música tropical o un trío que canta boleros. Los precios son cómodos y la comida que se sirve __23.__ [50] (*es / está*) abundante. Casi todos los platos se sirven acompañados con arroz blanco, frijoles negros y unos deliciosos plátanos fritos que se deshacen en la boca.

El restaurante __24.__ (*abre / cierra*) sus puertas __25.__ (*los / las*) siete días a la semana de 11:00 de la [55] mañana a 9:30 de la noche, a excepción de los domingos que abre después __26.__ (*x / de*) las 5:00 de la tarde. También ofrece servicios de banquetes para fiestas o eventos especiales.

Mambo Café está ubicado __27.__ (*x / en*) el 10032 de [60] Venice Blvd., en Culver City. Para más información llamar __28.__ (*al / el*) teléfono (310) 558-3106.

www.laopinion.com

26 ¿Qué significa?

Según el contexto del artículo que acaba de leer, empareje cada palabra de la primera columna con su definición o sinónimo de la segunda.

1. ropa vieja
2. propietario
3. sazón
4. comensal
5. sazonado
6. llamativo
7. pechuga
8. pasa
9. adecuado
10. así como
11. esmerado
12. acogedor
13. a cargo de
14. deshacerse
15. banquete

a. cuidado
b. agradable, que le hace sentir a uno bien, a gusto
c. apropiado
d. aderezado
e. plato típico de Cuba
f. que llama la atención
g. dueño
h. al igual que
i. gusto, sabor
j. persona que come en la mesa con otros
k. al cuidado de
l. uva seca
m. comida especial a la que asisten muchos invitados
n. pecho de un ave
o. descomponerse, disolverse

Compare

Descríbale a un/a compañero/a un restaurante local siguiendo el formato del artículo de la Actividad 25.

Lección 3A **129**

Teacher Resources

Activity 8

Answers

25 1. se; 2. mayoría; 3. del; 4. que; 5. demás; 6. en; 7. además; 8. de; 9. Uno; 10. la; 11. con; 12. con; 13. de; 14. los; 15. quien; 16. de; 17. un; 18. le; 19. Sin; 20. de; 21. un; 22. del; 23. es; 24. abre; 25. los; 26. de; 27. en; 28. al

26 1. e; 2. g; 3. i; 4. j; 5. d; 6. f; 7. n; 8. l; 9. c; 10. h; 11. a; 12. b; 13. k; 14. o; 15. m

Answers

28 1. fueron; 2. se; 3. la; 4. de; 5. la; 6. se; 7. la; 8. la; 9. la; 10. de; 11. a; 12. siglo; 13. los; 14. del; 15. que; 16. una; 17. de; 18. le; 19. una; 20. de; 21. la; 22. significa; 23. con; 24. que; 25. con; 26. de; 27. a

Instructional Notes

27 Lead students in a classroom discussion on the differences between the food from Venezuela, Argentina, and Cuba and why they think these differences exist.

Additional Activities

Comunicación

Show students two videos having to do with *mate* from Argentina. Ask students to work in small groups and compare tea in the United States with *mate* in South America. They could touch on the following topics: how it is prepared, how it is served, social customs surrounding the beverage, popularity, personal preferences, etc. You could encourage students to do more research for homework and share their opinions the next day in class, citing resources they used.

¿Qué falta?

See p. TE28.

---

27 Investigue

Busque información en Internet sobre la cocina argentina, venezolana o cubana. Escriba un informe de unas 250 palabras sobre una de ellas y cite las fuentes que ha consultado. Use los tiempos presentados en la lección, y enumérelos cuando lo haga.

28 Una bebida especial

Lea el artículo y complete los espacios con la palabra adecuada. ¿Cómo resumiría el artículo en una frase?

El mate... Su historia

Cuando los Jesuitas __1.__ (*fueron / eran*) expulsados de los dominios españoles en el año 1769, __2.__ (*se / x*) redujo considerablemente el cultivo de la planta de yerba mate. Federico Naumann logró __3.__ (*el / la*) germinación de las semillas de yerba mate en 1901, en la colonia Nueva Germania en Paraguay, y obtuvo en consecuencia el producto resultado __4.__ (*de / con*) ella.

En la Argentina __5.__ (*una / la*) primera plantación importante __6.__ (*él / se*) realizó en 1903 en la Provincia de Misiones, donde dos siglos antes __7.__ (*la / del*) habían hecho los padres de la compañía de Jesús.

En __8.__ (*el / la*) actualidad se la cultiva en __9.__ (*el / la*) región noroeste de la Argentina, de Paraguay y en el sur de Brasil, y han fracasado todos los intentos __10.__ (*de / por*) cultivos en regiones con las mismas características climáticas como en América del Norte, Asia o África.

Durante la colonización española y __11.__ (*en / a*) principios del __12.__ (*año / siglo*) XIX las familias tradicionales utilizaban todos __13.__ (*los / las*) días mates revestidos en plata con pie y asas __14.__ (*de/ del*) mismo metal, pero el verdadero mate __15.__ (*que / cual*) se utiliza para servir la infusión es __16.__ (*un / una*) variedad de calabaza en forma __17.__ (*de / del*) pera que se convierte en un recipiente abriendo en la parte más estrecha la boca circular, se __18.__ (*las / le*) sacan las semillas y se dejan secar.

Existe __19.__ (*un / una*) importante colección __20.__ (*de / del*) mates en algunos museos de __21.__ (*la / una*) ciudad de Buenos Aires.

El mate: tradición y significados

- El mate amargo significa indiferencia.
- El mate dulce __22.__ (*significa / es*) amistad.
- El mate con café significa ofensa perdonada.
- El mate __23.__ (*con / de*) azúcar quemada significa simpatía.
- El mate con canela significa __24.__ (*de / que*) ocupas mi pensamiento.
- El mate __25.__ (*de / con*) leche significa estima.
- El mate con cáscara __26.__ (*de / a*) naranja significa ven __27.__ (*a / de*) buscarme.

www.recetanet.freeservers.com

Nota cultural

El mate viene de la palabra quechua *mati*, que significa "recipiente para beber". Los españoles y portugueses aprendieron de los guaraníes (los indígenas de la región) la forma en la que se prepara. Con el tiempo, los gauchos la adoptaron como bebida tradicional en Argentina, Uruguay, Paraguay, Brasil y Bolivia. En la actualidad, esta bebida sigue teniendo una gran popularidad, principalmente en Argentina y Uruguay, donde es bebido a diario por muchas personas quienes lo comparten cuando esperan el autobús, van al trabajo o se socializan. Muchos estudiantes lo beben porque es barato y ejerce los mismos efectos que el café.

Investigue palabra clave: el mate

29 ¿Qué significa?

Mire las palabras de la primera columna, que aparecen en la lectura anterior, y busque su significado en la segunda.

1. cultivo
2. semilla
3. fracasar
4. asa
5. canela
6. estima
7. cáscara

a. parte de un recipiente por donde se sujeta o agarra
b. siembra, plantación
c. piel de ciertas frutas, como la de los cítricos
d. corteza de las ramas de un árbol que se usa en postres y helados por su aroma y sabor
e. consideración o aprecio que se tiene de alguien o algo
f. no conseguir el resultado esperado
g. grano de un fruto

30 Lea, escuche y escriba/presente

Vuelva a leer el texto completo sobre el mate, y luego escuche la grabación "El sabor de Argentina". Tome notas de las dos fuentes y escriba un ensayo o haga una presentación en clase sobre la comida de Argentina. No se olvide de citar las fuentes debidamente.

Dicho

¡Me entra antes por los ojos que por la boca!

¿Qué significa? ¿Le ha sucedido esto alguna vez con la comida? ¿Con qué comida en particular? ¿Cree que esto le pasa a la mayoría de las personas? Comparta su opinión con un/a compañero/a.

Las empanadas hechas de pan y rellenas de carne.

Dato curioso

El maíz siempre ha jugado un papel importantísimo en las civilizaciones maya y azteca. Formaba parte de sus creencias religiosas, festividades y nutrición. Estos pueblos decían que el maíz incluso formó la carne y la sangre de los seres humanos. Aunque tuvo su origen en América Central, posteriormente el maíz se extendió por otras zonas de las Américas.

Los tamales, hechos de harina de maíz, envueltos en hojas de plátano o de la mazorca del maíz, y rellenos de distintos condimentos.

Compare

La gastronomía de la Argentina se caracteriza y diferencia de las gastronomías del resto de América por grandes aportes europeos. En Argentina se combinan perfectamente la gastronomía criolla, indígena, italiana, española, e incluso algunos pequeños influjos del África subsahariana. Otro factor determinante es que Argentina resulta ser uno de los mayores productores agrícolas del planeta. Es gran productor de trigo, poroto, choclo o maíz, carne (en especial vacuna) y leche. Las comidas argentinas más populares son los asados y el chimichurri; los churrascos; el dulce de leche; las empanadas y el mate.

Teacher Resources

🎧 Activity 30

Answers

29 1. b; 2. g; 3. f; 4. a; 5. d; 6. e; 7. c

Instructional Notes

30 You might want to present the following words to the students before they listen to the audio: *sobre todo*, above all; *amasar*, to knead; *lomo*, loin; *denominar*, to name; *clave*, key; *estupendo*, marvelous; *guarnición*, garnish; *bocado*, bite to eat; *agujero*, hole; *brasa*, hot coal; *cuero*, leather; *calabaza*, pumpkin; *desecar*, to dry up; *desmenuzar*, to crumble; *pomelo*, grapefruit.

Additional Activities

A cocinar

Have students watch a video in Spanish of someone giving instructions on how to make *empanadas* or *tamales*. Ask them questions about the video having to do with ingredients, method of preparation, personal experiences, etc. Encourage them to try making one or both of the dishes at home and then share their experience with the class through photos or video.

Juego

Ask students to play *Relevos*. See p. TE25.

Trabajo de investigación

Ask small groups of students to research the various roles corn has played in indigenous Latin American cultures. Assign a different role to each of the groups, and ask them to make a brief presentation to the class.

Teacher Resources

  Activities 9–17

Additional Activities

Trabajo de investigación

Ask a few students to do more research on the history of chocolate and its introduction in the United States. They should be prepared to make a brief presentation to the class.

Comunicación

Show students a video about the origin and history of chocolate and chocolate drinks. Ask them questions about the video having to do with ingredients, method of preparation, personal experiences and preferences, etc. You could encourage students to do more research for homework regarding the different chocolate drinks around the world (especially in Spanish-speaking countries) in comparison to chocolate drinks in the United States. They could share their opinions the next day in class, citing resources they used.

¡A leer!

31 Antes de leer 👤👥

¿Qué sabe Ud. del chocolate? ¿Sabe de dónde procede? ¿Es diferente el chocolate caliente en los Estados Unidos y en otros países? ¿Qué compañía cree que comercializó el chocolate por primera vez?

32 El chocolate 📖

Lea con atención el siguiente artículo. Después conteste las siguientes preguntas:

- ¿Cuál es el propósito del artículo?
- ¿Qué pregunta sería apropiada para hacerle al autor después de leer el artículo?
- Si quisiera consultar otra fuente, ¿podría pensar en un posible título de una publicación?

Y el chocolate espeso

Fue el oro negro de las culturas precolombinas, y de ahí pasó a las mesas europeas más nobles. Hoy, una buena taza humeante es un lujo al alcance de los que tienen tiempo.

5 El refrán "las cosas claras y el chocolate espeso" nos da la pauta de cómo tomar el chocolate: espeso, cocido, bien movido y humeante; para que al mojar los churros, picatostes, bizcochos, magdalenas... éstos queden impregnados del sabroso líquido y, 10 así, irlo degustando poco a poco, para acabar con un vaso de agua fresca que aclare la garganta de tan calurosa bebida.

Hacer chocolate es todo un ritual de origen noble que se ha democratizado con distinta intensidad 15 en Europa. Manjar de reyes, hoy está exento de connotaciones sociales y lo único que se precisa para tomar un buen chocolate es tener tiempo. Aunque las viejas chocolateras de barro estén en desuso, la manera más eficaz sigue siendo trocear 20 las pastillas de chocolate con las manos y retirar la leche a punto de hervir para desleír con cuidado los trozos. Cuando estén totalmente disueltos, se tapa el recipiente y se deja reposar. Después de dos minutos, el chocolate se mezcla hasta que tenga 25 una unidad y sea una crema, que se vierte en un recipiente. A continuación, se añade más leche.

Antaño, se ponía al fuego mientras hervía y se movía constantemente con el molinillo o la cuchara de madera que hacen que el batido del chocolate 30 tome cuerpo. En estos momentos de reposo es cuando los aromas se relajan, se concentran y adquieren un aspecto satinado. Se sirve en taza de loza o porcelana con asa, para cogerla sin quemarse, y de boca ancha para facilitar el mojado. 35 Los acompañamientos son muy variados, aunque los churros —masa de agua, harina y sal, frita en

aceite de oliva—, son quizá el más apropiado. En este punto interviene el gusto y, por lo tanto, es aconsejable probarlo con bizcochos, magdalenas, 40 picatostes, pan recién hecho o incluso uvas.

Pero no siempre se ha tomado así. Los mayas machacaban las semillas del árbol del cacaotero con bayas, y las mezclaban con agua de lluvia. Bien batido, conseguían una refrescante y espumosa 45 bebida, esencial para combatir el calor pegajoso en esas latitudes.

Posteriormente, los indios aztecas mejoraron la receta calentando el líquido y endulzándolo con vainilla y miel. Llamaron a su bebida *xocoalt*, que 50 significa "agua amarga". El Código Florentino, una de las principales fuentes históricas que describen la vida azteca, denomina al chocolate "la bebida de los nobles" (utilizada, junto con el polvo de oro, como moneda), y observa que debe prepararse con 55 sumo cuidado debido a su "naturaleza poderosa". Esta bebida daba tanta vitalidad a los guerreros, que las culturas precolombinas creyeron que el fruto del cacao encerraba temibles poderes mágicos. Los sacerdotes lo usaron en rituales y curaciones.

60 Aunque Colón regresó a Europa con las primeras bayas de cacao, nadie supo qué hacer con ellas,

---

Nota cultural

En la foto se ve chocolate espeso servido con unos churros. Los churros son una comida de las denominadas "frutas de sartén" muy difundida en países como España, México, Uruguay, Argentina, Paraguay, Chile, Colombia, Perú, República Dominicana, Costa Rica, El Salvador, Venezuela, Cuba, Portugal, Francia y Brasil. La forma del churro puede ser recta en forma de palos o en lazos. Pueden tener relleno o estar rebozados de azúcar, chocolate, crema pastelera o dulce de leche, según las costumbres del país y la región. Los churros tienen su origen en la repostería española. Cada churro consiste en una masa compuesta por harina, agua, azúcar y sal. Una variante de los churros, y más gruesas, son las porras, hechas con una masa semejante a la de los churros, pero incorporando algún tipo de levadura química u orgánica, lo que las hace más esponjosas.

por lo que se olvidaron en favor de otros bienes comerciales. Los europeos probaron por primera vez este alimento cuando Moctezuma recibió
65 a Hernán Cortés con un cuenco de espumoso y caliente chocolate líquido. En 1528, cuando Cortés regresó a España, trajo consigo la receta de los aztecas para preparar la bebida de chocolate. La primera cocina de Europa en ponerla a prueba fue
70 la de los monjes cistercienses del monasterio de Piedra, en Zaragoza. Sin embargo, debido a la fama de bebida mágica, los frutos fueron confinados en monasterios y la fórmula de la bebida divino secreto, sólo para ser disfrutada por los más ricos
75 y nobles. Fue a principios del siglo XVII cuando el viajero italiano Antonio Carletti acercó el fruto al resto de Europa; por primera vez, el chocolate estuvo al alcance de la gente llana. Allá por 1700, las chocolaterías estaban tan en boga como las
80 cafeterías y se convirtieron en punto de reunión de golosos de toda clase y condición social.

La idea de mezclar el chocolate con la leche no surgió hasta el siglo XVIII; de ahí que la expresión "como agua para chocolate", que significa estar
85 hirviendo o airado, haga referencia a la manera americana de prepararlo. El primer chocolate con leche fue producido en Suiza en 1875 por Daniel Peter, en colaboración con Henri Nestlé, utilizando para ello la ya famosa leche condensada Nestlé.

90 De este modo, se inició la era de la producción de chocolate en serie. Desde finales del siglo XIX y durante el siglo XX, las chocolaterías proliferaron por toda Europa, convirtiéndose en el lugar donde acabar la velada y el más dulce aliado antes de
95 regresar a casa de madrugada.

En el siglo XXI, lo tomamos como cacao soluble. El chocolate se reserva para meriendas y celebraciones. Aunque en nuestros días no lo consideramos la panacea universal, el que fue
100 alimento-golosina-medicamento goza de buena reputación. La energía, que ya alababan los mayas, le viene por su aporte en hidratos de carbono, rico en elementos minerales, potasio, fósforo y magnesio; además, tiene vitaminas como la tiamina
105 (B$_1$) y el ácido fólico, regulador del metabolismo. Los lípidos o grasas provienen de la manteca de cacao, que no aumenta el nivel de colesterol en sangre. Después de tantas bondades, el chocolate tiene que lidiar con su fama de alimento
110 hipercalórico. Una taza de este manjar de 200 ml. contiene unas 210 calorías. Tomado en una dieta equilibrada, no favorece el aumento de peso. Tiene un efecto reconstituyente en el organismo, es apropiado para todas las edades y, cómo no, para
115 adentrarse en las largas tardes de otoño.

www.parador.es

33 Amplíe su vocabulario

Según el contexto del artículo que acaba de leer, ¿cuál es la mejor traducción de cada palabra?

1. humeante
   a. humid   b. piping hot
   c. suffocating   d. humble

2. al alcance de
   a. far from   b. challenging for
   c. impossible for d. within reach of

3. mojar
   a. to try   b. to soak
   c. to cover   d. to mix

4. impregnado
   a. filled   b. coated
   c. sprinkled   d. washed

5. manjar
   a. delicacy   b. snack
   c. recipe   d. dessert

6. barro
   a. glass   b. plastic
   c. clay   d. cardboard

7. desuso
   a. disuse   b. oblivion
   c. abandonment   d. oversight

8. eficaz
   a. useless   b. exciting
   c. effective   d. effortless

9. pastilla
   a. tablet   b. paste
   c. bag   d. pinch

10. disuelto
    a. lit   b. disintegrated
    c. dissolved   d. blended

continúa

11. reposar
    a. to rest
    c. to calm
    b. to leave
    d. to repossess

12. loza
    a. china
    c. metal
    b. glass
    d. wood

13. masa
    a. massive
    c. dough
    b. amazement
    d. cream

14. harina
    a. sugar
    c. cereal
    b. flour
    d. grain

15. machacar
    a. to thrash
    c. to crush
    b. to flatten
    d. to grow

16. espumoso
    a. sparkling
    c. sweet
    b. frothy
    d. gorgeous

17. pegajoso
    a. sticky
    c. harmful
    b. sweet
    d. intense

18. amargo
    a. bland
    c. spicy
    b. sweet
    d. bitter

19. sumo
    a. extreme
    c. plus
    b. most
    d. peerless

20. llano
    a. clear
    c. common
    b. flat
    d. level

21. goloso
    a. overweight
    c. Galician
    b. cook
    d. having a sweet tooth

22. surgir
    a. to suggest
    c. to produce
    b. to develop
    d. to seem

23. manteca
    a. mantle
    c. butter
    b. seed
    d. oil

34 ¿Ha comprendido?

1. ¿Quiénes eran las personas que tomaban al principio el chocolate?
   a. Los mayas y los aztecas
   b. Los españoles
   c. La clase alta
   d. Los suizos, austriacos y belgas

2. ¿Qué ingredientes tiene una taza de chocolate?
   a. Cacao, leche y crema
   b. Cobre, latón, hierro o loza
   c. Agua y cacao
   d. Cacao y leche

3. ¿Para qué se usaba el chocolate antiguamente?
   a. Para la magia y guerras
   b. Como moneda
   c. Como medicina
   d. Todas las anteriores

4. ¿Por qué no tuvo éxito al principio el chocolate en España?
   a. Era bebida sólo para la clase alta.
   b. No sabían cómo tomarlo.
   c. Se le relacionaba con la magia.
   d. No se podía cultivar allí.

5. Cuando las chocolaterías se hicieron famosas en los siglos XIX y XX, se visitaban habitualmente _____.
   a. como lugar para conversar
   b. como lugar para ir después de salir por la noche
   c. como lugar para merendar y tener celebraciones
   d. como lugar donde ver a los amigos

6. ¿Qué es lo malo del chocolate?
   a. Nada, si se toma con moderación.
   b. Engorda.
   c. No es bueno para el colesterol.
   d. No se le recomienda a los ancianos.

7. ¿Qué cree que significa la expresión "las cosas claras y el chocolate espeso"?
   a. Cada persona es diferente.
   b. Hay que llamar a las cosas por su nombre.
   c. La única forma de tomar el chocolate es "espeso".
   d. No significa nada en particular.

35 Haga resumen

Organice la información que aparece en el artículo. Haga un resumen en orden cronológico mostrando la evolución del chocolate desde sus comienzos hasta la actualidad.

36 Lea, escuche y escriba/presente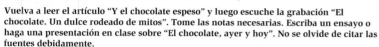

Vuelva a leer el artículo "Y el chocolate espeso" y luego escuche la grabación "El chocolate. Un dulce rodeado de mitos". Tome las notas necesarias. Escriba un ensayo o haga una presentación en clase sobre "El chocolate, ayer y hoy". No se olvide de citar las fuentes debidamente.

Dicho

El que se pica es porque ajo come.

 Si alguien dijera algo negativo sobre Ud., ¿le molestaría mucho si no fuera verdad? Y si fuera verdad, ¿cómo reaccionaría? ¿Está de acuerdo con que aquellas personas que se enfadan mucho es porque de verdad ocultan algo? Comparta su opinión con un/a compañero/a.

¡Dato curioso! El café fue descubierto hace siglos por unos pastores. Éstos se dieron cuenta de que las cabras que ellos cuidaban habían comido del fruto de la planta de café, y corrían y saltaban durante toda la noche en vez de dormir. Los pastores se lo contaron al abad de un monasterio, y él les pidió que se lo trajeran. De esa fruta se hizo una bebida... quizás la más popular del mundo.

Compare

Lea el primer capítulo de la novela *Como agua para chocolate* de la mexicana Laura Esquivel. Conteste estas preguntas.
1. ¿Qué rol tiene la cocina en la relación entre Tita y Nacha? ¿Cómo describirías esta relación?
2. Para Tita, ¿qué conexión hay entre la comida y la memoria?
3. ¿Cómo se compara la visión que tiene Tita de la cocina y el mundo exterior con la visión que tienen las hermanas?
4. Busque más información sobre la novela y escriba un resumen.
5. ¿Qué comidas le traen a Ud. recuerdos? ¿Por qué?

¡Dato curioso! Las semillas de cacao eran tan apreciadas por los aztecas que eran usadas como moneda corriente para el comercio de la época.

Nota cultural

Se cree que los pastores que se mencionan en el *Dato curioso* eran de Etiopía. Antes de ser una bebida el café fue una comida, un vino y una medicina. La palabra *café* viene del árabe *qahwah* y se puso de moda primero en Arabia en el siglo XIII. Luego, en el siglo XVI, era una bebida muy popular en Turquía, y a principios del siglo XVII en Italia. El entusiasmo por el café era tal que había una ley turca de la época que estipulaba que una mujer podía divorciarse de su esposo si éste no le proporcionaba café a diario.

Teacher Resources

 Activity 36

Answers

34 6. a; 7. b

35 3. Summaries will vary.

Instructional Notes

36 The following words appear in the audio and might need to be reviewed before students listen: *surtido*, selection; *aportar*, to contribute; *someter*, to submit; *amargor*, bitterness; *aterciopelada*, velvety.

Show the students an excerpt from the movie *Como agua para chocolate*. If it corresponds to the first chapter of the novel, you might want to have a whole-class discussion of the questions in the *Compare* section after the students have watched the clip.

37 You could tally the results from students to see which foods they ranked as the top five typical ones in the United States.

37 Antes de leer

Con un/a compañero/a escriba una lista de las cinco comidas más típicas en los Estados Unidos. Cuando alguien de otro país habla de la comida típica estadounidense, ¿a qué cree que se refiere? ¿En qué se basa? ¿Cree que esas ideas son ciertas? Conversen sobre el tema.

38 ¿Ketchup o salsa?

Lea con atención el siguiente artículo. Después conteste las siguientes preguntas:

- ¿Cuál es el propósito del artículo?
- ¿Qué pregunta sería apropiada para hacerle al autor después de leer el artículo?
- Si quisiera consultar otra fuente, ¿podría pensar en un posible título de una publicación?

EE.UU. consume más salsa que ketchup

¿Sabía Ud. que en Estados Unidos actualmente se vende más salsa que ketchup? Este hecho contundente demuestra la creciente influencia de la comida latina en la dieta del país y ha llevado a la industria de restaurantes a concluir que "los tacos son las hamburguesas del sigo XXI".

"América está cambiando", advierte Denyse Selesnick, directora de mercadotecnia internacional de la Asociación Nacional de Restaurantes (NRA por sus siglas en inglés), que
5 agrupa a 900 mil establecimientos que emplean al 9 por ciento de la fuerza laboral del país y esperan ventas este año por 476 mil millones de dólares. La especialista dice que la tendencia hacia las comidas étnicas se explica porque "ahora somos más
10 sofisticados en nuestros gustos". Selesnick cita que a nivel nacional una de cada cuatro personas se declara "comensal aventurero", lo que sigue ampliando la influencia latina entre una población que en promedio come 5.3 veces a la semana en restaurantes. "Este
15 hecho ha derivado en una fusión de salsas mexicanas con la llamada cocina principal y por eso actualmente se vende más salsa que ketchup en este país", apunta.

El fenómeno no podía seguir pasando desapercibido para la Asociación Nacional de Restaurantes, que
20 por primera vez incluyó un Pabellón de Cocina Internacional en su muestra anual. Aunque la idea apenas surgió en marzo pasado, la agrupación logró convocar a treinta empresas proveedoras procedentes de diez países, incluidos México, El Salvador, Brasil,
25 Guatemala, Uruguay y España. Por supuesto no podía faltar una compañía productora de salsas. Jacinto Esteban, director de exportaciones de La Sabrosa, confía en que la muestra anual le permitirá ampliar significativamente su participación en el mercado
30 estadounidense. "Actualmente ya distribuimos nuestros productos en Texas y California", refiere

mientras ayuda a numerosos potenciales clientes para la empresa basada en Monterrey, México.

La misma apuesta la está haciendo el gobierno de
35 Brasil, que incluso envió a la muestra anual a su Ministra de Turismo, María Luisa Campos Machado. Despachando en el exhibidor de su país, la funcionaria encabeza una delegación de empresas que buscan convertirse en proveedores de la prometedora industria
40 de restaurantes de los Estados Unidos.

La influencia de la comida latina en la dieta de los estadounidenses tiene relación directa con el creciente poder de compra y sofisticación de la comunidad hispana en Estados Unidos. En un estudio, la NRA
45 afirma que los hispanos gastan 55 mil millones de dólares al año en restaurantes, comparado con $51 mil millones que erogan los afro-americanos y $25 mil millones que invierten los asiático-americanos. En términos porcentuales, esta industria debe satisfacer
50 el paladar hispano-americano porque es la minoría que más gasta en sus establecimientos. El informe de la NRA establece que en 1990 el poder adquisitivo de la población en general fue de 4 billones 277 mil millones de dólares, de los cuales 3 billones 738 mil
55 millones fueron aportados por los blancos; 316 mil millones por los afro-americanos; 117 mil millones por los asiático-americanos; y 223 mil millones por los hispanos. Entre 1990 y el año 2000 el poder adquisitivo de los hispanos en EE.UU. creció un 120
60 por ciento, superando por mucho a todos los demás grupos étnicos. Para los negocios latinoamericanos la oportunidad de convertirse en proveedores de la industria de restaurantes estadounidenses seguirá latente por muchos años.

65 Ante la contundencia de las cifras, es fácil comprender la conclusión de que "los tacos son las hamburguesas del siglo XXI". Sin duda, la especialista Denyse Selesnick no se equivoca cuando asegura que "América está cambiando". ¡Buen provecho!

www.laraza.com

Nota cultural

El ketchup tiene como origen al *ketsiap* chino, una salsa picante que acompañaba el pescado y la carne, pero que no incluía el tomate entre sus ingredientes. Los ingleses lo importaron del archipiélago malayo en el siglo XVIII. El ketchup moderno fue ideado por el norteamericano Henry J. Heinz, quien en 1876 añadió el tomate a dicha salsa.

39 ¿Qué significa?

Empareje cada palabra de la primera columna con su definición o sinónimo correspondiente en la segunda.

1. contundente
2. advertir
3. la tendencia hacia
4. ampliar
5. pasar desapercibido
6. convocar
7. proveedor
8. apuesta
9. incluso
10. encabezar
11. el creciente
12. establecimiento
13. poder adquisitivo

a. capacidad de compra
b. estar entre los primeros
c. distribuidor de un producto
d. que llena, que convence
e. que no llama la atención
f. que va en aumento
g. llamar a reunir
h. extender
i. hasta
j. restaurante, tienda, negocio
k. inclinarse hacia
l. confianza en algo aunque conlleve un riesgo
m. avisar

40 ¿Cuál es la pregunta?

Según lo que acaba de leer, escriba una pregunta lógica para estas respuestas.

1. Porque ahora tenemos gustos más sofisticados
2. 5.3 veces a la semana
3. Porque quieren convertirse en proveedores en restaurantes estadounidenses
4. La Asociación Nacional de Restaurantes

41 ¿Ha comprendido?

1. ¿Por qué incluyó la Asociación Nacional de Restaurantes un nuevo Pabellón de Cocina Internacional?
   a. Porque quieren ser más étnicos
   b. Porque venden mucha salsa
   c. Porque el director es mexicano
   d. Porque los gustos en este país están cambiando

2. ¿Qué es La Sabrosa?
   a. Las palabras que describen la salsa mexicana
   b. Una compañía que está en Guatemala, Uruguay, España, México y Brasil
   c. Una compañía que lleva salsa al mercado estadounidense
   d. Un grupo de famosos mariachis que asistieron a la convención anual

3. Según el artículo, ¿cuál es la minoría en Estados Unidos que gasta menos en restaurantes?
   a. Los afro-americanos
   b. Los hispanos
   c. Los asiático-americanos
   d. Los extranjeros

¡Dato curioso! Hay multitud de tipos de salsas en México. Los principales ingrediente son tomate, chile (seco, ahumado con o sin venas) y alguna hierba (como hojas de aguacate, cilantro, hoja santa, etc.), cebolla y a veces ajo.

Teacher Resources

 Activity 43
Activity 44

Activity 18

Answers

42 1. *Answers will vary; students need to point out that tacos are becoming as popular as hamburgers in the USA.* **2.** Un promedio de 5.3 veces; *answers to second part will vary.*

44 1. La africana, la árabe y la española; **2.** El arroz con pollo, las arepas (normalmente rellenas de queso) y la sopa ajiaco (típica de Bogotá); **3.** Son hormigas fritas. **4.** Porque cultivan una gran variedad de frutas; **5.** Ejemplos: papayas, mangos, ciruelas, mandarinas, sandías, piñas, zapote, guanábana, corozo; **6.** Las respuestas variarán; **7.** Las respuestas variarán.

Instructional Notes

43 Review the following words with students before they listen to the audio: *paladar*, palate; *erigir*, to set up.

44 You may want to brainstorm the names of some fruits with the students before they listen to the audio. You could also display the following words (without their translation) and ask students to volunteer their meanings in English, or have them look up the words in a dictionary: *inundar*, to flood; *bandeja*, platter; *rellena de*, stuffed with; *llamativo*, flashy/striking; *parte trasera*, backside; *sandía*, watermelon; *zapote*, a kind of plum; *espina*, thorn; *avellana*, hazelnut; *caña*, sugarcane; *empalagosa*, sickly sweet; *rallar*, to grate; *amurallada*, walled.

After listening to "Descubrir el sabor de Colombia", show the students a video about Colombian food. Have them compare and contrast what they heard with what they saw.

Additional Activities

¿Cuáles son las diferencias?
See p. TE26.

---

42 Más preguntas

1. Explique la oración "Los tacos son las hamburguesas del siglo XXI". ¿Está de acuerdo? ¿Por qué?
2. ¿Cuántas veces a la semana come la población latina en un restaurante? ¿Y Ud.?

43 Lea, escuche y escriba/presente

Vuelva a leer el texto "EE.UU. consume más salsa que ketchup". Luego escuche la grabación "Comida latina, primer lugar en Estados Unidos" y tome las notas necesarias. Escriba un ensayo o haga una presentación en clase sobre "El auge de los restaurantes étnicos en los Estados Unidos". No se olvide de citar las fuentes debidamente.

Dicho

Desayunar como rey, comer como príncipe y cenar como mendigo.

¿Qué cree que significa este viejo dicho? ¿Es así como come Ud.? Hable sobre esto con un/a compañero/a.

¡Dato curioso!

Los chiles picantes son muy apreciados por muchos, y temidos por otros tantos. El color rojo no indica que el chile va a ser picante. Lo que en realidad pica son las venas del chile, y no la semilla como muchos creen. Si algunas de esas semillas pican es por estar en contacto con dichas venas. Aquellas venas que tienen color amarillento indican que ese chile va a ser muy potente. En ese caso, después de comerlo, un remedio es tomar leche, yogur, helado, pan, zumo de tomate o limón. No se aconseja beber agua.

¡A escuchar!

44 El sabor de Colombia

Esta grabación trata de la fabulosa comida colombiana, los platos típicos y su amplia variedad de fruta. La grabación dura aproximadamente 4 minutos. Lea las preguntas primero y después escuche "Descubrir el sabor de Colombia". Luego conteste las preguntas.

1. ¿Qué culturas han influido en la gastronomía de Colombia?
2. Nombre tres platos típicos del país.
3. ¿En qué consiste uno de los platos más llamativos del país conocido como "la hormiga culona"?
4. ¿Por qué se dice que las frutas son el tesoro de Colombia?
5. Nombre cinco frutas que se cultivan en Colombia.
6. Si quisiera consultar otra fuente, ¿podría pensar en un posible título de una publicación?
7. ¿Cómo resumiría lo que escuchó en una frase?

Un vendedor de plátanos en Armenia, Colombia

Nota cultural

En México hay más de 150 variedades de chiles. Algunas personas dicen que son adictas a lo picante, y de hecho tienen razón. Según los estudios, lo picante engancha. Lo que ocurre es que después de tomar algo picante su sistema nervioso, al sentir dolor, genera una especie de analgésico contra ese dolor que causa una sensación placentera y, por lo tanto, adicción.

45 Sazón con tradición

Esta grabación es sobre un restaurante en el que el menú incluye un poco de cada país latino. La grabación dura aproximadamente 5 minutos. Lea las posibles respuestas primero y después escuche "Sazón con tradición". Después escoja la mejor respuesta para cada pregunta.

1. ¿A partir de cuándo le apetece al latino que deja su tierra tomar comida típica de su país?

   a. En cualquier momento
   b. Después de unas semanas
   c. Después de varios años
   d. No se sabe.

2. ¿De dónde proviene el menú del restaurante?

   a. De Venezuela, Bolivia, Guatemala y Portugal
   b. De Venezuela, Bolivia, Guatemala y Panamá
   c. De Venezuela, España, Guatemala y Colombia
   d. De todos los países latinoamericanos, España y Portugal

3. ¿Qué seleccionó el chef García para su menú?

   a. Eligió lo más original.
   b. Eligió lo más reconocido.
   c. Eligió lo que más se echa de menos.
   d. Eligió las mejores recetas.

4. ¿Qué es lo más interesante que ofrece el chef en su restaurante?

   a. La variedad
   b. La creatividad
   c. El colorido
   d. El precio

46 Participe en una conversación

Ud. va a participar en una conversación. Primero lea la descripción de la conversación y piense en algunas palabras o expresiones que le serían útiles. Organice sus ideas, haciendo predicciones sobre lo que se le pueda preguntar o comentar. Una descripción de lo que va a escuchar aparece abajo en color. Participe en la conversación grabando las respuestas o escribiéndolas en su cuaderno.

Escena: Ud. es la tía de Juan, quien la ha llamado porque quiere preparar un plato auténtico de un país hispánico para el club de español. Él sabe que Ud. es famosa en todo San Antonio por su don en la cocina.

Ud.: • (*Suena el teléfono.*) Conteste.

Juan: Juan la llama por teléfono y la saluda.

Ud.: • Salúdelo.
   • Pregúntele sobre su llamada.

Juan: Le explica por qué la ha llamado.

Ud.: • Dele detalles.

Juan: Sigue la conversación. Le hace una pregunta.

Ud.: • Conteste su pregunta y continúe con otros detalles.

Juan: Sigue la conversación.

Ud.: • Dele un consejo.

Juan: Se despide, pero le hace otra pregunta.

Ud.: • Contéstele y despídase.

Lección 3A **139**

Teacher Resources

 Activity 45
Activity 46

Activities 19–20

Answers

45 1. a; 2. d; 3. c; 4. a

Instructional Notes

45 Before students listen to the audio, you might want to review the following words: *antojitos*, typical snacks; *enmarcado*, framed; *churrasco*, barbecued steak; *tequeños*, small cheese pancakes; *choclo*, corncob; *envuelto*, wrapped; *fritura de yuca*, fried cassava/manioc; *extrañarse*, to be missed; *crucero*, cruise; *langosta*, lobster; *vieiras*, scallops; *mejillones*, mussels; *ostiones*, large oysters; *corvina*, a kind of fish; *almejas*, clams; *tostones*, fried plantains; *palmitos*, hearts of palm; *arepas*, corn pancakes; *totopos*, taco chips.

46 Before students listen to the audio, you might ask them if they know the meaning of the word *pesado* ("bore").

Audioscript Activity 46

(*Telephone rings.*) [STUDENT RESPONSE]
Juan: Hola, tía Carmela. ¡Qué gusto hablar contigo! ¿Cómo está mi tía favorita? Hace mucho que no hablamos.
[STUDENT RESPONSE]
Juan: Pues mira. Les prometí a unos amigos que iba a preparar un plato típico de un país hispánico para unas cenas internacionales que organizamos. Y la verdad es que no sé qué preparar. ¿Qué recomiendas que haga?
[STUDENT RESPONSE]
Juan: Sí, me parece una buena idea. Lamentablemente, tía, el pesado de Julián ya lo preparó el mes pasado. Así que tengo que pensar en otra cosa. ¿Se te ocurre algo?
[STUDENT RESPONSE]

Juan: ¡Qué buena idea! ¡Me encanta! Ya sabes que por eso te llamé. Sabía que pensarías en algo interesante. Je, je, ...por algo eres mi tía preferida.
[STUDENT RESPONSE]
Juan: Bueno, tía Carmela. Será mejor que me vaya —que tengo muchas cosas que hacer. Entre otras, estoy buscando algo de música, ¿qué llevo?
[STUDENT RESPONSE]

¡A escribir!

47 Texto informal: una carta

Escríbale una carta a su abuela en la que le habla de su experiencia cuando les preparó a sus amigos una de sus famosas recetas. Hable sobre:

- La receta que decidió preparar
- El motivo de su elección
- Cómo fue la elaboración del plato
- Cómo reaccionaron sus compañeros

Consejo

Antes de empezar, lea las pautas para escribir textos informales en la pág. 480 del Apéndice. Mientras escribe el texto tenga presente los objetivos. Cuando termine, verifique que ha cumplido con todo lo que se describe en la lista y reflexione sobre su trabajo.

48 Texto informal: un correo electrónico

Un nuevo estudiante de intercambio de Chile está en su clase. Escríbale un correo electrónico y explíquele cómo son las comidas y costumbres relacionadas con la comida en los Estados Unidos, para evitar que él tenga un choque cultural a la hora de comer. Incluya lo siguiente:

- Primero, dele la bienvenida al país.
- Describa la comida en los Estados Unidos y los platos que él debe probar. Incluya los platos típicos de su región.
- Mencione los horarios y otras costumbres relacionadas con la comida aquí y pregúntele cómo se comparan con lo que se hace en Chile.
- Hágale un par de sugerencias, y deséele una buena estancia.

49 Ensayo: comer en casa

Hoy en día cada vez más personas optan por comer en un restaurante o comer algo por la calle. Escriba un ensayo contestando la pregunta, "¿Piensa Ud. que se debería comer más a menudo en casa"?

Consejo

Antes de empezar, lea las pautas para escribir ensayos en la pág. 480 del Apéndice. Mientras escribe el texto tenga presente los objetivos, y no se olvide de ponerle un título original. Cuando termine, verifique que ha cumplido con todo lo que se describe en la lista y reflexione sobre su trabajo.

50 Ensayo: las recetas de las abuelas

En muchas ocasiones oímos a los mayores decir "En mis tiempos,..." o "Las cosas ya no son lo que eran...". Escriba un ensayo contestando las siguientes preguntas: "¿Qué piensa que les pasará a las recetas de las abuelas? ¿Qué recetas cree que sobrevivirán en veinte años y cuáles no? ¿Perdería su familia parte de su identidad si algunas no se conservaran?"

51 En parejas

Intercambie sus ensayos con un/a compañero/a. Exprésele su opinión sobre el contenido y el uso del idioma.

¡A hablar!

52 Charlemos en el café

Ud. va a debatir los siguientes temas con un/a compañero/a. Uno estará a favor de lo que se ha dicho y otro en contra. El debate durará varios minutos. El/La estudiante que esté de acuerdo comenzará el debate y hablará por unos dos minutos. Cuando el/la profesor/a lo indique, el/la otro/a estudiante tomará la palabra y expresará su opinión por otros dos minutos, y así sucesivamente.

1. Las comidas en familia son muy importantes y todos los miembros de una familia siempre deben cenar juntos.
2. La comida mediterránea es mucho mejor y más sana que la comida típica de los Estados Unidos.
3. El café y los refrescos con cafeína —por ser un tipo de droga— deberían estar prohibidos.
4. Es necesario comer una variedad de alimentos y probar comida exótica de vez en cuando.
5. Todo el mundo debe aprender a cocinar.

53 ¿Qué opinan?

Converse con un/a compañero/a sobre estas preguntas.

1. ¿Cuáles son los restaurantes más populares de la zona en la que vive? ¿A qué se debe?
2. ¿Cuáles son los quince alimentos imprescindibles de la cocina de los Estados Unidos?
3. ¿Cómo definiría la cocina americana?
4. ¿Cuál es el porcentaje que se le suele pagar a un/a camarero/a por sus servicios? ¿Piensa que el salario de los camareros debería ser pagado por los restaurantes como en otros países?

54 Presentemos en público

Conteste una de las siguientes preguntas o haga una presentación oral sobre uno de los temas durante varios minutos en clase. Organice sus ideas antes de hacer la presentación, busque las palabras necesarias y, después de practicar, presente en clase sin mirar las notas.

1. Para una familia grande, ¿cuáles son las ventajas y desventajas de comer en un restaurante o llevar comida hecha a casa?
2. Hable sobre el fenómeno de la comida rápida en los Estados Unidos.
3. Elija un país hispano y hable sobre la comida típica de allí.
4. Cada vez hay más personas que optan por evitar la carne y el pescado en sus dietas. ¿Qué piensa que les impulsa a las personas a tomar una decisión de este tipo?

Consejo

Antes de empezar, lea las pautas para presentaciones formales en la pág. 481 del Apéndice. Mientras formula su presentación tenga presente los objetivos. Cuando termine la presentación, verifique que ha cumplido con todo lo que se describe en la lista y reflexione sobre el trabajo que hizo.

Teacher Resources

Activity 23

Instructional Notes

52 Because all students will speak, allow them time to prepare this activity. Be sure to tell students which issue and which side of the issue they will be debating, so that they can do some research and practice before their debate.

After students have debated these issues with a partner, you might want them to continue the debate in small groups, or even have a discussion with the whole class on one or two of these topics.

Encourage students to use the new vocabulary from this lesson.

53 Encourage students to review the vocabulary, including the expressions, at the end of the lesson in order to enhance their discussions. After students discuss these questions with a partner, you could hold a whole-class discussion.

54 Review the *Pautas para presentaciones formales* on p. 481, and refer students to their copies of the guidelines given to them in *Lección 1A* (*Antes y durante una presentación*). (See p. 27 of this Annotated Edition.) You might want to assign these presentations as homework, so students have more time to prepare.

Additional Activities

La noticia del día
See p. TE28.

Instructional Notes

55 Before students start their projects, go over the questions from *Lección 1A*, p. 28. Students should have a copy of these questions for each project.
Remind them that after they complete their project, they will self-assess their work as a team using the grading system 1–5 (5 being the highest, and 1 the lowest) and write a grade next to each question. After they turn in their work or make their presentation to the class, you will review their project and write your comments and evaluation next to theirs.

Proyectos

55 ¡Manos a la obra!

Trabaje en un grupo de cuatro o cinco estudiantes para llevar a cabo uno de los siguientes proyectos y presentarlo en clase.

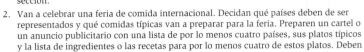

1. Les han encargado que trabajen en la sección de gastronomía en el periódico del centro donde Uds. estudian. Decidan las diferentes secciones que van a haber. Por ejemplo, puede haber recetas, artículos, publicidad, cartas o tiras cómicas. Hagan el diseño y las ilustraciones o busquen fotos que van a acompañar esta sección.

2. Van a celebrar una feria de comida internacional. Decidan qué países deben de ser representados y qué comidas típicas van a preparar para la feria. Preparen un cartel o un anuncio publicitario con una lista de por lo menos cuatro países, sus platos típicos y la lista de ingredientes o las recetas para por lo menos cuatro de estos platos. Deben acompañar la presentación con ilustraciones o fotos.

3. Hoy en día es cada vez más evidente que los nuevos restaurantes siempre corren el riesgo de no tener éxito. Pero Uds. tienen una idea que no puede fallar, y por eso van a abrir un restaurante. Tengan presente lo siguiente: ¿Cuáles son tres factores importantes a considerar antes de abrir un nuevo restaurante? ¿Cómo van a garantizar que su restaurante no va a fracasar? ¿Cuál sería un buen nombre y lema? ¿Cómo lo piensan decorar? Presenten su proyecto a los posibles inversores (o sea, sus compañeros de clase). Diseñen un cartel o un anuncio para el periódico y un menú. Asimismo, describan el lugar del establecimiento y sus horas.

La bombonería La Violeta, Madrid

Vocabulario

Verbos

aclarar	to be clear, to clear up
actualizarse	to be up-to-date
advertir (ie)	to warn
alabar	to praise
alardear	to boast
antojarse	to have a craving for, feel like
añadir	to add
arder	to burn
batir	to beat
calentar	to heat
canturrear	to hum
cocer (ue)	to cook
cortar	to cut
degustar	to taste, sample
ensuciarse	to get dirty
freír (i)	to fry
hervir (ie)	to boil
mezclar	to mix
mojar	to soak, wet
morder	to bite
picar	to snack, to chop
quedarse	to stay
quemar	to burn
quitar	to remove
rechazar	to reject
sofreír (i)	to sauté, fry lightly
tapar	to cover
trocear	to chop, to cut

Verbos con preposición

verbo + a:

añadir a	to add to

verbo + con:

servir (i) con	to serve with

verbo + de:

acordarse (ue) de	to remember
llenarse de	to fill up with
provenir de	to come from

verbo + en:

insistir en	to insist on

verbo + por:

apostar por	to bet on

Sustantivos

el	aceite de oliva	olive oil
el	apetito	appetite
el	aroma	aroma
el	asa (f.)	handle
el	barro	clay
el	batido de chocolate	milk shake, chocolate milk

el	bizcocho	sponge cake
la	canela	cinnamon
la	cáscara	rind, (egg) shell
el/la	comensal	table guest
la	corteza	skin (of fruit)
el	cubierto	cover (plate, napkin, etc. set for each comensal); cutlery
el	cultivo	crop
la	debilidad	weakness
el	diente (de ajo)	clove (of garlic)
el	éxito	success
el	fogón, la cocina	stove
la	golosina, el dulce	candy
la	grasa	fat
el	gusto	taste
la	harina	flour
el	horno (de leña)	(wood-burning) oven
el	manjar	special dish, delicacy
la	masa	dough
la	mazorca	corncob
la	mezcla	mixture
el	miel	honey
la	miga (de pan)	inside part of bread
el	parador	roadside inn, state-owned hotel
la	pasa	raisin
la	pastilla	tablet, pill
la	pechuga	breast (of fowl)
el	pedazo	piece
la	piel	skin
el/la	propietario/a	owner
el	puerto	port
el	puñado	handful, fistful
el	recipiente	container
el	sabor	flavor
la	sazón	flavoring, seasoning
la	semilla	seed
la	taza	cup
la	vainilla	vanilla
la	velada	evening, get-together

Adjetivos

acogedor(a)	cozy, welcoming
adecuado, -a	appropriate
amargo, -a	bitter
amenazador(a)	threatening
amplio, -a	wide
comida para llevar	take-out food
congelado, -a	frozen
contundente	convincing, conclusive
copioso, -a	abundant
crudo, -a	raw

Teacher Resources

 Activities 24–29

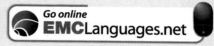
Go online
EMCLanguages.net

Additional Activities

Juegos

To practice and reinforce the lesson's vocabulary and grammar, have students play one of these games: *Aplausos o chasquidos, Dibuje, defina o gesticule, El juego de la alarma, ¡Háganlo!* See pp. TE24 and TE25.

Juego

To practice more vocabulary and grammar as well as the culture topics presented in the lesson, ask students to play *Trivia*. See p. TE25.

To practice any of the culture topics presented in the lesson, ask students to do *Inserte una frase*. See p. TE27.

Ask students to do any of the following activities to practice and strengthen the vocabulary presented in this lesson: *El desafío del minuto, Vocabulario, Repaso Expreso*. See pp. TE27–TE29.

Teacher Resources

See ExamView for assessment options.

Instructional Notes

Have students work in small groups to see how many more words they can come up with that are made up of the suffixes cited in the *A tener en cuenta* feature.

cubierto, -a	covered
desapercibido, -a	unnoticed
eficaz	effective, efficient
esmerado, -a	careful, meticulous
espeluznante	horrifying, terrifying
espeso, -a	thick
étnico	ethnic
goloso, -a	having a sweet tooth
lleno, -a	full
pegajoso, -a	sticky
rico, -a	good, delicious
salado, -a	salty
seco, -a	dry
sorprendente	surprising
soso, -a	bland

Expresiones

abrir el apetito	to whet someone's appetite
además de	besides, apart from
al fin y al cabo	finally
al gusto (de)	to order, to individual taste
darle asco	not to stand something, make someone sick
darle hambre	to make someone hungry
darle sed	to make someone thirsty
darle rabia a alguien	to make someone angry
(no) entrar en la cabeza	(not) to understand
(no) entrar por los ojos	to be easy (hard) on the eyes
estar a cargo de	to be in charge of
estar harto de	to be fed up with
estar para chuparse los dedos	to be finger-licking good
hace un rato	a while ago
hacerse la boca agua	to make one's mouth water
merecer / valer la pena	to be worth it
no poder ni ver algo (o alguien)	not to be able to stand something (or someone)
nunca digas de esta agua no beberé	you can never say that you won't do something
el poder adquisitivo	purchasing power
poner el mantel / la mesa	to set the table
ponerse como una sopa	to get soaked
ponerse como un tomate	to get very red
ponerse manos a la obra	to get to work
ser como pan comido	to be easy
ser más bueno que el pan	to be very good
tener buena (mala) pinta	to look good (bad)
tener malas uvas	to be nasty

A tener en cuenta

Usar sufijos para crear palabras nuevas:

-ado denota conjunto o golpe, entre otros significados:

la cuchara	la cucharada
el puño	el puñado

-ero denota pertenencia o relación:

el café	el cafetero
la sal	el salero

-udo y **-azo** denotan aumento y, a veces, burla:

la panza	el panzudo
el éxito	el exitazo

Lección B

Objetivos

Comunicación
- Hablar de las comidas y las dietas
- Discutir el tema del hambre mundial
- Hablar del impacto de la propaganda sobre lo que comemos

Gramática
- El imperfecto, el presente perfecto y el pluscuamperfecto del subjuntivo
- El condicional perfecto del indicativo

"Tapitas" gramaticales
- las preposiciones que siguen a algunos verbos
- *ni...ni*
- los demostrativos
- algunos usos del subjuntivo
- el significado de *crear* y *creer*
- los prefijos *hiper-* y *des-*

Cultura
- Los *freegans*
- La alimentación vegetariana
- La carne
- El hambre
- Comer en Madrid
- Hábitos cuando va de compras
- Los menús escolares
- La comida rápida
- La comida como Patrimonio de la Humanidad
- Los alimentos alterados genéticamente

Go online
EMCLanguages.net

145

Instructional Notes

You might ask students the following questions to practice some of the communication and grammar objectives of the lesson: *¿Qué tipo de comida sirven en la cafetería de su escuela o universidad? Si pudieran cambiar algo de la comida de la cafetería, ¿qué cambiarían y por qué lo cambiarían? ¿Qué les parecen los anuncios y la propaganda en la televisión, radio o revistas y periódicos sobre las dietas para adelgazar o sobre la comida rápida? Si Uds. pudieran comer cualquier tipo de comida todos los días, ¿qué comerían? Si Uds. quisieran preparar la comida "perfecta", ¿qué prepararían? ¿Y para quién sería esta comida: para su novio/a, para unos invitados especiales o para su familia? Si pudieran hacer algo para aliviar el problema de la hambruna, ¿qué harían?*

Ask students to identify and talk about the foods pictured in the photos. Top photo shows *churros*; middle: *tortilla con pollo y verduras*; bottom: *un batido de frutas.*

Answers

1 Answers will vary.

2 Dialogues will vary.

Instructional Notes

1 You might want to have students work in small groups or have the entire class participate in a discussion.

2 You might want to have some students present their dialogues in front of the class. Remind students to answer with some substantive answers for 15 seconds or more if possible. Always encourage more detailed responses. A group of four students could work together; two might present the dialogue and the other two might take notes, and then summarize or critique their classmates' dialogue. Then have the pairs of students switch roles.

Students might also discuss the questions in the *Cita* in small groups or as an entire class.

Encourage students to talk about the topics mentioned in the *Dato curioso*: organic foods, pesticides, and irrigation with untreated water, and the impact they have on protecting life on our planet, including our health. If possible, bring to class some organic food labels or products, as well as ads or brochures that foster protection of the environment. Use them to enhance the discussion. You might ask: *¿Cómo protege la comida orgánica la vida del planeta? ¿Cómo se cultivan los productos orgánicos? ¿Por qué es más cara la comida orgánica?*

Para empezar

1 Conteste las preguntas

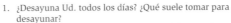

Piense en las respuestas a las siguientes preguntas. Ud. puede tomar notas si lo considera necesario. Cuando termine, compare sus respuestas —pero sin mirar sus notas— con las de un/a compañero/a.

1. ¿Desayuna Ud. todos los días? ¿Qué suele tomar para desayunar?
2. ¿Toma café por la mañana o durante el día? ¿Cuánto toma? ¿Cómo le afecta a Ud. la cafeína?
3. ¿Qué suele tomar en las distintas comidas? ¿Se salta alguna comida? ¿Cuál?
4. ¿Cómo piensa que ha cambiado la industria de alimentación en los últimos años?
5. ¿Toma alimentos orgánicos o ecológicos? ¿Qué piensa de este tipo de alimentos? ¿Cree que merece la pena pagar lo que cobran? ¿Por qué?
6. ¿Cuáles cree que son las razones por las que la gente toma tanta comida basura?
7. ¿Qué piensa de los alimentos alterados genéticamente?
8. ¿Ha comido alguna vez comida exótica, como insectos (por ejemplo, hormigas o saltamontes) en chocolate? Si no, ¿le gustaría probarlos?
9. ¿Cómo puede la comida orgánica proteger la vida del planeta? ¿Cómo se cultivan los productos orgánicos? ¿Por qué la comida orgánica siempre es más cara que otra que no sea orgánica?

2 Mini-diálogos

Va a crear un mini-diálogo con un/a compañero/a. Lea la descripción de la conversación antes de empezar. Puede tomar notas para organizar sus ideas, pero no las mire mientras conversa.

Escena:	En el supermercado, dos personas están cerca de los puestos de fruta escogiendo algunas para llevar.

A: Ve a su amigo/a con un carrito lleno. Salúdelo/la y hágale un comentario sobre los precios de la comida y la calidad de la fruta.

B: Salude a su amigo/a y quéjese de la calidad de la fruta.

A: Dígale que está de acuerdo. Compare las manzanas con los melocotones.

B: Dígale que tiene razón. Exprese su preocupación por el uso de los productos químicos en la fruta.

A: Reaccione a su comentario. Dele otro ejemplo.

B: Despídase cordialmente con actitud negativa sobre el asunto.

A: Despídase cordialmente con actitud positiva sobre el asunto.

Cita

El amor es tan importante como la comida. Pero no alimenta.
—Gabriel García Márquez (1927–), escritor colombiano.

 ¿Qué cree que quiso decir Gabriel García Márquez con esto? ¿Puede pensar en ejemplos en los que se podría usar esta cita?

¡Dato curioso! La comida orgánica es un sistema de nutrición en el que las frutas, legumbres y verduras son cultivadas sin pesticidas y regadas con agua natural no tratada, es decir, no dañan de ninguna forma la tierra. Algunos dicen que es un tipo de alimentación que protege la vida del planeta y la salud de los consumidores.

Vocabulario y gramática en contexto

3 Un blog

Túrnese con un/a compañero/a para leer los comentarios que un médico ha escrito en un blog sobre la comida. Fíjese en las palabras que aparecen en azul (relacionadas con el vocabulario) y en rojo (relacionadas con la gramática), ya que en las siguientes actividades se le harán preguntas sobre ellas.

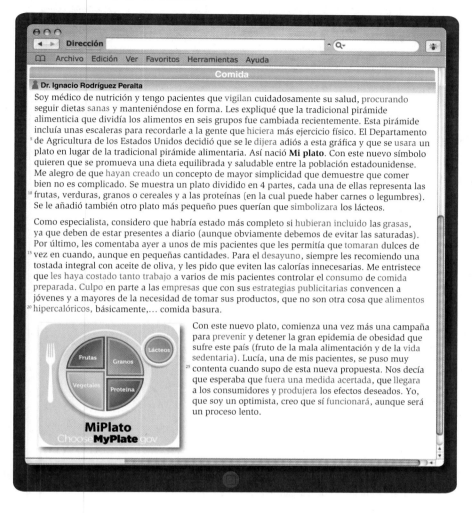

Comida

Dr. Ignacio Rodríguez Peralta

Soy médico de nutrición y tengo pacientes que vigilan cuidadosamente su salud, procurando seguir dietas sanas y manteniéndose en forma. Les expliqué que la tradicional pirámide alimenticia que dividía los alimentos en seis grupos fue cambiada recientemente. Esta pirámide incluía unas escaleras para recordarle a la gente que hiciera más ejercicio físico. El Departamento
5 de Agricultura de los Estados Unidos decidió que se le dijera adiós a esta gráfica y que se usara un plato en lugar de la tradicional pirámide alimentaria. Así nació **Mi plato**. Con este nuevo símbolo quieren que se promueva una dieta equilibrada y saludable entre la población estadounidense. Me alegro de que hayan creado un concepto de mayor simplicidad que demuestre que comer bien no es complicado. Se muestra un plato dividido en 4 partes, cada una de ellas representa las
10 frutas, verduras, granos o cereales y a las proteínas (en la cual puede haber carnes o legumbres). Se le añadió también otro plato más pequeño pues querían que simbolizara los lácteos.

Como especialista, considero que habría estado más completo si hubieran incluido las grasas, ya que deben de estar presentes a diario (aunque obviamente debemos de evitar las saturadas). Por último, les comentaba ayer a unos de mis pacientes que les permitía que tomaran dulces de
15 vez en cuando, aunque en pequeñas cantidades. Para el desayuno, siempre les recomiendo una tostada integral con aceite de oliva, y les pido que eviten las calorías innecesarias. Me entristece que les haya costado tanto trabajo a varios de mis pacientes controlar el consumo de comida preparada. Culpo en parte a las empresas que con sus estrategias publicitarias convencen a jóvenes y a mayores de la necesidad de tomar sus productos, que no son otra cosa que alimentos
20 hipercalóricos, básicamente,… comida basura.

Con este nuevo plato, comienza una vez más una campaña para prevenir y detener la gran epidemia de obesidad que sufre este país (fruto de la mala alimentación y de la vida sedentaria). Lucía, una de mis pacientes, se puso muy
25 contenta cuando supo de esta nueva propuesta. Nos decía que esperaba que fuera una medida acertada, que llegara a los consumidores y produjera los efectos deseados. Yo, que soy un optimista, creo que sí funcionará, aunque será un proceso lento.

Instructional Notes

3 Ask students to skim the article or to review the highlighted words and look at the illustration in order to predict what the reading will be about. Encourage them to share their opinions in writing or orally, with a partner or in front of the class.

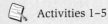
Answers

4 Answers will vary.

5 1. c; 2. h; 3. d; 4. j; 5. g; 6. m; 7. l; 8. b; 9. k; 10. i; 11. a; 12. e; 13. f

6 **I**a. consigas; Te rogué que consiguieras / consiguieses tomates maduros. **b.** fría; A mi abuela le gustaba que friera / friese bien la carne. **c.** satisfaga; Temía que no te satisficiera / satisficiese lo que estaba preparando. **II 1a.** El presente perfecto se usa para hablar de hechos que ya han ocurrido pero en un tiempo reciente. El presente perfecto del subjuntivo siempre va procedido por una expresión que requiere el subjuntivo. **1b.** El pluscuamperfecto del subjuntivo se usa para expresar la misma sujetividad que en el presente perfecto del subjuntivo, pero muestra que algo ocurrió antes de otra acción en el pasado. **2a.** haya cocinado; **b.** hubieran / hubiesen cocinado; **c.** hubiera / hubiese traído; **d.** hayáis puesto; **e.** hubieran / hubiesen impreso; **f.** hubieran / hubiesen roto; **III 1** Tipo 1: Si llueve, pides comida para llevar; Si llueve, pide comida para llevar; Si llueve, pedirás comida para llevar. Tipo 2: Si lloviera / lloviese, pedirías comida para llevar. Tipo 3: Si hubiera / hubiese llovido, hubieras / hubieses pedido comida para llevar.

---

4 La pirámide alimenticia

Compare la antigua pirámide alimenticia que se muestra al lado con "Mi plato". Explique los cambios.

5 Amplíe su vocabulario

Según el contexto del artículo anterior, empareje las palabras de la primera columna con su definición o sinónimo correspondiente en la segunda.

1. vigilar
2. procurar
3. sano
4. grasa
5. consumo
6. comida preparada
7. culpar
8. empresa
9. alimento hipercalórico
10. prevenir
11. vida sedentaria
12. medida acertada
13. funcionar

a. vida con poca actividad física
b. compañía
c. observar cuidadosamente
d. saludable
e. acción adecuada
f. ir bien, marchar bien
g. la toma de alimento o bebida
h. tratar de
i. prever
j. manteca, tocino, aceite
k. comida con muchas calorías
l. hacer responsable a alguien, echar la culpa
m. comida ya hecha

6 El subjuntivo

Haga las siguientes actividades sobre el subjuntivo.

I. **Imperfecto del subjuntivo**
   Conjugue los verbos en paréntesis en el presente del subjuntivo. Después, cambie las frases al pasado. **Nota:** El imperfecto del subjuntivo se suele usar en las mismas situaciones en las que se usa el presente del subjuntivo. La diferencia es que el verbo en la oración principal está en pasado.
   a. Te ruego que _____ (conseguir) tomates maduros.
   b. A mi abuela le gusta que _____ (freír) bien la carne.
   c. Temo que no te _____ (satisfacer) lo que estoy preparando.

II. **Presente perfecto y pluscuamperfecto**
   1. Explique cuándo se usa cada tiempo:
      a. presente perfecto del subjuntivo
      b. pluscuamperfecto del subjuntivo
   2. Complete las siguientes frases con el tiempo adecuado.
      a. Espero que mi madre _____ (cocinar) mi plato preferido.
      b. Esperaba que mis tíos nos _____ (cocinar) mi plato preferido.
      c. Nos molestaba que nadie nos _____ (traer) comida al picnic.
      d. Estoy en contra de que vosotros _____ (poner) las tapas en la mesa.
      e. Estaba en contra de que Uds. ya _____ (imprimir) el menú sin consultarme.
      f. No nos molesta que los invitados _____ (romper) los platos que trajimos para los tamales.

III. **Cláusulas con "si"**
   1. ¿Cuáles son los tres tipos de cláusulas con "si"? Explíquelos usando esta frase como ejemplo:
      Si (llover) tú (pedir) comida para llevar.

7 "Tapitas" gramaticales

Conteste estas preguntas relacionadas con el blog de la Actividad 3.

1. La palabra "desayuno" va precedida por el prefijo *"des"*. ¿Qué significa? Añada el prefijo a las siguientes palabras y explique cómo cambia el significado.
   equilibrio
   igual
   nutrición
   orden

2. La palabra "calórico" va precedida por el prefijo *"hiper"*. ¿Qué significa? Añada el prefijo a las siguientes palabras y explique cómo cambia el significado.
   activo
   mercado

8 Subjuntivo

Complete las siguientes oraciones usando la forma correcta del verbo entre paréntesis. Se puede usar el infinitivo, el indicativo (presente, pretérito, imperfecto, etc.), o el subjuntivo (presente o pasado).

1. El cliente indeciso le suplicó al cocinero que le ___ (*sugerir*) un plato.
2. Dudaban que sus amigos les ___ (*poder*) echar una mano.
3. Era necesario que ella ___ (*comprender*) la gravedad del asunto.
4. Se alegraba de que Uds. ___ (*venir*) a visitarlo.
5. ¿Preferías que nosotros ___ (*conducir*) a Sacramento?
6. Te aconseja que ___ (*oír*) la conferencia sobre la desnutrición.
7. No es preciso ___ (*bombardear*) a los consumidores con tanta publicidad.
8. Elena negó que sus padres ___ (*ser/estar*) en la reunión de anoche.
9. Es dudoso que mi tío ___ (*almorzar*) con un actor famoso.
10. ¿Cuántas veces te he dicho que ___ (*averiguar*) cuál es la receta?

9 Tiempos perfectos

Lea el siguiente texto y complételo con la forma correcta del verbo entre paréntesis.

Comer de la basura por elección propia

María Jesús dice que esta semana __1.__ (*ver*) un documental muy interesante sobre los "freegans". Yo nunca __2.__ (*oír*) hablar de este movimiento antes, y no me lo habría creído si no me lo __3.__ (*contar*) mi amiga. Parece ser que en el documental que vio había varías personas que contaban por qué __4.__ (*convertirse*) en "freegans". En la entrevista un señor explicaba que no es que __5.__ (*ponerse*) a buscar comida entre los
⁵ contenedores de basura porque no tuviera dinero, pues tenía un buen trabajo en una compañía. Lo hacía por motivos éticos y políticos. Un día decidió acabar con el estilo de vida consumista que __6.__ (*llevar*) hasta entonces y decidió vivir una vida más solidaria aprovechando los alimentos que __7.__ (*tirar*) a la basura otras personas. Parece que a María Jesús le __8.__ (*afectar*) mucho todo esto. No me extrañaría que __9.__ (*decidir*) convertirse en "freegan" o hacer algo parecido pues sabes que ella siempre __10.__ (*tomar*) una postura en
¹⁰ contra del consumismo capitalista. La verdad es que me impresiona que haya personas sin necesidades económicas a las que no les importe que la comida __11.__ (*ser / estar*) reciclada de los desechos de otros. Por otro lado valoro su coraje y determinación. Pero honestamente,... no sé cómo habría reaccionado si antes de hablar con María Jesús __12.__ (*ver*) a un amigo comiendo de la basura.

10 Resuma

¿Cuál cree que es el propósito del movimiento de los "freegans"? ¿Qué piensa de esto? Dé ejemplos con algo que haya vivido, observado o estudiado.

Teacher Resources

Activities 6–8

Answers

7 1. *Des-* denota negación o inversión. Es de origen latino. Desequilibrio; desigual; desnutrición, desorden. Otros ejemplos: descubrir; deshora; desconfiar; deshonra; 2. *Hiper-* significa exceso, grande o superior. Es de origen griego. Hiperactivo; hipermercado. Otros ejemplos: hipertenso; hipersensible.

8 1. sugiriera / sugiriese; 2. pudieran / pudiesen; 3. comprendiera / comprendiese; 4. vinieran / viniesen; 5. condujéramos / condujésemos; 6. oigas; 7. bombardear; 8. estuvieran / estuviesen; 9. almuerce; 10. averigües

9 1. ha visto; 2. había oído; 3. hubiera / hubiese contado; 4. se habían convertido; 5. se hubiera / hubiese puesto; 6. había llevado; 7. habían tirado; 8. ha afectado; 9. hubiera / hubiese decidido; 10. ha tomado; 11. haya sido; 12. hubiera visto / hubiese visto

10 Answers will vary.

Instructional Notes

9 You might want to share with students podcasts and / or videos regarding the following diets: freegan, vegetarian, kosher or Amish. Ask students to compare them with their own diet.

Answers

11 1. pensara / pensase; 2. hubiera / hubiese;
3. eliges; 4. preguntaran / preguntasen; 5. tuviera /
tuviese; 6. se habría alimentado; 7. fuera / fuese;
8. fueran / fuesen; 9. habría comido / hubiera (hubiese)
comido; 10. hubiera (hubiese) comido; 11. hagamos;
12. aportáramos / aportásemos

12 1. mantuviera / mantuviese; 2. padezca;
3. tradujeran / tradujesen; 4. riñan; 5. habrían huído;
6. promoviera / promoviese, previnieran / previniesen

13 1. haya leído; 2. sugiera; 3. hayan dejado / dejen;
4. siguiera / siguiese; 5. descargue; 6. entregue;
7. nieve, granice

Additional Activities

Las frases con *si*
Have students work in pairs or small groups and come
up with a top ten list. They should use any of the
following as their opening line: *Si yo tuviera hambre
prepararía (tipo de comida, un plato especial, etc.), y
para hacerlo tendría que comprar... ; y luego invitaría
a comer a... para celebrar...* Then have students share
their lists for the class. Encourage them to use photos,
video, music, etc.

Juego
Ask students to play *Dibuje, defina o gesticule.*
See p. TE24.

---

11 Cláusulas con "si"

Lea el siguiente texto y complételo usando la forma correcta del verbo entre paréntesis.

La comida rápida y sus trampas

Hoy en día, si __1.__ (*pensar*) en una de las razones por las que la gente toma comida basura,
diría que es por la falta de tiempo. La gente comería mejor, si no __2.__ (*haber*) un culto excesivo
a la comodidad de la vida moderna. Si __3.__ (*elegir*) comer comida rápida, evita aquélla que
tenga grasas, mucha sal y calorías. Mi hermano pequeño dice que si le __4.__ (*preguntar*) por qué
⁵ las toma con tanta frecuencia contestaría que lo hace porque tienen buen sabor, son baratas y
se pueden comer en pocos minutos. Mi otro hermano que está en la universidad dice si no __5.__
(*tener*) que lavar platos comería mejor. Insiste en que quizás __6.__ (*alimentarse*) mejor estos años
si hubiera sido posible tomar comida sana en cualquier lugar y hasta de pie. Me frustro porque
a veces él habla como si __7.__ (*ser/estar*) dificilísimo lavar un plato o una sartén después de
¹⁰ cocinar. Si los consumidores __8.__ (*ser/estar*) más conscientes de las consecuencias irreversibles
que produce esta forma de comer, mejoraríamos enormemente nuestra salud. Es evidente que
__9.__ (*comer*) mejor durante los últimos años si me hubiera parado a reflexionar sobre actos que
atentan gravemente contra mi salud. Si __10.__ (*comer*) menos comida basura o pedido menos
comida por teléfono mi cuerpo lo habría agradecido. Vale la pena que __11.__ (*hacer*) un esfuerzo
¹⁵ para modificar aquellas costumbres que van contra nuestro bienestar. Influiríamos positivamente
en aquéllos que están a nuestro alrededor, si todos __12.__ (*aportar*) nuestro granito de arena.

12 Subjuntivo mixto

Complete las siguientes oraciones usando la forma correcta del verbo entre paréntesis.

1. No tendría sobrepeso si ___ (*mantener*) una vida menos sedentaria.
2. No es que Raúl ___ (*padecer*) de una enfermedad, es que es muy perezoso.
3. El profesor les recordó que no ___ (*traducir*) las palabras, sino que pensaran en español.
4. Es preciso que no les ___ (*reñir*) por ser vegetarianos. Sus padres deberían respetar
   su decisión.
5. Si hubieran roto la maquina dispensadora del local, posiblemente ___ (*huir*).
6. Es obvio que la muchedumbre insistía en que se ___ (*promover*) la vida sana y en que
   se ___ (*prevenir*) enfermedades.

13 Subjuntivo mixto

Complete las siguientes oraciones usando la forma correcta del verbo entre paréntesis.

1. ¿No te molesta que tu padre ___ (*leer*) hoy tus correos electrónicos sin permiso?
2. Es menester que alguien les ___ (*sugerir*) una carne magra.
3. Más vale que tus vecinos ___ (*dejar*) encendidas las luces.
4. ¿Tú crees que es raro que ___ (*seguir*) una dieta hace poco?
5. Dile a tu tío que ___ (*descargar*) la compra en la puerta de detrás.
6. Es cierto que la calidad de los productos es pésima, más vale que el fabricante no los
   ___ (*entregar*).
7. Los vendedores de los puestos están preocupados ya que puede ser que ___ (*nevar*) e
   incluso ___ (*granizar*) esta tarde.

Idioma

14 Familia de palabras

Complete la tabla con el verbo, sustantivo o adjetivo apropiado y la traducción correspondiente.

Verbos		Sustantivos		Adjetivos		
afectar	to affect, have an effect on	el efecto	effect	afectado	_____	
_____	to feed	la alimentación	nourishment, feeding	alimenticio, alimentario	_____ , _____	
amenazar	to threaten	_____	threat	amenazante	_____	
consumir	_____	el consumo; el/la consumidor (a)	consumption; _____	consumido	_____	
contaminar	to pollute	_____	pollution	contaminado	_____	
empeorar	_____	lo peor	the worst part	peor	_____	
engrasar	to grease	la grasa	_____	grasiento, grasoso	_____	
_____	to balance	el equilibrio	balance	_____	balanced	
_____	to improve	lo mejor	_____	_____	better	
repartir	to distribute	el reparto	_____	_____	distributed	
surtir	_____	el surtido	assortment	_____	stocked, supplied	
X		la carne	_____	cárnico	_____	
X		la leche	_____	lácteo	_____	
X		la obesidad	_____	obeso	obese	
X		los vegetales; las legumbres	vegetables; _____	vegetariano; vegetal	_____ ; _____	

15 ¿Verbo, sustantivo o adjetivo?

Complete las oraciones usando la forma correcta de las palabras que aparecen en la tabla, ya sea verbo, sustantivo o adjetivo. En el caso del sustantivo puede que necesite artículo.

1. Es difícil ___ (*alimentar*) a una familia numerosa. El costo de la comida es espantoso.
2. Algunos nutricionistas dicen que nosotros ___ (*amenazar*) nuestra salud cuando comemos tanta comida con aditivos.
3. Siempre salen estudios sobre cómo ___ (*afectar*) a los niños la propaganda de la comida basura.
4. En la primavera, a los pescadores del noroeste de los Estados Unidos les gusta pescar cuando los ríos están ___ (*surtir*) de salmones.
5. En algunos menús de restaurantes de comida rápida, aparecen ya platos ___ (*vegetal*) con legumbres y vegetales como zanahorias, pepinos y lechuga.
6. Me alegro que la propaganda a favor de la comida sana ___ (*mejorar*) algunas de las opciones que ofrecen los restaurantes.
7. Un almuerzo ___ (*equilibrar*) consiste en poca carne, muchas legumbres frescas y fruta.
8. Muchos niños americanos tienen sobrepeso por falta de ejercicio pero ___ (*obeso*) crece como problema mundial.
9. Me gusta ayudar en ___ (*repartir*) de comida a los sin hogar.
10. Muchos ___ (*consumir*) de hamburguesas prefieren tomarlas con papas fritas.
11. El uso de productos químicos ___ (*contaminar*) la calidad de muchos alimentos.
12. El ama de casa siempre tiene un gran ___ (*surtir*) de alimentos sanos en casa.

continúa

---

13. Lo ___ (*mejor*) de la comida orgánica es que es muy saludable. Lo ___ (*peor*) es que cuesta más.
14. No tolero bien los productos ___ (*leche*) como el helado, la crema o el queso.
15. ___ (*Consumir*) de mucho café puede hacerle daño.
16. Comer mucha comida basura ___ (*amenazar*) la salud de los jóvenes.
17. A los vegetarianos no les apetecen los productos ___ (*carne*) porque no consumen carne.
18. Muchas veces los dueños de los restaurantes basan sus menús especiales en los gustos de los ___ (*consumidor*).
19. Muchas nuevas madres necesitan consejos con ___ (*alimentar*) de sus bebés.
20. La falta de ejercicio puede ___ (*empeorar*) la salud de cada persona.

¡Dato curioso! La vainilla procede de un tipo especial de orquídea. La vainilla es originaria de México. Cuando trataron de exportarla a otros climas tropicales, florecieron pero no se produjeron vainas. Se descubrió que una abeja nativa de México era la única que podía polinizar las flores de la vainilla. Los intentos de desplazar también esa abeja a otros países fracasó, y no pudo extenderse su cultivo hasta que un joven descubrió un método artificial de polinización que hizo que México perdiera el monopolio de la vainilla. La vainilla natural hace que el cuerpo genere sustancias como adrenalina, y por ese motivo se le considera un poco adictiva. Se ha descubierto que la vainilla también ayuda a combatir algunas infecciones bacterianas.

Este artículo trata del hambre y la desigualdad en el mundo. Lea el artículo y complete los espacios con la palabra adecuada. Después conteste las siguientes preguntas:

- ¿Cuál es el propósito del artículo?
- ¿Cómo resumiría el artículo en una frase?
- Si quisiera consultar otra fuente, ¿podría pensar en un posible título de una publicación?

El mundo en desequilibrio

Tres **1.** (*cuarto / cuartas*) partes de la humanidad no han probado ni probablemente probarán una hamburguesa de queso, ni una bolsa de patatas fritas, **2.** (*o / ni*) los bollos rellenos de chocolate. Jamás tendrán problemas con el colesterol ni se pelearán con la báscula. ¿Saben cuidarse? No. Las tres cuartas partes de la humanidad **3.** (*pasa / pasan*) hambre.

Mientras miles de personas mueren cada año por las enfermedades derivadas del abuso de alimentos, la **4.** (*mejor / mayor*) parte del planeta no tiene qué comer. Las cifras son tan espectaculares que la
[5] imaginación no alcanza para valorar la gravedad de la situación. Más de 30.000 personas mueren todos los días **5.** (*de la / de*) hambre en el mundo; de ellas, tres cuartas partes son personas **6.** (*menores / mayores*) de cinco años. Eso supone la muerte de 11 millones de
[10] personas **7.** (*el / al*) año, además de los millones que padecen enfermedades relacionadas tanto con la falta de vitaminas y minerales, como con la contaminación de los alimentos y la insalubridad del agua. Según las fuentes, las cantidades varían, posiblemente porque es
[15] absolutamente imposible **8.** (*que calcule / calcular*) los números reales de la tragedia de la hambruna. La esperanza de vida en un país subdesarrollado se **9.** (*situa / sitúa*) en torno a los 38 años, mientras que en el primer mundo se alcanzan con facilidad los
[20] 70. La desnutrición crónica provoca un crecimiento limitado, fatiga permanente y debilidad **10.** (*extremo / extrema*), lo que hace al cuerpo mucho más vulnerable al padecimiento de todo tipo de enfermedades. En un estado grave de desnutrición, una persona no es
[25] capaz de mantener ni **11.** (*cualquiera / siquiera*) las funciones vitales básicas. En 2002, la Organización de las Naciones Unidas **12.** (*para / por*) la Agricultura y la Alimentación (FAO) dio la voz de alarma: la reducción del hambre en el mundo se ha detenido. **13.** (*Somos /*
[30] *Estamos*) muy lejos de alcanzar el objetivo de la Cumbre Mundial de la Alimentación de 1996, que ponía de plazo hasta el 2015 para reducir a la mitad el número de personas que **14.** (*sufre / sufren*) hambre. Para lograr este propósito, la disminución de personas hambrientas
[35] debería **15.** (*ser / estar*) de 24 millones por año, cosa que está lejos de las cifras actuales. El África Subsahariana sigue registrando las peores cifras. Para realmente poner freno al problema del hambre sería **16.** (*necesario / necesaria*) una actuación coordinada
[40] a nivel global, con la colaboración de todo el mundo desarrollado, consciente **17.** (*a / de*) que un problema de semejante envergadura hipoteca el futuro de todos. No es posible **18.** (*mantener / mantenerse*) siempre en el desequilibrio. La FAO ha calculado que serían
[45] necesarios 24.000 millones de euros anuales hasta el año 2015 para reducir a la mitad las cifras del hambre. No es demasiado dinero, **19.** (*teniendo / tener*) en cuenta el que se emplea para otros fines. Numerosos estudios se han encargado de dejar **20.** (*claro /*
[50] *claros*) que el problema no es la escasez, **21.** (*pero / sino*) una mala gestión empeñada en servir a los intereses del primer mundo. Tampoco es cierto que falte tierra para cultivar, ya que por distintas razones, sólo un 44% del terreno cultivable se dedica a la producción de
[55] alimento. El resto no produce. Los terratenientes y las grandes empresas propietarias consideran el suelo **22.** (*como / cómo*) una inversión rentable, más que una fuente de alimento. Por otra parte, muchas de las que sí se cultivan están dedicadas enteramente a
[60] la exportación. El desigual reparto de las tierras deja desposeídos a los campesinos locales y es una de las principales razones de la escasez de **23.** (*alimentos / unos alimentos*). Si las tres cuartas partes del planeta no reciben su ración, cabe preguntarse, ¿cuánto consume
[65] el cuarto restante? Y también, ¿cuánto alimento se tira en el mundo desarrollado?

www.revistafusion.com

Investigue palabras clave: hambruna, Somalia, Sudan, África Subsahariana

17 Amplíe su vocabulario

Según el contexto del artículo anterior, ¿cuál es la mejor traducción?

1. bollo relleno
   a. stuffed cake   b. filled roll
   c. ice-cream filled   d. none of these

2. báscula
   a. level of cholesterol b. diet
   c. scale   d. image

3. cifra
   a. number   b. code
   c. statistic d. quote

4. alcanzar
   a. to reject   b. to imply
   c. to reveal   d. to reach

5. valorar
   a. to devalue   b. to attain
   c. to value   d. to consider

6. tres cuartas partes
   a. 25%   b. 3 out of 4
   c. 34%   d. 70%

7. insalubridad del agua
   a. stagnant water   b. unhealthiness of water
   c. murky water   d. lack of fresh water

8. fuente
   a. fountain   b. research
   c. source   d. number

9. poner plazo
   a. to put a time limit b. to put in the forefront
   c. to put a halt to   d. to put down

10. lograr
    a. to end   b. to achieve
    c. to locate   d. none of these

11. poner freno
    a. to eliminate   b. to accelerate
    c. to end   d. none of these

12. envergadura
    a. heaviness   b. girth
    c. with a vegetarian diet d. importance

13. encargarse
    a. to take charge   b. to announce
    c. to feel responsible d. none of these

14. terrateniente
    a. landowner   b. land lover
    c. down to earth d. none of these

15. desigual reparto
    a. unequal choice   b. unequal favoritism
    c. unequal distribution d. unequal importance

16. desposeído
    a. possessed   b. homeless
    c. poor   d. none of these

17. cuarto restante
    a. remaining room   b. remaining quarter
    c. still one-fourth d. one-fourth still

18. tirar
    a. to save   b. to hoard
    c. to grow   d. to throw away

18 Lea y escriba/presente

**Vuelva a leer el texto completo sobre el hambre y, basándose en él, haga un resumen por
escrito u oral contestando las siguientes preguntas:**

- ¿Cuál es el tema principal del artículo?
- ¿Cuáles son otros tres temas relacionados al tema principal?
- ¿Cómo espera ayudar la organización FAO? ¿Cuáles son algunos obstáculos para
  resolver este problema?

Compare

¿Piensa que el hambre es en la
actualidad un problema en los
EE.UU.? De serlo, ¿quiénes cree que
son las personas o las zonas más
afectadas? ¿Por qué? ¿Hacemos algo
al respecto?

Nota cultural
Un niño muere cada 15 segundos debido
a enfermedades causadas por la falta de
acceso al agua potable, el saneamiento
inadecuado o la higiene precaria. Y
cada año, son casi cuatro millones de
personas que mueren de enfermedades
por esta misma razón. En América Latina
y el Caribe entre el 4% y el 17% de los
sistemas de suministro de agua en áreas
rurales no funciona.

Lea el artículo y complete los espacios con la palabra adecuada. Después conteste las siguientes preguntas:

- ¿Cuál es el propósito del artículo?
- ¿Qué pregunta sería apropiada para hacerle al autor después de leer el artículo?

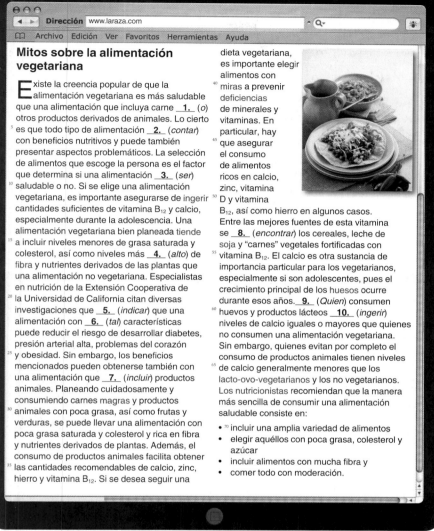

Dirección www.laraza.com

Archivo   Edición   Ver   Favoritos   Herramientas   Ayuda

Mitos sobre la alimentación vegetariana

Existe la creencia popular de que la alimentación vegetariana es más saludable que una alimentación que incluya carne __1.__ (*o*) otros productos derivados de animales. Lo cierto 5 es que todo tipo de alimentación __2.__ (*contar*) con beneficios nutritivos y puede también presentar aspectos problemáticos. La selección de alimentos que escoge la persona es el factor que determina si una alimentación __3.__ (*ser*) 10 saludable o no. Si se elige una alimentación vegetariana, es importante asegurarse de ingerir cantidades suficientes de vitamina B_{12} y calcio, especialmente durante la adolescencia. Una alimentación vegetariana bien planeada tiende 15 a incluir niveles menores de grasa saturada y colesterol, así como niveles más __4.__ (*alto*) de fibra y nutrientes derivados de las plantas que una alimentación no vegetariana. Especialistas en nutrición de la Extensión Cooperativa de 20 la Universidad de California citan diversas investigaciones que __5.__ (*indicar*) que una alimentación con __6.__ (*tal*) características puede reducir el riesgo de desarrollar diabetes, presión arterial alta, problemas del corazón 25 y obesidad. Sin embargo, los beneficios mencionados pueden obtenerse también con una alimentación que __7.__ (*incluir*) productos animales. Planeando cuidadosamente y consumiendo carnes magras y productos 30 animales con poca grasa, así como frutas y verduras, se puede llevar una alimentación con poca grasa saturada y colesterol y rica en fibra y nutrientes derivados de plantas. Además, el consumo de productos animales facilita obtener 35 las cantidades recomendables de calcio, zinc, hierro y vitamina B_{12}. Si se desea seguir una dieta vegetariana, es importante elegir alimentos con 40 miras a prevenir deficiencias de minerales y vitaminas. En particular, hay 45 que asegurar el consumo de alimentos ricos en calcio, zinc, vitamina 50 D y vitamina B_{12}, así como hierro en algunos casos. Entre las mejores fuentes de esta vitamina se __8.__ (*encontrar*) los cereales, leche de soja y "carnes" vegetales fortificadas con 55 vitamina B_{12}. El calcio es otra sustancia de importancia particular para los vegetarianos, especialmente si son adolescentes, pues el crecimiento principal de los huesos ocurre durante esos años. __9.__ (*Quien*) consumen 60 huevos y productos lácteos __10.__ (*ingerir*) niveles de calcio iguales o mayores que quienes no consumen una alimentación vegetariana. Sin embargo, quienes evitan por completo el consumo de productos animales tienen niveles 65 de calcio generalmente menores que los lacto-ovo-vegetarianos y los no vegetarianos. Los nutricionistas recomiendan que la manera más sencilla de consumir una alimentación saludable consiste en:

- 70 incluir una amplia variedad de alimentos
- elegir aquéllos con poca grasa, colesterol y azúcar
- incluir alimentos con mucha fibra y
- comer todo con moderación.

Instructional Notes

21 Ask students to present their menus to the class.

22 Before students start reading the article, ask them: *¿Se puede mantener una dieta sana sin comer grasa? ¿Cuál es la mínima cantidad de grasa aceptable en su dieta? ¿Qué saben del efecto de la grasa en su dieta, en su cuerpo? ¿Son aventureros a la hora de elegir la comida? Por ejemplo, ¿han probado alguna vez carne de caza o poco tradicional, como de ciervo/venado, de búfalo o de avestruz? ¿Qué piensan de estos platos?*

After students read the article, you might want to share with them podcasts and / or videos regarding bioengineered meat. Ask them to debate the pros and cons of eating hamburger meat created in a lab, for example. What ramifications might this process have on world hunger? And environmental issues?

20 ¿Qué significa?

Mire las palabras de la primera columna, que aparecen en la lectura anterior, y busque su definición o sinónimo en la segunda.

1. ingerir
2. tender a
3. fibra
4. magro
5. mira
6. deficiencia
7. soja
8. hueso
9. lacto-ovo-vegetariano
10. nutricionista

a. sin mucha grasa
b. planta leguminosa procedente de Asia
c. persona que no consume carne pero consume productos lácteos y de huevos
d. parte del esqueleto humano
e. defecto
f. consumir
g. especialista en nutrición
h. inclinarse
i. objeto o propósito
j. filamento de los tejidos orgánicos vegetales o animales

21 Lea, escriba/presente

Vuelva a leer el artículo completo sobre la alimentación vegetariana y luego escriba un menú para el desayuno, almuerzo y cena de un/a vegetariano/a, teniendo en cuenta los consejos en la lista al final del artículo. Busque información sobre la alimentación vegetariana, de los lacto-ovo-vegetarianos y de las vitaminas esenciales en cada dieta. Hable sobre la dificultad de encontrar platos vegetarianos en la mayoría de los restaurantes, y cómo se puede seguir una dieta vegetariana en un restaurante típico.

22 La carne

Lea el artículo y complete los espacios con la palabra adecuada. Después conteste las siguientes preguntas:

- ¿Cuál es el propósito del artículo?
- Si quisiera consultar otra fuente, ¿podría pensar en un posible título de una publicación?

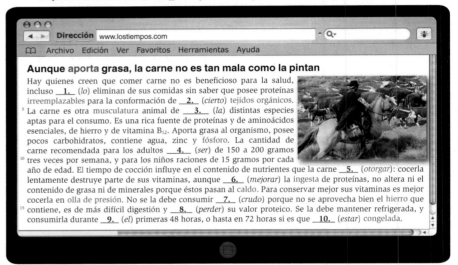

Dirección www.lostiempos.com

Archivo   Edición   Ver   Favoritos   Herramientas   Ayuda

Aunque aporta grasa, la carne no es tan mala como la pintan

Hay quienes creen que comer carne no es beneficioso para la salud, incluso __1.__ (*lo*) eliminan de sus comidas sin saber que posee proteínas irreemplazables para la conformación de __2.__ (*cierto*) tejidos orgánicos.
La carne es otra musculatura animal de __3.__ (*la*) distintas especies aptas para el consumo. Es una rica fuente de proteínas y de aminoácidos esenciales, de hierro y de vitamina B₁₂. Aporta grasa al organismo, posee pocos carbohidratos, contiene agua, zinc y fósforo. La cantidad de carne recomendada para los adultos __4.__ (*ser*) de 150 a 200 gramos tres veces por semana, y para los niños raciones de 15 gramos por cada año de edad. El tiempo de cocción influye en el contenido de nutrientes que la carne __5.__ (*otorgar*): cocerla lentamente destruye parte de sus vitaminas, aunque __6.__ (*mejorar*) la ingesta de proteínas, no altera ni el contenido de grasa ni de minerales porque éstos pasan al caldo. Para conservar mejor sus vitaminas es mejor cocerla en olla de presión. No se la debe consumir __7.__ (*crudo*) porque no se aprovecha bien el hierro que contiene, es de más difícil digestión y __8.__ (*perder*) su valor proteico. Se la debe mantener refrigerada, y consumirla durante __9.__ (*el*) primeras 48 horas, o hasta en 72 horas si es que __10.__ (*estar*) congelada.

23 Amplíe su vocabulario

Según el contexto del artículo que acaba de leer, empareje cada palabra de la primera columna con su definición o sinónimo de la segunda.

1. aportar
2. irreemplazable
3. tejido orgánico
4. musculatura
5. fósforo
6. otorgar
7. ingesta
8. caldo
9. olla de presión
10. hierro
11. congelado

a. elemento químico, inflamable y luminoso en la oscuridad
b. recipiente para cocer rápidamente
c. enfriado
d. que no se puede sustituir
e. líquido que resulta de cocer los alimentos en agua
f. el metal más empleado en la industria
g. acción de ingerir
h. estructura de células de los órganos
i. conjunto de los músculos del cuerpo
j. contribuir
k. dispensar, ceder

24 Lea, escuche y escriba/presente

Vuelva a leer el texto completo de la Actividad 22 y luego escuche la grabación "¿Por qué comer carne es malo para el planeta?" y tome las notas necesarias. Escriba un ensayo o haga una presentación en clase sobre este tema: "Las ventajas y las desventajas de comer carne". No se olvide de citar las fuentes debidamente.

Cita

La carne nunca fue la mejor comida, pero su uso ahora es doblemente objetable, desde que las enfermedades en los animales están incrementándose rápidamente.
—Ellen G. White (1827–1915), reformadora de salud vegetariana

 La cita de Ellen G. White data de 1902. ¿Todavía tiene relevancia en el siglo XXI? ¿Cómo y por qué? Comparta sus opiniones con un/a compañero/a.

¡Dato curioso!

La quinua real es considerada un alimento "perfecto". Es "el grano de oro de los Andes" y el cereal más nutritivo del mundo. Se encuentra sólo en Bolivia. Su proteína de alto valor biológico y la ausencia de colesterol la convierten en un excelente sustituto de la carne.

Teacher Resources

Activity 24

Answers

23 1. j; 2. d; 3. h; 4. i; 5. a; 6. k; 7. g; 8. e; 9. b; 10. f; 11. c

Instructional Notes

24 You might want to present the following words to the students before they listen to the audio: *desperdicios*, waste products; *matadero*, slaughterhouse; *pastizaje*, pastureland; *arrasado*, razed (to the ground); *avena*, oats.

Additional Activities

El desafío del minuto
See p. TE27.

Trabajo de investigación
Have students search the Web for information on quinoa and the value of protein in one's diet.

Answers

25 1. pagar; 2. en; 3. sean; 4. cierta; 5. años; 6. tipo;
7. escoger; 8. mejor; 9. peor; 10. grasas; 11. al; 12. siguen;
13. puertas; 14. se; 15. son

Instructional Notes

25 Before students start reading, ask them:
*¿Es posible comer bien y sano en un restaurante
de comida rápida, o creen que la comida rápida
equivale a la comida poco sana y mala? ¿Por qué
opinan así?*

En este artículo nos dan ejemplos de cómo es posible comer rápido pero de forma
saludable y con productos de calidad. Lea el artículo y complete los espacios con la
palabra adecuada. Después conteste las siguientes preguntas:

- ¿Cuál es el propósito del artículo?
- ¿Qué pregunta sería apropiada para hacerle al autor después de leer el artículo?

Bueno, barato y saludable

**Diversos locales transforman con materias
primas de calidad el concepto de comida
rápida**

**Productos frescos, platos imaginativos y
bocadillos integran la nueva cocina urbana**

Una y otra vez la pregunta se repite: ¿Es posible
comer rápido y bien sin __1.__ *(pague / pagar)*
facturas desmesuradas? ¿Existen establecimientos
__2.__ *(a / en)* Madrid donde los productos __3.__ *(son /*
⁵*sean)* razonablemente buenos y la cocina posea
(cierto / cierta) __4.__ calidad? Afortunadamente,
en los dos últimos __5.__ *(décadas / años)* se
han inaugurado locales que calcan los patrones
norteamericanos, sin que por ello incurran en los
¹⁰pecados de la comida basura. Y, por supuesto, han
abierto sus puertas algunas bocadillerías capaces
de desempeñar una función parecida. Si admitimos
con Ferran Adrià que el concepto *fast food* (comida
rápida) no corresponde a un __6.__ *(modo / tipo)*
¹⁵de comida sino a una manera de tratar y servir los
alimentos, es evidente que en años venideros la
dignificación de la comida rápida pasará por
__7.__ *(escoger / poner)* buenos productos y por
manipularlos de la forma adecuada. No hay __8.__ *(un /*
²⁰*mejor)* ejemplo que el de las hamburguesas. Si
se elaboran con carnes nobles cortadas a cuchillo
constituyen una exquisitez, pero si proceden de
recortes de desecho se convierten en el símbolo de la
__9.__ *(peor / mejor)* alimentación. Más aún cuando las
²⁵patatas se fríen en __10.__ *(gordos / grasas)* infectas,
como suele ser habitual. En Madrid, los bocadillos y
los montaditos siguen ganando la batalla al *fast food*
basado en la hamburguesa. Se reconozca o no, pocas
cosas resultan más suculentas que un bocadillo
³⁰de calidad. Entre los últimos locales de comida
rápida en llegar a la capital figuran dos de interés.

En La Montadería, bar angosto que __11.__ *(a / al)*
mediodía se llena a rebosar, la oferta de montaditos
y bocadillos es inabarcable. No menos interesante
³⁵resulta La Paninoteca d'E, decorada a la última, que
podría definirse como la catedral de los bocadillos
para *gourmets*. Bajo la asesoría del conocido
cocinero Sergi Arola (La Broche), recién fichado
por la casa, se __12.__ *(siguen / sigan)* ofreciendo dos
⁴⁰de sus especialidades más deliciosas: los bocadillos
de torta del Casar con rúcola y los mediterráneos
de jamón. Con hechuras más firmes, aunque fiel
a la idea de restaurante informal, abrió sus __13.__
(puertas / ventanas) hace algunos meses el ya
⁴⁵popular Fast Good, una idea del celebérrimo Ferran
Adrià para la cadena NH. No __14.__ *(x / se)* trata de
un *fast food* corriente, porque los productos
__15.__ *(son / están)* dignos y se preparan de manera
adecuada. Tampoco es un *quick service* (servicio
⁵⁰fulminante), pero sí entronca con la idea de *fast
casual* (rápido y desenfadado) y de *self-service*
(autoservicio). En Fast Good se puede paladear una
de las hamburguesas con patatas más nobles de la
ciudad o unos buenos huevos fritos con jamón.

www.elpais.es

 Compare

Compare la dieta mediterránea con
la de EE.UU.

26 Amplíe su vocabulario

Según el contexto del artículo anterior, ¿cuál es la mejor traducción de cada palabra de la primera columna?

1. local	a. narrow
2. factura desmesurada	b. signed on
3. incurrir	c. sandwiches
4. bocadillería	d. building, premises
5. desempeñar	e. worthy
6. venidero	f. high-quality item
7. exquisitez	g. to be subject to
8. recortes de desecho	h. out-of-sight bill
9. bocadillos y montaditos	i. to overflow
10. angosto	j. up-to-date
11. rebosar	k. sandwich shop
12. inabarcable	l. arugula
13. a la última	m. very famous
14. asesoría	n. to carry out
15. fichado	o. consultation
16. rúcola	p. leftovers
17. hechura	q. coming
18. celebérrimo	r. endless
19. digno	s. to connect
20. entroncar	t. style

27 El menú

Escriba un anuncio impreso y un menú creativo para uno de los tres restaurantes mencionados al final del artículo anterior. En el anuncio, describa las ventajas de comer en el restaurante. Puede acompañar el anuncio con fotos o ilustraciones.

Refrán

A buen hambre, no hay mal pan.

 ¿Está de acuerdo con lo que dice este refrán? ¿Por qué? ¿Qué piensa que significa buen hambre y mal pan? Comparta sus opiniones con un/a compañero/a.

Dato curioso

Las bases de la comida rápida son la rapidez de servicio, los horarios amplios, los precios económicos y una vastísima red de establecimientos. La película *Super Size Me* trató de exponer por qué los norteamericanos están engordando. Nos pregunta quién tiene la culpa: ¿el individuo que no tiene auto-control sobre lo que come, o las empresas de comida rápida y su propaganda?

Teacher Resources

 Activities 10–18

Instructional Notes

28 After students answer these questions and share their responses with the entire class, they could make a chart or other graphic to indicate their classmates' responses.

29 After students read this article, suggest that some research the comparative data on grocery shopping habits in the USA, and to compare and contrast them with the patterns in Spain.

¡A leer!

28 Antes de leer

¿Quién suele hacer la compra en su casa? ¿Cuántas veces por semana se va al supermercado? ¿Suele comprar comida preparada, comida orgánica o qué otro tipo de comida? ¿Qué es más importante a la hora de escoger la comida: la calidad o el precio?

29 De compras

Lea con atención el siguiente artículo. Después conteste las siguientes preguntas:

- ¿Cuál es el propósito del artículo?
- ¿Qué pregunta sería apropiada para hacerle al autor después de leer el artículo?
- Si quisiera consultar otra fuente, ¿podría pensar en un posible título de una publicación?

Solteros y parejas sin hijos compran la comida más cara

El nuevo modelo social se empieza a reflejar en la cesta de la compra de los españoles. Los llamados hogares emergentes, es decir, los formados por solteros, parejas sin hijos y familias monoparentales, tienen unos hábitos de consumo muy distintos de los de la familia tradicional: comen más fuera de casa; les gustan las marcas, la calidad y la comida saludable, y son los más abiertos a la innovación. Por ello, estos nuevos hogares ya representan el 56% del gasto en alimentación, unos 33.000 millones de euros anuales, según el informe *Nuevos modelos de hogar: todo un reto para la innovación*, elaborado por la asociación de fabricantes y distribuidores Aecoc y la consultora TNS, presentado ayer en el marco del salón Alimentaria. En España hay un millón de personas de menos de 50 años que viven solas, y representan el 20% de los hogares. Es una tasa aún baja si se compara con las de otros países europeos, como Finlandia, Alemania y Holanda, donde estos hogares ya representan el 35% del total. El 41% de estos consumidores comen regularmente fuera de casa (frente al 11% de la población general) y sólo el 31% cree que tienen tiempo para cocinar (frente al 53% general). Estas personas "se alimentan de forma más desestructurada, pican más y suelen hacerlo frente al televisor", explica el director de TNS para el sur de Europa, Josep Montserrat. Los hogares unipersonales representan el 13% total del gasto, y el 43% restante corresponde a las parejas de mediana edad en que trabajan ambos y no tienen hijos. Los consumidores de ambos grupos son "impulsivos y caprichosos, atrapados por el tiempo y más preocupados por la salud y el aspecto físico que el resto", señala el informe. De hecho, por ejemplo, compran el triple de pasta fresca que el resto, y el doble de cremas y sopas preparadas.

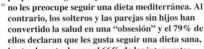

Salud y calidad

Su preferencia por la comida rápida o fácil de preparar no significa que no les preocupe seguir una dieta mediterránea. Al contrario, los solteros y las parejas sin hijos han convertido la salud en una "obsesión" y el 79% de ellos declaran que les gusta seguir una dieta sana, hasta el punto de que el 66% de los integrantes de este grupo aseguran que están dispuestos a pagar más por un producto de mayor calidad. No hay diferencias entre el hábito de consumo de la mujer que vive sola y el hombre, según los expertos, aunque en el caso de las parejas el comprador masculino es más impulsivo porque está menos acostumbrado a hacer la compra...

www.elpais.es

30 Amplíe su vocabulario

Elija la palabra del recuadro que mejor completa cada oración. Incluya los artículos cuando sean necesarios.

monoparental	marca	gasto	marco	tasa	picar
unipersonal	de mediana edad	caprichoso	atrapado	integrante	mayor calidad

1. Un sinónimo de *contexto* es ___.
2. Una persona que tiene unos 50 años es una persona ___.
3. Una familia con solamente la madre o el padre es una familia ___.
4. Comer en pequeñas cantidades es ___.
5. Actuar sin razón aparente es ser ___.
6. Una familia con una persona es una familia ___.
7. Burger King es un ejemplo de ___ de comida basura.
8. Un sinónimo de *aprisionado* es ___.
9. Un miembro es ___.
10. Un sinónimo de *proporción* es ___.
11. Lo contrario de una condición inferior es una de ___.
12. ___ de la comida rápida puede ser más alto que la comida preparada en casa.

31 ¿Ha comprendido?

Empareje las oraciones 1–6 con el grupo o grupos que correspondan (a–f). Sobran algunos grupos.

1. Están dispuestos a pagar más por un producto de mayor calidad.
2. Comen más fuera de casa; les gustan las marcas, la calidad y la comida saludable.
3. Están menos acostumbrados a hacer la compra.
4. Pican más que otros grupos y suelen alimentarse frente al televisor.
5. Son los más abiertos a la innovación en alimentación.
6. Se preocupan más por la salud y el aspecto físico.

a. los solteros, parejas sin hijos y familias monoparentales
b. los solteros y parejas sin hijos
c. las personas de menos de 50 años que viven solos
d. los compradores masculinos que viven solos
e. los compradores masculinos y femeninos que viven solos
f. la familia tradicional

32 Resuma

Escriba una frase que resuma la idea principal del artículo anterior.

Refrán

El mundo es una gran olla, el corazón la cuchara. Según cómo remuevas, te saldrá la comida.
—Refrán Zen

¿Qué opina de este refrán? Explíquelo. ¿Qué hay en la olla de una mala persona? ¿De una buena persona? ¿Cómo es la comida de Ud. en este momento de su vida, y cómo llegó a ser así? Comparta sus opiniones con un/a compañero/a.

Answers

30 1. un marco; 2. de mediana edad; 3. monoparental; 4. picar; 5. caprichoso; 6. unipersonal; 7. una marca; 8. atrapado; 9. un integrante; 10. tasa; 11. mayor calidad; 12. El gasto

31 1. b; 2. a; 3. d; 4. c; 5. a; 6. a, c

32 Answers will vary.

Instructional Notes

Refrán

Discuss the effectiveness of metaphors and compare them to similes. You could also ask volunteers to interpret the proverb by drawing it and then discussing its meaning.

Additional Activities

Hablen sobre esta foto
See p. TE27.

Instructional Notes

33 You could lead students in a discussion about the healthfulness of the foods served in your school's cafeteria, and the positive effects of banning "junk" food in schools.

34 Ask students to look for cognates in the reading to help them decode new words.

---

33 Antes de leer 👥

¿Las cafeterías estadounidenses ofrecen mucha comida sana a los estudiantes? En su escuela o universidad, ¿cuáles son las comidas más populares que sirve la cafetería? ¿Suele Ud. comprar la comida del día en su escuela? ¿Bebe mucha agua cada día? ¿Cuánta? ¿Consume muchas bebidas carbónicas? ¿Por qué? ¿Se da cuenta del número de calorías que consume cada día? ¿Cómo?

34 Los menús escolares 📖

Lea con atención el siguiente artículo. Después conteste las siguientes preguntas:
- ¿Cuál es el propósito del artículo?
- ¿Qué pregunta sería apropiada para hacerle al autor después de leer el artículo?

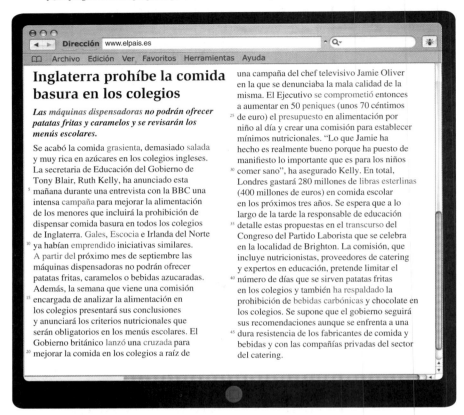

Inglaterra prohíbe la comida basura en los colegios

Las máquinas dispensadoras no podrán ofrecer patatas fritas y caramelos y se revisarán los menús escolares.

Se acabó la comida grasienta, demasiado salada y muy rica en azúcares en los colegios ingleses. La secretaria de Educación del Gobierno de Tony Blair, Ruth Kelly, ha anunciado esta
5 mañana durante una entrevista con la BBC una intensa campaña para mejorar la alimentación de los menores que incluirá la prohibición de dispensar comida basura en todos los colegios de Inglaterra. Gales, Escocia e Irlanda del Norte
10 ya habían emprendido iniciativas similares. A partir del próximo mes de septiembre las máquinas dispensadoras no podrán ofrecer patatas fritas, caramelos o bebidas azucaradas. Además, la semana que viene una comisión
15 encargada de analizar la alimentación en los colegios presentará sus conclusiones y anunciará los criterios nutricionales que serán obligatorios en los menús escolares. El Gobierno británico lanzó una cruzada para
20 mejorar la comida en los colegios a raíz de una campaña del chef televisivo Jamie Oliver en la que se denunciaba la mala calidad de la misma. El Ejecutivo se comprometió entonces a aumentar en 50 peniques (unos 70 céntimos
25 de euro) el presupuesto en alimentación por niño al día y crear una comisión para establecer mínimos nutricionales. "Lo que Jamie ha hecho es realmente bueno porque ha puesto de manifiesto lo importante que es para los niños
30 comer sano", ha asegurado Kelly. En total, Londres gastará 280 millones de libras esterlinas (400 millones de euros) en comida escolar en los próximos tres años. Se espera que a lo largo de la tarde la responsable de educación
35 detalle estas propuestas en el transcurso del Congreso del Partido Laborista que se celebra en la localidad de Brighton. La comisión, que incluye nutricionistas, proveedores de catering y expertos en educación, pretende limitar el
40 número de días que se sirven patatas fritas en los colegios y también ha respaldado la prohibición de bebidas carbónicas y chocolate en los colegios. Se supone que el gobierno seguirá sus recomendaciones aunque se enfrenta a una
45 dura resistencia de los fabricantes de comida y bebidas y con las compañías privadas del sector del catering.

Compare

¿Se vende comida rápida en su escuela? ¿Qué piensa sobre esto?

35 Amplíe su vocabulario

Según el contexto del artículo que acaba de leer, empareje cada palabra de la primera columna con su definición o sinónimo de la segunda.

1. máquinas dispensadoras
2. grasiento
3. salado
4. campaña
5. Gales
6. Escocia
7. emprender
8. a partir de
9. lanzar
10. comprometerse
11. penique
12. presupuesto
13. libra esterlina
14. transcurso
15. respaldar
16. bebida carbónica

a. país del Reino Unido al oeste de Inglaterra
b. con mucha sal
c. proyectar
d. al comienzo
e. refresco con gas
f. cruzada
g. implicarse
h. centésima parte de la libra esterlina
i. donde se puede comprar una bebida enlatada
j. favorecer
k. moneda inglesa
l. con mucha grasa
m. país del Reino Unido al norte de Inglaterra
n. lapso de tiempo
o. iniciar
p. coste y gastos

36 ¿Ha comprendido?

1. ¿Qué van a prohibir en las máquinas dispensadoras en los colegios de Inglaterra?
   a. Algunos alimentos que tienen mucho azúcar
   b. Algunos alimentos que tienen mucha grasa
   c. Algunos alimentos que tienen mucho azúcar y algunos que tienen mucha grasa
   d. No habrá máquinas dispensadoras en los colegios.

2. ¿Cuál es el propósito de esta nueva campaña?
   a. Unas compañías privadas de catering se quejaban y el gobierno quiere arreglar la situación.
   b. El gobierno quiere mejorar la alimentación de los menores en los colegios.
   c. El gobierno quiere ahorrar dinero con esta campaña.
   d. El gobierno ha creado una comisión encargada de analizar seriamente la alimentación en los colegios.

3. ¿En qué están de acuerdo el gobierno y Jamie Oliver?
   a. Piensan que la comida de los escolares es de mala calidad.
   b. Piensan que con una campaña en la televisión se puede mejorar la situación.
   c. Piensan que la propaganda de la comida rápida contribuye a empeorar la situación.
   d. Dicen que van a gastar más dinero para mejorar la situación.

4. ¿Qué cambios proponen en los colegios?
   a. Van a abolir las patatas fritas, las bebidas carbónicas y el chocolate.
   b. Van a abolir las bebidas carbónicas y las patatas fritas.
   c. Van a abolir las patatas fritas y el chocolate.
   d. Van a abolir las bebidas carbónicas y el chocolate y van a limitar los días cuando se puede servir patatas fritas.

5. ¿Quiénes se oponen a esta decisión y por qué?
   a. Los fabricantes de comida y bebidas y las compañías privadas del sector del catering se oponen porque se supone que van a perder dinero.
   b. Las compañías privadas del sector del catering se oponen porque se supone que los fabricantes de comida y bebidas van a ganar todo el dinero ahora.
   c. Los fabricantes de comida y bebidas se oponen porque se supone que las compañías privadas del sector del catering van a ganar todo el dinero ahora.
   d. Nadie se opone porque todos piensan que es mejor para los escolares.

Answers

35 1. i; 2. l; 3. b; 4. f; 5. a; 6. m; 7. o; 8. d; 9. c; 10. g; 11. h; 12. p; 13. k; 14. n; 15. j; 16. e

36 1. c; 2. b; 3. a; 4. d; 5. a

Answers

37 *Ejemplos:*

La lista de ingredientes, las calorías y la cantidad de grasas y otros componentes de los alimentos están en casi todas las etiquetas de la comida preparada, en los menús de los restaurantes de comida rápida y en algunas recetas. El contenido nutritivo de los alimentos está en la etiqueta para informarle al consumidor sobre el valor nutritivo de la comida. Los iconos más conocidos son McDonald's, Burger King, Wendy's, Pizza Hut, Subway y Kentucky Fried Chicken.

39 1. j; 2. d; 3. h; 4. b; 5. i; 6. g; 7. a; 8. c; 9. e; 10. f

Instructional Notes

37 Ask students to search the Internet for the Spanish-language Web sites of some of the fast-food restaurants they mentioned in their answers. Following their research, ask them to work in small groups and to compare their findings.

38 You might point out that McDonald's and other American fast-food chains can be found throughout most of the world, and these restaurants are often in elegant and even historical buildings.

Additional Activities

Proyecto

Tell students that Ronald is retiring from McDonald's and they need to create a new mascot for the company. Have them work in pairs and come up with a new name, description, and illustration of Ronald's replacement.

---

37 Antes de leer

¿Dónde ha visto una lista de ingredientes con las calorías y la cantidad de grasas y otros componentes de los alimentos? ¿Por qué se coloca el contenido nutritivo de los alimentos en la etiqueta? ¿Hay algunos iconos de la comida rápida norteamericana conocidos mundialmente? ¿Cuáles son los más conocidos?

38 Un icono

Lea con atención el siguiente artículo. ¿Qué otros iconos conoce que hayan cambiado su imagen en los últimos tiempos?

El payaso de McDonald's cambia de imagen

La figura icónica de la empresa de comida rápida se estiliza, adopta ropa más deportiva y estimula a los más jóvenes a hacer ejercicio. El cambio de imagen de McDonald's ha afectado a su veterana mascota, [5]Ronald, el payaso que lleva 42 años promocionando hamburguesas y bolsas de patatas. En su afán por limpiar su imagen de fabricante de comida hipercalórica, la compañía estadounidense ha decidido estilizar a su icono más conocido y vestirlo [10]con atuendos más deportivos. La transformación no sólo se limita a su imagen: Ronald se dedicará desde ahora a promover el ejercicio físico entre los más jóvenes.

www.elpais.es

Un McDonald's en Buenos Aires

39 Amplíe su vocabulario

Mire las palabras en la primera columna, que aparecen en el artículo anterior, y busque su correspondiente sinónimo o definición entre las palabras de la segunda.

1. figura icónica   a. con muchas calorías
2. empresa   b. experto
3. estilizarse   c. ropa
4. veterano   d. corporación
5. afán   e. cambio
6. fabricante   f. estimular, fomentar
7. hipercalórico   g. creador
8. atuendo   h. caracterizarse
9. transformación   i. deseo
10. promover   j. símbolo muy reconocido

40 ¿Ha comprendido?

1. ¿Cuál podría ser otro título del artículo?
   a. McDonald's recupera clientes
   b. Un icono más deportista
   c. McDonald's apoya los deportes
   d. Todas las anteriores

2. Se usa *payaso* para describir a Ronald McDonald. ¿Qué otras palabras del texto lo caracterizan?
   a. Mascota, figura icónica y empresa
   b. Mascota y empresa
   c. Mascota, figura icónica e icono
   d. Figura icónica y empresa

3. ¿Por qué quieren cambiar la imagen de Ronald McDonald?
   a. La imagen es muy vieja; necesitan algo más joven.
   b. La imagen es demasiado conocida; necesitan algo nuevo.
   c. Quieren animar a los jóvenes a practicar deportes y mostrar que McDonald's promueve la buena salud.
   d. Quieren transformar su imagen de comida hipercalórica en comida más sana.

4. Se usa *empresa* para describir a McDonald's. ¿Qué otras palabras del texto lo caracterizan?
   a. Fabricante de comida, compañía e icono
   b. Fabricante de comida e icono
   c. Fabricante de comida y compañía
   d. Compañía e icono

41 Una entrevista

Haga una entrevista. Ud. va a entrevistar al portavoz de McDonald's sobre esta iniciativa. Escriba al menos ocho preguntas.

42 Lea, escuche y escriba/presente

Vuelva a leer los textos "Inglaterra prohíbe la comida basura en los colegios" y "El payaso de McDonald's cambia de imagen". Luego escuche la grabación "McDonald's informará al consumidor del valor nutritivo de la comida" y tome las notas necesarias. Escriba un ensayo o haga una presentación en clase sobre el tema "Comida nutritiva y buena salud: el gobierno y las empresas ayudan a los jóvenes". No se olvide de citar las fuentes debidamente.

Cita

La sociedad está dividida en dos grandes clases: la de los que tienen más comida que apetito y la de los que tienen más apetito que comida.
—Nicolas Chamfort (1741–1794), académico y escritor francés

¿Qué significa esta cita y qué piensa de ella? ¿De qué otras formas dividiría el mundo? Comparta sus opiniones con un/a compañero/a.

¡Dato curioso!

¿Sabía que 800 millones de personas pasan hambre en el mundo actual? Según estadísticas de las Naciones Unidas, cada cinco segundos muere un niño de hambre; uno de cada cinco niños en Estados Unidos es peligrosamente obeso; 10 millones de personas mueren cada año debido al hambre o las enfermedades que provocan y acentúan la malnutrición.

Teacher Resources

 Activity 43
Activity 44

 Activities 19–21

Answers

43 *Wording will vary; the following is taken directly from the audio.*

1. Ésa es una de las mentiras que nos hacemos en todo el mundo, que la obesidad es un problema solamente de Estados Unidos. Es un problema de todo el planeta. **2.** No, los países más avanzados están más avanzados también en obesidad. En los países pobres hay un gran aumento de la obesidad y no están preparados desde el punto de vista financiero y sanitario para poder tratar los estragos que hace la obesidad sobre la salud. **3.** No lo sabemos. Todavía no sabemos cuáles son las alteraciones que te pueden llevar a la obesidad o a su opuesto, la anorexia nerviosa. **4.** La comida se ha hecho muy fácil, barata y más sabrosa. Al tiempo, nuestra actividad física ha disminuido mucho. Comemos más de lo que tenemos que comer y apenas hacemos ejercicio. **5.** Hay muchas formas de obesidad y hay que tratar a cada uno individualmente. En cuanto al sexo también hay diferencias. Cuanto menor es el nivel sociocultural hay más obesidad entre las mujeres; en cambio, entre los hombres hay más obesos cuanto mayor es el nivel sociocultural. **6.** Hay un gran debate científico sobre este tema, si debe ser baja en carbohidratos, alta en proteínas o incluso alta en grasas. **7.** La publicidad de la comida basura asocia el tomar estos alimentos con éxito y felicidad en la vida, y subliminalmente se queda el mensaje de que la felicidad y el amor están en las calorías y eso no es cierto. **8.** La comida no es amor, no es felicidad. Las calorías no resuelven el problema que uno tiene y que le hace estar deprimido. Intentar solucionar la depresión comiendo es lo que se llama el apetito emociogénico. No comemos porque tengamos hambre, sino por una necesidad emocional, pensando que eso nos va a hacer felices.

44 1. c; 2. a; 3. c; 4. c;

Instructional Notes

43 You might want to present the following words to the students before they listen to the audio: *fallar*, to fail; *impartir*, to give; *paradoja*, paradox; *estragos*, havoc; *comilona*, glutton/huge meal; *engaño*, deceit.

44 You might want to present the following words to the students before they listen to the audio: *medir*, to measure (height); *elixir*, elixir/cure-all; *crujiente*, crusty; *arrebato*, rage; *con aplomo*, with composure; *bajón*, slump/drop; *susurrar*, to whisper; *gula*, gluttony; *zarandear*, to shake; *a renglón seguido*, immediately

---

¡A escuchar!

43 Todas las dietas funcionan

En esta entrevista un endocrinólogo nos habla sobre las causas de la obesidad y las soluciones. La grabación dura aproximadamente 5.5 minutos. Primero lea las preguntas y observaciones que siguen, y después escuche la grabación "Todas las dietas funcionan; el que falla es el ser humano". Luego haga un resumen de las respuestas que hace el Dr. Rolla a estas preguntas y observaciones.

1. Trabaja como endocrinólogo en un país donde el sobrepeso supone un problema de salud fundamental.
2. ¿No se da sólo en los países más avanzados?
3. ¿Obesidad y anorexia son dos manifestaciones de una misma enfermedad?
4. ¿Cómo se ha llegado a este estado de una excesiva obesidad?
5. No todos los obesos son iguales.
6. ¿Cómo debe ser una dieta para bajar de peso?
7. En el crecimiento de la obesidad ha influido la comida basura.
8. El chocolate o un buen helado alivian cuando uno está deprimido.

44 Dietas

En esta grabación un señor nos habla sobre sus experiencias y los desafíos con su dieta para perder peso. La grabación dura aproximadamente 8.5 minutos. Escuche la grabación "Dietas". Luego escoja la mejor respuesta para cada pregunta. Después piense en cuál sería una pregunta apropriada para hacerle al narrador.

1. ¿Hace cuánto tiempo está el narrador de dieta?

   a. Un día
   b. Una semana
   c. Dos semanas
   d. Un mes

2. ¿Cuánto peso quiere el narrador perder?

   a. Cinco kilos
   b. Diez kilos
   c. Dos kilos
   d. No se menciona.

3. ¿Qué evento provoca esta decisión de ponerse a dieta?

   a. Estaba comiendo muchos pasteles, mucho pan y muchas patatas fritas.
   b. Se miró en el espejo un día y decidió hacerlo.
   c. No le sirvían unos pantalones de verano.
   d. Todas las respuestas son correctas.

4. ¿Qué alimentos le va a costar no tocar al narrador?

   a. El pan y el chocolate
   b. El pan y las galletas
   c. El pan y las patatas fritas
   d. Las patatas fritas y las galletas

---

afterwards; *manjar*, delicacy; *escalafón*, ladder; *abofetear*, to slap in the face; *estropeada*, broken; *michelines*, spare tires/love handles.

5. ¿Dónde hay una batalla al principio de una dieta?

   a. Entre la mente y tu estómago
   b. Entre tus instintos mentales y físicos
   c. Entre tu conciencia y tu voluntad
   d. Todas las respuestas son correctas.

6. Según el narrador, ¿por qué hacen los demás comentarios sobre la dieta?

   a. Están celosos y quieren molestarte.
   b. Quieren premiar tus esfuerzos.
   c. Te admiran.
   d. Odian las dietas.

7. ¿Cómo ha cambiado la actitud del narrador de los que se ponen a dieta?

   a. Antes pensaba que eran héroes; ahora piensa que son tontos.
   b. Antes pensaba que eran tontos; ahora piensa que son héroes.
   c. Antes pensaba que eran demenciales; ahora piensa que son repulsivos.
   d. Antes pensaba que eran repulsivos; ahora piensa que son demenciales.

45 Participe en una conversación

Ud. va a participar en una conversación. Primero lea la descripción de la conversación y piense en algunas palabras o expresiones que le serían útiles. Organice sus ideas, haciendo predicciones sobre lo que se le pueda preguntar o comentar. Una descripción de lo que va a escuchar aparece abajo en color. Participe en la conversación grabando las respuestas o escribiéndolas en su cuaderno.

> **Escena:** Ud. está mirando la televisión y ve muchos anuncios de comida. Le empieza a entrar hambre. De repente, suena el teléfono. Es una agencia de publicidad que quiere saber si ha visto un nuevo anuncio sobre una pizza-combo con entrega a domicilio. Conteste las preguntas del agente.

Ud.: • (*Suena el teléfono.*) Conteste el teléfono.

El agente: Se presenta y le hace una pregunta.

Ud.: • Contéstele afirmativamente.

El agente: Le hace otra pregunta.

Ud.: • Dele detalles del anuncio que acaba de ver.

El agente: Sigue la conversación y le hace una pregunta.

Ud.: • Continúe con los detalles.

El agente: Sigue la conversación y le hace más preguntas.

Ud.: • Continúe con los detalles pero reaccione negativamente a sus preguntas.

El agente: Sigue la conversación y le pide un consejo.

Ud.: • Dele un consejo para ayudarlo.

El agente: Se despide.

Ud.: • Despídase.

Teacher Resources

🎧 Activity 45

Answers

44 5. a; 6. a; 7. b

Audioscript Activity 45

(*Telephone rings.*) [STUDENT RESPONSE]

El agente: ¡Buenas tardes! Me llamo Alfonso y trabajo en una agencia de publicidad. Queremos saber si Ud. ha visto el nuevo anuncio sobre la pizza-combo de Pizza Express.
[STUDENT RESPONSE]

El agente: Pizza Express tiene un nuevo anuncio para una oferta fantástica de su nuevo pizza-combo, que es pizza con piña. ¿Qué opina sobre el anuncio y sobre la oferta?
[STUDENT RESPONSE]

El agente: La oferta es válida por las pizzas que se entregan a domicilio. ¿Le importa a Ud. que la oferta sea por la entrega a domicilio? ¿Me explica por qué, por favor?
[STUDENT RESPONSE]

El agente: ¿Piensa que el precio es justo? ¿Compraría esta nueva pizza?
[STUDENT RESPONSE]

El agente: ¿Qué sugiere Ud. para que Pizza Express venda más pizzas?
[STUDENT RESPONSE]

El agente: Gracias por su tiempo y la información que nos ayudará mucho.

Teacher Resources

✎ Activities 22–23

Instructional Notes

46–47 Remind students to go over the expectations outlined in the *Pautas* on p. 480 before they prepare any of the writing activities in this section.

Additional Activities

Imágenes que cuentan
See p. TE27.

Corrija una carta
See p. TE26.

¡A escribir!

46 Texto informal: un correo electrónico

Escriba un correo electrónico. Una joven que se llama Marisa y que está estudiando en la universidad le escribe a su hermana contándole su experiencia al ponerse a dieta. Hable sobre:

- Los motivos que le llevaron a empezarla
- Los desafíos que tiene
- Los progresos
- Los objetivos para los siguientes meses

47 Texto informal: otro correo electrónico

Este artículo trata de las consecuencias que tuvo para un soldado el uso de un helicóptero para temas militares. Primero lea el artículo que sigue, prestando atención a las palabras en azul, ya que se le harán preguntas sobre ellas. Luego haga el papel del novio y escriba un correo electrónico a su novia después del incidente. Describa:

- El problema que tuvo.
- Las infracciones que Ud. cometió.
- Las sanciones contra Ud.

Consejo

Antes de empezar, lea las pautas para escribir textos informales en la pág. 480 del Apéndice. Mientras escribe el texto tenga presente los objetivos. Cuando termine, verifique que ha cumplido con todo lo que se describe en la lista y reflexione sobre su trabajo.

Comida rápida en helicóptero

Expedientado un soldado británico que usó un aparato Lynx del Ejército para llevar una pizza a su novia.

Tener un detalle galante con su novia le ha costado una sanción a un militar británico y unos cuantos miles de libras al Ejército del Reino Unido. Un teniente de helicópteros del escuadrón 5 659 del Ejército del Aire con base en Suffolk, al este de Inglaterra, ha sido castigado por utilizar el aparato que pilotaba para llevar una pizza a su novia, según informa *The Sun*. El incidente tuvo lugar el pasado 25 de enero. El piloto, de 10 25 años, compró el menú para su novia en un establecimiento de comida rápida y, aprovechando un vuelo rutinario, se desvió de su ruta y dirigió el aparato, un helicóptero Lynx, unos 50 kilómetros, hacia la zona donde su pareja, también militar, 15 se encontraba de maniobras. Según un portavoz del Ministerio de Defensa citado por la agencia Reuters, se decidió no retirar el carnet al piloto por consideración a las especiales circunstancias de su escapada. El ejército no ha facilitado ni el nombre 20 del enamorado infractor, ni el coste de su travesura, ni la sanción aplicada, ni los ingredientes de la pizza.

www.elpais.es

48 Amplíe su vocabulario

Según el contexto del artículo anterior, ¿cuál es la mejor traducción?

1. expedientar	a. spokesperson
2. libra	b. routine flight
3. castigar	c. escapade
4. vuelo rutinario	d. price
5. maniobra	e. prank
6. portavoz	f. to bring disciplinary action against
7. escapada	g. pound
8. infractor	h. to punish
9. coste	i. maneuver
10. travesura	j. offender

Consejo

Antes de empezar, lea las pautas para escribir ensayos en la pág. 480 del Apéndice. Mientras escribe el texto tenga presente los objetivos, y no se olvide de ponerle un título original. Cuando termine, verifique que ha cumplido con todo lo que se describe en la lista y reflexione sobre su trabajo.

49 Ensayo: los alimentos genéticamente modificados

Escriba un ensayo sobre "Los alimentos genéticamente modificados: ¿un milagro o una pesadilla?". Busque la información antes de empezar y no se olvide de citar las fuentes consultadas.

50 Ensayo: El hambre

Escriba un ensayo persuasivo sobre "El hambre en América Latina y el Caribe". Compare sus observaciones o experiencias personales con lo que haya investigado sobre este tema.

51 En parejas

Intercambie sus ensayos con los de un/a compañero/a. Exprésele su opinión sobre el contenido y el uso del idioma.

¡A hablar!

52 Charlemos en el café

Ud. va a debatir los siguientes temas con un/a compañero/a. Uno estará a favor de lo que se ha dicho y otro en contra. El debate durará varios minutos. El/La estudiante que esté de acuerdo comenzará el debate y hablará por unos dos minutos. Cuando el/la profesor/a lo indique, su compañero/a tomará la palabra y expresará su opinión por otros dos minutos, y así sucesivamente.

1. La comida basura debería estar prohibida en los colegios.
2. Todos deberíamos ser vegetarianos.
3. Los animales clonados no deberían comerse.
4. Las comidas no deberían de tener colorantes artificiales.

53 ¿Qué opinan?

Con un/a compañero/a conteste las siguientes preguntas y converse sobre los temas.

1. ¿Deberían estar prohibidos los anuncios que promuevan los alimentos que no sean sanos para los niños?
2. ¿Deberían colocar una etiqueta en todos los alimentos para que el consumidor supiera que lo que está comiendo ha sido transformado genéticamente?

Answers

48 1. f; 2. g; 3. h; 4. b; 5. i; 6. a; 7. c; 8. j; 9. d; 10. e

Instructional Notes

49–50 Again, remind students to go over the expectations outlined in the *Pautas* on p. 480 before they write their essays.

51 You might want to have students work in small groups rather than with a partner to critique one another's work.

52 Because all students will speak, allow them time to prepare this activity. Be sure to tell students which issue and which side of the issue they will be debating, so that they can do some research and practice before their debate.

After students have debated these issues with a partner, you might want them to continue the debate in small groups, or even have a discussion with the whole class on one or two of these topics. Remind students to use as much of the new vocabulary from this lesson as they can.

53 Encourage students to review the vocabulary, including the expressions, at the end of the lesson in order to enhance their discussions. After students discuss these questions with a partner, you could follow up with small-group or a whole-class discussion.

Instructional Notes

54 Before students read the first part of the selection, review the following words with them: *disfrutar*, to enjoy; *la exacerbación*, aggravation; *constatar*, to verify; *a cabalidad*, precisely, exactly; *mazorca*, corncob.

---

54 Presentemos en público

Ud. va a contestar la siguiente pregunta: "¿Cómo puede la cocina de una nación representar la cultura del país ante el mundo?" Haga una presentación del caso de la comida mexicana a la UNESCO. Justifique cómo la comida mexicana tiene los valores de la antigüedad, la continuidad histórica, la originalidad y la autenticidad. Use las tres fuentes a continuación para preparar su presentación y tome las notas necesarias. Primero, lea el artículo siguiente con atención.

Consejo

Antes de empezar, lea las pautas para presentaciones formales en la pág. 481 del Apéndice. Mientras formula su presentación tenga presente los objetivos. Cuando termine la presentación, verifique que ha cumplido con todo lo que se describe en la lista y reflexione sobre el trabajo que hizo.

Dirección www.lostiempos.com

Archivo   Edición   Ver   Favoritos   Herramientas   Ayuda

La comida mexicana, patrimonio cultural
Primera parte

Es la primera vez que un país pide que reconozcan su gastronomía como Patrimonio de la Humanidad. La próxima vez que coma un taco, una quesadilla, un mole poblano o algunas de las variedades de enchiladas mexicanas, tenga en cuenta que no sólo estará disfrutando
5 de una de las comidas más ricas y variadas del mundo; siéntase también un privilegiado porque estará disfrutando de una gastronomía que está a un paso de ser considerada Patrimonio de la Humanidad. Y no se trata de una exacerbación del nacionalismo mexicano, sino que se ha constatado que cumple los requisitos establecidos por la
10 UNESCO para recibir esta valoración. Es por eso que el gobierno, instituciones y la sociedad civil de este país han presentado su candidatura ante la agencia internacional y la están promoviendo por todo el mundo para tratar de convencer al grupo de 19 expertos que revisarán la solicitud y que darán su veredicto el próximo 25 de noviembre en París... La UNESCO establece que para que un bien cultural sea inscrito como Patrimonio
15 Intangible de la Humanidad debe tener entre sus principales valores: antigüedad, continuidad histórica, originalidad y autenticidad. Requisitos que no son fáciles de reunir, pero que la comida mexicana cumple

a cabalidad. "Tenemos técnicas especiales para hacer nuestros alimentos que tienen historia y una larga tradición que se ha conservado desde la época prehispánica y que en otros casos se ha mestizado dándole sabor
20 y características especiales, pero que ha empezado a ser desvirtuado a medida que se ha ido popularizando en todo el mundo y por el predominio de la 'comida rápida'", dice Pilar Fausto González, chef mexicana con 30 años de experiencia e instructora del Instituto Gastronómico de Estudios Superiores, S.C. (IGES) de Querétaro. Y añade: "Hay tanta diversidad que
25 por mucho tiempo la gente del norte conocía muy poco las características de la cocina del sur y viceversa, lo mismo ocurría con la del centro de la República, pero la mayor parte de nuestra cocina tiene como base el maíz. Incluso decimos que 'México es el país del maíz'". Ahora no es lo único, porque también está el chile (ají) y en algunas regiones predominan más
30 otros vegetales o diversos tipos de insectos que son comestibles.

El maíz sigue siendo el ingrediente más importante de la comida mexicana, cultivo considerado sagrado por las culturas prehispánicas y que aún lo sigue siendo para las comunidades indígenas. La mazorca ha sido utilizada como moneda, ha representado símbolos míticos y está vinculada a las expresiones artísticas y artesanales. Del maíz se hace la tortilla, que sigue siendo una parte importante de la dieta
35 del mexicano. Se estima que en México diariamente se consumen cerca de 300 millones de tortillas, y para satisfacer esa demanda ya existen máquinas que las elaboran en grandes cantidades; sin embargo, en muchas partes del país las mujeres aún siguen haciéndolas de la manera tradicional.

www.los tiempos.com

Ahora escuche la grabación "La comida mexicana, patrimonio cultural" y después lea la segunda parte del artículo con atención.

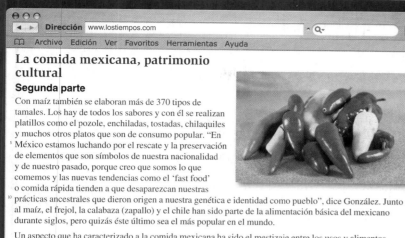

La comida mexicana, patrimonio cultural

Segunda parte

Con maíz también se elaboran más de 370 tipos de tamales. Los hay de todos los sabores y con él se realizan platillos como el pozole, enchiladas, tostadas, chilaquiles y muchos otros platos que son de consumo popular. "En
5 México estamos luchando por el rescate y la preservación de elementos que son símbolos de nuestra nacionalidad y de nuestro pasado, porque creo que somos lo que comemos y las nuevas tendencias como el 'fast food' o comida rápida tienden a que desaparezcan nuestras
10 prácticas ancestrales que dieron origen a nuestra genética e identidad como pueblo", dice González. Junto al maíz, el frejol, la calabaza (zapallo) y el chile han sido parte de la alimentación básica del mexicano durante siglos, pero quizás éste último sea el más popular en el mundo.

Un aspecto que ha caracterizado a la comida mexicana ha sido el mestizaje entre los usos y alimentos originarios con los extranjeros que llegaron de España, Francia y Estados Unidos. Un ejemplo de ello es
15 el mole, que es una salsa espesa preparada con más de 35 ingredientes. Su preparación lleva varias horas y cada región tiene uno diferente o varios, como es el caso de Oaxaca, donde se preparan siete variedades: entre ellas el mole negro, amarillo, el verde, etc. Sin embargo, el más famoso es el poblano. Sobre su origen hay muchas leyendas, pero una de las más conocidas sitúa su creación en los conventos de las religiosas en la época colonial. No menos llamativa es la variedad de comidas en base a los saltamontes o "chapulines",
20 gusanos y otros insectos que más que platos exóticos son una fuente nutricional importante. Lo cierto es que aún hay mucho por hablar y degustar de la gastronomía de este país y que se podrá apreciar y conocer más, si el 25 de noviembre la UNESCO llega a darle el valor que se merece. Del mismo modo podría abrir las puertas para que la cocina de otras regiones de América Latina sean valoradas y preservadas. La mesa está servida.

Teacher Resources

 Activity 54

Instructional Notes

54 Before students listen to the audio, review the following words with them: *incendiar*, to set fire to; *sudor*, sweat; *coronilla*, crown (of the head).

Review the *Pautas para presentaciones formales* on p. 481, and refer students to their copies of the guidelines given to them in *Lección 1A* (*Antes y durante una presentación*). (See p. 27 of this Annotated Edition.)
Assign this presentation as homework, since students will need time to prepare.

Additional Activities

La noticia del día
See p. TE28.

Teacher Resources

Activity 55: Optional Activity
"La cocina puertorriqueña en todo su esplendor"

Instructional Notes

55 Before students start their projects, go over the questions from *Lección 1A*, p. 28. Students should have a copy of these questions for each project.
Remind them that after they complete their project, they will self-assess their work as a team using the grading system 1–5 (5 being the highest, and 1 the lowest) and write a grade next to each question. After they turn in their work or make their presentation to the class, you will review their project and write your comments and evaluation next to theirs.

To help those students who need some assistance in selecting a Hispanic cuisine that is worthy of being named *Patrimonio de la Humanidad*, you might ask them to listen to "*La cocina puertorriqueña en todo su esplendor*." Before doing this, review the following words with them: *arrancar*, to take off/start; *primigenio*, original; *constatación*, verification; *ameno*, pleasant; *paladar*, palate; *borinqueño*, Puerto Rican; *recuadro*, section; *galleguito*, Galician (used to refer to someone from Spain); *florecer*, flourishing; *recalcar*, to emphasize.

Proyectos

55 ¡Manos a la obra!

Trabaje con un grupo de cuatro o cinco estudiantes para llevar a cabo uno de los siguientes proyectos y presentarlo en clase.

1. La directiva de su escuela o universidad está considerando cambios en el servicio de la cafetería. Expresen su opinión de lo que tienen que dejar y lo que tienen que cambiar. Ofrezcan sugerencias para mejorar la comida y el servicio.

2. Van a preparar un almuerzo "especial" para cuatro invitados este sábado. De los cuatro, hay un vegetariano, otro que no puede tomar muchos productos lácteos, una a quien le encanta la comida orgánica y otra que no puede comer mariscos. Piensen en el menú ideal que será del agrado de todos. Después, decidan qué productos van a comprar y si van solamente al supermercado o a algún mercado especial y por qué.

3. Elijan una gastronomía hispana que piensan sea digna de ser nombrada Patrimonio de la Humanidad. Hagan una lista de los platos nacionales de varios países hispanos. Discutan todas las sugerencias y decidan qué gastronomía merece el título y por qué.

4. Elijan una dieta popular o un programa de ejercicio que promete hacer perder peso o sentirse mejor. Describan las ventajas y desventajas de seguir la dieta o el programa. Decidan cuál es mejor —la dieta o el programa de ejercicio físico— y expliquen por qué.

Uno de los cocineros españoles más famosos. Tiene un programa muy popular en la televisión.

5. Busquen en periódicos, revistas o Internet y elijan tres anuncios en español que venden comida o tres anuncios en español de un restaurante. Preparen una presentación sobre el contenido de cada anuncio. Decidan cuál es el mejor y hagan sugerencias para mejorar los otros dos anuncios.

Vocabulario

Verbos

adelgazar	to get thin, lose weight
alcanzar	to reach, catch up with
aliviar	to relieve
aportar	to contribute
consumir	to consume
culpar	to blame
dañar	to damage, harm
desempeñar	to play, perform
emprender	to undertake
engañar	to trick, deceive
engordar	to get fat, put on weight
impedir (i)	to forbid, prevent
padecer	to suffer
picar	to snack
probar (ue)	to taste
procurar	to try to, endeavor to
promover (ue)	to promote
rogar (ue)	to beg, plead
valorar	to value

Verbos con preposición

verbo + a:

comprometerse a	to promise to
empezar (ie) a	to begin to
tender a	to tend to, incline

verbo + con:

amenazar con	to threaten with
bombardear con	to bombard with
enfrentarse con	to face up to

verbo + de:

alegrarse de	to be happy about
beneficiar de	to benefit from
darse cuenta de	to realize
encargarse de	to take charge of
padecer de	to suffer from
proceder de	to originate from
tratarse de	to be about

Sustantivos

el	afán	zeal
el	agua potable	drinking water
la	alimentación	nourishment, feeding
el	alimento	food

los	antibióticos	antibiotics
la	antigüedad	antiquity
la	autoestima	self-esteem
el	ayuno	fast
la	bebida carbónica	carbonated drink
el	caldo	broth
la	calidad	quality
la	campaña publicitaria	advertising campaign
la	cantidad	quantity
la	comida basura (rápida)	junk (fast) food
la	comida exótica	exotic food
la	comida orgánica	organic food
la	comida vegetariana	vegetarian food
la	compañía	company, business
el/la	consumidor(a)	consumer
el	consumo	consumption
el	desequilibrio	imbalance
la	desnutrición	malnutrition
la	dieta	diet
la	empresa	business, company
el	equilibrio	balance
la	escasez	shortage
el	fabricante	manufacturer
la	fibra	fiber
la	gravedad	seriousness
el	hambre	hunger
el	hierro	iron (*mineral*)
las	hormonas	hormones
el	hueso	bone
el	local	premises
la	máquina dispensadora	vending machine
la	obesidad	obesity
el	patrimonio	heritage
los	pesticidas	pesticides
el	presupuesto	budget
los	(productos) químicos	chemicals
el	puesto	stand
el	régimen	diet
el	reparto	distribution
el	sobrepeso	excessive weight
la	soja	soy

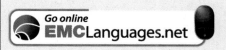

See ExamView for assessment options.

Instructional Notes

Ask students to come up with more examples of words formed with the prefixes cited in the *A tener en cuenta* feature.

Adjetivos

caprichoso, -a	capricious, impulsive
celebérrimo, -a	very famous
desmesurado, -a	vast, enormous, excessive
grasiento, -a	greasy
hipercalórico, -a	with high caloric content
impensado, -a	unexpected, unthinkable
insípido, -a	tasteless, insipid
irreemplazable	irreplaceable
magro, -a	lean
monoparental	relating to a single parent
nutritivo, -a	nutritious
obeso, -a	obese
rentable	profitable, worthwhile
saludable	healthy
sano, -a	healthy
sedentario, -a	sedentary

Expresiones

tener alergia a (los frutos de cáscara, cacahuetes, al polen,...)	to be allergic to nuts, peanuts, pollen)
estar con unos kilos/ unas libras de más	to be a few kilos/ pounds overweight
pedirle peras al olmo	to ask for something impossible
estar como un flan	to be nervous (shaking like a flan)
más vale prevenir que curar	better safe than sorry
estar rellenito	to be chubby
ser delicado con la comida	to be picky with the food
ser bulímico/a anoréxico/a	to be bulimic/anorexic
tener anemia	to have anemia
pasar (mucha/ un poco de) hambre	to be starving, not to be starving

A tener en cuenta
Prefijos

des- denota negación o el significado opuesto:

el ayuno	el desayuno
empeñar	desempeñar
el equilibrio	el desequilibrio
igual	desigual
la nutrición	la desnutrición
el orden	el desorden

hiper- denota exceso:

activo	hiperactivo
calórico	hipercalórico
el mercado	el hipermercado

mono- denota único o solo:

cromático	monocromático
parental	monoparental
tono	monótono

auto- denota mismo o propio:

el control	el autocontrol
la estima	la autoestima
el retrato	el autorretrato
el servicio	el autoservicio

A tener en cuenta
Expresiones impersonales seguidas de subjuntivo

conviene que	it's advisable that
es aconsejable que	it's advisable that
es bueno que	it's good that
es difícil que	it's difficult for
es dudoso que	it is doubtful that
es fácil que	it's easy for
es fantástico que	it's fantastic that
es importante que	it's important that
es improbable que	it's unlikely that
es incierto que	it's uncertain that
es increíble que	it's incredible that
es malo que	it's bad that
es mejor que	it's better that
es menester que	it's necessary that
es posible que	it's possible that
es preciso que	it's necessary that
es preferible que	it's preferable that
es probable que	it's probable that
es raro que	it's rare that
es ridículo que	it's ridiculous that
es terrible que	it's terrible that
es una lástima que	it's a pity that
hace falta que	to be necessary that
más vale que	it's better that
vale/merece la pena que	to be worthwhile to

Capítulo **4**

Temas

- Cómo es el ser humano

- Héroes, villanos y otros famosos

- Hispanos influyentes

Personalidad y personalidades

175

Overview of chapter 4

This chapter explores some human behavior and emotions—from love, hate, and jealousy to fears, phobias, and lies—and also takes a look at well-known personalities from around the world, including both real and fictitious characters.

Instructional Notes

Among the fictional characters, El Zorro (in the photo, portrayed by the Spaniard Antonio Banderas) is one of several legendary heroes who fights for the underprivileged. Ask students to name some other fictional, or real, heroes who help the underdog.

Ask students these or similiar questions that have to do with the topics of the chapter: *¿Cuál es la diferencia entre la personalidad y el carácter de una persona? ¿Y qué diferencia hay entre* personalidad *y* personalidades? *¿Les parecen más interesantes los héroes o los villanos? ¿Por qué? ¿Quiénes son los hispanos más influyentes de este siglo? ¿Y de todos los tiempos?*

Nota cultural

El Zorro fue la creación del escritor norteamericano Johnston McCulley (1883–1958). Cuando El Zorro no estaba luchando contra las injusticias de la California española a principios del siglo XIX, era el aristócrata californiano don Diego de la Vega, amante de la poesía. Desde que apareció este personaje en una serie de historias publicadas en 1919 bajo el título *La maldición de Capistrano*, se han hecho decenas de películas y series de televisión basadas en él. La primera apareció en 1920, y fue protagonizada por Douglas Fairbanks. En 2007 apareció una nueva película de televisión, *El Zorro: la espada y la rosa* con el peruano Christian Meier.

Investigue palabras clave:
El Zorro, Johnston McCulley

Instructional Notes

Ask students to study the photos and think about what is happening in each one. They should then choose one for which to create a story. You may have students narrate their stories aloud or write them.

Lección

A

Objetivos

Comunicación

- Opinar sobre personas y personalidades
- Hablar sobre manías y fobias
- Hablar sobre el amor, la envidia y las mentiras
- Describir cómo nos comunicamos
- Opinar sobre el poder de la mente

Gramática

- El subjuntivo en cláusulas adjetivales
- El subjuntivo en cláusulas adverbiales

"Tapitas" gramaticales

- *aun* y *aún*
- expresiones con *lo*
- los nexos
- el orden de los adjetivos

Cultura

- Conceptos del amor
- Fobias, manías y miedos
- Atracción por lo malo o prohibido
- La comunicación no verbal
- Elementos de la personalidad
- Los mentirosos

Go online
EMCLanguages.net

Para empezar

1 Conteste las preguntas

Piense en las respuestas a las siguientes preguntas. Ud. puede tomar notas si lo considera necesario. Cuando termine, compare sus respuestas —pero sin mirar sus notas— con las de un/a compañero/a.

1. ¿Qué tipo de persona es Ud.? ¿Qué tres palabras usaría para describirse a sí mismo/a?
2. ¿Se considera una persona positiva o negativa? Dé un ejemplo de un problema y su actitud ante él.
3. ¿Le resulta fácil expresar sus sentimientos a otra persona? ¿Suele decirles a sus amigos o familiares que los quiere, o prefiere que "lo intuyan"?
4. ¿Se enamora con facilidad o le cuesta enamorarse?
5. ¿Le resulta fácil mentir? ¿Por qué?
6. ¿Tiene algún tipo de fobia? ¿Cuál?
7. ¿Tiene manías? ¿Qué manías son las más comunes?
8. ¿Qué cualidades valora más en los amigos y amigas? ¿Y en los familiares?
9. ¿Considera justificable el mentir? ¿Bajo qué circunstancias mentiría?
10. ¿Qué cualidades debe de tener un líder?

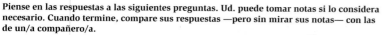

2 Mini-diálogos

Ud. va a crear un mini-diálogo con un/a compañero/a. Lea la descripción de la conversación antes de empezar. Puede tomar notas para organizar sus ideas, pero no las mire mientras conversa.

Escena: En el almuerzo Ud. y su amigo/a mantienen una conversación sobre otros amigos.

A: Hable con él/ella sobre uno/a de sus amigos. Describa su personalidad y pregúntele qué piensa de esta persona.

B: Exprese su opinión. Pregúntele qué piensa de otro/a amigo/a que tienen.

A: Conteste sus preguntas. Hable sobre la personalidad de esta persona. Háblele sobre una de las manías que tiene (puede inventársela si no la tiene).

B: Reaccione con sorpresa. Háblele sobre una de las manías que Ud. tiene.

A: Reaccione a su comentario. Quede para verse otro día y despídase.

B: Acepte la invitación. Despídase y recuérdele algo que tiene que hacer.

Cita

Todo hombre es como la luna: con una cara oscura que a nadie enseña.

—Mark Twain (1835–1910), escritor y humorista estadounidense

 ¿Es pesimista u optimista esta cita? ¿Por qué? ¿Cree que la mayoría de las personas tienen una cara oscura? Cite algunos ejemplos y comparta su opinión con un/a compañero/a.

¡Dato curioso!

Según unos investigadores, los gestos también se heredan. En un experimento se le pidió a un grupo de personas ciegas y a algunos de sus familiares que reaccionaran a ciertas situaciones para mostrar cómo se sentían cuando estaban tristes, contentos, frustrados, etc., mientras todos los gestos fueron grabados. Los científicos comprobaron que los gestos eran muy similares o iguales, aun en el caso de los ciegos que jamás habían podido observar a otras personas.

Nota cultural

Aunque el hombre lleva siglos usando gestos para comunicarse, nunca se le ha prestado la atención que se merece. No se han estudiado realmente hasta hace unas décadas. El investigador Albert Mehrabian afirma que en una comunicación verbal cara a cara la parte verbal constituye un 35%, mientras que la no verbal, un 65%.

Answers

1 Answers will vary.

2 Dialogues will vary.

Instructional Notes

1 You might want to have students work in small groups or have the entire class participate in a discussion.

2 Before you ask students to prepare their dialogues, you may want them to brainstorm some adjectives that describe people's personality. Students should record these words in their notebooks, and keep adding to them during the year.

Ask students questions about the people in the photo: *¿En qué creen que trabaja cada persona en la foto? ¿Qué tipo de personalidad tendrá cada uno? ¿Qué tipo de cosas les gustarán? ¿Suelen Uds. formar una opinión de una persona antes de conocerla bien? Si lo hacen, ¿aciertan la mayoría de las veces?*

Dato curioso

Ask students to work in small groups and illustrate or describe some common gestures that we use in the United States. Ask them how they would explain (or show) these gestures, and what they mean, to a Spanish speaker.

You could show some gestures from Spanish-speaking countries to the students and ask them to guess what they mean. Ask them to compare and contrast these gestures with ones they know from the United States.

Additional Activities

Amnesia
See p. TE26.

Answers

4 *Ejemplos:*

positivo: lo contrario de negativo; compañeros: colegas; vergüenza: timidez; el qué dirán: lo que otras personas pensarán; elegir: escoger; tranquilo: lo opuesto de nervioso; confianza: seguridad; sinvergüenza: insolente, pícaro, canalla; entre la vida y la muerte: estar muy grave; débil: con poca fuerza

5 1. Sea/motive: se niega la existencia del antecedente; sigan: sigue la expresión impersonal *es fácil*; pueda: sigue la expresión impersonal *es imposible*; te levantes/tomes: siguen la expresión impersonal *es importante*; aprendas/seas: siguen la expresión impersonal *es mejor*; tomes: sigue la expresión impersonal *es indispensable*; sobreviva: sigue la expresión impersonal *es imposible*; puedan: sigue el mandato *hagan*; sea alérgico: se niega la existencia del antecedente; tenga: sigue la expresión impersonal *lo importante que es*. 2. Una cláusula adjetival modifica al sustantivo en la oración principal de la misma manera que lo hace un adjetivo. 3. Students can do this orally. 4. a ¿Conoces a alguien que sea un sinvergüenza? b Quisiera conocer a alguien que consiga entradas para el partido. c ¿Hay alguien que sea insoportable?

Instructional Notes

3 Remind students to keep adding new words in their notebooks as they work through the lessons. Encourage them to use these words when doing the activities.

Share this Mexican saying with students: *A las balas no hay que tenerles miedo, hay que tener miedo a la velocidad a la que vienen.*

Additional Activities

Comunicación

After students read the article, ask them to work in small groups and describe a very positive person they may know. You might want them to also write about this person.

Vocabulario y gramática en contexto

3 David Aron

Túrnese con un/a compañero/a para leer el siguiente artículo. Fíjese en las palabras que aparecen en azul (relacionadas con el vocabulario) y en rojo (relacionadas con la gramática), ya que en las siguientes actividades se le harán preguntas sobre ellas.

Personas con una gran personalidad

No conozco a nadie que sea tan positivo como David Aron. Es una de esas personas que siempre le busca el lado positivo a las cosas. En realidad no conozco a nadie que motive a sus compañeros tanto como él. Por esta razón es fácil que muchos le sigan a todas las tiendas donde trabaja. Desafortunadamente, por algún motivo es imposible que yo pueda tener esa actitud, así que esta mañana fui a su tienda y le pregunté con cierta vergüenza cómo lo hacía. Él me contestó cariñosamente: "Es importante que te levantes cada día y tomes la decisión de estar de buen humor y no de mal humor. Si alguien te critica por algo es mejor que aprendas de ello y que no seas una víctima. En resumen, es indispensable que tomes una actitud positiva ante cada situación sin importarte el qué dirán. ¡Tú eliges!" Me fui de allí tranquilo y con mucha más confianza en mí mismo de la que había tenido en siglos. Por desgracia, me acabo de enterar de que justo después de mi visita un sinvergüenza entró a robarle y le disparó en el pecho. Por suerte lo llevaron enseguida al hospital. No obstante, al estar herido gravemente, todos los médicos pensaron: "Es imposible que este hombre sobreviva". Al verles la cara David comprendió que estaba entre la vida y la muerte y les dijo a los que le asistían como pudo con una débil sonrisa: "Tranquilos. Hagan lo que puedan, pero por favor, recuerden que aún estoy vivo, no muerto". Como resultado, los médicos reaccionaron de inmediato y le preguntaron: "Señor, ¿es alérgico a algún medicamento?" David les respondió: "No, no hay nada a lo que sea alérgico. Bueno, sí, a una cosa: a las balas". Todos rieron y comprendieron lo importante que es que uno tenga una actitud positiva. ¿Y tú? ¿Cómo ves el vaso? ¿Medio lleno o medio vacío?

4 Vocabulario

Defina en español el significado de las palabras en azul que aparecen en la lectura anterior.

5 El subjuntivo en cláusulas adjetivales y con expresiones impersonales

Conteste estas preguntas relacionadas con la lectura de la Actividad 3.

1. Haga una lista de los verbos que se usan en el subjuntivo en el artículo anterior y explique por qué se usaron.
2. ¿Qué es una cláusula adjetival?
3. Cuente la historia anterior en pasado hasta la línea 21.
4. Traduzca:
   a. Do you know anyone that is a rascal?
   b. I'd like to know someone who manages to get tickets for the game.
   c. Is there anyone who is unbearable?

6 "Tapitas" gramaticales

1. ¿Cómo traduciría *aún*? ¿Qué significa cuando se escribe sin acento? Escriba una oración con cada uno de estos ejemplos.
2. ¿Cómo traduciría *lo importante*? Escriba una oración usando *lo* con otro adjetivo.
3. Los nexos, tales como *en realidad*, sirven para conectar las ideas en una oración. ¿Cuáles son los otros nexos que se usan en el artículo?

7 Una carta al periódico

Ud. es uno de los empleados de David Aron. Después de que su jefe haya sido asaltado, un periódico local le ha pedido que describa el tipo de persona que es para luego escribir un artículo sobre él. Escriba una carta al periódico de unas 200 palabras. Use nexos, verbos en subjuntivo y algunas palabras del artículo de la Actividad 3 y subráyelos.

8 Sobre el amor

Lea con atención el siguiente texto, fijándose en las palabras en azul y en rojo, ya que se le harán preguntas sobre ellas. Después, resuma lo que leyó en una frase.

¿Qué es el amor?

Un grupo de profesionales les propuso a varios niños la siguiente pregunta: ¿Qué significa amar a una persona? Las respuestas obtenidas fueron más amplias y profundas de lo que los profesionales
5 pudieron imaginar. Aquí tienen algunas de ellas.

Cuando alguien te ama, cada vez que diga tu nombre lo hará de una manera diferente al resto.

El amor es cuando sales a comer con alguien y le das tus papas fritas sin que te importe.

10 Amor es cuando después de que le digas a un chico que te gusta su camisa, él se la ponga todos los días.

Amor es cuando mi mami ve a mi papi después de trabajar y le dice que es más guapo que Brad Pitt, sin que le importe que esté sudoroso y oloroso.

15 Amor es cuando mi perrito me chupaba la cara con cariño todos los días aunque lo dejara solo cada vez que me iba a la escuela.

Amor es cuando mis padres piensan siempre en nosotros antes de hacerlo en ellos mismos.

20 Amor es cuando mi abuelo le pinta las uñas a mi pobre abuela quien tiene artritis, a fin de que se sienta tan bella como de costumbre.

Amor es lo que hace que mi hermana me dé toda su ropa para que yo la use, y luego ella tiene que ir
25 a comprársela nueva.

Amor es cuando mis abuelos siempre van de la mano dondequiera que vayan, después de tantos años juntos.

Amor es cuando mi papá se queda en el trabajo
30 hasta muy tarde a fin de que podamos irnos todos juntos una semana de vacaciones en verano.

Amor es cuando mis padres entran en nuestra habitación y nos besan en la frente con cariño sin que lo sepamos.

35 Amor es cuando mi madre prueba siempre primero la sopa para que nadie se queme.

Amor es cuando mis padres me dicen "Muy bien" aunque me equivoque.

En resumidas cuentas, después de leerlo, puede
40 ser que te haga pensar en cosas a las que normalmente no le sueles prestar atención; por lo tanto, en cuanto puedas, dile a un ser querido que lo amas, en caso de que se haya olvidado de lo que sientes por él o por ella.

Answers

6 **1.** aún: *still*; aun: *even*; ejemplos: Aún está lloviendo. Aun cuando duermo pienso en español.
2. *the important thing*; ejemplo: Lo increíble es que el pianista sólo tiene seis años. **3.** por esta razón, desafortunadamente, así que, en resumen, por desgracia, por suerte, no obstante, como resultado

Instructional Notes

7 Ask some students to read their letters to the class.

8 After students read "¿Qué es el amor?" you might want to have them discuss the Italian proverb *El amor y la tos no pueden ocultarse.*

Additional Activities

Mensajes breves
While the students are working on activity 7, or any other activity in this lesson, ask them questions about the task at hand and establish a brief dialogue. This is an excellent way of enhancing students' informal and spontaneous writing skills.

¡A escribir juntos!
See p. TE26.

Answers

9 1. g; 2. i; 3. c; 4. h; 5. j; 6. a; 7. d; 8. b; 9. e; 10. f

10 **1.** Una cláusula adverbial es una cláusula que modifica al verbo de la misma manera en que lo hace un adverbio. Por ejemplo, indica cuándo, cómo, con qué frecuencia, etc. tiene lugar la acción. Éstas van introducidas por conjunciones como *cuando, en caso de que, para que,* etc. **2.** cada vez que diga, *each time he says;* sin que te importe, *without it mattering to you;* después de que le digas, *after you tell him;* sin que le importe, *without it mattering to her;* aunque lo dejara solo, *even if I left him alone;* a fin de que se sienta, *in order for her to feel;* para que yo la use, *in order for me to use it;* dondequiera que vayan, *wherever they go;* a fin de que podamos, *so we can;* sin que lo sepamos, *without our knowing it;* para que nadie se queme, *so that no one burns himself;* aunque me equivoque, *even though I'm wrong;* en cuanto puedas, *as soon as you can;* en caso de que se haya olvidado, *in case he has forgotten*

11 **1.** in themselves; same, very, right (Vivo en el mismo París.) **2. antiguo**—delante: *former;* después: *old, ancient;* **cierto**—delante: *certain;* después: *true;* **grande**—delante: *great;* después: *big;* **nuevo**—delante: *different (style or model);* después: *brand new;* **pobre**—delante: *unfortunate;* después: *poor (no money);* **simple**—delante: *simple (uncomplicated);* después: *simple-minded. Grande* se convierte en *gran.*

12 1. consigas, ahorres; 2. me pongo, lloro; 3. pedir, vamos, pidieras; 4. nos pondremos, descarguemos; 5. puedan, dormían

13 1. agradeciera; 2. dejen / hayan dejado, está robando; 3. te equivoques, hago, me río; 4. consigan / hayan conseguido / consiguieran, llegara

---

9 Amplíe su vocabulario 🔍

¿Cuál es la mejor definición según el contexto del artículo que acaba de leer?

1.	amplio	a.	que huele mal
2.	profundo	b.	parte dura que crece al final de los dedos
3.	de una manera	c.	de una forma
4.	el resto	d.	mojar o humedecer con la lengua
5.	sudoroso	e.	a/en cualquier parte
6.	oloroso	f.	para que
7.	chupar	g.	extenso
8.	uña	h.	los demás
9.	dondequiera	i.	serio, trascendente, hondo
10.	a fin de que	j.	con sudor, con la piel húmeda por la transpiración

10 Cláusulas adverbiales 🔍

1. ¿Qué es una cláusula adverbial? ¿Cómo van introducidas en la oración principal?
2. Haga una lista de las situaciones en las que aparece el subjuntivo después de una cláusula adverbial en el texto anterior. Escriba el significado en inglés de dichas palabras o expresiones.

11 "Tapitas" gramaticales 🔍

1. La palabra *mismo* cambia de significado según vaya delante o detrás del sustantivo. ¿Qué significa en este contexto: "en ellos mismos"? ¿Cómo se traduce cuando se usa delante del nombre?
2. Escriba los diferentes significados de los siguientes adjetivos, según vayan delante o detrás del nombre: *antiguo, cierto, grande, nuevo, pobre* y *simple.* ¿Qué le ocurre al adjetivo *grande* cuando va delante de un sustantivo singular?

12 Cláusulas adverbiales

Conjugue el verbo en el tiempo correcto según sea indicativo, subjuntivo o infinitivo.
1. No podemos viajar hasta que tú no ___ (*conseguir*) un trabajo y ___ (*ahorrar*) un poco.
2. A veces yo ___ (*ponerse*) muy sentimental y ___ (*llorar*) cuando veo una película triste.
3. Nos encanta ___ (*pedir*) palomitas cuando ___ (*ir*) al cine. Así que nos extrañó que tú no ___ (*pedir*) nada cuando fuiste con tus amigos.
4. Mis amigos y yo ___ (*ponerse*) a escuchar música tan pronto como ___ (*descargar*) la música en mi MP3. Faltan unos dos minutos.
5. Descansarán aquí mientras que ___ (*poder*). Necesitan descansar, pues ayer, mientras ___ (*dormir*) les llamaron varias veces y están agotados.

13 Subjuntivo mixto ✎

Conjugue el verbo en el tiempo correcto según sea indicativo, subjuntivo o infinitivo.
1. Es frustrante que nadie le ___ (*agradecer*) lo que hizo por todos cuando trabajó aquí.
2. No me importa que hayan usado mi bicicleta mientras que la ___ (*dejar*) en su sitio. Hay gente que se las ___ (*robar*) últimamente.
3. No te preocupes cuando ___ (*equivocarse*) al hablar en otro idioma. Cuando yo lo ___ (*hacer*) siempre ___ (*reírse*) y no pasa nada.
4. Dudo que ___ (*conseguir*) los boletos para el concierto. Esther dice que ayer se acabaron cinco minutos antes de que ___ (*llegar*).

14 El subjuntivo

Complete las siguientes frases con una cláusula adverbial o adjetival. Siga el modelo.

MODELO Ramón siempre se va sin que... .
Ramón siempre se va sin que *nos podamos despedir de él.*

1. Este ejercicio era para que... .
2. Yo no iré a menos que... .
3. Tú no vengas sin que... .
4. Será bienvenido quienquiera que... .
5. Los estudiantes de la escuela New Trier esperan que cuando... .
6. Miguel dijo que llamará por teléfono a menos que... .
7. Esta estudiante de Dalton era tímida a menos que... .
8. Mi médico me puso una inyección en caso de que... .

Cita

Un optimista ve una oportunidad en toda calamidad, un pesimista ve una calamidad en toda oportunidad.
—Sir Winston Churchill (1874–1965), primer ministro británico y premio Nobel de Literatura

¿Está de acuerdo con lo que dijo Sir Winston? ¿Qué tipo de persona se considera Ud.? Comparta su opinión con un/a compañero/a.

¡Dato curioso!

Un estudio de la Clínica Mayo de Estados Unidos revela que las personas optimistas viven alrededor de un 19 por ciento más que las pesimistas. Los resultados surgen de un estudio realizado a 839 personas, quienes participaron en un sondeo de personalidad que las clasificó de optimistas, pesimistas o un poco de ambas. Esto confirma, tal y como se lleva pensando durante siglos, que la mente y el cuerpo están vinculados.

15 Indicativo o subjuntivo

Vicente le mandó el siguiente mensaje electrónico a una de sus mejores amigas. Complételo con la forma correcta del verbo según sea indicativo o subjuntivo. Después, conteste la pregunta: ¿Cuál es el propósito del correo electrónico?

Enviar | Guardar ahora | Descartar

Para: Elena

Asunto: Déjanos que te acompañemos

Adjuntar un archivo Insertar: Invitación

Hola Elena:

¿Cómo __1.__ (*ser / estar*)? Me alegro de que me __2.__ (*mandar*) un mensaje después de tanto tiempo. La verdad __3.__ (*ser / estar*) que __4.__ (*ser / estar*) increíble que después de tantos años los dos __5.__ (*seguir*) siendo tan amigos. Por lo que me __6.__ (*decir*) en tu correo estás viajando por toda Europa. No conozco a nadie que __7.__ (*ser / estar*) tan aventurera como tú. Siempre te lo __8.__ (*decir*), quienquiera que __9.__ (*casarse*) contigo __10.__ (*ser / estar*) muy afortunado. Oye, es bueno que __11.__ (*viajar*) y todo eso, pero me preocupa que lo __12.__ (*hacer*) sola. ¿No hay nadie que __13.__ (*querer*) acompañarte? Si quieres, yo __14.__ (*poder*) hablar con mi novia y decirle que cuando __15.__ (*terminar*) nuestros exámenes __16.__ (*ir*) juntos a verte antes de que __17.__ (*volver*) a los Estados Unidos. Haré todo lo posible para convencerla. Si tienes un número de teléfono que me __18.__ (*poder*) dar, mándamelo en un correo para que __19.__ (*poder*) localizarte. Bueno, ya te escribo en otro memento. Un fuerte abrazo. Recuerda que todos te __20.__ (*extrañar*).

Hasta pronto.
Un fuerte abrazo,
Vicente

Nota cultural

Tras una investigación que duró 30 años, un grupo de científicos de la Clínica Mayo concluyó que la salud depende en gran parte de la actitud con la que el individuo se enfrenta a la vida. La manera en que las personas reaccionan a su salud hace que uno pueda vivir más o menos años, al igual que afecta su calidad de vida.

Teacher Resources

Activities 3–7

Answers

14 *Ejemplos:*
1. Este ejercicio era para que no me equivocara más. 2. Yo no iré a menos que tú vengas conmigo. 3. Tú no vengas sin que le compres un detalle a Virginia. 4. Será bienvenido quienquiera que ayude con la cena. 5. Los estudiantes de New Trier esperan que cuando reciban sus notas que sean buenas. 6. Miguel dijo que llamará por teléfono a menos que haya perdido el número. 7. Esta estudiante de Dalton era tímida a menos que conociera muy bien a la persona. 8. Mi médico me puso una inyección en caso de que me fuera a África con ustedes.

15 1. estás; 2. hayas mandado; 3. es; 4. es; 5. sigamos; 6. dices; 7. sea; 8. he dicho; 9. se case; 10. será; 11. viajes; 12. hagas; 13. quiera; 14. puedo; 15. terminemos; 16. vayamos; 17. vuelvas; 18. puedas; 19. pueda; 20. extrañamos

Instructional Notes

Cita
You might share the following quote from the *The Lion King*: *Hakuna matata*, which means "No worries" in Swahili. Ask students: *¿Quién dice esto? ¿Por qué? ¿Qué creen que significa?*

The discoveries described in the *Dato curioso* are not new. The Romans and other ancient civilizations always observed this relationship. You might want to introduce the Latin saying *Mens sana in corpore sano*, still used in Spain and Italy today: Healthy mind in healthy body (*Mente sana, en cuerpo sano*).

Additional Activities

Comunicación
Bring a *Worst Case Scenario* book to the class, and show it to the students. Ask them to describe the book and how it is used. Then give them a handout with sentences created by you and based on statements found in the book. These sentences must use the subjunctive in adjective and adverbial clauses. Have students discuss the situations described in these statements.

Juego
Have students play *Historias en cadena* using adjective and adverbial clauses followed by the subjunctive. See p. TE25.

Answers

16 **Verbos**
aislar(se) *to isolate (oneself)*
atraer *to attract*
avergonzarse *to be ashamed*
coquetear *to flirt*
deprimirse *to be depressed*
emocionarse *to get excited*
enamorarse *to fall in love*
engañar *to deceive*
estresarse *to be stressed*
fracasar *to fail*

Sustantivos
el aislamiento *isolation*
la atracción *attraction*
la vergüenza *shame*
el coqueteo *flirting*
la depresión *depression*
la emoción *emotion*
el amor; el/la enamorado/a *love; the one in love*
el engaño *deception*
el estrés *stress*
el fracaso *failure*

Adjetivos
aislado *isolated*
atractivo *attractive*
avergonzado *ashamed*
coqueto/coquetón *flirtatious*
deprimido *depressed*
emocionado *excited*
enamorado *in love*
engañado *deceived*
estresante *stressful*
fracasado *failed*

17 1. deprimirte, emociones; 2. el engaño;
3. avergonzado; 4. coqueta; 5. atraigan, atracción;
6. engañado, aislado; 7. se enamoró; 8. deprimido,
atractiva; 9. fracasar; 10. te avergüences;

Additional Activities

Juego
Ask students to play *Voluntario, derecha e izquierda*
and/or *Lo tengo en la punta de la lengua*. See p. TE25.

El desafío del minuto con el subjuntivo
See p. TE27.

Comunicación
Ask students to talk about the art of persuasion.
Ask them questions such as: *¿Qué piensan sobre
la persuasión? ¿Es necesario que un buen líder sea
persuasivo? ¿Es fácil persuadirles a Uds.? ¿Quiénes les
intentan persuadir cada día? ¿Lo consiguen? ¿Cómo?*

Idioma

16 Familia de palabras

Complete la tabla con el verbo, sustantivo o adjetivo apropiado, y la traducción correspondiente.

Verbos		Sustantivos		Adjetivos	
aislar(se)	_____	el aislamiento	_____	aislado	_____
atraer	_____		_____	atractivo	_____
avergonzarse	*to be ashamed*		_____	avergonzado	_____
coquetear	*to flirt*	el coqueteo	_____		_____
	to be depressed	la depresión	*depression* *emotion*	deprimido	_____
emocionarse	_____			emocionado	_____
enamorarse	_____	el amor; el/la enamorado/a	_____ ; _____	enamorado	_____
	to deceive	el engaño	_____		_____
estresarse	_____		*stress*		_____
fracasar	_____	el fracaso	_____	estresante	_____

17 ¿Verbo, sustantivo o adjetivo? 🔍

Complete las oraciones usando la forma correcta de las palabras que aparecen en la tabla, ya sea verbo, adjetivo o sustantivo. En el caso del sustantivo puede que necesite artículo.

1. Luciano, haz lo que tengas que hacer para que dejes de ___ (*deprimirse*), y empieces a tener una actitud más positiva. Tienes que tomar control de tus ___ (*emocionarse*).
2. Dondequiera que vaya, Gustavo siempre termina usando ___ (*engañarse*), incluso con las personas que ama.
3. Por desgracia, Rafael le presta demasiada atención al qué dirán y, como resultado, cuando sale a la calle está ___ (*avergonzarse*) por su aspecto físico.
4. Aunque no lo pareciera, la actriz estuvo tres horas arreglándose para la rueda de prensa, ya que, como todos sabemos, es una persona bastante ___ (*coquetear*).
5. A menos que le ___ (*atraer*) sinvergüenzas como él, no creo que Alfonso tenga ninguna oportunidad con Teresa. Ella siempre siente ___ (*atraer*) por los chicos buena gente y sin maldad.
6. Después de haber ___ (*engañar*) a casi todos sus amigos, éstos lo han ___ (*aislarse*) y prácticamente no le hablan a José Luis.
7. Nunca se comportó muy bien y, para colmo, en cuanto ___ (*enamorarse*) Felipe de Almudena, se olvidó de todos sus amigos.
8. No me entra en la cabeza cómo Quique es tan pesimista y está siempre ___ (*deprimirse*), ya que es una persona muy ___ (*atraer*) e inteligente. ¿No crees?
9. Era un secreto a voces que todo aquello era una trampa, el que lo intentara sólo conseguiría ___ (*fracasar*).
10. Ya te he dicho miles de veces que mientras ___ (*avergonzarse*) tanto de cantar en público, difícilmente te van a contratar para cantar en una banda.

Cita

Si en lo profundo de mi corazón tuviera la certeza de que mañana se acabaría el mundo, me gusta pensar que soy el tipo de persona que aun así hoy plantaría un árbol.

—Martin Luther King (1929–1968), pastor baptista y líder de los derechos civiles en los Estados Unidos

Bajo estas circunstancias, ¿cree que Ud. perdería la esperanza o seguiría luchando por el futuro? ¿Por qué? Discuta esto con un/a compañero/a.

¡Dato curioso!

Según un estudio hecho por la Universidad de Queensland, Australia, las personas que toman cafeína son más propensas a decir que sí cuando alguien les intenta persuadir de algo. Los investigadores les pidieron sus opiniones a los participantes antes y después de haber tomado café. Se descubrió que la mayoría de las personas eran más fáciles de persuadir para así cambiar su opinión inicial después de tomar un café.

Nota cultural

En 1964 le dieron el Premio Nobel de la Paz al Dr. King, siendo el hombre más joven jamás premiado con tan prestigioso galardón. Desde 1986, el día de su cumpleaños (el 15 de enero) ha pasado a ser un día festivo en Estados Unidos.

11. Aunque su novio la ___ (*engañar*) constantemente, aún se siente ___ (*atraerse*) por él.
12. No hay nadie que ___ (*estresarse*) tan fácilmente como Pepe. Está todo el tiempo ___ (*estresarse*), y por nada. Este chico se ahoga en un vaso de agua.

18 ¡Qué fobia me da!

Lea el artículo y decida cuál de las palabras entre paréntesis es la correcta para completar cada oración. Después conteste las siguientes preguntas:

- ¿Cuál es el propósito del artículo?
- ¿Cómo resumiría el artículo en una frase?
- Si quisiera consultar otra fuente, ¿podría pensar en un posible título de una publicación?
- ¿Qué pregunta sería apropiada para hacerle al autor después de leer el artículo?

El mundo de las fobias

Tengo unas __1.__ (*cuantos / cuantas*) fobias y no me dejan llevar una vida normal, pero no es que __2.__ (*puedo / pueda*) evitarlo... Tengo fobia a __3.__ (*les / los*) lugares __4.__ (*cerrados / cerradas*), a las alturas y a los perros. __5.__ (*Muchos / Muchas*) veces en un partido o concierto __6.__ (*me agobio / me agobie*) muchísimo y quiero que todo el mundo __7.__ (*se va / se vaya*) de allí, pero como es imposible me __8.__ (*tengo / tenga*) que marchar yo. Algunas personas piensan que __9.__ (*estoy / esté / soy / sea*) un poco loco, pero no sé cómo soportar la presión.

El otro día __10.__ (*fui / iba*) por la calle paseando cuando un perro se me abalanzó y me __11.__ (*puse / ponía*) a gritar desesperado. Todo el mundo que __12.__ (*estaba / estaban*) alrededor acudió porque pensaban que el animal me __13.__ (*ha / había*) mordido, pero sólo me __14.__ (*fue / estaba*) lamiendo. Fue un espectáculo, yo gritaba, el perro me lamía y la gente se partía de risa. ¡Qué vergüenza! Pero es que nadie lo __15.__ (*comprende / comprenda*); mis padres creen que __16.__ (*es / sea / está / esté*) una tontería y que se me __17.__ (*pasaré / pasará*), pero yo pienso que con mi edad ya se __18.__ (*me / mi*) habría pasado si fuera sólo eso.

Por __19.__ (*le / lo*) menos con mis fobias puedo hacer __20.__ (*un / una*) vida diaria más o menos normal. Conozco a gente que las __21.__ (*tiene / tenga / tuviera*) de lo más surrealista: miedo a los espejos, a los sueños, al fuego o incluso a los hospitales. Sin ir más lejos, una de mis mejores amigas tiene una fobia tremenda __22.__ (*a / al*) número trece; y puede llegar a convertirse en una pesadilla para ella y para __23.__ (*la / los*) que la rodeamos. Si vamos a una cafetería y __24.__ (*nos sentamos / nos sentemos*) en la mesa trece, quiere que nos __25.__ (*vamos / vayamos*) de allí; como __26.__ (*ve / vea / viera / verá*) el número trece en la carta, o incluso en la cuenta, se pone nerviosa y empieza a pensar que ya durante todo el día __27.__ (*tenga / tendrá*) mala suerte; incluso __28.__ (*nos hemos ido / nos hayamos ido*) con la comida en la mesa. Algunas veces me enojo pero yo la entiendo mejor que los demás, porque si me __29.__ (*pasa / pase / pasara*) a mí actuaría igual que ella. A nuestros amigos les cuesta un poco más de trabajo, pero intento que la __30.__ (*comprenden / comprendan*) haciéndoles ver que ella no __31.__ (*los / lo*) hace con mala intención, es sólo un problema que, con paciencia, se puede llevar más o menos bien.

Sólo pido que cuando __32.__ (*tendrá / tenga*) una pareja __33.__ (*puede / pueda*) entenderlo y __34.__ (*acepta / acepte*) que mis fobias vienen conmigo a todos lados.

Mari Sierra Ramos Castro

19 Amplíe su vocabulario

¿Cuál es la mejor traducción según el contexto del artículo que acaba de leer?

1. altura
   a. tallness   b. height
   c. atlas   d. stature

2. marcharse
   a. to match   b. to march
   c. to leave   d. to make

3. soportar
   a. to support   b. to assist
   c. to endure   d. to sustain

4. partirse de risa
   a. to part with rice   b. to laugh one's head off
   c. to smile from   d. to leave laughing
   ear to ear

5. ¡Qué vergüenza!
   a. What a view!   b. What a pity!
   c. How upsetting!   d. How embarrassing!

6. ser una tontería
   a. to be a silly person   b. to be a silly thing
   c. to feel silly   d. to be a passing thing

7. tremendo
   a. trembling   b. shaking
   c. terrible   d. fearful

8. rodear
   a. to film   b. to travel
   c. to surround   d. to rope in

9. intentar
   a. to intend   b. to try
   c. to pursue   d. to intensify

20 Pero,... ¡qué manía!

Échele una ojeada al siguiente artículo para ver de qué se trata, prestando atención a las palabras en azul, ya que se le harán preguntas sobre ellas. Luego lea el artículo y decida qué forma de las palabras entre paréntesis es la correcta para completar cada oración y escríbala. No se olvide de escribir y acentuar la palabra correctamente.

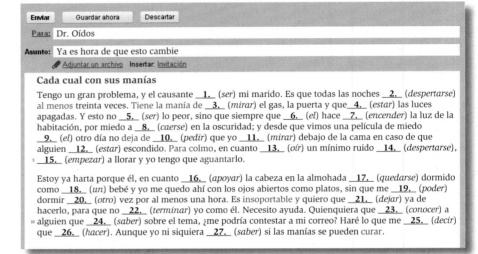

| Enviar | Guardar ahora | Descartar |

Para: Dr. Oídos

Asunto: Ya es hora de que esto cambie

🖇 Adjuntar un archivo **Insertar:** Invitación

Cada cual con sus manías

Tengo un gran problema, y el causante __1.__ (ser) mi marido. Es que todas las noches __2.__ (despertarse) al menos treinta veces. Tiene la manía de __3.__ (mirar) el gas, la puerta y que __4.__ (estar) las luces apagadas. Y esto no __5.__ (ser) lo peor, sino que siempre que __6.__ (el) hace __7.__ (encender) la luz de la habitación, por miedo a __8.__ (caerse) en la oscuridad; y desde que vimos una película de miedo __9.__ (el) otro día no deja de __10.__ (pedir) que yo __11.__ (mirar) debajo de la cama en caso de que alguien __12.__ (estar) escondido. Para colmo, en cuanto __13.__ (oír) un mínimo ruido __14.__ (despertarse),
5 __15.__ (empezar) a llorar y yo tengo que aguantarlo.

Estoy ya harta porque él, en cuanto __16.__ (apoyar) la cabeza en la almohada __17.__ (quedarse) dormido como __18.__ (un) bebé y yo me quedo ahí con los ojos abiertos como platos, sin que me __19.__ (poder) dormir __20.__ (otro) vez por al menos una hora. Es insoportable y quiero que __21.__ (dejar) ya de hacerlo, para que no __22.__ (terminar) yo como él. Necesito ayuda. Quienquiera que __23.__ (conocer) a
10 alguien que __24.__ (saber) sobre el tema, ¿me podría contestar a mi correo? Haré lo que me __25.__ (decir) que __26.__ (hacer). Aunque yo ni siquiera __27.__ (saber) si las manías se pueden curar.

He buscado información por todos lados, __28.__ (haber) leído en Internet que uno tiene que
15 __29.__ (seguir) una rutina, como comer y dormir siempre a la misma hora; pero no __30.__
(saber) si con eso bastará. Es que ni se fía de mí; yo lo miro todo antes para que él no tenga
que hacerlo y le __31.__ (decir) que está todo bajo control, pero no puede evitarlo, tiene que ir a
revisarlo para __32.__ (asegurarse). __33.__ (El) problema es que desde que le dio por hacer eso yo
apenas __34.__ (dormir), y luego en el trabajo se me __35.__ (cerrar) los ojos continuamente y por
20 mucho café que __36.__ (tomar) no puedo mantenerme despierta. Ya me __37.__ (dar) miedo que
me __38.__ (despedir) y __39.__ (tener) que buscarme otro trabajo, con lo que tardé en encontrar
éste... y seguro que me __40.__ (pagar) menos. Pronto __41.__ (tener) que tomar medidas drásticas
e irme a dormir a otra habitación, pero yo no __42.__ (querer) eso y seguro que él tampoco,
quizás así __43.__ (acabarse) el problema: si le doy a elegir entre sus manías y yo.

25 Para esta noche __44.__ (haber) alquilado una película de Jack Nicholson, una que se llama *Mejor
imposible*. A ver si viéndola mi marido comprende lo absurdo de __45.__ (el) situación. A ver si
__46.__ (conseguir) dormir al menos unas horitas sin que me __47.__ (despertar) con sus historias.
Dicen que con la edad las personas __48.__ (volverse) más maniáticas. Conociendo a mi marido
seguro que se __49.__ (lo) ocurre alguna otra cosa nueva en cuanto __50.__ (poder). ¡Necesito
30 ayuda profesional tan pronto como __51.__ (ser)! ¡No lo soporto más!

Mari Sierra Ramos Castro

21 Conteste

Imagine que Ud. es el Dr. Oídos. Conteste el correo de la señora Ramos.

- Dele información sobre el tipo de trabajo que hace.
- Háblele sobre algunos casos que ha tratado de otros clientes.
- Ofrézcale consejo.

22 Lea, escuche y escriba/presente

**Vuelva a leer el texto completo de la Actividad 20. Luego escuche
el diálogo entre tres amigos —Luis, José y Laura— en la grabación
"Todos tenemos alguna manía" y tome las notas necesarias.
Escriba un ensayo o haga una presentación en clase contestando
la pregunta, "¿Qué piensa de las manías?" No se olvide de citar las
fuentes debidamente.**

23 Atracción fatal

**Lea el artículo y decida cuál de las palabras entre paréntesis es
la correcta para completar cada oración. Después conteste las
siguientes preguntas:**

- ¿Cuál es el propósito del artículo?
- ¿Cómo resumiría el artículo en una frase?
- Si quisiera consultar otra fuente, ¿podría pensar en un posible
  título de una publicación?

continúa

Refrán

De tal palo, tal astilla.

Al igual que sucede con las
características físicas, ¿cree que
las manías y las fobias también
se heredan? ¿Qué evidencia tiene
de esto? Comparta su opinión
con un/a compañero/a y dele
ejemplos.

¡Dato curioso!

Últimamente
se habla de nuevas
manías, fobias y adicciones.
Por ejemplo, la adicción al trabajo,
bastante común en Estados Unidos,
donde se le conoce por el nombre
Workaholism; la de la compra
compulsiva o la de la adicción al
móvil o al pasatiempo japonés
sudoku. ¡Pero que no se preocupen
los amantes del chocolate! Por lo
visto el chocolate, aunque engancha,
no se le considera adicción porque
una vez satisfecha la necesidad de
comerlo, el deseo desaparece.

Nota cultural

El Workaholismo, o adicción al trabajo, se
considera un tipo de problema similar al
de obsesivo-compulsivo. Las personas que
sufren de ello piensan que si no trabajan,
habrá problemas serios. No lo hacen porque
amen su trabajo o quieran mejorarlo, sino
porque piensan que si no lo hacen ellos,
nadie lo va a hacer. La persona que lo sufre
deja de relacionarse con sus compañeros y
familia, deja de tener pasatiempos y no hace
otras actividades que no estén relacionadas
con el trabajo.

Teacher Resources

 Activity 22

Activity 9

Answers

20 28. he; 29. seguir; 30. sé; 31. digo; 32. asegurarse;
33. El; 34. duermo; 35. cierran; 36. tome; 37. da;
38. despidan; 39. tenga; 40. pagan; 41. tendré;
42. quiero; 43. se acabe; 44. he; 45. la; 46. consigo;
47. despierte; 48. se vuelven; 49. le; 50. pueda; 51. sea

21 Emails will vary.

Instructional Notes

22 Remind students to absorb comprehension of the
reading before they listen to the audio. They may want
to write some key words and the main points of the
reading.

You might want to review the following words with
students before they listen to the audio: *montón*, crowd;
rodear, to surround; *procurar*, to try to.

Refrán
You might also introduce this saying from Napoleón
Bonaparte: *Ceder a un vicio cuesta más que mantener
una familia*. Have students discuss its meaning.

Dato curioso
Here are the names of some other phobias you might
want to share with students: *cromofobia, miedo a ciertos
colores; claustrofobia, miedo a los espacios cerrados;
batofobia: miedo a las plantas; antofobia, miedo a las
flores; apifobia, miedo a las abejas; antropofobia, miedo
a la gente; acrofobia, miedo a las alturas; agorafobia,
miedo a los espacios abiertos; ailurofobia, miedo a
los gatos; algofobia, miedo al dolor; fobofobia, miedo
a los propios miedos; ergofobia, miedo al trabajo;
fotofobia, miedo a la luz; gefidrofobia, miedo a cruzar
puentes; iatrofobia, miedo a los médicos; ombrofobia,
miedo a la lluvia; optofobia, miedo a abrir los ojos;
pedifobia, miedo a los niños; psicrofobia, miedo al frío;
teratofobia, miedo a los monstruos; verbofobia, miedo
a las palabras; xenofobia, miedo a los extranjeros;
zoofobia, miedo a los animales*. You could ask students
to research the roots of these words and to find the
English-language equivalents.

Additional Activities

Comunicación

Ask students to work in small groups and to come up
with a list of the eight most popular *malos* from films,
literature, or the media. Ask the groups to share their
list with the rest of the class. See who the top *malo* is.

Encuesta

Ask students to make a list of their five favorite villains
who appear in movies and / or books. When they are
done, have them compare their lists in groups and
share their thoughts about them. They could discuss
such things as personality traits, most egregious acts,
what makes a villain a villain, what makes a villain
"popular" with an audience, why do some have an
enduring presence and others fade away quickly,
etc. You could have the students compile their data
from their small groups into a graph and present their
findings to the class.

¿Por qué triunfan los malos?

Los odiamos, admiramos y caemos **1.** (*en / sobre*) las trampas afectivas de **2.** (*los / las*) canallas. Los psicólogos y psiquiatras investigan a qué **3.** (*se / x*) debe la atracción **4.** (*por / para*) el lado oscuro.

Algunos **5.** (*son / sean*) drogadictos, otros narcisistas, los **6.** (*hay / haya*) dominantes, chulos y delincuentes. Pero tienen **7.** (*el / un*) atractivo al **8.** (*que / quien*) pocos se pueden resistir. ¿Cuál **9.** (*es / sea*) la clave de su éxito? ¿Por qué nos atraen si no nos convienen?

"Nos gusta coquetear **10.** (*para / con*) el lado oscuro de la vida **11.** (*por qué / porque*) la actividad social a la que estamos sometidos nos obliga **12.** (*a / x*) adoptar ciertas normas de comportamiento", explica Juan Carlos Revilla, profesor **13.** (*en / de*) Psicología Social de la Universidad Complutense **14.** (*en / de*) Madrid. Representan, desde el punto **15.** (*de / x*) vista psicoanalítico, aspectos inconscientes de nosotros mismos **16.** (*cuales / que*) no nos atrevemos **17.** (*a / x*) expresar. Son el espejo **18.** (*sobre / en*) el que vemos nuestro "yo" más reprimido.

¿A **19.** (*quién / quiénes*) no **20.** (*lo / le*) gustaría vivir una historia de amor y lujo? La top model Kate Moss lo hace, y aderaza su existencia con grandes dosis de frivolidad, drogas, escándalos y **21.** (*la / x*) policía. Y aun así, triunfa. **22.** (*Le / La*) siguen contratando, pagando fortunas por dejarse fotografiar, seduciendo a los medios y a las marcas exclusivas. Un milagro que **23.** (*se / x*) repite en decenas de personajes famosos, como el rockero Tommy Lee, acusado **24.** (*de / para*) maltratar a su ex pareja, Pamela Anderson, y **25.** (*la / el*) líder de Oasis, Liam Gallagher, a **26.** (*que / quien*) no le preocupa llegar borracho a una rueda de prensa o cancelar un concierto media hora antes **27.** (*de / x*) que empiece.

Admiración, envidia, odio, deseo. Los sentimientos se confunden **28.** (*cuándo / cuando*) una de estas personas aparece. Según Freud, la explicación **29.** (*esta / está*) en esa parte demoníaca **30.** (*cual / que*) cada uno de nosotros llevamos dentro; es un instinto natural hacia la transgresión y la no aceptación de normas y leyes. De ahí a la maldad absoluta **31.** (*haya / hay*) un abismo, porque tan perversas fuerzas **32.** (*sean / son*) contrarrestadas con las pulsiones de vida —los sentimientos positivos— del individuo. Sólo de la compensación **33.** (*para / entre*) ambas fuerzas nace el equilibrio.

www.quo.wanadoo.es

---

24 ¿Qué significa?

Empareje cada palabra de la primera columna con su definición o sinónimo de la segunda, según el contexto del artículo que acaba de leer.

1. admirar
2. trampa
3. investigar
4. oscuro
5. drogadicto
6. atraer
7. coquetear
8. comportamiento
9. inconsciente
10. lujo
11. contratar
12. seducir
13. marca
14. decena
15. maltratar
16. rueda de prensa
17. odio
18. maldad

a. forma de actuar
b. tratar a alguien o algo de mala manera
c. plan concebido para engañar a alguien
d. lo contrario de bondad
e. estudiar a fondo, indagar
f. declaraciones que se hacen durante reuniones con periodistas
g. lo contrario de claro
h. apreciar a alguien
i. sentimiento de aversión muy intenso
j. nombre de un producto
k. persona que tiene una adicción a las drogas
l. traer hacia sí
m. flirtear
n. lo contrario de despedir
o. conjunto de diez unidades
p. sin darse cuenta
q. riqueza
r. persuadir sutilmente

25 Lea, escuche y escriba/presente

Vuelva a leer el texto completo de la Actividad 23. Luego escuche la grabación "Atracción por lo imposible" y tome las notas necesarias. Escriba un ensayo o haga una presentación en clase contestando la pregunta, "¿Por qué cree que nos atraen a veces las cosas que no podemos conseguir?" No se olvide de citar las fuentes debidamente.

26 Gestos que hablan de ti

Lea el artículo y decida cuál de las palabras entre paréntesis es la correcta para completar cada oración. Después conteste las siguientes preguntas:

- ¿Cuál es el propósito del artículo?
- ¿Cómo resumiría el artículo en una frase?
- Si quisiera consultar otra fuente, ¿podría pensar en un posible título de una publicación?

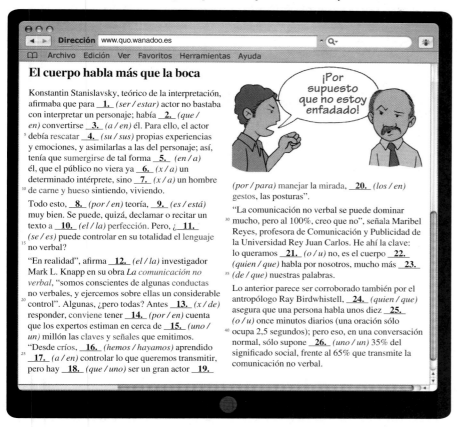

El cuerpo habla más que la boca

Konstantin Stanislavsky, teórico de la interpretación, afirmaba que para **1.** *(ser / estar)* actor no bastaba con interpretar un personaje; había **2.** *(que / en)* convertirse **3.** *(a / en)* él. Para ello, el actor debía rescatar **4.** *(su / sus)* propias experiencias y emociones, y asimilarlas a las del personaje; así, tenía que sumergirse de tal forma **5.** *(en / a)* él, que el público no viera ya **6.** *(x / a)* un determinado intérprete, sino **7.** *(x / a)* un hombre de carne y hueso sintiendo, viviendo.

Todo esto, **8.** *(por / en)* teoría, **9.** *(es / está)* muy bien. Se puede, quizá, declamar o recitar un texto a **10.** *(el / la)* perfección. Pero, ¿ **11.** *(se / es)* puede controlar en su totalidad el lenguaje no verbal?

"En realidad", afirma **12.** *(el / la)* investigador Mark L. Knapp en su obra *La comunicación no verbal*, "somos conscientes de algunas conductas no verbales, y ejercemos sobre ellas un considerable control". Algunas, ¿pero todas? Antes **13.** *(x / de)* responder, conviene tener **14.** *(por / en)* cuenta que los expertos estiman en cerca de **15.** *(uno / un)* millón las claves y señales que emitimos.

"Desde críos, **16.** *(hemos / hayamos)* aprendido **17.** *(a / en)* controlar lo que queremos transmitir, pero hay **18.** *(que / uno)* ser un gran actor **19.**

¡Por supuesto que no estoy enfadado!

(por / para) manejar la mirada, **20.** *(los / en)* gestos, las posturas".

"La comunicación no verbal se puede dominar mucho, pero al 100%, creo que no", señala Maribel Reyes, profesora de Comunicación y Publicidad de la Universidad Rey Juan Carlos. He ahí la clave: lo queramos **21.** *(o / u)* no, es el cuerpo **22.** *(quien / que)* habla por nosotros, mucho más **23.** *(de / que)* nuestras palabras.

Lo anterior parece ser corroborado también por el antropólogo Ray Birdwhistell, **24.** *(quien / que)* asegura que una persona habla unos diez **25.** *(o / u)* once minutos diarios (una oración sólo ocupa 2,5 segundos); pero eso, en una conversación normal, sólo supone **26.** *(uno / un)* 35% del significado social, frente al 65% que transmite la comunicación no verbal.

27 Amplíe su vocabulario

Según el contexto del artículo que acaba de leer, busque la mejor definición o sinónimo de cada palabra.

1. rescatar
   a. recobrar
   b. proteger
   c. ir
   d. ayudar

2. sumergirse
   a. introducirse
   b. hundirse
   c. tirarse
   d. perderse

3. de carne y hueso
   a. real
   b. de cerca
   c. pequeño
   d. tranquilo

4. a la perfección
   a. sin defectos
   b. sin problemas
   c. natural
   d. campestre

5. lenguaje
   a. capacidad
   b. trabajo
   c. mensaje
   d. idioma

6. comunicación no verbal
   a. expresiones de la cara o cuerpo
   b. comunicar por señas
   c. mensaje
   d. idioma

7. conducta
   a. manejo
   b. atajo
   c. camino
   d. comportamiento

8. convenir
   a. estar de acuerdo
   b. ser aconsejable
   c. necesitar
   d. ir con alguien

9. clave
   a. llave
   b. estado
   c. problema
   d. punto importante

10. señal
    a. mensaje
    b. marca
    c. curación
    d. solución

11. crío
    a. adulto
    b. adolescente
    c. persona mayor
    d. niño

12. manejar
    a. utilizar
    b. cambiar
    c. dirigir
    d. buscar

13. mirada
    a. olfato
    b. acción de fijar la vista
    c. señal
    d. acción de mover el cuerpo

14. gesto
    a. cambio
    b. expresión del rostro o cuerpo
    c. acto
    d. movimiento

Cita

No hay malas hierbas ni hombres malos; sólo hay malos cultivadores.
—Víctor Hugo (1802–1885), escritor francés

¿Qué piensa de esta cita? ¿Quiénes son los cultivadores? Comparta su opinión con un/a compañero/a.

¡Dato curioso!

Según el Instituto del Cine Americano (AFI, American Film Institute), éstos son los cinco villanos y los cinco héroes más famosos de la pantalla, y sus películas. Los malos: Dr. Hannibal Lecter, *El silencio de los inocentes*; Norman Bates, *Psícosis*; Darth Vader, *El imperio contraataca*; la malvada bruja del oeste, *El mago de Oz*; la enfermera Ratched, *Alguien voló sobre el nido del cuco*. Por otro lado, los buenos: Atticus Finch, *Matar a un ruiseñor*; Indiana Jones, *En busca del arca perdida*; James Bond, *Dr. No*; Rick Blaine, *Casablanca*; Will Kane, *Solo ante el peligro*.

Nota cultural

En la página Web www.lomáscurioso.com nos presentan a los villanos más odiados y peligrosos de la pantalla según un estudio del Cine Americano. Los que siguen a los malos en el *Dato curioso* son: Sr. Potter, *Qué bello es vivir*; Alex Forrest, *Atracción fatal*; Phyllis Dietrichson, *Perdición*; Regan MacNeil, *El exorcista*; la Reina, *Blancanieves y los siete enanitos*; Michael Corleone, *El padrino, parte 2*. Y los buenos que siguen a los ya mencionados son: Clarice Starling, *El silencio de los inocentes;* Rocky Balboa, *Rocky*; Ellen Ripley, *Aliens*; George Bailey, *Qué bello es vivir*; T.E. Lawrence, *Lawrence de Arabia*.

¡A leer!

28 Antes de leer

¿Cree en el amor a primera vista? ¿Es posible enamorarse más de una vez? ¿Qué tipo de sentimientos produce el amor? ¿Le gusta estar enamorado/a? ¿Por qué?

29 El amor

Lea con atención el siguiente artículo. Después conteste las siguientes preguntas:

- ¿Cuál es el propósito del artículo?
- ¿Cómo resumiría el artículo en una frase?
- Si quisiera consultar otra fuente, ¿podría pensar en un posible título de una publicación?

Enamoradictos

Jorge Loayza

Hay un tipo de personas a las que se suele llamar "enamoradizos", porque pareciera que siempre están a la espera de una nueva pareja. Y cuando llega, viven la relación con una intensidad casi incontenible. Son de los que opinan que el amor no tiene estación pues —como el sol de una ciudad tropical— puede salir en cualquier época del año. Y a cada rato.

Esperaba que llegaras
esperaba primavera
pues sabía que traías
para mí un nuevo amor
—Palito Ortega

El actor Jesús Delaveaux debe ser uno de los enamoradizos conocidos más incurables de este país. "Estoy convencido de que soy un enamorado del amor, y ahora que no tengo pareja espero una para tener ese sentimiento y vibrar, como me pasó hace poco con una chica española y sentí que la adrenalina fluía", reconoce con una cara de púber ilusionado y la misma mirada con la que, a los 14 años, se enamoró de una chica de 13 y su corazón latía con sólo verla pasar en el bus.

Ahora tiene 56 años, no recuerda cuántas veces se ha enamorado, pero sí tiene cinco dedos de frente para enumerar las relaciones que le desangraron. Y hasta cuándo seguirá como el muchacho que busca enamorarse una vez más. Dice que llegará a los 80 años. "Me enamoraré otra vez".

El psicoanalista Fernando Maestre define a la persona enamoradiza como al tipo pasional que no puede tener un vínculo con la otra persona si no tiene un compromiso muy grande de involucrarse, enamorarse y poner los sentimientos de por medio. Tiene que enamorarse de todas maneras como una forma única de relación. "Pero se le pasa rápido", añade el especialista.

Y no sólo eso. Un enamoradizo cuando está en pleno proceso de pasión regala flores o bombones a su pareja, le escribe poemas, la llama todo el día. Es como si se narcotizara de su propio amor. "Por eso muchas veces no soportan la separación y buscan otras personas para tener las mismas sensaciones. Además, ellos no pueden tener varias parejas a la vez, sino sólo una a quien le agarran camote", precisa el doctor Maestre.

En situaciones más graves, esos tipos llegan a tomar decisiones descabelladas. Es decir, hacen actos de amor sin medir las consecuencias, como abandonar los estudios o escapar de casa para seguir a la pareja. ¿Y acaso los enamoradizos sólo pueden ser los adolescentes? No. El doctor Maestre dice que la adolescencia es la típica edad de esas personas, pero todo puede continuar en la adultez.

Otra característica es que esos casos se dan más en el hombre, porque es él quien busca, el que llama, invita a salir y por eso tiene más facilidad de jugar ese rol. "En cambio ellas, generalmente, presentan casos de amores platónicos".

Pero si hay algo de cierto en este tema es que se hace muy difícil determinar quién ha llegado a ese grado de pasión tan intenso. El actor y recordado galán de la telenovela "Natacha", Paul Martin, dice que en su caso el amor no tiene estación pues puede enamorarse en invierno, primavera o verano. Ahora, a los 39 años de edad, reconoce que vive ese proceso con gran intensidad y que le es imposible fingirlo, pero descarta que se le califique de enamoradizo.

continúa

Teacher Resources

Activities 10–18

Instructional Notes

28 You might want to hold a whole-class discussion on answers to these questions.

29 Ask students to take turns reading paragraphs of this article aloud.

"El amor es motor de muchas cosas y si uno lo va a hacer a medias o poner parámetros, no llega a disfrutar de lo que realmente es ese sentimiento. Sin embargo, también he tenido algunas temporadas en las que deseé estar solo porque no había encontrado a esa persona ideal", reflexiona Martin.

Sólo así se entiende cómo, de enamorado, ha hecho cosas como llevar mariachis a la playa o viajar al extranjero por un año siguiendo a la que fue su amada Sonia Smith. "Cuando uno siente algo por una mujer, empiezan los latidos del corazón, se elevan las pulsaciones y se escarapela el cuerpo, pero ese sentimiento es indescriptible porque es algo tan complejo y bonito que no hay palabras", dice mirando al parque frente a su casa.

Adicto a ti

El psiquiatra Javier Manrique explica que durante el enamoramiento el cerebro produce una cantidad elevada de endorfinas que provocan que pierda el hambre, vea todo "color de rosa" y se piense que está en las nubes.

"Y cuando las endorfinas decaen, esa persona tiene la necesidad de estar de nuevo así. Entonces corta la relación y comienza a buscar otra pareja para tener el nivel de endorfinas adecuado. Por eso es como un tipo de adicción a la cocaína o marihuana", explica el doctor.

Además, el doctor Manrique dice que los enamoradizos son personas muy particulares, generalmente dependientes, histriónicas u obsesivas, y necesitan estar constantemente con esa emoción.

Para el especialista, la manera de curar a esos tipos que constantemente están buscando pareja es tratar de cambiarles los esquemas mentales que, quizá, han aprendido de sus padres. Pero también se debe solucionar algo en la parte biológica: cuando hay una baja de serotonina —un neurotransmisor que ejerce una acción relajante en el cerebro— es indicador de un proceso de depresión, pero también de una obsesión hacia una persona especial. Entonces, ¿los enamoradizos se pueden curar? Es muy posible, aunque también pueden morir de una sobredosis. Sólo así habrán amado hasta la muerte.

Agencia EFE

30 ¿Qué significa?

Según el contexto del artículo que acaba de leer, empareje cada palabra de la primera columna (que continúa en la página siguiente) con su definición o sinónimo de la segunda.

1. sentimiento	a. resolver
2. vibrar	b. dar un regalo
3. latir	c. eliminar
4. enamoradizo	d. estar distraído
5. estación	e. tan impresionante, que es difícil de describir
6. a cada rato	f. persona perfecta para uno, la media naranja de uno
7. involucrarse	g. presentar como cierto o real lo que es imaginado o irreal
8. se le pasa rápido	h. ser extremadamente positivo
9. regalar	i. a cada momento
10. bombón	j. estado de ánimo
11. soportar	k. época de año (como otoño, invierno)
12. primavera	l. serie de televisión de melodrama, culebrón
13. grave	m. complicado, difícil

14. platónico
15. telenovela
16. fingir
17. descartar
18. persona ideal
19. indescriptible
20. complejo
21. ver todo "color de rosa"
22. estar en las nubes
23. solucionar

n. emocionarse, temblar
o. no le dura por mucho tiempo
p. persona que se enamora con facilidad
q. palpitar el corazón
r. implicarse
s. desinteresado
t. estación del año en la que las flores florecen
u. sostener por debajo
v. serio
w. porción pequeña de chocolate

31 ¿Ha comprendido?

1. ¿Qué siente ahora Jesús Delaveaux?
   a. Tiene pareja y vive el amor intensamente.
   b. Busca de nuevo el amor.
   c. No quiere enamorarse más.
   d. Se ha enamorado de una española.

2. ¿Qué es para Fernando Maestre un enamoradizo?
   a. El que tiene varias parejas al mismo tiempo
   b. Aquél que necesita comprometerse con el matrimonio para vivir el amor
   c. Quien se enamora sin ningún tipo de vínculo con la otra persona
   d. El que vive intensamente el amor, en todos sus aspectos, sin ser estas aventuras demasiado largas

3. ¿Cómo describe Javier Manrique el enamoramiento?
   a. Decae el nivel de endorfinas y la persona se siente bien.
   b. Sube el nivel de endorfinas y el enamorado se comporta de forma diferente y más positiva.
   c. Es un estado en el que la persona nunca deja de buscar una nueva pareja.
   d. Es la necesidad de tener un compromiso.

4. Según el artículo, ¿pueden los enamoradizos curarse?
   a. Sí, se curan si cambian sus patrones mentales o su aspecto biológico.
   b. No, serán así hasta la muerte.
   c. Sí, con un medicamento para la depresión se curan.
   d. No, siempre estarán cambiando de pareja.

5. Si tuviera que escribir un ensayo sobre este tema, ¿cuál de las siguientes publicaciones sería la más adecuada?
   a. Las nuevas adicciones
   b. El amor y sus consecuencias
   c. La necesidad de tener pasión por el amor
   d. Manual para nunca enamorarse

32 ¿Cuál es la pregunta?

Según lo que acaba de leer, escriba una pregunta lógica para estas respuestas.

1. Es un enamoradito incurable.
2. Cincuenta y seis años
3. Regala flores y bombones, escribe poemas y llama a la chica todo el día.
4. No, un enamoradizo también puede ser también un adulto.
5. Sí, se pueden curar cambiando sus esquemas mentales.

Answers

33 Questions will vary.

34 Answers will vary.

Instructional Notes

35 Encourage a discussion of the different titles students have selected.

36 You might want to review the following words with students before they listen to the audio: *puenting*, bungee jumping; *parapente*, paragliding; *ala delta*, hang gliding; *subidón*, rush/high; *sentirnos realizados*, to feel fulfilled; *entrañable*, close (friend); *de fondo*, in the background; *caritativo*, charitable; *infarto*, heart attack; *secuestrar*, to kidnap; *amordacer*, to gag; *aturdir*, to stun; *descolocar*, to dislocate; *montaña rusa*, roller coaster; *en pleno diciembre*, at the height of December; *palomitas*, popcorn; *agarrar*, to hold on to.

Write the quotes from the *Nota cultural* that appears below on the board, but leave out some of the words, and ask students to come up with some alternatives. Later, you might want to compare their versions with the original quote.

Additional Activities

El amor en las películas
Have students choose a Spanish movie or movies they have seen with love as the central theme. Ask them to describe the personalities of the main characters. How do they feel about love? What are their fears?

As a variation, you could show students excerpts from two *telenovelas*. Ask them to describe the personalities of the main characters. How do they feel about love? What are their fears? Students could compare and contrast the characters and their lives in the two soap operas.

Literatura
Bring to class some poems of Lorca, Neruda, Bécquer, or Machado that talk about love or human qualities, or encourage students to bring in some selections of Spanish-language literature that address a character's emotions and feelings, and ask them to paraphrase these descriptions.

Comunicación
Ask students to vote for their favorite love story. They can choose from the ones mentioned in the *Dato curioso* or any other movie they have seen or novel they have read.

---

33 Entrevista

Ud. es un/a presentador(a) para un podcast llamado *"Noches bajo la luna"* que trata sobre las relaciones personales. Le va a hacer una entrevista a un enamoradizo. Escriba al menos 10 preguntas. Después, hágale las preguntas a un/a compañero/a y viceversa.

34 ¿Qué piensa Ud.?

Discuta la siguiente oración con un/a compañero/a: *Soy un enamorado del amor.* ¿Qué piensa de esta afirmación? ¿Piensa que hay culturas más pasionales que otras? ¿A qué se debe?

35 Se titula...

Piense en otro título para el artículo que acaba de leer. ¿Por qué lo ha escogido?

36 Escuche y escriba/presente

Después de leer el artículo "Enamoradictos", escuche la grabación "Necesito más emoción". Tome notas y escriba un ensayo o haga una presentación en clase contestando la pregunta, "¿Por qué hay gente que se enamora constantemente?" Incluya información de las dos fuentes, citándolas debidamente.

Proverbio
El amor y la tos no pueden ocultarse.
—Proverbio italiano

 ¿Está de acuerdo con este proverbio? ¿Qué signos muestran que alguien está enamorado/a? Comparta su opinión con un/a compañero/a.

Compare
 ¿Cuáles son dos de las películas más románticas de su generación? ¿Conoce alguna película romántica de habla hispana? ¿Y alguna americana con actores hispanos? ¿Cuáles piensa que son las dos novelas más románticas que ha leído en su vida?

Dato curioso
En una de las páginas de su sitio Web, Portal Mix hace una propuesta para votar por la película que narra las más bellas historias de amor. Aquí están algunas de las candidatas: *Casablanca, Pretty Woman, Moulin Rouge, Titanic, El padre de la novia, Doctor Zhivago, Drácula, Ghost* y *Dirty Dancing.* ¿Por cuál votaría? ¿Por qué?

Nota cultural
Uno está enamorado cuando se da cuenta de que otra persona es única.
—Jorge Luis Borges (1899–1986), escritor argentino

Si no te quieren como tú quieres que te quieran, ¿qué importa que te quieran?
—Amado Nervo (1870–1919), poeta, novelista y ensayista mexicano

Los suspiros son aire y van al aire. Las lágrimas son agua y van al mar, dime mujer, cuando el amor se olvida, ¿sabes adónde va?
—Gustavo Adolfo Bécquer (1836–1870), poeta español

Uno debería estar siempre enamorado. Por eso jamás deberíamos casarnos.
—Óscar Wilde (1854–1900), dramaturgo y novelista irlandés

¿Qué es la personalidad? ¿Se nace con una personalidad determinada o depende de otros factores? ¿Se puede cambiar la personalidad?

38 ¿Cómo somos? 📖

Lea el siguiente artículo con atención e intente averiguar el significado de las palabras en azul por el contexto, ya que se le harán preguntas sobre ellas.

Renovarse o morir

¿Te gustaría mejorar? ¿Cambiar tu personalidad? Seguro que alguna vez has pensado en ello; la ciencia te puede enseñar a hacerlo.

5 Desde el comienzo del psicoanálisis, Freud aseguró que parte de nuestra personalidad es debida a cómo nos afecta nuestro entorno; la Escuela de 10 la Personalidad lo estudió y Jung, discípulo del padre del psicoanálisis, ratificó esta teoría.

Mediante un estudio, se ha llegado a la conclusión de que de los 20 a 15 los 30 hay una mayor disciplina y organización; a partir de esta edad, somos más sociables y generosos; y en la medida que vamos madurando, hay una 20 decadencia en nuestras relaciones sociales, somos más "cerrados" cuantos más años pasan.

Nuestra personalidad es única, pero todas dependen de cinco 25 elementos: extraversión, afabilidad, conciencia, estabilidad y apertura. Estos cinco rasgos son comunes y variables; es como una receta, como los combinemos y la 30 cantidad que "echemos" de cada uno, dará un resultado u otro completamente distinto.

¿Realmente podemos modificarnos? Según recientes 35 investigaciones sí es posible, todo depende de nuestras ganas y nuestra habilidad para ello. Nuestra capacidad de cambio se deberá a tres circunstancias o factores:

40 primero, cuando tenemos un vasto conocimiento sobre nosotros mismos y somos capaces de realizar estos cambios en nuestra personalidad sin necesidad de 45 que una circunstancia externa lo fuerce; el segundo, es un cambio en nuestro entorno, éste cambia y nosotros cambiamos con él, por ejemplo: mucha gente al empezar 50 a vivir sola se vuelve más huraña y asocial, no es por convicción propia, es de manera totalmente inconsciente, pero es más reacia a compartir sus cosas y a convivir 55 con otras personas. El tercer factor son los sucesos que ocurren de manera inesperada, un suceso tanto positivo como negativo puede hacer que te conviertas en una persona 60 completamente distinta, con un amplio abanico de posibilidades, desde un ser completamente triste y deprimido hasta ser la persona más feliz y segura.

65 Al menos un 52% de nuestro carácter está determinado por el ambiente en el que nos encontramos; evidentemente también nuestra personalidad 70 está relacionada con nuestra herencia genética, pero estos estudios aseguran que hay varios niveles en la estructura de nuestra personalidad y gran parte de ésta 75 depende de nuestro entorno. Por esto mismo somos capaces de cambiar nuestra personalidad si lo deseamos y creemos que podemos llegar a hacerlo, y hay una manera 80 muy simple: cambiando lo que nos rodea, el ambiente en el que nos movemos, hacia otro más propicio; esto modifica nuestra actitud, esto es mucho más fácil 85 que cambiarnos a nosotros mismos. Curiosamente unos psicólogos de la Universidad de Texas han descubierto que cuando hablamos otro idioma algunas características 90 básicas como la extraversión y el neurotismo, cambian para que nos parezcamos a los que hablan ese otro idioma; estos cambios son adaptaciones al nuevo ambiente; 95 estos cambios son mucho más fáciles hasta los 40 o 50 años. Se pueden cambiar ciertos rasgos de la personalidad, como los arranques de ira o la timidez; si 100 podemos controlarlos podemos hacer grandes progresos en este campo. Es necesario darse cuenta de la necesidad de evolucionar, ése es el primer paso para llegar 105 a convertirnos en la persona que realmente queremos llegar a ser.

Investigue palabras clave:
Sigmund Freud, Carl Gustav Jung

Instructional Notes

37 You might want to turn this into an interesting class discussion.

38 After students read the article, ask them to define in their own words the terms that apppear on lines 25, 26 and 27: *extraversión, afabilidad, conciencia, estabilidad, apertura.*

After reading the article in Activity 38 you could show students the movie *El bola* which deals with the theme of domestic violence. Discuss with students the different personalities of the characters and how each reacts to the conflict.

After reading the article in Activity 38 you could show students the movie *Planta cuarta* which introduces the audience to a group of teens on the fourth floor of a hospital who all have cancer. You could discuss the following themes with your students as they are shown through the main characters in the film: discovering inner strength, dealing with fear, developing friendships, and dealing with challenges.

Additional Activities

Comunicación

Have students choose an annoying character from a reality show, sitcom, movie, real life, etc. In small groups they can discuss with their classmates what advice they would give this character to change his/her personality. What would be the objective of this "renewal"?

39 Vocabulario 🔍

Según el contexto del artículo que acaba de leer, ¿cuál es la mejor traducción para cada palabra de las dos primeras columnas?

1. mejorar	13. huraño	a. unexpected	m. to mature
2. asegurar	14. asocial	b. immense	n. capable
3. entorno	15. ser más reacio a	c. depressed	o. field
4. sociable	16. inesperado	d. anger	p. really
5. madurar	17. deprimido	e. first step	q. to be reluctant
6. cerrado	18. herencia	f. skill	r. unsociable
7. rasgo	19. ira	g. shyness	s. characteristic
8. gana	20. timidez	h. to improve	t. willingness, desire
9. habilidad	21. campo	i. asocial	u. friendly
10. capacidad	22. primer paso	j. inheritance	v. to assure
11. vasto	23. realmente	k. environment	w. ability
12. capaz		l. narrow-minded	

40 ¿Ha comprendido?

1. ¿Qué hipótesis seguían Freud, Jung y la Escuela de la Personalidad?
   a. Que el entorno es clave para nuestra personalidad
   b. Que la personalidad cambia cada vez que cambia nuestro entorno
   c. Que genéticamente nuestra personalidad cambia
   d. Que cambiamos de personalidad continuamente

2. Según los estudios, ¿qué sucede cuando vamos madurando?
   a. Que somos más ordenados y serios
   b. Que no podemos cambiar nuestra personalidad
   c. Que nos cuesta más trabajo relacionarnos con otras personas
   d. Que tenemos más capacidad para relacionarnos

3. ¿Cómo son los rasgos en los que se basan todas las personalidades?
   a. Son parecidos entre ellos y necesarios.
   b. Son únicos y combinables.
   c. Son distintos y personales.
   d. Son necesarios y únicos.

4. ¿Qué tenemos que tener para modificar nuestra personalidad?
   a. Conocimiento sobre nosotros mismos
   b. Necesidad de cambiar
   c. Recursos monetarios
   d. Deseo de cambiar y capacidad para ello

5. ¿Cuál es el tercer factor que puede hacer cambiar nuestra personalidad?
   a. Los cambios bruscos de tiempo
   b. Los cambios dentro de nosotros mismos
   c. Los cambios en las personas que nos rodean
   d. Los cambios de manera accidental

6. ¿Cuál es la manera más fácil de cambiar nuestra personalidad?
   a. Cambiándonos a nosotros mismos
   b. Cambiando lo que nos rodea
   c. Intentando evolucionar y ser felices
   d. Solucionando nuestros problemas

7. ¿Qué paso hay que dar primero para cambiar nuestra personalidad?
   a. Conocerse a sí mismo
   b. Compararse con las demás personas
   c. Intentar ser feliz
   d. Darse cuenta de que tenemos que cambiar

41 ¿Cuál es la pregunta?

Según el artículo que acaba de leer, escriba una pregunta lógica para estas respuestas.

1. Se comienza a tener de los 20 a los 30
2. Extraversión, afabilidad, conciencia, estabilidad y apertura
3. Uno de los factores es un cambio en nuestro entorno
4. Es importante evolucionar para convertirse en la persona que queremos llegar a ser.

42 Esciba un correo electrónico

Ud. tiene un/a amigo/a con problemas para controlar su enfado. Pídale consejo a un especialista. Escríbale un correo electrónico exponiéndole su problema, cuéntele alguna anécdota y pídale consejos.

Compare

¿Qué grandes acontecimientos (políticos, naturales, etc.) cree que pueden afectar la personalidad de la gente en un país? ¿Puede pensar en alguno que haya afectado a la gente de un país latino? ¿Y en su país? ¿Qué acontecimientos pasados o actuales han tenido un gran impacto?

195

Answers
40 6. b; 7. d

41 *Ejemplos:*
1. ¿Cuándo se comienza a tener más disciplina y organización según un estudio? **2.** ¿Cuáles son los cinco rasgos de nuestra personalidad? **3.** ¿Cuál es uno de los factores que puede favorecer el cambio de la personalidad de un individuo? **4.** ¿Por qué es importante evolucionar?

42 Emails will vary.

Instructional Notes

After reading the *Compare* section, you can talk with students about different initiatives that exist to help people integrate back into society after going through a life-changing experience. You could show students a documentary that deals with this issue in regards to a war, natural disaster, violence at home, etc. You could also focus on the plight of American soldiers returning home after participating in the wars in the Middle East. Some of them have started farming to cope with the transition.

Additional Activities

Comunicación
Ask students to think about and write down the five most important factors that influence a person's personality. Have the entire class share their ideas.

Instructional Notes

43 You might want to have a whole-class discussion.

44 Ask students if they think it is okay to lie, and under what circumstances. You may want to ask them: *¿Está bien mentir? Una persona que mienta, ¿está haciendo algo malo? Y si miente alguien, ¿cuáles pueden ser sus motivos? ¿Qué son las mentiras piadosas?* You could prepare some sentences such as the following: *¡Qué vestido tan bonito! No recuerdo a qué hora llegué. Sí, claro, yo también te quiero. Tu perro se nos escapó y no lo podemos encontrar.* Read them aloud to the class or pass out photocopies and explain that all the statements are lies. Ask students to discuss the sentences with a partner, and describe why they think that these people lied, and what the circumstances were.

43 Antes de leer

¿Cree que es fácil mentir? ¿Por qué les resulta más fácil mentir a algunas personas que a otras? ¿Cómo se siente cuando descubre que alguien le ha mentido? ¿Y cuando es descubierto/a?

44 Las mentiras

Lea el siguiente texto con atención e intente averiguar el significado de las palabras en azul, ya que se le harán preguntas sobre ellas.

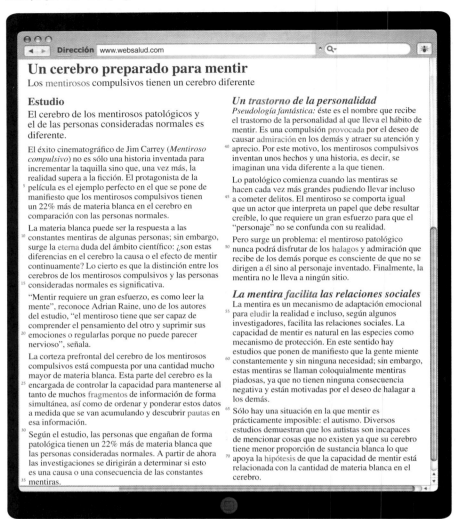

Dirección www.websalud.com

Un cerebro preparado para mentir
Los mentirosos compulsivos tienen un cerebro diferente

Estudio

El cerebro de los mentirosos patológicos y el de las personas consideradas normales es diferente.

El éxito cinematográfico de Jim Carrey (*Mentiroso compulsivo*) no es sólo una historia inventada para incrementar la taquilla sino que, una vez más, la realidad supera a la ficción. El protagonista de la película es el ejemplo perfecto en el que se pone de manifiesto que los mentirosos compulsivos tienen un 22% más de materia blanca en el cerebro en comparación con las personas normales.

La materia blanca puede ser la respuesta a las constantes mentiras de algunas personas; sin embargo, surge la eterna duda del ámbito científico: ¿son estas diferencias en el cerebro la causa o el efecto de mentir continuamente? Lo cierto es que la distinción entre los cerebros de los mentirosos compulsivos y las personas consideradas normales es significativa.

"Mentir requiere un gran esfuerzo, es como leer la mente", reconoce Adrian Raine, uno de los autores del estudio, "el mentiroso tiene que ser capaz de comprender el pensamiento del otro y suprimir sus emociones o regularlas porque no puede parecer nervioso", señala.

La corteza prefrontal del cerebro de los mentirosos compulsivos está compuesta por una cantidad mucho mayor de materia blanca. Esta parte del cerebro es la encargada de controlar la capacidad para mantenerse al tanto de muchos fragmentos de información de forma simultánea, así como de ordenar y ponderar estos datos a medida que se van acumulando y descubrir pautas en esa información.

Según el estudio, las personas que engañan de forma patológica tienen un 22% más de materia blanca que las personas consideradas normales. A partir de ahora las investigaciones se dirigirán a determinar si esto es una causa o una consecuencia de las constantes mentiras.

Un trastorno de la personalidad

Pseudología fantástica: éste es el nombre que recibe el trastorno de la personalidad al que lleva el hábito de mentir. Es una compulsión provocada por el deseo de causar admiración en los demás y atraer su atención y aprecio. Por este motivo, los mentirosos compulsivos inventan unos hechos y una historia, es decir, se imaginan una vida diferente a la que tienen.

Lo patológico comienza cuando las mentiras se hacen cada vez más grandes pudiendo llevar incluso a cometer delitos. El mentiroso se comporta igual que un actor que interpreta un papel que debe resultar creíble, lo que requiere un gran esfuerzo para que el "personaje" no se confunda con su realidad.

Pero surge un problema: el mentiroso patológico nunca podrá disfrutar de los halagos y admiración que recibe de los demás porque es consciente de que no se dirigen a él sino al personaje inventado. Finalmente, la mentira no le lleva a ningún sitio.

La mentira facilita las relaciones sociales

La mentira es un mecanismo de adaptación emocional para eludir la realidad e incluso, según algunos investigadores, facilita las relaciones sociales. La capacidad de mentir es natural en las especies como mecanismo de protección. En este sentido hay estudios que ponen de manifiesto que la gente miente constantemente y sin ninguna necesidad; sin embargo, estas mentiras se llaman coloquialmente mentiras piadosas, ya que no tienen ninguna consecuencia negativa y están motivadas por el deseo de halagar a los demás.

Sólo hay una situación en la que mentir es prácticamente imposible: el autismo. Diversos estudios demuestran que los autistas son incapaces de mencionar cosas que no existen ya que su cerebro tiene menor proporción de sustancia blanca lo que apoya la hipótesis de que la capacidad de mentir está relacionada con la cantidad de materia blanca en el cerebro.

45 Vocabulario

Defina o dé un sinónimo o ejemplo en español de las palabras que aparecen en azul en el artículo anterior.

46 ¿Ha comprendido?

1. ¿La película *Mentiroso compulsivo* refleja sólo un fenómeno de ficción?
   a. No, esos mismos casos existen en la vida real.
   b. Sí, es una película de Jim Carrey.
   c. Sí, es una exageración para ganar dinero con el cine.
   d. No, pero sólo el 22% es realidad.

2. ¿Son diferentes los cerebros de los mentirosos compulsivos?
   a. Sí, son más inteligentes porque leen mucho.
   b. No se sabe, es un enigma científico.
   c. Sí, la diferencia se encuentra en la cantidad de materia blanca.
   d. Sí, ellos no tienen materia blanca.

3. ¿Por qué los mentirosos compulsivos se inventan historias?
   a. Porque les gusta la fantasía
   b. Porque quieren tener una vida distinta
   c. Porque quieren llamar la atención y que la gente los admire
   d. Las respuestas a y b

4. ¿Son felices los mentirosos compulsivos?
   a. Sí, porque siempre reciben halagos
   b. No, porque se descubre que son actores
   c. No lo saben, porque se confunden con su verdadera personalidad.
   d. No, porque los halagos son para el personaje inventado

5. ¿Qué son mentiras piadosas?
   a. Mentiras graves, que resultan creíbles
   b. Pequeños insultos hacia los demás
   c. Mentiras de poca importancia
   d. Mentiras que son dichas inconscientemente, sin uno darse cuenta

47 Responda a una carta

Lea y responda a la siguiente carta de la clínica La Verdad.

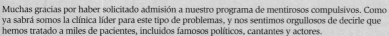

Estimado señor Guzmán,

Muchas gracias por haber solicitado admisión a nuestro programa de mentirosos compulsivos. Como ya sabrá somos la clínica líder para este tipo de problemas, y nos sentimos orgullosos de decirle que hemos tratado a miles de pacientes, incluidos famosos políticos, cantantes y actores.

Nos encantará saber más de su situación. Por favor, háblenos un poco sobre Ud., cuéntenos cuándo empezó a notar que tenía problema, cuéntenos alguna de sus experiencias y también lo que le llevó a solicitar nuestra ayuda.

Le rogamos que nos envíe esta información lo más pronto posible para poder así proceder a la evaluación para posible admisión. No dude en ponerse en contacto conmigo para lo que necesite. Me imagino que tendrá muchas preguntas sobre nuestro programa y me encantará contestárselas.

Lo saluda cordialmente,
Rosa Posadas
Directora de la clínica La Verdad

Answers

48 *Ejemplos:*

1. ¿Qué nombre científico recibe el trastorno de mentir?
2. ¿Cuándo comienza la patología de la enfermedad?
3. ¿Por qué mentir es natural en la especie humana?
4. ¿Quién es incapaz de mentir? **5.** ¿Qué sentido tienen las mentiras piadosas?

Instructional Notes

49 Students may want to write some key words and the main points of the article. You might want to review the following words with students before they listen to the audio: *echar unas canastas*, to shoot some hoops; *nave espacial*, spaceship; *pillarle las mentiras*, to catch someone in a lie.

Según lo que acaba de leer en la Actividad 44, escriba una pregunta lógica para estas respuestas.

1. Se conoce como pseudología fantástica.
2. Cuando las mentiras se hacen peligrosamente grandes
3. Porque lo necesitamos como mecanismo de protección
4. Es incapaz aquél que padece autismo.
5. A veces se usan para halagar a los demás.

49 **Lea, escuche y escriba/presente**

Vuelva a leer "Un cerebro preparado para mentir". Luego escuche el diálogo entre Carlos y Alfredo en la grabación "Pero, ¡deja de mentir!" y tome las notas necesarias. Escriba un ensayo o haga una presentación en clase sobre las mentiras y las mentiras piadosas. No se olvide de citar las fuentes debidamente.

Cita

El cuerpo humano es el carruaje; el yo, el hombre que lo conduce; el pensamiento son las riendas, y los sentimientos los caballos.
—Platón (427–347 a. de J. C.), filósofo griego

¿Qué piensa de este comentario? Con un/a compañero/a invente una metáfora sobre el hombre y su personalidad, similar a la que hizo Platón en su época. Adáptela a los nuevos tiempos.

Dato curioso
¿Sabe que según un artículo de la BBC, dependiendo de su postura al dormir así es su personalidad? Hay seis tipos distintos. Con estos datos se puede saber si es sensible, atento o seguro de sí mismo.

Compare
¿Qué grandes mentiras se conocen a nivel popular? ¿Qué países o políticos han dicho mentiras que luego se demostró que no eran ciertas?

Hola, buenas tardes. Me llamo Luis Alfredo.

Juan José

Nota cultural

Según el estudio citado en el *Dato curioso*, la posición más común al dormir es la posición fetal, ya que el 41% duerme así. Los que duermen así aparentan ser fuertes, pero realmente son muy sensibles. Aunque la mayoría de los adultos necesitan dormir unas ocho horas diarias, algunos necesitan dormir más, mientras que otros duermen muy poco. Thomas Edison decía que dormir era una pérdida de tiempo y solía echar pequeñas siestas durante el día. Napoleón, Margaret Thatcher y Florence Nightingale sólo necesitaban unas cuatro horas de sueño.

¡A escuchar!

50 El hombre que dijo que llamaría

Esta grabación es sobre la conversación de dos amigas, Tamara y Lola. En la grabación Tamara habla con su amiga de su cita y de la llamada que el chico le prometió. La grabación dura aproximadamente 4 minutos. Lea las posibles respuestas primero y después escuche el diálogo entre dos amigas —Lola y Tamara— en la grabación "El hombre que dijo que llamaría". Luego escoja la mejor respuesta para cada pregunta. Después piense en cuál sería una pregunta apropiada para hacerle a Tamara.

1. ¿Sobre qué hablan las dos amigas?

   a. Sobre una cita que una de ellas tuvo el día anterior
   b. De una cita que Tamara tendrá al día siguiente
   c. De un antiguo compañero de clase
   d. De un robo a un chico joven

2. ¿Por qué parece que el chico está interesado en Tamara?

   a. Le gustó su peinado.
   b. La llamó antes de irse a dormir.
   c. La acompañó a casa después de cenar.
   d. Quiso conocer a su familia.

3. ¿Llamó el joven a Tamara?

   a. No la llamó y ninguna de ellas conoce el motivo.
   b. No la llamó porque le robaron la cartera.
   c. No la llamó porque tenía el teléfono averiado.
   d. No; fue a su apartamento sin avisar.

4. ¿Quiere Tamara llamar al joven?

   a. No; él tiene que llamar.
   b. No; no tiene su teléfono.
   c. Sí; pero su amiga, Lola, llamará primero en su nombre.
   d. Sí; quiere tener otra cita y enseñarle su nuevo "look".

51 El Amor y el Tiempo

Esta es la grabación de un cuento que trata de una isla en la que todos los sentimientos y valores del hombre vivían juntos, hasta que la isla está a punto de hundirse. La grabación dura aproximadamente 3 minutos. Escuche la grabación "El Amor y el Tiempo" y luego conteste las preguntas.

1. Nombre cuatro de los valores y sentimientos que había en la isla.
2. ¿Qué problema surgió en la isla?
3. ¿Qué le contestó la Riqueza al Amor?
4. ¿Y el Orgullo?
5. ¿Y la Tristeza?
6. Al final, ¿quién le ayudó al Amor? ¿Por qué?

Lección 4A **199**

Teacher Resources

 Activity 50
Activity 51

Activity 19

Answers

50 1. a; 2. c; 3. a; 4. d

51 1. Ejemplos incluyen: el Buen Humor, la Tristeza, la Sabiduría, el Amor, la Riqueza, el Orgullo, el Tiempo. **2.** La isla se iba a hundir. **3.** Que no podía ayudarle porque su barca estaba llena de oro y plata. **4.** El Orgullo quería todo perfecto en su barca y temía por su reputación. **5.** Estaba tan triste que quería estar sola. **6.** El Tiempo, porque el Tiempo es el único capaz de comprender lo importante que es el Amor en la vida.

Instructional Notes

50 You might want to review the following words with students before they listen to the audio: *¿qué onda?*, what's happening?; *de maravilla*, fantastic; *cumplir su palabra*, to keep one's word; *averiado*, broken down; *ser caso aparte*, to be something else/a piece of work.

51 You might want to review the following words with students before they listen to the audio: *indescriptible*, indescribable; *sabiduría*, wisdom; *hundirse*, to sink; *partir*, to leave; *estar a punto*, to be ready; *lujosísima*, very luxurious; *rogar*, to beg/plead; *arruinar*, to ruin; *lleno de gozo*, full of joy; *saber*, knowledge.

Teacher Resources

 Activity 52

 Activities 20–21

Instructional Notes

52 You might ask students if they know the meaning of *espejo* ("mirror") before they listen to the audio. You could also ask them to name objects, animals, or actions associated with bad luck (broken mirrors, black cats, walking under a ladder, spilling salt, Friday the 13th [*martes 13*], and, in general, the number 13).

53–54 Make sure students go over the expectations outlined in the *Pautas* on p. 480 before they prepare the writing activities on this page.

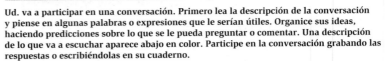

52 Participe en una conversación

Ud. va a participar en una conversación. Primero lea la descripción de la conversación y piense en algunas palabras o expresiones que le serían útiles. Organice sus ideas, haciendo predicciones sobre lo que se le pueda preguntar o comentar. Una descripción de lo que va a escuchar aparece abajo en color. Participe en la conversación grabando las respuestas o escribiéndolas en su cuaderno.

> **Escena:** Una amiga, Elena, lo/la llama por teléfono para hablar de unos planes que Uds. habían hecho y para describir algo que le pasó.

Ud.:	• (*Suena el teléfono.*) Conteste.
Elena:	Lo/La saluda y le explica por qué llama.
Ud.:	• Salúdela y exprese su gran interés por el plan.
Elena:	Le hace un comentario sobre la situación.
Ud.:	• Muestre decepción y frustración (use al menos dos expresiones de subjuntivo).
Elena:	Le hace un comentario y le pide consejos.
Ud.:	• Siga la conversación. • Dele dos consejos (use al menos dos expresiones de subjuntivo).
Elena:	Le hace una afirmación en forma de pregunta.
Ud.:	• Niegue esa afirmación con firmeza.
Elena:	Le hace un comentario.
Ud.:	• Use una expresión de emoción, siga la conversación y despídase.

¡A escribir!

53 Texto informal: rechazado

Un amigo suyo está un poco deprimido porque ha sido rechazado por la persona que ama. Escríbale un correo electrónico para animarle. Use el vocabulario, las estructuras repasadas y las tapitas gramaticales de la lección. Subraye las palabras nuevas y las estructuras que use.

- Hable de la situación en la que está.
- Hable de todas las cualidades que tiene.
- Anímele a hacer nuevos planes para el futuro.

54 Texto informal: las supersticiones

En un foro, hable sobre el tema de las supersticiones.

- Exprese su opinión sobre el tema.
- Confiese tener una superstición (real o imaginaria).
- Pida consejos para "curarse" de esta superstición.

Consejo

Antes de empezar, lea las pautas para escribir textos informales en la pág. 480 del Apéndice. Mientras escribe el texto tenga presente los objetivos. Cuando termine, verifique que ha cumplido con todo lo que se describe en la lista y reflexione sobre su trabajo.

Audioscript Activity 52

(telephone ringing) [STUDENT RESPONSE]
Elena: Hola, ¿cómo estás? Mira, te llamo porque tengo que hablar contigo sobre el viaje que teníamos organizado.
[STUDENT RESPONSE]
Elena: Pues, mira. He pensado que no voy a ir. Sé que lo teníamos organizado desde hace un año. Pero es que no te puedes ni imaginar lo que me ha pasado. Esta mañana cuando estaba haciendo la maleta se me ha roto un espejo. Y ya sabes la mala suerte que da un espejo roto. Así que es imposible que haga un viaje así. Lo siento.
[STUDENT RESPONSE]
Elena: Es que todo esto es muy duro para mí. ¿Qué me aconsejas que haga?
[STUDENT RESPONSE]
Elena: A propósito, me ha dicho Magdalena que tú tienes bastantes fobias, ¿no?
[STUDENT RESPONSE]
Elena: Bueno, yo creo que me has convencido. Creo que todo va a ir bien. ¡¡Ayyyyyyyyy!! Mira lo que hay ahí. ¡Un enorme gato negro!
[STUDENT RESPONSE]

55 Ensayo: tener una actitud positiva

Escriba un ensayo sobre la importancia de tener una actitud positiva en la vida.

56 Ensayo: la personalidad

Escriba un ensayo contestando la pregunta, "¿Se puede cambiar la personalidad?"

57 En parejas

Intercambie sus ensayos con los de un/a compañero/a. Exprésele su opinión sobre el contenido y el uso del idioma.

Consejo

Antes de empezar, lea las pautas para escribir ensayos en la pág. 480 del Apéndice. Mientras escribe el ensayo tenga presente los objetivos, y no se olvide de ponerle un título original. Cuando termine, verifique que ha cumplido con todo lo que se describe en la lista y reflexione sobre su trabajo.

¡A hablar!

58 Charlemos en el café

Ud. va a debatir los siguientes temas con un/a compañero/a. Uno estará a favor de lo que se ha dicho y otro en contra. El debate durará varios minutos. El/La estudiante que esté de acuerdo comenzará el debate y hablará por unos dos minutos. Cuando el/la profesor/a lo indique, el/la otro/a estudiante tomará la palabra y expresará su opinión por otros dos minutos, y así sucesivamente.

1. Mentir es aceptable.
2. Cada persona tiene una personalidad determinada desde que nace.
3. "Dime con quien andas y te diré quien eres".
4. Si un estudiante se porta mal en clase es porque quiere llamar la atención.
5. En el fondo, nadie es malo.
6. Si una persona es tímida, los profesores nunca deberían hacerle presentar en clase.
7. Los animales también tienen miedos, celos y manías.
8. Las personas que son quejicas (que se quejan constantemente) lo son porque siempre hay alguien que las escucha.

59 ¿Qué opinan?

Converse con un/a compañero/a sobre estas preguntas.

1. ¿Cuáles son las ventajas y las desventajas de ser una persona que siempre dice lo que piensa?
2. ¿Cómo les hacemos ver a las personas que queremos lo que sentimos por ellas?
3. ¿Qué cree que es más importante: ser inteligente o ser listo?
4. ¿Colecciona cosas? ¿Cree que esto se puede convertir en una manía? Explique su respuesta.
5. ¿Qué factores influyen en la personalidad de una persona?

Teacher Resources

Activity 22

Instructional Notes

55–56 Again, remind students to go over the expectations outlined in the *Pautas* on p. 480 before they prepare the writing activities on this page.

57 Monitor students' comments and corrections as they evaluate their classmates' work. If certain errors are being made repeatedly, go over this grammar with the class.

58 Because all students will speak, allow them time to prepare this activity. Be sure to tell students which issue and which side of the issue they will be debating, so that they can do some research and practice before their debate.

After students have debated these issues with a partner, you might want them to continue the debate in small groups, or even have a discussion with the whole class on one or two of these topics.

You might want to display the new vocabulary to make sure students incorporate it into their debates.

59 Encourage students to review the vocabulary, including the expressions and *nexos*, at the end of the lesson in order to enhance their discussions. They need to pay attention to the grammar, pronunciation, and intonation, and use appropriate vocabulary to contradict or agree with their partner's comments. After students discuss these questions with a partner, you could hold a whole-class discussion.

Additional Activities

Corrija una carta
See p. TE26.

60 Review the *Pautas para presentaciones formales* on p. 481, and refer students to their copies of the guidelines given to them in *Lección 1A* (*Antes y durante una presentación*). (See p. 27 of this Annotated Edition.)

61 Before students start their projects, go over the questions from *Lección 1A*, p. 28. Students should have a copy of these questions for each project.
Remind them that after they complete their project, they will self-assess their work as a team using the grading system 1–5 (5 being the highest, and 1 the lowest) and write a grade next to each question. After they turn in their work or make their presentation to the class, you will review their project and write your comments and evaluation next to theirs.

60 Presentemos en público

Conteste una de las siguientes preguntas o haga una presentación oral sobre uno de los temas durante varios minutos. Organice sus ideas antes de hacer la presentación, busque las palabras necesarias y, después de practicar, presente en clase sin mirar las notas.

1. ¿Qué sabe de los diferentes países latinoamericanos? Elija un país de habla hispana y hable de su gente. Haga comparaciones con su propio país.
2. ¿Quién ha sido una persona importante en su vida? ¿Cómo lo/la ha influenciado?
3. ¿Por qué nos gusta ponerle "etiquetas" a la gente?
4. ¿En qué se parecen y en qué se diferencian los chicos de las chicas?
5. "No hay enfermedades sino enfermos". Hable sobre el poder de la mente cuando se tiene una enfermedad.

Consejo

Antes de empezar, lea las pautas para presentaciones formales en la pág. 481 del Apéndice. Mientras formula su presentación tenga presente los objetivos. Cuando termine la presentación, verifique que ha cumplido con todo lo que se describe en la lista y reflexione sobre el trabajo que hizo.

Proyectos

61 ¡Manos a la obra!

Trabaje en un grupo de cuatro o cinco estudiantes para llevar a cabo uno de los siguientes proyectos y presentarlo en clase.

1. Hagan un cartel y presenten las cinco virtudes y defectos de nuestra sociedad. Acompañen las presentaciones con anécdotas e historias.
2. Acaba de ser descubierto un nuevo país. Hablen de su ubicación, su bandera, idioma, los principios que se siguen, el tipo de gobierno, cómo son las personas que viven allí; hablen de su personalidad, aspecto físico, vestimenta, etc.
3. Escriban una fábula sobre la envidia. Hagan las ilustraciones necesarias.
4. ¿Cuáles son las cinco cosas más importantes para los seres humanos de nuestra sociedad? ¿Y para los de sociedades menos avanzadas? Comparen los valores de las dos sociedades; hablen de sus diferencias y de lo que tienen en común.
5. Escriban un cuento para niños en el que les hablen sobre una cualidad o defecto del ser humano.

Vocabulario

Verbos

admirar	to admire
aguantar, soportar	to tolerate, stand, bear
asegurar	to assure
atraer	to attract
convenir (ie)	to be advisable, convenient
costar (ue)	to find difficult; to cost
curar(se)	to get well
desear	to want, desire
descartar	to eliminate, put aside
fingir	to pretend
indignarse	to get angry
intuir	to sense, intuit
latir	to beat
madurar	to mature
maltratar	to mistreat, abuse
manejar	to manage
reducir	to reduce
regalar	to give (a present)
rescatar	to rescue
rodear(se)	to be surrounded
sobrecogerse	to be moved, deeply affected
solucionar	to solve
volverse (ue)	to turn into

Verbos con preposición

verbo + a:

ponerse a	to begin to
ser reacio a	to be reluctant to

verbo + con:

coquetear con	to flirt with

verbo + de:

enamorarse de	to fall in love with
enterarse de	to find out about
estar a punto de	to be about to

verbo + en:

involucrarse en	to be involved in
pensar (ie) en	to think of

Sustantivos

la	altura	height
el	bombón	chocolate candy
la	capacidad	ability
la	clave	key (solution)
el	comportamiento	behavior
la	conducta	conduct
la	confianza	confidence
el/la	crío/a	child
la	envidia	envy
la	habilidad	skill
el	halago	praise, flattery
la	herencia	inheritance; heritage
el	lujo	luxury
la	maldad	evil
la	manía	obsession, funny little way
el	medicamento	medicine
la	mente	mind
la	mirada	look
el	odio	hatred
la	paciencia	patience
la	pauta	guideline
la	persona ideal	ideal person
la	postura	position
el/la	protagonista	protagonist, main character
el	rasgo	physical characteristic
la	rueda de prensa	press conference
el	sentimiento	feeling
la	señal	sign, signal
el/la	sinvergüenza	shameless person, rascal, scoundrel
la	timidez	shyness
la	tontería	silly/stupid thing
la	trampa	trap
el	trastorno	disorder
la	vergüenza	shame, embarrassment

Adjetivos

acogedor(a)	cozy, welcoming
amplio, -a	complete; wide
brusco, -a	abrupt
capaz	capable
cariñoso, -a	affectionate
complejo, -a	complex
débil	weak
deprimido, -a	depressed
drástico, -a	drastic
enamoradizo, -a	inclined to fall in love easily; easily infatuated
grave	solemn; serious; seriously ill
huraño, -a	unsociable
inconsciente	irresponsible; unaware
indescriptible	indescribable

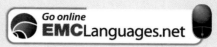
Additional Activities

Juegos

To practice vocabulary and grammar from the lesson, ask students to play any of the following: *Dibuje, defina o gesticule, Relevos,* or *El juego de la alarma.* See pp. TE24 and TE25.

Ask students to do any of the following activities to practice and strengthen the vocabulary or grammar presented in this lesson: *Hablen sobre esta foto, ¿Cuáles son las diferencias?, ¡Post-it!,* or *Repaso Expreso.* See pp. TE26–TE28.

Ask students to do one or both of the following activities to practice the culture topics presented in this lesson: *Gráfico sobre un tema* or *Encuesta.* See p. TE27.

Cláusulas adverbiales y conjunciones

Tell students to pretend that because of bad weather you are all trapped in school for a day. Bring a surprise bag to the class filled with things that could be useful in such an emergency. Ask students to make up sentences guessing why you brought some of the items. You may want to bring some funny or outrageous things, and convince students that they are really necessary and useful. Write on the board some adverbs and conjunctions that are followed by the subjunctive, such as: *para que, mientras que, hasta que, en caso de que, con el fin de que, cuando.* Model the activity; you could show students an object or a picture of one, for example, a mat for yoga. Elicit from the students something like: *"Es muy práctico tenerla en caso de que quiera hacer yoga para relajarse".*

See ExamView for
assessment options.

inesperado, -a	unexpected
insoportable	unbearable
mandón/mandona	bossy
mentiroso, -a	lying
mimado, -a	spoiled
perfeccionista	perfectionist
provocado, -a	provoked; angered
sudoroso, -a	sweaty
tremendo, -a	terrible, tremendous

Adverbios

al menos	at least
cariñosamente	affectionately
curiosamente	curiously
realmente	really; actually

Expresiones

abanico de posibilidades	range of possibilities
ahogarse en un vaso de agua	to get worked up about nothing
cada cual con sus manías	everyone with his/her funny little ways
cada vez que	each time that
de carne y hueso	of flesh and blood; to have feelings
entre la vida y la muerte	between life and death
estar de buen (mal) humor	to be in a good (bad) mood
estar en las nubes	to be absentminded
extrañar	to miss
llamar la atención	to attract attention
lo absurdo de la situación	the absurdity of the situation
nada de nada	nothing at all
¡no faltaba más!	don't mention it!
¡oye!	hey!, excuse me
para colmo	on top of that
partirse de risa	to laugh one's head off, split one's sides laughing
pasársele rápido	to get over (something) quickly
preocuparse por	to worry, get worried about
¡Qué tontería!	How silly!
¡Qué vergüenza!	How shameful!, How embarrassing!
ser indispensable	to be indispensable
sin cesar	ceaseless, non-stop
tener un don	to have a special gift (for doing something)

tiene la manía de	he/she has this little thing/ obsession about
ver todo "color de rosa"	to see everything through rose-colored glasses

A tener en cuenta

Nexos (Palabras y expresiones útiles para unir ideas)

a fin de cuentas	when it comes down to it, when all's said and done
a lo mejor	maybe
a pesar de	in spite of
actualmente	nowadays, at the present time
como consecuencia	as a result/consequence
como resultado	as a result
de hecho	in fact
en conclusión	in conclusion
en primer lugar, en segundo lugar	in the first place, in the second place
en realidad	actually
en resumen	to summarize
por consiguiente	thus, therefore
por desgracia	unfortunately
por eso	for that reason
por esta razón	for this reason
por este motivo	for this reason, motive
por lo general	in general
por lo tanto	thus, therefore
por si acaso	just in case
puesto que	since, because
ya que	since

Objetivos

Comunicación
- Hablar de los famosos
- Opinar sobre los héroes
- Discutir el impacto de los hispanos en Estados Unidos

Gramática
- Preposiciones
- Pronombres
- Comparaciones

"Tapitas" gramaticales
- expresiones idiomáticas con *dar*, *poner* y *ponerse*
- cognados y falsos cognados

Cultura
- La influencia de los hispanos en Estados Unidos
- George López
- Penélope Cruz
- Salma Hayek
- Cristina Saralegui
- Meteduras de pata que han hecho historia

Go online
EMCLanguages.net

Lección 4B **205**

Investigue palabras clave:
Pedro Almodóvar,
Cristina Aguilera,
Ozzie Guillén

Instructional Notes

See if students can identify the people pictured on the page, where they are from, and anything else they might know about them. Encourage students to find out more information about each person. (From top to bottom they are: Pedro Almodóvar, Spanish film director; Cristina Aguilera, pop singer from Colombia; "Ozzie" Guillén, Chicago White Sox manager from Venezuela.)

Ask students the following question and have them work in small groups or as a whole class to try to figure it out: *¿Qué tienen en común los presidentes Garfield, Hoover, Truman, Ford, Reagan, George H.W. Bush, Bill Clinton y los actores Dan Aykroyd, Tom Cruise, Matt Dillon, Whoopie Goldberg, Angelina Jolie, Nicole Kidman, Marilyn Monroe, Robert Redford, Keanu Reeves, Julia Roberts, Bruce Willis y Oprah Winfrey? (Respuesta: Todos son o eran zurdos.)*

Answers

1 Answers will vary.

2 Dialogues will vary.

Instructional Notes

1 You might want to have students work in small groups or have the entire class participate in a discussion.

2 You might want to have a couple of students present one of the dialogues in front of the class.

Refrán

You could ask the following questions: *¿Creen que una vez que se tiene fama se puede descansar? ¿Creen que una vez que se consigue la fama surge la necesidad de conseguir más? ¿Es la fama efímera? ¿Qué piensan del comentario que hizo Marco Aurelio hace cientos de años: "Todo es efímero y efímeros son la fama y los famosos"? ¿Cree que la necesidad de ser famoso ha cambiado con el paso del tiempo? ¿Cómo?*

Para empezar

1 Conteste las preguntas 🧍🧍

Piense en las respuestas a las siguientes preguntas. Ud. puede tomar notas si lo considera necesario. Cuando termine, compare sus respuestas —pero sin mirar sus notas— con las de un/a compañero/a.

1. ¿Qué es la fama? ¿Cree que la fama es algo eterno?
2. ¿Por qué se hace alguien famoso?
3. ¿Qué tipo de premios se conceden a personas famosas o importantes?
4. En su opinión, ¿quiénes son actualmente los tres hispanohablantes más famosos?
5. Nombre a cinco actores hispanohablantes.
6. ¿Cree que lo latino está de moda? ¿En qué campo hay más hispanohablantes conocidos?
7. ¿Por qué cree que a algunas personas les gusta ser famosas?
8. ¿Cree que los famosos tienen más manías y hacen cosas más extravagantes que los que no lo son? ¿Conoce alguna historia de las manías a cosas excéntricas de famosos?
9. Nombre tres héroes de fama mundial y explique por qué, desde su punto de vista, son héroes.
10. ¿Piensa que un héroe busca la fama? ¿Por qué?

Carolina Herrera, diseñadora de moda venezolana

2 Mini-diálogos 🧍🧍

Ud. va a crear un mini-diálogo con un/a compañero/a. Lea la descripción de la conversación antes de empezar. Puede tomar notas para organizar sus ideas, pero no las mire mientras conversa.

Escena:	En el gimnasio Ud. y su amigo/a mantienen una conversación sobre sus ídolos.

A: Hable con su compañero/a sobre alguien famoso/a quien Ud. admira. Pregúntele a su compañero/a qué piensa de esta persona.

B: Exprese su opinión. Pregúntele más sobre esta persona.

A: Conteste sus preguntas. Pregúntale sobre una de las personas que admira.

B: Conteste su pregunta. Dele detalles.

A: Exprese desacuerdo. Explique por qué esta persona no es de su agrado.

B: Defienda a su ídolo.

A: Discúlpese por su tono. Haga un comentario agradable y despídase amistosamente.

B: Quede con su amigo/a para ver un espectáculo. Despídase.

Refrán

Crea fama y échate a dormir.

🧍 ¿Qué cree que quiere decir este refrán? ¿Está de acuerdo? ¿Por qué? Comparta su opinión con un/a compañero/a.

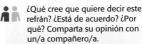

¡Dato curioso! Hay una empresa francesa que transforma a las personas anónimas en "famosas". Estas personas van escoltadas por guardaespaldas y perseguidas por paparazzi y admiradores. Es como un teatro y toda esta representación puede llegar a costar unos 4.000 dólares.

Nota cultural

Andy Warhol dijo que todo el mundo tenía derecho a quince minutos de fama. Aunque lo que se describe en el *Dato curioso* no es lo mismo, gracias a esta empresa la gente puede llegar a meterse en el papel de cualquier estrella.

Investigue palabras clave: Carolina Herrera, Oscar de la Renta

3 Un blog

Túrnese con un/a compañero/a para leer el siguiente blog. Fíjese en las palabras que aparecen en azul (relacionadas con el vocabulario) y en rojo (relacionadas con la gramática), ya que en las siguientes actividades se le harán preguntas sobre ellas.

¡Qué ilusión!

El otro día quedé en verme con una amiga en el Café El Brillante. Habíamos quedado en vernos a las tres, pero como no tenía ganas de estar de pie esperándola, pedí un café, me senté, y me puse a leer un periódico. Estaba por irme cuando alrededor de las cuatro apareció Marisol con la sonrisa de oreja a oreja de siempre. Me contó en voz baja que se había tropezado con un actor famoso y que por eso llegaba tarde. Yo ya estaba acostumbrada a sus retrasos y aun más a sus excusas. Si ustedes la conocieran sabrían que nunca llega a tiempo a ningún lado. En el fondo no me enojé con ella, pero me quedé allí de mala gana. Yo le comenté a Marisol que a mí no me gustan los actores famosos, y que sin embargo admiro muchísimo a aquellas personas que han hecho algo bueno por la sociedad. Me gusta leer sus biografías y pensar en su trayectoria. Como las personas que reciben uno de los galardones más preciados de todos en reconocimiento por los logros obtenidos a lo largo de su carrera: los premios Nobel. De hecho empecé a interesarme por estos premios cuando una profesora me contó en la escuela cómo empezó todo. Por lo visto Alfredo Nobel era un químico inventor de origen sueco que consiguió inventar un explosivo menos peligroso del que se usaba hasta entonces. No fue un camino fácil; un ejemplo de ello es el hecho de que en una de las explosiones en su laboratorio murió su hermano. A pesar de ello, no se dio por vencido. Nobel siguió con su sueño y consiguió una gran fortuna con dicho invento y algunos otros. Su fortuna fue grandísima, pero según me contaron estaba horrorizado por el uso que se le dio a su invento y que empezó a ser usado en la guerra y por lo tanto muchas personas fallecieron. Es por lo que Alfred Nobel, un filántropo entre otras muchas cosas, decidió donar a su muerte toda su fortuna a aquellas personas que con sus descubrimientos, investigaciones u obras cambiaron el curso de la historia gracias al aporte que le dieron a la sociedad.

Después de mi aburrida charla sobre los premios Nobel, vi como alguien se acercaba a mi amiga Marisol, le ponía la mano en el hombro y le decía: "¿Otra vez tú por aquí?". Era Armando Alconcer, el famosísimo actor de las telenovelas. Me puse a tartamudear como una tonta, no podía creer que en ese momento no tenía ninguna cámara a mano. Les interrumpí maleducadamente, le di la mano y dos besos y le supliqué que me firmara un autógrafo en una servilleta de papel. Mi amiga se puso colorada y me miraba horrorizada por mi comportamiento infantil, pero a mí no me importaba. Le di las gracias y cuando me fui, me puse a contarle la historia a todas mis amigas. Al fin y al cabo, todas las reglas tienen su excepción, ¿no? Fue el día más emocionante de toda mi vida. Al día siguiente, en cuanto llegué a clase en seguida les mostré orgullosa a todos mi preciada servilleta. Ah, y además empecé a interesarme más por las revistas del corazón. En el fondo, siempre buscaba alguna historia en la que hablaran de Armando Alconcer, mi príncipe azul.

Nota cultural

Como dato curioso la familia de Nobel estaba muy sorprendida y enojada cuando conoció los deseos de su pariente en su testamento. Un premio Nobel puede serle concedido a más de una persona —a tres como máximo para ser exacto. Sólo el Premio Nobel de la Paz puede ser concedido a una organización; varias veces se lo han otorgado a organismos como UNICEF y la Cruz Roja. De los más de cien premios otorgados a escritores, diez han sido a escritores hispanohablantes: José Echegaray (España, 1904); Jacinto Benavente (España, 1922); Gabriela Mistral (Chile, 1945); Juan Ramón Jiménez (España, 1956); Miguel Ángel Asturias (Guatemala, 1967); Pablo Neruda (Chile, 1971); Vicente Aleixandre (España, 1977); Gabriel García Márquez (Colombia, 1982); Camilo José Cela (España, 1989); Octavio Paz (México, 1990). El trabajo de otros hispanohablantes en diferentes campos también ha sido reconocido, e incluye personas como Adolfo Pérez Esquivel (de la Paz, Argentina), Ramón y Cajal, (Biología y medicina, España) y Severo Ocho (Física, España).

Teacher Resources

✎ Activity 1

Answers

4 1. c; 2. a; 3. c; 4. a; 5. b; 6. c; 7. c; 8. a; 9. c; 10. b; 11. b; 12. c; 13. b; 14. d

5 1. *Wording for translations will vary*; habíamos quedado en, *we had agreed to*; tenía ganas de estar de pie, *I felt like standing up*; me puse a, *I started to*; estaba por, *I was about to*; alrededor de las cuatro, *around four*; sonrisa de oreja a oreja de siempre, *same big smile as always*; camiseta de algodón, *cotton T-shirt*; de moda, *stylish*; en voz baja, *in a low voice*; se había tropezado con, *she had bumped into*; por eso, *for this (reason)*; a tiempo, *on time*; a ningún lado, *anywhere*; al verme, *on seeing me*; no era para tanto, *it wasn't an issue*; en el fondo, *deep down*; me enojé con, *I got mad at*; de mala gana, *unwillingly*; sin embargo, *nevertheless*; por la sociedad, *for society*; a lo largo de, *throughout*; de hecho, *in fact*; interesarme por, *to get interested in*; por lo visto, *apparently*; de origen sueco, *of Swedish origin*; a pesar de ello, *in spite of it*; por el uso, *for the use*; por lo tanto, *therefore*; es por lo que, *that's why*; gracias al aporte, *thanks to the contribution*; charla sobre, *chat about*; por aquí, *around here*; me puse a, *I started to*; a mano, *handy*; por mi comportamiento infantil, *because of my childish behavior*; me puse a contarle, *I began telling*; al fin y al cabo, *in the end*; de toda mi vida, *of my entire life*; al día siguiente, *the next day*; en cuanto, *as soon as*; 2. Ejemplos: expresiones con *a*: a la derecha, *to the right*; a continuación, *and then*; a mano, *by hand*; a pie, *on foot*; a todas horas, *all the time*; a eso de las dos, *around two*; con *en*: en cambio, *on the other hand*; en cuanto, *as soon as*; en fin, *after all*; en medio de, *in the middle of*; en vez de, *instead of*; en todas partes, *everywhere*; con *de*: de buena gana, *willingly*; de día, *by day*; de modo que, *so that*; de nada, *you are welcome*; de ninguna manera, *by no means*; de noche, *at night*

6 1. Le di la mano y dos besos, le di las gracias. Otros ejemplos: dar miedo, *to be afraid of*; dar un paseo, *to go for a walk*; dar de comer a alguien, *to feed someone*; 2. me puse a leer, me puse a tartamudear, se puso colorada, me puse a contarle; otros ejemplos: ponerse enfermo, *to get sick*; ponerse al sol, *to sit in the sun*; poner en marcha, *to start*; poner la mesa, *to set the table*

Instructional Notes

7 You might have students work with a partner and answer each other's questions.

---

4 Amplíe su vocabulario ⓘ🔍

Empareje cada palabra con su definición o sinónimo, según el contexto del artículo anterior.

1. quedar en
   a. ir a
   b. pedir
   c. citarse
   d. llegar tarde

2. retraso
   a. tardanza
   b. camino
   c. cancelación
   d. costumbre

3. enojado
   a. alegre
   b. triste
   c. enfadado
   d. risueño

4. biografía
   a. historia
   b. camino
   c. cancelación
   d. costumbre

5. trayectoria
   a. lugar
   b. camino recorrido
   c. parada
   d. costumbre

6. galardón
   a. dinero
   b. trabajo
   c. premio
   d. victoria

7. logro
   a. llegada
   b. trayecto
   c. éxito
   d. ampliación

8. fortuna
   a. capital
   b. opulencia
   c. carácter
   d. particularidad

9. fallecer
   a. caer
   b. herir
   c. morir
   d. resurgir

10. filántropo
    a. dadivoso
    b. bienhechor social
    c. caballeroso
    d. respetuoso

11. obra
    a. estudio
    b. trabajo
    c. recorrido
    d. caminante

12. telenovela
    a. película
    b. animación
    c. serial
    d. programa

13. tartamudear
    a. hablar con errores
    b. hablar entrecortado
    c. hablar otro idioma
    d. corregir al hablar

14. orgulloso
    a. tranquilo
    b. serio
    c. trabajador
    d. feliz por los logros obtenidos

5 Preposiciones 👥 ⓘ🔍

Trabaje con un/a compañero/a y conteste estas preguntas relacionadas con la lectura de la Actividad 3.

1. Escriban y traduzcan las palabras o expresiones con preposiciones que aparecen en rojo.
2. Hagan una lista de seis expresiones con cada una de las siguientes preposiciones: *a*, *en* y *de* e incluyan la traducción. Pueden ser expresiones que no aparezcan en la lectura.

6 "Tapitas" gramaticales ⓘ🔍

1. Busque las expresiones idiomáticas con el verbo *dar* que aparecen en el texto. Escriba otras tres e incluya la traducción.
2. Busque las expresiones idiomáticas que aparecen en el texto con el verbo *poner* o *ponerse*. Escriba dos expresiones más con estos verbos, y su correspondiente traducción al inglés.

7 Una entrevista ✎

Ud. es periodista y le han pedido que le haga una entrevista a uno de los candidatos (puede ser real o ficticio) al próximo premio Nobel. Escriba diez preguntas para hacerle e incluya el vocabulario y algunas tapitas gramaticales de las actividades anteriores. Subraye las palabras nuevas.

Additional Activities

Ensayo

Ask students to write about the experience of getting the Nobel Prize. They need to research one of the winners, or use the information they gathered if they completed the *Trabajo de investigación* on p. 207, and write about the experience in the first person.

8 Los héroes

Lea con atención el siguiente texto, prestando atención a las palabras en azul y rojo. Después conteste la siguiente pregunta: ¿Qué pregunta sería apropiada para hacerle al autor después de leer el artículo?

👤 Yolanda

Mis héroes

5 ¿Quién no creía en los héroes cuando era niño? Pues bien, los que yo recuerdo con cariño son los dibujos animados del Hombre Araña y El Zorro. Eran los dos héroes de más éxito cuando éramos pequeños. Mi hermano Fernando y yo siempre nos acurrucábamos en el sofá para ver la serie del mejor héroe de todos: Las aventuras del Zorro (y su caballo Plata). ¡Qué buen nombre para un caballo!, ¿verdad? La música, la vestimenta, el caballo: todo era un mito. Aun ahora, aunque esté un
10 poco anticuada, se la recomiendo a quien quiera pasar un buen rato.

Hay un libro del que les quiero hablar hoy y que es sobre él. Se titula, lógicamente, Zorro. Lo que más me gustó es la perspectiva con la que la autora, Isabel Allende, escribió sobre el legendario personaje, Diego de la Vega, a quien nos describe antes de convertirse en el legendario Zorro. ¿A quién no le gusta este valiente, apasionado, carismático y aventurero personaje? Tanto hombres
15 como mujeres caen rendidos a sus pies. Allende nos da una interesante panorámica de la California de los años 1790 y de la España de principios del siglo XIX ocupada por las tropas de Napoleón. Según cuentan, la escritora chilena decidió llevar la historia a España porque durante esa época había mucha acción en Europa, donde se estaban gestando grandes cambios, tales como la Revolución Francesa entre muchos otros. Es uno de los períodos más fascinantes de la historia.
20 Un dato curioso es el hecho de que Allende decidiera hacer al joven héroe de la máscara y el traje negro mestizo. Es un libro fascinante. Si quieres leer algo que sea ameno, cómpratelo sin dudarlo — seguro que te va a gustar. Por lo que he oído van a llevar la historia al cine y quizás la protagonice alguien del estilo de Johnny Depp. Ojalá que escojan a alguien como él, pues yo siempre se lo digo a mi amigo Julián, que no hay nadie como él, cuyo talento para este tipo de personajes es indiscutible,
25 como ya lo demostró en la película Don Juan de Marco. Muchos coinciden conmigo en que es uno de los mejores actores para este tipo de personaje.

9 Amplíe su vocabulario

¿Cuál es la mejor traducción?

1. éxito
   a. exit
   b. popular
   c. success
   d. failure

2. acurrucarse
   a. to hum
   b. to play
   c. to curl up
   d. to hide

3. legendario
   a. old
   b. character
   c. celebrity
   d. legendary

4. carismático
   a. pleasant
   b. nice
   c. charismatic
   d. chaotic

continúa

Lección 4B   **209**

Answers

9 1. c; 2. c; 3. d; 4. c;

Instructional Notes

8 Before students read the article, ask them to name their childhood heroes. How do they compare with any heroes they might have now?

After students read the article, show them a section of the cartoon *El zorro*. You could also show them an excerpt from the movie. Talk about the famous character with the students. Have them share their opinions of equivalent cartoon or movie heroes in the United States.

Activities 2–6

Answers

9 5. d; 6. a; 7. c; 8. d

10 *Ejemplos:*
héroe, persona admirada por su valentía; *dibujo animado*, serie de dibujos fotografíados que se filman y muestran un movimiento; *mito*, persona o leyenda relacionada con muchas cualidades positivas e idealizada; *anticuado*, que ya no se lleva o usa; *valiente*, lo contrario de cobarde; *mestizo*, que proviene de una mezcla de raza o culturas

11 **1.** los que: relativo, sujeto; se la: se = objeto indirecto, lo = objeto directo; (a) quien: relativo como objeto indirecto; les: objeto indirecto; lo que: relativo, sujeto; la que: relativo, objeto de la preposición *con*; a quien: relativo y objeto directo; ¿a quién?: relativo y objeto indirecto; cómpratelo: te = objeto indirecto, lo = objeto directo; lo que: relativo, objeto de la preposición *por*; se lo digo: se = objeto indirecto, lo = objeto directo; cuyo: relativo y adjetivo posesivo; **2.** que, quien, cual, lo que, cuyo; **3.** *what, the thing which*; Se usa cuando se hace referencia a un antecedente no específico; por ejemplo: No recuerdo *lo que* quería decir. **4.** Sí; por ejemplo: La historia *de que* te hablaba es muy amena. La chica *con quien* bailé me gusta mucho. **5.** *whose*; Debe concordar con el sustantivo que lo sigue; concuerda en género y número. Ejemplo: Éste es el hombre *cuya hija* fue secuestrada por unos delincuentes. **6.** El objeto directo indica la persona o cosa sobre la que recae la acción; el indirecto indica para quién o a quién se efectúa una acción. **7.** Los pronombres se colocan delante del verbo ya sea compuesto o no, a excepción del infinitivo, gerundio o mandato afirmativo; en estos casos, los pronombres se colocan al final. Ejemplos: Te lo di. Nos lo habían dado. Quiero regalártelo. Estoy preparándotelo. Dígamelo, por favor. **8.** El objeto indirecto se coloca delante del directo. (Una forma para recordarlo es decirle a los estudiantes que las personas son más importantes que las cosas.)

12 **1.** el comparativo de superioridad, de inferioridad, de igualdad y el superlativo; **2.** Se usa *que* en todos los casos excepto delante de números; en ese caso se usa *de*: Había más de cien personas. Aunque cuando queremos decir "sólo" usamos "que": No me quedan más que cinco dólares. Cuando el antecedente es un adjetivo o un adverbio, entonces usamos "de lo que": Tenía menos tarea de lo que pensaba. **3.** No; son formas intensivas del adjetivo. Ejemplos: las palabras que terminan en -*co*/-*ca*, -*go*/-*ga* y -*z* cambian a -*qu*, -*gu* y -*c* respectivamente. **4.** *only (He has only ten dollars.)* **5.** *Mayor/es, menor/es*; suelen colocarse detrás del sustantivo y *mejor/es, peor/es* que suelen colocarse

---

5. caer rendidos a sus pies
   a. to render to the feet
   b. to fall faint
   c. to keep falling on one's feet
   d. to surrender at one's feet
6. tropas
   a. troops
   b. ropes
   c. friends
   d. traps
7. gestar
   a. to recommend
   b. to advise
   c. to develop
   d. to spend
8. ameno
   a. boring
   b. easy to read
   c. funny
   d. enjoyable

10 Defina las palabras

Defina en español las siguientes palabras: *héroe, dibujo animado, mito, anticuado, valiente* y *mestizo*.

11 Pronombres

Trabaje con un/a compañero/a y conteste estas preguntas relacionadas con la lectura de la Actividad 8.

1. Identifiquen por categorías (objeto directo, objeto indirecto, relativo) los pronombres en las expresiones o palabras que aparecen en rojo y expliquen su uso.
2. ¿Cuáles son los cinco pronombres relativos más comunes?
3. ¿Qué significa *lo que*? ¿Cuándo se usa? Den un ejemplo.
4. ¿Se puede usar *que* o *quien* con una preposición delante? Den un ejemplo con cada palabra.
5. ¿Qué significa *cuyo*? ¿Con qué elemento de la oración concuerda? ¿Cómo debe concordar? Den otro ejemplo.
6. ¿Cuál es la diferencia entre un objeto directo y uno indirecto?
7. ¿Dónde se coloca el pronombre del objeto directo o indirecto? Den ejemplos para cada situación.
8. ¿Dónde se colocan los pronombres cuando hay dos seguidos en la misma oración?

12 Comparaciones

Conteste las siguientes preguntas.

1. ¿Cuáles son los diferentes comparativos en español?
2. ¿Por qué se usa *que* unas veces en la segunda parte de la comparación, y en otras *de*?
3. ¿Son comparativas las palabras terminadas en -*ísimo* (*alto, altísimo*)? ¿Qué cambio consonántico sufren algunas de estas palabras?
4. ¿Qué significa *más que* en la oración, "No tiene más que diez dólares"?
5. ¿Cuáles son los comparativos irregulares? ¿Dónde se colocan?
6. ¿Cómo se expresan las comparaciones de igualdad?
7. ¿Cómo se forma el superlativo en español?

13 "Tapitas" gramaticales

1. ¿Cuál es la traducción de *exit* en español?
2. ¿Qué significa *success*?
3. Traduzca al español las siguientes palabras: *no exit, without success*.
4. ¿Qué nombre reciben en español las palabras de ambos idiomas que se parecen y significan lo mismo como, por ejemplo, *sofá/sofa* y *aventura/adventure*? ¿Y cuando las palabras se parecen pero no significan lo mismo como, por ejemplo, *soportar* y *to support*?

---

delante. **6.** *Tanto/a/os/as* + sustantivo + *como*; *tan* + adverbio/adjetivo + *como*; *tanto como* **7.** artículo + sustantivo + *más/menos* + adjetivo + *de* + artículo + sustantivo

13 **1.** salida; **2.** No; significa *éxito*. **3.** sin salida, sin éxito; **4.** cognados; falsos amigos (falsos cognados)

14 Un superhéroe

Ud. es un superhéroe. Conteste a este anuncio para un programa de televisión.

> Si está interesado/a, mande una carta a la Galería Mediterránea y hable sobre Ud.
>
> **Superhéroe**
> Nueva serie de televisión busca a "superhéroes" para un reality show. Los concursantes vivirán en una casa con otros "superhéroes". Serán votados por los televidentes cada semana. El ganador o ganadora recibirá un cheque con dinero y también la publicación de un comic con sus aventuras. Si está interesado/a mande una carta a los Estudios Estrella y hable sobre Ud.
>
> **Soltero**
> Nueva serie de televisión busca "solteros" de buen aspecto.

- Hable de sus poderes especiales.
- Hable de cuándo notó que los tenía.
- Compare su vida con la de una persona normal.
- Diga por qué cree que debería estar en el programa.
- Trate de convencer a la cadena de televisión para que lo/la elijan.

15 Preposiciones

Lea las siguientes oraciones y complételas con la preposición adecuada: *a, con, de, en, por* o *para*. No se olvide de hacer las contracciones necesarias con *de* y *a*, más el artículo.

1. Eduardo llegó ___ el mercado, se sentó ___ la silla y empezó ___ sacar los alimentos ___ las bolsas.
2. Carmen consiguió ahorrar ___ comprar la blusa ___ seda que era cara, pero que se la habían dado ___ sólo $50.
3. Habían viajado ___ cinco horas ___ pie y llegaron ___ un café al borde del camino. Le preguntaron ___ la dueña ___ cuántos kilómetros quedaba el pueblo más cercano.
4. La mesera les sirvió ___ mala gana porque era tarde. Después ___ beber un jugo ___ naranja y comer arroz ___ camarones, continuaron el paseo ___ el campo.
5. Como no llegamos ___ tiempo no pudimos entrar ___ el concierto porque el teatro estaba lleno ___ gente hasta la puerta.
6. Elisa y Juan Pedro viajan de vez en cuando ___ países latinos y compran cosas hechas ___ mano ___ los indígenas.
7. Llegaré mañana ___ la tarde. No puedo volar hoy ___ el mal tiempo y estoy muerto ___ cansancio. Trataré ___ buscar un hotel ___ dormir.
8. Néstor se dedica ___ la ecología porque le gustaría acabar ___ los problemas del mundo. Sabe que si no hacemos algo, ___ treinta años muchas especies habrán desaparecido.
9. ___ mi juicio, Antonio Banderas montaba ___ caballo muy bien en la película *El Zorro*.
10. Sigue las instrucciones ___ paso lento ___ no tener fallos tontos.
11. Anoche fuimos ___ Paco ___ una exposición ___ arte ___ el Prado. Estaba loco ___ alegría.
12. La artista llevaba un vestido ___ seda y su acompañante iba ___ negro. ___ mí, eran los más elegantes ___ la fiesta de los Premios Alma.
13. Trabajó ___ muchos años para este día, pero ___ desgracia tuvo un accidente ___ dos kilómetros ___ aquí y no pudo cantar ___ el concierto.
14. Cuando el artista llegó todos sus seguidores gritaron ___ alegría. ___ su edad, es increíble que siga teniendo tantos seguidores.
15. El año pasado un amigo y yo íbamos a viajar ___ primera vez a México. El pobre Ricardo llegó tarde y lleno ___ agua. Perdimos el avión ___ el mal tiempo, pero gracias ___ Dios un amigo vino ___ ayudarnos y fuimos ___ carro con él.
16. Te lo digo ___ serio, María. Este jarrón en azul está hecho ___ mano por ese señor.
17. Te lo digo en serio, Raúl. Yo amaré ___ Penélope Cruz ___ siempre. ___ mi parecer, es la actriz más guapa ___ todas.

Additional Activities

Comparaciones
Ask students to do some research about five interesting
facts that are in the *Guinness Book of Records*, making
sure that they can be compared among one another.
They should present these comparisons to the class the
following day.

Preposiciones
Bring a set of cards or drawings of things that you
would like students to talk about in order to practice
prepositions and pronouns. You can use the visuals
individually or to create a story.

Juego
Ask students to play *Trivia*. See p. TE25.

---

16 Comparativos y pronombres

Complete el siguiente diálogo con las palabras del recuadro. ¡Ojo! Algunas se usarán más
de una vez, pero otras no se usarán. Después conteste las siguientes preguntas: ¿Qué
pregunta sería apropiada para hacerle a José? ¿Y a Lupe?

menos	te	tan	tantas	quién
lo	me	tanto	más	del
la	de	tanta	que	como
le		tantos		

José: Lupe, hoy he tenido uno de los días __1.__ emocionantes __2.__ toda mi vida. Diego y yo íbamos a ir al café al __3.__ solemos ir todos los días, cuando __4.__ digo a mi amigo __5.__ yo tenía mucha hambre y por eso que fuéramos mejor al restaurante __6.__ hay al lado porque había menos gente y así nos servirían antes. Los dos entramos, y ¡adivina qué me pasó!

Lupe: ¿Qué __7.__ pasó? Cuéntame.

José: Pues, vi a Eva Longoria. Sí, a la mujer más guapa __8.__ mundo.

Lupe: Bueno, no es para __9.__ .

José: Perdona, a la segunda mujer más guapa __10.__ mundo. Nadie es __11.__ guapa como tú, cariño.

Lupe: Sí, sí, ya, ya. Venga, sigue.

José: Pues sí. ¿Quién podía imaginárselo? ¿Ella aquí? ¿Al lado mío?

Lupe: ¿Y qué __12.__ dijiste? ¿__13.__ pediste un autógrafo? Seguro que sí, ¿se __14.__ pediste? Ándale, cuéntame todo.

José: ¡Que va!, no quería que pensara que soy un admirador pesado. Pensé, … ¿qué haría Joey? ¿Sabes __15.__ es, no? El de *Friends*.

Lupe: Sí, claro. El Don Juan.

José: Exacto. Siempre terminaba con las chicas __16.__ guapas __17.__ todas. Así que me acerqué a Eva y __18.__ dije, "¿Qué pasa? ¿Qué estás haciendo?" en voz baja, con las manos en los bolsillos de mis jeans y mirándola de reojo. Como si no me interesara demasiado.

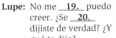

La actriz Eva Longoria

Lupe: No me __19.__ puedo creer. ¿Se __20.__ dijiste de verdad? ¿Y qué te dijo?

José: Errr, bueno, en fin, no creo que __21.__ quieras saber.

Lupe: ¡Cómo que no __22.__ quiero saber! Por supuesto. Dímelo. ¿Qué te pasó?

José: Pues tenía un refresco en la mano y me __23.__ tiró en la cabeza.

Lupe: ¿Cómo? ¿Y tú que le dijiste?

José: Creo que le dije… ¡me encantas, Eva! Eres __24.__ mala __25.__ en la serie *Mujeres desesperadas*.

Lupe: ¡No __26.__ __27.__ puedo creer!

Cita

*Una conducta de mil años puede
depender de la conducta de una hora.*
—Proverbio japonés

 ¿Está de acuerdo? ¿Puede pensar
en algunos ejemplos? ¿Cree que es
justo que el comportamiento de un
momento afecte todo lo que hizo con
anterioridad?

¡Dato curioso!

La popular expresión "Eres un don Juan"
(o eres un Casanova) se usa cuando a un hombre
le gusta conquistar mujeres. Se empezó usando con
aquellos hombres capaces de seducir a cualquier mujer, y que
lo hacían en gran parte por el mero hecho de conseguirla (y no
siempre por que le gustara). Hoy en día puede usarse también
como sinónimo de hombre que tiene éxito con las mujeres. Don
Juan es un personaje de la famosa obra *El burlador de Sevilla*, de
Tirso de Molina. Este personaje también sirvió de inspiración en
las conocidas obras de Moliere, Lord Byron, José Zorrilla (*Don Juan
Tenorio*). La opera de Mozart *Don Giovanni* también trata sobre
este personaje.

Idioma

17 Familia de palabras

Complete la tabla con el verbo, sustantivo o adjetivo apropiado y la traducción correspondiente.

Verbos		Sustantivos		Adjetivos	
___	to support	___		apoyado	___
drogarse	___	la droga; el/la drogadicto/a	___ ; ___	___	___
empeñarse	___	___		empeñado	___
fallecer	___	___	death	___	___
___	to influence	___	influence	influyente	___
luchar	to fight	___		luchador	___
obsesionarse	___	la obsesión	___	obsesionado	___
superar	___	la superación	overcoming	___	___
___	to triumph	el triunfo		triunfante	___

18 ¿Verbo, sustantivo o adjetivo?

Complete las oraciones usando la forma correcta de las palabras que aparecen en la tabla, ya sea verbo, sustantivo o adjetivo. En el caso del sustantivo puede que necesite artículo.

1. Los padres de Óscar y Paco siempre ___ (empeñarse) en que sus hijos ___ (triunfar) en la escuela.
2. La adolescencia es una edad difícil, pues los chicos no siempre ___ (superar) los miedos propios de la edad. Los padres en ocasiones viven en una continua ___ (luchar) con sus hijos.
3. Es importante que los famosos hagan un buen uso de su situación privilegiada, que ___ (apoyar) causas benéficas y que ___ (luchar) por un mundo más equitativo.
4. Al administrador del cantante de mayor ___ (triunfar) se le quitó de golpe la sonrisa que solía tener en las ruedas de prensa cuando tuvo que comunicarle a los periodistas que su cliente llevaba más de dos años siendo ___ (drogarse), y es por eso que tuvo que ser ingresado en una clínica.
5. Por lo visto, le dieron varios galardones cuando se enteraron de que ___ (fallecer). Aunque su mujer estaba orgullosa, también estaba apenada, pues no reconocieron su talento hasta su ___ (fallecer).
6. Cuando la gente supo que el profesor iba a visitar su antiguo colegio comenzaron a llegar alrededor de cincuenta y tantas personas a pie, ___ (empeñarse) en visitarlo. Al fin y al cabo, se había convertido en una de las personas más ___ (influir) de la vida de muchos.
7. Debo de reconocer que estaba totalmente ___ (obsesionarse) con este actor de la telenovela "Amor y celos" y lo peor es que un día tropecé con él, y aunque tenía un poco de encanto, no es para tanto. Además me dio un autógrafo de mala gana. Creo que ya ___ (superar) mi ___ (obsesionarse) por él.
8. Cuando los concursantes, a pesar de ser grandes ___ (luchar), no consiguieron el premio, volvieron a sus casas un poco deprimidos y se acurrucaron en el sofá para seguir viendo el programa con sus familiares, quienes siempre les habían mostrado su ___ (apoyar).

continúa

Cita

El éxito tiene muchos padres, pero el fracaso es huérfano.
—John F. Kennedy (1917–1963), 35° presidente de los Estados Unidos

¿Cree que es cierto lo que dice? ¿A qué se debe? Cite unos ejemplos de su propia experiencia o de alguien conocido. Comparta sus experiencias y opiniones con un/a compañero/a.

Activity 7

Answers

17 Verbos
apoyar *to support*
drogarse *to be drugged*
empeñarse *to strive to*
fallecer *to die*
influir *to influence*
luchar *to fight*
obsesionarse *to be obsessed*
superar *to overcome*
triunfar *to triumph*

Sustantivos
apoyo *support*
la droga; el/la drogadicto/a *drug; drug addict*
el empeño *effort*
el fallecimiento *death*
la influencia *influence*
la lucha *fight*
la obsesión *obsession*
la superación *overcoming*
el triunfo *triumph*

Adjetivos
apoyado *supported*
drogado *drugged*
empeñado *committed to*
fallecido *dead*
influyente *influential*
luchador *fighting/fighter*
obsesionado *obsessed*
superado *overcome*
triunfante *triumphant*

18
1. se empeñaron, triunfaran; 2. superan, lucha; 3. apoyen, luchen; 4. triunfo, drogadicto; 5. había fallecido, fallecimiento; 6. empeñadas, influyentes; 7. obsesionada, he superado, obsesión; 8. luchadores, apoyo;

Instructional Notes

Cita
You might wish to share these quotes that deal with success and fame:
No, el éxito no se lo deseo a nadie. Le sucede a uno lo que a los alpinistas, que se matan por llegar a la cumbre y cuando llegan, ¿qué hacen? Bajar, o tratar de bajar discretamente, con la mayor dignidad posible. —Gabriel García Márquez, escritor (1927–)
Yo no merezco más de la mitad del mérito por las batallas que he ganado. Por regla general, son los soldados los que ganan las batallas y los generales los que se llevan la fama. —Napoleón Bonaparte, estadista y emperador francés (1769–1821)

Additional Activities

Juego
Ask students to play *Voluntario, derecha e izquierda* after they complete activity 17. See p. TE25.

214

Answers

18 9. influyente, apoyaremos, lucha, la droga;
10. empeño, drogadictos

19 1. lo; 2. Cientos; 3. del; 4. están; 5. fue;
6. es; 7. Hemos; 8. estamos; 9. que; 10. quienes;
11. dominaban; 12. Empezamos; 13. mirando; 14. estar;
15. nuestros; 16. la; 17. afortunada; 18. nos; 19. miles;
20. cientos; 21. iba; 22. era; 23. vernos; 24. avanzado;
25. recordar; 26. es; 27. cualquier; 28. trabajen;
29. podrán

Additional Activities

El desafío del minuto
See p. TE27.

Juego
Ask students to play ¿*Verdadero o falso?* See p. TE25.

---

9. Somos conscientes de que la música que mi banda y yo tocamos es muy ___ (*influir*) en los jóvenes, y es por eso que hemos decidido que los ___ (*apoyar*) en su ___ (*luchar*) contra ___ (*drogarse*) y daremos un concierto gratis.
10. Patricia y José estaban muy orgullosos; al fin y al cabo gracias a su ___ (*empeñarse*) lograron que muchos ___ (*drogarse*) superaran su adicción y triunfaran en su lucha.

19 Los hispanos

Lea el artículo y complete los espacios con la palabra adecuada. Después conteste las siguientes preguntas:

- ¿Cómo resumiría el artículo en una frase?
- ¿Qué pregunta sería apropiada para hacerle al autor después de leer el artículo?
- Si quisiera consultar otra fuente, ¿podría pensar en un posible título de una publicación?

¡Dato curioso! A Shakira le preguntaron una vez por el origen de ese nombre tan original. Por lo visto su madre se lo puso esperando que se pareciera a Shakira Caine, la mujer del actor Michael Caine. En realidad sus padres no sabían lo que significaba en otros idiomas. Con el tiempo descubrieron que en árabe significa "Aquella que le da siempre las gracias a Dios".

La influencia de los hispanos

Lo latino arrasa

Se lleva __1.__ (lo / el) latino. __2.__ (*Cientos / Cientas*) de artistas, cocineros, diseñadores, arquitectos, médicos, empresarios y demás __3.__ (*en / del*) mundo latino __4.__ (*están / estén*)
⁵arrasando en otros países, tanto de América como de Europa o Asia. Estamos de moda. Hace años __5.__ (*fue / era*) prácticamente imposible ver a un sudamericano en la televisión o en los periódicos, pero ahora todo __6.__ (*ser / es*)
¹⁰distinto. __7.__ (*Hemos / Hayamos*) ganado Oscars, Grammys, Emmys; incluso __8.__ (*estamos / estemos*) siendo considerados como mejores cocineros y diseñadores __9.__ (*que / de*) los franceses, __10.__ (*quien / quienes*)
¹⁵siempre habían sido los que __11.__ (*dominaron / dominaban*) estas facetas.
__12.__ (*Empezamos / Empecemos*) a influir en la forma de vestir, de peinarnos, de comportarnos; el resto del mundo comienza a vernos como un
²⁰espejo en el que muchas personas se andan __13.__ (*mirar / mirando*) a diario. Tenemos que __14.__ (*ser / estar*) orgullosos de __15.__ (*nuestro / nuestros*) antepasados y de toda la cultura de __16.__ (*el / la*) que hemos sido
²⁵beneficiarios, porque aunque en ocasiones nos cueste creerlo, somos gente muy __17.__ (*afortunado / afortunada*). Hoy en día __18.__ (*nos / nosotros*) invitan a __19.__ (*mil / miles*) de fiestas, salimos en __20.__ (*cien / cientos*)
³⁰de los canales y emisoras... ¡Tenemos éxito! ¿Quién __21.__ (*fue / iba*) a decirlo a mediados del siglo XX? Hasta hace poco __22.__ (*fue / era*)

El Pabellón Quadracci del Museo de Arte de Milwaukee, diseñado por Santiago Calatrava

común __23.__ (*verlos / vernos*) jugando en las grandes ligas; no obstante, ya empezamos a
³⁵tomar otros tipos de cargos en la administración y marketing. Hemos __24.__ (*avanzando / avanzado*) a pasos agigantados y todo gracias a nuestros propios méritos, y aunque todavía tenemos miles de problemas de integración,
⁴⁰hay que __25.__ (*recordemos / recordar*) que no __26.__ (*es / sea*) fácil, pero luchando, y con buena cara, podremos llegar a __27.__ (*cualquier / cualquiera*) lugar. Como modelos a seguir tenemos el ejemplo de grandes triunfadores:
⁴⁵cantantes como Shakira y Jennifer López, arquitectos como Santiago Calatrava, cocineros innovadores como Ferran Adrià y otros muchos que nos demuestran que quienes __28.__ (*trabajan / trabajen*) duro __29.__ (*puedan / podrán*)
⁵⁰conseguir sus sueños.

Isabel Segundo

Nota cultural

Un avispado hombre de negocios utilizaba los nombres de los famosos para crear dominios en Internet. Usaba nombres como Celine Dion o Kevin Spacey. Según el creador de los dominios, él lo hacía de forma inocente, pero no consiguió que el tribunal le creyera. Pregúntenles a los estudiantes si creen que un famoso debe de tener control de su nombre, y si debe de ser ilegal ser usado por otros en medios como en Internet para crear páginas a su nombre.

20 ¿Qué significa?

Según el artículo que acaba de leer, ¿cuál es la mejor definición o sinónimo de cada palabra?

1. empresario
   a. persona que trabaja para una empresa
   b. persona que tiene mucha presión
   c. persona que tiene una empresa
   d. persona que tiene una imprenta

2. arrasar
   a. destruir
   b. tener un gran éxito
   c. levantar
   d. tirar

3. distinto
   a. idéntico
   b. diferente
   c. heterogéneo
   d. homogéneo

4. comportarse
   a. suponer
   b. portarse
   c. componerse
   d. encerrarse

5. resto
   a. lo sobrante
   b. basura
   c. ruina
   d. descanso

6. antepasado
   a. antiguo
   b. pasado de moda
   c. familiar ya muerto
   d. anteayer

7. costar
   a. ser caro
   b. ser difícil
   c. causar
   d. dormir

8. cargo
   a. peso
   b. empleo
   c. problema
   d. cargamento

9. agigantado
   a. enorme
   b. alegre
   c. pequeño
   d. de fantasía

10. con buena cara
    a. guapo
    b. saludable
    c. con buen humor
    d. con buenos modales

El cantante puertorriqueño Marc Anthony

Answers

20 1. c; 2. c; 3. b; 4. b; 5. a; 6. c; 7. b; 8. b; 9. a; 10. c

Additional Activities

Amnesia
See p. TE26.

Answers

21 1. uno; 2. de; 3. El; 4. los; 5. producido; 6. quinta;
7. tiene; 8. varios; 9. ser; 10. un; 11. participó; 12. premiada;
13. Una; 14. tercero; 15. uno; 16. conocido; 17. creó;
18. quien; 19. gran; 20. países

22 1. d; 2. g; 3. h; 4. e; 5. c; 6. b; 7. f; 8. a

Instructional Notes

Dato curioso

Here are some names in Spanish that you might ask
students to translate into English: Antonio Banderas,
Anthony Flags; Penélope Cruz, Penelope Cross; Paz
Vega, Peace Fertile Plain; Enrique Iglesias, Richard
Churches; Inés Sastre, Agnes Tailor.

Additional Activities

Comunicación

Start some conversation by asking the question, *¿Por
qué muchas personas se hacen famosas, o más famosas,
sólo después de su muerte?*

Show students two videos of George López, one in
English and one in Spanish. Students should take notes
on what they observe so they can share in small groups.
They should compare and contrast the two videos with
their classmates and continue the discussion by making
comparisons between López and other comedians in
the United States.

---

21 George López

Lea el artículo y complete los espacios con la palabra adecuada. Después conteste las
siguientes preguntas:

- ¿Cómo resumiría el artículo en una frase?
- ¿Qué pregunta sería apropiada para hacerle a George López?
- ¿Qué cómicos estadounidenses le gustan?

George López

George López es **1.** (*un /
uno*) de los comediantes y
presentadores más importantes
2. (*de / del*) la industria
⁵ televisiva hoy en día. **3.** (*El /
La*) programa, *The George
López Show*, es uno de **4.**
(*los / el*) más vistos y es **5.**
(*producido / produce*) por la
¹⁰ encantadora actriz Sandra
Bullock. Ya va por su **6.**
(*quinta / quinto*) temporada.
López es considerado uno de los cómicos más
prestigiosos del país.

¹⁵ Su autobiografía, *Why are you crying?*, **7.**
(*tiene / tenga*) mucho éxito, y **8.** (*varios /
varias*) discos lo han ayudado a apoderarse de un
Grammy, e incluso **9.** (*ser / sea*) comentarista
durante la temporada 2003–2004 de la Liga de
²⁰ Fútbol Americano. Por otro lado, también ha dado
conciertos de **10.** (*un / uno*) lado a otro de
los Estados Unidos e incluso ha actuado para el
presidente del país. También **11.** (*participó /

participe) en la comedia *Las
²⁵ mujeres de verdad tienen curvas*,
sobre los inmigrantes latinos en
el país, que fue **12.** (*premió
/ premiada*) en varios festivales
internacionales y muy aclamada
³⁰ por la crítica y el público.

13. (*Un / Una*) de sus
pasiones es el golf, y ha llegado
a quedar **14.** (*tercer / tercero*)
en competiciones nacionales.
³⁵ López vive en Los Ángeles
con su mujer y sus hijos, y
es **15.** (*un / uno*) de los
pocos afortunados que tienen una estrella en
el **16.** (*conoció / conocido*) paseo de la fama de
⁴⁰ Hollywood Boulevard.

El comediante participa en bastantes acciones
benéficas, asimismo **17.** (*creó / creo*) una
fundación con su mujer, con **18.** (*quien / cual*)
está potenciando la educación en Los Ángeles, y
⁴⁵ ha hecho un **19.** (*gran / grande*) esfuerzo para
ayudar a las víctimas de **20.** (*países / país*)
como El Salvador y Guatemala.

Mari Sierra Ramos Castro

---

22 ¿Qué significa?

Empareje las palabras de la primera columna con su definición o
sinónimo de la segunda.

1. comediante
2. autobiografía
3. disco
4. comentarista
5. actuar
6. aclamar
7. afortunado
8. potenciar

a. desarrollar, impulsar
b. exaltar
c. interpretar un papel
d. cómico
e. locutor, reportero
f. agraciado, con suerte
g. diario, historia sobre su propia vida
h. lámina circular de materia plástica

Compare

¿Por qué son recordadas algunas de
las personas que han fallecido en
su comunidad? ¿Cuáles son otros
famosos en los EE.UU. a los que
admira? ¿Qué cantantes famosos han
fallecido recientemente?

Cita

*El elefante muerto deja sus
colmillos; el tigre, su piel; el
hombre, su nombre.*
— Proverbio malayo

¿Por qué motivos
le gustaría ser
recordado/a?

Dato ¡curioso!

¿Ha intentado traducir algunos
nombres de famosos a español? He
aquí algunos: Michael Fox, Miguel Zorro; Tom
Cruise, Tomasín Crucero; Nicole Kidman, Nicolasa
Hombrechico; Britney Spears, Britania Lanzas; George
Bush, Jorge Arbusto; Bill Gates, Guillermito Puertas;
Nicholas Cage, Nicolás Jaula.

23 Salma Hayek

Lea el artículo y complete los espacios con la palabra adecuada. Después conteste las siguientes preguntas:

- ¿Cómo resumiría el artículo en una frase?
- Si quisiera consultar otra fuente, ¿podría pensar en un posible título de una publicación?

Salma Hayek

Salma, __1.__ (cuyo / cual) nombre en hindi significa Paz, es una de las latinas más impactantes __2.__ (del / de la) panorama cinematográfico actual. Tiene una especial
⁵espontaneidad y simpatía __3.__ (cual / que) la hace tremendamente atractiva. Es considerada la latina más exuberante __4.__ (por / para) muchos estadounidenses.

Hija de un empresario libanés y una cantante
¹⁰ __5.__ (de / en) ópera mexicana, tiene un hermano __6.__ (quien / que) se llama Sami. __7.__ (X / De) pequeña despertaba a su padre los domingos muy temprano __8.__ (por / para) que la llevara al cine, y se imaginaba que ella
¹⁵era la protagonista de la película.

Es una mujer __9.__ (en / de) gran carácter que siempre consigue __10.__ (el / lo) que se propone, hasta tal extremo que __11.__ (por / para) convencer a sus padres __12.__ (por /
²⁰para) que la dejaran irse a vivir con su tía __13.__ (en / a) los Estados Unidos, hizo una huelga de hambre con __14.__ (tanto / tan) sólo doce años. Pasó parte __15.__ (de / en) su adolescencia en un internado de Louisiana, de donde la echaron
²⁵ __16.__ (por / para) sus múltiples gamberradas, que tenían como objetivo las monjas __17.__ (que / quienes) se encargaban de él.

Cuando volvió a México empezó __18.__ (para / a) estudiar Relaciones Internacionales en
³⁰la universidad, pero dejó estos estudios __19.__ (por / para) tomar clases de interpretación. Comenzó __20.__ (hacer / haciendo) telenovelas, incluso fue protagonista de una de ellas, consiguiendo __21.__ (gran / grande) éxito en
³⁵su país __22.__ (de / en) origen. Pero a ella le faltaba __23.__ (algo / algún), __24.__ (así / por) que hizo la maleta y decidió irse a la meca __25.__ (de / del) cine. En Los Ángeles estudió inglés __26.__ (y / e) interpretación, y comenzó __27.__
⁴⁰(para / a) hacer papeles en películas de poco presupuesto. __28.__ (En / En el)1995 llegó su salto a la fama con la película *Desperado*, de Robert Rodríguez, junto __29.__ (a / al) Antonio Banderas. Después __30.__ (con / de) esto su
⁴⁵vida cinematográfica ha sido casi como un camino de rosas. Fue nominada a un Oscar __31.__ (por / para) la película *Frida*, la __32.__ (quien / cual) también produjo. Ella idolatraba a la pintora Frida Khalo y deseaba llevarla __33.__
⁵⁰(a / al) cine; algunos cuentan __34.__ (x / que) incluso se afeitaba los pocos pelitos del "bigote" que tenía __35.__ (para que / porque) saliera más pelo y, así, parecerse más a la famosa artista. __36.__ (Por / Para) la película *Wild Wild*
⁵⁵*West*, uno __37.__ (x / de) los protagonistas —y también creador de una de las canciones de la banda sonora—, Will Smith, __38.__ (la / le) pidió que participara en el video clip. __39.__ (Lo / El) que ella no sabía es que la iba __40.__ (x /
⁶⁰a) cubrir de arañas, precisamente __41.__ (de / con) tarántulas.

Ha sido imagen de algunas firmas de cosméticos y maquillaje, gracias __42.__ (a / por) su exótica belleza. Incluso ha participado __43.__ (en /
⁶⁵para) la publicidad __44.__ (en / de) un champú.

Siempre ha mantenido su vida sentimental al margen de su imagen pública, lo que hace que todavía __45.__ (x / se) la respete más. __46.__ (Uno / Una) de sus principios es no aceptar
⁷⁰papeles __47.__ (que / cuales) degraden la cultura o la sociedad latina.

Mari Sierra Ramos Castro

Lección 4B   **217**

Answers

23 1. cuyo; 2. del; 3. que; 4. por; 5. de; 6. que; 7. De; 8. para; 9. de; 10. lo; 11. para; 12. para; 13. a; 14. tan; 15. de; 16. por; 17. que; 18. a; 19. para; 20. haciendo; 21. gran; 22. de; 23. algo; 24. así; 25. del; 26. e; 27. a; 28. En; 29. a; 30. de; 31. por; 32. cual; 33. al; 34. que; 35. para que; 36. Para; 37. de; 38. le; 39. Lo; 40. a; 41. con; 42. a; 43. en; 44. de; 45. se; 46. Uno; 47. que

Additional Activities

Comunicación

Show students an interview with Salma Hayek in Spanish. Have them take notes and then discuss with a partner what she said in the interview and their reactions to it. Have them create five additional questions they would like to ask the actor if they could interview her.

Investigue palabras clave: Salma Hayek

Activity 8

Answers

24 1. c; 2. i; 3. f; 4. g; 5. a; 6. n; 7. h; 8. o; 9. b; 10. d; 11. l; 12. e; 13. j; 14. k; 15. m

25 1. una; 2. del; 3. de; 4. del; 5. le; 6. De; 7. que; 8. como; 9. de; 10. a; 11. de; 12. ser; 13. los; 14. que; 15. que; 16. de; 17. de; 18. de; 19. De; 20. a; 21. para; 22. a; 23. a; 24. en; 25. con; 26. en; 27. del; 28. a; 29. que; 30. de;

Additional Activities

Comunicación

Show students an interview with Penélope Cruz in Spanish. Have them take notes and then discuss with a partner what she said in the interview and their reactions to it. Have them create five additional questions they would like to ask the actor if they could interview her.

---

24 ¿Qué significa?

Empareje las palabras de la primera columna con su definición o sinónimo en la segunda, según el contexto del artículo anterior.

1. impactante	a. protesta durante la cual uno no come
2. espontaneidad	b. actuación
3. exuberante	c. impresionante
4. protagonista	d. de bajo coste
5. huelga de hambre	e. adorar
6. internado	f. voluptuoso, muy abundante
7. gamberrada	g. personaje principal
8. monja	h. travesura extrema
9. interpretación	i. naturalidad
10. de poco presupuesto	j. insecto de ocho patas que caza a sus presas en una red
11. salto	k. fuera de, separada de
12. idolatrar	l. lanzamiento
13. araña	m. humillar
14. al margen de	n. institución donde los estudiantes estudian y duermen
15. degradar	o. mujer religiosa de una orden

25 Chica Almodóvar

Lea el artículo y complete los espacios con la palabra adecuada. Después conteste las siguientes preguntas:

- ¿Cómo resumiría el artículo en una frase?
- Si quisiera consultar otra fuente, ¿podría pensar en un posible título de una publicación?
- ¿Qué otros directores de cine hispanos conoce? ¿y estadounidenses?

Penélope Cruz

Penélope, se llama así __1.__ canción muy conocida __2.__ cantante español Joan Manuel Serrat, es una __3.__ las actrices más atractivas __4.__ cine español. Sus gestos ⁵dulces __5.__ han hecho gala del pseudónimo de Blanca Nieves. __6.__ pequeña soñaba __7.__ cuando tuviera fama sería __8.__ Audrey Hepburn, una __9.__ sus actrices favoritas; también adora __10.__ Marilyn Monroe. En el ¹⁰año 2000, después __11.__ rodar una película con animales, decidió __12.__ vegetariana; y __13.__ que la conocen dicen que cocina las mejores hamburguesas vegetarianas __14.__ existen, están deliciosas, incluso mejor __15.__ ¹⁵las __16.__ carne. También adora la comida japonesa y no bebe alcohol, sólo agua y Coca-Cola; __17.__ vez en cuando también pica una onza __18.__ chocolate. __19.__ pequeña tenía muy claro __20.__ lo que se quería ²⁰dedicar, estuvo estudiando ballet durante trece años y luego dejó el instituto __21.__ dedicarse __22.__ su pasión, el cine. Estudió arte dramático y se marchó __23.__ vivir __24.__ Nueva York. Su carrera ha sido rápida, como

²⁵un rayo, __25.__ sólo 32 años se ha convertido __26.__ una de las actrices más respetadas __27.__ cine español y fuera de él. Parte de esta fama es debida __28.__ su relación con el famoso actor y productor Tom Cruise, con el ³⁰ __29.__ coincidió en el rodaje __30.__ *Vanilla Sky*.

Nota cultural

Pedro Almodóvar es un director español que ha gando muchos galardones internacionales por su cinematografía. Ha dirigido a muchas actrices, un grupo de las cuales se les conoce por el apodo "Chica Almodóvar". En 2007 Penélope fue nominada para un Oscar a la mejor actriz con la película *Volver* y creó historia al ser la primera española nominada. No lo consiguió, ya que le fue concedido a Helen Mirren, por su papel en *La Reina*. No obstante, Penélope apareció en todas las portadas de las revistas por ser una de las actrices mejor vestidas la noche de los Oscar, junto con otra latina, Jennifer López.

Le encanta la música clásica y dormir, puede dormir incluso 18 horas seguidas; una __31.__ sus pasiones es __32.__ gata persa

³⁵Aitana, regalo de su amiga y también actriz, Aitana Sánchez-Gijón, y otra, la lectura; su libro favorito __33.__ *El guardián entre el centeno* de J.D. Salinger. __34.__ de sus vicios confesables es comprar ropa; le encantan

⁴⁰los pantalones tejanos y los colores blanco y negro. Otra curiosidad __35.__ que no usa perfume. Es muy tímida, odia __36.__ los paparazzi, y hacer entrevistas __37.__ ella es un continuo suplicio. Odia la hipocresía y

⁴⁵la mala educación, además __38.__ carácter frívolo de Hollywood, ya que lo considera demasiado falso.

__39.__ considera una persona muy celosa con su pareja. Su deporte es el baile; uno

⁵⁰ __40.__ sus personajes históricos favoritos es Gandhi y uno de sus sueños, __41.__ ya no podrá cumplir, __42.__ haber conocido a la madre Teresa de Calcuta. Está casada con el famoso actor Javier Bardem, también ganador

⁵⁵de __43.__ Oscar. Penélope Cruz es la musa de los grandes directores de cine. Pedro Almodóvar la admira y ya ha rodado con él __44.__ películas. Ha trabajado también con Woody Allen, con quien filmó *Vicky Cristina*

⁶⁰*Barcelona* y más __45.__ *The Bop Decameron*.

26 ¿Qué significa?

Defina en español las siguientes palabras del artículo sobre Penélope Cruz: *hacer gala, pseudónimo, rodar* (una película), *respetado, suplicio, hipocresía, mala educación*.

27 Lea, escuche y escriba/presente

Vuelva a leer los textos completos de las Actividades 23 y 25. Luego escuche la grabación "Cristina Saralegui" y tome las notas necesarias. Escriba un ensayo o haga una presentación en clase sobre las mujeres hispanas influyentes.

Cita

Las oportunidades son como los amaneceres, si uno espera demasiado, se los pierde.

—William Arthur Ward (1921–1994), autor, editor, pastor y maestro estadounidense

¿Qué piensa de esta cita? ¿Es Ud. el tipo de persona que aprovecha una oportunidad? Comparta su opinión con un/a compañero/a.

¡Dato curioso!

En Twitter quienes más seguidores tienen son las personalidades del espectáculo. Los cuatro hispanos más seguidos son el cantante colombiano Juanes, la cantante mexicana Anahí, el cantante español Alejandro Sanz y la cantante también mexicana Paulina Rubio. Los tres más seguidos (no latinos) son Britney Spears, el actor Ashton Kutcher y la estrella del pop Lady Gaga. Sin embargo, el que tenga muchos seguidores no significa que tenga más influencia que otros. Para considerarse influyente tiene que "retwitear" sus mensajes, escribir frecuentemente y tener interacción con las personas que lo siguen. ¿Y Ud.? ¿Twittea sobre famosos? ¿Sobre quiénes?

Compare

¿Qué actor o actriz estadounidense le inspira? ¿Quiénes son las cinco mujeres más influyentes en los EE.UU.?

Teacher Resources

Activity 27

Answers

25 31. de; 32. una/su; 33. es; 34. Uno; 35. es; 36. a; 37. para; 38. del; 39. Se; 40. de; 41. que; 42. es; 43. un; 44. varias; 45. recientemente

26 *Ejemplos:*

hacer gala: sentirse orgulloso, alardear; pseudónimo: nombre empleado por una persona (un autor) en lugar del suyo; rodar (una película): filmar; respetado: bien considerado; suplicio: tortura, martirio; hipocresía: cuando se finge, y en verdad se oculta un sentimiento negativo; mala educación: falta de cortesía, forma de actuar inadecuada

Instructional Notes

27 You might want to review the following words before students listen to the audio: *licenciatura*, degree; *estrenar*, to premiere; *premiado*, awarded; *asimismo*, also; *estelar*, stellar/special (guest) appearance.

Cita

You might want to elicit an alternative quote or another interpretation of the one on the page by changing a word or phrase. Afterwards, ask students to compare the original quote's strength and weakness to the newly coined ones.

Additional Activities

Comunicación

Ask students to bring to class two pictures of famous people and then have them work in small groups to talk about the personalities, interests, achievements, goals, etc. of these people. When you call time, you can ask a few students to present their pictures and comments to the whole class.

¡A leer!

28 Antes de leer

¿Qué impresiones tiene sobre la cultura latina contemporánea? ¿Cree que lo latino está muy de moda en los Estados Unidos? ¿Por qué? ¿Cuál es su latino famoso preferido?

29 Los latinos

Lea con atención el siguiente artículo. Después conteste las siguientes preguntas:

- ¿Cuál es el propósito del artículo?
- Si quisiera consultar otra fuente, ¿podría pensar en un posible título de una publicación?

Dirección www.univision.com

Archivo   Edición   Ver   Favoritos   Herramientas   Ayuda

Los famosos latinos se cotizan alto...

Verónica Durán, EFE

El cantante puertorriqueño, Elmer Figueroa-Arce, mejor conocido como Chayanne.

Las empresas los usan para vender más
Todo indica que las figuras latinas están en auge. Prestigiosas firmas de moda han escogido modelos latinos para sus campañas publicitarias y los actores latinos se cotizan y suben escalafones rápidamente en
5 la meca del cine estadounidense. Mientras, el público pierde el control con la música de Chayanne, Ricky Martin o Juanes.

Estrellas que venden con su rostro
Las estrellas latinas dan cada día más juego en las pantallas y rompen con el estereotipo de la belleza
10 clásica, de tez blanca, ojos azules, cuerpo delgado y melena rubia.
   Hollywood lo tiene claro: la sociedad estadounidense está cada vez más mezclada, la colonia latina es numerosa y quiere atraer al mercado
15 latinoamericano y español, por tanto incluyen en su reparto estrellas que representan su fuerza y belleza.

Bardem y Benicio, dos viriles latinos
El actor español Antonio Banderas fue uno de los pioneros en Hollywood y quien contribuiría a abrirles las puertas de Los Ángeles a sus compatriotas,
20 como es el caso de Javier Bardem, cuyo *look* rudo

y masculino hace soñar y sonrojarse a miles de mujeres. Su nariz rota, cuerpo corpulento y aspecto tosco le imprimen un carácter particular.
   Bardem (Las Palmas de Gran Canaria, España,
25 1969) con paso cuidadoso pero seguro, coquetea con los productores estadounidenses, pero procura mantener su línea y no manchar su imagen con una producción mala y netamente comercial.
   Así lo demuestra su reciente participación en
30 las super producciones *Matando a Pablo* o *Los fantasmas de Goya*, entre otras, donde comparte reparto con figuras de talla internacional como Tommy Lee Jones, Natalie Portman y Tom Cruise, entre otros.
35 Su consagración como actor internacional llega en el 2000 de la mano de la película *Antes que anochezca* y cuya interpretación le valió ese año la nominación de la academia de los Oscar como mejor actor.
   Asimismo, por la película *Mar adentro*, dirigida
40 por Alejandro Amenábar, recibió el Oscar como mejor película extranjera en el 2005, galardón que afianzó la trayectoria del actor español.
   El puertorriqueño Benicio del Toro es otro de los actores latinos de mayor prestigio y fama en Holly-
45 wood. Su mirada *sexy* y aspecto viril, lo convierten en uno de los hombres más atractivos del mundo del cine.
   Asimismo, del Toro ha mostrado un buen olfato a la hora de seleccionar su participación en las distintas producciones, perfilándose como un actor
50 talentoso que sabe escoger sus papeles y obteniendo distintas nominaciones en los Oscar.
   Este puertorriqueño obtuvo su primera nominación a los Premios de la Academia en la categoría de mejor actor secundario por su trabajo en
55 la película *Traffic*, y su segunda nominación gracias a su interpretación en *21 Gramos*.

Investigue palabras clave:
Chayanne, Ricky Martín, Juanes, Antonio Banderas, Javier Bardem, Benicio del Toro

El talento musical latino barre

Quizá es en el escenario musical en donde mejor se ensambla el espíritu latino y donde mayor repercusión genera.

En la última década cobran gran fuerza
⁶⁰ los ritmos, bailes y letras de distintas etnias, interpretadas por cantantes colombianos, puertorriqueños, mexicanos y españoles.

Elmer Figueroa-Arce, conocido como Chayanne (Puerto Rico, 1968) es, junto con Ricky Martin,
⁶⁵ Alejandro Fernández y Juanes, uno de los músicos latinos de mayor proyección internacional.

Tienen en común un estilo propio definido, talento, un atractivo físico poderoso, son seductores y por todos corre sangre latina.

⁷⁰ Chayanne comenzó su carrera musical a los diez años con el grupo Los Chicos y a los diecisiete años grabó su primer disco en solitario.

La canción "Este ritmo se baila así" lo lanzó a la fama y le mereció el Premio MTV al mejor video
⁷⁵ latino. Con temas como "Torero", o "No te preocupes por mí" ha cosechado grandes éxitos.

Su aspecto varonil, su capacidad de seducción y sus cualidades como bailarín le han valido para participar en diversas producciones cinematográficas
⁸⁰ tales como *Linda Sara* o *Baila conmigo*.

Por otra parte, siguiendo las tendencias del mercado, los diseñadores de moda contratan modelos latinos para promocionar sus marcas.

El diseñador Ralph Lauren se decantó por el
⁸⁵ polista argentino Nacho Figueras: elegante, exitoso y muy atractivo.

Con rasgos marcados, ojos grandes, mirada profunda y con un cuerpo de deportista profesional, Nacho es la nueva imagen de la conocida marca y a
⁹⁰ su vez, se ha convertido en uno de los modelos más cotizados del mundo.

"Hay un marcado interés internacional por todo lo 'latino': la música, la literatura, la moda, el cine. El mundo latino está de moda", señala Figueras.

⁹⁵ Nacho es también uno de los mejores jugadores de polo. Tiene siete goles (el *ranking* llega a 10) y es miembro del equipo Black Watch, que juega en Palm Beach y Long Island, y en Argentina juega con el equipo Centauros.

EFE/www.univision.com

30 Amplíe su vocabulario

Según el contexto del artículo que acaba de leer, empareje cada palabra de la primera columna con su definición o sinónimo de la segunda.

1. indicar	a. rudo, poco cuidado
2. figura	b. hacer que uno desee algo
3. en auge	c. personalidad
4. prestigioso	d. también
5. escoger	e. valorar
6. campaña publicitaria	f. raza
7. cotizar	g. imagen que se tiene de un grupo
8. estereotipo	h. característica física, facción
9. reparto	i. dejar huella
10. hacer soñar	j. instinto
11. sonrojarse	k. inclinarse, decidirse
12. tosco	l. candidatura para un premio
13. imprimir carácter	m. ensuciar
14. manchar	n. elegir algo entre varios
15. de talla	o. resultado del éxito
16. consagración	p. de moda
17. nominación	q. ponerse rojo o colorado
18. asimismo	r. conjunto de diez años
19. buen olfato	s. de importancia
20. década	t. que tiene influencia, autoridad
21. etnia	u. mostrar
22. decantarse	v. anuncios para promocionar un producto
23. rasgo	w. actores de una obra o película

Lección 4B **221**

Answers

30 1. u; 2. c; 3. p; 4. t; 5. n; 6. v; 7. e; 8. g; 9. w; 10. b; 11. q; 12. a; 13. i; 14. m; 15. s; 16. o; 17. l; 18. d; 19. j; 20. r; 21. f; 22. k; 23. h

Additional Activities

Trabajo de investigación

Have students look for an ad on the Internet that uses a famous Spanish-speaking personality. They should prepare a short presentation for the class including the video clip, some information about the famous person, why that person is famous, what s/he is advertising, and the potential impact of the ad on the audience. After the students have presented, show them a similar ad, but this time one that uses a famous person from the United States. Ask the students to compare and contrast the two ads.

Los premios

See p. TE28.

Answers

Instructional Notes

33 After students discuss this with their partners, you might want to have a group debate this statement.

34 Ask some students to research the economic effects of pirated tapes, videos, and books.

Cita
You could read the following poem to students:
Reír a menudo y mucho; ganar el respeto de gente inteligente y el cariño de los niños, conseguir el aprecio de críticos honestos y aguantar la traición de falsos amigos; apreciar la belleza; encontrar lo mejor en los demás; dejar el mundo un poco mejor, sea con un niño saludable, una huerta o una condición social redimida; saber que por lo menos una vida ha respirado mejor porque tú has vivido. Eso es tener éxito.

—Ralph Waldo Emerson, poeta americano
Ask students to comment.

Additional Activities

Canción
Use a song that has examples of prepositions, pronouns, or comparisons in the lyrics. See p. TE26.

---

31 ¿Ha comprendido?

1. ¿Por qué están en auge los famosos latinos?
   a. Cobran menos.
   b. El cine los ha hecho famosos.
   c. Tienen otro tipo de belleza diferente.
   d. Tienen bellas melenas y cuerpos delgados.

2. ¿Es Antonio Banderas el prototipo de belleza latina?
   a. No, está ya muy anticuado.
   b. Sí lo es, gracias a la ayuda de Javier Bardem.
   c. No, sus películas son totalmente comerciales.
   d. Sí, y fue el primer latino en Hollywood y eso ayudó a latinos posteriores.

3. ¿Qué tienen en común los músicos latinos de proyección internacional?
   a. Tienen estilo personal, un atractivo físico y una naturaleza propia.
   b. Todos son cantantes.
   c. Todos empezaron su carrera a los diez años.
   d. Todos consiguieron premios de la MTV.

4. ¿Cuál es la opinión de Nacho Figueras sobre lo latino?
   a. El diseñador Ralph Lauren es elegante y atractivo.
   b. La moda de Ralph Lauren es la más conocida del mundo.
   c. Existe una moda internacional de amor por lo latino.
   d. Los latinos suelen ser explotados por las grandes compañías.

5. ¿Qué piensa que significa la expresión *Abrir las puertas*?
   a. Abrir la puerta de un camerino de artistas
   b. Echar a alguien de un lugar discretamente
   c. Cambiar las tendencias en la moda, cambiar de aires
   d. Facilitar el camino profesional

32 ¿Cuál es la pregunta?

Según lo que acaba de leer, escriba una pregunta lógica para estas respuestas.

1. El español Antonio Banderas
2. En Las Palmas de Gran Canaria
3. En el año 2005
4. La canción pertenece a Chayanne.
5. Para el diseñador Ralph Lauren

33 ¿Qué piensan?

Discuta la siguiente oración con un/a compañero/a: "Las empresas utilizan lo latino para vender más". ¿Qué cree que "vende" últimamente? ¿Qué personas o cosas enganchan ahora para vender más productos?

34 Comparta experiencias

Con un/a compañero/a hable sobre sus actores y cantantes favoritos. ¿Le gusta ver videos en Internet y bajarse canciones de Internet? ¿Cómo cree que la piratería puede afectar a la industria del cine y de la música? ¿Y a los propios artistas?

Cita
Algo debe de haber hecho mal o no sería tan famoso.
—Robert Louis Steven (1850-1890) escritor Británico

 ¿Puede pensar en ejemplos en los que la mala fama han hecho a personas famosas?

Dato curioso
Hoy en día, muchos famosos aseguran sus cuerpos y talentos. La actriz Elizabeth Taylor aseguró sus preciosos ojos en su momento. La actriz y cantante Jennifer López es una de los muchos famosos que tiene partes de su cuerpo aseguradas. La conocida J. Lo mantiene una póliza de $6 millones para proteger su trasero. Pero los futbolistas no se quedan atrás, como el del futbolista David Beckham. Este tiene sus piernas valoradas en $40 millones y su cuerpo entero está asegurado por $150 millones. Chayanne, Enrique Iglesias, Madonna, y Bruce Springsteen son algunos de los muchos cantantes que han protegido sus voces. De igual modo, la cantante Mariah Carey valoró su cuerpo y voz en $7.5 millones de dólares. En cuanto a las modelos, Heidi Klum es posiblemente la modelo que ha asegurado su cuerpo por la cantidad de dinero más elevada. ¿Y Ud? Si fuera famoso/a, ¿qué aseguraría?

35 Se titula...

Piense en otro título para esta lectura. ¿Por qué lo ha escogido?

36 Antes de leer 👤👥

¿Qué hace que alguien se haga famoso? ¿Puede llegar alguien a hacerse famoso por algo que haya hecho mal o por algún comentario inoportuno? ¿Está de acuerdo con el dicho popular *Aunque hablen mal de ti, ¡pero que hablen!* ¿Por qué? Cite ejemplos.

37 Ideas absurdas 📖

Lea con atención el siguiente artículo. Después conteste las siguientes preguntas:

- ¿Cuál es el propósito del artículo?
- Si quisiera consultar otra fuente, ¿podría pensar en un posible título de una publicación?
- ¿Qué meteduras de pata famosas conoce? (Quizás haya estudiado algo en su clase de historia, ciencias, o arte.)

Meteduras de pata de famosos
Carles Vidal

Aquí puede ver algunas de las personas que han pasado a la posteridad, no por su talento y grandeza, sino por sus meteduras de pata.

Grandes torpes de la humanidad

El rey que creía que el café era mortal

Ni siquiera algunos reyes, portadores de la dignidad más majestuosa, se libran de inscribir su nombre en los anales de la historia de la estupidez humana. Es el caso de Gustavo III de
⁵Suecia, un monarca que detestaba el café hasta el punto de creer que se trataba de una bebida letal y que su
¹⁰consumo prolongado podía causar la muerte.

Para demostrarlo se le ocurrió una absurda
¹⁵idea. Condenó a un reo de asesinato a ser ejecutado lentamente, bebiendo doce tazas de café diarias, mientras
²⁰un grupo de médicos iba comprobando su progresivo deterioro físico. Pero el soberano nunca vio el desenlace del experimento, ya que murió casi diez años después, en 1792,
²⁵asesinado por un disidente que se llamaba Anckarström. Y en los años sucesivos fueron muriendo uno a uno los médicos.

De hecho, al final el único que quedó vivo fue el reo, quien acabó siendo indultado y
³⁰murió mucho tiempo después, por causas perfectamente naturales. Aunque eso sí, nunca dejó de tomarse sus tacitas diarias de café.

Tampoco tiene desperdicio el caso de Menelik II, emperador de Abisinia. En 1887, un empleado
³⁵de Thomas Alva Edison llamado Harold P. Brown inventó la silla eléctrica, y en 1890 se ejecutó con ella al primer reo: William Kleiner.

La noticia dio la vuelta al mundo y, al enterarse, el emperador abisinio hizo las gestiones
⁴⁰para comprar una que, creía, sería un símbolo de su gran poder. Pero Menelik no tuvo en
⁴⁵cuenta un detalle esencial. La silla letal sólo funcionaba con electricidad, un adelanto
⁵⁰que por aquel entonces todavía no había llegado al país africano. Evidentemente, el rey
⁵⁵no pudo achicharrar a ningún reo con aquella silla, pero, tratando de buscarle alguna utilidad, no se le ocurrió mejor idea que utilizarla como trono
⁶⁰durante algún tiempo.

La historia está repleta de bocazas y profetas de pacotilla que, por su ceguera, rechazaron

continúa

Instructional Notes

35 Encourage a discussion of the different titles students have selected.

36 You could also ask students to comment on the difference between being famous and having success in life, and to define what success means to them.

37 Ask students to decode new words in the article by looking for cognates.

adelantos e inventos que estaban llamados a cambiar el mundo. Es el caso de Rutherford [65]Richard Hayes, uno de los directivos de la compañía de telégrafos Western Union, que en 1876 cuando Alexander Graham Bell quiso venderle la patente de su nuevo invento, el teléfono, le respondió con una carta que decía: [70]"Su invento parece interesante, señor Bell, pero sinceramente no acabo de verle su posible utilidad práctica."

Y los ejemplos de visionarios similares abundan en todos los campos. El físico estadounidense [75]Lee DeForest sentenció en 1957: "El hombre nunca pisará la Luna, al margen de los posibles adelantos científicos". Solamente doce años después, el astronauta Neil Armstrong se paseaba por nuestro satélite.

[80]Igualmente, el padre del cine, Louis Lumière, sentenció que su gran invento no pasaba de ser una curiosidad científica y que no le veía "ninguna posibilidad de ser explotado comercialmente". Años después, el productor [85]Irving Thalberg tomó el testigo de Lumière y vaticinó en 1927 el fracaso del cine sonoro, alegando que "nadie en su sano juicio puede soportar dos horas escuchando a un grupo de personas hablando sin parar".

[90]Otro que dejó escapar el negocio de su vida fue Dick Rowe, un ejecutivo de la compañía discográfica Decca Recording Company, quien en 1962, tras escuchar las maquetas de un grupo de muchachos melenudos, sentenció: "No [95]me gusta cómo suenan; además, la música de guitarra ya está pasada de moda". Pero, claro, si hubiera sabido entonces que aquellos jóvenes eran The Beatles...

Un desprecio similar lo sufrió en su propia carne [100]Ronald Reagan cuando en 1964 se presentó a una prueba para el papel de Presidente de los EE.UU. en el filme *El mejor hombre*. El productor, Walter R. Hagen, le rechazó alegando que "no parece lo suficientemente inteligente [105]como para resultar creíble como mandatario". Se ve que, años después, los votantes no pensaron lo mismo.

Un seguro contra extraterrestres

Es el caso del cineasta Stanley Kubrick, quien creía firmemente en la existencia de [110]extraterrestres. Por eso, cuando inició el rodaje de *2001, una odisea del espacio* (1968) quiso suscribir un seguro con la Lloyd's de Londres,

temiendo que en ese período se pudiera producir un contacto con seres de otros mundos que [115]echara por tierra las tesis de su carísima película y le arruinase. Pero lo gracioso del caso es que la Lloyd's no firmó el trato, alegando "altas posibilidades de riesgo".

Peor fue lo de Theodor von Bischoff, un fisiólogo [120]alemán y experto en anatomía de la Universidad de Heidelberg que, a finales del siglo XIX, estudió la diferencia entre los cerebros del hombre y de la mujer.

Terminadas sus investigaciones, llegó a la [125]conclusión de que el cerebro masculino pesaba una media de 1.350 g, mientras que el femenino sólo llegaba a los 1.250 g. El investigador se basó en esa diferencia de peso para afirmar la superioridad intelectual del varón sobre la [130]mujer. Conviene señalar que es cierto que los cerebros masculinos suelen pesar más que los femeninos, aunque ese hecho no tiene ninguna relación con la capacidad intelectual de las personas.

[135]Pero von Bischoff no lo creía así, y defendió su tesis machista hasta el final de su vida. La lástima es que, tras su muerte, uno de sus discípulos quiso pesar el cerebro del científico. ¿Y adivinas cuál fue el resultado? 1.245 g. Menos [140]mal que el pobre Bischoff ya no estaba vivo para afrontar semejante ridículo.

www.quo.orange.es

Investigue palabras clave: mitos del café, Louis Lumière, Theodor von Bischoff

38 Vocabulario

Empareje las palabras de la primera columna con su definición o sinónimo de la segunda, según el contexto del artículo anterior.

1. torpe
2. dignidad
3. detestar
4. reo
5. soberano
6. indultar
7. gestión
8. letal
9. bocazas
10. ceguera
11. utilidad
12. pisar
13. en su sano juicio
14. melenudo
15. sufrir en su propia carne
16. machista
17. adivinar
18. afrontar
19. ridículo

a. con pelo largo, con mucho cabello
b. uso, provecho
c. sin vista
d. decoro
e. odiar
f. preso
g. prudente, que razona
h. poner los pies en el suelo
i. lento, incompetente
j. predecir
k. rey
l. persona indiscreta que habla demasiado
m. perdonar
n. hacer frente a
o. sin lógica, absurdo
p. que puede causar la muerte
q. padecer algo personalmente
r. diligencia
s. persona que considera a las mujeres inferiores

39 ¿Ha comprendido?

1. ¿Qué pensaba el rey Gustavo III de Suecia que le pasaría a una persona si consumía mucho café?
   a. Que se le deterioraba el cuerpo
   b. Que podría llegar a fallecer
   c. Que tardaba más en morir
   d. Que se convertía en inmortal

2. ¿Por qué el emperador de Abisinia no pudo usar la silla eléctrica?
   a. La consideraba peligrosa.
   b. No entendía su funcionamiento.
   c. Carecía de electricidad.
   d. Prefirió utilizarla como trono.

3. ¿Por qué Irving Thalberg pensó que el cine sonoro sería un fracaso?
   a. Pensó que nadie soportaría por mucho tiempo las conversaciones en el cine.
   b. Creía que el cine interesante era el de aventuras y en ése no era necesario hablar.
   c. Lo veía aburrido.
   d. Creía que nadie iría al cine a ver películas sonoras ya que eran como la realidad.

4. ¿Cómo justificó Hagen el no admitir a Reagan para el papel de Presidente de los Estados Unidos?
   a. Cobraba un sueldo muy alto.
   b. Físicamente no daba la talla como Presidente.
   c. Necesitaba a alguien más listo para ese papel.
   d. Era demasiado bajo para ese papel.

continúa

Answers

38 1. i; 2. d; 3. e; 4. f; 5. k; 6. m; 7. r; 8. p; 9. l; 10. c; 11. b; 12. h; 13. g; 14. a; 15. q; 16. s; 17. j; 18. n; 19. o

39 1. b; 2. c; 3. a; 4. c;

Teacher Resources

 Activity 42

Answers

39 5. a; 6. c

40 *Ejemplos:*
1. ¿Murió el reo por tomar café? Dé algunos detalles.
2. ¿Qué pensó Lumière cuando presentó su invento?
3. ¿Qué dijo un ejecutivo de la compañía discográfica Decca? 4. Cuando pesaron el cerebro de von Bischoff, ¿cuánto pesaba?

41 1. actor, cantante; 2. cantante; 3. bailarín; 4. cantante; 5. cantante; 6. cantante; 7. cantante; 8. dictador y presidente; 9. diseñadora de moda; 10. actor; 11. cantante; 12. dictador y presidente; 13. cantante; 14. cantante; 15. cantante; 16. escritora; 17. dictador y presidente; 18. escritor; 19. deportista; 20. deportista; 21. cocinero; 22. deportista; 23. diseñador de moda; 24. deportista; 25. actor; 26. actor; 27. actor; 28. actor; 29. deportista; 30. deportista

Instructional Notes

41 Ask students to contribute additional names of famous hispanics for each of the professions.

42 You might want to review the following words before students listen to the audio: *avisar*, to let know; *apoyo*, support; *es más fácil decirlo que hacerlo*, easier said than done.

Additional Activities

Trabajo de investigación
Ask students to look for information about famous inventors and the impact their inventions have had.

---

5. ¿Por qué no firmó Lloyd's un seguro con Kubrick para el rodaje de *2001*?
   a. Había posibilidades de que vinieran los extraterrestres.
   b. Creían que no había necesidad de ello.
   c. No se pusieron de acuerdo con las indemnizaciones.
   d. Kubrick pensó que los extraterrestres nunca vendrían.

6. ¿Cuál era la teoría de Theodor von Bischoff?
   a. El cerebro de los hombres pesaba más que el de las mujeres.
   b. El cerebro de las mujeres era más grande que el de los hombres.
   c. Debido al mayor peso de sus cerebros, los hombres son más inteligentes que las mujeres.
   d. No tiene nada que ver el peso de los cerebros con la capacidad intelectual de los hombres y las mujeres.

40 ¿Cuál es la pregunta?

Según lo que acaba de leer, escriba una pregunta lógica para estas respuestas.

1. No, al final fue el único que quedó vivo; todos los demás murieron mucho antes que él.
2. Que no tendría ningún éxito comercial
3. No me gusta cómo suenan; además, la música de guitarra ya está pasada de moda.
4. 1.245 gramos

41 ¿Por qué son famosos estos hispanos?

Elija la profesión por cada persona.

cantante actor	diseñador de moda bailarín	escritor dictador y presidente	deportista cocinero

1. Jennifer López es ___.
2. Enrique Iglesias es ___.
3. Julio Bocca es ___.
4. Shakira es ___.
5. Ricky Martin es ___.
6. Juan Luis Guerra es ___.
7. Plácido Domingo es ___.
8. Francisco Franco fue ___.
9. Carolina Herrera es ___.
10. Sofía Vergara es ___.
11. Juanes es ___.
12. Hugo Chávez es ___.
13. Carlos Santana es ___.
14. Tito Puente fue ___.
15. Celia Cruz fue ___.
16. Isabel Allende es ___.
17. Fidel Castro fue ___.
18. Gabriel García Márquez es ___.
19. Rafael Nadal es ___.
20. Messi es ___.
21. Ferran Adrià es ___.
22. Fernando Torres es ___.
23. Narciso Rodíguez es ___.
24. Pau Gasol es ___.
25. Salma Hayek es ___.
26. Penélope Cruz es ___.
27. Eva Longoria es ___.
28. Javier Bardem es ___.
29. Camilo Villegas es ___.
30. Iker Casillas es ___.

42 Lea, escuche y escriba/presente

Vuelva a leer "Meteduras de pata de famosos" y luego escuche la grabación "Sentido del ridículo". Tome notas y escriba un ensayo o haga una presentación en clase contestando la pregunta, "¿Qué piensa de las personas que no actúan por miedo a equivocarse?" Mencione las causas y proponga soluciones. No se olvide de citar las fuentes debidamente.

Compare
¿Puede pensar en casos donde la reputación de una persona en los EE.UU. haya cambiado de la noche a la mañana? ¿Puede pensar en algún(os) caso(s) famoso(s) en la historia?

43 Antes de leer 👥

¿Qué tipo de programas nos ofrece la televisión? ¿En qué categoría incluirías los programas de telerrealidad o *reality shows*? ¿Qué tipo de *realities* conoces? ¿Qué opinión tienes sobre ellos?

44 Los *Reality Shows* 📄

Lea con atención el siguiente artículo. Después conteste las siguientes preguntas:

- ¿Cuál es el propósito del artículo?
- ¿Qué pregunta sería apropiada para hacerle al autor después de leer el artículo?

Los *Reality Shows*

¿Te suenan los programas *Big Brother, Survivor, American Idol o The Biggest Loser*? ¡Quién no ha visto o ha escuchado hablar sobre ellos! Todos comparten un mismo denominador común, el
5 formato de realidad, de ahí que reciban el nombre de "telerrealidad".

Denominamos de este modo al género televisivo donde los protagonistas son personas anónimas, corrientes de la calle que se someten al proceso de un
10 concurso o a las que se les sigue la vida de cerca para saber cómo se relacionan o cómo trabajan. Desde ese momento se convierten en estrellas y comienzan a formar parte de las conversaciones de la gente que los sigue cada semana.

15 Este tipo de *realities* surge como resultado del cambio social y la manera de entender hoy en día la comunicación televisiva. Con el paso de los años este formato ha ido proliferando en número y variedad de temas, y además, debido al fenómeno globalizador,
20 se han ido extendidos a lo largo y ancho de muchos países del continente europeo y americano.

Si echamos la vista atrás haciendo un poco de memoria (A), los comienzos de este género se remontan a los años 70 cuando la cadena
25 estadounidense PBS emitió una serie llamada *An American Family*, donde los miembros de una familia californiana eran grabados en su día a día durante siete meses. Su éxito se debió a la originalidad del programa y a la manera de abordar los temas de la
30 vida cotidiana.

Otro momento importante para el afloramiento de este género se dio en 1989, cuando la cadena FOX empezó a emitir *Cops*, un programa donde los agentes de policía aparecían desempeñando su trabajo diario.
35 (Años más tarde otras profesionales resultaron igualmente interesantes para mostrarnos su mundo visto desde dentro). También es en la década de los noventa cuando surge el concepto de *reality* tipo encierro. La televisión holandesa es quien crea y
40 adapta la idea de *Big Brother*, y rápidamente exporta a otros países (B).

Ya entrado el siglo XXI aparecieron otras variantes del género, muchas de las cuales surgieron del continente asiático, concretamente de Japón. Estas variantes son
45 múltiples: del tipo supervivencia, academia artística (de canto o baile), cambio de imagen, buscar pareja, empleo, ser modelo, conocer la vida de los famosos, mejora de salud, guapos e inteligentes, entre otros.

Mucho se ha debatido sobre la legitimidad de
50 estos productos televisivos. Los contenidos no son educativos propiamente dichos ni informativos tampoco, su objetivo principal es entretener. De ahí que aquellos que defienden y abogan por una programación de mayor calidad los califiquen
55 peyorativamente bajo la etiqueta de "telebasura". Además, se plantea el dilema moral de si merece la pena vender la vida privada a cambio de ganar fama o dinero.

Otra crítica hacia este género apunta al estado de
60 depresión al que quedan sumidos muchos de los concursantes al ser eliminados o al finalizar las ediciones. Se le conoce como el "síndrome del Show de Truman", cuyo nombre procede de la película homónima. Muchos no han podido continuar con sus
65 vidas porque están estigmatizados por los concursos en los que han participado, o porque sienten una sensación de vacío después de toda la parafernalia y atención recibida durante la grabación del programa. Sea como fuere, muchos concursantes han acabado
70 con su vida incapaces de poder superarlo. El problema no deja de ser preocupante, (C), de ahí que haya psicólogos especializados en este tipo de pacientes y una organización (D) llamada AfterTVCARE que se encarga de acoger y tratar a muchos de ellos.

75 Estemos más o menos a favor o en contra de este tipo de *realities*, el hecho indiscutible es que vivimos en un momento donde la telerrealidad está a la orden del día y hoy por hoy ocupa un lugar destacado en la programación de nuestras casas. Dejémonos llevar
80 por la imaginación tan solo un momento y pensemos en la siguiente reflexión: ¿habrá un día donde dejarán de emitirse estos programas, ya sea porque la audiencia acabe cansada de ellos o porque quizás haya un formato más revolucionario que deslumbre al
85 anterior? ¡Tendremos que verlo para creerlo!

Additional Activities

Comunicación

Show students clips from two or three reality shows made for the Spanish-speaking audience. In small groups, have students compare and contrast them to their equivalents made for an English-speaking audience. You could also show them excerpts from reality shows that are unique to a Spanish-speaking country rather than ones that use an idea borrowed from a show in the United States. Again, have students discuss the similarities and differences in small groups.

Answers

45 1. g; 2. h; 3.l; 4. n; 5. e; 6. b; 7. k; 8. d; 9. f; 10. a; 11. s; 12. q; 13. c; 14. o; 15. m; 16. t; 17. r; 18. i; 19. j; 20. p

46 1. El formato: los concursantes son personas corrientes de la calle que participan en concursos o abren las puertas de su casa para ser grabados; 2. Como resultado del cambio social y la manera de entender hoy en día la comunicación televisiva; 3. Comienzan en la década de los años 70 en Estados Unidos con una serie que seguía de cerca la vida de una familia; a finales de los 80 había series de profesionales desempeñando sus trabajos; en la década de los 90 surge el *reality* tipo encierro con *Big Brother*; en el siglo XXI existen concursos de múltiples temáticas; 4. Porque son programas de mero entretenimiento, los contenidos no son de calidad; 5. Padecen del síndrome del "Show de Truman" aquellos concursantes que son expulsados o finalizan un programa porque se ven estigmatizados por los concursos en los que han participado o porque sienten una sensación de vacío después de toda la atención recibida. 6. Significa tener que ser testigo, experimentar algo por uno mismo para poder darle credibilidad.

47 *Ejemplos:*
1. ¿Cómo se llama al género televisivo en el que los protagonistas son individuos de la calle que participan en concursos o son grabados en su vida cotidiana? 2. ¿A qué se debió el éxito de la serie *An American Family* en la década de los 70? 3. ¿En qué serie los policías eran grabados durante sus horas de trabajo? 4. ¿Cuántos tipos de *realities* hay? ¿Cuáles son algunas de las temáticas? 5. ¿Cómo se conoce al síndrome que padecen algunos concursantes al finalizar los programas?

48 1. x; 2. a; 3. c; 4. b; 5. d

Additional Activities

Juego
Ask students to play *El juego de la alarma*. See p. TE25.

El desafío del minuto
See p. TE27.

---

45 ¿Qué significa?

Mire las palabras de las primeras dos columnas que aparecen en la lectura anterior y busque su traducción en la tercera y cuarta columna.

1. sonar	11. desempeñar	a. corriente	k. retroceder en el tiempo
2. legítimo	12. denominador común	b. multiplicarse	l. hablar en favor de algo
3. abogar	13. peyorativo	c. despectivo	m. caer en una determinada situación
4. someterse	14. persona anónima	d. televisar	n. exponerse a una situación
5. surgir	15. estar/quedar sumido	e. comenzar	o. ni conocida ni famosa
6. proliferar	16. síndrome	f. tratar	p. producir gran impresión
7. remontar	17. homónimo	g. resultar conocido	q. elemento compartido
8. emitir	18. estigmatizar	h. lícito	r. que tiene el mismo nombre
9. abordar	19. parafernalia	i. marcar	s. cumplir las obligaciones de una profesión
10. cotidiano	20. deslumbrar	j. excesivo aparato que acompaña a una persona	t. conjunto de síntomas de una enfermedad

46 ¿Ha comprendido?

1. ¿Cuál es la clave del éxito de la telerrealidad?
2. ¿A qué se debe el surgimiento de este tipo de televisión?
3. ¿Cuándo empiezan a emitirse y cuál es su evolución a lo largo de las diferentes décadas?
4. ¿Por qué a este tipo de programas también se les conoce por "telebasura"?
5. ¿Quiénes padecen del síndrome del Show de Truman y por qué motivo?
6. ¿Qué significa la expresión "ver para creer"?

47 ¿Cuál es la pregunta?

Según lo que acaba de leer en la actividad 44, escriba una pregunta lógica para estas respuestas.

1. Telerrealidad
2. A la originalidad del formato
3. En la serie *Cops*
4. Son múltiples: tipo supervivencia, academia artística, cambio de imagen, buscar pareja, entre otros
5. Síndrome del Show de Truman

48 ¿Dónde va?

Las siguientes frases han sido extraídas del texto anterior. Vuelva a mirar el artículo, fijándose en las letras de color, y escriba la letra que mejor corresponda a cada frase. Hay una frase que sobra.

1. debido a la competencia entre canales de televisión
2. en el tiempo
3. sino todo lo contrario
4. debido a la buena recepción del programa
5. que creó Jamie Huysman

49 Lea, escuche y escriba/presente

Busque en Internet un video de telerrealidad. Después escriba un ensayo o haga una presentación sobre los programas de telerrealidad que están de moda y el impacto que tienen en los televidentes.

¡A escuchar!

50 Manías de los famosos

Esta grabación es un diálogo entre dos personas sobre las extravagancias de famosos. La grabación dura aproximadamente 3 minutos. Lea las posibles respuestas primero y luego escuche la grabación "Manías y extravagancias de famosos". Entonces escoja la mejor respuesta para cada pregunta. Después piense en dos preguntas que les haría a estas chicas.

1. ¿Qué es lo que acaba de hacer Ana?

   a. Hablar sobre su color favorito, el blanco
   b. Contar la manía de Jennifer López
   c. Remodelar y pintar su casa
   d. Irse de vacaciones a un hotel

2. Según Belinda, ¿quién es una persona caprichosa?

   a. Su amiga Ana
   b. Los residentes de los hoteles
   c. Los Rolling Stones
   d. Jennifer López

3. ¿Qué manía tienen los Rolling Stones?

   a. Pedir todos los periódicos locales
   b. Llevarse de gira sus propios muebles
   c. No tocar los muebles del hotel
   d. Alojarse en una gran casa

4. ¿Quién tiene una extraña manía al abrir las puertas?

   a. Camerón Díaz, que las abre con los codos
   b. Leonardo Di Caprio en su camerino
   c. Woody Allen, el más excéntrico
   d. El personaje de Ana

51 ¿Qué opina?

¿Qué cree que significa la expresión: "nadie está libre de culpa"?

52 Antes de escuchar

Repase las siguientes palabras que forman parte de la grabación que luego va a escuchar. Elija la mejor traducción.

1. dudar
   a. to doubt   b. to shout
   c. to jump   d. to cry

2. conservar
   a. to forget   b. to keep
   c. to smile   d. to be moved

3. motivo
   a. dream   b. reason
   c. circumstance d. because of

4. protector
   a. spoiled   b. strict
   c. protective   d. jealous

5. desmotivado
   a. motivated   b. excited
   c. unmotivated   d. relaxed

Teacher Resources

 Activity 50

Activities 18–20

Answers

50 1. c; 2. d; 3. b; 4.a

51 Students' answers should indicate that everyone is responsible.

52 1. a; 2. b; 3. b; 4. c; 5. c

Additional Activities

¿Cuál es la pregunta?
See p. TE26.

Teacher Resources

Activity 53
Activity 54

Answers

53 1. Su tía Anita preguntándole qué quiere ser de mayor; 2. Ser astronauta; 3. No cumplió su sueño; ahora es secretaria. 4. Tiene diez años y su sueño es ser famosa. 5. Quitarle la televisión y comprarle un maletín de médico

Instructional Notes

53 You might want to review the following words with students before they listen to the audio: *remontarse*, to go back; *adjunta*, associate; *estupidez*, stupidity; *desmotivada*, unmotivated; *ociosa*, idle; *desfilar*, to parade; *payaso*, clown; *maletín*, suitcase.

54 You might ask students if they know the meaning of *campaña* ("campaign") before they listen to the audio.

---

53 Mamá, quiero ser famosa

Esta grabación es sobre la situación de una madre que tiene una hija que tan solo aspira a ser famosa. La grabación dura aproximadamente 2.5 minutos. Escuche la grabación "Mamá, quiero ser famosa" y luego conteste las preguntas. Después, resuma lo que escuchó en una frase.

1. ¿Cuál es el primer recuerdo de la persona que nos habla?
2. ¿Qué sueño tenía cuando era pequeña?
3. ¿Cumplió su sueño? ¿Cuál es su trabajo actualmente?
4. ¿Qué edad tiene la hija? ¿Y cuál es su sueño?
5. ¿Qué medida toma la madre para combatir el comportamiento de su hija?

54 Participe en una conversación

Ud. va a participar en una conversación. Primero lea la descripción de la conversación y piense en algunas palabras o expresiones que le serían útiles. Organice sus ideas, haciendo predicciones sobre lo que se le pueda preguntar o comentar. Una descripción de lo que va a escuchar aparece abajo en color. Participe en la conversación grabando las respuestas o escribiéndolas en su cuaderno.

> **Escena:** Ud. es un/a famoso/a, y un periodista le va a hacer una entrevista. Le va a hacer algunas preguntas, y Ud. debe de contestarlas.

Periodista: Lo/La saluda. Le hace una pregunta sobre su participación en algo.

Ud.:
- Nombre la marca y dele detalles.

Periodista: Le hace una pregunta sobre una oferta que le han hecho.

Ud.:
- Conteste su pregunta con emoción y duda.

Periodista: Sigue la conversación y le hace una pregunta.

Ud.:
- Conteste su pregunta. Use una o dos expresiones con preposición.

Periodista: Le pide que le dé algún consejo.

Ud.:
- Haga un comentario sobre este grupo.
- Dele dos consejos.

Periodista: Le hace otra pregunta.

Ud.:
- Conteste su pregunta. Use dos adjetivos y un superlativo en su respuesta.

Periodista: Se despide.

Ud.:
- Despídase. Use una expresión de la lección.

Audioscript Activity 54

Periodista: Buenas tardes. Nos alegra que esté de visita en nuestro país. He oído que una empresa de publicidad le ha pedido que participe en una campaña. ¿Nos podría dar más detalles?
[STUDENT RESPONSE]
Periodista: ¿Va a aceptar la oferta?
[STUDENT RESPONSE]
Periodista: Muchos de sus admiradores piensan que es una persona muy carismática. ¿A qué se debe? ¿Cuál es su secreto?
[STUDENT RESPONSE]
Periodista: ¿Qué les aconsejaría a sus admiradores más jóvenes?
[STUDENT RESPONSE]
Periodista: ¿A qué otros famosos admira? ¿Quién es su ídolo?
[STUDENT RESPONSE]
Periodista: Muchas gracias por su tiempo. Le deseamos una feliz estancia.
[STUDENT RESPONSE]

¡A escribir!

55 Texto informal: un correo electrónico

Conteste este correo que le ha escrito un amigo suyo.

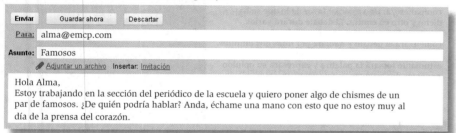

| Enviar | Guardar ahora | Descartar |

Para: alma@emcp.com

Asunto: Famosos

📎 Adjuntar un archivo   Insertar: Invitación

Hola Alma,
Estoy trabajando en la sección del periódico de la escuela y quiero poner algo de chismes de un par de famosos. ¿De quién podría hablar? Anda, échame una mano con esto que no estoy muy al día de la prensa del corazón.

- Describa lo que no le gusta de ellos.
- Describa lo que le gusta de ellos.
- Cuente alguna anécdota.
- Termine con una pregunta.

56 Texto informal: un mensaje en un blog

Conteste este mensaje que alguien que no conoce ha escrito.

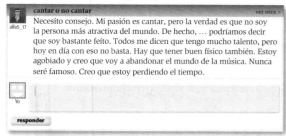

cantar o no cantar   ver otra >

alfa5_17   Necesito consejo. Mi pasión es cantar, pero la verdad es que no soy la persona más atractiva del mundo. De hecho, … podríamos decir que soy bastante feíto. Todos me dicen que tengo mucho talento, pero hoy en día con eso no basta. Hay que tener buen físico también. Estoy agobiado y creo que voy a abandonar el mundo de la música. Nunca seré famoso. Creo que estoy perdiendo el tiempo.

Yo

responder

- Dígale lo que piensa al respecto.
- Dele consejos útiles para llegar a ser famoso/a.
- Anímele.

57 Ensayo: la fama

Escriba un ensayo contestando las preguntas, "¿Todos buscamos la fama?", ¿Por qué?.

58 Ensayo: una persona famosa

Escriba un ensayo contestando la pregunta, "¿A qué famoso hispano admira?". Compárelo con otro al que admire en los EE.UU.

59 En parejas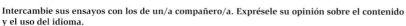

Intercambie sus ensayos con los de un/a compañero/a. Exprésele su opinión sobre el contenido y el uso del idioma.

Lección 4B   **231**

Teacher Resources

 Activities 21–22

Instructional Notes

55–58 Remind students to go over the expectations outlined in the *Pautas* on p. 480 before they begin writing.

59 You might want to have students work in small groups rather than with a partner to critique one another's work.

Teacher Resources

See ExamView for assessment options.

Instructional Notes

Ask students to come up with more examples for *falsos cognados* in the *A tener en cuenta* feature.

---

el	**suplicio**	torture
la	**telenovela**	soap opera
la	**ternura**	tenderness
el	**tesón**	determination, tenacity
el	**trato**	deal, treatment
la	**trayectoria**	trajectory, path
la	**valentía**	valor
el/la	**visionario/a**	visionary
el/la	**votante**	voter

Adjetivos

absurdo, -a	absurd
aclamado, -a	acclaimed
afortunado, -a	lucky, fortunate
ameno, -a	enjoyable, pleasant
anticuado, -a	old-fashioned, out of style
apuesto, -a	good-looking
brillante	brilliant
carismático, -a	charismatic
consentido, -a; mimado, -a	spoiled
conservador(a)	conservative
desconocido, -a	unknown
encantador(a)	charming
exitoso, -a	successful
impactante	powerful, impressive
legendario, -a	legendary
letal	deadly
melenudo, -a	long-haired
mezclado, -a	mixed
poderoso, -a	powerful
prestigioso, -a	prestigious, famous
respetado, -a	respected
ridículo, -a	ridiculous, absurd
sabio, -a	wise
sembrado, -a	sown, seeded
talentoso, -a	talented
torpe	clumsy
valiente	brave

Expresiones

al margen de	separate from, on the margin (fringes) of
con buena cara	with good humor
de golpe	suddenly
de poco presupuesto	low budget
estar dispuesto, -a	to be willing
estar pasado, -a de moda	to be out of fashion
hacer soñar a alguien	to make someone dream
lanzar(se) a la fama	to rush to fame
meter la pata	to make a mistake, stick one's foot (in one's mouth)
mirar de reojo	to look out of the corner of one's eye
nadie en su sano juicio	no one in his/her right mind
no tener más remedio que	to have no other choice
pasar a la posteridad	to pass on to posterity
quedar en ver a alguien	to agree to see someone
quedarse mudo, -a	to be speechless
el salto a la fama	jump to fame
sufrir en su propia carne	to suffer in one's own skin
tener buen olfato	to have good judgment
tener un éxito rotundo	to have a resounding success
¡venga ya!	are you kidding/serious?

A tener en cuenta

Falsos cognados

actual: present, current • actual: **verdadero**
apreciar: to judge; to appreciate in value • to appreciate: **agradecer**
asistir: to attend • to assist: **ayudar**
atender: to take care of • to attend: **asistir**
éxito: success • exit: **salida**
ignorar: not to know • to ignore: **no hacer caso**
papel: piece of paper; role • (term) paper: **trabajo**
procurar: to try to • to procure: **obtener, conseguir**
realizar: to come true • to realize: **darse cuenta**
recordar: to remember • to record: **grabar**
rudo: coarse • rude: **maleducado, grosero**
sano: healthy • sane: **cuerdo**
suceder: to happen • to succeed: **tener éxito**
suceso: event • success: **éxito**
último: last • ultimate: **máximo, supremo**

Capítulo 5

Temas

- La literatura
- El idioma español
- El arte de escribir

El rincón literario

Había una vez una feria en Guadalajara...

FIL**20**años

20 años **06** Guadalajara

Feria Internacional del Libro de Guadalajara

2 5 n o v 0 3 d i c

235

Overview of chapter 5

Encourage a discussion of the chapter's topics by asking the following questions that have to do with literature, the Spanish language, or the art of writing: *¿Qué nos puede enseñar la literatura? ¿Qué obras de literatura en español han leído? De éstas, ¿cuál es la que más les ha gustado? ¿Por qué? ¿Qué importancia tiene el idioma español en nuestra comunidad, estado o región? ¿Cómo piensan sacar provecho de sus conocimientos de español en el mercado laboral? ¿Cómo definirían la habilidad de escribir bien? ¿Lo consideran un arte? ¿Se puede aprender a escribir bien, o se nace con esta habilidad especial? ¿Qué cualidades valoran en un escritor o escritora?*

Instructional Notes

Ask the following questions related to the opening photo for this chapter: *¿Qué es una feria del libro? ¿Han estado alguna vez en una? Aparte de presentar y vender los libros, ¿qué otros servicios o actividades hay en estas ferias?*

Nota cultural

La Feria Internacional del Libro de Guadalajara (FIL) fue creada en 1987 a instancias de la Universidad de Guadalajara. Hoy es la mayor feria de publicaciones en español. Se celebra cada año a finales de noviembre-principios de diciembre y asisten editores, agentes literarios, promotores de lectura, traductores, distribuidores, bibliotecarios y escritores. Acuden alrededor de medio millón de personas, unas 1.608 editoriales, más de cien agentes literarios, unos 16.000 profesionales del libro y representantes de 39 países. Durante la Feria, suelen hacerse presentaciones organizadas de libros, hay foros literarios y académicos, actividades artísticas y musicales, actividades para profesionales y presentaciones de premios y homenajes.

Investigue palabras clave:
Feria del Libro de Guadalajara, de Madrid, de Francfort

Instructional Notes

Ask students if they can identify the writers pictured on the page (from top to bottom: Gabriel García Márquez, Octavio Paz, and Camilo José Cela) and what they have in common (all are recipients of the Nobel Prize in Literature). You might also ask the following questions related to these authors and some others whose lives and works are discussed in the lesson: *¿Conocen o han leído a los escritores cuyas fotos aparecen aquí? ¿Qué obras de ellos han leído? ¿Qué saben de los siguientes escritores: Miguel de Cervantes, Federico García Lorca, Pablo Neruda, Carlos Fuentes, Isabel Allende? ¿Qué otros autores hispanos conocen?*

Lección
A

Objetivos

Comunicación
- Hablar de los géneros literarios
- Conocer a algunos autores hispanos
- Leer y hablar sobre personajes de la literatura y su entorno
- Charlar sobre fragmentos de obras importantes literarias

Gramática
- Repaso de tiempos verbales
- Repaso de preposiciones
- El *se* impersonal
- Pronombres demostrativos

"Tapitas" gramaticales
- el orden de los adjetivos

Cultura
- Los géneros literarios
- El Premio Nobel
- Isabel Allende
- Junot Díaz
- Arturo Pérez Reverte
- Ana María Matute
- Mario Vargas Llosa
- Gabriel García Márquez
- Carlos Ruiz Zafón

Go online
EMCLanguages.net

236   Capítulo 5 • El rincón literario

Nota cultural

Gabriel García Márquez nació en Aracataca, Colombia (1927); ganó el Nobel en 1982 y es el creador del realismo mágico; obras destacadas: *Cien años de soledad, El amor en los tiempos del cólera, El coronel no tiene quien le escriba.* Octavio Paz (1914–1998), escritor mexicano, ganador del Nobel en 1990; obras destacadas: *El laberinto y la soledad, El arco y la lira, Libertad bajo palabra.* Camilo José Cela (1916–2002); novelista español, ganó el Nobel en 1989; obras destacadas: *La colmena, La familia de Pascual Duarte, Viaje a la Alcarria.*

Investigue palabras clave:
Gabriel García Márquez, Octavio Paz, Camilo José Cela

Para empezar

1 Conteste las preguntas

Piense en las respuestas a las siguientes preguntas. Ud. puede tomar notas si lo considera necesario. Cuando termine, compare sus respuestas —pero sin mirar sus notas— con las de un/a compañero/a.

1. ¿Lee Ud. mucho? ¿Quiénes son sus autores favoritos? ¿Qué tipo de lectura prefiere?
2. ¿Cuales son sus libros favoritos? ¿Qué temas tratan?
3. ¿Qué sabe de los movimientos literarios? Descríbalos.
4. ¿Puede nombrar a cinco autores hispanos famosos?
5. ¿Qué opina de la lectura obligatoria de ciertos libros durante el verano?
6. ¿Qué piensa de los audiolibros?
7. ¿Qué piensa de los libros en formato electrónico?
8. ¿Qué papel jugará la tecnología en el futuro de los libros? ¿Piensa que habrá menos libros impresos y más ediciones digitales? Justifique su respuesta.
9. ¿Cree que un autor puede influenciar con sus obras el mundo en el que vive? Dé ejemplos.
10. Nombre los cinco libros más vendidos en estos días. Búsquelos en el periódico o en la Red. ¿Ha leído alguno de estos libros? ¿Qué revela esta lista sobre el mundo actual?

2 Mini-diálogos

Ud. va a crear un mini-diálogo con un/a compañero/a. Lea la descripción de la conversación antes de empezar. Puede tomar notas para organizar sus ideas, pero no las mire mientras conversa. Le pueden servir algunas palabras del recuadro.

la literatura realista	la novela	el cuento	la poesía
la literatura fantástica	la tragedia	la comedia	la ficción
la autobiografía	la ciencia ficción	la no ficción	la biografía

Escena: Dos amigos/as están en una librería. Uno/a ("B") quiere comprar un nuevo libro. Ayúdelo/la a decidir cuál debe comprar.

A: Entable una conversación sobre los géneros literarios. Pregúntele a su compañero/a sobre las características que busca en su nuevo libro.

B: Hable sobre algunas características.

A: Después de mirar varios libros, hable de las características de un género literario que le gusta a Ud. y explique por qué.

B: Haga unos comentarios sobre la sugerencia y hágale preguntas sobre otro género literario.

A: Conteste las preguntas con información adicional.

B: Reaccione y pídale que mire otro tipo de libro.

A: Haga un comentario sobre este tipo de libro.

B: Tome una decisión sobre el tipo de libro que piensa comprar. Despídase e invítele a que compre el mismo libro para que los/las dos puedan discutirlo.

A: Reaccione a la invitación. Despídase cordialmente.

Cita

Cuando se hace uno viejo le gusta más releer que leer.
—Pío Baroja (1872–1956), novelista español

¿Por qué piensa que Baroja hace esta distinción en los gustos de lectura de las personas mayores? Comparta su opinión con un/a compañero/a.

¡Dato curioso!

La industria del libro estaba sufriendo mucho hasta que Steve Jobs hizo su aparición en San Francisco, para presentar el iPad de Apple. En los últimos años la industria del libro tuvo que despedir a muchos editores y publicistas, y cada vez que daban menos oportunidades a autores desconocidos. Gracias al iPad se han podido introducir los libros electrónicos a las masas y hay un nuevo renacimiento de esta industria. Casi la mitad de los estadounidenses sólo leen un libro, o incluso menos, al año. Esperemos que con las nuevas tecnologías esto cambie.

Nota cultural

Los libros en formato electrónico han hecho que pensemos de una manera distinta en el futuro del libro, incluso en el contexto de las bibliotecas. La editorial HarperCollins ha contribuido a este cambio de mentalidad. En marzo de 2011 anunciaron que sus libros electrónicos que han distribuido a las bibliotecas sólo se podrán sacar 26 veces por título, lo que según las estadísticas significa un promedio de un año y medio de uso. A partir de las 26 veces, el título se borrará automáticamente del sistema y la biblioteca tendrá que pagar para renovar la licencia. Esta medida es polémica por el hecho de que los libros impresos se deterioran poco a poco a través del tiempo pero se mantienen en los estantes sin importar el número de veces que se saquen; en cambio los digitales se desaparecerán después de las 26 veces, lo que resultará en más costos para las bibliotecas.

Investigue palabras clave:
Revista de Occidente,
José Ortega y Gasset,
Pío Baroja

Answers

1 Answers will vary.

2 Dialogues will vary.

Instructional Notes

After sharing the *Nota cultural* at the bottom of the page with your students, have a class discussion about e-books, in particular the effect they are having on libraries. You might ask the following questions: *¿Por qué piensan que HarperCollins hizo aquel anuncio en marzo de 2011? ¿Cómo creen que reaccionó el público? ¿Y las bibliotecas (teniendo en cuenta que ahora tendrán que pagar cada vez que tengan que renovar la licencia por cada libro)? ¿Cuál es el futuro de las bibliotecas ahora que se podrá sacar libros sin entrar en ellas físicamente?*

Encourage a classroom conversation about books students have read or are reading in their free time— including fairy tales they may have read as children— and what they are reading now in their literature classes. You might also ask them about reading clubs or book clubs at school or in the community, or even at local bookstores.

Revista de Occidente The magazine was founded in 1923 by the Spanish philosopher and writer José Ortega y Gasset; the cover shown in the photo is from its first issue. From its first issue it has chronicled innovations in thinking and artistic and literary creativity. After an absence of some years, it reappeared in 1963, and from 1980 until her death in 2007, it was under the direction of Ortega's daughter, Soledad Ortega Spottorno. The magazine's areas of special interest lie with the Humanities and the Social Sciences, but also include science. Articles by leading intellectuals and interviews with outstanding men and women in the arts and sciences make up the contents.

Additional Activities

Ask students to do *¡Pongámonos de acuerdo!* to practice the words in the word bank. See p. TE28.

Composición

Ask students to work with a partner and come up with a title for a magazine whose content is similar to *Revista de Occidente*. Students should design a cover and create a table of contents.

Instructional Notes

3 After students read the first article, you might want them to define the literary terms mentioned.

Vocabulario y gramática en contexto

3 Un foro

Túrnese con un/a compañero/a para leer los comentarios que dos personas han escrito en un foro sobre los géneros literarios y el Premio Nobel de Literatura. Fíjese en las palabras que aparecen en azul (relacionadas con el vocabulario) y en rojo (relacionadas con la gramática), ya que en las siguientes actividades se le harán preguntas sobre ellas.

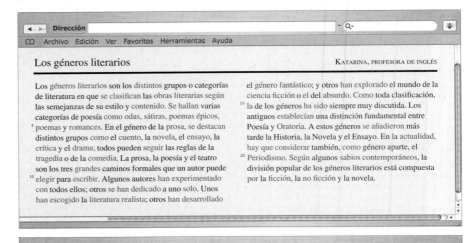

Dirección

Archivo Edición Ver Favoritos Herramientas Ayuda

Los géneros literarios

KATARINA, PROFESORA DE INGLÉS

Los géneros literarios son los distintos grupos o categorías de literatura en que se clasifican las obras literarias según las semejanzas de su estilo y contenido. Se hallan varias categorías de poesía como odas, sátiras, poemas épicos,
5 poemas y romances. En el género de la prosa, se destacan distintos grupos como el cuento, la novela, el ensayo, la crítica y el drama; todos pueden seguir las reglas de la tragedia o de la comedia. La prosa, la poesía y el teatro son los tres grandes caminos formales que un autor puede
10 elegir para escribir. Algunos autores han experimentado con todos ellos; otros se han dedicado a uno solo. Unos han escogido la literatura realista; otros han desarrollado

el género fantástico; y otros han explorado el mundo de la ciencia ficción o el del absurdo. Como toda clasificación,
15 la de los géneros ha sido siempre muy discutida. Los antiguos establecían una distinción fundamental entre Poesía y Oratoria. A estos géneros se añadieron más tarde la Historia, la Novela y el Ensayo. En la actualidad, hay que considerar también, como género aparte, el
20 Periodismo. Según algunos sabios contemporáneos, la división popular de los géneros literarios está compuesta por la ficción, la no ficción y la novela.

Dirección

Archivo Edición Ver Favoritos Herramientas Ayuda

El Premio Nobel

TOMÁS, CATEDRÁTICO DE ESPAÑOL

Ha habido varios autores hispanos laureados con el Premio Nobel de Literatura por la Academia Sueca cada año desde el principio del siglo XX. En 1967, el comité le dio el Premio Nobel de Literatura a Miguel Ángel
5 Asturias, escritor y diplomático guatemalteco. El comité reconoció la obra del escritor español Camilo José Cela en 1989. Cela dominaba el lenguaje y fue un gran innovador de la narrativa en castellano. Algunos dicen que Gabriel García Márquez, periodista, editor y escritor
10 colombiano, es el maestro de la literatura hispana del siglo XX. Le entregaron el premio Nobel de Literatura en 1982. García Márquez es conocido mundialmente por el estilo que usa en sus obras, conocido como "realismo mágico". En 1945, la Academia Sueca le
15 otorgó el Premio Nobel de Literatura a una poeta, diplomática y profesora chilena, Gabriela Mistral. Otro poeta, escritor y diplomático chileno, Pablo Neruda, aceptó el Premio Nobel de Literatura en 1971. Neruda fue uno de los poetas más importantes de la lengua

Miguel Ángel Asturias

20 española del siglo XX. Honraron al poeta, ensayista y diplomático mexicano, Octavio Paz, con el Nobel en 1990.

Investigue palabras clave: Miguel Ángel Asturias, Gabriela Mistral, Pablo Neruda

4 Amplíe su vocabulario

Clasifique las palabras que aparecen en azul y rojo en las lecturas anteriores según sean sustantivos, adjetivos, verbos o expresiones relacionadas con la literatura.

5 Repaso de todo

Conteste estas preguntas basadas en las lecturas de la Actividad 3.

1. Haga una lista de todos los verbos en el presente perfecto y el pretérito del indicativo y explique su uso en las lecturas.
2. Busque los verbos acompañados de *se* (por ejemplo, *se clasifican*) y explique el uso de *se* en cada caso.
3. Busque los infinitivos y describa tres usos diferentes de ellos en los comentarios del foro.
4. Explique el uso del imperfecto usando como ejemplo la frase "los antiguos establecían una distinción fundamental".
5. ¿Qué preposición se usa para expresar que algo pasó "durante" cierto año? Hable sobre otros usos de esta preposición.
6. Explique el uso de las preposiciones *desde, con, por* y *como* que aparecen en las lecturas.

6 "Tapitas" gramaticales

Conteste estas preguntas basadas en las lecturas de la Actividad 3.

1. ¿Qué significa *distintos grupos* y *grandes caminos* en inglés? Explique lo que significarían si fueran *grupos distintos* y *caminos grandes*.
2. Explique la diferencia ente *solo* y *sólo* basándose en la frase "otros se han dedicado a uno solo".
3. ¿Por qué se usan letras mayúsculas para las palabras *Poesía, Oratoria* y *Periodismo*? ¿Habría otro significado si llevaran letras minúsculas? ¿Cuál?
4. Explique el uso de *le* en las lecturas. Hay varios ejemplos en la segunda lectura.
5. Explique el uso de *la* en la frase "la de los géneros ha sido siempre muy discutida" y el uso de *el* en la frase "el del absurdo".
6. Explique el uso del superlativo en la frase "uno de los poetas más importantes de la lengua española".
7. Haga una lista de los adjetivos irregulares en el comparativo y en el superlativo.

7 *La isla bajo el mar* de Isabel Allende

Lea atentamente el siguiente artículo, prestando atención a las palabras en azul. Después conteste las siguientes preguntas:

- ¿Cómo resumiría el artículo en una frase?
- ¿Qué pregunta sería apropiada para hacerle a Isabel Allende después de leer el artículo?

La isla bajo el mar nos narra la vida de una esclava negra del Caribe que lucha sin cesar hasta conseguir su libertad. Zarité Sedella es comprada a los nueve años por el francés Toulouse Valmorain, dueño de una de las más importantes plantaciones de azúcar de Santo Domingo. A lo largo de la novela transcurren cuarenta años en la vida de Zarité durante los cuales se relata lo que
[5] representó la explotación de esclavos en la isla (actualmente territorio de Haití) en el siglo XVIII, sus condiciones de vida y su lucha por conseguir la libertad.

Hacia fines del siglo XVIII, los ideales de igualdad, fraternidad y libertad de la Revolución Francesa se extendieron por todo el continente. Fue así como, influidos por estas ideas, los esclavos comenzaron a manifestarse contra la opresión y el maltrato llevado a cabo por sus dueños.

[10] Isabel Allende le da voz a una mujer luchadora, incansable y llena de amor que saldrá adelante en la vida a pesar de las dificultades. Es mujer, mulata y esclava, tres características que en el Caribe del siglo XVIII condenaban a cualquiera a ser prisionera de un destino. No obstante, Zarité triunfa y consigue alcanzar la felicidad.

el mundo. Los dos son artículos que se usan como sustantivos. **6.** El superlativo asigna el grado máximo o mínimo de la cualidad a una o varias personas o cosas en relación con las demás de un conjunto determinado; por ejemplo, aquí se asigna el grado máximo a uno de los poetas en relación con los demás. **7.** bueno (mejor); malo (peor); más joven (menor); más viejo (mayor)

Additional Activities

Juego

Ask students to play *El juego de la alarma* to practice spelling-changing verbs, and *Relevos* to practice vocabulary from this lesson. See p. TE25.

Juego

Ask students to play *¿Por, para o...?* to review the prepositions *desde, de, por,* and *para.*

Before class prep: Prepare a short paragraph in Spanish that uses the prepositions *desde, de, por,* and *para.* Then tell students: *Voy a leerles un texto, pero sin decir la preposición correspondiente. Uds. van a escucharme y, cuando haga una pausa, deben levantarse si creen que la preposición es* desde, *levantar la mano derecha si es* de, *la izquierda si es* por, *y aplaudir si creen que es* para.

Answers

4 There might be some variation as to classifications; for example, *realismo* might be included with nouns and *mágico* with adjectives; some words, such as *se destacan,* which is not literature-specific, might not be included. **Sustantivos:** géneros, contenido, odas, sátiras, poemas épicos, poemas, romances, prosa, cuento, novela, ensayo, crítica, drama, tragedia, comedia, literatura, género, ciencia ficción, Oratoria, Periodismo, sabios, ficción, no ficción, escritor, obra, narrativa, periodista, ensayista; **Adjetivos:** literarios, realista, fantástico, absurdo, contemporáneos, laureados; **Verbos:** se clasifican, se destacan, escribir, han experimentado, se han dedicado, han desarrollado, han explorado, otorgó, honraron; **Expresiones:** obras literarias, Premio Nobel de Literatura, realismo mágico

5 1. *presente perfecto:* han experimentado, se han dedicado, han escogido, han desarrollado, han explorado, ha sido, ha habido; Expresa acciones realizadas en el pasado y que perduran en el presente. *préterito:* se añadieron, dio, reconoció, fue, entregaron, otorgó, aceptó, fue, honraron; Expresa acciones realizadas y acabadas en el pasado sin tener relación con el presente. **2.** *Se clasifican, se hallan, se destacan* y *se añadieron* funcionan como la voz pasiva; *se han dedicado* funciona como verbo reflexivo. **3.** *Seguir* y *elegir* siguen el verbo *poder; escribir* se usa después de la proposición *para; considerar* sigue la expresión *hay que.* **4.** Expresa acciones pasadas sin precisar el principio ni el final de la acción. **5.** Se usa *en.* Indica lo siguiente: el tiempo durante el cual tiene lugar una acción; un lugar/una situación; el interior de un lugar; el término de un movimiento; el medio de transporte; el precio; el modo; y acompaña ciertos verbos. **6.** *desde* (desde el principio del siglo XX): indica el comienzo de un período de tiempo; *con* (han experimentado con): sigue el verbo *experimentar;* (hispanos laureados con el Premio/con el Nobel): expresan medio; *por* (está compuesta por la ficción): sigue el verbo *componer;* (por la Academia Sueca): indica medio o instrumento; (por el estilo): expresa causa; *como* (como odas, sátiras... romances/como el cuento): introduce ejemplos; (como toda clasificación, como género aparte, como "realismo mágico"): indica "en calidad de"

6 1. distintos grupos = *unique or distinct groups;* grandes caminos = *great roads;* grupos distintos = *different groups;* caminos grandes = *big roads.* La posición del adjetivo cambia el sentido. **2.** *Solo* quiere decir único; *sólo* significa solamente. **3.** Se refieren a un movimiento literario en particular. Sí; sin mayúsculas serían términos corrientes. **4.** Se usa como objeto indirecto. **5.** *La* sustituye *clasificación; el* sustituye

Answers

8 1. f; 2. a; 3. g; 4. h; 5. j; 6. k; 7. d; 8. e; 9. c; 10. i; 11. b

9 Answers will vary.

10 1. he tenido; 2. vivir; 3. será; 4. está; 5. escogido; 6. He tenido; 7. son; 8. es; 9. estuve; 10. está; 11. desaparece; 12. danzaba; 13. recorre; 14. me atraviesa; 15. mastique; 16. está; 17. me vuelvo

---

8 Amplíe su vocabulario

Según el contexto del artículo que acaba de leer, empareje cada palabra de la primera columna con su definición de la segunda.

1. narra
2. a lo largo de
3. transcurren
4. actualmente
5. opresión
6. maltrato
7. llevado a cabo
8. incansable
9. saldrá adelante
10. destino
11. triunfa

a. durante
b. tiene éxito
c. lograr pasar una situación difícil
d. hecho
e. que no se cansa
f. nos cuenta
g. pasan
h. hoy en día
i. futuro inevitable
j. tiranía, abuso, presión
k. castigo, ofensa, daño

9 ¿Qué sabe?

¿Qué otros ejemplos de mujeres luchadoras recuerda de libros que haya leído? ¿Y en los EE.UU.?

10 Repaso de tiempos verbales

Lea con atención el siguiente fragmento y complete los espacios con las palabras adecuadas. Después conteste las siguientes preguntas:

- ¿Qué piensa del personaje?
- ¿Qué piensa de su situación personal?
- ¿Cómo resumiría lo que leyó en tres frases?
- ¿Qué pregunta le haría a la narradora?

La isla bajo el mar (primera parte)

En mis cuarenta años, yo, Zarité Sedella, **1.** (*tener*) mejor suerte que otras esclavas. Voy a **2.** (*vivir*) largamente y mi vejez **3.** (*ser / estar*) contenta porque mi estrella -mi z'etoile-
[5] brilla también cuando la noche **4.** (*ser / estar*) nublada. Conozco el gusto de estar con el hombre **5.** (*escoger*) por mi corazón cuando sus manos grandes me despiertan la piel. **6.** (*Tener*) cuatro hijos y un nieto, y los que están vivos **7.** (*ser /*
[10] *estar*) libres. Mi primer recuerdo de felicidad, cuando era una mocosa huesuda y desgreñada, es moverme al son de los tambores y ésa **8.** (*ser / estar*) también mi más reciente felicidad, porque anoche **9.** (*ser / estar*) en la plaza del
[15] Congo bailando y bailando, sin pensamientos en la cabeza, y hoy mi cuerpo **10.** (*ser / estar*) caliente y cansado. La música es un viento que se lleva los años, los recuerdos y el temor, ese animal agazapado que tengo adentro. Con los

[20] tambores **11.** (*desaparecer*) la Zarité de todos los días y vuelvo a ser la niña que **12.** (*danzar*) cuando apenas sabía caminar. Golpeo el suelo con las plantas de los pies y la vida me sube por las piernas, me **13.** (*recorrer*) el esqueleto, se
[25] apodera de mí, me quita la desazón y me endulza la memoria. El mundo se estremece. El ritmo nace en la isla bajo el mar, sacude la tierra, **14.** (*atravesar*) como un relámpago y se va al cielo llevándose mis pesares para que Papa Bondye los
[30] **15.** (*masticar*), se los trague y me deje limpia y contenta. Los tambores vencen al miedo. Los tambores son la herencia de mi madre, la fuerza de Guinea que **16.** (*ser / estar*) en mi sangre. Nadie puede conmigo entonces, **17.** (*volverse*)
[35] arrolladora como Erzuli, loa del amor, y más veloz que el látigo. (…)

Investigue palabras clave: Isabel Allende

11 Repaso de tiempos verbales

Lea con atención el siguiente fragmento y complete los espacios con las palabras adecuadas. Después conteste las siguientes preguntas:

- ¿Qué puede decir del entorno en el que vive Zarité?
- ¿Cuáles cree que son sus desafíos?
- ¿Cómo resumiría lo que leyó en tres frases?
- ¿Qué pregunta le haría a la narradora?

La isla bajo el mar (segunda parte)

En la casa donde __1.__ (criarse) los primeros años, los tambores permanecían callados en la pieza que __2.__ (compartir) con Honoré, el otro esclavo, pero __3.__ (salir) a pasear a menudo. Madame Delphine, mi ama de entonces, no __4.__ (querer) oír ruido de negros, sólo los quejidos melancólicos de su clavicordio. Lunes y martes __5.__ (dar) clases a muchachas de color y el resto de la semana __6.__ (enseñar) en las mansiones de los grandes blancos, donde las señoritas disponían de sus propios instrumentos porque no podían usar los mismos que __7.__ (tocar) las mulatas. __8.__ (aprender) a limpiar las teclas con jugo de limón, pero no podía hacer música porque madame nos __9.__ (prohibir) acercarnos a su clavicordio. Ni falta nos __10.__ (hacer). Honoré podía sacarle música a una cacerola, cualquier cosa en sus manos tenía compás, melodía, ritmo y voz; llevaba los sonidos en el cuerpo, los __11.__ (traer) de Dahomey. Mi juguete era una calabaza hueca que __12.__ (hacer) sonar; después me enseñó a __13.__ (acariciar) sus tambores despacito. Y eso desde el principio, cuando él todavía me cargaba en brazos y me llevaba a ²⁵ los bailes y a los servicios vudú, donde él __14.__ (marcar) el ritmo con el tambor principal para que los demás lo siguieran. Así lo recuerdo. Honoré parecía muy viejo porque se le habían __15.__ (enfriar) los huesos, aunque en esa época ³⁰ no tenía más años de los que yo tengo ahora. Bebía tafia para __16.__ (soportar) el sufrimiento de moverse, pero más que ese licor áspero, su mejor remedio __17.__ (ser / estar) la música. Sus quejidos __18.__ (volverse) risa al son de los ³⁵ tambores. Honoré apenas __19.__ (poder) pelar patatas para la comida del ama con sus manos deformadas, pero tocando el tambor __20.__ (ser / estar) incansable y, si de bailar se trataba, nadie __21.__ (levantar) las rodillas más alto, ni ⁴⁰ bamboleaba la cabeza con más fuerza, ni agitaba el culo con más gusto. Cuando yo todavía no __22.__ (saber) andar, me hacía danzar sentada, y apenas pude sostenerme sobre las dos piernas, me invitaba a perderme en la música, como en un ⁴⁵ sueño. "Baila, baila, Zarité, porque esclavo que baila es libre... mientras baila", me __23.__ (decir). Yo __24.__ (bailar) siempre.

12 Hable con un compañero 🧍🧍

¿Qué recuerdos tiene de su infancia? ¿Y cuales son sus primeras memorias?

13 Repaso de tiempos verbales 📖

Lea con atención el siguiente artículo y complete los espacios con las palabras adecuadas. Después conteste las siguientes preguntas:

- ¿Cuál es el propósito del artículo?
- Si quisiera consultar otra fuente, ¿podría pensar en un posible título de una publicación?
- ¿Qué pregunta sería apropiada para hacerle al autor del artículo?

Lección 5A **241**

Junot Díaz, ganador del Premio Pulitzer

Cada día el mundo se hace más pequeño gracias a la tecnología. Esto, con sus pros y sus contras, nos hace ciudadanos del mundo. El escritor dominicano, Junot Díaz es un ejemplo de esto. Su primera novela, *The Brief Wondrous Life of Oscar Wao* le __1.__ (*merecer*) el prestigioso Premio Pulitzer en los Estados Unidos, algo que es raro no solamente por __2.__ (*ser / estar*) un autor desconocido sino también por ser extranjero.

5 La novela está __3.__ (*escribir*) en "spanglish" y tiene lugar en Nueva Jersey, Washington Heights (el barrio neoyorquino con mayor concentración de dominicanos) y en la República Dominicana. El apellido de su protagonista parece __4.__ (*ser / estar*) chino, lo cual implica diversidad cultural ya que alude a la activa presencia de la comunidad china en la República Dominicana desde el siglo XIX. Su novela se refiere a la vida en una ciudad estadounidense, con toda su energía multicultural y multiétnica. La

10 primera obra de Junot Díaz, *Drown*, una colección de cuentos, se refiere directamente a cuestiones de identidad y de adaptación de sus protagonistas a una vida donde el inmigrante continúa siendo "otro".

Oscar Wao, el protagonista de su novela, es un chico con una imaginación extraordinaria, un ávido lector que desea ser el J. R. R. Tolkien dominicano. Sin embargo, la novela __5.__ (*transcurrir*) durante muchas décadas porque cuenta la historia de la gente que __6.__ (*hacer*) parte de la vida de Oscar. Junot

15 Díaz dice que éste es producto de una dictadura y del apocalipsis que es el Nuevo Mundo. Refiriéndose a la estructura no lineal de su novela, el autor dice que ésta refleja la realidad fragmentada de la que él mismo es producto. Su manera peculiar de narrar esta novela __7.__ (*obedecer*) al deseo de comunicar lo que los sobrevivientes de una catástrofe quieren contar porque como dice Díaz: "Recuerde: en las dictaduras, sólo una persona puede hablar".

20 Lo más interesante de esta novela, además de que está __8.__ (*escribir*) en "spanglish", es su estructura y el uso de personajes fantásticos, producto de la mente de Oscar y de su afición por la lectura. Díaz hace esto porque está firmemente convencido que la mente "moderna" no puede concebir el poder de un dictador como Trujillo sin ayuda de la ficción.

14 Amplíe su vocabulario

Muchas de las palabras en azul son cognados con excepción de una. Identifique la palabra que no es cognado y explique lo que significa. Use un diccionario si es necesario. Escriba una frase original con ella.

15 El uso del *se* reflexivo, las preposiciones, los pronombres demostrativos

- Escriba todos los casos en que aparece el uso del *se* reflexivo y explique por qué.
- Haga una lista de las preposiciones que aparecen en el texto. Explique su uso en la lectura.
- Escriba las instancias en las que aparece un pronombre demostrativo. Explique su uso en la lectura.

16 Para reflexionar

Escriba un párrafo con el tema "La vida de los inmigrantes no es igual a la de los habitantes nativos de un país" y prepárese para discutirlo en clase. Incluya respuestas a las siguientes preguntas.

- ¿Cómo presenta esta situación la novela de Junot Díaz?
- ¿Por qué escoge este autor escribir sobre este tema?

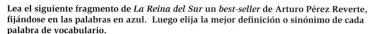

17 *La Reina del Sur* escrita por Arturo Pérez Reverte

Lea el siguiente fragmento de *La Reina del Sur* un *best-seller* de Arturo Pérez Reverte, fijándose en las palabras en azul. Luego elija la mejor definición o sinónimo de cada palabra de vocabulario.

La Reina del Sur

Sonó el teléfono y supo que la iban a matar. Lo supo con tanta certeza que se quedó inmóvil, la cuchilla en alto, el cabello pegado a la cara entre el vapor del agua caliente que goteaba en los azulejos. Bip-bip. Se quedó muy quieta, conteniendo el aliento como si la inmovilidad o el silencio pudieran cambiar el curso de lo que ya había ocurrido. Bip-bip. Estaba en la bañera, depilándose la pierna derecha, el agua
5 jabonosa por la cintura, y su piel desnuda se erizó igual que si acabara de reventar el grifo del agua fría. Bip-bip. En el estéreo del dormitorio, los Tigres del Norte cantaban historias de Camelia la Tejana. La traición y el contrabando, decían, son cosas incompartidas. Siempre temió que tales canciones fueran presagios, y de pronto eran realidad oscura y amenaza. El Güero se había burlado de eso; pero aquel sonido le daba la razón a ella y se la quitaba al Güero. Le quitaba la razón y varias cosas más. Bip-bip.
10 Soltó la rasuradora, salió despacio de la bañera, y fue dejando rastros de agua hasta el dormitorio. El teléfono estaba sobre la colcha, pequeño, negro y siniestro. Lo miró sin tocarlo. Bip-bip. Aterrada. Bip-bip. Su zumbido iba mezclándose con las palabras de la canción, como si formase parte de ella. Porque los contrabandistas, seguían diciendo los Tigres, ésos no perdonan nada. El Güero había usado las mismas palabras, riendo como solía hacerlo, mientras le acariciaba la nuca y le tiraba el teléfono encima
15 de la falda. Si alguna vez suena, es que me habré muerto. Entonces, corre. Cuanto puedas, prietita. Corre y no pares, porque ya no estaré allí para ayudarte.

Palabras de vocabulario: ¿Cuál es la mejor definición?

1. certeza
   a. seguridad
   b. inseguridad
2. se quedó muy quieta
   a. no se movió
   b. se movió
3. aliento
   a. perfume
   b. olor de la boca
4. el curso
   a. derrotero
   b. detención
5. depilándose
   a. quitándose los pelos de las piernas
   b. poniéndose crema en las piernas
6. contrabando
   a. tráfico ilegal de mercancías
   b. el producto
7. presagios
   a. premonición
   b. recuerdos
8. le daba la razón
   a. estaba en desacuerdo
   b. estaba de acuerdo
9. aterrada
   a. con miedo
   b. con dolor
10. le acariciaba
    a. le tocaba con suavidad
    b. le pegaba, le golpeaba

Cita

La pluma es la lengua de la mente.
—Miguel de Cervantes Saavedra (1547–1616), escritor español

¿Está de acuerdo con esta cita? ¿Por qué? A veces se le aconseja a uno que no escriba lo que piensa en una carta o correo electrónico. ¿Por qué será? Hable con un/a compañero/a sobre esto y compartan sus opiniones.

Miguel de Cervantes

Investigue palabras clave:
Arturo Pérez Reverte, Junot Díaz, Miguel de Cervantes

Answers

17 1. a; 2. a; 3. b; 4. a; 5. a; 6. a; 7. a; 8. b; 9. a; 10. a

Instructional Notes

You might want to have a whole-class discussion about the *Cita*.

Teacher Resources

  Activity 7

Instructional Notes

19 After discussing the *Nota cultural* below with your students, you might want to talk about the generation gap that existed between parents of the war generation and their children who grew up in the post-war period. Use this discussion to prepare them to do the second *Comunicación* activity below.

Additional Activities

Comunicación
Put students in pairs. One student will play the part of Barbara Walters or Brian Williams and will interview the other student playing the role of Ana María Matute. You might want to encourage students to do some additional research on Ana María Matute, the Spanish Civil War and the post-war period before they begin the activity.

Comunicación
Put students in pairs. Have them choose a situation in which there is often a generation gap between parent and teenager. One student will play the role of the parent and the other the role of the adolescent who tries to communicate the situation or problem that the parent is having difficulty understanding.

Juego
Ask students to play *¿Quién quiere ser millonario?* See p. TE25.

18 Lea, escuche y presente

Busque en Internet un video de la telenovela basada en la novela de Arturo Pérez Reverte *La Reina del Sur*. Después escriba un ensayo o haga una presentación formal sobre el problema del narcotráfico en México.

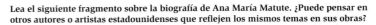
Idioma

19 Ana María Matute

Lea el siguiente fragmento sobre la biografía de Ana María Matute. ¿Puede pensar en otros autores o artistas estadounidenses que reflejen los mismos temas en sus obras?

Ana María Matute pertenece a la llamada "Generación de los niños asombrados", los que fueron testigo de la guerra civil española, pero quienes por ser muy jóvenes no participaron en
5 ella. Matute nació en 1926 en Barcelona, una de las ciudades que abrazó la causa republicana. A los cuatro años sufrió una grave enfermedad y la mandaron a pasar un largo período de tiempo con su abuelo en un pueblito en las montañas.
10 Esta experiencia la marcó profundamente ya que convivió con los trabajadores campesinos, lo que influenció su escritura y su visión política. Tenía apenas diez años cuando estalló la guerra (1936), la cual causó gran impacto en su
15 desarrollo como narradora. El régimen de Franco, quien estuvo en el poder desde 1939 hasta 1975, fue una dictadura violenta y represiva. Matute escribió durante todo el período de la posguerra y como consecuencia, los temas recurrentes en su
20 obra son la violencia, la alienación, la miseria y la pérdida de la inocencia.

20 *Fiesta al noroeste* de Ana María Matute

Lea con atención el siguiente fragmento de la novela *Fiesta al noroeste* de Ana María Matute. Piense en qué aspectos de este fragmento se podrían relacionar con la guerra civil española.

Se llamaba Juan Medinao, como se llamaron su padre y el padre de su padre. La usura ejercida en tiempos por el abuelo, le había convertido en el dueño casi absoluto de la Baja Artámila. Desde que tuvo uso de razón, se notó dueño y amo de algo que no había ganado. La casa y las tierras le venían grandes, pero especialmente la casa. La llamaban la Casa de los Juanes, y era fea, con tres grandes
5 cuerpos de tierra casi granate y un patio central cubierto de losas. Al anochecer, las ventanas eran rojas; al alba, azul marino. Estaba emplazada lejos, como dando una zancada hacia atrás de la aldea, frente al Campo del Noroeste. Desde la ventana de su habitación, Juan Medinao podía contemplar todos los entierros.

Aquel Domingo de Carnaval, cerca ya la noche, Juan Medinao rezaba. Desde niño sabía que eran
10 días de expiación y santo desagravio. Tal vez su plegaria era un recuento, suma y balance de las cotidianas humillaciones a que exponía su corazón. Estaba casi a oscuras, con el fuego muriéndosele en el hogar, y las dos manos enredadas como raíces.

Había entrado la noche en su casa, y la lluvia no cesaba contra el balcón. Cuando llovía así Juan Medinao sentía el azote del agua en todas las ventanas, casi de un modo material, como un redoble
15 desesperado.

Oyó como le llamaban. La voz humana que taladró el tabique le derrumbó desde sus alturas. Volvían a llamarle. Todos en la casa, hasta el último mozo, sabían que Juan Medinao rezaba a aquellas horas y que no debían interrumpírsele. Insistieron. Entonces, el corazón se le hinchó de ira. Gritó y arrojó un zapato contra la puerta.

244   Capítulo 5 • El rincón literario

Nota cultural

Ana María Matute tenía diez años de edad cuando estalló la guerra civil española de 1936. La violencia, el odio, la muerte, la miseria, la angustia y la extrema pobreza que siguieron a la guerra marcaron hondamente a su persona y a su narrativa. La adolescencia de Matute fue robada por el trauma de la guerra y las consecuencias psicológicas del conflicto y la posguerra. Todo esto se refleja en sus primeras obras literarias centradas en los "niños asombrados", que veían y, muy a pesar suyo, tenían que entender los sinsentidos que les rodeaban. En todas sus obras, la mirada del protagonista infantil o adolescente es lo más sobresaliente y marca un distanciamiento afectivo entre realidad y sentimiento o entendimiento.

21 Amplíe su vocabulario 👥 🔍

Seleccione ocho palabras que piense que merezcan más la pena aprender del texto anterior. Busque su significado y compártalas con un compañero/a.

22 Para meditar y discutir 🐾

Haga las siguientes actividades sobre la guerra civil española, tome notas y comparta la información con un/a compañero/a.

1. Investigue sobre los siguientes temas:
   - El contexto social y político de la época
   - Lo que hizo estallar la guerra
   - El desarrollo de la guerra
   - La participación extranjera
   - El final
   - Las consecuencias
   - El arte durante la guerra civil y la dictadura (la pintura, la literatura, el cine, etc.)
2. Compare la guerra civil española con la guerra civil en los EE.UU. ¿En qué se pareció y en qué se diferenció?
3. ¿Ha habido alguna otra guerra civil en otro país de habla hispana? Si es así, ¿en cuál? Busque información y compárela con la española.

23 *Fiesta al noroeste* y la guerra civil española

Después de investigar sobre la guerra civil, conteste las siguientes preguntas acerca de *Fiesta al noroeste*.

1. ¿Cómo se presenta la noción de justicia/injusticia social?
2. ¿Qué piensa de Juan Medinao?
3. ¿Qué puede decir de la situación personal de Juan Medinao?
4. ¿Es Juan Medinao parte de la aldea en que está su casa?
5. ¿Cómo es su relación con la gente?
6. ¿Cómo es la atmósfera de la narración y cómo la podemos relacionar con el ambiente general de la guerra civil?

Una de las calles de Belchite. La destrucción de la guerra civil.

Answers

21 Answers will vary.

22 Answers will vary.

23 **1.** La familia de Juan Medinao, por medio de la usura, es dueña de toda la región de la Baja Artámila, donde tiene lugar la novela *Fiesta al noroeste*. **2.** Respuestas variarán según las opiniones de los estudiantes. **3.** Juan Medinao es rico y está aislado del resto de la gente. Es solitario y parece culpable de algo. **4.** No, su casa está alejada de la aldea. **5.** Básicamente no tiene relaciones con nadie; lo respetan y le temen. **6.** Es una atmósfera opresiva donde no hay relaciones entre el dueño de todo y el resto de la gente.

Instructional Notes

25 Show the students a selection of the movie *La ciudad de los perros* based on the novel by Mario Vargas Llosa. Discuss with the students what happened in the scene they watched, the characters, and the setting. Then tell them that a famous presenter, for example John Stewart, is going to interview the characters from that scene. Ask the students to compose three questions that the presenter could ask each character.

24 Mario Vargas Llosa

¿Qué sabe de Mario Vargas Llosa? ¿Cree que a veces a los chicos se les exige más que a las chicas?

25 *La ciudad de los perros*

Lea con atención el siguiente artículo. Después conteste las siguientes preguntas:

- ¿Cómo resumiría el artículo en una frase?
- ¿Qué dos preguntas serían apropiadas para hacerle a Vargas Llosa después de leer el artículo?

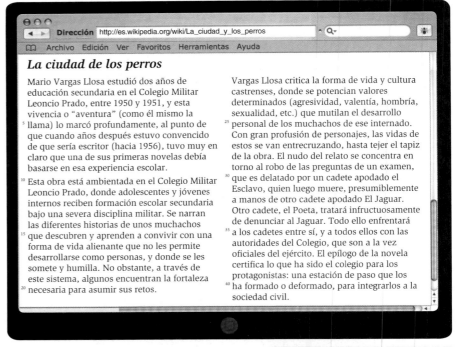

La ciudad de los perros

Mario Vargas Llosa estudió dos años de educación secundaria en el Colegio Militar Leoncio Prado, entre 1950 y 1951, y esta vivencia o "aventura" (como él mismo la llama) lo marcó profundamente, al punto de que cuando años después estuvo convencido de que sería escritor (hacia 1956), tuvo muy en claro que una de sus primeras novelas debía basarse en esa experiencia escolar.

Esta obra está ambientada en el Colegio Militar Leoncio Prado, donde adolescentes y jóvenes internos reciben formación escolar secundaria bajo una severa disciplina militar. Se narran las diferentes historias de unos muchachos que descubren y aprenden a convivir con una forma de vida alienante que no les permite desarrollarse como personas, y donde se les somete y humilla. No obstante, a través de este sistema, algunos encuentran la fortaleza necesaria para asumir sus retos.

Vargas Llosa critica la forma de vida y cultura castrenses, donde se potencian valores determinados (agresividad, valentía, hombría, sexualidad, etc.) que mutilan el desarrollo personal de los muchachos de ese internado. Con gran profusión de personajes, las vidas de estos se van entrecruzando, hasta tejer el tapiz de la obra. El nudo del relato se concentra en torno al robo de las preguntas de un examen, que es delatado por un cadete apodado el Esclavo, quien luego muere, presumiblemente a manos de otro cadete apodado El Jaguar. Otro cadete, el Poeta, tratará infructuosamente de denunciar al Jaguar. Todo ello enfrentará a los cadetes entre sí, y a todos ellos con las autoridades del Colegio, que son a la vez oficiales del ejército. El epílogo de la novela certifica lo que ha sido el colegio para los protagonistas: una estación de paso que los ha formado o deformado, para integrarlos a la sociedad civil.

Cita

Quien lee sabe mucho; pero quien observa sabe todavía más.
—Alejandro Dumas (1802–1870), escritor francés

¿Está de acuerdo con lo que dice? ¿Por qué? ¿En qué contextos se puede aplicar esta cita? ¿Qué opina sobre leer un libro e interpretarlo? Dé unos ejemplos de observaciones o interpretaciones de un texto para ilustrar esta cita. Comparta sus opiniones con un/a compañero/a.

Mario Vargas Llosa

Investigue palabras clave: Mario Vargas Llosa, Alejandro Dumas

26 Fragmento de *La ciudad de los perros*

Lea el artículo y complete los espacios con las palabras adecuadas. Después conteste las siguientes preguntas:

- ¿Qué puede decir del entorno en el que vive Cava?
- ¿Qué puede decir de su situación personal?
- ¿Cuáles cree que son sus desafíos?
- ¿Cómo resumiría lo que leyó en dos o tres frases?
- Si pudiera hacerle una pregunta a Cava, ¿qué pregunta sería apropiada?

Cava __1.__ (*sentía / sintió*) frío. Los baños __2.__ (*estaban / eran*) al fondo de las cuadras, __3.__ (*separó/separados*) de ellas por una delgada puerta de madera, y no __4.__ (*tuvieron / tenían*) ventanas. En años anteriores, el invierno sólo __5.__ (*llegaba / llegó*) al dormitorio de los cadetes, __6.__ (*se coló / colándose*) por los vidrios rotos y las rendijas; pero este año __7.__ (*era / fue*) agresivo y casi ningún rincón del colegio __8.__ (*se libró / se libraba*) del viento, que, en las noches, __9.__ (*conseguía / consiguió*) penetrar hasta en los baños, disipar la hediondez acumulada durante el día y __10.__ (*destruyó / destruir*) su atmósfera tibia. Pero Cava __11.__ (*había nacido / hubo nacido*) y vivido en la sierra, __12.__ (*era / estaba*) acostumbrado al invierno: __13.__ (*fue / era*) el miedo lo que erizaba su piel.

La ciudad de los perros

27 Lea, escriba y escuche/presente

Vea una escena de la película *La ciudad de los perros* en la Internet seleccionada por su profesor. ¿Por qué piensa que muchas personas usan la fuerza y/o disciplina estricta? ¿Cree que es necesario?

28 Debate

Charle con un compañero/a sobre los internados. ¿Está a favor de los internados? ¿Cuáles son las razones por las que alguien decide irse a uno? ¿Cuáles son las ventajas y desventajas?

Investigue
palabras clave:
los internados

Teacher Resources

Activities 8-12

Answers

26 1. sintió; 2. estaban; 3. separados; 4. tenían; 5. llegaba; 6. colándose; 7. era; 8. se libraba; 9. conseguía; 10. destruir; 11. había nacido; 12. estaba; 13. era

Answers

29 1. conocen; 2. es; 3. sabe; 4. ni; 5. para; 6. para;
7. quien; 8. se dio cuenta; 9. estaba escribiendo; 10. Sin
embargo; 11. por; 12. hay; 13. para; 14. por

29 Gabriel García Márquez y el cine

Lea el artículo y complete los espacios con las palabras adecuadas. Después conteste las siguientes preguntas:

- ¿Cómo resumiría lo que leyó en dos o tres frases?
- Si pudiera hacerle una pregunta a Gabriel García Márquez, ¿qué pregunta sería apropiada?

Todos __1.__ (*saben / conocen*), al menos de nombre, al escritor colombiano Gabriel García Márquez. Su novela más famosa __2.__ (*está / es*) *Cien años de soledad*, obra maestra de la narrativa y el realismo mágico en español. Pero mucha gente no __3.__ (*sabe / conoce*) que su gran pasión es el cine. Y es que aunque Gabo afirme que su relación con el cine es como un "matrimonio mal avenido"…."no puedo
5 vivir sin el cine __4.__ (*o / ni*) con el cine", el vínculo entre ambos ha sido muy fructífero. Estudió cine en Roma en 1952, y años más tarde, en 1986, decidió con sus condiscípulos de Cinecittà, y con el apoyo del Comité de Cineastas de América Latina, fundar en Cuba la Escuela Internacional de Cine y Televisión. En esta institución, García Márquez usó sus influencias y su propio dinero __5.__ (*por / para*) financiar la carrera de cine de jóvenes latinoamericanos, asiáticos y africanos.

10 En 1964, García Márquez escribió "Tiempo de morir", su primer guión cinematográfico para el director mexicano Arturo Riepstein, con diálogos adaptados por Carlos Fuentes. Luego, el director colombiano Jorge Alí Triana hizo dos adaptaciones de ese guión, una __6.__ (*por / para*) cine y otra para televisión. Su hijo, Rodrigo García, __7.__ (*cual / quien*) ha seguido la pasión de su padre, también hizo una adaptación para cine.

Algo interesante es que *Cien años de soledad* empezó como guión, pero García Márquez
15 __8.__ (*se de cuenta / se dio cuenta*) que lo que __9.__ (*escriba / estaba escribiendo*) necesitaba el espacio de una obra literaria. Entonces se encerró diez y ocho meses a escribir, al cabo de los cuales emergió con la novela completa. El éxito de este libro y la fama que lo siguió, cambiaron la trayectoria de su carrera. __10.__ (*Por fin / Sin embargo*), su deseo fundamental de alcanzar a todos los públicos es __11.__ (*por / para*) medio de la producción de
20 telenovelas. Dice el autor:

"A mí me fascinan los folletines y las telenovelas…. La telenovela influye sobre las costumbres domésticas; __12.__ (*haya / hay*) casas donde se cambia el horario de las comidas para que puedan ver la telenovela las señoras
25 y criadas. Es la fascinación de los hechos de la vida real. Poder hacer eso, con valor y calidad literaria, sería una maravilla. Poderlos atrapar en esa forma, hacerlos cambiar de costumbres __13.__ (*por / para*) que se interesen __14.__ (*por / para*) las fábulas de uno, tiene que ser la aspiración de
30 cualquier escritor."

—Sol Gaitán

Dato curioso
Realismo mágico:
Es el deseo de mostrar que la realidad es mucho más rica de lo que pensamos. Que no es solamente lo que podemos percibir con los sentidos, lo que podemos ver y tocar, sino que la realidad cotidiana está llena de cosas extraordinarias. No es una expresión literaria mágica, ni es fantasía como Harry Potter, por ejemplo. No busca causar sorpresa sino mostrar que todas las cosas tienen un lado mágico que no podemos explicar en términos de la razón. Entre sus principales exponentes están el guatemalteco Miguel Ángel Asturias y el colombiano Gabriel García Márquez, ambos ganadores del Premio Nobel de Literatura.

Compare

¿Existe el realismo mágico en los EE.UU.? ¿Hay alguna obra que le recuerde a este estilo?

Investigue palabras clave:
Gabriel García Márquez, el realismo mágico

30 Amplíe su vocabulario

Según el contexto del artículo que acaba de leer, ¿cuál es la mejor definición de las siguientes palabras?

1. obra maestra
   a. creación profesional   b. creación más importante
2. vínculo
   a. de vino   b. unión
3. fructífero
   a. productivo   b. difícil, complicado
4. guión
   a. contrato, trabajo   b. argumento, libreto
5. al cabo de
   a. antes de   b. después de
6. emergió
   a. nació   b. se imaginó, se inventó
7. alcanzar
   a. logró, consiguió   b. perdió
8. domésticas
   a. del domicilio   b. familiares
9. maravilla
   a. fantasía   b. cosa estupenda
10. atrapar
    a. coger   b. poner en una trampa

31 Un artículo

Escriba un ensayo en el que trate los siguientes temas:

- ¿Cómo influencian las telenovelas la vida familiar?
- ¿Por qué le fascinan las telenovelas a Gabriel García Márquez?
- ¿Le gustaría a este autor escribir una telenovela? ¿Cómo sería ésta?
- Concluya con su opinión personal sobre esta idea.

Additional Activities

¡Post-it!
See p. TE28.

¡A leer!

32 Antes de leer

¿Cuáles son los temas que suelen tratarse en las telenovelas? Nombre al menos seis.

33 *Cien años de soledad* de Gabriel García Márquez

Lea el siguiente fragmento que aparece al principio de uno de los capítulos de la novela *Cien años de soledad* de Gabriel García Márquez. Después resuma lo que leyó en tres o cuatro frases.

Deslumbrada por tantas y tan maravillosas invenciones, la gente de Macondo no sabía por dónde empezar a asombrarse. Se trasnochaban contemplando las pálidas bombillas eléctricas alimentadas por la planta que llevó Aureliano Triste en el segundo viaje del tren, y a cuyo obsesionante tumtum costó tiempo y trabajo
⁵ acostumbrarse. Se indignaron con las imágenes vivas que el próspero comerciante don Bruno Crespi proyectaba en el teatro con taquillas de bocas de león, porque un personaje muerto y sepultado en una película, y por cuya desgracia se derramaron lágrimas de aflicción, reapareció vivo y convertido en árabe en la película siguiente. El público que pagaba dos centavos para compartir las vicisitudes de
¹⁰ los personajes, no pudo soportar aquella burla inaudita y rompió la silletería. El alcalde, a instancias de don Bruno Crespi, explicó mediante un bando, que el cine era una máquina de ilusión que no merecía los desbordamientos pasionales del público. Ante la desalentadora explicación, muchos estimaron que habían sido víctimas de un nuevo y aparatoso asunto de gitanos, de modo que optaron por
¹⁵ no volver al cine, considerando que ya tenían bastante con sus propias penas, para llorar por fingidas desventuras de seres imaginarios. Algo semejante ocurrió con los gramófonos de cilindros que llevaron las alegres matronas de Francia en sustitución de los anticuados organillos, y que tan hondamente afectaron por un tiempo los intereses de la banda de músicos. Al principio la curiosidad multiplicó
²⁰ la clientela de la calle prohibida y hasta se supo de señoras respetables que se disfrazaron de villanos para observar de cerca la novedad del gramófono, pero tanto y tan cerca lo observaron, que muy pronto llegaron a la conclusión de que no era un molino de sortilegio, como todos pensaban y como las matronas decían, sino un truco mecánico que no podía compararse con algo tan conmovedor,
²⁵ tan humano y tan lleno de verdad cotidiana como la banda de músicos. Fue una desilusión tan grave que cuando los gramófonos se popularizaron hasta el punto que hubo uno en cada casa, todavía no se les tuvo como objetos para entretenimiento de adultos, sino como una cosa buena para que la destriparan los niños. En cambio, cuando alguien del pueblo tuvo la oportunidad de comprender
³⁰ la cruda realidad del teléfono instalado en la estación del ferrocarril, que a causa de la manivela se consideraba como una versión rudimentaria del gramófono, hasta los más incrédulos se desconcertaron. Era como si Dios tuviera resuelto poner a prueba toda capacidad de asombro y mantuviera a los habitantes de Macondo en un permanente vaivén entre el alborozo y el desencanto, la duda y la revelación,
³⁵ hasta el extremo de que ya nadie podía saber a ciencia cierta dónde estaban los límites de la realidad. Era un intrincado frangollo de verdades y espejismos, que convulsionó de impaciencia al espectro de José Arcadio Buendía

Cien años de soledad

Nota cultural

La novela *Cien años de soledad* es una combinación de la realidad y la ficción. La narración presenta eventos fantásticos dentro de la cotidianidad, situación que para los personajes no es anormal; asimismo, se hace frecuente la exageración del entorno. También se presentan hechos históricos de Colombia como las guerras civiles entre partidos políticos y la matanza de las bananeras dentro del mito de Macondo. Eventos como la elevación de Remedios, la profecía en los pergaminos de Melquíades, la levitación del padre Nicanor, la reaparición de personajes muertos y los inventos extraordinarios que traen los gitanos como el imán, la lupa, el hielo, etc., rompen con el contexto de la realidad presente dentro de la obra e invitan al lector a entrar en un mundo en el cual las situaciones más inverosímiles también son posibles. Esto encuadra a la obra dentro del movimiento llamado *realismo mágico,* una característica importante en la literatura hispanoamericana contemporánea.

Investigue palabras clave:
Macondo

bajo el castaño y lo obligó a caminar por la casa aún a pleno día. Desde que el
ferrocarril fue inaugurado oficialmente y empezó a llegar con regularidad los
40 miércoles a las once, y se construyó la primitiva estación de madera con un
escritorio, el teléfono y una ventanilla para vender los pasajes, se vieron por las
calles de Macondo hombres y mujeres que fingían actitudes comunes y corrientes,
pero que en realidad parecían gente de circo. En un pueblo escaldado por el
escarmiento de los gitanos no había un buen porvenir para aquellos equilibristas
45 del comercio ambulante que con igual desparpajo ofrecían una olla pitadora que un
régimen de vida para la salvación del alma el séptimo día; pero entre los que se
dejaban convencer por cansancio y los incautos de siempre, obtenían estupendos
beneficios. Entre esas criaturas de farándula, con pantalones de montar y polainas,
sombrero de corcho, espejuelos con armaduras de acero, ojos de topacio y pellejo
50 de gallo fino, uno de tantos miércoles llegó a Macondo y almorzó en la casa el
rechoncho y sonriente Mr. Herbert.

Cien años de soledad

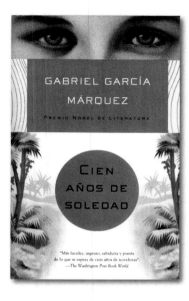

Gabriel García Márquez

Lección 5A **251**

Compare

¿Puede pensar en otra obra literaria
que haya leído de un autor de su
país que le recuerde a ésta? Explique
en qué le recuerda.

¡Dato curioso!

¿Sabes que es "frangollo"?
Si un hispanohablante leyera el
fragmento de *Cien años de soledad*
que Ud. acaba de leer y viera la
palabra "frangollo", probablemente
no sabría qué significa, pero por
contexto entendería que es un
desorden, algo sin forma. En Cuba
y República Dominicana "frangollo"
es un dulce hecho de plátano verde
triturado. En México significa una
comida hecha sin mucho cuidado y
en Perú una mezcla desorganizada.

Nota cultural

El amor en los tiempos del cólera es otra
novela del escritor colombiano Gabriel
García Márquez. Narra la vida de tres
personajes entre finales del siglo XIX y
principios del siglo XX en una ciudad costera
de Colombia. Es una gran historia de amor
que refleja difíciles momentos sociales. La
novela cuenta la historia de un hombre que
espera cincuenta y un años, nueve meses,
nueve horas y cuatro días para poder estar
con la mujer que ama.

Teacher Resources

 Activities 17–19

Instructional Notes

Show the students a selection of the movie *El amor en
los tiempos del cólera* based on the novel by Gabriel
García Márquez. Ask the students the following
questions: *¿Cómo son Florentino y Fermina? ¿Cuál es el
contexto histórico? ¿Qué pasaba en aquellos tiempos en
EE.UU.? ¿Y en Colombia? Hagan una comparación.*

34 1. d; 2. i; 3. a; 4. f; 5. c; 6. b; 7. e; 8. j; 9. x; 10. p; 11. bb; 12. n; 13. g; 14. l; 15. h; 16. m; 17. z; 18. k; 19. q; 20. aa; 21. o; 22. r; 23. s; 24. t; 25. u; 26. y; 27. w; 28. v

35 1. verdadera; 2. verdadera; 3. falsa - Bruno Crespi era el dueño del cine. 4. verdadera; 5. verdadera; 6. verdadera; 7. falsa - Cuando llegó el gramófono, hasta a las señoras más respetables se disfrazaron de hombre y fueron a las casas prohibidas para verlo. 8. falsa - El espectro de José Arcadio Buendía vivía en su casa. 9. falsa - Con el tren llegaron toda clase de comerciantes que parecían gente de circo porque eran diferentes a la gente de Macondo. 10. falsa - En el tren, entre los comerciantes del cuerpo y del alma, llegó Mr. Herbert, cuya piel fina y rosada se parecía a la de un gallo fino.

34 Amplíe su vocabulario

Empareje cada palabra de la primera columna con su definición o sinónimo de la segunda.

1. deslumbrada	a.	no dormir
2. asombrase	b.	enojarse
3. trasnocharse	c.	máquina que genera electricidad
4. bombillas	d.	altamente impresionada
5. planta	e.	donde se venden las entradas para el cine
6. indignarse	f.	esferas de vidrio que emiten luz
7. taquillas	g.	complicado
8. vicisitudes	h.	antiguo aparato para reproducir sonido
9. pellejo de gallo fino	i.	estar impresionado por algo
10. rechoncho	j.	problemas
11. inaudito	k.	sacar el contenido de un cuerpo
12. desolador	l.	aparato que emite sonido al darle cuerda
13. aparatoso	m.	encantamiento
14. gramófono de cilindro	n.	que produce tristeza
15. organillo	o.	movimiento
16. sortilegio	p.	gordo
17. truco	q.	se usa echar a andar una máquina
18. destripar	r.	felicidad
19. manivela	s.	con seguridad
20. desconcertarse	t.	quemar con agua caliente
21. vaivén	u.	mercado que va de lugar en lugar
22. alborozo	v.	anteojos
23. a ciencia cierta	w.	actores
24. escaldar	x.	piel rosada y arrugada
25. comercio ambulante	y.	sin vergüenza
26. desparpajo	z.	hacer aparecer una cosa por otra, como magia
27. criaturas de farándula	aa.	no entender
28. espejuelos	bb.	inexplicable

35 ¿Ha comprendido?

Diga si cada una de las frases siguientes es verdadera o falsa. Escriba la frase verdadera en los casos en que una sea falsa.

1. Los inventos asombraron completamente a la gente de Macondo.
2. A la gente de Macondo le encantó el cine, pero decidieron no volver a ir cuando descubrieron que las películas no eran verdad.
3. Bruno Crespi era el conductor del tren.
4. Los gramófonos de cilindros eran similares a los organillos que tocaban una pieza musical cuando alguien les daba cuerda con una manivela.
5. La gente concluyó que la música en vivo, la que tocaba la banda de músicos del pueblo, era infinitamente más bella que la música reproducida por los gramófonos.
6. El teléfono los desconcertó porque no reproducía una pieza musical sino que transmitía la voz humana, por ejemplo de un pariente, y eso era algo a lo que ellos no le pudieron encontrar explicación.
7. Todos los inventos que fueron llegando a Macondo hicieron que la gente no saliera de sus casas.
8. En Macondo construyeron una casa primitiva de madera para el espectro de José Arcadio Buendía.
9. Cuando el tren llegó, llegó el circo.
10. En el tren llegaron toda clase de personas que querían vender cosas, incluyendo un gallo fino.

36 ¿Cuál es la pregunta?

Escriba la pregunta correspondiente a cada una de las siguientes frases.

1. Aureliano Triste llevó una planta para proveer electricidad a Macondo.
2. El alcalde tuvo que explicar mediante un bando que el cine no era verdad sino una máquina de ilusión.
3. Las "matronas de Francia" es una manera indirecta de llamar a las prostitutas que llegaron en el tren.
4. Los habitantes de Macondo, después de ver tantos inventos, confundieron el teléfono con el gramófono porque los dos funcionaban con una manivela.
5. Después de la llegada del ferrocarril, la vida de Macondo nunca volvió a ser como era antes.

37 Reflexione

Conteste estas preguntas y comparta su opinión con un compañero.

1. ¿Cómo recibe la gente de Macondo los inventos modernos como la luz eléctrica y el cine?
2. ¿Entienden ellos que estos son productos de la ciencia o tienen otras explicaciones?
3. ¿Cuál fue su reacción ante el cine?
4. ¿Cómo describe el autor a Mr. Herbert?
5. ¿Qué puede decir del entorno en el que vive la gente de Macondo?
6. ¿Qué piensa de ellos y su reacción a las invenciones?

38 ¿Qué averiguó del autor?

Investigue sobre García Márquez. Hable sobre el autor y presente o escriba sobre una de sus obras más importantes.

39 Antes de leer

¿Le ha contado alguien alguna vez un secreto importante? ¿Le ha pedido que no cuente nada antes de escucharlo? ¿Cómo reacciona? ¿Puede guardar un secreto?

Lección 5A   **253**

Answers

36 *Ejemplos:*
1. ¿Quién llevó la planta eléctrica? **2.** ¿Qué tuvo que explicar el alcalde? **3.** ¿Quiénes son las "matronas de Francia"? **4.** ¿Por qué confundieron los habitantes de Macondo el teléfono con el gramófono? **5.** ¿Qué le pasó a Macondo después de la llegada del tren?

37 **1.** Piensan que son cosas mágicas. **2.** Tienen explicaciones maravillosas para cada uno de los inventos y sufren desilusión cada vez que entienden que los inventos obedecen a leyes racionales. **3.** Pensaban que los personajes eran de verdad. Cuando vieron que el mismo actor por cuya muerte habían llorado en una película apareció vivo y vestido de árabe en la película siguiente, se sintieron estafados y destruyeron las sillas del teatro. **4.** Dice que tiene ojos de topacio (azules) y pellejo de gallo fino (piel rosada, es decir, era blanco). **5.** La gente de Macondo vive en un mundo asombroso donde los inventos modernos parecen cosa de magia. **6.** Las respuestas variarán.

253

Instructional Notes

Find a video or audio selection online of a reading of Chapter 1 of *La sombra del viento*. and play it for the students. Encourage them to make their own audio or video version of the passage presented on pages 254-256 and post it online.

40 *La sombra del viento*

Lea con atención el siguiente fragmento de *La somba del viento* de Carlos Ruiz Zafón. Después conteste las siguientes preguntas:

- ¿Qué piensa de Daniel?
- ¿Qué puede decir del entorno en el que vive? ¿Y su situación personal?
- ¿Cuáles cree que son los desafíos de Daniel?
- ¿Qué dos preguntas serían apropiadas para hacerle al narrador después de leer este fragmento?

El cementerio de los libros olvidados

Todavía recuerdo aquel amanecer en que mi padre me llevó por primera vez a visitar el Cementerio de los Libros Olvidados. Desgranaban los primeros días del verano de 1945 y caminábamos por las calles de una Barcelona atrapada bajo cielos de ceniza y un sol de vapor que se derramaba sobre la Rambla de Santa
5 Mónica en una guirnalda de cobre líquido. —Daniel, lo que vas a ver hoy no se lo puedes contar a nadie —advirtió mi padre—. Ni a tu amigo Tomás. A nadie. —¿Ni siquiera a mamá? —inquirí yo, a media voz. Mi padre suspiró, amparado en aquella sonrisa triste que le perseguía como una sombra por la vida. —Claro que sí —respondió cabizbajo—. Con ella no tenemos secretos. A ella puedes
10 contárselo todo. Poco después de la guerra civil, un brote de cólera se había llevado a mi madre. La enterramos en Montjuïc el día de mi cuarto cumpleaños. Sólo recuerdo que llovió todo el día y toda la noche, y que cuando le pregunté a mi padre si el cielo lloraba le faltó la voz para responderme. Seis años después, la ausencia de mi madre era para mí todavía un espejismo, un silencio a gritos
15 que aún no había aprendido a acallar con palabras. Mi padre y yo vivíamos en un pequeño piso de la calle Santa Ana, junto a la plaza de la iglesia. El piso estaba situado justo encima de la librería especializada en ediciones de coleccionista y libros usados heredada de mi abuelo, un bazar encantado que mi padre confiaba en que algún día pasaría a mis manos. Me crié entre libros, haciendo amigos
20 invisibles en páginas que se deshacían en polvo y cuyo olor aún conservo en las manos. De niño aprendí a conciliar el sueño mientras le explicaba a mi madre en la penumbra de mi habitación las incidencias de la jornada, mis andanzas en el colegio, lo que había aprendido aquel día... No podía oír su voz o sentir su tacto, pero su luz y su calor ardían en cada rincón de aquella casa y yo, creía que si
25 cerraba los ojos y le hablaba, ella podría oírme desde donde estuviese. A veces, mi padre me escuchaba desde el comedor y lloraba a escondidas. Recuerdo que aquel alba de junio me desperté gritando. El corazón me batía en el pecho como si el alma quisiera abrirse camino y echar a correr escaleras abajo. Mi padre acudió azorado a mi habitación y me sostuvo en sus brazos, intentando calmarme.
30 —No puedo acordarme de su cara. No puedo acordarme de la cara de mamá —murmuré sin aliento. Mi padre me abrazó con fuerza. —No te preocupes, Daniel. Yo me acordaré por los dos. Nos miramos en la penumbra, buscando palabras que no existían. Aquélla fue la primera vez en que me di cuenta de que mi padre envejecía y de que sus ojos, ojos de niebla y de pérdida, siempre miraban atrás.
35 Se incorporó y descorrió las cortinas para dejar entrar la tibia luz del alba. — Anda, Daniel, vístete. Quiero enseñarte algo —dijo. —¿Ahora? ¿A las cinco de la mañana? —Hay cosas que sólo pueden verse entre tinieblas —insinuó mi padre blandiendo una sonrisa enigmática que probablemente había tomado prestada de algún tomo de Alejandro Dumas.
40 Las calles aún languidecían entre neblinas y serenos cuando salimos al portal. Las farolas de las Ramblas dibujaban una avenida de vapor, parpadeando al tiempo que la ciudad se desperezaba y se desprendía de su disfraz de acuarela. (…) Finalmente, mi padre se detuvo frente a un portón de madera labrada ennegrecido por el tiempo y la humedad. Frente a nosotros se alzaba

La sombra del viento

Nota cultural

Carlos Ruiz Zafón nació en Barcelona el 25 de septiembre de 1964. Comenzó su carrera de autor con literatura juvenil y publicó su primera novela en 1993. Después de publicar varios libros de ese género, pasó a escribir literatura "para adultos", y en 2002 publicó la primera novela de la serie "El cementerio de los libros olvidados", *La sombra del viento*. Le siguió la segunda en 2008, *El juego del ángel*, y la tercera en 2011, *El prisionero del cielo*. Queda otra en la serie por publicar. Desde 1993 Zafón vive en California donde tiene una colección de 400 dragones. Sus otras pasiones son los libros y la música clásica.

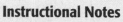

⁴⁵lo que me pareció el cadáver abandonado de un palacio, o un museo de ecos y sombras.—Daniel, lo que vas a ver hoy no se lo puedes contar a nadie. Ni a tu amigo Tomás. A nadie Un hombrecillo con rasgos de ave rapaz y cabellera plateada nos abrió la puerta. Su mirada aguileña se posó en mí, impenetrable.—Buenos días, Isaac. Éste es mi hijo Daniel ⁵⁰—anunció mi padre—. Pronto cumplirá once años, y algún día él se hará cargo de la tienda. Ya tiene edad de conocer este lugar. El tal Isaac nos invitó a pasar con un leve asentimiento. (…) Miré a mi padre, boquiabierto. Él me sonrió, guiñándome el ojo. —Daniel, bien venido al Cementerio de los Libros Olvidados. (…)

⁵⁵—Este lugar es un misterio, Daniel, un santuario. Cada libro, cada tomo que ves, tiene alma. El alma de quien lo escribió, y el alma de quienes lo leyeron y vivieron y soñaron con él. Cada vez que un libro cambia de manos, cada vez que alguien desliza la mirada por sus páginas, su espíritu crece y se hace fuerte. Hace ya muchos años, cuando mi padre me trajo por primera vez aquí, este lugar ⁶⁰ya era viejo. Quizá tan viejo como la misma ciudad. Nadie sabe a ciencia cierta desde cuándo existe, o quiénes lo crearon. Te diré lo que mi padre me dijo a mí. Cuando una biblioteca desaparece, cuando una librería cierra sus puertas, cuando un libro se pierde en el olvido, los que conocemos este lugar, los guardianes, nos aseguramos de que llegue aquí. En este lugar, los libros que ya nadie recuerda, ⁶⁵los libros que se han perdido en el tiempo, viven para siempre, esperando llegar algún día a las manos de un nuevo lector, de un nuevo espíritu. En la tienda nosotros los vendemos y los compramos, pero en realidad los libros no tienen dueño. Cada libro que ves aquí ha sido el mejor amigo de alguien. Ahora sólo nos tienen a nosotros, Daniel. ¿Crees que vas a poder guardar este secreto? Mi mirada ⁷⁰se perdió en la inmensidad de aquel lugar, en su luz encantada. Asentí y mi padre sonrió. —¿Y sabes lo mejor? —preguntó. Negué en silencio. —La costumbre es que la primera vez que alguien visita este lugar tiene que escoger un libro, el que prefiera, y adoptarlo, asegurándose de que nunca desaparezca, de que siempre permanezca vivo. Es una promesa muy importante. De por vida —explicó mi ⁷⁵padre—. Hoy es tu turno. Por espacio de casi media hora deambulé entre los entresijos de aquel laberinto que olía a papel viejo, a polvo y a magia. Dejé que mi mano rozase las avenidas de lomos expuestos, tentando mi elección. Atisbé, entre los títulos desdibujados por el tiempo, palabras en lenguas que reconocía y decenas de otras que era incapaz de catalogar. Recorrí pasillos y galerías en ⁸⁰espiral pobladas por cientos, miles de tomos que parecían saber más acerca de mí que yo de ellos. Al poco, me asaltó la idea de que tras la cubierta de cada uno de aquellos libros se abría un universo infinito por explorar y de que, más allá de aquellos muros, el mundo dejaba pasar la vida en tardes de fútbol y seriales de radio, satisfecho con ver hasta allí donde alcanza su ombligo y poco más. Quizá ⁸⁵fue aquel pensamiento, quizá el azar o su pariente de gala, el destino, pero en aquel mismo instante supe que ya había elegido el libro que iba a adoptar. O quizá debiera decir el libro que me iba a adoptar a mí. Se asomaba tímidamente en el extremo de una estantería, encuadernado en piel de color vino y susurrando su título en letras doradas que ardían a la luz que destilaba la cúpula desde ⁹⁰lo alto. Me acerqué hasta él y acaricié las palabras con la yema de los dedos, leyendo en silencio.

La sombra del viento

continúa

Lección 5A 255

Investigue palabras clave:
Barcelona

Instructional Notes

After students read the excerpt from *La sombra del viento*, have them discuss in pairs the questions that precede the reading on p. 254. Ask them to share their responses and reactions with the entire class.

La sombra del viento

Julián Carax

Jamás había oído mencionar aquel título o a su autor, pero no me importó. La decisión estaba tomada. Por ambas partes. Tomé el libro con sumo cuidado y lo hojeé, dejando aletear sus páginas. Liberado de su celda en el estante, el libro
95 exhaló una nube de polvo dorado. Satisfecho con mi elección, rehíce mis pasos en el laberinto portando mi libro bajo el brazo con una sonrisa impresa en los labios. Tal vez la atmósfera hechicera de aquel lugar había podido conmigo, pero tuve la seguridad de que aquel libro había estado allí esperándome durante años, probablemente desde antes de que yo naciese.

La sombra del viento

41 Amplíe su vocabulario

Busque el significado de las palabras en azul. Después descríbale cada palabra a un compañero/a para que adivine cuál es.

42 ¿Cierto o falso?

Según el contexto del fragmento que acaba de leer, decida si las oraciones son verdaderas o falsas. Escriba la frase verdadera en los casos en que una sea falsa.

1. La historia tiene lugar en la época actual.
2. Los padres del protagonista viven en Barcelona.
3. Daniel no puede contarle el secreto ni siquiera a su madre.
4. El padre de Daniel ya se está haciendo mayor.
5. El padre de Daniel es uno de los guardianes de los libros.
6. Cada vez que alguien visita el santuario de los libros debe de elegir un libro y asegurarse de que no desparezca.
7. Daniel dice que termina adoptando un libro.

43 Hágale una pregunta

El narrador vivió una experiencia inolvidable. Escriba ocho preguntas que le haría si tuviera la oportunidad. Compare las preguntas que escribió con las de un/a compañero/a.

44 Lea, escuche y escriba

Investigue el autor Carlos Ruiz Zafón. Use la Internet para encontrar videos, artículos y fotografías. Escriba un ensayo o presente sobre los trabajos de él.

45 Escriba

El fragmento anterior pertenece al Capítulo Uno del libro de *La sombra del viento*. Continúe la historia. Escriba su propia versión, añadiendo cuatrocientas palabras a la historia. Después, busque la versión oficial y compare las dos.

¡Dato curioso!

El libro de *La sombra del viento* está cargado de maravillosas frases. Aquí tiene algunas de las muchas que aparecen para su deleite: "No te fíes del que se fía de todos"."Si nadie se acuerda de ti, no existes". "Nada engaña más que los recuerdos". "Estamos dispuestos a creer cualquier cosa menos la verdad".

Compare

¿Conoce algún libro o película que haya leído que le recuerde a este fragmento que leyó? ¿Puede nombrar varias bibliotecas famosas de este país, de otros o de algún libro o película?

Additional Activities

Escribir un cuento

Encourage students to write their own short story. Brainstorm with the class some of the elements including the historical background, the country where it takes place, and the personality of the main characters. When the students finish writing, they could share their stories online in a forum or blog.

Teacher Resources

 Activity 46

 Activity 25

Answers

46 1. c; 2. a; 3. b; 4. d; 5. b

Instructional Notes

46 You might want to review the following words before students listen to the audio: *puja en la casa de subastas londinense*: bid at the London auction house; *pantalla*, screen.

¡A escuchar!

46 Una edición de Shakespeare

Esta grabación trata de la venta en una subasta de una rara edición de las obras de Shakespeare. La grabación dura aproximadamente 4 minutos. Lea las posibles respuestas primero y después escuche "Venden rara edición de obras de Shakespeare". Escoja la mejor repuesta para cada pregunta. Después, piense en cuál sería una pregunta apropiada para hacerle al autor.

1. ¿Cuál es un sinónimo de *inglés* cuando se refiere a la nacionalidad?

    a. Londinense
    b. Euro
    c. Británico
    d. Una puja

2. ¿Dónde se vendió esa rara edición?

    a. En una puja
    b. En la casa de un marchante londinense
    c. En el sótano de Sotheby's
    d. En la casa de un maestro de literatura

3. ¿Quién la compró?

    a. Una puja
    b. Un marchante londinense
    c. El fundador de Sotheby's
    d. Un maestro de literatura

4. ¿Por qué tenían que continuar la subasta en otro lugar?

    a. Porque la edición era tan rara que necesitaban mostrarla en un lugar especial
    b. Porque había solamente unos pocos invitados a la subasta
    c. Porque el público se portaba mal en la sala donde se vendía esta edición
    d. Porque el público no cabía donde se vendía esta edición

5. ¿Qué esperaba recibir Sotheby's por esta edición?

    a. 20 chelines
    b. 3,5 millones de libras
    c. Más de 15 millones de euros
    d. 10 mil dólares

47 Isabel Allende

Esta grabación trata de la presentación de la novela *El Zorro* en Madrid. La grabación dura aproximadamente 5 minutos. Lea las posibles repuestas primero y después escuche la grabación "Isabel Allende presenta su nuevo libro en Madrid". Escoja la mejor respuesta para cada pregunta. Después, responda a las preguntas: ¿Cuál es el propósito del artículo? Si quisiera consultar otra fuente, ¿podría pensar en un posible título de una publicación? ¿Qué pregunta le haría a Isabel Allende?

1. ¿Por qué es Zorro un héroe justiciero?

   a. Lucha por los ricos.
   b. Lucha por mejorar el mundo.
   c. Lucha por mejorar la política.
   d. Los pobres necesitan dinero y Zorro les regala mucho.

2. Según la autora, ¿dónde se necesita este tipo de héroe hoy en día?

   a. En la política
   b. En los negocios
   c. En las escuelas
   d. En la política y en los negocios

3. ¿Conoce la escritora a alguien que encarne los valores de Zorro hoy en día?

   a. Sí, hay muchos.
   b. No, porque dice que es imposible encarnar los valores hoy en día.
   c. No personalmente, pero dice que debería existir.
   d. Sí, pero hay muy pocos.

4. ¿Dónde tiene lugar la historia del libro?

   a. En Barcelona
   b. En el sur de California
   c. En Chile
   d. En Barcelona y en el sur de California

5. ¿Cómo humilla Zorro a sus adversarios?

   a. Les planta una "Z" en su vestimenta.
   b. Los mata.
   c. Los hace sufrir en público.
   d. Los lleva a la policía para que los arresten.

6. En el libro de Isabel Allende, ¿qué mito no usa la autora?

   a. El mito de Che Guevara
   b. El mito de la Revolución Francesa
   c. El mito de Peter Pan
   d. El mito de Robin Hood

Antonio Banderas como el Zorro.

Lección 5A **259**

Investigue palabras clave: el Zorro

Teacher Resources

🎧 Activity 47

Answers

47 1. b; 2. a; 3. c; 4. d; 5. a; 6. b

Instructional Notes

47 You might want to review the following words before students listen to the audio: *encarnar*, to embody; *espada*, sword; *látigo*, whip.

Answers

4 **Sustantivos:** las normas, los sentimientos, el lenguaje, la cadencia, el sonido, la herramienta, la metáfora, el símil, la versificación, la acentuación, la estrofa, el soneto, los cuartetos, los tercetos, la rima, el ritmo, la composición, la métrica, el haiku, el pentámetro yámbico; **Adjetivos:** bello, estéticas, semántico, sintáctico, metafísicas, intrínseco, imprescindible, clásicas, indecasílabos, tónicas, átonas, poética, preestablecida; **Verbos:** articular, expresarse, recurrirse a, componerse, carecer de, alternar, reforzar, escrutar, localizar, brotar, caracterizarse; **Expresiones:** el verso libre, la prosa poética, el verso blanco

5 **1.** *E* se usa en vez de *y* cuando la próxima palabra empieza con *i* o *hi.* **2.** *Se usan, se expresan, se compone* y *se emplea* funcionan como voz pasiva; *se recurre* tiene el sentido impersonal de "uno"; *se brota* y *se caracteriza* son verbos reflexivos. **3.** asimismo, igualmente, de la misma manera; **4.** Es un verbo impersonal que tiene el sentido de *existir* y se usa en la tercera persona del singular, aunque le sigan sustantivos plurales. **5.** Es una frase que va en aposición o sea, describe el sustantivo *soneto.* **6.** *in order to find the perfect rhyme*; **7.** No se usa el artículo definido después de *en* cuando le sigue un idioma. **8.** Se usa el presente perfecto porque la acción ocurrió en el pasado y perdura en el presente. Es indicativo porque se refiere a algo que pasó en realidad; no es una hipótesis.

6 **1.** Todos los usos de *se* se han anotado en la segunda respuesta de la actividad 5. **2.** Ejemplos con *articular:* exponer, pronunciar, expresar; ejemplos con *se usa:* se emplea, se recurre, se practica; **3.** Ejemplos: Hay varias normas para escribir un haiku. Hay un símil en el quinto verso. **4.** No se usa el artículo definido con idiomas después de los verbos *saber, aprender, enseñar* y *hablar* y con las preposiciones *en* y *de.* No se lo usa con un sustantivo en aposición y tampoco con los números ordinales cuando se refiere a los reyes o los papas. Generalmente no se usa en proverbios o delante de sustantivos partitivos. Las oraciones variarán.

7 **1.** En "Algunos eligen llamarlo" *lo* se refiere al *ritmo.* En "muchos poetas optan por romperlas", *las* se refiere a *las reglas.* **2.** refuerza (reforzar) y eligen (elegir); **3.** Ejemplos: recurrir a, tener en (cuenta), componerse de, contribuir a, caracterizarse por, carecer de, colaborar en, optar por; Las oraciones variarán. **4.** En "Algunos eligen llamarlo" *algunos* es sustantivo y se refiere a *poetas.* En "El haiku tiene algunas reglas", *algunas* es adjetivo y modifica *reglas.*

---

4 Amplíe su vocabulario

Clasifique las palabras que aparecen en azul y rojo en las lecturas anteriores según sean sustantivos, adjetivos, verbos o expresiones relacionadas con la poesía.

5 Repaso

Conteste estas preguntas basadas en las lecturas de la Actividad 3.

1. Explique el uso de la palabra *e* en la frase *sentimientos e ideas.*
2. Busque los verbos con *se* (por ejemplo, *se usan*) y explique el uso de *se* con estos verbos.
3. Busque tres sinónimos de *también.*
4. Explique el uso de *hay* en la lectura.
5. Explique el uso de la frase "una de las formas clásicas más difíciles" en la oración "El soneto, una de las formas clásicas más difíciles, se compone de catorce versos...".
6. Traduzca la frase "con el fin de localizar la rima perfecta".
7. Explique la falta del artículo definido en la frase *en inglés.*
8. Explique el uso del presente perfecto en la oración "William Shakespeare ha logrado los mejores resultados...". ¿Por qué es indicativo y no subjuntivo?

6 "Tapitas" gramaticales

Haga las siguientes actividades con un/a compañero/a.

1. Hagan una lista de los otros usos de *se* con verbos. Escriban algunos ejemplos relacionados con la poesía.
2. Den tres sinónimos de *articular* y tres de *se usa.*
3. Escriban dos oraciones relacionadas con la poesía para mostrar los usos de la palabra *hay.*
4. Expliquen otros casos donde no es necesario usar el artículo definido. Para cada caso, escriban una oración relacionada con la poesía.

7 "Tapitas" gramaticales

Conteste estas preguntas basadas en las lecturas de la Actividad 3.

1. Busque dos ejemplos del pronombre de objeto directo y explique la referencia.
2. Busque dos verbos con cambio de raíz en el presente.
3. Busque dos verbos seguidos de una preposición. Escriba una oración con estos verbos.
4. Busque ejemplos de *alguno* y explique su uso en las lecturas.

8 ¿Qué opina?

Reaccione a lo que cada persona ha escrito en el foro de la Actividad 3 y comparta sus opiniones con un/a compañero/a. Luego escriba un poema o analice su poema favorito. Incluya palabras del vocabulario nuevo que aparecen en azul y subráyelas. Intercambie su poema o análisis del poema con un/a compañero/a para que comente sobre el trabajo que hizo.

9 Pablo Neruda

Échele una ojeada al artículo que sigue para ver de qué se trata, fijándose en las palabras en azul, ya que se le harán preguntas sobre ellas. Luego lea el artículo y decida cuál de las dos palabras entre paréntesis es la correcta para completar cada oración y escríbala.

Pablo Neruda

Instructional Notes

8 Ask some students to read their poems aloud.

Additional Activities

Juego
Ask students to play *Relevos.* See p. TE25.

Biografía de Pablo Neruda

1904: Ricardo Neftalí Reyes Basoalto (Pablo Neruda) nace el 12 de julio en Parral (Chile), hijo de doña Rosa Neftalí Basoalto de Reyes y de don José del Carmen Reyes Morales. En agosto muere doña Rosa Basoalto.

1910: Pablo Neruda ingresa en el Liceo de Hombres de Temuco, donde realiza todos sus estudios hasta __1.__ (*terminar / termina*) el 6° año de humanidades.

1920: En octubre adopta definitivamente para sus publicaciones el seudónimo de Pablo Neruda.

1921: Viaja a Santiago a seguir la carrera de profesor __2.__ (*de francés / del francés*) en el Instituto Pedagógico.

1927: Lo __3.__ (*nombra / nombran*) cónsul *ad honorem* en Rangún (Birmania).

1932: Regresa a Chile. Segunda edición, en texto definitivo, de *Veinte poemas de amor y una canción desesperada*.

1933: En casa de Pablo Rojas Paz conoce a Federico García Lorca.

1934: Viaja a Barcelona. En la revista *Cruz y Raya*, de Madrid, aparecen *Visiones de las hijas de Albión* y *El viajero mental*, de William Blake, __4.__ (*traducido / traducidos*) por Pablo Neruda. Conferencia y recital poético en la Universidad de Madrid, presentado por García Lorca.

1935: Se traslada como cónsul a Madrid, donde Gabriela Mistral también ejerce funciones consulares. Homenaje a Pablo Neruda de los poetas españoles.

1936: Conoce a Delia del Carril, que habrá de __5.__ (*estar / ser*) su segunda mujer. Matan a Federico García Lorca.

1937: Regresa a Chile. Funda y preside la Alianza de Intelectuales de Chile __6.__ (*para / por*) la Defensa de la Cultura.

1938: Muere su padre. En el frente de batalla de Barcelona, en plena Guerra Civil española, se edita *España en el corazón*.

1939: Viaja a París, donde es nombrado cónsul para la emigración española. Hace gestiones a favor de los refugiados españoles; a fines de año consigue embarcar a muchos para Chile a bordo del *Winnipeg*.

1940: Llega a México, donde __7.__ (*está / es*) nombrado cónsul general.

1942: Viaja a Cuba.

1945: Es elegido senador de la República por las provincias de Tarapaca y Antofagasta. Obtiene el Premio Nacional de Literatura. Se afilia al Partido Comunista de Chile.

1948: Discurso en el senado, publicado después con el título de "Yo Acuso". La Corte Suprema aprueba el desafuero de Neruda como senador de la República. Los tribunales de justicia ordenan su detención. Desde esa fecha permanece oculto en Chile __8.__ (*escribiendo / escrito*) el *Canto General*.

1949: Viaja por primera vez a la Unión Soviética, donde asiste a los festejos del 150° aniversario de Pushkin.

1950: Viaja a Guatemala. Se edita *Pablo Neruda en Guatemala*. Viaja a Praga y después a París, a Roma y después a Nueva Delhi para __9.__ (*entrevistar / entrevistarse*) con Jawaharlal Nehru. Recibe el Premio Internacional de la Paz por su poema "Que __10.__ (*despierta / despierte*) el leñador".

1952: Al cabo de tres largos años revocan en Chile su orden de detención.

1954: Dona su biblioteca y su colección de caracoles a la Universidad, que acuerda financiar la Fundación Pablo Neruda __11.__ (*por / para*) el Desarrollo de la Poesía.

1955: Se casa __12.__ (*a / con*) Matilde Urrutia, su última compañera. Funda y dirige la revista *La Gaceta de Chile*, de __13.__ (*el cual / la cual*) salen tres números anuales.

1960: Comienza a edificar La Sebastiana, su casa de Valparaíso.

1961: El Instituto de Lenguas Romances de la Universidad de Yale (EE.UU.) lo nombra miembro correspondiente. Este cargo honorífico ha sido __14.__ (*consedido / concedido*) entre otros poetas a Saint-John Perse y T.S. Eliot.

1968: Viaja a Estados Unidos.

1969: Se vuelve a rumorear que su candidatura al Premio Nobel es cosa cierta.

1970: En diciembre es nombrado embajador de Chile en París.

1971: Se rumorea que Neruda __15.__ (*está / esté*) enfermo. Recibe el Premio Nobel de Literatura.

1973: En Isla Negra, en medio de la tragedia que ha cubierto a Chile y mientras los golpistas queman y destruyen sus libros, saquean La Chascona y La Sebastiana y torturan y asesinan a sus amigos, el __16.__ (*insigne poeta / poeta insigne*) salta a la eternidad.

www.laraza.com

Answers

9 1. terminar; 2. de francés; 3. nombran; 4. traducidos; 5. ser; 6. para; 7. es; 8. escribiendo; 9. entrevistarse; 10. despierte; 11. para; 12. con; 13. la cual; 14. concedido; 15. esté; 16. insigne poeta

10 Neruda, el gran poeta chileno

Escriba tres párrafos sobre Neruda en los que cite datos del texto de la Actividad 9. Debe de consultar al menos dos fuentes más. Pueden ser artículos, podcasts o videos en Internet. No se olvide de citar las fuentes debidamente.

11 Biografía

Busque información sobre un escritor hispano conocido. Escriba una biografía siguiendo el modelo anterior.

12 Entrevista

Ud. es periodista. Escriba 15 preguntas que quisiera hacerle a Pablo Neruda.

13 "Tapitas" gramaticales

Según el artículo que acaba de leer sobre Pablo Neruda, haga una lista de los 15 verbos con preposición que considere más importantes. Comparta su lista con un/a compañero/a y añada los que considere necesarios.

La Sebastiana, casa de Pablo Neruda en Valparaíso, Chile.

Pablo Neruda

14 Neruda

Busque en Internet un podcast o video sobre Pablo Neruda o alguno de sus poemas. Comparta sus impresiones con un/a compañero/a o la clase.

15 La poesía de Neruda

El objetivo principal de Pablo Neruda como poeta era ser la voz del pueblo latinoamericano oprimido por gobiernos no democráticos y explotado económicamente. Su obra magna, *Canto general* (1950), compuesta de doscientos treinta y un poemas y más de quince mil versos, es un canto a las Américas, a su naturaleza, a su geografía y a su gente. Lea el siguiente fragmento poniendo atención al uso de las palabras en azul y a la manera como Neruda usa el lenguaje para escribir el poema y transmitir su mensaje.

Paz para los crepúsculos que vienen

Paz para los crepúsculos que vienen,
paz para el puente, paz para el vino,
paz para las letras que me buscan
y que en mi sangre suben enredando
5 el viejo canto con tierra y amores,
paz para la ciudad en la mañana
cuando despierta el pan, paz para el río
Mississippi, río de las raíces:
paz para la camisa de mi hermano,
10 paz en el libro como un sello de aire,
paz para el gran koljós de Kiev[1],
paz para las cenizas de estos muertos
y de estos otros muertos, paz para el hierro
negro de Brooklyn, paz para el cartero
15 de casa en casa como el día,
paz para el coreógrafo que grita
con un embudo a las enredaderas,
paz para mi mano derecha,
que sólo quiere escribir Rosario:
20 paz para el boliviano secreto
como una piedra de estaño, paz
para que tú te cases, paz para todos
los aserraderos del Bío Bío,
paz para el corazón desgarrado
25 de España guerrillera:
paz para el pequeño museo de Wyoming
en donde lo más dulce
es una almohada con un corazón bordado,
paz para el panadero y sus amores
30 y paz para la harina: paz
para todo el trigo que debe nacer,
para todo el amor que buscará follaje,
paz para todos los que viven: paz
para todas las tierras y las aguas.

[1] El koljós de Kiev era una cooperativa de trabajadores agrícolas soviéticos durante los años 40.

Canto general

Additional Activities

Mini proyecto
Ask students to prepare a multi-media presentation during which they recite one of Neruda's poems. They can include photos, music, video, and any other creative elements they choose. Encourage students to post their projects online, in a blog or forum format.

Investigue palabras clave:
El canto general

---

16 Amplíe su vocabulario

Según el contexto del poema, mire las palabras de la primera columna y busque su definición o sinónimo en la segunda.

1. crepúsculos
2. enredar
3. embudo
4. enredaderas
5. estaño
6. aserradero
7. follaje

a. metal que se usaba para enlatar comida
b. hojas de los árboles
c. lugar donde se corta madera
d. el atardecer
e. plantas trepadoras
f. instrumento que se usa para poner líquido en una botella, por su forma Neruda lo relaciona con un altavoz
g. complicar algo

17 Para meditar y discutir 👤👤

Hable con un/a compañero/a sobre estas preguntas relacionadas con la poesía de Pablo Neruda.

1. Neruda escribió *Canto general* en 1950. ¿Piensa Ud. que este poema es aplicable a la situación del mundo de hoy?
2. Neruda buscaba escribir una poesía que todos pudieran entender. ¿Piensa Ud. que el poeta logra ese objetivo en el fragmento que acaba de leer? Dé ejemplos concretos y explíquelos.
3. Neruda dice en el poema que las letras suben en su sangre enredando tierra y amores. ¿Cómo es posible ver en el poema la presencia de un amor concreto? Dé ejemplos concretos y explique.

Valparaíso, Chile donde Pablo Neruda pasó unos años de su vida.

18 Verbos con preposición

¿Cuál es la mejor preposición (*a, con, de, en*) para completar cada oración?

1. Te propongo con que nos acerquemos ___ un evento que hay en esta plaza.
2. Nos dijo la profesora que memorizáramos un poema muy lindo pero un par de estudiantes se quejaron ___ eso.
3. Este semestre Claudio asistirá ___ un curso de literatura.
4. ¿No encuentras el libro? Trata ___ tranquilizarte. Seguro que aparecerá.
5. Marcelo se niega ___ prestar sus libros aunque ya los haya leído.
6. Le pedí una extensión a mi profesor y me la dio porque confía ___ mí.
7. No se me da bien la poesía, pero siempre me esfuerzo ___ hacer un buen trabajo en clase.
8. El chico empezó ___ recitar unos poemas de memoria y no cesó hasta el anochecer.

Cita

Las novelas no las han escrito más que los que son incapaces de vivirlas.
—Alejandro Casona (1903–1965), dramaturgo español

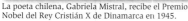 ¿Está de acuerdo con lo que dice Alejandro Casona? ¿Por qué habrá hecho Casona un comentario sobre las novelas siendo dramaturgo? ¿Piensa que los novelistas viven su vida pasivamente, a través de sus personajes fascinantes? Cite una novela o algún autor que cumpla el sentimiento de la cita. Comparta sus opiniones y respuestas con un/a compañero/a.

Dato curioso

La película *Il Postino* (El cartero) es una bonita película inspirada en la vida de Neruda en los años 70. La historia es sobre Mario Ruoppolo, un hombre sencillo que acepta un empleo de cartero. Su trabajo consiste en llevar al correo a un único destinatario, el poeta chileno Pablo Neruda, que vive exiliado en un pequeño pueblo italiano. Mario se siente fascinado por la figura de Neruda, y entre los dos hombres irá creciendo una gran amistad profundizada por el amor a la poesía.

 Compare

¿Conoce alguna película o serie de televisión basada en la vida de un escritor? ¿Y en un personaje de una novela famosa? ¿Qué piensa de esta adaptación?

La poeta chilena, Gabriela Mistral, recibe el Premio Nobel del Rey Cristián X de Dinamarca en 1945.

Nota cultural

Los Premios Nobel de Literatura de países hispanohablantes han sido: José Echegaray (España, 1904); Jacinto Benavente (España, 1922); Gabriela Mistral (Chile, 1945); Juan Ramón Jiménez (España, 1956); Miguel Ángel Asturias (Guatemala, 1967); Pablo Neruda (Chile, 1971); Vicente Aleixandre (España, 1977); Gabriel García Márquez (Colombia, 1982); Camilo José Cela (España, 1989); Octavio Paz (México, 1990).

Investigue palabras clave:
Gabriela Mistral

Answers

18 1. a; 2. de; 3. a; 4. de; 5. a; 6. en; 7. en; 8. a

Instructional Notes

After students discuss the questions in the *Cita* with their partners, you might want to lead them in a classroom discussion of the same, and also ask them to elaborate on the significance of the words *incapaces de vivirlas* and the role the writer's own life plays in his or her literature.

Additional Activities

Trabajo de investigación
Have students research and discuss the Nobel Prize for Literature, including the process of nomination and the nominees who have accepted or rejected the award. They should explain why some have rejected the award, and offer their opinion as to whether the reasons were justified. Have students research some winners, a list of Hispanic winners, and the advantages and possible disadvantages of an award of this kind.

Los premios
See p. TE28.

Juego
Ask students to play *Cadena de palabras* to practice the lesson's vocabulary and/or *¿Verdadero o falso?* to practice the culture topics. See pp. TE24 and TE25.

Answers

19 **Verbos**
acentuar *to accentuate*
aprender *to learn*
asesorar *to advise*
corregir *to correct*
editar *to edit*
escrutar *to scrutinize*
leer *to read*
X
redactar *to draft/write*
sentir *to feel*

Personas
X
el/la aprendiza(a) *apprentice, trainee*
el/la asesor(a) *adviser*
el/la corrector(a) de pruebas *proofreader*
el/la editor(a) *editor*
X
el/la lector(a) *reader*
el/la poeta *poet*
el/la redactor(a) *person who writes a draft, editor*
el/la sentimentalista *sentimentalist*

Sustantivos
la acentuación, el acento *accentuation, accent*
el aprendizaje *learning/apprenticeship*
el asesoramiento *advice*
la corrección *correction*
el editorial *editorial*
el escrutinio *scrutiny*
la lectura *reading*
el poema, la poesía *poem, poetry*
la redacción *writing/written piece*
el sentimiento *feeling*

20 1. leyendo, poesía, lectora, leer; 2. editores, corrector de pruebas; 3. acentuar; 4. sentimientos; 5. corrijas; 6. asesoramiento; 7. editoriales, edite / haya editado; 8. redactar, redacciones; 9. el aprendizaje, aprender; 10. poesía, poemas; 11. escrutinio

Additional Activities

Juego
Ask students to play *Voluntario, derecha e izquierda*. See p. TE25.

276

Idioma

19 Familia de palabras

Complete la tabla con el verbo, persona u otro sustantivo, y la traducción correspondiente.

Verbos		Personas		Sustantivos	
_____	to accentuate	X		la acentuación, _____	accentuation, accent
asesorar	_____	el/la aprendiz(a)	apprentice, trainee	el aprendizaje	_____
corregir	to correct to edit	el/la asesor(a) el/la corrector(a) de pruebas	_____ proofreader	la corrección	_____ editorial
escrutar		el/la editor(a)		_____ el escrutinio	
leer	_____	X		_____	_____
X	_____		reader	_____, _____	poem, poetry
redactar	_____		poet person who writes a draft, editor	la redacción	
sentir	_____		sentimentalist	_____	feeling

20 ¿Verbo, persona u otro sustantivo?

Complete las oraciones usando la forma correcta de las palabras que aparecen en la tabla, ya sea verbo, persona u otro sustantivo. En el caso de ser persona u otro sustantivo puede que necesite artículo.

1. De niña, esta novelista pasaba los días ___ (*leer*) libros de ficción y ___ (*poeta*). De buena ___ (*leer*), pasó a ser una magnífica escritora por su afán de ___ (*lector*) tanto.
2. Además de tener un buen equipo de ___ (*editar*), el escritor tuvo la suerte de tener un buenísimo ___ (*corregir*), quien leyó todas las páginas de su libro.
3. Es dificilísimo ___ (*acento*) un poema para escribirlo en pentámetro yámbico.
4. Muchas biografías no transmiten los verdaderos ___ (*sentir*) de la persona cuya vida se expone.
5. Quiero que tú me ___ (*corregir*) todos los errores que cometo en castellano. ¿De acuerdo?
6. La consejera de la escuela ofrece unas pruebas de ___ (*asesor*) individual y confidencial para conocer las habilidades y los fallos de los estudiantes.
7. Los ___ (*editor*) de algunos periódicos locales son muy liberales y no me gusta leerlos. De vez en cuando, parece que nadie los ___ (*editor*).
8. Se nota que a Luisa le cuesta ___ (*redactar*) informes en inglés. Sus ___ (*redactar*) en español son mucho mejores, pues es su lengua materna.
9. Hay varias teorías sobre ___ (*aprender*). Es muy común que los estudiantes sepan cuáles de las inteligencias múltiples de Howard Gardner los ayudan a ___ (*aprender*).
10. La ___ (*poeta*) de Federico García Lorca incluye colecciones de ___ (*poeta*) como *Romancero gitano* y *Poeta en Nueva York*.
11. Pedro, lee cuidadosamente el trabajo antes de entregárselo a la profesora, porque ya sabes que ella somete todo nuestro trabajo a un ___ (*escrutar*) meticuloso.

Cita

Poesía es la unión de dos palabras que uno nunca supuso que pudieran juntarse, y que forman algo así como un misterio.

—Federico García Lorca (1898–1936), poeta y dramaturgo español

 ¿Qué le parece esta definición de poesía? ¿Le gusta? ¿Por qué? Escriba otra definición de poesía. Comparta sus opiniones con un/a compañero/a y hable de un poema cuyos elementos cumplen la definición dada por Lorca (o la suya). Hablen también sobre la originalidad necesaria para crear poesía.

¡Dato curioso! Según José Ortega y Gasset, filósofo y ensayista español, el ensayo es "la ciencia sin la prueba explícita". Se reconoce el ensayo como un género didáctico que se escribe con una perspectiva personal incluyendo citas, proverbios, anécdotas y recuerdos personales en un estilo sencillo dirigido al público en general. Algunos ensayistas latinoamericanos de renombre son: José Martí (Cuba), Mario Benedetti (Uruguay) y Octavio Paz (México).

El escritor uruguayo Mario Benedetti

21 Los poetas

Lea el artículo y decida cuál de las palabras entre paréntesis es la correcta para completar cada oración. Después conteste las siguientes preguntas:

- ¿Cuál es el propósito del artículo?
- ¿Cómo resumiría el artículo en una frase?

Compare
¿Quién es un poeta popular en su país?

Los poetas mueren jóvenes, según un estudio

Podría ser porque los poetas **1.** (*suelen / soler*) sufrir intensamente y tienen tendencias autodestructivas, pero también podría ser porque muchos
5 poetas alcanzan la fama de jóvenes y sus muertes prematuras llaman mucho la atención, **2.** (*expresaba / expresó*) James Kaufman, del Instituto de Investigación del Aprendizaje de la Universidad Estatal de
10 California en San Bernardino, según informó Reuters. En su investigación, publicada en la revista *Death Studies*, Kaufman estudió **3.** (*1.987 / a 1.987*) escritores que murieron hace varios siglos en Estados Unidos, Europa del
15 Este, China y Turquía, informó IBLNews. Los poetas mueren **4.** (*menores / más jóvenes*) que los novelistas, los dramaturgos y otros escritores, dijo el investigador estadounidense. El científico clasificó a los autores como
20 escritores de ficción, poetas, dramaturgos, ensayistas, historiadores y biógrafos. Pero no estudió las causas de su muerte. "Entre los escritores norteamericanos, chinos y turcos, los poetas murieron mucho más jóvenes que los
25 autores que no **5.** (*escribían / escribieron*)

obras de ficción", escribió Kaufman en el estudio. "En toda la muestra, los poetas murieron más jóvenes que todos los escritores, tanto los de ficción como los de no ficción".
30 Como Kaufman estudió a algunos escritores que vivieron hace **6.** (*ciento / cientos*) de años, es posible comparar la edad promedio a **7.** (*ella / la*) que murieron con la de la población general. "Como promedio, los poetas
35 vivieron 62 años, los dramaturgos 63, los novelistas 66 y los escritores de obras que no son de ficción vivieron 68 años", dijo Kaufman en una entrevista por correo electrónico. Kaufman también estudió la incidencia de
40 enfermedades mentales entre los poetas. "Lo que encontré **8.** (*era / fue*) muy consistente con los hallazgos de muerte. Las poetas tenían más tendencia a las enfermedades mentales que **9.** (*cualquiera / cualquier*) otro tipo
45 de escritor o **10.** (*cualquiera / cualquier*) otro tipo de mujer eminente", informó. "He bautizado esto como el Efecto Sylvia Plath", dijo. Sylvia Plath fue **11.** (*un / una*) poeta y novelista que se suicidó en 1963 cuando tenía
50 30 años.

277

Teacher Resources

📝 Activity 4

Answers

21 1. suelen; 2. expresó; 3. a 1.987; 4. más jóvenes; 5. escribían; 6. cientos; 7. la; 8. fue; 9. cualquier; 10. cualquier; 11. una

Instructional Notes

After students discuss the *Cita*, encourage a discussion about poetry in general or about a favorite poem, or the poetic techniques students are familiar with. Then have students apply the quote by Lorca to their favorite poem or one that they know well.

Lead students in a discussion on the following terms from the *Dato curioso*: *la ciencia sin la prueba explícita*, *didáctico*, *proverbios*, and *anécdotas*.

Additional Activities

Trabajo de investigación
Have students research the essays of Ortega y Gasset, Martí, Benedetti, and Paz. Ask them if they know any American essayists and, if so, to compare their work with that of the writers mentioned in the *Dato curioso*.

22 Amplíe su vocabulario

Según el contexto del artículo que acaba de leer, seleccione la mejor definición o sinónimo de cada palabra.

1. autodestructivo
   a. que destruye su carro
   b. que se destruye a sí mismo
   c. que destruye a los demás
   d. que destruye todo
2. muestra
   a. ejemplar
   b. demostración
   c. lista de poetas vivos
   d. lista de poetas muertos
3. promedio
   a. más alto
   b. más bajo
   c. mediano
   d. menos alto

4. incidencia
   a. consecuencia
   b. efecto
   c. influencia
   d. todas las respuestas anteriores
5. hallazgo
   a. descubrimiento
   b. fantasía
   c. suicidio
   d. ninguna de las respuestas anteriores
6. eminente
   a. inferior
   b. a punto de ocurrir
   c. sobresaliente
   d. mediocre

23 El Festival Internacional de Poesía de Medellín

Lea el artículo y ponga atención al uso del *se* impersonal. Después conteste las siguientes preguntas:

- ¿Cómo resumiría el artículo en una frase?
- Si quisiera consultar otra fuente, ¿podría pensar en un posible título de una publicación?

Como el Festival Internacional de Poesía de Medellín ayudó a transformar a una ciudad conflictiva en una capital mundial para la poesía

Medellín, Colombia, una ciudad una vez conocida por ser el epicentro del tráfico de cocaína, se reinventa como un centro mundial de la palabra viva. El Festival Internacional de Poesía de Medellín fue fundado en 1991, cuando una guerra civil no declarada impregnaba el ambiente. Había una alta tension en la atmósfera anímica de la población y el lenguaje cotidiano entró en un lamentable deterioro, irradiando violencia y malestar.

Sabemos que en los tiempos más difíciles, en los tiempos en que más se atenta contra la vida y la sensibilidad, es cuando brotan con más fuerza las manifestaciones del espíritu. El legado espiritual de una poesía viva al calor de los hechos históricos influyó para que la revista *Prometeo* convocara a la ciudad al Festival Internacional de Poesía de Medellín, llamado *Un Día con la Poesía*, el 28 de abril de 1991.

Los organizadores tenían la visión del Festival de Poesía como una forma de resistencia cultural, un lugar para cultivar la paz y protestar contra la injusticia y el terrorismo, incluyendo el terrorismo de Estado.

Participaron 16 poetas colombianos y asistieron 1.500 personas. Era la manera como los poetas respondían al deterioro del espíritu en la ciudad. Fue una intervención del espacio social con la palabra poética como medio conductor de un ánimo vivificante, en el momento en el que muchos perdían la vida absurdamente.

Durante los últimos veintiún años el Festival se ha consolidado como el mayor de su clase en el mundo. Desde su inicio, más de 1.000 poetas de 159 naciones han visitado a Colombia, donde más de 1.200 lecturas de poesía se han celebrado en 32 ciudades del país. El Festival recibió el Right Livelihood Award, conocido como el "Premio Nobel Alternativo".

24 Vocabulario en contexto

Trate de explicar el significado de las expresiones en azul por el contexto del artículo. Luego escriba una frase original con cada una de ellas.

Compare

¿Puede pensar en un evento en EE.UU. similar al Festival Internacional de Poesía de Medellín desde el que se luche por una vida mejor? Compárelo con el de Medellín.

25 Las rimas de Gustavo Adolfo Bécquer

¿Cuál de estas rimas de Gustavo Adolfo Bécquer es su favorita? Compárelas con otro poeta romántico al que admire. Busque videos o podcasts en Internet donde lean alguna de sus poesías. Elija su favorita y compártala con sus compañeros/as. Si se atreve, haga su propio mini-video leyendo una de sus rimas con imágenes y fotos de fondo.

RIMA XXI
¿Qué es poesía?, dices mientras clavas
En mi pupila tu pupila azul.
¿Qué es poesía?, ¿Qué es poesía?, dices mientras clavas
En mi pupila tu pupila azul.
5 ¿Qué es poesía?, ¿Y tú me lo preguntas?
Poesía. . .eres tú.

RIMA XXIII
Por una mirada, un mundo,
por una sonrisa, un cielo,
por un beso. . .¡yo no sé
que te diera por un beso!

RIMA XXX
Asomaba a sus ojos una lágrima
y a mi labio una frase de perdón;
habló el orgullo y se enjugó su llanto,
y la frase en mis labios expiró.

5 Yo voy por un camino; ella, por otro;
pero, al pensar en nuestro mutuo amor,
yo digo aún:-¿Por qué callé aquel día?
Y ella dirá:-¿Por qué no lloré yo?

Cita

De adolescente, alguna que otra vez terminé dormida con un libro de rimas de Bécquer bajo mi almohada, suspirando por algún amor - unas veces correspondido, otras no.
- Carmen Herrera, profesora y autora de *¡A toda vela!*

 Comente esta cita con un compañero/a.

Investigue palabras clave:
Gustavo Adolfo Bécquer, *Rimas y leyendas*

Additional Activities

Mini proyecto

Ask students to prepare a multi-media presentation during which they recite one of Bécquer's poems. They can include photos, music, video, and any other creative elements they choose.

As a variation, you could ask students to film a short *telenovela* of one of Bécquer's poems. Encourage students to post their projects online.

As another variation you could have the students choose one of Bécquer's scary *leyendas* for their presentation or *telenovela*.

26 La España de Miguel de Unamuno

Lea el siguiente artículo poniendo especial atención a los cognados y al uso de los diferentes tiempos verbales. Después conteste las siguientes preguntas:

- ¿Cuál es el propósito del artículo?
- ¿Cómo resumiría el artículo en tres frases?
- Si quisiera consultar otra fuente, ¿podría pensar en un posible título de una publicación?
- ¿Qué pregunta sería apropiada para hacerle al autor después de leer el artículo?

La España de Miguel de Unamuno y su influencia en la obra de este autor

Las ideas racionalistas de la Revolución Francesa transformaron a Europa de una manera radical. Esta transformación tocó todos los niveles de la vida. Sin embargo, fue verdaderamente a partir de la segunda mitad del siglo XIX cuando artistas e intelectuales empezaron a contemplar las diferentes posibilidades y respuestas
5 que ofrecía el mundo moderno a las preguntas esenciales de ¿quiénes somos? y ¿hacia dónde vamos? que antes había contestado la religión. Este proceso se llama secularización.

España, un país de tradición y religiosidad extremadamente profundas no podía aceptar las innovaciones racionalistas y se opuso a ellas con una desesperada
10 resistencia, lo que no pasó en otros países de Europa. Miguel de Unamuno vivió en toda su intensidad el drama del proceso secularizador español y lo proyectó, tal como lo vivió y lo sintió, en sus creaciones literarias. El problema nacional se le convirtió a Unamuno en un problema íntimo. Por eso se dice que Unamuno es producto e intérprete de su tiempo.

15 En 1898 terminó la rebelión de Cuba que había durado más de diez años y uno de cuyos resultados fue la guerra con los Estados Unidos, en la que España perdió sus últimas colonias. El "Desastre", como lo llaman los españoles, puso de manifiesto la impotencia del país y la artificialidad de un sistema político que había venido ocultando la crisis detrás de una fachada de patriotismo retórico. Esta fue la
20 manifestación más evidente del conflicto entre las dos Españas, situación que agudizó el descontento de la juventud intelectual. Se produjo una fuerte crítica contra los valores de la España oficial cuyo pasado de grandeza imperial estaba definitivamente muerto. Se empezó entonces a buscar cuál era el verdadero carácter español y se intentó darle soluciones a sus debilidades. Todos los intelectuales empezaron a buscar
25 la "europeización" de España pero más tarde abandonaron esa tendencia porque pensaban que el espíritu tradicional era más valioso para España que uno importado. Ese grupo fue la "Generación del 98" al cual pertenecen Unamuno, Azorín, Pío Baroja, Valle-Inclán y Antonio Machado, entre los principales. Unamuno es considerado el "padre" de ese grupo.
30 Si ponemos atención al hecho de que la vida de Unamuno transcurrió entre dos guerras civiles, la carlista (1872-75) y la guerra civil española (1936-39), podemos ver que su vida espiritual de constante lucha y agonía es reflejo de las circunstancias que la rodean. En un escritor como Unamuno, cuya obra y pensamiento están tan íntimamente ligados, las contradicciones que caracterizan su vida dan a su obra un
35 carácter obsesivo, contradictorio y cambiante donde la única constante es la muerte.

Nota cultural

En la época literaria que rodeaba a Miguel de Unamuno, se exigían unos rígidos patrones de procedimiento a la hora de escribir y publicar una novela: una temática particular, líneas de tiempo y acción específicas, convencionalismos sociales . . . una especie de guión no escrito pero aceptado por todos. Y esto suponía a Unamuno un corsé del que pretendería desprenderse de alguna forma, para expresarse en sus páginas como estimara oportuno. Su solución fue inventar un nuevo género literario, al que bautizó como "nivola", y de esta forma, no podría obtener crítica ninguna en lo referente a reglas de estética o composición, porque sólo debería atender a las reglas que él mismo hubiese diseñado para su nuevo género.

Investigue palabras clave: Miguel de Unamuno, la nivola

27 Amplíe su vocabulario

Haga una lista de los cognados que aparecen en la lectura anterior y escriba una frase original con cada uno.

28 Gustavo Adolfo Bécquer

Responda al siguiente correo electrónico. Incluya al menos una referencia a dos de los poemas de Gustavo Adolfo Bécquer.

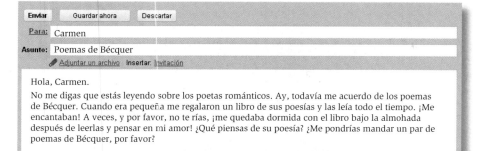

| Enviar | Guardar ahora | Descartar |

Para: Carmen

Asunto: Poemas de Bécquer

📎 Adjuntar un archivo Insertar: Invitación

Hola, Carmen.

No me digas que estás leyendo sobre los poetas románticos. Ay, todavía me acuerdo de los poemas de Bécquer. Cuando era pequeña me regalaron un libro de sus poesías y las leía todo el tiempo. ¡Me encantaban! A veces, y por favor, no te rías, ¡me quedaba dormida con el libro bajo la almohada después de leerlas y pensar en mi amor! ¿Qué piensas de su poesía? ¿Me pondrías mandar un par de poemas de Bécquer, por favor?

Cita

• La poesía es el sentimiento que le sobra al corazón y te sale por la mano.
—Carmen Conde (1907-1996), escritora española

• El año que es abundante de poesía, suele serlo de hambre.
—Miguel de Cervantes Saavedra (1547-1616), escritor español

• La poesía no quiere adeptos, quiere amantes.
—Federico García Lorca (1898-1936), poeta y dramaturgo español

• Al contacto del amor todo el mundo se vuelve poeta.
—Platón (427 a. de J.C.-347 a. de J.C.), filósofo griego

• El poeta es un mentiroso que siempre dice la verdad.
—Jean Cocteau (1889-1963), escritor, pintor, coreógrafo francés

• El poeta ve lo poético aun en las cosas más cotidianas.
—Olga Orozco (1920-1999), poetisa argentina

• En el fondo, un poema no es algo que se ve, sino la luz que nos permite ver. Y lo que vemos es vida.
—Robert Penn Warren (1905-1989), novelista, poeta, crítico literario estadounidense

• El amor es la poesía de los sentidos. Pero hay poesías malísimas.
—Antonio Gala (1930-), dramaturgo, poeta, novelista español

 Elija su cita preferida. Comparta su elección con un compañero/a.

Teacher Resources

🎧 Activity 25

Answers

27 racionalista, radical, transformación, artistas, intelectuales, esenciales, secularización, tradición, religiosidad, innovaciones, resistencia, intensidad, drama, intérprete, impotencia, artificialidad, sistema, crisis, fachada, retórico, circunstancias, contradicciones; Corresponding sentences will vary.

28 Emails will vary.

Additional Activities

Trivia
Display the following quotes for the class, eliminating a word in each and giving the students four options for what might be the correct choice. See if they can choose the right word to complete each quote.
For example:
"Mientras haya en el mundo _____, ¡habrá poesía!" (Gustavo Adolfo Bécquer)
a. pasta
b. primavera
c. guerras
d. poetas
"La historia cuenta lo que sucedió; la poesía lo que debía suceder." (Aristóteles)
"Y fue a esa edad . . . llegó la poesía a buscarme." (Pablo Neruda)
"Poesía es la unión de dos palabras que uno nunca supuso que pudieran juntarse, y que forman algo así como un misterio." (Federico García Lorca)

Juegos
Ask students to play *Cada uno una*. See p. TE24.

¿Cuáles son las diferencias?
See p. TE26.

Answers

29 **1.** La transformación de la sociedad de una identificación con valores e instituciones religiosas hacia valores no religiosos e instituciones seculares. **2.** Por su tradición religiosa extremadamente profunda. **3.** Criticaron los valores de la España oficial que había ocultado la crisis detrás de un patriotismo falso. **4.** Que el espíritu tradicional era más importante para España que la europeización. **5.** Las contradicciones que caracterizan el momento en que vivió. Sus obras tienen un carácter obsesivo, contradictorio y cambiante.

29 Para discutir en clase

Responda las siguientes preguntas e intercambie sus ideas con el resto de la clase. Trate de usar ideas y vocabulario del artículo en la Actividad 26.

1. ¿Qué es secularización?
2. ¿Por qué tienen problemas los españoles con la secularización?
3. ¿Cuál es la reacción de los jóvenes intelectuales?
4. ¿Qué creían los escritores de la "Generación del 98"?
5. ¿Qué estimula el pensamiento de Unamuno y cómo se manifiesta en sus obras?

Miguel de Unamuno

Investigue palabra clave: Generación del 98

¡A leer!

30 Poema de Unamuno

Lea el siguiente poema de Miguel de Unamuno poniendo atención a las palabras y expresiones en azul. Ponga cuidado a cómo se presentan las ideas de Unamuno en este poema.

Razón y fe

Levanta de la fe el blanco estandarte
sobre el polvo que cubre la batalla
mientras la ciencia parlotea, y calla
y oye sabiduría y obra el arte.

⁵ Hay que vivir y fuerza es esforzarte
a pelear contra la vil canalla
que se anima al restalle de la tralla,
y ¡hay que morir! Exclama. Pon tu parte

y la de Dios espera, que abomina
¹⁰ del que cede. Tu ensangrentada huella
por los mortales campos encamina

hacia el fulgor de tu eternal estrella;
hay que ganar la vida que no fina,
con razón, sin razón o contra ella.

31 Amplíe su vocabulario

Según el contexto del poema, mire las palabras de la primera columna y busque su definición o sinónimo en la segunda.

1. estandarte
2. parlotea
3. sabiduría
4. fuerza es esforzarte
5. la vil canalla
6. restalle de la tralla
7. abomina del que cede
8. huella
9. que no fina

a. habla sin sentido
b. bandera que se usa en las batallas
c. persona muy mala
d. que no tiene fin
e. no le gustan las personas débiles
f. conocimiento profundo que se adquiere a través del estudio y la experiencia
g. señal que deja en la tierra una persona cuando pisa
h. el sonido que produce la correa con que se aviva o castiga a las bestias y que se usaba para castigar a los esclavos
i. que es importante poner la energía en algo

Cita

Nunca releo mis libros, porque me da miedo.
   –Gabriel García Márquez (1927–), escritor colombiano

 ¿Por qué habrá hecho este comentario García Márquez? ¿Qué cree que pasaría si los autores volvieran a leer sus obras después de publicarlas? Comparta sus opiniones con un/a compañero/a.

 ¡Dato curioso! Un editorial es un género periodístico que consiste en un texto que explica, valora y juzga un hecho noticioso actual de especial importancia. Los editoriales suelen ser sobre la política, la injusticia y las tendencias de la cultura popular.

Answers
31 1. b; 2. a; 3. f; 4. i; 5. c; 6. h; 7. e; 8. g; 9. d

Additional Activities

La poesía en contexto
Display the poem "Madre, llévame a la cama" by Miguel de Unamuno. Eliminate some of the words and ask the students to come up with possible options to fill in the blanks.
As a variation you could provide four options for each blank. See if the students can choose the correct word to complete the line.

¡Pongámonos de acuerdo!
See p. TE28.

32 Para ayudar a la comprensión del poema

Según el poema que acaba de leer, escoja la mejor respuesta para cada enunciado.

1. El poema usa mandatos para darle énfasis a las ideas. En la primera estrofa el poeta dice: "Levanta de la fe el blanco estandarte . . . Mientras la ciencia parlotea". Estos versos hacen referencia a:
   a. La guerra
   b. La secularización
   c. La fe nos ayuda cuando no entendemos
   d. La ciencia es importante
2. "Hay que vivir y fuerza es esforzarte / a pelear contra la vil canalla / que se anima al restalle de la tralla" se refiere a:
   a. El esfuerzo es importante en la vida.
   b. La ignorancia nos hace esclavos y es necesario aprender en la vida para evitarla.
   c. Hay que pelear contra los ignorantes.
   d. La tralla anima a la gente.
3. "Pon tu parte / y la de Dios espera, que abomina / del que cede" implica que:
   a. La fe es importante y no podemos perderla.
   b. Ceder es una virtud.
   c. Dios nos espera.
   d. Todos somos parte de la creación.
4. "Hay que ganar la vida que no fina / con razón, sin razón o contra ella" indica que Unamuno cree que:
   a. La razón es importante.
   b. La fe nos garantiza la posibilidad de la vida eterna aunque racionalismo diga lo contrario.
   c. La vida no termina.
   d. Es importante tener razón.

33 ¿Qué piensa Ud.?

¿Qué opina Ud. de las ideas que Unamuno presenta en el poema? ¿Cómo representa el poema las contradicciones de España durante la época de Unamuno? ¿Puede Ud. pensar en un poeta que represente las contradicciones de nuestro tiempo en los Estados Unidos o en el mundo?

Monumento de Miguel de Unamuno
Salamanca, España

La visita de Federico García Lorca a Nueva York en 1929 coincidió con la caída de la bolsa (*stock market crash*), lo que le impresionó profundamente. Como el poeta estaba viviendo en una sala de las residencias de estudiantes de la Universidad de Columbia que queda muy cerca de Harlem, visitaba con frecuencia los famosos bares de jazz y estaba fascinado por la música y la cultura del lugar. Los siguientes dos fragmentos de diferentes secciones de su libro *Poeta en Nueva York* son una muestra evidente de lo que vio García Lorca en la ciudad. Lea con atención los fragmentos poniendo atención a las palabras en azul y a la manera como el poeta presenta sus ideas.

El rey de Harlem

¡Ay Harlem! ¡Ay Harlem! ¡Ay Harlem!
No hay angustia comparable a tus ojos oprimidos,
a tu sangre estremecida dentro del eclipse oscuro,
a tu violencia granate sordomuda en la penumbra,
a tu gran rey prisionero con un traje de conserje.

Oda a Walt Whitman

Nueva York de cieno,
Nueva York de alambres y de muerte.
¿Qué ángel llevas oculto en la mejilla?
¿Qué voz perfecta dirá las verdades de trigo?
⁵ ¿Quién el sueño terrible de tus anémonas manchadas?
. . . .
Y tú, bello Walt Whitman, duerme a orillas del Hudson
con la barba hacia el polo y las manos abiertas.
Arcilla blanda o nieve, tu lengua está llamando
¹⁰ camaradas que velen tu gacela sin cuerpo.
Duerme, no queda nada.
Una danza de muros agita las praderas
y América se aniega de máquinas y llanto.
Quiero que el aire fuerte de la noche más honda
¹⁵ quite flores y letras del arco donde duermes
y un niño negro anuncie a los blancos del oro
la llegada del reino de la espiga.

Additional Activities

Un poema de Lorca
Share with students some information about the city of Córdoba in southern Spain as background knowledge for the poem "La canción del jinete" by Lorca. Have them memorize the poem, and then show them a video from the Internet in which someone recites the poem and shows images of Córdoba.

Juego
Ask students to play *Lo tengo en la punta de la lengua*. See p. TE25.

Gráfico sobre un tema
See p. TE27.

Nota cultural

La España de Federico García Lorca era la de la Edad de Plata, heredera de la Generación del 98, con una rica vida intelectual donde los nombres de Francisco Giner de los Ríos, Benito Pérez Galdós, Miguel de Unamuno,y, poco después, Salvador de Madariaga y José Ortega y Gasset imprimían el sello distintivo de una crítica contra la realidad de España. En esos momentos políticos alguien le preguntó a Lorca sobre su preferencia política y él manifestó que se sentía a su vez católico, comunista, anarquista, libertario, tradicionalista y monárquico. De hecho nunca se afilió a ninguna de las facciones políticas y jamás discriminó o se distanció de ninguno de sus amigos, por ninguna cuestión política. Tuvo una gran amistad con el líder y fundador de la Falange Española, José Antonio Primo de Rivera, quien era muy aficionado a la poesía. Lorca fue asesinado por ser republicano y también por ser homosexual, lo que en esa época fue considerado como un delito imperdonable.

Investigue palabra clave:
Federico García Lorca, Córdoba (España)

35 Amplíe su vocabulario

Según el contexto del poema, mire las palabras de la primera columna y busque su definición o sinónimo en la segunda.

1. estremecida
2. sordomuda
3. penumbra
4. conserje
5. cieno
6. alambre
7. anémonas
8. manchadas
9. arcilla
10. gacela
11. praderas
12. se aniega
13. llanto
14. espiga

a. flores blancas que crecen en otoño
b. pantano, mezcla de tierra y agua
c. sucias
d. animal mamífero de la familia del venado, tiene mucha gracia
e. grandes extensiones de tierra donde crece la hierba; no hay montañas
f. la flor del trigo de cuya semilla se hace el pan
g. se llena
h. oscuridad
i. que no puede oír ni hablar
j. portero de un hotel o edificio residencial
k. que tiembla
l. hilo de metal
m. material del que se fabrica la cerámica
n. derramar lágrimas, llorar

36 Análisis de contenido: para reflexionar y compartir con la clase

Con un compañero/a lean los fragmentos y usen los comentarios y preguntas a continuación como guía de análisis. Comparten sus ideas con la clase.

1. El fragmento de "El rey de Harlem" hace alusión a los problemas raciales que Federico García Lorca observó en su visita a Nueva York. Explique cómo expresa el poeta sus ideas. ¿Piensa Ud. que este poema tiene resonancia hoy en día?
2. Lea "Dato curioso". En el fragmento de "Oda a Walt Whitman", García Lorca ve al poeta Walt Whitman como representación de lo natural sobre lo artificial representado por la ciudad de Nueva York. Relea el fragmento e identifique dónde y cómo expresa el poeta esa disparidad.
3. Los versos "Una danza de muros agita las praderas / y América se aniega de máquinas y llanto" y "y un niño negro anuncie a los blancos del oro la llegada del reino de la espiga" son claras representaciones de las ideas de Whitman y cómo García Lorca las asimiló. Los "blancos del oro" representan la bolsa de Nueva York y cómo García Lorca veía en la simplicidad de la vida de Harlem la respuesta a los problemas que la acumulación de capital traía. Relea el fragmento y haga un paralelo entre las ideas de García Lorca y las de Whitman.
4. ¿Cree Ud. que el mensaje de García Lorca tiene relevancia en la realidad contemporánea? Explique.

Walt Whitman

¡Dato curioso!
Walt Whitman fue un poeta y periodista nacido en Long Island, N.Y. Uno de los poetas más importantes de los Estados Unidos, ha sido llamado el padre del verso libre. Whitman creía en que había una profunda simbiosis entre el poeta y la sociedad. Su obra más conocida, *Leaves of Grass,* es una respuesta al impacto de la urbanización sobre la gente.

37 Antes de leer 👥

Ud. está aprendiendo mucho, ¿pero ha pensado alguna vez en cómo aprende? ¿Recuerda cómo aprendió a leer y escribir? ¿Cómo lo hizo? ¿Qué método le parece el mejor para enseñar a un niño a leer y escribir?

38 El rol de la imaginación

Lea con atención el siguiente artículo. Después conteste las siguientes preguntas:

- ¿Cuál es el propósito del artículo?
- ¿Cómo resumiría el artículo en dos frases?
- Si quisiera consultar otra fuente, ¿podría pensar en un posible título de una publicación?
- ¿Qué pregunta sería apropiada para hacerle al autor después de leer el artículo?

Para aprender se necesita imaginar

El doctor Allan Paivio explica la teoría que destaca la importancia de las imágenes para la adquisición de habilidades de lectura y escritura.

Junto con su colega Mark Sadoski, el doctor Allan Paivio es el autor de un libro de nombre complicado: *A Dual Coding Theory of Reading and Writing*. En español simple, el libro dice sencillamente que el aprendizaje se da por dos vías: las imágenes y las palabras, y que mientras más fuertes son las primeras, más fácilmente se incorporan las segundas. De ahí que sea altamente recomendable no solamente
5 enseñarles a los niños a repetir palabras, sino proporcionarles imágenes y experiencias de aprendizaje. "La inteligencia a través de imágenes es anterior al lenguaje", dice Paivio, en un descanso de una conferencia reciente sobre problemas de aprendizaje realizada en Anaheim. El profesor retirado de la Universidad de Ontario considera que cuando hay una buena cantidad de imágenes almacenadas en la memoria, el aprendizaje del lenguaje es más eficiente. De esta manera, si un estudiante es llevado
10 con frecuencia a museos, galerías, parques, desfiles, conciertos, edificios públicos... el aprendizaje del lenguaje vinculado a esos temas será más marcado. "De niño tuve mucha libertad para aprender", dice Paivio, "no estuve en una escuela muy restringida. Me gustaba dibujar y jugar. Sin embargo, me hubiera gustado tener más experiencias de aprendizaje". En ese tiempo la televisión no estaba muy desarrollada, y los libros no tenían la cantidad y calidad de ilustraciones que ahora tienen. Aun así, Paivio no ve ninguna
15 de las dos cosas como un problema en sí. "Es un problema si sólo obtienen información de la televisión", dice el investigador. "Pero si hay un buen equilibrio con la lectura, pueden reforzar el aprendizaje". En cuanto a los libros para niños, que según algunos expertos mientras menos imágenes tengan mejor, Paivio cree en lo opuesto: "Debe haber imágenes en los libros para niños". **(A)**

¿Cómo aprendió usted?

El capítulo "*Imagery and Text*", del libro de Sadoski y Paivio, lo dedican a tratar de entender cómo se ha
20 enseñado a leer y escribir en tiempos pasados, para luego proponer cómo se debería hacer. De manera muy resumida éstas son algunas de las formas: griegos y romanos pensaban que la memoria funcionaba mejor si se visualizaban lugares, si se usaba la poesía y el lenguaje hablado para retener datos. En la Edad Media se usaba la meditación y los manuscritos iluminados para hacer la lectura más memorable. En el Renacimiento y la Reforma hubo dos tendencias: una de Dante, para recordar mediante la literatura, y otra
25 la de la tradición protestante, para enfatizar más las representaciones verbales. Posteriormente, pasando por diferentes etapas, hasta nuestros días se ha ensayado el uso de alfabetos, silabarios, cuadernos de escritura, tarjetas de memorización, lectura en silencio, lectura en voz alta, uso de maquetas... ¿Recuerda

continúa

Additional Activities

Composición

Share with students some some very dramatic images (photos, video, movie clips) and ask them to use their imagination to create a short story based on what they've seen. Have them write for a few minutes and then stop, pass the story to the student to the right, and continue writing the one they receive. Repeat the process several times. When the students once again have their own story, have them finish writing it for homework. Students could share their stories in an online forum or blog.

usted cuando la maestra le pedía que trajera de su casa un pomo con algodón húmedo y una semilla? ¿O cuando pasaba al frente del salón de clases a leer en voz alta...? Bueno, todo esto estaba sustentado
30 en alguna de esas teorías. **(B)** Ahora bien, lo que pretenden Paivio y Sadoski es integrar todo esto en la llamada "Teoría dual", en la que el aprendizaje sea abundante tanto en imágenes como en palabras. No solamente imágenes reales, sino imágenes descritas en los textos: el payaso traía una nariz de pelota roja y unos zapatos grandísimos... Esto puede servir a maestros y padres de familia por igual.

Lea, vea, pregunte...

Imagínese que usted lleva a su hijo al Museo de Historia Natural. Están ahí, frente al esqueleto de un
35 enorme dinosaurio o de un tigre dientes de sable. Luego, cuando llegan a su casa, mientras comen un buen filete de pescado conversan sobre lo que vieron. Usted le pregunta por qué cree que algunos animales se hicieron más pequeños o cómo se imagina que vivían los lagartos de aquel tiempo. **(C)** Finalmente, le pide que le escriba a un primo una cartita sobre lo que vio, o que anote en su diario algo de esa experiencia. Con eso, usted habrá usado muchos de los métodos de aprendizaje que se han discutido arriba y facilitará el
40 entendimiento de algunas palabras como *evolución*. Esto es lo que pretende la teoría de Paivio y Sadoski. "Esta teoría puede ser vista como un paso importante para resolver el antiguo pleito entre quienes creen más en el uso ya sea de imágenes o palabras como forma de aprender e integrar el lenguaje. Algo que se ha dado desde la antigüedad", destacan en su libro los investigadores. Para una explicación más profunda, ellos llaman *logogens* a aquellas "unidades" de palabras que "jalan" de la memoria un recuerdo. **(D)** En
45 cambio, *imagens* son las "representaciones no verbales" que hacen lo mismo. Usted no tiene que romperse la cabeza tratando de entender a fondo esto. Baste un ejemplo: una luz roja indica peligro (*imagens*) lo mismo que la palabra "peligro" (*logogens*).

Ejercicios que le servirán

La forma de crear imágenes para apoyar la adquisición del lenguaje es diversa. Va desde una visita a un museo hasta la apreciación de una película o una lectura ayudada con una conversación.

50 Estas son algunas ideas que usted podría poner en práctica con sus hijos:

- Llévelos a conocer lugares nuevos de la ciudad y luego pregúnteles qué fue lo que más les impresionó, qué les gustó, por qué, qué cosas hubieran hecho diferente...
- Cualquier momento es bueno para hablar de lo que han observado sus hijos a lo largo del día.
- Después de la lectura de un libro o un texto de una revista, pregúnteles cómo eran los personajes de
55 la historia, de qué se trata, cómo se imaginan ellos qué ocurrió.
- Converse en cualquier momento sobre las cosas cotidianas que les suceden, poniendo mayor atención en las cualidades (color, tamaño, forma...).
- Muéstrele fotografías y material audiovisual de cosas que luego podrían estudiar en la escuela.
- Además de dar consejos, usted póngase de ejemplo. Ofrézcales imágenes de alguien que lee libros
60 cotidianamente. Platíqueles de lo que está leyendo.
- Desde muy pequeños, ponga en las manos de sus hijos libros con ilustraciones, aunque no sepan leer.
- Sintonice canales que le ofrezcan diversidad de imágenes del mundo y de actividades humanas, antes que de violencia y destrucción.
- 65 Estimule la escritura de diarios personales (las vacaciones son una buena oportunidad).

www.laopinion.com

39 Amplíe su vocabulario

Empareje cada palabra de las dos primeras columnas con su definición o sinónimo en la segunda.

1. aprendizaje
2. almacenado
3. restringido
4. proponer
5. retener datos
6. maqueta
7. pomo
8. sustentado
9. payaso
10. lagarto
11. pleito
12. tratarse
13. cotidiano
14. platicar
15. sintonizar

a. modelo
b. limitado
c. actor cómico
d. controversia
e. proyectar
f. de cada día
g. escoger
h. acto de aprender
i. mantenido
j. acumulado
k. charlar
l. recordar hechos
m. especie de reptil
n. referirse
o. vaso

40 ¿Ha comprendido?

1. Según los autores Sadoski y Paivio, ¿cuáles son dos actividades que se benefician de usar su imaginación?
   a. Conversar y leer
   b. Conversar y escribir
   c. Leer y escribir
   d. Conversar y aprender
2. ¿De dónde vienen esas imágenes de las cuales hablan los autores?
   a. De las visitas a los museos
   b. De los festejos
   c. De las funciones musicales
   d. Todas las respuestas anteriores
3. Según Paivio, ¿por qué puede ser la televisión un obstáculo a este proceso?
   a. Es problema si es la única fuente de imágenes.
   b. Es problema porque es una actividad muy pasiva.
   c. No es problema para algunos niños.
   d. Es problema porque hay demasiadas imágenes.
4. ¿Qué explica lo siguiente?: "En cuanto a los libros para niños, que según algunos expertos mientras menos imágenes tengan mejor, Paivio cree en lo opuesto: 'Debe haber imágenes en los libros para niños'".
   a. Paivio no cree en el valor de las imágenes; algunos expertos creen que los libros deben tener una gran cantidad de imágenes.
   b. Algunos expertos no creen en el valor de las imágenes; Paivio cree que los libros deben tener una gran cantidad de imágenes.
   c. Paivio cree en el valor de las imágenes; algunos expertos creen que los libros no deben tener una gran cantidad de imágenes.
   d. Las respuestas b y c
5. ¿A quién se le atribuye esta teoría de aprendizaje: fijar las imágenes después de reflexionar y leer los documentos con muchas ilustraciones religiosas?
   a. A los griegos y los romanos
   b. A los sabios del Renacimiento y de la Reforma
   c. A los sabios de la Edad Media
   d. A los sabios contemporáneos

Teacher Resources

 See ExamView for assessment options.

Expresiones

aclararse la voz	to clear one's throat
corre la voz de que	word (rumor) has it that
darle ánimos a alguien (animar)	to encourage somebody, to cheer somebody up
darlo todo	to give it one's all, to be fully committed to something
(no) darse por vencido, -a	(not) to give up
de la misma manera	in the same way
decir algo en tono de reproche	to say something with a reproachful tone
en tono cariñoso	in an affectionate tone of voice
es decir	that is to say
estado de ánimo	state of mind
estar bajo de ánimo/con el ánimo por el suelo	to be in very low spirits, to be feeling down-hearted
estar deprimido, -a	to be depressed
hablar en voz baja	to speak in a low voice
la idea principal	the main idea
leer por placer	to read for pleasure
no obstante/sin embargo	nevertheless, however
pedirle la mano a alguien	to propose
ponerse sentimental	to get sentimental
una pregunta retórica	a rhetorical question
sentirse con ánimos para seguir	to feel up to going on
temblarle la voz a alguien	to have a shaky voice
no tener ánimos de/ para nada	not to feel up to anything
tener certidumbre/ incertidumbre	to be sure/unsure
tener la voz tomada	to have a hoarse voice
ser un flechazo	to be love at first sight
(no) tirar la toalla	(not) to give up
el tono en que lo dijo	the tone in which s/he said it
valer la pena	to be worth it
el verso libre	free verse
la voz de la conciencia	the voice of one's conscience

A tener en cuenta

Palabras que expresan acuerdo o desacuerdo

Acuerdo:
¡Vale!
¡Eso es!
¡De acuerdo!
Estoy de acuerdo contigo/con Ud.
Opino igual/como tú/como Ud.
En eso coincidimos.
Somos de la misma opinión.
Pensamos igual.
Lo mismo digo yo.
Conforme.

Desacuerdo:
De ningún modo.
Esto es mentira. Es falso.
¡En absoluto!
¡Ni hablar!
¡Que va!
No estoy de acuerdo (en absoluto).
Pero, ¿qué (me) dices?
¡Qué disparates dices!
Eso sí que no.
De eso, nada.
¡Claro que no!
¡Calla, hombre (mujer), calla!

Capítulo 6

Puro deporte

Temas
- Los deportes
- Los atletas
- Los Juegos Olímpicos

301

This chapter focuses on sports: their importance in maintaining physical fitness and good health, their history, the impact of soccer in world sports, and the Olympics. Students will read about and be able to talk about the history of some sports as well as of the Olympics, the ancient origins of some ball games, and the role women have played in sports.

Instructional Notes

To discuss some of the topics for this lesson ask students: *¿Qué es un deporte? ¿Qué deportes conocen? ¿En cuáles participan? ¿Quiénes son algunos atletas famosos de esos deportes? ¿Cuáles son hispanos? ¿Qué saben del fútbol? ¿Cómo se diferencia el fútbol del fútbol americano? ¿Qué equipos o futbolistas famosos conocen? ¿Qué saben de los Juegos Olímpicos Antiguos? ¿Y de los Modernos? ¿En qué ciudades y en qué año tuvieron lugar los últimos Juegos Olímpicos de Verano y de Invierno? Y los próximos: ¿cuándo y dónde van a tener lugar? ¿Qué deportes famosos conocen que aparezcan en una novela o película conocida?*

The photos on the page depict (from top to bottom) the closing ceremonies at the Summer Olympics in Sydney, Australia (2000), players from a Spanish soccer team, and the eternal flame of the Olympics.

Objetivos

Comunicación
- Hablar de los deportes

Gramática
- Los sustantivos
- Repaso del uso del indicativo y del subjuntivo

"Tapitas" gramaticales
- *al* + infinitivo
- *enfrentarse* + preposición
- el imperfecto del subjuntivo
- *mayoritariamente*
- otros verbos + preposición
- *en cuanto a*
- el género
- *pero* y *sino*

Cultura
- ESPN en español
- Los Juegos Olímpicos
- Los deportes en América Latina
- El Quidditch
- Guerreros de la serpiente emplumada
- La pelota vasca

Go online EMCLanguages.net

Para empezar

1 Conteste las preguntas

Piense en las respuestas a las siguientes preguntas. Ud. puede tomar notas si lo considera necesario. Cuando termine, compare sus respuestas —pero sin mirar sus notas— con las de un/a compañero/a.

1. ¿Le gustan los deportes? ¿Prefiere practicarlos o mirarlos? ¿Con qué frecuencia los practica o los mira?
2. ¿Prefiere los deportes de equipo, por pareja o individuales? ¿Por qué? Nombre un deporte de cada una de estas categorías.
3. ¿Ha asistido a algún partido profesional o amateur a nivel universitario o secundario? Describa la experiencia. ¿Cuál ha sido el mejor momento deportivo que ha visto en la televisión?
4. ¿Prefiere los deportes profesionales o amateur, de nivel universitario o secundario, de hombres, de mujeres o de ambos sexos? ¿Por qué?
5. ¿Qué beneficios aporta hacer un deporte?
6. ¿Qué opina de los Juegos Olímpicos?
7. ¿Le gustaría ir a los Juegos Olímpicos o participar en ellos? ¿Por qué? ¿Qué deporte olímpico le gustaría ver o practicar? ¿Por qué?
8. ¿Qué países hispanos han organizado los Juegos Olímpicos? ¿Dónde y cuándo tuvieron lugar las Olimpiadas en estos países?
9. ¿Cuál es el deporte más popular del mundo? ¿Cómo se llama su campeonato? ¿Qué sabe de las reglas y los equipos de este deporte?
10. ¿Piensa que el deporte ha existido desde hace mucho tiempo o que es un fenómeno relativamente moderno? ¿Piensa que hay globalización en los deportes? ¿En cuáles y cómo los afecta?

Cita

El deporte delega en el cuerpo algunas de las virtudes más fuertes del alma: la energía, la audacia, la paciencia.

—Jean Giradoux (1882–1944), dramaturgo francés

Dé ejemplos de cómo el deporte promueve las tres virtudes citadas. Si no está de acuerdo con esta cita, explique por qué. ¿Qué aspecto de los deportes le parece más importante: el ejercicio o la competición? ¿Por qué? Comparta sus opiniones con un/a compañero/a.

2 Mini-diálogos

Va a crear un mini-diálogo con un/a compañero/a. Lea la descripción de la conversación que va a mantener. Puede tomar notas para organizar sus ideas, pero no las mire mientras conversa. Le pueden servir algunas expresiones del recuadro.

el portero / el arquero	el delantero	el medio
la defensa	el equipo contrario	el marcador
un pase de gol	el árbitro	marcar un gol

Escena: En la calle un/a amigo/a le saluda mientras Ud. está caminando al parque para jugar un partido de fútbol con sus amigos.

A: Salúdele y pregúntele si quiere jugar con Uds.

B: Conteste afirmativamente, pero pregúntele qué tipo de jugador(a) necesita el equipo.

A: Conteste con dos opciones.

B: Reaccione negativamente a las dos opciones y explique por qué.

A: Convénzale de que debe jugar.

B: Reaccione cordialmente pero rechace la invitación.

A: Haga un comentario sobre su reacción. Despídase cordialmente.

B: Despídase cordialmente.

¡Dato curioso!

El 50 por ciento o más de los menores de edad preescolar y escolar no realizan ninguna actividad física sistemática en su tiempo libre, y esto es más marcado en las niñas que en los niños. Muchos niños pasan 30 horas o más cada semana sentados delante de la televisión o del video.

Lección 6A **303**

Answers

1 Answers will vary.

2 Dialogues will vary.

Instructional Notes

Encourage students to discuss the benefits of playing a sport and have them consider the virtues of sports that are mentioned in the *Cita: la energía, la audacia, la paciencia*. Ask students which element they think is the most important, and whether the importance of these elements depends on the sport.

Dato curioso

Ask students to talk about the disadvantages of not participating in sports or not doing any physical exercise, and what effects this might have on children. You might also ask them to talk about the impact that watching too much TV or playing too many video games has on people of all ages.

Additional Activities

Ask students to do *¡Pongámonos de acuerdo!* to practice the words in the word bank. See p. TE28.

3 After students read both articles, you might do an informal survey to see if they identify more with Sergio or Catalina.

Additional Activities

Competencia

Display a table with the following column headings: *deporte, deportista, objeto con el que se juega, ropa necesaria*. Divide the class into teams. Give the teams a few letters of the alphabet and have them compete to see which group can fill out the table first with items that begin with the corresponding letters.

Vocabulario y gramática en contexto

3 Un foro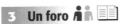

Túrnese con un/a compañero/a para leer los comentarios que dos personas han escrito en un foro sobre el ejercicio físico. Fíjese en las palabras que aparecen en azul (relacionadas con el vocabulario) y en rojo (relacionadas con la gramática), ya que en las siguientes actividades se le harán preguntas sobre ellas.

Sergio — ¿Hacer o no hacer deporte?

He oído que su salud le agradecerá un mínimo de ejercicio físico practicado regularmente. Pero ¿qué deporte? No hay ningún deporte que me convenza. ¡Soy tan inepto! No me gusta el ejercicio físico. ¿Correr? Ni pensarlo. ¿El baloncesto? No soy alto y el precio de las zapatillas es escandaloso. ¿El tenis? Sí, es verdad que los tenistas profesionales ganan mucho dinero pero tienen que viajar tanto. Y hay tantas pistas: la tierra batida (la arcilla),
5 la hierba o el pasto, o el cemento. ¡Tantas opciones! ¿El béisbol? ¡Ay! ¡Qué lata! Oí una vez que un batazo de un jonrón con dos corredores en base despertó al jardinero derecho porque estaba dormido durante el partido. El béisbol es tan lento como el golf. ¿El fútbol americano? De ninguna manera. Es tan brutal y violento como el hockey sobre hielo. ¡Quizás el fútbol! Es emocionante y popular mundialmente, pero muchas chicas te dicen que el fútbol es aburrido. Mejor ver el programa *ESPN Deportes* para decidir.

Catalina — Hacer deporte es sanísimo

Para mí el deporte es una actividad saludable. El deporte es para el cuerpo como la lluvia para la tierra. Eso sí, debemos tener en cuenta estas bebidas energéticas para hidratar el cuerpo que se venden ahora. El deporte reduce la ansiedad y el estrés y disminuye la depresión. Por otra parte, el deporte tiene dos objetivos: competir como aficionado y competir profesionalmente. En mi caso, inicialmente hice deporte en la escuela y después las circunstancias me fueron llevando a convertirme en deportista profesional. Son necesarios muchos sacrificios: tu tiempo libre, las horas de entrenamiento, las horas de viaje a las competiciones y, también, la preparación mental que se exige. Así y todo, el atleta profesional corre el riesgo de aislarse y de competir contra sí mismo hasta llegar a ser campeón y el mejor de su disciplina.

¡Dato curioso!

En 1953 se declaró al pato como deporte nacional en Argentina. El mismo fue inventado por los gauchos que habitaban la pampa, existiendo testimonios que dan cuenta de su existencia ya en 1610. En sus inicios se lo practicaba con un pato muerto, o a veces vivo, colocado dentro de una bolsa, de donde procede su nombre. En el siglo XIX, el juego fue prohibido por el gobierno y castigado por la iglesia católica con la excomulgación. Sin embargo sobrevivió en los campos, practicado de modo irregular. Hoy en día el pato moderno se parece al polo y se juega con una bola con asas.

 Compare

En su opinión, ¿cuál es el deporte nacional de los EE.UU.? ¿Qué sabe de sus comienzos?

Nota cultural

Aunque las reglas del juego han sufrido cambios a lo largo del tiempo, el objetivo del pato (declarado deporte nacional en Argentina en 1953) sigue siendo meter el máximo número de goles con el "pato" en el aro contrario.

4 Amplíe su vocabulario

Traduzca las palabras o expresiones que aparecen en azul en las lecturas anteriores, o escriba un sinónimo o expresión similar para cada una en español. Luego haga una lista de las expresiones idiomáticas que aparecen en el texto en rojo. ¿Por qué son expresiones idiomáticas? Tradúzcalas al inglés.

5 El género de los sustantivos

Escriba el artículo adecuado delante de cada sustantivo. En algunos casos puede que haya dos respuestas correctas. Después discuta con un/a compañero/a las reglas para determinar el género de los sustantivos. Apóyese en los ejemplos de esta actividad y en los sustantivos de las lecturas de la Actividad 3.

1. ___ temporada
2. ___ pubertad
3. ___ micrófono
4. ___ radio
5. ___ golf
6. ___ atleta
7. ___ atletismo
8. ___ programa
9. ___ rivalidad
10. ___ baloncestista
11. ___ moto
12. ___ hipertensión
13. ___ foto
14. ___ competición
15. ___ entrenador
16. ___ carrera
17. ___ regularización
18. ___ carcajada
19. ___ rugby
20. ___ homenaje
21. ___ sistema
22. ___ calmante
23. ___ alpinista
24. ___ agotamiento

6 "Tapitas" gramaticales

Conteste estas preguntas basadas en las lecturas de la Actividad 3.

1. Explique el uso del subjuntivo en la oración: "No hay ningún deporte que me convenza".
2. Explique la construcción ¡Qué lata! Piense en otras expresiones similares.
3. Busque las formas del adverbio *tanto* en los foros. ¿Qué palabras modifican? ¿Que otras funciones gramaticales tiene *tanto*?
4. Busque la construcción *se venden*. ¿Por qué no se dice *se vende*? Escriba otros dos ejemplos con *se*, usando el vocabulario de las lecturas.
5. Explique el significado de *me fueron llevando*. ¿Qué es esta construcción verbal? ¿Por qué se usa en la lectura?
6. ¿Qué forma del verbo se usa después de la expresión *correr el riesgo de*? Busque otros dos ejemplos de verbos con preposiciones en las lecturas y escríbalas.
7. ¿Qué significa *llegar a ser*? Explique la diferencia entre estos verbos: *llegar a ser, ponerse, hacerse* y *volverse*.

7 ¿Qué opina?

Reaccione a lo que cada persona ha escrito en el foro y comparta su opinión con un/a compañero/a. Use palabras de las lecturas que aparecen en azul.

Compare

¿Cómo se compara el éxito del fútbol con el del fútbol americano?

Los jugadores del equipo paraguayo Olimpia celebran una gran victoria.

5. Es el pretérito del progresivo e indica que la acción ocurría durante un período de tiempo en el pasado, pero que ahora se considera la acción terminada.
6. el infinitivo; ejemplos: convertirme en, competir contra, llegar a; 7. Significa convertirse o transformarse en lo que se aspira ser. Todos significan *to become* en inglés; *llegar a ser* indica el resultado de un cambio lento y, a veces, difícil (*Marcos llegó a ser presidente*); *ponerse* indica un cambio de humor, condición física o aspecto físico (*ponerse contento/enfermo*); *hacerse* implica un cambio voluntario y generalmente se usa para indicar cambios religiosos, profesionales o políticos (*Se hizo católico/médico/socialista.*); *volverse* indica un cambio mental o psicológico involuntario (*Te has vuelto muy orgullosa. El pobre se volvió loco.*).

7 Reactions will vary.

Instructional Notes

6 To expand question 3, ask students to find examples of *tantas* used as an adjective in the reading and identify the words it modifies (*pistas* [l. 4], *opciones* [l. 5] in the first article).

Additional Activities

Juego
Ask students to play *Cada uno una*.
See p. TE24.

Teacher Resources

 Activity 1

Answers

4 *Synoyms and expressions in Spanish will vary; translations follow:* agradecerá, *will thank;* ejercicio físico, *physical exercise;* inepto, *inept;* baloncesto, *basketball;* zapatillas, *gym shoes/sneakers;* escandaloso, *scandalous;* tenistas, *tennis players;* pistas, *surfaces;* tierra batida/arcilla, *clay;* hierba/pasto, *grass;* cemento, *cement;* béisbol, *baseball;* batazo, *hit (with a bat);* jonrón, *home run;* corredores en base, *base runners;* jardinero derecho, *right fielder;* partido, *game;* fútbol americano, *football;* hockey sobre hielo, *ice hockey;* fútbol, *soccer;* emocionante, *exciting;* mundialmente, *worldwide;* bebidas energéticas, *energy drinks;* hidratar, *to hydrate;* ansiedad, *anxiety;* estrés, *stress;* aficionado, *fan;* deportista, *sportsperson;* tiempo libre, *free time;* entrenamiento, *training;* competiciones, *competitions;* atleta, *athlete;* aislarse, *to isolate oneself;* campeón, *champion;* disciplina, *discipline.* **Expresiones idiomáticas:** ¡Qué lata!, *What a bore!;* tener en cuenta, *to keep in mind;* por otra parte, *on the other hand;* hice deporte, *I played sports;* así y todo, *in spite of it all;* corre el riesgo, *runs the risk;* llegar a ser, *to become;* Son expresiones idiomáticas porque no se traducen palabra por palabra.

5 1. la; 2. la; 3. el; 4. la / el; 5. el; 6. el / la; 7. el; 8. el; 9. la; 10. el / la; 11. la; 12. la; 13. la; 14. la; 15. el; 16. la; 17. la; 18. la; 19. el; 20. el; 21. el; 22. el; 23. el / la; 24. el; Por regla general los sustantivos que terminan en *-o* son masculinos y en *-a* son femeninos, pero existen excepciones. **Ejemplos:** el programa / la moto. Son femeninas las palabras que acaban en *-ción, -sión, -dad, -tad* y masculinas las acabadas en *-aje, -or.* Otros sustantivos son masculinos o femeninos dependiendo de la persona a la que se refieren (*el/la estudiante*) y los que acaban en *-ista* (*el/la deportista*). Las palabras que vienen del inglés son generalmente de género masculino. Otras reglas de interés: los sustantivos femeninos que comienzan por *a-* o por *ha-* tónica en singular llevan el artículo el. **Ejemplos:** el águila, el agua, el hacha, el aula, el alma, el hambre. Son masculinos los días de la semana, los meses del año, los ríos, los mares, los océanos. Son femeninas las letras del alfabeto (la *a*, la *b*, etc.).

6 1. Se usa el subjuntivo porque el verbo principal (*no hay*) expresa una percepción negativa e influye sobre el verbo subordinado. 2. Es una expresión idiomática y una exclamación que expresa fastidio. 3. *Tan* modifica inepto, lento, brutal y violento; *tanto* modifica viajar. Puede ser adjetivo o pronombre. 4. *Vende* no concuerda con el número del sujeto *bebidas*. Ejemplos: se reducen la ansiedad y el estrés; se exige preparación mental.

continues at the bottom of the page

Instructional Notes

8 Ask students: *¿Qué saben del fútbol americano? ¿Y de
las ligas y su campeonato? ¿Cómo se llaman algunos de
los equipos? En su casa, ¿es parte de su rutina los fines
de semana mirar los partidos de fútbol americano? ¿Les
parece buena idea que los equipos de fútbol americano
jueguen fuera del país? ¿Por qué opinan así?*

Additional Activities

Juego
Ask students to play *Relevos*. See p. TE25.

---

8 El fútbol americano

Lea con atención el siguiente artículo. Después conteste las siguientes preguntas:

- ¿Cuál es el propósito del artículo?
- ¿Cómo resumiría el artículo en una frase?
- ¿Qué pregunta sería apropiada para hacerle al autor?

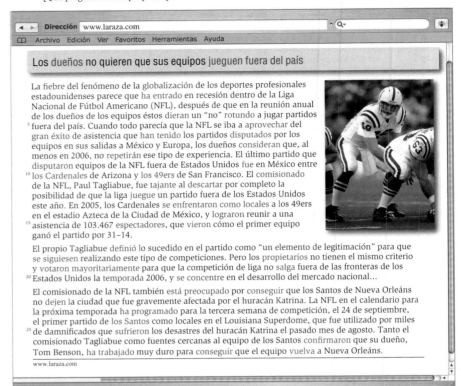

Dirección www.laraza.com

Archivo   Edición   Ver   Favoritos   Herramientas   Ayuda

Los dueños no quieren que sus equipos jueguen fuera del país

La fiebre del fenómeno de la globalización de los deportes profesionales estadounidenses parece que ha entrado en recesión dentro de la Liga Nacional de Fútbol Americano (NFL), después de que en la reunión anual de los dueños de los equipos éstos dieran un "no" rotundo a jugar partidos
⁵ fuera del país. Cuando todo parecía que la NFL se iba a aprovechar del gran éxito de asistencia que han tenido los partidos disputados por los equipos en sus salidas a México y Europa, los dueños consideran que, al menos en 2006, no repetirán ese tipo de experiencia. El último partido que disputaron equipos de la NFL fuera de Estados Unidos fue en México entre
¹⁰ los Cardenales de Arizona y los 49ers de San Francisco. El comisionado de la NFL, Paul Tagliabue, fue tajante al descartar por completo la posibilidad de que la liga juegue un partido fuera de los Estados Unidos este año. En 2005, los Cardenales se enfrentaron como locales a los 49ers en el estadio Azteca de la Ciudad de México, y lograron reunir a una
¹⁵ asistencia de 103.467 espectadores, que vieron cómo el primer equipo ganó el partido por 31–14.

El propio Tagliabue definió lo sucedido en el partido como "un elemento de legitimación" para que se siguiesen realizando este tipo de competiciones. Pero los propietarios no tienen el mismo criterio y votaron mayoritariamente para que la competición de liga no salga fuera de las fronteras de los
²⁰ Estados Unidos la temporada 2006, y se concentre en el desarrollo del mercado nacional...

El comisionado de la NFL también está preocupado por conseguir que los Santos de Nueva Orleáns no dejen la ciudad que fue gravemente afectada por el huracán Katrina. La NFL en el calendario para la próxima temporada ha programado para la tercera semana de competición, el 24 de septiembre, el primer partido de los Santos como locales en el Louisiana Superdome, que fue utilizado por miles
²⁵ de damnificados que sufrieron los desastres del huracán Katrina el pasado mes de agosto. Tanto el comisionado Tagliabue como fuentes cercanas al equipo de los Santos confirmaron que su dueño, Tom Benson, ha trabajado muy duro para conseguir que el equipo vuelva a Nueva Orleáns.

www.laraza.com

9 Amplíe su vocabulario

**Mire las palabras de las dos primeras columnas, que aparecen en la lectura anterior, y
busque su definición o sinónimo en las dos últimas.**

1. dueño
2. fuera del país
3. fiebre
4. globalización
5. rotundo
6. aprovechar
7. gran éxito
8. disputar
9. comisionado
10. descartar
11. locales
12. espectadores
13. temporada
14. programar

a. en el extranjero
b. triunfo
c. tajante
d. funcionario más importante de una liga deportiva
e. proyectar
f. integralmente en el mundo
g. propietario
h. rechazar

i. época en la que se juega un deporte
j. entusiasmo
k. equipo que recibe al equipo contrario
l. público
m. luchar
n. beneficiar

10 Soluciones 🧍🧍

Con un/a compañero/a, explique cuáles son las opiniones del comisionado y de los dueños de los equipos sobre la globalización del fútbol americano. Juntos, ofrezcan algunas soluciones al problema.

11 Los sustantivos

Conteste estas preguntas basadas en la lectura de la Actividad 8.

1. Busque los nombres de los equipos de fútbol americano en la lectura. ¿Cómo se determina el género de estos equipos? Explique la regla en general.
2. ¿Cuál es el género de *globalización*? Cite otras tres palabras que terminen en *-ión*.

12 El indicativo y el subjuntivo

Conteste estas preguntas basadas en la lectura de la Actividad 8.

1. Haga dos listas de los verbos en indicativo que aparecen en el texto; una debe indicar los verbos en presente, y la otra, en el pasado. Explique su uso en cada caso.
2. Haga dos listas de los verbos en subjuntivo que aparecen en el texto; una debe indicar los verbos en presente, y la otra, en el pasado. Explique su uso en cada caso.
3. Busque las dos oraciones con *conseguir*. ¿Por qué es necesario usar el subjuntivo en las dos oraciones?

13 "Tapitas" gramaticales

Conteste estas preguntas basadas en la lectura de la Actividad 8.

1. ¿Por qué decimos *al descartar*? ¿Cuál es el significado en inglés?
2. ¿Qué palabra se usa después de *enfrentarse*? ¿Qué quiere decir la frase de la lectura con este verbo? ¿Es posible usar la preposición *con* después de este verbo? ¿Cómo cambia el significado con esta palabra?
3. ¿Qué tiempo verbal es *se siguiesen*? ¿Cuál es la diferencia entre *se siguiesen* y *se siguieran*? Conjugue otros tres verbos de la lectura en las dos formas de este mismo tiempo verbal y en la tercera persona plural.
4. Busque la palabra *mayoritariamente*. ¿Es adjetivo, adverbio o conjunción? ¿Cuál es su significado en la oración?
5. Busque *aprovechar*, *se concentre* y *está preocupado*. ¿Qué preposición sigue a cada uno de estos verbos? Escriba otros dos verbos con cada una de estas preposiciones.

14 Escriba ✒

Ha recibido el siguiente mensaje electrónico de un/a amigo/a. Responda el correo y trate de convencerle para que lo lleve a Ud. a ver el partido de fútbol americano. Incluya detalles en su mensaje e intente usar vocabulario de los artículos anteriores.

Enviar	Guardar ahora	Descartar

Para: Marcos
Asunto: El Super Bowl
📎 Adjuntar un archivo   Insertar: Invitación

Hola, Marcos.
Quizás consiga un par de entradas para el Super Bowl. ¿Estarías interesado? El problema es que solo tengo dos y quizá Antonio también quiera venir. ¿Qué hago?

Teacher Resources

📑 Activities 2–3

Answers

10 Answers will vary.

11 1. los Cardenales de Arizona, los 49ers de San Francisco y los Santos de Nueva Orleáns; Las palabras que los definen —cardenales, santos y los del año 49— son de género masculino y los miembros de los equipos son todos hombres. En general, son masculinos los sustantivos terminados en *-o, -aje, -ambre, -or*; los nombres de ríos, lagos, océanos, mares; los sustantivos que corresponden a una persona de sexo masculino (*el cura*); los colores; palabras de origen griego (*el dilema*). **2.** femenino; ejemplos: recesión, reunión, legitimación, competición

12 1. *Presente:* quieren, parece, consideran, tienen, está; La acción sucede en el momento actual. *Pasado— Pretérito:* disputaron, fue; se enfrentaron, lograron, vieron, ganó, definió, votaron, sufrieron, confirmaron; Expresan acciones realizadas y acabadas en el pasado sin tener relación con el presente. *Imperfecto:* parecía, iba; Expresan acciones pasadas sin precisar el principio ni el final de la acción. *Presente perfecto:* ha entrado, han tenido, ha programado, ha trabajado; Expresan acciones realizadas en el pasado y que perduran en el presente. **2.** *Presente del subjuntivo:* jueguen, juegue, salga, se concentre, dejen, vuelva; Expresan voluntad (*jueguen, se concentre, vuelva*), incertidumbre (*dejen*) y/o posibilidad (*juegue*) de realizarse en el momento actual; *salga* va precedido de la locución *para que*. *Imperfecto del subjuntivo:* dieran, se siguiesen; se usa en oraciones temporales introducidas por la conjunción *después de que* (*dieran*); se usa después de para que (*se siguiesen*). **3.** *El comisionado de la NFL también está...* (ll. 21–22): va precedido por un verbo que expresa una reacción emotiva (*está preocupado*). *Tanto el comisionado Tagliabue...* (ll. 25–27): va precedido por la locución *para que*.

13 1. para expresar que se retira una idea o cosa; *upon rejecting;* **2.** como; que los Cardenales jugaban en su estadio contra el otro equipo/*The Cardinals were the home team when they played against the 49ers.* Sí; *enfrentarse con* quiere decir "*to face up to*". **3.** El imperfecto del subjuntivo; Son dos variaciones del mismo tiempo. Ejemplos: dieran, diesen; jugaran, jugasen; saliera, saliese; **4.** Es adverbio. Quiere decir que la mayoría de los votantes estuvieron a favor de que la liga no saliera fuera de Estados Unidos. **5.** de, en, por; ejemplos: alegrarse de, acabar de; confiar en, entrar en; interesarse por, luchar por

14 Emails will vary.

Instructional Notes

14 Call on some students to read their emails aloud.

Teacher Resources

📝 Activity 4

Answers

15 1. explicó; 2. haya; 3. brinde; 4. se hace;
5. presentó; 6. aparecerá / aparece; 7. añadió; 8. saca /
está sacando; 9. tener; 10. llevar; 11. se enfocan;
12. aprovechamos; 13. precisó; 14. seguirlo;
15. se desarrolle; 16. tendrá / va a tener / tiene

Instructional Notes

15 Before students start reading, ask them: *¿Qué saben
de la cadena de televisión y la empresa ESPN? ¿Existe
ESPN en español?*

Additional Activities

Compare
Ask students to look for news of an important sporting
event, preferably in video or podcast form. Have them
compare the English version with the Spanish version
of the same event.

Trabajo de investigación
Ask students to research ESPN and ESPN en español on
the Web and then make a brief written or oral
presentation of their findings.

Composición
Ask students to work in small groups and create a new
sports magazine in Spanish. The magazine could center
on sports in general or one sport in particular. Students
will need to design the cover and come up with a table
of contents.

308

---

15 Los deportes

Lea el artículo y decida qué forma de los verbos entre paréntesis es la correcta para
completar las frases. Después conteste las siguientes preguntas:

- ¿Cuál es el propósito del artículo?
- ¿Cómo resumiría el artículo en una frase?
- Si quisiera consultar otra fuente, ¿podría pensar en un posible título de una publicación?

Dirección www.laraza.com

Archivo Edición Ver Favoritos Herramientas Ayuda

La revista *ESPN Deportes* ahora en español

La publicación mensual viene a ser una opción de información en el mundo deportivo para el lector latino.

Entrevistas a destacados jugadores, deportes
extremos e imágenes de acción, son tan sólo
una parte de lo que ofrece desde agosto *ESPN
Deportes La Revista*. Lino García, gerente
5 general del canal ESPN Deportes,
__1.__ (*explicar*) que ya es tiempo de que __2.__
(*haber*) una revista impresa en español que
le __3.__ (*brindar*) a los fanáticos deportivos
una variedad de deportes al igual que __4.__
10 (*hacerse*) por la televisión. La publicación __5.__
(*presentar*) en su primera portada de agosto
al basquetbolista argentino Manú Ginóbili,
con el tema central de "Los 101 ídolos con
poder latino", y para este mes de septiembre
15 la portada es doble: el delantero del América,
Cuauhtémoc Blanco, __6.__ (*aparecer*) en la costa
oeste, y el primera base de los Cardenales de
San Luis, Albert Pujols, en la región del este,
"una táctica que se usará de vez en cuando",
20 __7.__ (*añadir*) el gerente general de *ESPN
Deportes*. *ESPN Deportes* __8.__ (*sacar*) provecho
de todo su equipo editorial para __9.__ (*tener*)
acceso a las mejores coberturas y __10.__ (*llevar*)
la información de primera mano. "Ha habido
25 otras revistas que __11.__ (*enfocarse*) en
diferentes deportes, pero no tienen la variedad
de fuentes de información y acceso que

tenemos nosotros porque __12.__ (*aprovechar*)
nuestra infraestructura, encapsulándola en
30 una revista de distribución mensual", __13.__
(*precisar*) Lino García. En cuanto al mercado
mexicano, Lino destacó la importancia de __14.__
(*seguirlo*) de cerca, ya que tienen una conexión
profunda debido a que se produce bastante
35 información desde México, y la prueba es
la portada de "Temo" Blanco. Pero no sólo
abunda la información en ese país, sino en toda
América Latina donde __15.__ (*desarrollarse*)
un deporte como el béisbol en la República
40 Dominicana, o los grandes futbolistas
brasileños.
"De esta forma el lector latino __16.__ (*tener*)
la oportunidad de seguir el mundo deportivo
a través de la revista, que es una extensión
45 del canal de televisión", puntualizó el gerente
general de ESPN Deportes.

16 Amplíe su vocabulario

Complete las frases utilizando la forma correcta de la palabra del recuadro que mejor convenga en cada caso.

mensual	destacado	impreso	fanático	portada
poder	cobertura	fuente	desarrollarse	puntualizar

1. Es importante leer varias ___ de información sobre una noticia antes de tener una opinión para poder valorarla con la mayor objetividad posible.
2. Los ___ del fútbol siguen con pasión cada partido y están enterados de todo lo que acontece en torno al ámbito futbolístico: resultados de los partidos, fichajes de jugadores, y noticias de última hora.
3. El comentarista ___ varios aspectos durante la tertulia que fueron clave para el desarrollo del debate.
4. Quería estar al día de las últimas tendencias de moda, y me suscribí a la revista ___ *Marie Claire*.
5. El corresponsal de la cadena de televisión nacional se desplazó hacia el lugar de la catástrofe para hacer una ___ en profundidad acerca del desastre natural que había acontecido hacía pocas horas.
6. El espectáculo ___ en el estadio donde muchos espectadores pudieron disfrutar de él.
7. Los grandes titulares de actualidad ocupan las primeras ___ de los periódicos.
8. Los libros digitales van ganando cada vez más terreno a los libros ___ en papel.
9. A lo largo de la historia muchos dignatarios han ejercido de abuso de ___.
10. ___ deportistas del ámbito español son hoy noticia por ser los mejores en su disciplina: Rafael Nadal, Pau Gasol, Alberto Contador, Fernando Alonso y Dani Pedrosa.

17 El infinitivo, el indicativo y el subjuntivo

Explique por qué usó cada uno de estos tiempos en las respuestas de la Actividad 15: el infinitivo, el indicativo y el subjuntivo.

18 "Tapitas" gramaticales

Conteste estas preguntas basadas en el artículo de la Actividad 15.

1. Dé una definición de los siguientes jugadores: *el basquetbolista, el delantero, el primera base* y *los futbolistas*. ¿Por qué se usa el artículo *el* o *los* con cada uno? ¿Cómo se llama al atleta que juega al béisbol?
2. ¿Cuál es la traducción de *en cuanto a*? Escriba otra expresión equivalente en español.
3. ¿Por qué se dice *el primera base* si la palabra *base* es femenina? ¿Por qué se dice *el tema* y *de primera mano*?
4. Explique por qué se usa *sino*, y no *pero*, en la frase "...no sólo abunda la información en ese país, sino en toda América Latina".

Cita

El deporte es iniciativa, perseverancia, búsqueda del perfeccionamiento, menosprecio del peligro.

—Pierre de Coubertin (1863–1937), fundador de los Juegos Olímpicos Modernos

¿Está de acuerdo con esta definición del deporte? Explique su respuesta con ejemplos que ilustren cada palabra de la definición. Comparta sus opiniones con un/a compañero/a.

¡Dato curioso!

La jineteada gaucha, jineteada argentina o doma gaucha es un deporte ecuestre tradicional de la Argentina, que integra la cultura folklórica de ese país, en particular la cultura gauchesca. El deporte consiste en que el jinete debe sostenerse por entre seis y quince segundos sobre un potro (bagual).

Investigue palabras clave: Pierre de Coubertin

Teacher Resources

Activity 5

Answers

16 1. fuentes; 2. fanáticos; 3. puntualizó; 4. mensual; 5. cobertura; 6. se desarrolló; 7. portadas; 8. impresos; 9. poder; 10. Destacados

17 *El infinitivo:* se usa el infinitivo después de una preposición: para tener/llevar, de seguirlo. El infinitivo no expresa por sí mismo número ni persona ni tiempo determinado. *El indicativo:* expresa acciones en el presente, pasado o futuro; expresa la realidad (la certeza y la verdad objetiva): explicó, se hace, presentó, aparece / aparecerá, añadió, saca / está sacando, se enfocan, aprovechamos, precisó, tendrá / va a tener / tiene. *El subjuntivo:* expresa una acción que está concebida como subordinada a otra, como un deseo del sujeto o como una hipótesis; es el modo de la irrealidad: haya, brinde, se desarrolle.

18 1. el basquetbolista, persona que juega baloncesto; el delantero, jugador de fútbol; la primera base, jugador de béisbol de la primera base; los futbolistas, jugadores de fútbol; Se usa *el* o *los* porque se refieren a los jugadores masculinos. El beisbolista; 2. *as far as;* en relación a; 3. Se refiere al *jugador* (palabra de género masculino) que defiende la primera base. *El tema* pertenece al grupo de palabras que provienen del griego y que son de género masculino aunque terminen en *-a*. *La mano* es una de las excepciones de las palabras que aunque terminan en *-o*, son de género femenino. 4. Se usa *sino* porque la primera parte de la oración es una negación. No se puede usar *pero* cuando hay un antecedente negativo.

Instructional Notes

17 Ask students to rewrite the sentence starting on line 4 in "La revista *ESPN Deportes* ahora en español" (*Lino García, gerente...*) so that the verbs presently in the present subjunctive will be in the imperfect subjunctive. (*Lino García, gerente... había explicado que ya era tiempo de que hubiera una revista impresa en español que le brindara... se hacía por la televisión.*)

Additional Activities

Composición
After students discuss the *Cita*, ask them to create another quote that defines sports.

Juego
Ask students to play *Aplausos o chasquidos* to practice the subjunctive. See p. TE24.

Answers

19 **Deportes**
el automovilismo *race-car driving*
el baloncesto, el básquetbol *basketball*
el béisbol *baseball*
el boxeo *boxing*
el ciclismo *cycling*
el esquí *skiing*
el fútbol, el balompié *soccer*
la gimnasia *gymnastics*
el golf *golf*
la lucha libre *wrestling*
la natación *swimming*
el patinaje *skating*
el remo *rowing*
el surf *surfing*
el tenis *tennis*

Atletas
el/la piloto de Fórmula 1 *Formula 1 driver*
el/la baloncestista, el/la basquetbolista *basketball player*
el/la beisbolista *baseball player*
el/la boxeador(a) *boxer*
el/la ciclista *cyclist*
el/la esquiador(a) *skier*
el/la futbolista *soccer player*
el/la gimnasta *gymnast*
el/la golfista *golfer*
el/la luchador(a) *wrestler*
el/la nadador(a) *swimmer*
el/la patinador(a) *skater*
el/la remero/a *rower*
el/la surfista *surfer*
el/la tenista *tennis player*

20 1. ciclista, ciclismo; 2. patinaje, patinadores; 3. remo, remeros; 4. tenista, tenis; 5. gimnasia, gimnastas; 6. natación, nadadores; 7. beisbolistas, béisbol; 8. golfista, golf; 9. boxeador, boxeo; 10. futbolistas, Fútbol, balompié;

Idioma

19 Familia de palabras

Complete la tabla con el deporte, la persona que lo juega y la traducción correspondiente.

Deportes		Atletas	
el automovilismo		el/la piloto de Fórmula 1	*Formula 1 driver*
el baloncesto, el básquetbol	_____	el/la baloncestista, el/la basquetbolista	_____
el béisbol	_____	el/la beisbolista	_____
el boxeo	*boxing*	el/la boxeador(a)	_____
el ciclismo		el/la ciclista	_____
el esquí	*skiing*	el/la esquiador(a)	_____
el fútbol, el balompié	_____	_____	_____
la gimnasia	_____	_____	_____
el golf	_____	_____	_____
la lucha libre	_____	_____	_____
		el/la nadador(a)	_____
_____	_____	el/la patinador(a)	_____
el patinaje	_____	el/la remero/a	_____
el remo	*rowing*		
el surf			
_____	_____	el/la tenista	_____

20 ¿Cuál es el deporte?

Complete las oraciones usando las palabras de la tabla.

1. Miguel Indurain, un ___ español, fue ganador del Tour de Francia durante cinco años consecutivos (1991–1995). El Tour de Francia es una competencia de ___ durante tres semanas en el mes de julio por toda Francia.
2. Hay dos tipos de ___: sobre ruedas y sobre hielo. Los ___ sobre hielo compiten en el hockey.
3. En el deporte del ___, hay un banco fijo en una embarcación y los ___ propulsan la embarcación con el torso y los brazos.
4. Rafael Nadal, un ___ español de Mallorca, ganó el campeonato de ___ en tierra batida en Roland Garros en París en 2005.
5. Se reconoce a los equipos femeninos y masculinos rusos de ___ como los mejores del mundo. Los ___ compiten en barras paralelas, anillos y barra fija.
6. La ___ es un deporte acuático muy popular, y los ___ pueden practicarla sin equipo especial.
7. Sammy Sosa nació en la República Dominicana y se le considera uno de los mejores ___ de las Grandes Ligas de ___. Tanto él como Mark McGwire batieron el récord de cuadrangulares en la temporada de 1998.
8. Severiano "Seve" Ballesteros era un destacado ___ español en las décadas de los ochenta y noventa. Otro jugador de ___ español actual es Sergio García, quien ha jugado contra Tiger Woods en varios torneos mundiales.
9. Teófilo Stevenson era un gran ___ cubano de los pesos pesados, logrando varias medallas de oro olímpicas (Munich en 1972, Montreal en 1976 y Moscú en 1980) y en diversos campeonatos mundiales de ___. Participó en 321 combates de los que ganó 301 y nunca perdió por *knockout*.
10. David Beckham de Inglaterra, Diego Armando Maradona de Argentina y Ronaldinho de Brasil son ___ que han representado a sus países en la Copa Mundial de ___. Ese deporte también se conoce como ___ en algunos países.

El golfista español Sergio García

11. Se dice que la ___ es más bien un tipo de entretenimiento que un deporte. Los ___ participan en peleas simuladas en vez de peleas de verdad.

12. En la temporada 2005, el ___ Fernando Alonso llegó a ser el primer español campeón del mundo y, además, el más joven de toda la historia del ___.

13. El ___ fue inventado en Springfield, Massachussets, en 1891 pero ahora hay ___ que juegan este deporte por todo el mundo. Dos famosos son Michael Jordan y Shaquille O'Neal. ___ es otro nombre de este deporte.

14. Hay muchas competiciones de ___ en Hawai y en Australia, donde las olas grandes retan a los ___.

15. Hay muchos tipos de ___: sobre la nieve, llamado nórdico o de fondo, y sobre el agua, llamado acuático. Los ___ se guían con bastones o con una cuerda detrás de un barco.

Dato curioso

El Clásico es el partido de fútbol que disputan el FC Barcelona y el Real Madrid y es la rivalidad más importante del fútbol español. Actualmente es el encuentro de fútbol entre clubes más seguido del mundo con aproximadamente 400 millones de espectadores logrando colocarse entre los tres acontecimientos deportivos más importantes del mundo sólo por detrás de la final de la Copa Mundial de fútbol 2010 y de los Juegos Olímpicos de Beijing 2008 que llegaron a 700 y 600 millones de espectadores respectivamente.

Cita

En el nombre de todos los competidores, yo prometo que nosotros participaremos en estos Juegos Olímpicos, respetando y cumpliendo las reglas que lo gobiernan, en el verdadero espíritu deportivo, por la gloria del deporte y el honor de nuestros equipos.
—Del Juramento Olímpico, escrito por el Barón de Coubertin hace más de cien años

¿Piensa que los atletas olímpicos modernos siguen respetando los ideales del Barón?

Compare

¿Qué se piensa en EE.UU. del fútbol? ¿Tiene el mismo impacto? ¿Por qué? ¿Cuáles son los dos grandes rivales en diferentes deportes en este país?

21 Atenas

Lea el artículo y decida qué forma de las palabras entre paréntesis es la correcta para completar cada oración. Después conteste las siguientes preguntas:

- ¿Cuál es el propósito del artículo?
- ¿Cómo resumiría el artículo en una frase?

| ◀ ▶ | **Dirección** | www.laraza.com | ⌂ Q▾ | ☀ |

□ Archivo Edición Ver Favoritos Herramientas Ayuda

Lamentan que Atenas no haya "copiado" a Barcelona

La ministra **1.** (*griego*) encargada de la preparación de los Juegos Olímpicos de Atenas en 2004, Fanny Palli [5] Pétralia, deploró en la capital griega que Atenas no **2.** (*saber*) "copiar" a Barcelona para prepararse mejor para recibir la justa y aprovechar [10] la oportunidad para una **3.** (*bueno*) urbanización de la

ciudad. Atacando nuevamente los atrasos producidos durante el precedente gobierno **4.** [15] (*socialista*), la ministra indicó que "todos los griegos hubiéramos debido trabajar a partir del año 2000 sobre una base de planificación más [20] **5.** (*preciso*)".

"No era necesario inventar, bastaba con el precedente de Barcelona; si **6.** (*copiar*) esa planificación, se habría gastado [25] menos dinero y la ciudad **7.** (*ateniense*), al igual que el resto de Grecia, **8.** (*tener*) un aspecto diferente", agregó.

Investigue palabras clave:
Juegos Olímpicos 1992,
Juegos Olímpicos 2004,
Juegos Olímpicos 2008
Juegos Olímpicos 2012

Answers

20 11. lucha libre, luchadores; 12. piloto de Fórmula 1, automovilismo; 13. baloncesto (básquetbol), baloncestistas (basquetbolistas), Básquetbol (Baloncesto); 14. surf, surfistas; 15. esquí, esquiadores

21 1. griega; 2. había sabido; 3. buena; 4. socialista; 5. precisa; 6. hubiéramos (hubiésemos) copiado; 7. ateniense; 8. hubiera (hubiese) tenido

Instructional Notes

Ask students to define the antecedent of *nosotros* in the Olympic oath mentioned in the *Cita*. Encourage students to search the Internet in order to cite examples that have placed the values of the Olympic Games in jeopardy.

Additional Activities

Comunicación

After students have researched the Olympic Games in Barcelona and Athens, engage them in a discussion to describe the triumphs and problems these cities encountered while organizing and hosting the Summer Olympics, as well as some of the highlights of the Games. Students could do additional research and comparisons including the Olympic Games in London.

Juego

Ask students to play *Cadena de palabras* and/or *Voluntario, derecha e izquierda*. See pp. TE24 and TE25.

22 ¿Qué significa?

Empareje las palabras de la primera columna con su definición o sinónimo en la segunda.

1.	encargado	a.	ser suficiente
2.	deplorar	b.	de Atenas
3.	justa	c.	añadir
4.	atraso	d.	a cargo de
5.	bastar	e.	competición
6.	ateniense	f.	lentitud
7.	agregar	g.	lamentar

¡Dato curioso! En 1988, Barcelona empezó a prepararse para los Juegos Olímpicos de 1992. Construyeron y restauraron estadios; organizaron una serie de eventos para divulgar las culturas catalanas y españolas entre los turistas. Cataluña también exigió que el catalán se incluyera entre las lenguas oficiales de las Olimpiadas. El evento logró batir un récord con la asistencia de 172 delegaciones.

23 Lea, escriba/presente

Vuelva a leer el Dato curioso sobre Barcelona y el artículo de la Actividad 21. Luego escriba una tabla en la cual exponga las buenas preparaciones que hicieron en Barcelona para los Juegos Olímpicos. A continuación, escriba tres oraciones que empiecen así: "Si yo hubiera sido el/la ministro/a griego/a encargado/a de los Juegos Olímpicos de Atenas 2004, yo..." Termine las oraciones analizando las buenas preparaciones barcelonesas que Ud. indicó en la tabla. Por último, presente su trabajo a sus compañeros de clase.

24 Río de Janeiro

Lea el artículo y decida qué forma de las palabras entre paréntesis es la correcta para completar cada oración. Después, resuma lo que leyó en una frase.

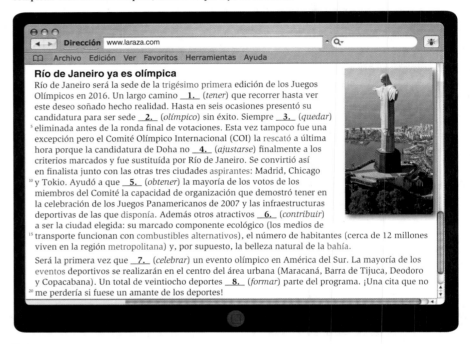

Dirección www.laraza.com

Archivo   Edición   Ver   Favoritos   Herramientas   Ayuda

Río de Janeiro ya es olímpica

Río de Janeiro será la sede de la trigésimo primera edición de los Juegos Olímpicos en 2016. Un largo camino __1.__ (*tener*) que recorrer hasta ver este deseo soñado hecho realidad. Hasta en seis ocasiones presentó su candidatura para ser sede __2.__ (*olímpico*) sin éxito. Siempre __3.__ (*quedar*)
5 eliminada antes de la ronda final de votaciones. Esta vez tampoco fue una excepción pero el Comité Olímpico Internacional (COI) la rescató a última hora porque la candidatura de Doha no __4.__ (*ajustarse*) finalmente a los criterios marcados y fue sustituída por Río de Janeiro. Se convirtió así en finalista junto con las otras tres ciudades aspirantes: Madrid, Chicago
10 y Tokio. Ayudó a que __5.__ (*obtener*) la mayoría de los votos de los miembros del Comité la capacidad de organización que demostró tener en la celebración de los Juegos Panamericanos de 2007 y las infraestructuras deportivas de las que disponía. Además otros atractivos __6.__ (*contribuir*) a ser la ciudad elegida: su marcado componente ecológico (los medios de
15 transporte funcionan con combustibles alternativos), el número de habitantes (cerca de 12 millones viven en la región metropolitana) y, por supuesto, la belleza natural de la bahía.

Será la primera vez que __7.__ (*celebrar*) un evento olímpico en América del Sur. La mayoría de los eventos deportivos se realizarán en el centro del área urbana (Maracaná, Barra de Tijuca, Deodoro y Copacabana). Un total de veintiocho deportes __8.__ (*formar*) parte del programa. ¡Una cita que no
20 me perdería si fuese un amante de los deportes!

25 Amplíe su vocabulario

Mire las palabras de la primera columna, que aparecen en el artículo anterior, y busque su definición o sinónimo en la segunda.

1. trigésimo primero
2. rescatar
3. aspirante
4. disponer de
5. alternativos
6. metropolitano
7. bahía
8. evento
9. cita

a. no fósiles
b. entrada de mar en la costa
c. acontecimiento
d. encuentro
e. que trata de conseguir algo
f. contar con
g. número 31
h. perteneciente al conjunto urbano formado por la ciudad y sus suburbios
i. recuperar

26 Lea, escuche y escriba/presente

Vuelva a leer el texto completo de la Actividad 24. Luego escuche "Beijing ya se alista para las Olimpiadas" y tome las notas necesarias. Escriba un ensayo o haga una presentación en clase sobre "El proceso de organizar los Juegos Olímpicos". No se olvide de citar las fuentes debidamente.

Estrategia
Escribir un ensayo implica presentar su opinión sobre un tema con datos que convencen y que se expresan con claridad y brevedad. Trate de organizar lo que va a decir antes de empezar a escribirlo.

Compare

¿Puede pensar en algún deporte que haya sido creado en los EE.UU.?

Cita

Si todos los días fueran fiestas deportivas, entonces el deporte sería tan aburrido como el trabajo.

—William Shakespeare (1564–1616), poeta y dramaturgo inglés

¿Por qué es importante tener una variedad de actividades en su vida? ¿Qué quiere decir Shakespeare cuando habla de fiestas deportivas? ¿Es el deporte solamente diversión? ¿Qué otras cosas son los deportes? Comparta sus opiniones con un/a compañero/a.

¡Dato curioso!

En 1974 un millonario, Alfonso, viajó a México invitado por un amigo; éste había creado un deporte nuevo, el pádel. Alfonso, a su regreso a España, hizo algunos cambios y construyó la primera cancha de pádel de España en la ciudad de Marbella. Enseguida sus amigos del *Jet-set* se aficionaron, y el éxito del deporte se extendió. En 1975 un amigo de Alfonso decidió exportarlo a Argentina donde se convirtió en uno de los deportes más practicados del país. En los siguientes años su popularidad se extendió a otros países latinoamericanos. Su influencia ha llegado a América del Norte también donde cuenta con aficionados entre los estadounidenses y canadienses.

Teacher Resources

🎧 Activity 26

Answers

25 1. g; 2. i; 3. e; 4. f; 5. a; 6. h; 7. b; 8. c; 9. d

Instructional Notes

26 You might want to review the following words with students before they listen to the audio: *mascota*, mascot; *antorcha*, torch; *golondrina*, swallow (bird); *lapicero*, pencil holder; *oscilar*, to vary.

After students discuss the *Cita* with their partners, engage the whole class in a discussion of the role that sports play in their lives.

Additional Activities

¡Post-it!
See p. TE28.

Juego
Ask students to play *Hablar hasta por los codos*.
See p. TE24.

27 Los Juegos Olímpicos Modernos

Lea el artículo y decida cuál de las dos palabras entre paréntesis es la correcta para completar cada oración. Después conteste las siguientes preguntas:

- ¿Cuál es el propósito del artículo?
- ¿Qué pregunta sería apropiada para hacerle al autor después de leer el artículo?

Pensamientos y postulados del Barón Pierre de Coubertin

En doscientos tres países se está celebrando la Semana Olímpica en homenaje al Barón Pierre de Coubertin, restaurador de los Juegos Olímpicos Modernos. Coubertin **1.** (*creía /creyó*) que
⁵ se mejoraría la formación y rendimiento de los ciudadanos de Francia, su país natal, que había sido **2.** (*derrotado / derrotados*) en la guerra franco-prusiana. El 23 de junio de 1894, en la Universidad de la Sorbona de París, Coubertin
¹⁰ **3.** (*proponía / propuso*) el restablecimiento de los Juegos Olímpicos fundamentado en el pasado histórico de los antiguos juegos que se habían celebrado en Grecia. El éxito de estos juegos
¹⁵ se fundamenta en principios y postulados de **4.** (*grande / gran*) profundidad filosófica que han sido motivo de estudios y análisis **5.** (*por / para*) mucho tiempo.
²⁰ Coubertin decía que la actividad muscular es productora y generadora de alegría, energía y pureza, que deben ser **6.** (*puesta / puestas*) también al alcance de los más
²⁵ humildes porque el movimiento olímpico es puro, integral y democrático. "El olimpismo es una filosofía de vida que exalta y combina las cualidades del cuerpo, la voluntad y el espíritu,
³⁰ **7.** (*basado / basados*) en la alegría del esfuerzo,

el valor educativo del buen ejemplo y el respeto de los principios éticos fundamentales, y tiene como objetivo contribuir a la construcción de un mundo **8.** (*bueno / mejor*) y más pacífico
³⁵ sin discriminación de **9.** (*ningún / ninguna*) clase"... Algunos de sus conceptos han quedado obsoletos como **10.** (*él / el*) que dice: "Lo importante no sólo son los triunfos sino el combate, y lo esencial no es haber vencido sino
⁴⁰ haber luchado **11.** (*bueno / bien*)". ¿Están fuera de tiempo y de contexto? Yo digo que ahora más que nunca **12.** (*tienen / tengan*) vigencia. El noble francés fue creador de la bandera
⁴⁵ del Comité Olímpico Internacional, que tiene un fondo blanco con cinco anillos entrelazados que **13.** (*representa / representan*) la unión de los cinco continentes
⁵⁰ y el encuentro de **14.** (*los / las*) atletas del mundo, con los colores que se encuentran en las banderas de cada nación. El olimpismo es la escuela de la nobleza y pureza
⁵⁵ moral, que eleva el concepto del honor y respeto. Uno de los últimos mensajes de Coubertin fue: «¡Esforzaos en **15.** (*manteniendo / mantener*) la llama sagrada!»

www.efdeportes.com

---

28 ¿Qué significa?

Empareje las palabras de la primera columna con su definición, sinónimo o descripción de la segunda columna.

1. postulado
2. en homenaje
3. restaurador
4. rendimiento
5. derrotar
6. proponer
7. al alcance de
8. olimpismo
9. esfuerzo
10. tener vigencia
11. anillos entrelazados
12. llama sagrada

a. símbolo de los Juegos Olímpicos
b. vencer
c. proposición que se admite sin evidencia
d. hacer una propuesta
e. ánimo, vigor
f. estar al día
g. se apaga después de los Juegos Olímpicos
h. resultado o utilidad
i. en honor a una persona
j. todo lo relacionado con los Juegos Olímpicos
k. disponible a
l. el que restaura

29 Lea y escriba/presente

Vuelva a leer el texto completo anterior. Luego busque más información en Internet, u otras fuentes, sobre el Barón de Coubertin y el papel que jugó en establecer los Juegos Olímpicos Modernos y tome las notas necesarias. Escriba un ensayo o haga una presentación en clase sobre "El espíritu olímpico del Barón de Coubertin: los problemas que confronta la ciudad organizadora de los Juegos Olímpicos hoy en día". No se olvide de citar las fuentes debidamente.

30 Los deportes

Lea el artículo y decida cuál de las palabras entre paréntesis es la correcta para completar cada oración. Después conteste las siguientes preguntas:

- ¿Cómo resumiría el artículo en una frase?
- Si quisiera consultar otra fuente, ¿podría pensar en un posible título de una publicación?

Significado y alegría en el deporte en América Latina

A través de América Latina —definida como todo lo que hay en el continente americano al sur de Estados Unidos— no hay duda de que el más __1.__ (*aburrido / popular*) participante
5 y espectador de deportes se queda en el fútbol, aunque el baseball, el cricket, el básquetbol, el rugby, el voleyball, el boxeo, las pruebas atléticas, las carreras de caballos, las carreras de autos y otros apasionan a un __2.__ (*pequeño /*
10 *significativo*) número de devotos en diferentes partes de esta área geográfica. Lo que no queda claro son las razones de __3.__ (*por qué / porque*) ciertos deportes en los últimos tres siglos pasaron a ser tan populares en algunos lugares
15 y el significado que dichos deportes tienen actualmente en sus diferentes dominios... Acá hay una pequeña razón para dudar que el fútbol __4.__ (*era / fuera*) introducido en la región del Río de la Plata por una mezcla de comerciantes
20 ingleses, ingenieros, maestros y marineros, luego esparcido, primero, entre las elites locales y, casi al __5.__ (*algún / mismo*) tiempo, entre las clases trabajadoras, a menudo entre la juventud que pateaba __6.__ (*balones / pelotas*) de trapo
25 en los potreros, áridos espacios en ciudades emergentes como Buenos Aires y Montevideo. Específicamente en Argentina, desde 1880 __7.__ (*a / hasta*) 1910, el fútbol más manifiesto era dominado por los colegios ingleses y sus
30 graduados, mientras los locales, __8.__ (*cuyo / cuya*) calidad fue expandida por una siempre creciente ola de inmigrantes, se empeñaron __9.__
35 (*de / en*) encontrar suficientes espacios abiertos (potreros) para imitar el juego de los señores ingleses, si no sus valores y significados... La

difusión del juego nacional de América, como el fútbol y otros deportes modernos, a menudo recorrió diferentes caminos __10.__ (*por / para*) diferentes lugares, y las consecuencias fueron,
40 __11.__ (*con / por*) frecuencia, también diferentes. El baseball aparentemente llegó a distintas partes de México a través de __12.__ (*dos / tres*) caminos: hacia el norte directamente desde los Estados Unidos, llevado __13.__ (*por / para*)
45 los ingenieros, los mineros, los comerciantes y la población local en ambas márgenes del río Grande; y hacia la península de Yucatán, principalmente __14.__ (*desde / hacia*) Cuba, intensificado por grandes inversiones
50 estadounidenses en la importación de henequén a fines __15.__ (*de / por*) los años 1800, para pasar a ser, para muchos, "El Rey de los Deportes".

El fútbol argentino, como cualquier fútbol latinoamericano, está manipulado en parte __16.__
55 (*por / para*) la FIFA y por los acaudalados clubes europeos.

www.efdeportes.com

Investigue palabras clave:
fútbol (historia de), béisbol (historia de)

Answers

30 1. popular; 2. pequeño; 3. por qué; 4. fuera; 5. mismo; 6. balones; 7. hasta; 8. cuya; 9. en; 10. por; 11. con; 12. dos; 13. por; 14. desde; 15. de; 16. por

Instructional Notes

29 Have students review the articles and recordings on Barcelona, Athens, and Beijing before they reread the article on Baron de Coubertin and write their essays.

30 Ask students why they think some sports are popular in only certain parts of the world. You might wish to cite the example of soccer, which is perhaps the most popular sport in the world, yet in the United States, it does not have the popularity of football, basketball, or baseball.

You might mention that the English word *baseball* is used in the article instead of *béisbol*, and that *voleyboll* is used instead of the more traditional spelling *vóleibol* or the less common *balonvolea*.

Teacher Resources

 Activity 32

Answers

31 1. e; 2. f; 3. b; 4. i; 5. m; 6. c; 7. j; 8. k; 9. d; 10. l; 11. h; 12. g; 13. a

Instructional Notes

32 You might want to review the following words with students before they listen to the audio: *ejemplarizante*, exemplary; *rimar*, to rhyme; *vislumbrar*, to make out/discern; *estatal*, state; *invertir*, to invest; *ramo*, bouquet.

After students discuss the *Cita* with their partners, encourage a classroom discussion on the importance of teamwork and the students' own experiences as team members, whether it be in sports, while volunteering, or while working on a school project.

Additional Activities

Trabajo de investigación

Ask students to work in small groups and search the Web for information on the World Cup and the *Copa América* in soccer. You could assign different facts for them to research, including the history of these championships, the winners, which countries hosted these games, and how the teams are chosen.

Encuesta

See p. TE27.

Juego

Ask students to play *¿Quién quiere ser millonario?* See p. TE25.

316

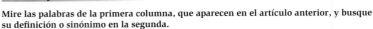

31 Amplíe su vocabulario

Mire las palabras de la primera columna, que aparecen en el artículo anterior, y busque su definición o sinónimo en la segunda.

1.	prueba atlética	a.	que tiene muchos bienes
2.	carrera	b.	aficionado
3.	devoto	c.	dar golpes con los pies
4.	dominio	d.	ascendente avalancha
5.	esparcido	e.	competición deportiva
6.	patear	f.	competición de velocidad
7.	de trapo	g.	planta de donde a partir del líquido azucarado de su tronco se hace el pulque
8.	potrero		
9.	creciente ola	h.	los dos
10.	recorrer	i.	territorio
11.	ambos	j.	tela
12.	henequén	k.	sitio destinado a la cría y pasto de ganado caballar
13.	acaudalado	l.	transitar por un espacio o lugar
		m.	extendido

32 Lea, escuche y escriba/presente

Vuelva a leer el texto completo anterior, y luego escuche "La historia y la geografía: dos perspectivas para entender mejor el fútbol". Escriba un ensayo o haga una presentación en clase sobre "La pasión por el fútbol en América Latina". No se olvide de citar las fuentes debidamente.

Cita

El éxito de un equipo o de una organización es el resultado de los esfuerzos colectivos de los individuos.
　　—Vincent Lombardi (1913–1970), jugador y entrenador de fútbol americano

 ¿Por qué es tan importante el trabajo en equipo? Cite ejemplos de la vida deportiva, de las empresas y de la política que apoyen su opinión. ¿Por qué prestamos tanta atención a las "estrellas" en el mundo de los deportes, y no al trabajo de todo el equipo? ¿Le parece bien? ¿Por qué? Comparta sus opiniones con un/a compañero/a.

¡Dato curioso!

La primera Copa Mundial de Fútbol se jugó en 1930 en Uruguay porque los uruguayos habían ganado la medalla de oro en fútbol durante los Juegos Olímpicos de 1924 y 1928. Uruguay ganó esta primera Copa y la de 1950, cuando derrotó a Brasil. Brasil ganó la Copa cinco veces (1958, 1962, 1970, 1994 y 2002), e Italia, cuatro: en 1934, 1938, 1982 y 2006. Alemania obtuvo la victoria tres veces, en 1954, 1974 y 1990, y Argentina dos: en 1978 y 1986.

Maradona y el equipo nacional de Argentina celebran su victoria en la Copa Mundial.

 Compare

¿Puede pensar en partidos (o acontecimientos) históricos donde los esfuerzos colectivos hayan conseguido un gran éxito?

¡A leer!

33 Antes de leer

¿Qué sabe Ud. de los Juegos Olímpicos Antiguos? ¿Cómo serían estos juegos? ¿Dónde y por qué los realizaron? ¿Quiénes los organizaron en los años antes de Cristo (a. de J. C.)?

34 Los juegos

Lea con atención el texto que sigue. Intente averiguar el significado de las palabras en azul por el contexto, ya que se le harán preguntas sobre ellas.

LOS JUEGOS OLÍMPICOS DE LA ANTIGÜEDAD

Lic. Mario Ramírez Alfonso, Lic. Gustavo A. Oliveros Soriano,
Fausto Cabrera Martínez, Edel Martín Romo y Carlos Baños Prieto

La práctica del deporte es uno de los mejores medios que existen al alcance de los hombres para mejorar su salud y establecer contacto directo con la naturaleza (A). En
⁵los pueblos más primitivos los ejercicios corporales tenían como finalidad principal la del propio sostenimiento y desarrollo de la capacidad defensiva de los hombres (B), pues en las continuas luchas en que éstos
¹⁰se veían involucrados para asegurar su existencia cotidiana y para aumentar su poderío material, estaban obligados a hacer uso de sus potencialidades físicas, para imponerse en los combates que efectuaban. Sin embargo, en la
¹⁵antigua Grecia fue donde los ejercicios atléticos adquirieron una importancia superior, tanto en el orden educativo como en el estético, el moral y el religioso (C). Ésta fue una de las grandes y trascendentales tareas que el pueblo
²⁰griego se impuso, emprendió y realizó con una eficacia y brillantez hasta entonces desconocida (D). Así surgieron los Juegos Olímpicos Antiguos (J.O.A.). Se plantea la idea
²⁵que se realizaron por primera vez en el año 776 antes de nuestra era, en homenaje al dios supremo de los griegos, Zeus, y se realizaban en Olimpia.

³⁰El origen de estos juegos era místico y divino; muchos afirman que el fundador fue Pelops, pero también

³⁵se le atribuye la paternidad a Hércules. Los historiadores e investigadores suponen que se realizaban entre los meses de julio, agosto y septiembre. Estos juegos olímpicos se celebraban cada cuatro años y su realización servía a los
⁴⁰griegos como base y cómputo de los años; los años que mediaban entre unos juegos y otros se les denominaban Olimpiadas.

Los atletas que iban a tomar parte en los juegos debían inscribirse previamente en las pruebas en
⁴⁵las que deseaban participar, después de haber demostrado y solemnemente jurado hallarse en posesión de los requisitos exigidos.

Los árbitros, jueces u oficiales de los juegos eran magistrados; sus funciones eran
⁵⁰múltiples y comenzaban diez meses antes de la competencia; tenían que comprobar que los atletas inscritos reunían las condiciones reglamentarias, organizar las relaciones de
⁵⁵los competidores en los distintos eventos, velar por el buen estado de la sede y estadios de los juegos, presidir los juegos, los
⁶⁰desfiles y los banquetes oficiales, proclamar a los vencedores, otorgar los premios y hacer los sacrificios divinos.

www.efdeportes.com

Teacher Resources

Activities 8–17

Instructional Notes

33 Before students begin reading and discussing these questions, you might want to have volunteers research some facts and history about the Ancient Olympic Games and ask them to share this information with the class.

Additional Activities

Compare

Ask the students to compare in small groups the Olympic Games in the past with the current ones. They might include in their discussion topics such as events, prizes, ceremonies, etc.

Nota cultural

Los griegos clásicos consideraban el deporte una manifestación de belleza y fortaleza. Los atletas vencedores eran considerados como unos auténticos héroes. Ser atleta en aquellos tiempos era casi más importante de lo que es ahora, puesto que los deportistas eran de una clase noble. La carrera se consideraba el ejercicio más noble y se practicaba en carro, a caballo o a pie. Las carreras de a pie eran las más populares y los atletas se entrenaban corriendo sobre arena para fortalecer las piernas. Así, cuando tenían que correr sobre la tierra firme de los estadios, les pareció una maravilla.

Answers

35 1. h; 2. i; 3. p; 4. l; 5. n; 6. j; 7. q; 8. o; 9. a; 10. b;
11. e; 12. r; 13. f; 14. s; 15. d; 16. k; 17. c; 18. m; 19. g

36 1. b; 2. a; 3. a; 4. c; 5. d;

35 Amplíe su vocabulario

¿Cuál es la mejor traducción?

1. sostenimiento
2. involucrado
3. cotidiano
4. poderío
5. imponerse
6. estético
7. emprender
8. eficacia
9. brillantez
10. realizarse
11. místico
12. cómputo
13. mediar
14. previamente
15. jurar
16. hallarse
17. requisito exigido
18. velar por
19. otorgar

a. brilliance
b. to accomplish
c. demanded requirement
d. to uphold
e. mystic
f. to intervene, come between
g. to grant
h. maintenance
i. involved
j. aesthetics
k. to find oneself
l. power
m. to watch out for
n. to impose
o. effectiveness
p. everyday
q. to undertake
r. calculation
s. previously

Las ruinas del campo de entrenamiento de los Juegos Olímpicos Antiguos en Olimpia, Grecia

36 ¿Ha comprendido?

1. ¿Cuál es una de las mejores maneras de ponerse en contacto con la naturaleza?
   a. Seguir la vida del hombre primitivo
   b. Practicar un deporte
   c. Caminar
   d. Ser espectador de los deportes

2. ¿Para qué hacía el hombre primitivo ejercicios físicos?
   a. Para defenderse
   b. Para proteger a su familia
   c. Para sostenerse
   d. Para mantenerse en forma

3. ¿Por qué luchaba el hombre primitivo?
   a. Para defenderse
   b. Para prepararse para la guerra
   c. Para desarrollar su capacidad mental
   d. Todas las respuestas anteriores

4. ¿Cuál sería un buen resumen del primer párrafo?
   a. La vida rutinaria del hombre primitivo
   b. El hombre primitivo y el deporte
   c. Los orígenes del deporte
   d. La naturaleza y el deporte

5. ¿Qué importancia daban los griegos al ejercicio físico?
   a. Era una actividad religiosa.
   b. Era una actividad educativa.
   c. Era una actividad estética.
   d. Todas las respuestas anteriores

Nota cultural

Como los atletas de hoy, los griegos clásicos se ocupaban de la alimentación. Al principio, no se les permitía tomar carne, y sólo comían queso, nueces e higos secos. En los tiempos de Hipócrates (460–332 a. de J. C.) empezaron a tomar tocino, carne de vaca y pan sin levadura. No había vitaminas en aquellos años, pero los atletas se aprovechaban de los diferentes medicamentos y extractos de plantas para mejorar su rendimiento en las competiciones.

6. ¿Por qué surgieron los Juegos Olímpicos Antiguos?
   a. Los griegos querían unir a todos sus pueblos.
   b. Los griegos querían celebrar el verano con algo especial.
   c. Pelops y Hércules buscaban apoyo político y sugirieron la idea de competir en juegos antiguos.
   d. Los griegos querían reconocer a su dios supremo con las Olimpiadas.

7. ¿Cómo era la participación de los atletas?
   a. Mística y moral
   b. Solemne y honorable
   c. Al azar y sin preparación
   d. Basada en la política del día

8. ¿Cómo era la participación de los árbitros, jueces u oficiales?
   a. Era sencilla, pues no hacían mucho.
   b. Servía para apoyar a sus favoritos.
   c. Era al azar y sin mucha responsabilidad.
   d. Era complicada y con mucha responsabilidad.

9. ¿Cuál es el tema principal del artículo?
   a. Los primeros Juegos Olímpicos Antiguos
   b. Los griegos de 776 a. de J. C.
   c. Homenaje a Zeus
   d. Los griegos y el deporte

10. ¿Cuál sería otro buen título para este artículo?
    a. El desarrollo del hombre primitivo
    b. Los hombres primitivos y el deporte
    c. El origen de los Juegos Olímpicos
    d. Los atletas antiguos

37 ¿Cuál es la pregunta?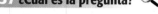

Según el artículo que acaba de leer, escriba una pregunta lógica para estas respuestas.

1. Mejorar su salud
2. Aumentar su poderío material
3. Con eficacia y brillantez
4. En el año 776 antes de nuestra era
5. En Olimpia
6. A Pelops y Hércules
7. Los años que mediaban entre unos juegos y otros
8. Inscribirse previamente
9. Diez meses antes de la competencia
10. Construir un estadio (¡Cuidado!)

38 ¿Qué piensa?

¿Cuáles eran las siete funciones de los árbitros, jueces u oficiales de los Juegos Olímpicos Antiguos? En su opinión, ¿cuál era la más importante? ¿La menos importante? ¿Por qué? Comparta su opinión con la de un/a compañero/a.

Lección 6A   319

Nota cultural

En los juegos públicos, los atletas griegos jugaban prácticamente desnudos. Sólo llevaban una especie de ceñidor y un zapato que les cubría parte del pie y de la pierna. Los que ganaban solían recibir coronas, flores, caballos, vasos de cobre y, a veces, esclavos. Los poetas les dedicaban versos en su honor y los alababan.

Answers

39 1. Posición C, línea 18

Instructional Notes

Talk with students about the continuing popularity of the game of Quidditch. Encourage them to look for information in Spanish about the game such as the typical season in which it is played, a Spanish channel that broadcasts the competitions, where it is most popular, etc.

---

39 ¿Dónde va?

La siguiente frase se puede añadir al texto anterior: *porque los griegos tenían otra idea de practicar deportes.* ¿Dónde encajaría mejor la frase?

1. Posición A, línea 4
2. Posición B, línea 8
3. Posición C, línea 18
4. Posición D, línea 22

40 Antes de leer

¿Qué es el Quidditch? ¿Dónde escuchaste hablar por primera vez de él? ¿Conoces algunas reglas del juego? ¿Existe en la vida real o solo en el plano de la ficción?

41 El Quidditch

Lea con atención el siguiente artículo. Después conteste las siguientes preguntas:

- ¿Cuál es el propósito del artículo?
- ¿Qué pregunta sería apropiada para hacerle al autor después de leer el artículo?

¡Juguemos al Quidditch!

Desde que se diera a conocer el deporte Quidditch en la saga de Harry Potter entre los alumnos del Colegio Hogwarts de Magia y Hechicería, muchos colegios y universidades
5 lo practican, adaptando las reglas del juego y compitiendo entre ellos.

En las novelas de Harry Potter el Quidditch se juega en un campo oval con tres aros a cada extremo situados a distintos niveles. Se enfrentan
10 dos equipos de siete jugadores cada uno: tres cazadores, dos golpeadores, un guardián y un buscador. Todos montan sobre escobas mágicas y el juego acaba cuando un equipo atrapa la snitch dorada (pelota del tamaño de una pelota de tenis
15 muy rápida que tiene vida propia), pero gana el que tenga más puntos hasta ese momento (10 puntos cada vez que se pasa la pelota quaffle a través de cualquiera de los tres aros, y 150 puntos por atrapar la snitch dorada).

20 Según nos describe el libro, las reglas del juego se establecieron en 1750 por el Departamento de Deportes y Juegos Mágicos. Algunas de éstas son: los jugadores no pueden salirse del terreno de juego pero pueden volar tan alto cuanto deseen;
25 está prohibido hechizar a los jugadores, utilizar un objeto mágico o beber una poción mágica; y se permite el contacto entre ellos pero no pueden sujetar la escoba ni ninguna parte del cuerpo de otros jugadores.

30 Hay ligas profesionales de Quidditch y mundiales cada cuatro años entre las distintas naciones de magos. En el libro de *Harry Potter y el cáliz de fuego*, se celebra la final de la Copa Mundial entre Bulgaria e Irlanda, partido muy disputado, donde
35 finalmente se alza con la victoria Irlanda. Hoy en día los equipos universitarios juegan al Quidditch Muggle, una adaptación del juego arriba descrito. Las superficies pueden ser campos de tierra, de césped o de hockey. Los jugadores corren con
40 una escoba entre las piernas todo el tiempo. Los tres cazadores deben meter la quaffle por los aros; los golpeadores deben lanzar la pelota bludger contra el equipo contrario; el guardián se encarga de evitar que los cazadores del otro
45 equipo metan gol, y el buscador trata de atrapar la snitch antes que el buscador contrario. La snitch es una persona vestida toda de amarillo o dorado, a veces adornada con alas, que lleva la pelota en un calcetín. Cuando sale al campo el árbitro grita
50 "¡escobas arriba!" y comienza el partido.

Hay una Asociación Internacional de Quidditch donde hay alrededor de trescientos noventa equipos, la mayoría de Estados Unidos (con trescientos diecinueve). En el 2011 se celebrará la
55 quinta edición de la Copa Mundial de Quidditch en la ciudad de Nueva York. En ella participarán 100 equipos de cinco países diferentes. Será un festival donde comediantes, tiendas de magia, comida y música tendrán lugar durante dos días.
60 ¡Todo un evento para no perderlo de vista tanto para los curiosos como para los fanáticos de este mágico deporte!

42 ¿Qué significa?

Empareje las palabras de la primera columna con su definición o sinónimo de la segunda.

1. oval
2. aro
3. alzarse con algo
4. terreno de juego
5. hechizar
6. poción
7. césped
8. adornar
9. curioso
10. disputado

a. líquido que se bebe
b. ejercer una influencia maléfica con poderes y prácticas mágicas
c. ataviar
d. que tiene deseo de conocer
e. reñido
f. hierba que cubre el suelo
g. lugar en que se desarrolla un encuentro deportivo
h. pieza de metal u otro material en forma de circunferencia
i. apoderarse de
j. forma de elipse

43 ¿Ha comprendido?

1. ¿Cómo se juega al Quidditch en la novela de Harry Potter?
2. ¿Cuáles son las reglas del juego?
3. ¿Qué es la *snitch*?
4. ¿En qué libro de la saga hay una reñida final del mundial de Quidditch?
5. ¿Qué es el Quidditch Muggle? ¿En qué se diferencia del Quidditch de la novela?
6. ¿Cuándo y dónde se celebrará el siguiente Mundial de Quidditch? ¿Cómo será el evento?
7. ¿Cómo resumiría el artículo en una frase?

44 ¿Cuál es la pregunta?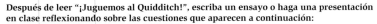

Según el artículo que acaba de leer, escriba una pregunta lógica para estas respuestas.

1. En la serie de novelas Harry Potter
2. Siete: un guardián, dos golpeadores, tres cazadores y un buscador
3. En 1750 por el Departamento de Deportes y Juegos Mágicos
4. No se puede hechizar a los jugadores o beber una poción mágica
5. Cada cuatro años

45 Lea y escriba/presente

Después de leer "¡Juguemos al Quidditch!", escriba un ensayo o haga una presentación en clase reflexionando sobre las cuestiones que aparecen a continuación:

- ¿Dónde cree que radica el éxito de llevar este juego al plano de la realidad?
- ¿Cree que es llevarlo demasiado lejos?
- ¿Hasta qué punto un libro puede marcar una tendencia o una moda?
- ¿Qué otros libros recuerda que hayan pasado los límites de la ficción?
- ¿Cree que será una tendencia que veremos cada vez a menudo?

¡Dato curioso!

El Tlachtli es el nombre azteca del juego de pelota practicado a lo largo de tres mil años por las culturas precolombinas mesoamericanas. Éste consistía en meter una pelota de goma maciza en unos aros de piedra situados a ambos lados de la pista, valiéndose únicamente de las piernas, caderas, codos y la cabeza. La pelota no podía tocar el suelo, y si lo hacía en el lado del equipo contrario, éste ganaba un punto. Este juego tenía un sentido ritual y religioso. Las canchas de juego se construían cerca de los templos. La pelota simbolizaba el sol, y los capitanes de los equipos, tanto ganadores como perdedores, eran en ocasiones sacrificados a los dioses.

Answers

42 1. j; 2. h; 3. i; 4. g; 5. b; 6. a; 7. f; 8. c; 9. d; 10. e

43 1. Se juega en un campo con forma oval con tres aros a cada lado. Dos equipos se enfrentan montando en escobas mágicas. Cada vez que la pelota pasa a través de uno de los tres aros el equipo gana un punto y 150 puntos si atrapa la *snitch*. El equipo que tiene más puntos cuando acaba gana. **2.** Los jugadores no pueden salirse del terreno de juego pero pueden volar tan alto cuanto deseen; está prohibido hechizar a los jugadores, utilizar un objeto mágico o beber una poción mágica; y se permite el contacto entre ellos pero no pueden sujetar la escoba ni ninguna parte del cuerpo de otros jugadores. **3.** La *snitch* es una pelota muy rápida que tiene vida propia. Es del tamaño de una pelota de tenis. **4.** En el de *Harry Potter y el caliz de fuego*. **5.** El Quidditch Muggle es una adaptación del juego de la novela en la que participan equipos universitarios. Las superficies pueden ser campos de tierra, de césped o de hockey. Los jugadores corren en lugar de volar con una escoba entre las piernas todo el tiempo. La *snitch* no es una pelota sino una persona vestida de amarillo o dorado, a veces adornada con alas, que lleva la pelota en un calcetín. **6.** En el 2011 se celebró la Copa Mundial de Quidditch en la ciudad de Nueva York. En ella participaron 100 equipos de cinco países diferentes. Duró dos días. **7.** Las respuestas variarán.

44 *Ejemplos:*
1. ¿Dónde se habla del Quidditch? **2.** ¿Cuántas posiciones hay por equipo? **3.** ¿Cuándo se establecieron las reglas del juego y por quién? **4.** ¿Cuáles son algunas de las reglas? **5.** ¿Cada cuántos años se celebran los mundiales de Quidditch?

Activity 47

Activity 18

Answers

47 1. c; 2. a; 3. c;

Instructional Notes

46 Ask students to research *el juego de la pelota* as played by the Mayans. You might check out the following sites before sharing them with students: http://tucuate.org/maquina/pelota.html or http://www.mexicomaxico.org/Tenoch/Tenoch2Tlachtli.htm

47 You might want to review the following words with students before they listen to the audio: *guerreros de la Serpiente Emplumada*, Plumed Serpent warriors; *esculpido*, sculpted; *dañino*, harmful/destructive; *petroquímico*, petrochemical; *tallado*, carved; *imponente*, imposing; *emprender*, to undertake; *legado*, legacy; *barbado*, bearded; *domo*, dome.

¡A escuchar!

46 Antes de escuchar

Antes de escuchar la grabación de la Actividad 47, lea el artículo que sigue, pero primero repase las palabras del recuadro.

la cancha *court*	originarse *to originate*	golpear *to hit*
el codo *elbow*	las rodillas *knees*	las nalgas *buttocks*
la cadera *hip*	los hombros *shoulders*	las fuerzas opuestas *opposing forces*
la oscuridad *darkness*		

El juego de pelota en Mesoamérica

El juego de pelota era un deporte, sí, pero con un simbolismo religioso muy profundo. La cancha de juego de pelota tenía una forma de *T* o de *I* mayúscula y se encontraba en todas las ciudades mayas, excepto en las más pequeñas. Se originó hacia el 2500 a. de J. C. El juego de pelota tuvo un papel ritual, político y posiblemente económico. El juego consistía en mantener
5 la pelota en movimiento y podía ser golpeada con los codos, las rodillas, las nalgas, la cadera, los hombros, la espalda y los brazos, pero no con las manos ni con los pies. Se podía usar la mano solamente para servir la pelota. El juego de pelota simbolizaba la lucha entre las fuerzas opuestas del universo; era la lucha entre el bien y el mal o entre la luz y la oscuridad.

www.tucuate.com

47 Guerreros de la Serpiente Emplumada

Esta grabación trata sobre el conflicto producido al querer mover unas columnas de los toltecas. La grabación dura aproximadamente 6 minutos. Lea las posibles respuestas primero y después escuche "Pueblo defiende guerreros de la Serpiente Emplumada". Escoja la mejor respuesta para cada pregunta. Después piense en cuál sería el título de una posible publicación que podría consultar si quisiera consultar otra fuente.

1. ¿Contra qué plan expresa el pueblo su desacuerdo?

   a. El pueblo no quiere que el gobierno destruya un templo antiguo.
   b. El pueblo quiere usar un templo antiguo para un juego moderno.
   c. Los residentes de Tula no quieren que se muevan algunas columnas con esculturas que formaban parte de un estadio de un antiguo juego de pelota.
   d. Los pobladores de Tula exigen que el gobierno haga copias de columnas con esculturas que formaban parte de un estadio de un antiguo juego de pelota.

2. ¿Por qué están de acuerdo con el plan algunos arqueólogos?

   a. Los arqueólogos temen que la contaminación del aire destruya las columnas con esculturas del templo.
   b. Los arqueólogos temen que mucho tráfico de turistas destruya las columnas con esculturas del templo.
   c. Los arqueólogos temen que la antigüedad de las estructuras destruya las columnas con esculturas del templo.
   d. Los arqueólogos dicen que sin esta acción no se puede renovar las columnas con esculturas del templo.

3. ¿Qué causa el daño?

   a. El tráfico de turistas
   b. El tráfico de arqueólogos
   c. La contaminación del aire producida por una fábrica de productos químicos
   d. Las respuestas a y c

4. ¿Qué desean los pobladores de Tula?

   a. Recrear réplicas de las columnas con esculturas del templo
   b. Poner las columnas originales con esculturas del templo en un museo
   c. Dejar las columnas en el pueblo
   d. Las respuestas a y b

5. ¿Quién era Quetzalcóatl?

   a. El dios del juego de pelota de Mesoamérica
   b. El dios guerrero de Mesoamérica
   c. El dios benevolente de Mesoamérica
   d. La reencarnación de Topiltzin

6. Cuando los aztecas vieron a Hernán Cortés por primera vez, ¿por quién lo tomaron?

   a. Por Topiltzin, una reencarnación de Quetzalcóatl
   b. Por Quetzalcóatl
   c. Una reencarnación de una serpiente emplumada
   d. El invasor barbado más feroz de Mesoamérica

7. ¿Cuál es uno de los propósitos para solucionar la crisis?

   a. Poner un observatorio de donde se pueda ver todo de lejos y no permitir a los turistas cerca de las columnas
   b. Mezclar el pasado con el presente: guardar dos columnas originales y reemplazar dos con copias
   c. Colocar un techo sobre las columnas
   d. Rediseñar el acceso a las columnas con nuevos senderos y nuevos puntos de observación

48 Antes de escuchar

Antes de escuchar la grabación de la Actividad 49, lea el artículo que sigue, pero primero repase las palabras del recuadro.

trasladar	to transfer	el muro	wall	tirar	to throw
la cesta	basket	atrapar	to trap	apostar	to bet

La pelota vasca

La pelota vasca tiene su origen en los tiempos de los aztecas. El conquistador español Hernán Cortés descubrió el juego en los templos aztecas hace unos quinientos años y lo trasladó a España. Allí, por muchos años, se conoció por el nombre *jai*
 ⁵ *alai*, una expresión vasca que quiere decir "festival alegre". Los vascos adaptaron el juego que introdujo Cortés a España según las condiciones del momento en el norte de España. Los vascos usaron los elementos de los aztecas: una pelota muy dura, tres muros muy altos (un frontón) y dos o cuatro
¹⁰ jugadores que tiraban la pelota contra un muro. Pero se tiraban la pelota tan rápidamente que los vascos introdujeron una cesta con una curva para atrapar la pelota y tirarla hacia el muro otra vez. El *jai alai* se conoció como el juego más rápido de todo el mundo por mucho tiempo. El juego llegó a los Estados Unidos pero cambió su objetivo otra vez. En varios estados, el frontón
¹⁵ estadounidense era el lugar de las apuestas en el deporte de los vascos. Debido a muchas dificultades financieras en los últimos veinte años, el frontón está desapareciendo poco a poco, y los únicos lugares para ver "la pelota vasca" son España y ciertos sectores de Europa.

www.elpais.es

Answers
47 4. c; 5. c; 6. a; 7. c

Additional Activities

Trabajo de investigación
After students read "La pelota vasca", ask volunteers to research more information on *jai alai* and prepare a short presentation for the class.

Teacher Resources

Activity 49
Activity 50

Answers

49 *Ejemplos:*

1. Es una entrevista en la que informan sobre los cambios de este deporte. 2. Las respuestas variarán. 3. Las respuestas variarán. 4. Ha sido un acontecimiento público, central para el establecimiento de relaciones entre los hombres. 5. Uno de los valores centrales de la pelota es la fuerza; sin esa fuerza no se juega bien. 6. Los cambios tienen que ver con la adecuación a la televisión, a los tiempos y a las exigencias del deporte. 7. Hay mucha gente que no entra en las estadísticas porque juega a la pelota sin licencia federativa y porque no va al frontón como espectador. 8. Forma un núcleo ideológico que hace que los vascos se sitúen de cierta manera frente al mundo con nobleza y con respeto a la autoridad.

Instructional Notes

49 You might want to review the following words with students before they listen to the audio: *vasco*, Basque; *acontecimiento*, happening; *esfera*, sphere; *frontón*, court where *pelota* is played; *Euskadi*, Basque region in Spain; *agónico*, agonizing/dying out.

50 Suggest that students reread the articles on pages 322 and 323 in order to respond appropriately to the questions posed on the audio.

---

49 La pelota y la televisión

Esta grabación es sobre la entrevista con la antropóloga Olaz González quien estudió el juego de la pelota vasca y su evolución a lo largo del tiempo. La grabación dura aproximadamente 3.5 minutos. Lea las preguntas primero y después escuche "Los cambios en la pelota tienen mucho que ver con la televisión". Después, haga un resumen de las preguntas que se le hace a la antropóloga Olatz González Abrisketa. Por último, conteste las preguntas.

1. ¿Cuál es el propósito de la grabación?
2. ¿Cómo resumiría lo que escuchó en una frase?
3. ¿Qué pregunta sería apropiada para hacerle a la señora entrevistada al final de la entrevista?
4. ¿Por qué la pelota es un juego tan masculino?
5. ¿Cómo explica la antropóloga que las mujeres se han ido abriendo hueco en casi todos los deportes menos en la pelota?
6. ¿Qué cambios han sido los más importantes en la pelota durante los últimos años?
7. Según González Abrisketa, ¿cómo anda de salud la pelota?
8. ¿Qué representa la pelota para los vascos?

50 Participe en una conversación

Ud. va a participar en una conversación. Primero lea la descripción de la conversación y piense en algunas palabras o expresiones que le serían útiles. Organice sus ideas, haciendo predicciones sobre lo que se le pueda preguntar o comentar. Una descripción de lo que va a escuchar aparece abajo en color. Participe en la conversación grabando las respuestas o escribiéndolas en su cuaderno.

Escena: Su hermanito tiene que escribir un informe sobre la pelota vasca y el juego de pelota de Mesoamérica y pide su ayuda. Conteste sus preguntas.

Su hermanito:	Plantea el problema y pide su ayuda.
Ud.:	• Dígale que lo ayudará.
Su hermanito:	Le hace unas preguntas.
Ud.:	• Dele detalles sobre lo que le pide.
Su hermanito:	Le hace otras preguntas.
Ud.:	• Dele detalles sobre lo que le pide.
Su hermanito:	Le hace más preguntas.
Ud.:	• Háblele sobre sus preferencias. Explique las razones.
Su hermanito:	Sigue la conversación.
Ud.:	• Haga un comentario usando una expresión nueva de la lección.

324 Capítulo 6 • Puro deporte

Audioscript Activity 50

Su hermanito: ¡Hola! ¿Puedes ayudarme en mi tarea? Tengo que escribir un informe sobre la pelota vasca y el juego de pelota de Mesoamérica.
[STUDENT RESPONSE]

Su hermanito: Bueno, primero sobre la pelota vasca. ¿Dónde se originó este juego? ¿Tenía otro nombre? ¿Cuál? ¿Se juega en los Estados Unidos?
[STUDENT RESPONSE]

Su hermanito: Ahora, sobre el juego de pelota de Mesoamérica. ¿Cómo se jugaba este deporte? ¿Quiénes lo jugaban? ¿Por qué tenía simbolismo religioso?
[STUDENT RESPONSE]

Su hermanito: ¿Cuál de los dos juegos prefieres? ¿Por qué? ¿Has visto fotos o dibujos de estos juegos?
[STUDENT RESPONSE]

Su hermanito: Yo prefiero la pelota vasca. Fui al frontón de Miami con el abuelito y me gustó ver toda la acción. Gracias por tu ayuda. Creo que nos llama mamá. Es hora de cenar.
[STUDENT RESPONSE]

¡A escribir!

51 Texto informal: una carta

Lea esta carta con atención y respóndale a la oferta de coaching que propone Raquel Fuerte. Mencione cómo supo de sus servicios, explique por qué necesita "coaching" y pida más información sobre sus servicios. Hable sobre uno de los testimonios que leyó en su página web y pida más información sobre esta experiencia.

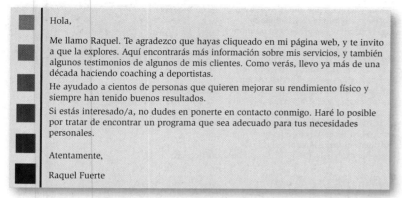

> Hola,
>
> Me llamo Raquel. Te agradezco que hayas cliqueado en mi página web, y te invito a que la explores. Aquí encontrarás más información sobre mis servicios, y también algunos testimonios de algunos de mis clientes. Como verás, llevo ya más de una década haciendo coaching a deportistas.
>
> He ayudado a cientos de personas que quieren mejorar su rendimiento físico y siempre han tenido buenos resultados.
>
> Si estás interesado/a, no dudes en ponerte en contacto conmigo. Haré lo posible por tratar de encontrar un programa que sea adecuado para tus necesidades personales.
>
> Atentamente,
>
> Raquel Fuerte

52 Texto informal: las becas

En un foro, un/a atleta que recibió dos becas para estudios universitarios le pide consejo a Ud. Una beca es académica y ofrece mucha ayuda económica; la otra ofrece menos ayuda económica pero garantiza que el/la becario/a va a participar en uno de los mejores programas deportivos de la universidad. Las dos universidades que le han ofrecido estas becas son de semejante prestigio. Dele consejos a esta persona.

- Dele sugerencias de cómo debe evaluar las dos becas.
- Dele consejos útiles para considerar la beca académica.
- Dele consejos útiles para considerar la beca deportiva.

53 Ensayo: los deportes

Escriba un ensayo en el que compare las diferencias y semejanzas entre los deportes profesionales y los deportes universitarios.

54 Ensayo: el papel de los deportes

Escriba un ensayo contestando la pregunta, "¿Cómo sería mi vida sin deportes?"

55 En parejas

Intercambie sus ensayos con un/a compañero/a. Exprésele su opinión sobre el contenido y el uso del idioma.

Lección 6A   **325**

Teacher Resources

Activities 19–21

Instructional Notes

51–54 Make sure students go over the expectations outlined in the *Pautas* on p. 480 before they prepare the writing activities on this page.

55 Monitor students' comments and corrections as they evaluate their classmates' work. If certain errors are being made repeatedly, go over this grammar with the class.

Additional Activities

Corrija una carta, Imágenes que cuentan
See pp. TE26 and TE27.

Instructional Notes

56 Because all students will speak, allow them time to prepare this activity. Be sure to tell students which issue and which side of the issue they will be debating, so that they can do some research and practice before their debate.

After students have debated these issues with a partner, you might want them to continue the debate in small groups, or even have a discussion with the whole class on one or two of these topics.

You might want to display the new vocabulary to make sure students incorporate it into their debates.

57 Encourage students to review the vocabulary at the end of the lesson in order to enhance their discussions. They need to pay attention to the grammar, pronunciation, and intonation, and use appropriate vocabulary to contradict or agree with their partner's comments. After students discuss these questions with a partner, you could hold a whole-class discussion.

58 Review the *Pautas para presentaciones formales* on p. 481, and refer students to their copies of the guidelines given to them in *Lección 1A* (*Antes y durante una presentación*). (See p. 27 of this Annotated Edition.) You might want to assign these presentations as homework so students have more time to prepare.

Additional Activities

Las noticias de hoy
See p. TE28.

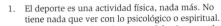

¡A hablar!

56 Charlemos en el café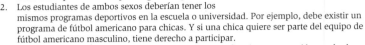

Ud. va a debatir los siguientes temas con un/a compañero/a. Uno estará a favor de lo que se ha dicho y otro en contra. El debate durará varios minutos. El/La estudiante que esté de acuerdo comenzará el debate y hablará por unos dos minutos. Cuando el/la profesor/a lo indique, el/la otro/a estudiante tomará la palabra y expresará su opinión por otros dos minutos y así sucesivamente.

1. El deporte es una actividad física, nada más. No tiene nada que ver con lo psicológico o espiritual.
2. Los estudiantes de ambos sexos deberían tener los mismos programas deportivos en la escuela o universidad. Por ejemplo, debe existir un programa de fútbol americano para chicas. Y si una chica quiere ser parte del equipo de fútbol americano masculino, tiene derecho a participar.
3. La universidad debe distribuir las becas deportivas en la misma proporción que las becas académicas, y deben ser iguales para hombres y mujeres.
4. El deporte se divide en dos: el fútbol y el resto.
5. El fútbol es tan popular en los EE.UU. como el fútbol americano.

57 ¿Qué opinan?

Converse con un/a compañero/a sobre estas preguntas.

1. ¿Quiénes han sido los diez mejores atletas de la última década y por qué le parecen los mejores?
2. Hable del proceso de llegar a ser atleta profesional. ¿Cree que es cuestión de talento, buenas conexiones con el mundo profesional o debido a otra cosa? ¿Cuál?
3. ¿Piensa que en los Estados Unidos se valora demasiado a los atletas profesionales? ¿Cree que pueden ejercer una influencia positiva o negativa en los jóvenes? ¿Por qué?

58 Presentemos en público

Conteste una de las siguientes preguntas o haga una presentación oral sobre uno de los temas durante varios minutos en clase. Organice sus ideas antes de hacer la presentación, busque las palabras necesarias y, después de practicar, presente en clase sin mirar las notas.

1. ¿Cree que la televisión ha afectado demasiado a los deportes? ¿Cómo? ¿Es difícil emitir un partido entero de fútbol en la televisión norteamericana? ¿A qué se debe?
2. "La gloria no consiste en no caer nunca sino en levantarte cada vez que te caes". Relate las experiencias de un atleta (real o ficticio) que llegó a ser el número uno en su deporte después de enfrentar muchos obstáculos o fracasos.
3. "Ganar no es lo más importante, es lo único". Relate las experiencias de una persona (real o ficticia) relacionada con los deportes, como atleta, entrenador, miembro de la familia de un atleta, etc., que cree que este dicho es verdad.
4. Investigue y presente sobre la importancia del ciclismo en España y Latinoamérica.
5. Investigue y presente sobre el polo en Argentina.
6. Haga una presentación sobre el Real Madrid y el FC Barcelona (su rivalidad, sus jugadores, sus éxitos, sus fans, su publicidad, su impacto y sus cifras).

Proyectos

59 ¡Manos a la obra!

Trabaje con un grupo de cuatro o cinco estudiantes para llevar a cabo uno de los siguientes proyectos y presentarlo en clase.

1. Van a ser expertos en un deporte. Investíguenlo y luego hablen de su historia, el equipo necesario para jugarlo, las posiciones de los jugadores, y si hay algunas variaciones del deporte. Prepárense para mostrar cómo jugarlo a sus compañeros.

2. Piensen en los Juegos Olímpicos de 2020. ¿Cuál sería su plan ideal para organizarlos para ese verano? Hablen del lugar ideal, los deportes que incluirían, las viviendas para los atletas, el transporte, el marketing y publicidad, la seguridad de los atletas y espectadores, la imparcialidad de los jueces, etc. Organicen el plan para ganar la votación del Comité.

3. Hagan un anuncio para promover la práctica de un deporte. Decidan si va a ser un anuncio para niños, jóvenes, adultos o la tercera edad. Pueden imaginar que son dueños de un gimnasio, entrenadores personales, entrenadores en un colegio, representantes encargados de la salud de los empleados de una empresa o fábrica, enfermeros en un asilo de ancianos, etc.

Detalles del estadio antiguo

Las ruinas del estadio antiguo en Olimpia, Grecia

Instructional Notes

59 Before students start their projects, go over the questions from *Lección 1A*, p. 28. Students should have a copy of these questions for each project.

Remind them that after they complete their project, they will self-assess their work as a team using the grading system 1–5 (5 being the highest, and 1 the lowest) and write a grade next to each question. After they turn in their work or make their presentation to the class, you will review their project and write your comments and evaluation next to theirs.

Teacher Resources

 Activities 22–26

Additional Activities

Juegos

To practice vocabulary and grammar from the lesson, ask students to play one of the following: *Lo tengo en la punta de la lengua* or *El juego de la alarma.*
See p. TE25.

To practice the culture topics presented in this lesson, ask students to play *Trivia.* See p. TE25.

Ask students to do any of the following activities to practice and strengthen the vocabulary or grammar presented in this lesson: *Hablen sobre esta foto, El desafío del minuto con el subjuntivo, ¿Cuáles son las diferencias?, ¡Post-it!,* or *Repaso Expreso.*
See pp. TE26–TE28.

Ask students to do one or both of the following activities to practice the culture topics presented in this lesson: *¿Cuál es la pregunta?* or *¡Que no es así!*
See pp. TE26 and TE28.

Vocabulario

Verbos

agradecer	to thank
arrebatar	to snatch away
bastar	to be enough
deplorar	to lament, deplore
derrotar	to defeat
descartar	to reject
disputarse	to fight, challenge
emprender	to set about, undertake
enaltecer	to praise
encargar	to put in charge of
golpear	to hit
hidratar	to hydrate
humillar	to humiliate
jurar	to swear (*an oath*)
marcar un gol	to score a goal
mediar	to intervene, come between
otorgar	to grant
patear	to kick
programar	to program
proponer	to propose
protagonizar	to take a leading part in
realizar	to accomplish, carry out
recorrer	to go through; to travel
sobornar	to bribe
vencer	to defeat

Verbos con preposición

verbo + a:

agregar a	to add to
venir a	to come to

verbo + de:

aislarse de	to isolate oneself from
ser parte de	to be part of
tener la oportunidad de	to have the opportunity to

verbo + en:

concentrarse en	to concentrate on
inscribirse en	to register, enroll in

verbo + por:

apostar por	to bet on
velar por	to watch out for

Sustantivos

el	alojamiento	accommodations
el/la	árbitro/a	referee, judge
la	arcilla	clay
el/la	arquero/a, portero/a	goalie
el/la	atleta	athlete
el	atraso	delay
el	automovilismo	race-car driving
el/la	baloncestista	basketball player
el	baloncesto	basketball
el	básquetbol	basketball
el/la	basquetbolista	basketball player
la	bebida energética	energy drink
el/la	beisbolista	baseball player
el/la	campeón(a)	champion
el	campeonato	championship
la	carrera	race
el	cemento	cement
el	ciclismo	cycling
el/la	ciclista	cyclist
la	cobertura	coverage
el/la	comisionado/a	commissioner
la	competencia	competition, rivalry
la	competición	competition, contest
el/la	corredor(a) en base	base runner
la	defensa	defense (defensive player)
el	delantero	forward (player)
el	deporte de equipo	team sport
el	deporte por pareja	two-person sport
el/la	deportista	sportsman/sportswoman
el	dominio	domain
el/la	dueño/a	owner
la	eficacia	effectiveness
el	ejercicio físico	physical exercise
el	entrenamiento	training
el	equipo contrario	opposing team
el/la	espectador(a)	spectator
el/la	fanático/a	fan
la	fuente	source
la	gimnasia	gymnastics
el/la	gimnasta	gymnast
la	hierba	grass
el	hockey sobre hielo	ice hockey
el	jardinero derecho	right fielder
el	jonrón	home run
el	juego de pelota	ball game
el/la	jugador(a)	player
el	local	home team
la	lucha libre	wrestling
el/la	luchador(a)	wrestler
el/la	marcador(a)	goal scorer
el	medio	midfieldman
el/la	nadador(a)	swimmer
la	natación	swimming
el	ocio	leisure, free time
el	pasto	grass
el/la	patinador(a)	skater
el	patinaje	skating
la	pelota vasca	Basque ball game

el/la	piloto de Fórmula 1	Formula 1 race-car driver		emocionante	exciting
la	pista	court		encargado, -a	in charge
el	poder	power		esparcido, -a	scattered
la	polémica	controversy		impreso, -a	printed
la	portada	front page, cover (of a book)		involucrado, -a	involved
				mundialmente	worldwide
el/la	portero/a	goalie		rotundo, -a	categorical, flat (denial, statement, etc.)
el/la	propietario/a	owner			
el/la	remero/a	rower		súbito, -a	sudden
el	remo	rowing		tajante	definitive (answer, remark)
el	rendimiento	performance			
la	sede	seat, headquarters			
el	sostenimiento	maintenance, support			
la	temporada	(sports) season			
el/la	tenista	tennis player			
la	tierra batida	clay			
la	zapatilla	sneaker, tennis shoe			

Expresiones

al alcance de	within reach of
correr el riesgo de	to run the risk of
de primera mano	firsthand
en homenaje	in homage
estar muy verde	to be far from ready
fuera del país	outside the country
llegar a ser campeón(a)	to become champion
poner en marcha	to set into motion
tener tiempo libre	to have free time
tener vigencia	to be in effect

Adjetivos y adverbios

acaudalado, -a	wealthy
cotidiano, -a	daily
cotizado, -a	sought-after
destacado, -a	outstanding, distinguished

A tener en cuenta
Expresiones para cartas de negocios y de amistad

Encabezamientos para cartas de negocios

Distinguido/a; Estimado/a	Dear
Estimado/a director(a)	Dear (Esteemed) Director
Muy señor mío (señora mía)	Dear Sir/Madam
Muy estimado/a Señor/Señora (+ apellido)	Dear (Esteemed) Sir/Madam/Mr./Ms (+ last name)

Terminaciones para cartas de negocios

Atentamente/Le saluda atentamente	Sincerely, Yours truly
Respetuosamente suyo/a	Respectfully yours
Cordialmente	Cordially
Su seguro/a servidora(a)	Yours faithfully

Encabezamientos para cartas de amistad

Querido/a + nombre	Dear + name
Mi querido/a + nombre	My dear + name
Hola + nombre	Hello + name
Cariño	Darling

Terminaciones para cartas de amistad

Un abrazo	A hug
Besos y abrazos	Hugs and kisses
Recibe un abrazo muy fuerte de tu amigo/a + nombre	A big hug from + name
Cariñosos saludos de	Fondly, Fond greetings from
Afectuosamente	Affectionately
Mis recuerdos a tu familia	My regards to your family
Un cordial saludo	Warm greetings

Teacher Resources

 See ExamView for assessment options.

Additional Activities

Ask students to compose a letter of application to a school abroad that specializes in Hispanic Studies. Tell them to use suitable phrases from those in the *A tener en cuenta* section.

Instructional Notes

Ask students to review the communication and culture objectives of this lesson and ask them which ones interest them the most and why. Find out if they would like to share any information on the topics mentioned, or perhaps they know someone who is an expert in one of these areas, and would be willing to come to class and talk about this in Spanish.

Use the photos on the page to generate the following questions: *¿Qué saben del ciclismo? ¿Saben que hay muchos problemas con el dopaje en el ciclismo profesional? ¿A qué se deberá? ¿Conocen a algunos ciclistas hispanos? ¿A cuáles? ¿Han visto alguna vez un partido de baloncesto en silla de ruedas? ¿Qué les ha parecido? ¿Qué opinan de la corrida de toros? ¿Les parece un deporte, un arte o un espectáculo? ¿Les parece cruel? ¿Por qué? ¿Saben lo que es un rejoneador? ¿Un picador? ¿Un matador?*

The middle photo is from the Paralympics 2004. The bottom photo shows the art of *el rejoneo*, or fighting the bull on horseback; the person who fights this way is called *el rejoneador*. All *rejoneadores* are accomplished horsemen, and commonly own a stable of highly trained and valuable horses.

Share the *Nota cultural* with students and ask them to comment on the trainer's remarks. Do they think that these remarks are applicable to all sports and to all those who participate in them? Why?

Additional Activities

Trabajo de investigación
Encourage students to research the people mentioned in the *Investigue* feature and ask volunteers to make a brief presentation to the class on one of them.

Lección B

Objetivos

Comunicación
- Hablar de la violencia en los deportes
- Hablar de los sobornos y el dopaje
- Expresar opiniones sobre las corridas de toros
- Describir el impacto de la competencia en los deportes

Gramática
- Los verbos con preposiciones
- Repaso de tiempos verbales

"Tapitas" gramaticales
- expresiones con *lo*
- *solamente, solo* y *sólo*
- verbos usados como sustantivos
- participios pasados usados como adjetivos
- *para* o *por*
- los tiempos verbales
- *aun* y *aún*
- adverbios
- nexos
- *tras* y *después*

Cultura
- La mujer y el deporte
- La historia del baloncesto
- Las asociaciones deportivas
- Los deportes en Cuba
- El fútbol en Argentina
- Los toros

Go online
EMCLanguages.net

Nota cultural
El baloncesto en silla de ruedas se creó en los Estados Unidos en la década de los 40, y en los 70 se organizó una liga en España. La silla de ruedas del baloncesto sólo se usa para jugar y puede tener tres o cuatro ruedas: dos bastante grandes detrás y una o dos pequeñitas por delante. Según un entrenador de este deporte, los jugadores deben tener "un buen comportamiento, entrega, capacidad física, capacidad mental y talento. Un jugador en silla de ruedas (y uno de a pie) debe ser capaz de desarrollarse mentalmente y luego llevar a la práctica las estrategias".

Investigue
palabras clave:
Miguel Indurain, Víctor Hugo Peña (ciclistas), Antonio Cañero, Álvaro Domecq (rejoneadores)

Para empezar

1 Conteste las preguntas 👥

Piense en las respuestas a las siguientes preguntas. Ud. puede tomar notas si lo considera necesario. Cuando termine, compare sus respuestas —pero sin mirar sus notas— con las de un/a compañero/a.

1. ¿Cómo serán los deportes en el futuro? ¿Formarán parte de la vida de cada individuo? ¿Cuál será el papel de la ciencia, de la nutrición, de la tecnología y del ocio en los deportes del futuro?

2. Piense en los lugares públicos donde se puede practicar un deporte en su pueblo, ciudad, estado o región. ¿Tiene fácil acceso a estos lugares todo el público? ¿Se mantienen estos lugares en condición óptima? ¿Qué programas deportivos ofrece su pueblo, ciudad, estado o región? ¿Le parecen suficientes? ¿Cuáles añadiría?

3. En su opinión, ¿hay demasiada violencia en los deportes hoy? ¿Hay violencia solamente en los deportes profesionales o a todos los niveles? ¿Qué opina de la violencia o de la mala conducta de los espectadores que atacan verbal o físicamente a los árbitros? Cite ejemplos de violencia o de mala conducta en un deporte.

4. ¿En qué deportes hay más probabilidad de ser testigo de la violencia o de la mala conducta de los jugadores o de los espectadores? ¿Cómo castigaría los actos de violencia o de mala conducta durante un partido?

5. ¿Qué opina o sabe de los Juegos Olímpicos Especiales (para los atletas minusválidos)?

6. ¿Qué opina de los sobornos (*bribes*) durante los campeonatos? ¿Se debe descalificar a los atletas, al equipo y a los jueces? ¿Se debe jugar el campeonato otra vez? Cite ejemplos de un soborno en un deporte.

7. ¿Qué opina de los atletas que hacen promociones de productos deportivos o de ropa deportiva? ¿Compra estos productos? ¿Está demasiado comercializado el deporte?

8. ¿Cuáles son las ventajas de practicar un deporte? Cite también alguna posible desventaja.

9. ¿Qué sabe de las corridas de toros? ¿Las considera un deporte o un espectáculo? ¿Por qué?

10. ¿Qué piensa de los programas deportivos nacionales patrocinados por el gobierno para el entrenamiento de atletas como en China o Cuba?

Lección 6B 331

Answers

2 Dialogues will vary.

Instructional Notes

After students discuss the *Cita* with their partners, it might be a good time to discuss violence in sports, and the effect of this violence on the sport, the players, the fans, and even on the parents whose children might be participating in the sport.

Do an informal survey in your class to see the results of the question posed in the *Dato curioso*.

Ask students to talk about the self-discipline that playing a sport can produce.

Additional Activities

Use *¡Pongámonos de acuerdo!* to practice the words in the word bank.
See p. TE28.

---

2   Mini-diálogos

Va a crear un mini-diálogo con un/a compañero/a. Lea la descripción de la conversación antes de empezar. Puede tomar notas para organizar sus ideas, pero no las mire mientras conversa. Le pueden servir algunas expresiones del recuadro.

> **Escena:** Está en su casa, mirando un partido de fútbol con su padre. El árbitro acaba de descalificar un gol muy controversial.

la defensa	un pase de gol	marcar un gol
el marcador	usar las manos	fuera del campo del partido
el portero	el equipo contrario	

A: Reaccione positivamente a lo que decidió el árbitro.

B: Reaccione negativamente a lo que decidió el árbitro.

A: Explique por qué reaccionó positivamente.

B: Explique por qué reaccionó negativamente.

A: Reaccione cordialmente pero rechace la razón que le presenta.

B: Explique con más detalles por qué piensa así y por qué el árbitro no tenía razón.

A: Explique por qué cree que el árbitro tenía razón.

B: Después de escuchar los cometarios de la televisión, decida si Ud. está de acuerdo. Haga un comentario sobre el equipo en general y su récord esta temporada.

A: Reaccione cordialmente y dígale que siga mirando el partido con Ud.

Cita

Cuando somos buenos, nadie nos recuerda, cuando somos malos, nadie nos olvida.
—Anónimo

¿Es verdad que se aplica esta cita a todos los deportes, o sólo a algunos? ¿A cuáles? ¿Por qué? Nombre a algunos atletas conocidos por sus acciones violentas o poco apropiadas. Explique por qué tienen esa reputación. ¿Cómo les ha afectado ese comportamiento a su carrera? Comparta sus respuestas con un/a compañero/a.

Dato curioso

Cuando UNICEF preguntó a casi 1.500 jóvenes "¿Crees que practicar deportes ayuda o impide a los estudiantes a tener un buen rendimiento escolar?", el 82.5% dijo que les ayuda y solamente el 17.5% dijo que les impide.

Compare

¿Qué deportes son los más populares y los más polémicos en su país? ¿Y en su escuela? ¿Y en otros países de habla hispana?

Vocabulario y gramática en contexto

3 Un foro

Túrnese con un/a compañero/a para leer los comentarios que dos personas han escrito en un foro. Fíjese en las palabras que aparecen en azul (relacionadas con el vocabulario) y en rojo (relacionadas con la gramática), ya que en las siguientes actividades se le harán preguntas sobre ellas.

Deportes

Agustín Larra Gómez **Cinco razones contra todos los Juegos Olímpicos**

1. **La competencia.** Los Juegos Olímpicos son competitivos sin duda. Lo más importante es ganar y no participar. Los atletas compiten con el récord; no compiten con los demás.
2. **El nacionalismo.** Los Juegos Olímpicos favorecen el nacionalismo. Los atletas, entrenados por el dinero de los gobiernos, solamente quieren el prestigio que lleva una victoria olímpica. La competición se ha convertido en una competición entre países. Las victorias individuales y por equipos son solamente victorias nacionales; son oportunidades de promocionar el prestigio nacional.
3. **El comercialismo.** Solamente las compañías multinacionales se benefician de los Juegos Olímpicos. Reciben muchos beneficios financieros de sus inversiones. Los héroes olímpicos se benefician solamente si pueden promocionar un producto después de ganar una medalla.
4. **La violencia.** Los deportes practicados en los Juegos Olímpicos de la Antigua Grecia eran lucha libre, lanzamiento de disco y jabalina, boxeo, carreras de carros, y una lucha violenta, llamada *Pankration*. Actualmente los deportes como el boxeo, el tiro al arco o la jabalina son deportes que evolucionaron de unas prácticas de guerra.
5. **La ciencia del cuerpo.** Ahora, en términos científicos, los cuerpos de los atletas son máquinas cuyo único fin es vencer. Las drogas legales o ilegales son parte de estos avances sin tener en cuenta, muchas veces, la salud del atleta.

Verónica López García **Los deportes**

Para mí, practicar un deporte es lo más natural que hay. Practicar deportes me ayuda física y mentalmente. Para mí, el deporte alivia el estrés de un día duro de trabajo y disminuye la frustración y la presión que siento en el trabajo y con los deberes familiares. Todo se convierte en algo manipulable y alcanzable, y así no me preocupo por cosas que no tienen importancia. Tengo suerte de que la empresa donde trabajo nos ayude con esto. Tenemos un gimnasio pequeño en la empresa, que está disponible para todos nosotros cuando queramos. La sala tiene todo tipo de maquinaria para ayudarnos a hacer ejercicio físico cada día. Está abierto aun los fines de semana y puedo llevar a mi familia allí. Llevo a mis dos niños para que participen en las ligas de fútbol y de béisbol. Mi hija de siete años ha aprendido mucho en su equipo de fútbol. Ha aprendido a trabajar en equipo, cooperación, coordinación, y un espíritu de grupo. Mi hijo de diez años ha participado durante algunos años en un equipo de béisbol patrocinado por la empresa. Es obvio que su participación ha tenido un efecto bastante positivo en su salud física y mental.

¿Es Ud. miembro de un gimnasio?

Lección 6B **333**

Instructional Notes

3 After students finish reading both articles, ask them: *¿Se identifican más con Agustín o con Verónica? ¿Por qué?*

Activity 1

Answers

4 *Synonyms and expressions will vary; translations follow:* competencia, *competition*; los demás, *the others/rest*; favorecen, *they favor*; entrenados, *trained*; prestigio, *prestige*; promocionar, *to promote*; comercialismo, *commercialism*; inversiones, *investments*; lanzamiento de disco, *discus (toss)*; jabalina, *javelin*; tiro al arco, *archery*; vencer, *to defeat*; drogas, *drugs*; alivia, *relieves*; manipulable, *manageable*; alcanzable, *attainable*; disponible, *available*; maquinaria, *machinery*; participen en, *take part in*; cooperación, *cooperation*; espíritu de grupo, *group spirit*; patrocinado, *sponsored*.

5 1. No; se debe aprender la preposición con el verbo; a veces sigue la traducción de inglés, a veces no. 2. Ejemplos: *a, con, de, en, por*; asistir a, llegar a, negarse a; amenazar con, casarse con, soñar con; acabar de, despedirse de, equiparse de; entrar en, fijarse en, participar en; empezar por, preocuparse por, tomar por; 3. competir con, *to compete with*; convertirse en, *to become/turn into*; beneficiarse de, *to benefit from*; evolucionar de, *to evolve from*; ser parte de, *to be a part of*; tener en cuenta, *to take into account/keep in mind*; preocuparse por, *to worry about*; ayudar a, *to help*; aprender a, *to learn to*; trabajar en (equipo), *to work on (a team)*; tener un efecto en, *to have an effect on*

6 1. *The most important thing is to win and not to participate. Lo* se refiere a un concepto neutro; otro ejemplo: *lo más natural*. 2. los demás (l. 2); ejemplos: los otros atletas, las otras personas; 3. *Solamente* y *sólo* significan *únicamente*; *solo* significa sin estar acompañado, o sin estar con otras personas. *Solo* no tendría sentido; se usó *solamente* por preferencia del escritor para significar *únicamente*, pero podría haber usado *sólo*. 4. primer artículo: ganar (*winning*, ll. 1 y 10), participar (*participating*, l. 2), promocionar (*promoting*, l. 6), vencer (*winning*, l. 16), tener en cuenta (*taking into account*, ll. 16 y 17); segundo artículo: practicar (*practicing*, l. 1); 5. Entrenados, practicados, llamada, abierto, patrocinado; deben concordar en género y número con el sustantivo que describen. 6. porque quiere decir *en mi perspectiva u opinión*; 7. primer artículo: se ha convertido (l. 5); segundo artículo: ha aprendido (l. 9), ha participado (l. 10), ha tenido (l. 11); Expresan acciones realizadas en el pasado y que perduran en el presente. 8. a. trabajo (presente del indicativo; la acción tiene lugar en este momento); ayude (presente del subjuntivo; depende del verbo de la cláusula principal que expresa una emoción); b. está (disponible) (presente del indicativo; la acción tiene lugar en este momento, pero la disponibilidad cambia regularmente; por eso se usa el verbo *estar*); cuando queramos (presente del subjuntivo; indica

algún tiempo no cierto en el futuro: *whenever*); c. ha tenido (presente perfecto; expresa una acción realizada en el pasado y que perdura en el presente); 9. *aun* = hasta, también, inclusive; *aún* = todavía; 10. No significa *actually*; significa en este momento, en el presente (*currently*). 11. Cuando hay dos adverbios seguidos que normalmente terminan en -*mente*, sólo el segundo lleva el sufijo -*mente*. El primero lleva la forma singular feminina del adjetivo correspondiente.

7 Reactions will vary.

---

4 Amplíe su vocabulario

En su cuaderno, traduzca al inglés las palabras o expresiones que aparecen en azul, o escriba un sinónimo o expresión similar en español para cada una.

5 Los verbos con preposiciones

Con un/a compañero/a, conteste estas preguntas relacionadas con las lecturas anteriores.

1. ¿Hay reglas que determinan qué preposiciones siguen a los verbos? ¿Cómo se aprenden?
2. ¿Cuáles son algunas preposiciones que se usan frecuentemente con los verbos? Escriban dos o tres ejemplos para cada preposición que citaron.
3. Hagan una lista de los verbos (en la forma del infinitivo) con la preposición que los sigue y que aparecen en el texto en rojo. Tradúzcanlas al inglés.

6 "Tapitas" gramaticales

Conteste estas preguntas basadas en las lecturas anteriores.

1. Traduzca "Lo más importante es ganar y no participar". Explique la construcción *lo más importante*. Busque otro ejemplo de *lo* con adjetivo.
2. Busque la expresión *los demás* y dé algún sinónimo.
3. Explique las diferencias entre *solamente, solo* y *sólo*. ¿Por qué se usó *solamente* en la lectura y no *solo* ni *sólo*?
4. Busque ejemplos de verbos usados como sustantivos en los dos foros y tradúzcalos al inglés.
5. Busque ejemplos de participios pasados usados como adjetivos. ¿Qué reglas deben seguir?
6. ¿Por qué se dice *para mí* en la lectura, y no *por mí*?
7. Busque los verbos en el presente perfecto del indicativo y explique sus usos.
8. Explique el uso de los verbos subrayados en las cláusulas subordinadas de las siguientes oraciones:
   a. Tengo suerte de que la empresa donde <u>trabajo</u> nos <u>ayude</u> con esto.
   b. Tenemos un gimnasio pequeño en la empresa, que <u>está</u> disponible para todos nosotros cuando <u>queramos.</u>
   c. Es obvio que su participación <u>ha tenido</u> un efecto bastante positivo en su salud física y mental.
9. ¿Cuál es la diferencia entre *aun* y *aún*?
10. ¿Por qué es un falso cognado *actualmente*?
11. ¿Por qué se dice *física y mentalmente* y no *físicamente y mentalmente*?

7 ¿Qué opina?

Reaccione a lo que cada persona ha escrito en los foros. Hágales un comentario sobre lo que han escrito y dígales si Ud. comparte su opinión. Incluya palabras que aparecen en azul y subráyelas.

Instructional Notes

7 You could have teams debate the issues put forth in "Cinco razones contra todos los Juegos Olímpicos".

8 La vuelta al mundo a pie 📖

Lea con atención el siguiente artículo, prestando atención a las palabras en azul y rojo. Después, conteste las siguientes preguntas:

- ¿Cómo resumiría el artículo en una frase?
- ¿Qué pregunta le haría a Karl Bushby? ¿Y a Jennifer Figge?
- ¿Qué otro título le daría a este artículo?

Expedición Goliat

¿Alguna vez te has planteado dar la vuelta al mundo? Probablemente sí has pensado en ello y elegido un medio de transporte, pero seguro que no ha sido hacerlo a pie. Esta es la forma
[5] que precisamente ha elegido el británico Karl Bushby, andar un camino ininterrumpido que va desde Punta Arenas, Chile, Estados Unidos, pasando por Canadá, Alaska, Rusia, de ahí a Asia y Europa, hasta llegar a su ciudad natal
[10] Hull, Inglaterra.

Su viaje comenzó en noviembre de 1998 y ya casi ha acabado su travesía. Hasta lo que lleva recorrido, Karl ha tenido que afrontar muchísimas dificultades y contratiempos.
[15] Pasó retenes de paramilitares y de guerrilla colombiana, caminó sobre frágiles témpanos de hielo cruzando el estrecho de Bering, una vez en Rusia casi es deportado porque entró al país por un sitio vedado al paso de civiles. También
[20] ha tenido en varias ocasiones problemas de visado, falta de patrocinadores debido a la crisis económica y riesgo de no poder continuar con la expedición. A pesar de todo, la fuerte determinación de cumplir su sueño le hace
[25] seguir estando en ruta.

Karl escribió un libro de viaje en 2005 titulado *Pasos gigantes*, y en 2007 sacó su última edición con información actualizada de su andadura hasta la fecha.

[30] Karl Bushby no es la única persona en marcarse un objetivo tan aventurero como arriesgado. Otros deportistas se han marcado retos igualmente audaces como la atleta norteamericana Jennifer Figge, que cruzó el
[35] Atlántico a nado en 2009; Jessica Watson, la navegante australiana más joven en dar la vuelta

Una señal de dirección en Punta Arenas, Chile, indicando países diferentes del mundo.

al mundo sola en velero (de octubre de 2009 a mayo de 2010); el italiano Reinhold Messner, el primer alpinista en escalar las catorce cumbres
[40] de más de 8.000 metros. Y así un sinfín de casos. Todos ellos son ejemplos de un alto grado de superación y coraje difícilmente comparables con algo parecido hasta ese momento. Sin ninguna duda, sus hazañas serán reconocidas y
[45] recordadas para siempre en la historia.

Trabajo de investigación
Ask students to do additional research on the *Expedición Goliat*. Show a map in class and draw Karl Bushby's route according to the information the students find in their research. As your students describe his challenges, include icons on the map depicting the problems he encountered.

Juego
Ask students to play *Relevos*. See p. TE25.

Teacher Resources

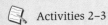 Activities 2–3

Answers

9 1. h; 2. d; 3. g; 4. i; 5. c; 6. j; 7. b; 8. a; 9. e; 10. f

10 Emails will vary.

13 Lists will vary.

Additional Activities

Mini proyecto

Divide the class into groups and have them brainstorm an "extreme sport" trip. Each group can create an itinerary to present to the class. After all groups have presented, take a vote to see which is the class favorite.

---

9 Amplíe su vocabulario

Escriba la letra que corresponde a la mejor definición o sinónimo de cada palabra de la primera columna.

1. ininterrumpido
2. travesía
3. contratiempo
4. retén
5. vedado
6. patrocinador
7. reto
8. audaz
9. nado
10. sinfín

a. osado
b. desafío
c. prohibido
d. recorrido
e. bañarse
f. infinidad
g. suceso inoportuno que obstaculiza o impide el curso normal de algo
h. continuo
i. puesto que controla o vigila
j. persona o entidad que financia una actividad

10 Escriba un correo electrónico

Responda al correo electrónico que recibió. Busque información sobre Karl Bushby y otros deportistas de alto riesgo y sus aventuras.

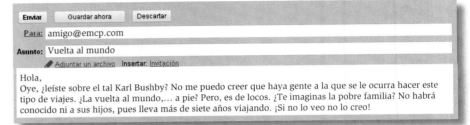

| Enviar | Guardar ahora | Descartar |

Para: amigo@emcp.com

Asunto: Vuelta al mundo

Adjuntar un archivo Insertar: Invitación

Hola,
Oye, ¿leíste sobre el tal Karl Bushby? No me puedo creer que haya gente a la que se le ocurra hacer este tipo de viajes. ¿La vuelta al mundo,… a pie? Pero, es de locos. ¿Te imaginas la pobre familia? No habrá conocido ni a sus hijos, pues lleva más de siete años viajando. ¡Si no lo veo no lo creo!

11 ¿Qué opina?

Converse con un/a compañero/a la siguiente pregunta.

¿Cree que los deportistas deben ser ejemplos para la sociedad o simplemente ser reconocidos por sus logros?

12 Los tiempos verbales

Cambie el artículo de la Actividad 8 al pasado.

13 "Tapitas" gramaticales

Escriba una lista de quince nexos que use para conectar ideas. Compárelos con un/a compañero/a.

14 Entrada del diario de Karl Bushby

Escriba un ensayo de trescientas o cuatrocientas palabras en el diario de Karl Bushby. Infórmese más antes de empezar a escribir sobre su gran aventura. Incluya alguna foto en el diario.

15 La paridad

Lea el artículo y complete los espacios con la preposición adecuada. Después, conteste las siguientes preguntas:

- ¿Cuál es el propósito del artículo?
- ¿Qué otro título le daría al artículo?

La mujer y el atletismo: un largo camino hacia la paridad

JUAN IGNACIO SAMPEDRO MARTÍNEZ

Ferenice de Rodas, hija de Diágoras, decidió en el año 396 antes de Cristo vestirse __1.__ hombre para aconsejar a su hijo desde el borde de la ruta. Ese gesto, contrario a la norma que prohibía expresamente a las mujeres asistir como espectadoras a los Juegos masculinos, pudo costarle la vida. Gracias a los consejos de su madre, y por méritos propios, Pisíropodos ganó la corona de laurel y Ferenice se precipitó __2.__ abrazarle. En ese momento se abrió su túnica, dejando al descubierto su condición femenina. Sólo el prestigio de su familia libró a la mujer tan vehemente de la muerte. Las mujeres, no obstante, tenían sus propios Juegos en la Grecia Clásica. Eran en el mes de septiembre, poco tiempo después de los masculinos. Se decidió que las espartanas compitiesen entre sí __3.__ "su rapidez y su fuerza". Su prueba consistía __4.__ una carrera de unos 160 metros. La ganadora recibía una corona de laurel y un trozo de la vaca sacrificada a Hera, la diosa de la fecundidad.

Cuando a finales del siglo XIX el movimiento creado por el Barón de Coubertin puso __5.__ marcha los Juegos de la Era Moderna, a la mitad de la población humana no se le reservaron ni unos Juegos paralelos. La primera campeona olímpica de los Juegos de la Era Moderna fue la tenista británica Charlotte Cooper. Empieza la participación femenina en atletismo, la columna vertebral de los Juegos. De las veinticinco participantes en la carrera de 800 m. varias hubieron __6.__ retirarse agotadas y algunas llegaron en lamentable estado y fueron auxiliadas por los servicios médicos. Ello reavivó el debate sobre la conveniencia de su participación en los Juegos y las agrias polémicas entre feministas y antifeministas. En ellas intervino hasta el Papa Pío XI. El veredicto fue que las mujeres no debieran __7.__ realizar carreras superiores a los 200 m. Y ello fue así hasta 1960, en Roma.

La primera campeona olímpica fue la norteamericana Elizabeth Robinson, que ganó los 100 m. en 12"2; sus dos compañeras hicieron el mismo tiempo. Hay un momento de inflexión, los Juegos de Los Ángeles 1984: el programa femenino dispone __8.__ todas las distancias en carreras tras la incorporación de las pruebas de 400 vallas y el maratón. Los premios para las vencedoras son sensiblemente inferiores a los que reciben los vencedores masculinos. Pocas organizaciones se mueven __9.__ criterios de paridad. Sydney 2000, donde se estrenan los saltos con pértiga y triple, y el lanzamiento de martillo, supone la llegada a la paridad en el programa olímpico. Con estos tres se celebran los mismos ocho concursos que en el programa masculino. Resta la incorporación al Programa Olímpico de los 3.000 metros obstáculos, prueba que lleva celebrándose varios años en torneos de menos nivel hasta que en 2008 se incorpore __10.__ los Juegos Olímpicos. En ese momento se habrá llegado __11.__ cubrir todo el programa para ambos géneros.

Dirección www.efdeportes.com

Archivo   Edición   Ver   Favoritos   Herramientas   Ayuda

Answers

15 1. de; 2. a; 3. por; 4. en; 5. en; 6. de; 7. de; 8. de; 9. con; 10. a; 11. a

Instructional Notes

14 Encourage students to pick four female athletes who are well known for their achievements. Ask students to compare and contrast these athletes based on some common criteria such as the influence, sportsmanship, or talent that they possess.

15 Ask students what they recall about Barón Pierre de Coubertin.

Additional Activities

Trabajo de investigación
15 Before students read the article, assign pairs of students to reasearch the following people or events mentioned in the article: *Ferenice de Rodas, Diágoras, Pisíropodos, Juegos en la Grecia Clásica, Hera, la tenista británica Charlotte Cooper, la corredora norteamericana Elizabeth Robinson.*

Answers

16 1. d; 2. a; 3. b; 4. b; 5. c; 6. d; 7. b; 8. a; 9. c; 10. d; 11. a; 12. b; 13. c; 14. a

17 Verbos con *de*: vestirse de (l. 3), libró... de (ll. 15 y 16), hubieron de (l. 36), debieran de (l. 48), dispone de (l. 56); verbos con *a*: se precipitó a (ll. 12 y 13), se incorpore a (ll. 70 y 71), se habrá llegado a (ll. 71 y 72); verbos con *en*: decidió en (l. 2), consistía en (ll. 21 y 22), puso en (l. 27); verbos con *por*: El único ejemplo es *compitiesen entre sí por* (ll. 20 y 21).

18 1. el imperfecto del subjuntivo; Se usa porque el verbo de la cláusula principal (*se decidió*) expresa voluntad. Sí, hay otra forma: *-iera* (*compitiera*). 2. el imperfecto del indicativo; Indica una acción pasada sin precisar el principio ni el final de la acción. 3. después de; *Tras* es una preposición; *después* es un adverbio.

Additional Activities

Comunicación

Ask pairs of students to talk about the role mental preparation has in achieving optimal results in sports or other competitions. They should compare and contrast mental preparation with physical training and may even wish to debate which one has more impact on the athlete.

Comunicación

Ask students to think about their most embarrassing moment in sports or other competitions and write a brief description of the incident.

---

16 Amplíe su vocabulario

¿Cuál es la mejor traducción según el contexto del artículo?

1. precipitarse
   a. to scream   b. to hide
   c. to disguise   d. to hurry

2. librar
   a. to free   b. to prevent
   c. to condemn   d. to force

3. espartana
   a. Spartan slave   b. Spartan woman
   c. Greek slave   d. Greek woman

4. carrera
   a. career   b. race
   c. profession   d. obstacle course

5. trozo
   a. horn   b. foot
   c. piece   d. ear

6. fecundidad
   a. virility   b. femininity
   c. quickness   d. fertility

7. agotado
   a. expired   b. exhausted
   c. energized   d. animated

8. reavivar
   a. to rekindle   b. to put to rest
   c. to establish d. to relive

9. conveniencia
   a. cohabitation b. coexistence
   c. suitability   d. lack of conformity

10. agria polémica
    a. sweet discussion b. difficult problem
    c. great rivalry   d. bitter controversy

11. disponer
    a. to make available b. to discredit
    c. to deny   d. to encourage

12. valla
    a. pole vault   b. hurdle
    c. meter   d. lap

13. paridad
    a. comparison   b. betting
    c. equality   d. discrimination

14. pértiga
    a. pole vault   b. hurdle
    c. obstacle course d. lap

17 Los verbos con preposiciones

Haga una lista de verbos seguidos de las preposiciones *de, a, en* y *por* en la lectura anterior y tradúzcalos.

18 "Tapitas" gramaticales

Conteste estas preguntas basadas en la lectura de la Actividad 15.

1. ¿Qué tiempo verbal es *compitiesen* en la oración "Se decidió que las espartanas compitiesen"? ¿Por qué se usa este tiempo verbal? ¿Hay otra variación del mismo verbo? ¿Cuál es?
2. ¿Qué tiempo verbal es *recibía* en la oración "La ganadora recibía una corona del laurel y un trozo de la vaca"? ¿Qué indica el uso de este tiempo verbal?
3. ¿Qué significa *tras* en la frase "todas las distancias en carreras tras la incorporación de las pruebas de 400 vallas y el maratón"? ¿Cuál es la diferencia entre *tras* y *después*?

Compare

¿Puede pensar en algún acontecimiento violento que haya ocurrido en los EE.UU. a causa del deporte?

Cita

El noventa por ciento del deporte es cincuenta por ciento mental.
—Anónimo

¿Por qué piensa que la preparación mental es tan importante cuando uno juega un deporte? ¿Qué será el otro 10% del deporte? ¿Talento? ¿Habilidad física? ¿Entrenamiento? ¿Piensa que las mujeres pueden competir con los hombres en cualquier deporte? ¿Por qué? Comparta sus opiniones con un/a compañero/a.

Dato curioso

¿Sabía que Andrés Escobar, colombiano, fue asesinado a causa de una discusión acerca de un autogol? Escobar ganó el cariño y respeto de todos los colombianos. Lastimosamente, en el Mundial de 1994 tuvo mala suerte y metió el balón en su propio arco, haciendo así un autogol. Días después, y en un sitio prestigioso de su ciudad natal de Medellín, Andrés Escobar fue asesinado.

Idioma

19 Familia de palabras

Complete la tabla con el verbo, sustantivo o adjetivo apropiado, y su traducción correspondiente.

Verbos		Sustantivos		Adjetivos	
apostar	to bet	la apuesta	_____	de apuestas	betting
competir	to compete	la competencia; la competición	rivalry; contest	_____	_____
contradecir	_____	la contradicción	contradiction	contradictorio	_____
entrenar(se)	to train; to coach	el entrenamiento; el/la entrenador(a)	_____; coach	de entrenamiento	_____
hacer atletismo	_____	el atletismo; el/la atleta	athletics; athlete		
hacer deportes	_____			deportivo	_____
juzgar	to judge	el/la juez; el/la árbitro/a	_____; _____	X	
participar	_____	la participación; el/la participante	participant	participante; de participación	_____
permanecer	_____	la permanencia		permanente	permanent
seleccionar	to select	_____	_____	selecto	selective
solucionar	_____	la solución		resuelto	_____
torear	to fight bulls	el toro; el toreo; el torero; la corrida de toros	bull; bullfighting; bullfighter; _____	taurino	(related to) bullfighting

20 ¿Verbo, sustantivo o adjetivo?

Complete las oraciones usando la forma correcta de las palabras que aparecen en la tabla, ya sea verbo, sustantivo o adjetivo. En el caso del sustantivo puede que necesite artículo.

1. ¿Hay una agencia ___ (participar) que ayude a las personas que quieren inscribirse en la competición este fin de semana? Los ___ (participar) van a correr diez kilómetros por un circuito en la ciudad este domingo.
2. ¿A qué atletas van a ___ (seleccionar) para representar a este país en la próxima Copa Mundial? ___ (Seleccionar) siempre lleva mucha especulación.
3. El Museo ___ (torear) de Málaga es dedicado al gran ___ (torear) Antonio Ordóñez. En este museo se pueden admirar muchos objetos relacionados con ___ (torear).
4. ___ (Competir) entre los Mets de Nueva York y los Yankees es feroz. Cada equipo ___ (competir) en ligas diferentes. A veces, es interesante cuando hay ___ (competir) el mismo día. Muchos aficionados van al Estadio Shea o al Estadio Yankee, y la ciudad de Nueva York se convierte en la capital del béisbol por un día.
5. El *jai alai* es el nombre de la pelota vasca que llegó a los Estados Unidos como juego ___ (apostar). Los espectadores ___ (apostar) sobre los resultados de cada partido en el frontón mismo o por televisión.

continúa

La atleta mexicana Ana Guevara

Teacher Resources

Activities 7–10

Answers

19 Verbos
apostar *to bet*
competir *to compete*
contradecir *to contradict*
entrenar(se) *to train; to coach*
hacer atletismo *to practice athletics*
hacer deportes *to play/practice sports*
juzgar *to judge*
participar *to participate/take part in*
permanecer *to remain*
seleccionar *to select*
solucionar *to solve/resolve*
torear *to fight bulls*

Sustantivos
la apuesta *bet*
la competencia; la competición *rivalry; contest*
la contradicción *contradiction*
el entrenamiento; el/la entrenador(a) *training; coach*
el atletismo; el/la atleta *athletics; athlete*
los deportes *sports*
el/la juez; el/la árbitro/a *judge; referee*
la participación; el/la participante *participation; participant*
la permanencia *permanance*
la selección *selection*
la solución *solution/resolution*
el toro; el toreo; el torero; la corrida de toros *bull; bullfighting; bullfighter; bullfight*

Adjetivos
de apuestas *betting*
competitivo *competitive*
contradictorio *contradictory*
de entrenamiento *in training*
atlético *athletic*
deportivo *sports*
X
participante; de participación *participating*
permanente *permanent*
selecto *selective*
resuelto *resolved*
taurino *(related to) bullfighting*

20 1. participante / de participación, participantes;
2. seleccionar, La selección; 3. Taurino, torero, el toreo;
4. La competición, compite, una competición;
5. de apuestas, apuestan;

Additional Activities

Juego
Ask students to play *Voluntario, derecha e izquierda*.
See p. TE25.

Instructional Notes

After students discuss the *Cita*, ask them to cite
other examples in which relentless preparation and
practice might cause fatigue, but ultimately produces
positive results and satisfaction. Student musicians, or
those who participate in debates and other academic
competitions should be encouraged to talk about how
they prepare for these events.

Additional Activities

Proyecto

Assign small groups of students one of the following
to research: the history of the Winter Olympics, the
development of the sports celebrated in these Olympics,
recent and future Winter Olympic sites, some anecdotes
on medal winners, the countries that compete at these
Olympics and their history of victories, the mascots of
these Games, and the most recent Winter Olympic site.
Groups should be prepared to report their findings to
the class.

6. El éxito de un equipo se debe al ___ (*entrenar*) de los atletas. El plan que tienen los ___ (*entrenar*) y los atletas juntos produce los mejores resultados. Cuando los atletas ___ (*entrenarse*) con rigor, el espíritu competitivo crece.
7. El Comité Olímpico Internacional tiene que ___ (*solucionar*) el problema del dopaje en los Juegos Olímpicos. ___ (*Solucionar*) es delicada y el Comité admite que el asunto no tendrá ___ (*solucionar*) antes de los próximos Juegos.
8. Hay muchos mensajes ___ (*contradecir*) sobre el rol de las mujeres en los deportes. Algunos deportes permiten que las mujeres ___ (*participar*) en sus competiciones. Otros las invitan, pero el espíritu ___ (*contradecir*) el resultado.
9. Algunos países proponen que los Juegos Olímpicos tengan una sede ___ (*permanecer*) en Atenas. Otros dicen que ___ (*permanecer*) de los Juegos Olímpicos en un sitio puede destruir el espíritu ___ (*competir*) de los Juegos.
10. Muchas veces los ___ (*juzgar*) deciden los resultados de las competiciones. A veces, el talento y ___ (*entrenar*) no figuran en la decisión. ___ (*Juzgar*) un partido imparcialmente es muy difícil.

21 Escriba

Con un/a compañero/a, escriba unas oraciones con las siguientes palabras: *el atletismo, el atleta, atlético, hacer deportes, deportista, deportivo.*

Cita

Entrenar duro produce cansancio, pero a la hora de la verdad da satisfacción.
—Anónimo

¿Quién habrá dicho esto: un entrenador o un atleta? ¿Está de acuerdo? ¿Por qué? ¿Conoce un ejemplo personal o de un/a amigo/a o de un/a atleta profesional que ilustre esta cita? Comparta sus opiniones con un/a compañero/a.

Dato curioso
El Comité Olímpico Internacional decidió en 1986 realizar los Juegos de Invierno los años pares en que no hubiera Juegos de Verano. El Comité comenzó con los Juegos Olímpicos de Lillehammer (Noruega) en 1994. Los últimos Juegos Olímpicos de Invierno se realizaron en la ciudad canadiense de Vancouver, en 2010. La ciudad rusa de Sochi será la anfitriona de los Juegos en el año 2014.

Compare
¿Cuántas horas a la semana cree que necesita un buen deportista para entrenarse? ¿Cree que en su escuela es posible compaginar los estudios con el deporte de competición?

El esquiador austriaco Hermann Maier ha ganado numerosos campeonatos mundiales y olímpicos.

Lea con atención el siguiente artículo. Después conteste las siguientes preguntas:

- ¿Cuál es el propósito del artículo?
- ¿Cómo resumiría el artículo en una frase?
- Si quisiera consultar otra fuente, ¿podría pensar en un posible título de una publicación?
- ¿Qué pregunta sería apropiada para hacerle a un jugador de ajedrez?

¿Es el ajedrez un deporte?

¿Entra el ajedrez en alguna de las siguientes categorías: deporte atlético, de pelota, de combate, de motor, de deslizamiento o náuticos? La respuesta se contesta por sí sola.
⁵ Entonces, ¿no es un deporte propiamente dicho?

Veamos cuáles son algunas de las definiciones que nos dan los diccionarios sobre el término deporte: "Actividad física, ejercida como
¹⁰ juego o competición, cuya práctica supone entrenamiento y sujeción a normas"(Real Academia Española). "Ejercicio físico, o juego en que se hace ejercicio físico, realizado, con o sin competición, con sujeción a ciertas
¹⁵ reglas"(María Moliner). En ambas definiciones se menciona el componente físico de la actividad y en ese sentido el ajedrez no lo cumple, pero sí comparte con el resto de los deportes su aspecto lúdico o competitivo, el
²⁰ cumplimiento de un reglamento, además del alto nivel de estrés de los jugadores, el gasto calórico (las partidas de torneos oficiales pueden durar varias horas), el entrenamiento, los tipos de modalidad, amateur y profesional, y, por
²⁵ supuesto, ofrece espectáculo.

Efectivamente, jugar al ajedrez no supone ejercicio físico, pero sí mental, como requieren muchos deportes individuales. De esta manera, el Comité Olímpico Internacional (COI) reconoce al ajedrez como deporte olímpico,

³⁰ aunque no lo incluya en el programa oficial de los Juegos Olímpicos, y reconoce también la Federación Mundial de Ajedrez (FIDE) como una organización deportiva desde 1999. Ésta cada tres años organiza su propia olimpiada de
³⁵ ajedrez entre los equipos de los distintos países afiliados.

Additional Activities

Comunicación
Ask students to work in pairs and discuss the benefits and challenges of the game of chess and chess tournaments. They should also discuss with their partners whether or not they think chess is a sport. They can use the article on this page and / or other knowledge they have to defend their opinion.

Answers

23 1. d; 2. e; 3. f; 4. g; 5. b; 6. a; 7. c

25 1. protegen; 2. Llegué; 3. jugando; 4. instalarme; 5. Pasé; 6. tarde; 7. sean; 8. los;

Instructional Notes

25 Before students start reading the article ask them: *¿Qué piensan de la "caza" de atletas muy jóvenes por parte de ligas y agentes? ¿Les parece una práctica bastante común? ¿Qué consejos ofrecerían a un joven de quince años si éste tuviera la oportunidad de jugar a un deporte, aunque tuviera que salir de su país y dejar a su familia?*

Additional Activities

Encuesta
See p. TE27.

Juego
Ask students to play *Hablar hasta por los codos.*
See p. TE24.

---

23 ¿Qué significa?

Escriba la letra que corresponde a la mejor definición o sinónimo de cada palabra de la primera columna.

1. deslizamiento   a. serie de juegos en los que los oponentes se eliminan unos a otros
2. sujeción   b. colección de reglas
3. lúdico   c. asociado
4. cumplimiento   d. movimiento suave sobre una superficie lisa
5. reglamento   e. sometimiento
6. torneo   f. de juego
7. afiliado   g. ejecución

24 Lea, y escriba/presente

Vuelva a leer el texto completo de "El ajedrez" y luego lea el comentario de un blog abajo. Después de leerlos, haga una presentación en clase o escriba un ensayo sobre el ajedrez hoy en día.

El ajedrez

Isabel

Cuando era joven, mis padres me llevaban a clases de ajedrez todo el tiempo. Al principio me parecían divertidas aunque cuando los campeonatos comenzaron todo cambió. Lo que al principio me parecía un juego, terminó siendo una pesadilla. Los campeonatos duraban casi todo un día, y jugábamos en los sótanos
⁵ de los colegios, donde apenas había luz. Extrañaba a mis hermanos, a los que no podía ver por esos campeonatos. Mi madre me animaba cuando me veía llorar y me decía "Es por tu bien. He leído que va a hacerte más inteligente y mejorar tus resultados en los exámenes".

25 Los atletas

Lea el artículo y complete el espacio con la palabra adecuada. Después conteste las siguientes preguntas:

- ¿Cuál es el propósito del artículo?
- ¿Qué otro título le daría a este artículo?

Atletas cautivos

En algunos países africanos existen asociaciones que **_1._** (*proteger*) a los niños que quieren ser futbolistas... Una de ellas denuncia el tráfico masivo de niños futbolistas —hasta 2.000 en un solo año entre la costa ⁵atlántica africana y Europa. Durante su participación en la Copa Africana disputada en El Cairo, un joven relataba a un diario francés su propia experiencia: "**_2._** (*Llegar*) a Francia con 14 años, como casi todos los jóvenes africanos que emigran a Europa sin ¹⁰papeles, sin nada. Estuve **_3._** (*jugar*) un tiempo en el Avignon antes de **_4._** (*instalarse*) en París, en casa de mi hermana. Como no tenía papeles, no podía ir a la escuela ni jugar al fútbol. No podía hacer nada, ni moverme. **_5._** (*Pasar*) todo el tiempo en casa. Decidí ¹⁵volver a Camerún. Meses más **_6._** (*tarde*) conseguí una prueba en Le Havre y me encontré con papeles en regla y un contrato con el Real Madrid." Otros no han tenido tanta suerte... El trasiego de deportistas alcanza a casi todas las disciplinas, aunque no **_7._** (*ser*) ²⁰millonarias. En **_8._** (*el*) ochenta, el deporte rey de los Juegos Olímpicos, el atletismo, se profesionalizó hasta tal punto que la búsqueda de grandes talentos se hizo rentable... La supervivencia de **9.** (*alguno*) deporte en los países ricos **10.** (*estar*) en manos de inmigrantes ²⁵ o de sus descendientes. Los jóvenes de los países más prósperos, por su estilo de vida y por el sacrificio que

supone la práctica de algunas especialidades, renuncian a implicarse más a fondo en ellas.

El Periódico de Catalunya (Barcelona)

26 Amplíe su vocabulario

Empareje las palabras de la primera columna con su definición o sinónimo en la segunda.

1. disputar
2. emigrar
3. con papeles en regla
4. trasiego
5. alcanzar
6. renunciar

a. transporte
b. ceder
c. lograr
d. documentado
e. contender
f. expatriarse

27 Lea, escuche y escriba/presente

Vuelva a leer el texto completo anterior y luego escuche la grabación "Arantxa Sánchez Vicario: a las tenistas les falta carisma". Escriba un ensayo o haga una presentación en clase sobre el tema "Ser atleta es más que tener talento". No se olvide de citar las fuentes debidamente.

Cita
Sólo al conocer el dolor de la derrota podemos aprender a dominar la frustración de un fracaso en la vida diaria.
—Anónimo

¿Qué opina de esta cita? ¿Qué les habrán enseñado las derrotas a los atletas? Dé ejemplos concretos. Comparta sus opiniones con un/a compañero/a.

¡Dato curioso! Los aficionados violentos y los que entraron a los estadios durante la Copa Mundial 2006 en Alemania con la intención de promover disturbios, recibieron sanciones. Los extranjeros estuvieron expuestos a la extradición inmediata, los locales recibieron multas muy fuertes, y los que se negaron a seguir los mandatos no podían volver a entrar en ningún estadio durante el Mundial.

Lección 6B   **343**

Teacher Resources

 Activity 27

Answers
25 9. algún; 10. está

26 1. e; 2. f; 3. d; 4. a; 5. c; 6. b

Instructional Notes
27 You might want to review the following words with students before they listen to the audio: *palmarés*, list of achievements; *plano*, flat/even; *cima*, top.

Additional Activities
Comunicación
After students have discussed the *Cita* with their partners, ask them to describe how defeat in sports has helped them or someone they know cope with any obstacles they might have faced.

Composición
Ask students to imagine that they are the Ministers of Sports and Fitness in a Spanish-speaking country. As such, they need to come up with a *decreto* and describe how they would eliminate violence in sports in their country. Ask students to write a few paragraphs, explaining how they would go about accomplishing this, and what they would do to those who do not comply.

---

28 La competición

Lea el artículo y decida cuál de las palabras entre paréntesis es la correcta para completar cada oración. Después conteste las siguientes preguntas:

- ¿Cuál es el propósito del artículo?
- ¿Cómo resumiría el artículo en una frase?
- ¿Qué pregunta sería apropiada para hacerle al autor después de leer el artículo?

¿ __1.__ *(Con / En)* qué se ha convertido el deporte de competición?

Dicen los antropólogos que la afición del hombre por el deporte está escrita en los genes. Tiene su origen en el instinto cazador, guerrero, competitivo y aventurero que está vivo __2.__ *(dentro / en)* el ser humano desde el principio de los tiempos. Desde entonces, en todas las culturas ha estado presente la práctica del deporte. Ha llegado __3.__ *(a / en)* convertirse en un auténtico fenómeno de masas que no sólo atrae al público en general, sino a intereses políticos y económicos. Si en el pasado se hizo célebre la frase de "Lo importante no es ganar sino participar", hoy en el deporte de alta competición una décima de segundo o un centímetro es lo que separa el éxito del fracaso, y el deportista no se conforma sino __4.__ *(con / por)* ganar a cualquier precio.

La gimnasta rumana Nadia Comaneci

Después del esquí, el ciclismo y el atletismo, el fútbol será el cuarto deporte que someta a sus jugadores a controles antidoping, como recientemente ha señalado el presidente de la Comisión Médica de la FIFA. Es que los contratos millonarios, las cláusulas de rescisión, las inversiones televisivas espectaculares, Internet y la publicidad de las grandes marcas comerciales, han multiplicado los ingresos de los clubes y han convertido a los deportistas en auténticos iconos rentables que están obligados __5.__ *(a / en)* ofrecer un espectáculo acorde con los millones invertidos.

En el ciclismo, una diferencia de unos pocos segundos, aunque sea después de cientos de kilómetros de dura competición, marca la diferencia de unos cuantos millones más o menos en el contrato. "Mantener un rendimiento máximo durante 21 días en una prueba como el Tour de Francia o cualquier otra por etapas, es un objetivo que se consigue __6.__ *(a / en)* ocasiones con el uso de sustancias que están situadas al borde de lo permitido", asegura el médico José Antonio de Paz, especialista en medicina deportiva. "Los ciclistas son víctimas de la hipocresía de la gente —asegura el doctor de Paz— que no sólo les solicita que recorran cerca de tres mil kilómetros a lo largo de tres semanas, sino que, además, les exige que ganen la carrera".

El esquí y el atletismo no se libran __7.__ *(de / por)* esta presión. "El deporte de alta competición —asegura el doctor Berral de la Rosa, profesor de Medicina Deportiva en la Universidad de Córdoba— está provocando que el cuerpo humano esté llegando a unos límites insostenibles y que el deportista de élite se convierta en un enfermo potencial que tendrá graves problemas en un futuro". La famosa Nadia Comaneci, por ejemplo, hoy sufre graves problemas en la columna vertebral. Carl Lewis padece grandes dolores a causa de una artrosis progresiva, y a todos nos sorprendió la noticia de la muerte súbita de Florence Griffith (se achaca su fallecimiento al dopaje), la mujer más rápida de la historia del atletismo, después de haber conseguido tres medallas de oro en las Olimpiadas de Seúl.

El Comité Olímpico Internacional elaboró una lista de sustancias prohibidas que se va actualizando cada año a medida que se descubren otras nuevas. Pueden ser elementos químicos de muchos tipos o el denominado dopaje sanguíneo, que consiste

_____8._____ (*con / en*) utilizar fracciones de sangre para mejorar el rendimiento.

85 La responsable de todo esto es la sociedad competitiva en la que vivimos, que exige permanentemente marcas, esfuerzos, sacrificios y éxitos. Después está el dinero que se mueve _____9._____ (*en / por*) el deporte, donde se ganan millones y 90 triunfos. Y por último, están los protagonistas, que son los que mandan. Si juegan tantos partidos — en el caso de los futbolistas—, es porque ellos

quieren. ¿Quién les enseñará a los jóvenes _____10._____ (*a / con*) soñar sin límite y a no esclavizarse por 95 ello? Padres, profesores y entrenadores tienen aquí una parte muy importante. Pero también el espectador, el periodista, el empresario, el político, el socio de un club, el deportista, los directivos, la publicidad...

www.revistaFusion.com

29 ¿Qué significa?

Según el contexto del artículo anterior, empareje las palabras de la primera columna con su definición, sinónimo o descripción en la segunda.

1.	afición	a.	ruina
2.	cazador	b.	aprisionarse
3.	masas	c.	compañía
4.	fracaso	d.	tendencia
5.	someter	e.	muerte
6.	señalar	f.	perseguidor
7.	rescisión	g.	conforme a
8.	inversión	h.	mientras
9.	marca	i.	idealizar
10.	ingresos	j.	que no se puede mantener
11.	rentable	k.	rápido
12.	acorde con	l.	imponer
13.	marcar	m.	beneficioso
14.	rendimiento	n.	especificar
15.	insostenible	o.	el público, la muchedumbre
16.	columna vertebral	p.	problemas con las articulaciones
17.	artrosis	q.	cancelación
18.	súbito	r.	drogas o sustancias ilegales en la sangre
19.	achacar	s.	productividad
20.	fallecimiento	t.	transacción de dinero
21.	a medida	u.	sueldo, rentas
22.	dopaje sanguíneo	v.	los huesos espinales
23.	soñar sin límite	w.	dirigente
24.	esclavizarse	x.	indicar
25.	directivo	y.	atribuir

30 Lea y escriba/presente

Vuelva a leer el texto completo del artículo anterior y escriba un artículo o haga una presentación en clase sobre "Reflexiones acerca del efecto de la competición en el deporte hoy en día".

Answers

28 8. en; 9. en; 10. a

29 1. d; 2. f; 3. o; 4. a; 5. l; 6. x; 7. q; 8. t; 9. c; 10. u; 11. m; 12. g; 13. n; 14. s; 15. j; 16. v; 17. p; 18. k; 19. y; 20. e; 21. h; 22. r; 23. i; 24. b; 25. w

Instructional Notes

30 Remind students to use their notes from Activity 28.

Additional Activities

Amnesia
See p. TE26.

Juego
Ask students to play *Lo tengo en la punta de la lengua.* See p. TE25.

Answers

31 1. en; 2. del; 3. las; 4. atletas; 5. de; 6. para;
7. educación; 8. de; 9. le; 10. en; 11. de; 12. cualquier;
13. le; 14. para

Additional Activities

Comunicación

Lead the class in a discussion on the pros and cons of the nationalization of sports in countries like Cuba and state-sponsored athletes in these countries.

---

31 Los deportes en Cuba

Lea el artículo y decida cuál de las palabras entre paréntesis es la correcta para completar cada oración. Después conteste las siguientes preguntas:

* ¿Cómo resumiría el artículo en una frase?
* ¿Qué otro título le daría al artículo?

Dirección www.efdeportes.com

Archivo   Edición   Ver   Favoritos   Herramientas   Ayuda

Selección de talentos para el deporte, 27 años de experiencia en Cuba

DR. HERMENEGILDO PILA HERNÁNDEZ

El proceso de detección y selección de prospectos para la iniciación __1.__ *(en / para)* el entrenamiento deportivo contemporáneo no se puede ver aislado del proceso que inicia el desarrollo de habilidades y
⁵ destrezas motrices. En la segunda mitad __2.__ *(en / del)* siglo pasado evolucionaron muchas tendencias y formas para lograr una buena selección, altos índices y resultados en la competición de élite, un denominador común que se observa en todas
¹⁰ __3.__ *(x / las)* referencias al describir *modelo de atleta* o *atleta ideal*, pero ninguno se refiere a cómo eran estos __4.__ *(atletos / atletas)* modelos cuando tenían 8, 10 o 12 años. ¿Cuáles eran sus características modelos? Elaboramos, con las
¹⁵ experiencias que desde 1976 hemos realizado en Cuba, el presente Sistema de Selección Masiva de Talentos para la Iniciación Deportiva, con el deseo __5.__ *(de / para)* trabajar todos, profesores de educación física y entrenadores deportivos,
²⁰ unidos en el empeño de lograr altos resultados en el deporte. Actualmente existen tres formas reconocidas __6.__ *(por / para)* seleccionar talentos; son formas que se aplican a diario por los entrenadores y profesores de __7.__ *(educación / educados)* física de una manera empírica. Estas
²⁵ formas son:

1. La que se produce cuando los entrenadores deportivos asisten a las competencias que se desarrollan en el ámbito escolar; en ellas
³⁰ observan los rendimientos o la participación destacada de los competidores y eligen, __8.__ *(de / a)* esta manera, los elementos que integran la selección para sus grupos de trabajo.
2.³⁵ Esta forma tiene en cuenta la opinión del profesor de educación física, cuando el

El beisbolista cubano, José Contreras, juega para las Medias Blancas de Chicago.

entrenador de un deporte se __9.__ *(le / les)* acerca a preguntar si posee algún alumno que reúna ciertas y determinadas características
⁴⁰ requeridas para su deporte __10.__ *(en / por)* cuestión y el profesor de educación física, que conoce el desarrollo en capacidades y habilidades de la matrícula que atiende, le señala particularmente aquéllos que se
⁴⁵ acercan a los requerimientos planteados.
3. Se trata __11.__ *(de / x)* la más empírica de las formas. Es aquélla en la que el entrenador deportivo, simplemente en __12.__ *(cualquier / cualquiera)* lugar, en la calle, un parque o
⁵⁰ una actividad social, observa en un niño o adolescente alguna disposición o aptitud que __13.__ *(le / les)* hace determinar un posible desarrollo en su deporte.

Éstas son las tres formas que actualmente se
⁵⁵ aplican en cualquier latitud, todas empíricas y carentes de rigor en valoraciones con carácter científico de evaluación, que permita una consideración en proyecciones y perspectivas sobre bases sólidas __14.__ *(por / para)* establecer un
⁶⁰ diagnóstico adecuado.

Investigue palabras clave: atletas cubanos

32 Amplíe su vocabulario

¿Cuál es la mejor traducción?

1. destreza motriz
   a. manual ability
   c. manual movement
   b. motor reflex
   d. motor skill

2. empeño
   a. job
   c. determination
   b. goal
   d. pain

3. empírico
   a. sophisticated
   c. practical
   b. organized
   d. easy

4. ámbito
   a. curriculum
   c. extracurricular
   b. setting
   d. classroom

5. matrícula
   a. enrollment
   c. unity
   b. team
   d. individuality

6. requerimiento planteado
   a. planned registration
   c. requisite put forth
   b. presented obligation
   d. news put forth

7. latitud
   a. longitude
   c. area, part
   b. limit
   d. source

8. carente
   a. expensive
   c. organized
   b. lacking
   d. filled

33 Lea, escuche y escriba/presente

Vuelva a leer los textos completos de las Actividades 28 y 31. Luego escuche la grabación "El doping como resultado de las presiones en los deportistas, y su relación con las adicciones". Escriba un ensayo o haga una presentación en clase sobre "Las tensiones de ser atleta profesional". No se olvide de citar las fuentes debidamente.

Cita

En esta vida no te perdonan si te dejas ganar y te odian si ganas siempre.
—Anónimo

 ¿Está de acuerdo con esta cita? ¿Conoce algunos equipos o a algunos atletas que ilustren este refrán? ¿Quiénes son? Comparta sus opiniones con un/a compañero/a.

¡Dato curioso!

Muchos se sienten heridos por la compra-venta de talentos deportivos entre naciones, sobre todo los países más pobres. En los campeonatos mundiales se pudo constatar, una vez más, el gran número de atletas triunfadores en las competencias que son nativos de naciones pobres pero representan a países ricos del Norte. Por otra parte, muchos atletas defienden que gracias a lo que los países más ricos le ofrecen, han podido triunfar y desarrollarse más en sus deportes.

Compare

¿Qué talentos deportivos han sido comprados recientemente por otros equipos? ¿Cuánto dinero cree que habrán pagado?

Teacher Resources

🎧 Activity 33

Answers

32 1. d; 2. c; 3. c; 4. b; 5. a; 6. c; 7. c; 8. b

Instructional Notes

33 You might want to review the following words with students before they listen to the audio: *preponderante*, dominant; *rendimiento*, performance; *involucrar*, to involve; *acudir*, to turn to; *ajeno a*, alien to/that doesn't belong; *arduo*, difficult; *milagroso*, miraculous.

Additional Activities

Comunicación

Ask students to answer the following question with a partner: *En tu vida profesional, si tuvieras que elegir entre los dos, ¿a qué te dedicarías: a los deportes o a la vida académica? ¿Por qué?*

Repaso Expreso
See p. TE28.

Teacher Resources

Activities 11–17

Instructional Notes

34 Before students read "Boca y River", ask them to do some research on the Web in order to find out more about soccer in Argentina, especially the two teams that are mentioned here: Boca Juniors and River Plate, as well as the soccer stadium, la Bombonera. Then have volunteers make an oral presentation before the class.

¡A leer!

34 Antes de leer

¿Qué sabe del fútbol en Argentina? ¿Conoce algunos equipos famosos de Buenos Aires, como Boca Juniors o River Plate? ¿Ha oído hablar de Diego Armando Maradona? ¿Para qué equipo jugó?

35 El fútbol

Lea con atención el siguiente artículo. Después conteste las siguientes preguntas:

- ¿Cómo resumiría el artículo en una frase?
- ¿Qué otro título le daría al artículo?
- ¿Qué pregunta sería apropiada para hacerle al autor después de leer el artículo?

Boca y River
Amor, muerte y aventura en la Ciudad del Fútbol

Parte 1

Tulio Guterman y Chris Gaffney

Sexta fecha del campeonato de fútbol en Argentina. Juegan Boca y River en la Bombonera. **(A)** Todo señala que no es sólo un partido de fútbol. Todo el país —y más allá— está atento al espectáculo y su entorno. Es en el barrio de La Boca, que la geografía señala como uno de los más característicos de los sectores populares en la Ciudad del Fútbol. **(B)** Una competencia programada en una Argentina con un visible aumento de la violencia: muertos y heridos… Es el partido entre Boca y River, el domingo 11 de marzo de 2002. Este artículo se trata de dos miradas reflexivas y diversas sobre el fenómeno, la de un norteamericano visitante en Buenos Aires, y la de un porteño, nacido en Buenos Aires. Entendemos al fútbol como un fenómeno esencialmente complejo, sobredeterminado por las condiciones sociales, culturales, económicas, geográficas, históricas y políticas. Hay partidos de fútbol en todos lados, prácticamente todos los días del año. Pero Boca y River invitan a un evento único y en un lugar único: la Bombonera. La experiencia comienza mucho antes de llegar. A varias cuadras ya hay puestos de venta callejera de banderas, parrillas al paso donde se cocinan chorizos, y a la distancia ya se escuchan las canciones del estadio. La aventura se inicia. **(C)** La sensación es emocionante, aumentan las pulsaciones y se avanza más rápido porque se tiene la sensación de que se está por participar en un acontecimiento histórico. El espectáculo está a su vez *disneylandizado* por los medios, tanto por la prensa escrita, la radio y la televisión, que ofrecen una mirada parcializada, ideal e incompleta. Sin el público no hay partido. Y no es cualquier público. Toda la gente ha tenido la experiencia del estadio, aprendida desde muy chico. Esto significa saber los códigos del lugar, saber comportarse y relacionarse, para mejor o para peor. Saber cuándo entrar, gritar, cantar, sentarse, estar de pie y salir. Ésta es una experiencia común en el mundo, pero en Argentina la experiencia del estadio y lo que pasa adentro y en los alrededores significa mucho más que un pasatiempo o un objeto de consumo. **(D)** Constituye una parte integral de la cultura local, que abarca desde el presidente hasta los que duermen en la calle.

Continuará…

www.efdeportes.com

Investigue palabras clave:
Diego Maradona

36 Amplíe su vocabulario 🔍

¿Cuál es la mejor traducción?

1. entorno	a.	resident of Buenos Aires
2. porteño	b.	overly preset
3. sobredeterminado	c.	to include
4. cuadra	d.	grill
5. callejero	e.	environment
6. parrilla	f.	street
7. abarcar	g.	block

37 ¿Ha comprendido?

1. ¿Cómo se llama el barrio donde tuvo lugar
   el partido?
   a. La Bombonera
   b. La Boca
   c. River
   d. Ninguna de las respuestas anteriores

2. ¿Cómo es la Argentina de 2002?
   a. Fuerte económicamente
   b. Desorganizada
   c. Violenta
   d. Programada

3. ¿Qué condiciones determinan el fútbol
   en Argentina?
   a. Sociales, económicas y lingüísticas
   b. Sociales, culturales e históricas
   c. Geográficas, económicas y políticas
   d. Las respuestas b y c

4. ¿Qué hay en las calles antes de llegar al estadio?
   a. Hay comida y vendedores de banderas.
   b. Hay comida, canciones y vendedores
      de banderas.
   c. Hay canciones, comida y vendedores
      de entradas.
   d. Hay vendedores de entradas.

5. ¿Qué quiere decir *disneylandizado*?
   a. Todo está programado.
   b. Hay mucha atención de los medios
      de comunicación.
   c. Hay mucha actividad y espectáculo
      en el estadio.
   d. Todas las respuestas anteriores

6. ¿Cómo se podría describir al público
   en el estadio?
   a. Es agresivo.
   b. Está emocionado.
   c. Está programado por la cultura del deporte.
   d. Está tenso por la actividad en el campo.

7. ¿Por qué es diferente asistir a un partido de
   fútbol en Argentina?
   a. Es únicamente un pasatiempo.
   b. Es únicamente objeto de consumo.
   c. Es un pasatiempo y objeto de consumo.
   d. Es una parte integral de la cultura.

38 ¿Cuál es la pregunta? 🔍

Según lo que acaba de leer, escriba una pregunta lógica para estas respuestas.

1. Boca y River
2. En el entorno
3. Un norteamericano y un porteño
4. La Bombonera
5. Un acontecimiento histórico
6. Desde el presidente hasta los que duermen en la calle

39 ¿Qué piensa? 👥

¿Quién cree que escribió la mayor parte del artículo: el norteamericano o el porteño? ¿Por qué? En su opinión, ¿lo escribieron con mucha atención a los detalles? ¿Qué detalles se destacan? Comparta su opinión con un/a compañero/a.

Answers

36 1. e; 2. a; 3. b; 4. g; 5. f; 6. d; 7. c

37 1. b; 2. c; 3. d; 4. b; 5. d; 6. c; 7. d

38 *Ejemplos:*
1. ¿Cuáles son los dos equipos argentinos de fútbol
   que juegan en el campeonato en Buenos Aires?
2. Además del partido del fútbol, ¿en qué más se fijan
   los espectadores?
3. ¿Quiénes nos cuentan sobre el campeonato?
4. ¿Cómo se llama el estadio de Boca Juniors en
   Buenos Aires?
5. ¿Cómo caracterizan los autores del artículo este
   campeonato?
6. ¿Quiénes participan en este acontecimiento
   histórico?

Instructional Notes

39 Have students reread the article and underline
phrases or words which seem more typical from an
American perspective and those that are more typical
from an Argentine or Latin American point of view.

Answers

40 1. Posición A, línea 3

Instructional Notes

41 Ask students to compare the rituals of going to one of their favorites stadiums (or to the one at your school) to those at la Bombonera. Ask: *¿En qué se parecen? ¿En qué se diferencian? ¿Les gustaría asistir a un partido en la Bombonera? ¿Por qué?*

42 Engage students in a conversation about *hinchas* and what common characteristics they have, as well as some past behavior of *hinchas* worldwide.

---

40 ¿Dónde va?

La siguiente oración se puede añadir al texto anterior: *Es el estadio de CABJ, el Club Atlético de Boca Juniors.* ¿Dónde encajaría mejor la oración?

1. Posición A, línea 3
2. Posición B, línea 8
3. Posición C, línea 28
4. Posición D, línea 47

41 Antes de leer

¿Qué aprendió de los rituales de ir a un partido de fútbol en la Bombonera? Compare este ambiente con el que Ud. observa antes de un partido de su deporte favorito.

42 Los hinchas

Lea con atención el siguiente artículo. Después conteste las siguientes preguntas:

- ¿Cuál es el propósito del artículo?
- ¿Cómo resumiría el artículo en una frase?
- Si quisiera consultar otra fuente, ¿podría pensar en un posible título de una publicación?

Boca y River
Amor, muerte y aventura en la Ciudad del Fútbol
Parte 2

TULIO GUTERMAN Y CHRIS GAFFNEY

En el fútbol argentino no hay espectadores, cada persona es protagonista esencial del espectáculo. Sus acciones en el colectivo determinan el acontecer final. La experiencia en las tribunas significa que cada persona debe integrar su propio cuerpo en un cuerpo colectivo, el de la hinchada. Es absurdo gritar cualquier cosa en la popular. Hay que poner la voz al unísono con todo lo demás, hay que pensar en la misma cosa, hay que unificarse detrás de los símbolos (verbales, gestuales, colores y banderas) de la muchedumbre. La experiencia del estadio, y de las tribunas populares en particular, es algo que nos puede informar sobre la cultura del país y sobre la vida de los argentinos. En la tribuna popular todos los hinchas están parados, apretados codo con codo. Llegan dos horas antes del partido y se retiran media hora después. Son casi cinco horas saltando y gritando. El fútbol representa aquí entonces la lucha por la ocupación del espacio, que se constituye con los colores propios, las canciones y por supuesto los goles y los triunfos deportivos. Los hinchas de un equipo se ubican todos en un sector contenido, protegido, delimitado, separado, del cual no se puede salir ni entrar. Además, también está predeterminado el espacio de acceso de cada divisa. Este territorio (las calles, los colectivos, las estaciones de tren) está demarcado por la presencia de la policía, que a su vez ocupa su propio territorio.

Los colores se extienden a los cuerpos, las caras y las cabezas de los hinchas. La hinchada se viste con la camiseta de un jugador favorito, o de una época pasada, para identificar su cuerpo, su propio *Yo*, junto con el resto del grupo. Desde hace algunos años en Argentina, cada vez más las camisetas constituyen una parte integral de los gastos de los hinchas. Hay que lucir el último modelo que se renueva cada seis meses, y por el cual se pagan 60 dólares. Llevar los colores no es algo trivial, es una inversión en el equipo. Antes del inicio del partido, no hay nada para ver en el césped. Todo sucede en las tribunas. No hay show en el campo, no hay porristas, no hay música en los parlantes. El centro de la tribuna es ocupado por la barrabrava, el grupo que lidera el ritmo, la formación y el espectáculo. Son fanáticos, cruzados profesionales, financiados por los dirigentes, jugadores y directores técnicos. Reciben pasajes, entradas, trabajos, viviendas, materiales, información y dinero. Son los que se enfrentan con los hinchas rivales y, en algunos casos, la policía, en el cuerpo a cuerpo, tanto a golpes de puño, o utilizando palos, armas blancas y armas de fuego. Los barrabrava provienen de todos los sectores sociales y no son ajenos al club. Muchos figuran a veces como empleados, o son funcionarios de bajo rango en la administración pública del distrito, de la provincia o de la nación. Lo que pasa dentro del estadio es mucho más que lo que leemos en los diarios o lo que nos muestran por televisión.

www.efdeportes.com

43 Amplíe su vocabulario

Según el contexto del artículo anterior, empareje cada palabra de la primera columna con su definición o sinónimo de la segunda.

1. acontecer
2. integrar
3. hinchada
4. muchedumbre
5. hincha
6. divisa
7. colectivo
8. porrista
9. barrabrava
10. cruzado
11. vivienda
12. a golpes de puño
13. ajeno

a. sector
b. autobús
c. fanático
d. pegar con la mano
e. hacer parte
f. soldado
g. extraño
h. animador(a)
i. grupo de fanáticos
j. muchas personas
k. suceder
l. los líderes de la hinchada
m. domicilio

44 Complete

Complete las oraciones según la segunda parte de "Boca y River. Amor, muerte y aventura en la Ciudad del Fútbol".

1. Nadie grita solo en el estadio... .
2. El espacio de acceso al estadio de cada grupo está determinado por... porque... .
3. La experiencia típica de un espectador dura casi cinco horas porque... .
4. Llevar una camiseta del equipo al estadio es importante porque... .
5. No hay show en el campo, no hay porristas, no hay música en los parlantes antes del inicio del partido pero... .

45 Lea, escuche y escriba/presente

Vuelva a leer las dos partes del artículo sobre el fútbol en la Bombonera y luego escuche "Las contradicciones del fútbol brasileño" y tome notas. Escriba un ensayo o haga una presentación en clase sobre el nacionalismo en el fútbol. No se olvide de citar las fuentes debidamente.

Cita

En el básquetbol, lo importante de un jugador no es lo alto que sea, sino lo alto que juegue.
—Anónimo

 ¿Está de acuerdo con la cita? ¿Se puede aplicar a otros deportes? Escriba la cita refiriéndose a otros dos o tres deportes. Comparta sus opiniones con un/a compañero/a.

Compare

¿Qué programas de televisión conoce que hablen de deportes? ¿Qué piensa de ellos?

Dato curioso

En Argentina existe un programa que se llama Pasión sin Violencia. Su objetivo es crear un espacio abierto de reflexión sobre la violencia en el deporte y en el fútbol específicamente. Busca la participación de todos: niños, jóvenes y adultos en prevenir los actos violentos en los espacios deportivos. Dicen que el fútbol, los otros deportes y los encuentros en las canchas son espacios para disfrutar con fiestas populares que promueven la amistad, el encuentro, el intercambio, la sana competencia y la pasión por la camiseta.

Lección 6B   351

Answers

43 1. k; 2. e; 3. i; 4. j; 5. c; 6. a; 7. b; 8. h; 9. l; 10. f; 11. m; 12. d; 13. g

44 *Ejemplos:*
1. ...porque hay que poner la voz al unísono con todos los demás/hay que pensar en la misma cosa/hay que unificarse detrás de los símbolos (verbales, gestuales, colores y banderas). 2. ...los oficiales del estadio ...quieren evitar problemas. 3. ...llega dos horas antes del partido y se queda media hora después. 4. ...así se identifica con la hinchada. 5. ...hay confrontaciones con los hinchas rivales y, en algunos casos, la policía.

Instructional Notes

45 You might want to review the following words with students before they listen to the audio: *inculcación*, indoctrination; *tetra-campeón*, four-time champion; *endeudado*, in debt; *endiosado*, deified.

Encourage students to research additional information about *fútbol* in Argentina and Brazil before they write their essays. Search the Web for appropriate sites and share these with students.

Additional Activities

Comunicación
Encourage students to find out more about the government program Pasión sin Violencia mentioned in the Dato curioso. You might suggest that students do some online research and share their results with the class. They should be prepared to describe the program's goals and their effectiveness in halting violence.

¿Cuáles son las diferencias?
See p. TE26.

Juego
Ask students to play *¿Verdadero o falso?* See p. TE25.

Nota cultural

En la Copa América 2007, los dos equipos rivales —Brasil y Argentina— se enfrentaron para el campeonato en Maracaibo, Venezuela. Los brasileños ganaron 3–0, pero sólo marcaron dos goles; el tercero fue un auto gol que marcó equivocadamente un jugador argentino.

Investigue palabras clave:
Copa América, Copa Mundial, Pasión sin Violencia

Answers

46 1. d; 2. a; 3. b; 4. d; 5. a; 6. b

Instructional Notes

46 Before listening to the audio, you might want to review the following words with students: *fármacos*, medicine; *desempeño*, performance; *creatina*, creatine (performance-enhancing drug); *culturista*, bodybuilder; *ingerir*, to consume; *esquí de fondo*, cross-country skiing; *dopaje sanguíneo*, injection of performance-enhancing drugs in the blood; *restringido*, restricted.

Additional Activities

¿Cuál es la pregunta?
See p. TE26.

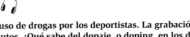

¡A escuchar!

46 Los fármacos

Esta grabación trata del uso de drogas por los deportistas. La grabación dura aproximadamente 5 minutos. ¿Qué sabe del dopaje, o doping, en los deportes? Lea las posibles respuestas primero y después escuche "Un doble enfoque de la utilización de los fármacos: ¿dopaje o salud?" Escoja la mejor respuesta para cada pregunta. Después resuma lo que escuchó en una frase.

1. Según el artículo, ¿por qué hace el hombre el ejercicio físico?
   a. Para mejorar su cuerpo
   b. Para transformar los buenos hombres en los mejores
   c. Para transformar los hombres normales en muy buenos y los discapacitados en personas capaces
   d. Todas las respuestas anteriores

2. ¿Dónde hay mucha desinformación en esta área?
   a. Hay mucha desinformación entre los que usan productos naturales y productos artificiales.
   b. Hay mucha desinformación entre los atletas y las empresas.
   c. Hay mucha desinformación entre los entrenadores y los atletas.
   d. Hay mucha desinformación en toda la industria farmacéutica.

3. ¿Cuál es el mejor método de usar esos fármacos?
   a. Bajo la supervisión de un entrenador
   b. Bajo la supervisión de un doctor
   c. Sin supervisión
   d. Las respuestas a y b

4. ¿Qué es la creatina?
   a. Es un producto natural con el que se obtienen resultados.
   b. Es un producto que ayuda en los deportes de resistencia.
   c. Es un producto que ayuda en el transporte de oxígeno hasta el músculo.
   d. Las respuestas b y c

5. ¿Quién usa el dopaje sanguíneo para obtener ventajas a los demás?
   a. Los aficionados, los deportistas profesionales y los deportistas jóvenes
   b. Los atletas del ciclismo profesional y esquí de fondo
   c. Los culturistas y levantadores de pesas
   d. Ningún grupo específico

6. ¿Cuál es la definición del dopaje según el Comité Olímpico Internacional?
   a. Obtener una ventaja sobre los demás
   b. Aumentar el desempeño del atleta en una competición
   c. Obtener ayuda para competir mejor
   d. Todas las respuestas anteriores

47 La UNESCO

Esta grabación trata de la actitud de la UNESCO frente a la lucha contra el dopaje. La grabación dura aproximadamente 2 minutos. ¿Qué sabe de la UNESCO (la Organización de las Naciones Unidas para la Educación, la Ciencia y la Cultura)? ¿Piensa que esta organización tiene mucho poder en el mundo deportivo? Escuche la grabación "UNESCO se dispone a adoptar primer texto vinculante contra dopaje" y luego conteste las siguientes preguntas.

1. ¿Cuándo votará La Conferencia General de la UNESCO un Convenio? ¿De qué se trata el Convenio?
2. ¿Cómo va a entrar en vigor el Convenio?
3. ¿Cuál es la única excepción que admite el Convenio para contar con sustancias prohibidas?
4. ¿Qué acciones propone el Convenio para prevenir el uso de sustancias prohibidas?
5. ¿Qué sugerencias ofrece el Convenio para persuadir que no se usen las sustancias prohibidas?
6. ¿Cuál es el objetivo de la grabación?
7. ¿Cómo resumiría lo que escuchó en una frase?
8. ¿Qué pregunta sería apropiada para hacerle al autor después de escuchar la grabación?
9. ¿Cuál es el propósito del artículo? ¿Analizar diferentes soluciones/problemas, resumir diferentes opiniones, presentar una situación, criticar una situación?

48 Un resumen

Vuelva a escuchar la grabación anterior y escriba un resumen de ella.

49 Participe en una conversación

Ud. va a participar en una conversación. Primero lea la descripción de la conversación y piense en algunas palabras o expresiones que le serían útiles. Organice sus ideas, haciendo predicciones sobre lo que se le pueda preguntar o comentar. Una descripción de lo que va a escuchar aparece abajo en color. Participe en la conversación grabando las respuestas o escribiéndolas en su cuaderno.

Escena: Se ha anunciado un nuevo programa de antidopaje en el lugar donde estudia. Ud. es deportista y no usa fármacos, pero está preocupado/a porque una amiga —que también es deportista—, le pide su opinión.

Su amiga:	Su amiga plantea el problema.
Ud.:	• Dígale lo que piensa del nuevo programa.
Su amiga:	Sigue la conversación y le pide su opinión.
Ud.:	• Dele su opinión.
Su amiga:	Le hace una pregunta y un comentario.
Ud.:	• Contéstele.
Su amiga:	Sigue la conversación y le pide un consejo.
Ud.:	• Dele su opinión. Explique las razones.
Su amiga:	Sigue la conversación y le hace otra pregunta.
Ud.:	• Contéstele y despídase.

Teacher Resources

Activity 47
Activity 49

Answers

47 1. Mañana; Luchar contra el dopaje; 2. Después de ser ratificado por 30 países; 3. Si se usan para fines médicos legítimos; 4. Propone que los países financien programas de control de dopaje y que haya más sanciones. 5. La creación de programas de educación y formación; más investigación para luchar contra el dopaje; 6. Answers will vary. 7. Answers will vary. 8. Answers will vary. 9. Answers will vary.

48 Summaries will vary.

Instructional Notes

47 Before listening to the audio, you might want to review the following words with students: *vinculante*, binding; *el visto bueno*, approval; *entrar en vigor*, to come into effect; *respaldo*, endorsement; *partir de*, to start from the premise; *desempeñar un papel*, to play a part; *recurrir a*, to resort to; *prever*, to foresee; *erradicar*, to eliminate.

48 You might ask some students to share their summaries with the rest of the class.

Audioscript Activity 49

Su amiga: ¡Hola! ¿Has oído del nuevo programa que van a empezar con el equipo de baloncesto? Van a empezar un programa antidopaje antes del próximo partido.
[STUDENT RESPONSE]
Su amiga: Es tan importante nuestra preparación mental para ganar cada partido. ¿Piensas que el nuevo programa va a afectarnos, y cómo?
[STUDENT RESPONSE]
Su amiga: ¿Piensas que van a descubrir algo? Yo tengo mis dudas.
[STUDENT RESPONSE]
Su amiga: Conozco a alguien en el equipo que usa una sustancia ilegal. ¿Debo decir algo al entrenador?
[STUDENT RESPONSE]
Su amiga: Gracias. Voy a pensarlo. Nos vemos. ¿A qué hora tenemos que estar en el gimnasio el viernes?
[STUDENT RESPONSE]

¡A escribir!

50 Texto informal: los deportes del futuro

Escriba en un blog, hablando del deporte en el siglo XXI.

- Mencione cómo imagina que será el deporte a finales de este siglo.
- Mencione dos o tres aspectos que Ud. espera que cambien en el deporte.
- Mencione cómo el dopaje, la violencia y el nacionalismo van a figurar en el mundo deportivo.
- Termine con el momento más memorable de un deporte.

Consejo

Antes de empezar, lea las pautas para escribir textos informales en la pág. 480 del Apéndice. Mientras escribe el texto tenga presente los objetivos. Cuando termine, verifique que ha cumplido con todo lo que se describe en la lista y reflexione sobre el trabajo que hizo.

51 Texto informal: la violencia en los deportes

En un foro editorial del periódico de su escuela o universidad, describa un incidente de violencia durante un partido de básquetbol (real o imaginario) durante el fin de semana.

- Plantee el incidente y las causas.
- Exprese su opinión.
- Ofrezca sugerencias para disminuir la posibilidad de otro incidente similar en el futuro.

52 Ensayo: los toros

Lea los siguientes artículos sobre los toros, y luego escriba un ensayo que hable sobre los corridas de toros y su historia. Diga si se deberían prohibir todas o no.

El arte de torear

El arte de torear está arraigado en España desde hace muchos siglos. Ya en las prehistóricas pinturas rupestres se pueden observar dibujos de toros. Desde estos primeros contactos con el toro, se fue desarrollando poco

5 a poco el arte de torear, hasta llegar a lo que hoy en día conocemos como *la lidia del toro bravo*. De esta manera se ha convertido al toro bravo español en una raza única y presente tan sólo en la Península Ibérica, en el sur de Francia y en Hispanoamérica... El toreo como hoy lo

10 conocemos se remonta a finales del siglo XVII y principios del XVIII, evolucionando desde distintas escuelas, entre las que destacaron la Sevillana y la de Navarra. Este espectáculo sin igual en el mundo, donde el hombre arriesga su vida y desata pasiones en el ritual del arte y la muerte, ha formado parte de la cultura universal, siendo base importantísima de otras manifestaciones culturales como la literatura, la pintura, la escultura, la música, el cine, etc. Destacados

15 artistas de los últimos siglos se han fijado en la tauromaquia a la hora de desarrollar su actividad: Goya, José Ortega y Gasset, Pablo Picasso, Ernest Hemingway y Orson Welles son una buena muestra de ello.

La prohibición de los toros

En España, el Parlamento Catalán votó a favor de prohibir las corridas de toros en la comunidad catalana. Desde 2012 las tardes taurinas forman parte del pasado. Muchos, satisfechos con la aprobación de la nueva ley, celebran haber puesto fin a una actividad cruel, otros, nostálgicos por una tradición ya extinguida, lamentan la pérdida de un arte tan singular.

53 Ensayo: los deportes ✍

Escriba un ensayo que explique lo que se aprende de los deportes.

54 Ensayo: los atletas ✍

Escriba un ensayo que explique los obstáculos y los beneficios de ser un/a atleta profesional o universitario/a.

55 En parejas 👥

Intercambie sus ensayos con los de un/a compañero/a. Exprésele su opinión sobre el contenido y el uso del idioma.

Consejo

Antes de empezar, lea las pautas para escribir ensayos en la pág. 480 del Apéndice. Mientras escribe el ensayo tenga presente los objetivos y no se olvide de ponerle un título original. Cuando termine, verifique que ha cumplido con todo lo que se describe en la lista y reflexione sobre su trabajo.

¡A hablar!

56 Charlemos en el café 👥

Ud. va a debatir los siguientes temas con un/a compañero/a. Uno estará a favor de lo que se ha dicho y otro en contra. El debate durará varios minutos. El/La estudiante que esté de acuerdo comenzará el debate y hablará por unos dos minutos. Cuando el/la profesor/a lo indique, el/la otro/a estudiante tomará la palabra y expresará su opinión por otros dos minutos y así sucesivamente.

1. Los atletas profesionales y/o famosos merecen el prestigio que tienen y el dinero que ganan.
2. El tráfico de niños atletas es positivo en los países desarrollados, porque en estos países los jóvenes no quieren ser atletas profesionales.
3. Los porristas juegan un papel muy importante en una competición deportiva.
4. El número y el apoyo de los espectadores siempre le da la ventaja al equipo que juega en su propio estadio.
5. Los gobiernos deben financiar todos los gastos de los atletas en las competiciones como los Juegos Olímpicos.

57 ¿Qué opinan? 👥

Converse con un/a compañero/a sobre estas situaciones o preguntas.

1. Ud. es universitario/a y también atleta. Si le ofrecieran la oportunidad de hacerse atleta profesional pero con la condición de abandonar los estudios, ¿lo haría? Explique por qué.
2. ¿Existe discriminación en los deportes? ¿Piensa que hay paridad de acceso a todos los deportes entre hombres y mujeres? ¿Y entre jóvenes y mayores?
3. Se dice que los sobornadores y los apostadores fijan los resultados de la mayoría de las competiciones deportivas profesionales. ¿Es verdad? ¿Qué haría Ud. si supiera que había una competición fijada por un soborno?

Teacher Resources

✎ Activity 20

Instructional Notes

53–54 Ask students to go over the *Pautas* on p. 480 before they start writing their essays.

55 You might want to have students work in small groups rather than with a partner to critique one another's work.

56 Because all students will speak, allow them time to prepare this activity. Be sure to tell students which issue and which side of the issue they will be debating, so that they can do some research and practice before their debate.
After students have debated these issues with a partner, you might want them to continue the debate in small groups, or even have a discussion with the whole class on one or two of these topics. Remind students to use as much of the new vocabulary from this lesson as they can.

57 Encourage students to use some of the verbs from the *A tener en cuenta* section on p. 358 here.

Additional Activities

Corrija una carta and **Las noticias de hoy**
See pp. TE26 and TE28.

58 Review the *Pautas para presentaciones formales* on p. 481, and refer students to their copies of the guidelines given to them in *Lección 1A* (*Antes y durante una presentación*). (See p. 27 of this Annotated Edition.) Remind them that while they are presenting they should not read from their notes.

59 Before students start their projects, go over the questions from *Lección 1A*, p. 28. Students should have a copy of these questions for each project. Remind them that after they complete their project, they will self-assess their work as a team using the grading system 1–5 (5 being the highest, and 1 the lowest) and write a grade next to each question. After they turn in their work or make their presentation to the class, you will review their project and write your comments and evaluation next to theirs.

Additional Activities

La noticia del día
See p. TE28.

---

58 Presentemos en público

Conteste una de las siguientes preguntas o haga una presentación oral sobre uno de los temas durante varios minutos en clase. Organice sus ideas antes de hacer la presentación, busque las palabras necesarias y, después de practicar, presente en clase sin mirar las notas.

1. ¿Cree que la globalización de los deportes los ha afectado demasiado? ¿Qué haría Ud. para promocionar la idea de que el deporte es una competición deportiva y no un negocio?
2. ¿Qué deporte profesional es el más exigente? ¿Por qué? Hable de los aspectos físicos (entrenamiento, talento, nivel de competencia) y la preparación mental. Mencione los sacrificios y los obstáculos (viajar y estar lejos de la familia, el dopaje, la presión por ser el número uno, los sobornos, etc.).
3. Opine sobre los contratos que reciben los atletas para promocionar productos. No se olvide de mencionar si los atletas los merecen, sobre todo el dinero que reciben para promocionar estos productos.
4. Su hermanita participa en un equipo de fútbol, pero el entrenador ha renunciado y el equipo está buscando a otro/a. Explique por qué Ud. sería (o no) el/la candidato/a ideal.

> **Consejo**
>
> Antes de empezar, lea las pautas para presentaciones formales en la pág. 481 del Apéndice. Mientras formula su presentación tenga presente los objetivos. Cuando termine la presentación, verifique que ha cumplido con todo lo que se describe en la lista y reflexione sobre el trabajo que hizo.

Proyectos

59 ¡Manos a la obra!

Trabaje en un grupo de cuatro o cinco estudiantes para llevar a cabo uno de los siguientes proyectos y presentarlo a la clase.

1. Muchos dicen que ni las corridas de toros ni la lucha libre son deportes. Entonces, ¿en qué consiste un deporte? Establezcan unos criterios y apliquenlos a un deporte. Después usen el ejemplo de la lucha libre o las corridas de toros y expliquen por qué no son deportes.
2. ¿Recuerdan las siguientes citas de la lección?: *Cuando somos buenos, nadie nos recuerda, cuando somos malos, nadie nos olvida. En esta vida no te perdonan si te dejas ganar y te odian si ganas siempre.* Piensen en un atleta o equipo que tenga mala fama o reputación. Organicen un plan de marketing para mejorar su imagen.
3. Hagan un anuncio para promover la práctica de un deporte sin violencia. Decidan qué deporte será, qué deportistas profesionales van a aparecer en el anuncio y a quiénes van a dirigir el anuncio.

Vocabulario

Verbos

aliviar	to relieve
apostar (ue)	to bet
brindar	to offer
contradecir	to contradict
descalificar	to disqualify
destacarse	to stand out
disminuir	to lessen
emigrar	to emigrate
empatar	to tie (a score)
enmarcar	to frame, form the backdrop
entrenar	to train, coach
estar entrenándose	to be in training
favorecer	to favor
hacer atletismo	to practice track and field
hacer competencia	to have a rivalry
hacer deporte(s)	to do/practice sports
juzgar	to judge
patrocinar	to sponsor
perdurar	to last, endure
permanecer	to stay
promocionar	to promote
reavivar	to rekindle; to revive
remitir	to send
seleccionar	to select
señalar	to point out
sobornar	to bribe
solucionar	to (re)solve
torear	to fight bulls

Verbos con preposición

verbo + a:

acercarse a	to approach, get close to
precipitarse a	to hurry to

verbo + con:

competir (i) con	to compete with

verbo + de:

evolucionar de	to evolve from

verbo + en:

enmarcarse en	to be in line with
fijarse en	to pay attention to, notice
iniciarse en	to begin
recaer en	to go to (prize, award)
tener un efecto en	to have an effect on

Sustantivos

el	ámbito	atmosphere
el/la	apostador(a)	bettor (person who bets)
el	apoyo	support
la	apuesta	bet
el	atletismo	track and field
el	cansancio	tiredness
la	carrera	race; career
el	castigo	punishment

la	corrida de toros	bullfight
el/la	culturista	bodybuilder
los/las	demás	the rest, others
el/la	discapacitado/a	handicapped person
el	dopaje sanguíneo	blood enhancement
el	empate	tie (score)
el	empeño	determination, effort
el/la	entrenador(a)	trainer
el	fármaco	medication
el	fracaso	failure
el	galardón	award, prize
el/la	galardonado/a	prizewinner
el/la	hincha	fan, supporter
la	inversión	investment
la	jabalina	javelin
el	lanzamiento de disco	discus throwing
el/la	levantador(a) de pesas	weight lifter
la	marca	brand name
la	minusvalía	handicap, disability
el/la	minusválido/a	handicapped person
el	ocio	leisure time
la	paridad	equality
la	permanencia	stay; continuance
la	pértiga	pole vault
la	polémica	controversy
el/la	porrista	cheerleader
el	premio	prize, award
el	prestigio	prestige
el/la	propagador(a)	promoter
la	receta	prescription
el	respaldo	endorsement
el/la	sobornador(a)	person who bribes
el	soborno	bribe
el/la	testigo	witness
el	tiro al arco	archery
el	toreo	(art of) bullfighting
el/la	torero/a	bullfighter
la	trayectoria	path, trajectory
la	valla	hurdle

Adjetivos

alcanzable	reachable
disponible	available
empírico, -a	empirical (from experience)
motriz	motor
taurino, -a	related to bullfighting

Expresiones

asimismo	also
ciudad organizadora	organizing (host) city
dar pie a	to take hold, allow
entrar en vigor	to go into effect

Teacher Resources

 Activities 21–24

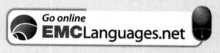
Go online
EMCLanguages.net

Additional Activities

Juegos
To practice and reinforce the lesson's vocabulary, have students play either one or both of these games: *Cadena de palabras*, *Lo tengo en la punta de la lengua*. See pp. TE24 and TE25.

Juego
To practice the culture, grammar, or vocabulary presented in the lesson, ask students to play *¿Quién quiere ser millonario?* See p. TE25.

Ask students to do any of the following activities to practice and strengthen the vocabulary and grammar presented in this lesson: *¿Cómo están relacionados?*, *La definición interminable*, *Repaso Expreso*, *De periodistas*. See pp. TE26–TE28.

Teacher Resources

 See ExamView for assessment options.

Instructional Notes

Ask students to come up with more expressions with the verbs mentioned in the *A tener en cuenta* section.

A tener en cuenta
Palabras problemáticas

to ask	
to ask for something	pedir
to ask a question	preguntar, hacer una pregunta
to ask for someone	preguntar por
to wonder	preguntarse
to fail	
to fail a course	suspender, reprobar (a alguien)
to be unsuccessful	fracasar
to stop doing something	dejar de
to miss; to be lacking	faltar (a)
to leave	
to leave behind, abandon	dejar
to go out, depart, leave (a place)	salir
to go away	irse, marcharse
to take	
to take an exam	examinarse
to take a course	seguir una asignatura
to take out	sacar
to take place	tener lugar
to take away	quitar
to take time	tardar, demorar(se)
to take something the wrong way	tomárselo mal, interpretarlo mal

time	
a period or duration of time	tiempo
once, one time	una vez
all the time (constantly)	constantemente
each time	cada vez
once again	otra vez
at times	a veces
time of day	hora
a short time, a while	un rato
time during a season, historical time	época
to have a good time	divertirse, pasarlo bien
to buy time	ganar tiempo
to have time on one's hands	sobrarle tiempo
against time	contra reloj
in time	a tiempo
to have a hard time convincing someone	costarle muchísimo convencerlo/la
(to arrive) anytime now	(llegar) en cualquier momento
it's about time (you practiced a sport)	ya es hora (de que practiques un deporte)

Capítulo 7

Temas

- Inventos y tecnología
- Idiomas
- Ecología

¡Conéctese a su mundo!

359

Overview of chapter 7

This chapter deals with topics that will connect students to the world through technology, languages, or the environment. Students will read and discuss how inventions and technology have impacted their lives. The students will learn more about Latin America including the Pre-columbian period, the religions and the ethnic diversity. They will also read about and discuss how the mail system is changing, the impact of technology, the influence of the Internet and the impact of social networks.

Nota cultural

Los dos trenes que se ven en la foto están en la estación de Santa Justa, Sevilla (España), y son los más modernos y veloces del país. Se les conocen como AVE, que es la sigla de Alta Velocidad Española, una división de una empresa de ferrocarriles que fue creada en 1992 (año en que se celebró la Expo '92 en Sevilla) para operar con trenes de alta velocidad entre Madrid y Sevilla. Los servicios de AVE comenzaron con seis trenes diarios entre la capital y Sevilla. Como estos trenes tuvieron gran éxito —el viaje se cortó así por un poco más de dos horas— se establecieron rutas a distintas ciudades españolas. Ahora estos trenes alcanzan velocidades de algo más de 300 kilómetros por hora.

Instructional Notes

You might want to ask students some of the following questions: *¿Qué invento del siglo XX o del XXI ha tenido más impacto en su vida? ¿En qué sentido les ha afectado? ¿Qué podrían decir del papel e importancia del idioma español en el mundo actual? ¿Creen que va a tener más o menos importancia hablar español u otros idiomas extranjeros en el futuro? ¿Por qué? ¿Cuáles son algunos problemas ecológicos en su comunidad o región? ¿Cómo se han resuelto, o cómo proponen los ciudadanos resolverlos?*

Lección A

Objetivos

Comunicación
- Hablar del impacto de la tecnología
- Hablar de la importancia de los idiomas
- Describir los problemas ecológicos

Gramática
- Repaso de tiempos verbales
- Repaso del comparativo y superlativo
- Verbos con preposición
- Pronombres relativos
- Palabras negativas y afirmativas
- Expresiones impersonales con subjuntivo

"Tapitas" gramaticales
- pronombres relativos
- la terminación *-quiera*
- reconocer ciertos tiempos verbales
- formas apócopes
- *ambos*

Cultura
- La tecnología
- Latinoamérica (período precolombino, religión y diversidad étnica)
- Los telegramas
- Móviles
- El español en EE.UU.
- Internet y su efecto
- Los bosques
- La Amazonia

Go online
EMCLanguages.net

Para empezar

1 Conteste las preguntas 👤👤

Piense en las respuestas a las siguientes preguntas. Ud. puede tomar notas si lo considera necesario. Cuando termine, compare sus respuestas —pero sin mirar sus notas— con las de un/a compañero/a.

1. ¿Cómo ha cambiado nuestro mundo desde principios del siglo XX hasta principios del siglo XXI?
2. Haga una lista con los cinco inventos más importantes del siglo XX y luego haga otra con los cinco inventos más importantes de este siglo.
3. ¿Tiene un teléfono celular? ¿Cuándo lo usa? ¿Por qué?
4. ¿Qué opina en general de la educación en los Estados Unidos, en su región, estado, escuela o universidad?
5. ¿Qué opina de la necesidad de aprender español en nuestra sociedad?
6. En las carreras del futuro, ¿será importante hablar español? ¿Por qué?
7. ¿Estaría interesado/a en una carrera donde tuviera que hablar español? ¿En cuál? ¿Por qué está interesado/a en esta carrera?
8. ¿Qué países de habla hispana cree que presentan el mayor crecimiento tecnológico? ¿Y el menor?
9. ¿Qué religiones se practican en Latinoamérica?
10. ¿Hay mucha diversidad étnica en Latinoamérica?
11. ¿Manda cartas o dejó de hacerlo?
12. ¿Se debería poder usar el móvil en la clase?
13. ¿Cómo ayuda el Amazonia al mundo?

Un invento fundamental del siglo XX: la computadora portátil

2 Mini-diálogos 👤👤

Ud. va a crear un mini-diálogo con un/a compañero/a. Lea la descripción de la conversación en la página siguiente antes de empezar. Puede tomar notas para organizar sus ideas, pero no las mire mientras conversa. Le pueden servir algunas de las palabras del recuadro.

la oferta	hacer un convenio
el plan de llamadas	el número de minutos permitidos
sin cargo móvil a móvil	minutos al mes
el programa de mensajes	el cobro de servicio de navegación en la red inalámbrica
el ciberespacio	la Red Mundial (WWW)
la Red	el programa buscador
la factura	poner atención a las letras pequeñas del contrato

continúa

---

1 Answers will vary.

Instructional Notes

2 Ask students to practice the words in the word bank before they start preparing their dialogues. Encourage them to use these words in their dialogues.

Additional Activities

Use *¡Pongámonos de acuerdo!* to practice the words in the word bank.
See p. TE28.

Instructional Notes

Before students respond to the *Proverbio*, ask them if they know the meaning of *molinos* (windmills). Encourage a discussion about the relationship between people and nature, or people and technology.

Additional Activities

Trabajo de investigación
Ask student volunteers to research the inventions or procedures mentioned in the *Dato curioso* and present their findings to the class.

¿Vale más una imagen que mil palabras?
See p. TE28.

Escena: Dos amigos/as están mirando anuncios en el periódico para teléfonos celulares porque uno/a de ellos ("B") quiere comprar uno nuevo. El/La otro/a ("A") le ayuda a decidir cuál debe comprar.

A: Entable una conversación sobre los teléfonos celulares. Pregúntele a su compañero/a sobre las características que él/ella busca en su nuevo teléfono.

B: Hable sobre las características.

A: Después de mirar un anuncio del periódico, hable de las características de este teléfono y el precio.

B: Haga unos comentarios sobre este teléfono y hágale preguntas sobre otro anuncio.

A: Conteste las preguntas con información adicional de los anuncios.

B: Reaccione y pídale que mire otro anuncio.

A: Haga un comentario sobre el tercer anuncio.

B: Tome una decisión e invítelo/la a acompañarlo/la a la tienda donde se venden teléfonos celulares.

A: Reaccione a la decisión y a la invitación.

¿Qué características busca Ud. en un teléfono celular?

Proverbio

No puede impedirse el viento. Pero pueden construirse molinos.
—Proverbio holandés

 ¿Cómo aplicaría este proverbio a la naturaleza? ¿Y a otros ámbitos de la vida cotidiana? Comparta su opinión con un/a compañero/a.

●Dato ¡curioso!

Aunque hay inventos que son bastante recientes, como el taladro dental inventado por un mecánico estadounidense, esto no impidió a odontólogos como el egipcio Hesi-Re en el año 3000 a. de J. C. arreglar los dientes de los faraones, o a un médico cordobés en operar de cataratas a sus pacientes alrededor del año 800 en España. Hay muchos inventos a los que no les damos importancia; no obstante, su reciente uso ha mejorado la calidad de vida de muchas personas, como también es el caso de los pañales o el plástico entre muchos otros.

Vocabulario y gramática en contexto

3 Un foro

Túrnese con un/a compañero/a para leer los comentarios que dos personas han escrito en un foro sobre los inventos y la tecnología. Fíjese en las palabras que aparecen en azul (relacionadas con el vocabulario) y en rojo (relacionadas con la gramática), ya que en las siguientes actividades se le harán preguntas sobre ellas.

Una maqueta del Sputnik 1

El ENIAC, el primer ordenador electrónico

Los inventos

Susana

Acabo de leer un artículo sobre algunos inventos del siglo XX y quería compartirlo con ustedes. Aquí están en orden cronológico. La lavadora eléctrica y la aspiradora aparecieron en 1901. En 1907 Henry Ford empezó a fabricar tractores en serie con piezas de automóviles y en 1908 introdujo el modelo T. En 1912 se perfeccionó la cremallera o el cierre; hoy existe
5 una infinidad de modelos sobre todo para la industria textil. En 1931 se construyó el primer radar para enviar impulsos de radio detectores de barcos. En 1934 se empezó a utilizar el filamento doblemente enrollado que dio origen a las bombillas actuales, de las cuales existen muchísimos modelos y formas. En 1935 una empresa inventó una banda plástica cubierta de una película magnética y nació la primera grabadora. En 1937 se inició la comercialización
10 de los calentadores de aire. El bolígrafo moderno, práctico, desechable y de poco costo, fue inventado en 1940. En 1945 se patentó un aparato que luego se convertiría en el horno de microondas. En 1946 quedaba concluida la construcción del ENIAC, el que se considera el primer ordenador electrónico de la historia. La primera grabación en video se realizó en 1951. En 1957 la ex Unión Soviética lanzó con un cohete el primer satélite artificial, el Sputnik 1.
15 En 1974 se inauguró en Japón la línea del Nuevo Tokaido con sus trenes que alcanzaban una velocidad de 200 kilómetros por hora. En 1979 dos empresas, Philips y Sony, desarrollaron discos compactos. Hacia 1980 las compañías RCA, Sharp y Xerox se lanzaron a la tarea de perfeccionar el fax. En 1982 al dentista jubilado, Barney Clark, se le implantó un órgano mecánico hecho de plástico y metal para sustituir su corazón. En 1983 se fabricaron los
20 primeros teléfonos móviles. ¿Cómo sería nuestro mundo sin estos inventos? No sé si podría vivir sin muchos de ellos.

Instructional Notes

3 After students finish reading both articles, encourage them to research other inventions of the 20th and 21st centuries.

Answers

4 *Sustantivos:* inventos, cremallera, cierre, filamento, película magnética, grabadora, calentadores de aire, ordenador, cohete, teléfonos móviles, medio ambiente, sobreexplotación, recursos naturales, bienestar; *Adjetivos:* enrollado, desechable, arquitectónicos, tecnológicos, hidratada, congelada; *Verbos:* aparecieron, se perfeccionó, se construyó, dio origen a, inventó, se inició, fue inventado, se patentó, se realizó, lanzó, se inauguró, alcanzaban, desarrollaron, se lanzaron, implantó, se fabricaron, ha proporcionado, sobrevivir, se aprovechara, luchan; *Expresiones:* orden cronológico, en serie, esperanza de vida, han ayudado a vivir, en armonía

La tecnología

Gonzalo

Yo reconozco que la tecnología ha proporcionado numerosas ventajas y beneficios; entre otros, ha proporcionado mejores condiciones de vida al permitir a los seres humanos ser más independientes de la naturaleza, poder sobrevivir en ambientes hostiles y disponer de alimentos. La tecnología también ha mejorado las comunicaciones. Los avances en la medicina han
5 prolongado la esperanza de vida para muchos; los avances arquitectónicos y tecnológicos nos han ayudado a vivir en desiertos, en las zonas antárticas o en la selva; la comida deshidratada y la congelada nos ayuda a alimentarnos donde queramos. Gracias a ellos nuestro mundo es más cómodo para muchos. Por otra parte, la utilización inadecuada de la tecnología ha provocado la aparición de numerosos problemas como el deterioro del medio ambiente; la sobreexplotación
10 de recursos naturales como la madera, el petróleo y aun el agua; y la aparición de nuevas enfermedades. ¿Hasta dónde se aprovechará la tecnología? Unas organizaciones ecológicas y humanitarias como Greenpeace y algunos comités de las Naciones Unidas luchan por el bienestar del ser humano en armonía con la tecnología y la naturaleza. En América Latina, uno de los campos de la ciencia que está muy desarrollado es la astronomía. Los centros más importantes
15 se encuentran en países como Argentina, Chile, Brasil, Colombia, México, Venezuela y Puerto Rico (este último con la colaboración de la NASA). Entre los científicos galardonados con un Premio Nobel se encuentra Bernardo Alberto Houssay (1947), Luis Federico Leloir (1970), Baruj Benacerraf (1980), César Milstein (1984), y Mario J. Molina (1995). Brasil presentó el mayor crecimiento de producción científica entre todas las naciones del mundo.
20 Superó a Rusia y a los Países Bajos y alcanzó el 13° puesto entre los mejores productores de conocimiento del mundo. En Cuba, la biotecnología se encuentra sumamente desarrollada desde los años ochenta, destacándose centros como el de "Inmunología Molecular" y el de "Medicina Tropical". En cuanto a asuntos científicos, Venezuela impulsa estudios locales sobre la energía atómica con fines principalmente médicos, y para la generación de electricidad.

Las plataformas petrolíferas han invadido los mares.

La deforestación contribuye al deterioro del medio ambiente.

4 Amplíe su vocabulario

Clasifique las palabras que aparecen en azul y rojo en las lecturas anteriores según sean sustantivos, adjetivos, verbos o expresiones relacionadas con inventos y tecnología.

5 Repaso

Conteste estas preguntas basadas en las lecturas de la Actividad 3.

1. Haga una lista de todos los verbos en el pretérito.
2. Explique el uso de *se* con los verbos del pretérito en los artículos y cite todos los ejemplos.
3. Busque los dos verbos en el imperfecto. Contraste el uso del imperfecto con el pretérito de la lectura.
4. Busque los tres verbos en el condicional y explique su uso en la lectura.
5. Explique el cambio que sufren en el presente los verbos que terminan en *-cer*. Cite un ejemplo de la lectura.
6. ¿Cuándo se usa el presente perfecto?
7. ¿Qué adjetivo tiene una forma irregular en el comparativo y en el superlativo? Escriba estas dos formas del adjetivo.
8. Busque tres usos diferentes del infinitivo en los comentarios del foro y cítelos.
9. Explique los usos de *por* y *para* en los comentarios del foro.
10. En los comentarios, ¿qué sustantivo femenino lleva artículo masculino? ¿Por qué?
11. ¿Qué verbo se usa en el futuro? ¿Hay otra manera de expresar lo mismo con distinto tiempo o expresión verbal? ¿Cuál?

6 "Tapitas" gramaticales

Conteste estas preguntas basadas en las lecturas de la Actividad 3.

1. ¿Qué significa en inglés *las cuales* en la frase "dio origen a las bombillas actuales, de *las cuales* existen muchísimos modelos y formas"? Explique el uso del pronombre relativo *cual*.
2. Explique la construcción verbal *fue inventado*. ¿Hay otra manera de escribir la oración "El bolígrafo moderno, práctico, desechable y de poco costo, *fue inventado* en 1940"? ¿Cuál es?
3. ¿Qué significa *al permitir*? ¿Tiene otro significado? ¿Cuál es?

7 Verbos con preposición

Según el contexto de los artículos anteriores, ¿cuál es la mejor preposición (*a, con, de, en*) para completar cada oración?

1. Me conmueve que no dejen ___ buscar nuevas ideas para su proyecto.
2. Lo que sucede es que no están de acuerdo ___ lo que los otros científicos piensan.
3. Hoy en día existen numerosas aplicaciones que no cesan ___ interesarnos.
4. Vayamos al Amazonas y disfrutemos ___ la maravillosa selva y espacios abiertos.
5. Por algún motivo su abuela se negaba ___ hacer compras por Internet.
6. ¿Te has enterado ___ lo último?
7. ¿Cómo van Uds.? Nosotros todavía no nos hemos acostumbrado ___ nuestra nueva vida aquí.
8. ¡Qué despistado! Me olvidé ___ llamaros para que vinierais a la reunión.
9. ¡Hecho! Mañana quedamos ___ vosotros y os damos una vuelta por las nuevas instalaciones.
10. ¡Venga ya! No te rías ___ mi nuevo "look". A mí me fascina.

8 ¿Qué opina?

Reaccione a lo que cada persona ha escrito en el foro de la Actividad 3 y comparta su opinión con un/a compañero/a. Incluya palabras del vocabulario nuevo que aparecen en azul.

el centro.) **2.** Es la voz pasiva en el pasado. Sí; En 1940 se inventó el bolígrafo moderno, práctico... **3.** *by allowing*; sí: *upon allowing, when you allow.*

7 1. de; 2. con; 3. de; 4. de; 5. a; 6. de; 7. a; 8. de; 9. con; 10. de

Instructional Notes

8 Ask some students to share their opinions with the entire class.

Teacher Resources

Activities 1–3

Answers

5 **1.** aparecieron, empezó, introdujo, perfeccionó, construyó, empezó, dio, inventó, nació, inició, fue, patentó, realizó, lanzó, inauguró, desarrollaron, lanzaron, implantó, fabricaron; **2.** Es otra manera de expresar la voz pasiva; por ejemplo, *se construyó el primer radar* o *el primer radar fue construido*; se perfeccionó, se construyó, se empezó, se inició, se patentó, se realizó, se inauguró, se lanzaron, se (le) implantó, se fabricaron. **3.** alcanzaban, quedaba; El imperfecto expresa acciones pasadas sin precisar el principio ni el final de la acción. El pretérito expresa acciones realizadas y acabadas en el pasado sin relación con el presente. **4.** convertiría, sería y podría; El condicional expresa una acción futura o posible. *Convertiría* expresa modalidad potencial de una acción que empezó en el pasado pero perduró en el futuro. *Sería* y *podría* expresan posibilidad en el futuro. **5.** Cambian la conjugación en la primera persona a *-zco* (*reconozco*). **6.** Se usa el presente perfecto para expresar acciones realizadas en el pasado y que perduran en el presente; por ejemplo: *La medicina ha prolongado*. **7.** bueno; mejor, el/la mejor; **8.** Sigue una preposición (para enviar, de perfeccionar, para sustituir) o una preposición que sigue otro verbo (acabo de leer, empezó a fabricar, se empezó a utilizar, se dieron a la tarea de perfeccionar, nos han ayudado a vivir, nos ayuda a alimentarnos); sigue otro verbo (podría vivir, al permitir ser, poder sobrevivir/disponer); sigue la palabra *al* (al permitir). **9.** para la industria = propósito/intención; para enviar impulsos = finalidad; para sustituir al corazón = finalidad; ha prolongado la esperanza de vida para muchos = finalidad; para muchos = finalidad; por hora = tiempo; por otra parte = modo; luchan por el bienestar = causa; **10.** el agua; Los sustantivos femeninos que comienzan por *a* o *ha* tónica en singular deben llevar el artículo *el*. En plural, estos sustantivos emplean el artículo femenino *las* (las aguas). Cuando entre el artículo y el sustantivo se intercala otra palabra, el artículo debe ser *la* (la transparente agua). **11.** aprovechará; Sí; el presente del verbo *ir* + *a* + *aprovechar*. Ejemplo: ¿Hasta dónde va a aprovechar la tecnología?

6 **1.** las cuales = *which*; Varía en género y número y tiene neutro (el/la cual, los/las cuales, lo cual), se refiere a personas y cosas; después de una preposición se usa igual que *el que*; se usa *el cual* cuando va precedido de un adverbio y una preposición (*encima de la cual*); cuando va precedido de un nombre que define una parte o un grupo del antecedente (*los inventos, la mayoría de los cuales...*); cuando el antecedente está muy alejado del pronombre y para evitar ambigüedades (*Fui a la casa de mis parientes chilenos, la cual está en*

Additional Activities

Composición

Ask the students to write a short fictional story (300-400 words) about the last incas. They should include the topics of *amor* and *valentía* and combine historical facts with fiction.

Juego

Ask students to play *Trivia*. See p. TE25.

Lea con atención el siguiente artículo. Después conteste las siguientes preguntas:

- ¿Cuál es el propósito del artículo?
- Si quisiera consultar otra fuente, ¿podría pensar en un posible título de una publicación?

Latinoamérica

Período precolombino

Antes de la llegada de Cristóbal Colón la región era el hogar de muchos pueblos indígenas y civilizaciones avanzadas, como los aztecas, toltecas, los caribes, tupíes, mayas e incas. La edad de oro de los
5 mayas comenzó alrededor del año 250, con las últimas dos grandes civilizaciones, los aztecas y los incas, emergiendo en la prominencia más tarde a principios del siglo XIV y mediados de los siglos XV, respectivamente. Las civilizaciones americanas
10 descubrieron e inventaron elementos culturales decisivos para la humanidad como avanzados calendarios, complejos sistemas de manipulación genética como la que generó el maíz y el 75% de los alimentos actuales, así como un dominio en el trabajo
15 de la piedra, sistemas de gestión ambiental de amplias zonas geográficas, avanzados sistemas de riego, nuevos sistemas de escritura, nuevos sistemas políticos y sociales, una avanzada metalurgia y producción textil, etc. Algunas civilizaciones
20 precolombinas también descubrieron la rueda, que no resultó de utilidad productiva debido en parte a que en las cordilleras y selvas donde se encontraban, pero fue utilizada para la fabricación de juguetes.

Otro de los elementos comunes de las culturas
25 precolombinas que alcanzó un alto grado de desarrollo fue la edificación de templos y monumentos religiosos, siendo claros ejemplos las zonas arqueológicas de Caral, Chavín, Moche, Pachacámac, Tiahuanaco, Cuzco, Machu Picchu y Nazca, en los Andes Centrales y
30 Teotihuacan, Templo Mayor en la Ciudad de México, Tajín, Palenque, Tulum, Tikal, Chichén-Itzá, Monte Albán, en Mesoamérica.

Religión

La mayoría de la población latinoamericana profesa el cristianismo, principalmente el cristianismo católico.
35 Aparte de éste (que es profesado por la mayoría de la población), el cristianismo protestante se profesa de forma minoritaria (aunque influyente) en países como Argentina, Brasil, Chile, Costa Rica, México, Guatemala y Puerto Rico (en este último, la
40 población que profesa el protestantismo se equilibra casi con los que profesan el catolicismo). Es de mencionar que en ningún país latinoamericano la rama protestante pasa a ser la más profesada, como sí ocurre en países anglosajones americanos. También
45 cabe mencionar las creencias indígenas que se han

La pirámide Kukulkán en Chichén-Itzá en la Yucatán de México.

conservado hasta el día de hoy, y que además son practicadas mediante rituales en países como Bolivia, Guatemala, México y Perú. En México y Guatemala, la más conocida es la ofrenda de los muertos. En
50 Bolivia y Perú se hace un ritual conocido como ofrenda a la Pachamama y la Challa. En Cuba, República Dominicana, Puerto Rico, Brasil, Haití, Venezuela y en las regiones francesas de ultramar (Guadalupe, Guayana Francesa y Martinica), algunos rituales
55 origen africano se entremezclan con prácticas propiamente cristianas derivando en rituales tales como: santería, umbanda y macumba candomblé.

Costa Rica tiene la religión católica apostólica romana como oficial según su constitución política,
60 aunque con libertad de culto. Con la inmigración, también han llegado otras religiones como el islam, el judaísmo, el hinduismo, el budismo, el sintoísmo y otros.

En la actualidad hay países dentro de la región,
65 donde la iglesia católica tiene estatuto oficial y en otros no, es decir, que se declaran estados laicos. En países donde el catolicismo goza de oficialidad son: Argentina, Costa Rica, Haití y Panamá. Países declarados laicos son: Bolivia (desde 2009), Brasil,
70 Chile, Colombia, Cuba, Ecuador (desde 2008), El Salvador, Guatemala, Honduras, México, Nicaragua, Paraguay, Perú, Puerto Rico, República Dominicana, Uruguay y Venezuela.

Nota cultura

Los incas fueron los jefes de estado del Imperio incaico. El último inca en el gobierno fue Atahualpa. El poder del inca era absoluto. Las crónicas identifican al inca como el gobernante supremo, a semejanza de los reyes europeos en la Edad Media. Sin embargo, el cargo era compartido, y el acceso a éste no tenía que ver con la herencia al hijo mayor, sino con la elección de los dioses mediante unas pruebas muy rigurosas, a las que se sometían las aptitudes físicas y morales del pretendiente. Las crónicas mencionan que el inca era objeto de culto y de adoración. Considerado un ser sagrado sacralizaba a su vez todo aquello que entraba en contacto con él. Como hijo del Sol, entre sus atributos se encontraba el ser mediador entre el mundo divino y humano. Por lo general no se dejaba ver por la gente y debía ser conducido siempre en andas, pues si su poder entraba en contacto con la tierra podía producir catástrofes, por la energía que de él emanaba. Si a alguien se le permitía acercarse, tenía que hacerlo descalzo y con una carga simbólica en la espalda como signo de sumisión; no podía mirarle de frente. Al morir, se consideraba que su destino era morar con su padre el Sol.

10 Amplíe su vocabulario

Escriba frases con las palabras que aparecen en azul en el texto. Después decida qué otras ocho palabras que aparecen en el texto anterior considera importantes aprender. Comparta su lista con un compañero/a.

11 "Tapitas" gramaticales

Conteste estas preguntas relacionadas con el artículo anterior.

1. ¿Por qué se usa *la que* y no *que*?
2. ¿Por qué se usa *ningún país* y no *ninguno país*? ¿Y *algunos rituales*?

12 Los pronombres relativos

Complete cada oración con el pronombre relativo adecuado de la lista: *quien, que, el que, la(s) que, lo(s) que, el cual, la cual, los cuales, las cuales*.

1. ___ tenga más habilidades, ganará el premio.
2. El portavoz hablaba sin cesar, ___ irritaba al público.
3. ¡No te lo vas a creer! Vi un documental anoche, ___ mencionaba dos lugares de los que te hablé ayer.
4. Los juguetes con ___ juegan los niños fueron hechos en fábricas del sudor.
5. Isabel, ___ sabe más de estos asuntos, está de baja por enfermedad.
6. Los chinos fueron ___ fabricaron ese coche.
7. El señor, del ___ te hablé el otro día, falleció esta mañana.

13 Las palabras negativas y afirmativas

Imagine que es una persona que no está de acuerdo con nada de lo que se afirma aquí. Cambie las oraciones de positivas a negativas o viceversa, usando la expresión contraria.

1. ¡Yo jamás haría eso!
2. Todo el mundo la conoce.
3. Nunca he oído hablar de ningún ritual religioso.
4. Varios países viven debajo de la línea de la pobreza. Bolivia, Haití y también Paraguay son los más desiguales.
5. Alguna vez me gustaría investigar más sobre esta religión.
6. Algunos rituales de origen africano se entremezclan con prácticas propiamente cristianas.
7. ¡Ni puedo ni quiero hacerlo!
8. Ya me conoces y sabes que nunca se lo diría.

Compare

¿Cuáles son las zonas más pobres en su país? ¿A qué cree que se debe?

¡Dato curioso!

La desigualdad social y la pobreza siguen siendo los principales desafíos de toda la región: según informes de la CEPAL América Latina es la región más desigual del mundo. En total en América Latina, el 33,0% de la población vivió bajo la línea de la pobreza el pasado año. Unos 180 millones de latinoamericanos vivieron debajo de la línea de pobreza. Los tres países más desiguales, basándose en el Coeficiente de Gini, fueron Bolivia, Haití y Paraguay. Por su parte los más igualitarios fueron: Venezuela, Uruguay y Ecuador.

Answers

10 Answers will vary.

11 1. Se refiere a una manipulación que se hizo. Se necesita un pronombre relativo. 2. Cuando funciona como adjetivo delante de un sustantivo masculino, se usa *ningún*, y se le pone acento. En cambio, cuando funciona como pronombre se usa *ninguno*.

12 1. el que; 2. lo que; 3. el cual; 4. los que; 5. quien; 6. los que; 7. que

13 1. ¡Yo **siempre** haría eso! 2. **Nadie / Ninguno** la conoce. 3. **Siempre** he oído hablar de **algún** ritual religioso. 4. **Ningún** país vive debajo de la línea de la pobreza. **Ni** Bolivia, **ni** Haití, **ni tampoco** Paraguay son los más desiguales. 5. **Ninguna vez / Nunca / Jamás** me gustaría investigar más sobre esta religión. 6. **Ningunos** rituales de origen africano se entremezclan con prácticas propiamente cristianas. 7. ¡**O** puedo **o** quiero hacerlo! 8. Ya me conoces y sabes que **siempre** se lo diría.

Additional Activities

Trabajo de investigación

Ask the students to look for more information related to the ancient calendars of the Aztecs. They can research using print materials and videos. After they have done their research they can share their findings in small groups or with the entire class.

Answers

Additional Activities

Trabajo de investigación

Divide the class into six teams each representing one of
the major ethnic groups of Latin America. The students
should do some research about their ethnic group and
then give clues (not too obvious) to the rest of the class.
For example, they could tell a story in the first person
pretending to be members of that group. The rest of the
class will guess to which ethnic group the story tellers
belong.

---

14 Escriba un correo electrónico

Ha recibido un correo electrónico de un amigo pidiéndole información acerca de la
santería. El padre de la chica con quien está saliendo su amigo la practica, y su amigo
quiere saber más sobre los rituales. Responda con su propio mensaje en el que le da
información acerca de la santería. Le puede servir alguna información y vocabulario del
artículo anterior.

15 La gente de América Latina

Lea el artículo y complete cada espacio con las palabras adecuadas. Después piense en
cómo resumiría el artículo en tres o cuatro frases.

La diversidad étnica de los países de América Latina

América Latina __1.__ (*es / está*) la zona del planeta con mayor diversidad étnica. Se pueden __2.__
(*distinguen / distinguir*) cuatro grupos predominantes: amerindios, mestizos, criollos, y afroamericanos
(negros, mulatos y zambos).

Amerindios

__3.__ (*Los / X*) amerindios __4.__ (*son / están*) la población primigenia de América. Poblaciones
⁵provenientes de Asia __5.__ (*entraban / entraron*) a través del estrecho de Bering durante la __6.__ (*última
/ mejor*) glaciación, __7.__ (*hace / x*) 25.000 años __8.__ (*hace / x*), y colonizaron los dos subcontinentes.
Aunque no __9.__ (*quedan / queden*) casi poblaciones sin __10.__ (*algún / alguno*) grado de mestizaje,
los países donde el porcentaje de amerindios __11.__ (*es / está*) mayor __12.__ (*son / están*) Guatemala
y Bolivia. También existen significativas comunidades indígenas en México, Ecuador, El Salvador,
¹⁰Nicaragua, Honduras, Panamá, Colombia, Venezuela, Argentina, Brasil, Paraguay y Chile.

Mestizos

__13.__ (*Un / Una*) considerable parte del mestizaje en la América hispánica __14.__ (*se hizo / se hacía*)
entre blancos e indios, pero también de blancos con negros, negros con amerindios o el mestizaje
secundario de mestizos con amerindios y negros. Los países con predominio __15.__ (*en / de*) población
mestiza son: Colombia, El Salvador, Honduras, México, Ecuador, Nicaragua, Panamá, Paraguay y
¹⁵Venezuela. También existen cifras significativas de población mestiza en países como Bolivia, Brasil,
Chile, Costa Rica, Perú, Guatemala y República Dominicana.

Criollos

Se denominan criollos __16.__ (*a / x*) los hijos descendientes de padres europeos __17.__ (*nacieron /
nacidos*) en los antiguos territorios españoles de América. Los países con __18.__ (*mayor / mayoría*)
población con esta ascendencia son Argentina, Brasil, Costa Rica, Chile, Uruguay y Puerto Rico.

²⁰A la inmigración de España y Portugal durante la conquista y, sobre todo, durante la colonia, se
sumaron __19.__ (*posterior / posteriormente*) inmigrantes de otros países europeos, principalmente de
Italia, Alemania, Reino Unido, Francia, Irlanda y Croacia. Argentina, Brasil y Uruguay incrementaron
__20.__ (*notable / notablemente*) su población en la segunda mitad del siglo XIX, principalmente de
Italia y España en el caso de Argentina y Uruguay. Puerto Rico recibió también inmigración europea,
²⁵principalmente de la __21.__ (*misma / igual*) España y también de Francia. Colombia, Paraguay y México
recibieron inmigración europea en el siglo XX.

Venezuela, __22.__ (*sea / siendo*) hoy en día un país mestizo, tuvo gran inmigración también en el siglo
XX, especialmente de españoles, portugueses, italianos, y un pequeño porcentaje de alemanes, gracias
__23.__ (*por / al*) crecimiento económico por el descubrimiento del petróleo.

Afrodescendientes

³⁰Los países con una población de origen predominantemente africano o mulato (mestizo europeo-
africano) __24.__ (*son / están*) Cuba, Haití y la República Dominicana. En menor proporción países como
Brasil, Colombia, Costa Rica, Belice, Ecuador, Guatemala, Honduras, Perú, Puerto Rico, Venezuela,

---

Uruguay y Bolivia poseen también población negra y mulata. La inmigración africana se diferenció de las otras en __25.__ (*que* / *lo que*) mayoritariamente fue forzosa fruto del tráfico __26.__ (*de* / *por*) esclavos.

35 Cabe también mencionar a los zambos (mestizos africano-amerindios) con comunidades presentes en Brasil, Colombia, Ecuador, Perú, Venezuela y costa caribe de Centroamérica.

Asiáticos del este y del sureste

Latinoamérica también ha recibido __27.__ (*menor* / *minorías*) de inmigrantes del Lejano Oriente, tanto de Asia del Este como del Sureste Asiático. Estos inmigrantes se han ido __28.__ (*mezclados* / *mezclando*) progresivamente con la población local dando lugar a nuevos tipos de mestizaje. __29.__ (*Promueven*
40 / *Provienen*) principalmente de China, Taiwán, Japón, Filipinas, Corea y Laos, formando en ciertos países importantes comunidades: japoneses __30.__ (*principal* / *principalmente*) en Brasil, México, Perú, Colombia, Argentina, Paraguay y Bolivia; chinos y taiwaneses en Argentina, Venezuela, Bolivia, Chile, Colombia, Costa Rica, Cuba, México, Nicaragua, Paraguay, Perú y Puerto Rico; filipinos en Argentina, México y Puerto Rico; coreanos en Brasil, Paraguay, Argentina, Perú, y Chile; laosianos en Argentina.
45 Cabe destacar que la comunidad china y japonesa en el Perú es una __31.__ (*de* / *desde*) las más importantes y numerosas de la región.

Mediorientales

Desde fines del siglo XIX ha llegado a América Latina __32.__ (*un* / *una*) importante cantidad de inmigrantes provenientes del Oriente Próximo, principalmente de origen árabe y judío, aunque no exclusivamente. La __33.__ (*mayor* / *mayoría*) parte proviene directamente de países como Líbano, Siria,
50 Turquía, Israel o los Territorios Palestinos. Se instalaron principalmente en países __34.__ (*tal* / *como*) Colombia y Venezuela. Es significativo, por ejemplo, el flujo de palestinos que llegó a Chile desde el siglo XIX; estos inmigrantes forman actualmente la colonia palestina más importante y numerosa fuera del mundo árabe con alrededor __35.__ (*de* / *x*) 450.000 - 500.000 miembros. Los judíos, por su parte, emigraron principalmente a Argentina, donde forman la comunidad hebrea más numerosa __36.__ (*en*
55 / *de*) Latinoamérica, así como a Brasil, Chile, México, Panamá y Colombia, desde Europa y el Oriente Próximo. __37.__ (*De hecho* / *Actualmente*) la población de judíos se estima en: Argentina 185.000, Brasil 96.700, Chile 75.000, Panamá 54.600 y México 39.800. La __38.__ (*mayor* / *mayoría*) parte de los judíos que llegaron a Latinoamérica es de origen askenazí provenientes de Europa del Este. También __39.__ (*son* / *están*) numerosos los judíos de origen sefardí, __40.__ (*cuyos* / *los cuales*) provenían de los
60 Balcanes, Turquía y Palestina.

16 ¿El subjuntivo o el indicativo?

Complete los espacios con el tiempo adecuado.

1. Me dijeron que era necesario que yo ___ (*integrar*) a todas las personas en mi correo electrónico.
2. Es verdad que a menudo yo no ___ (*conseguir*) lo que quiero.
3. Era injusto que ___ (*expulsar*) a las minorías de sus tierras.
4. Será preciso que yo ___ (*investigar*) más sobre las diferentes razas que componen Latinoamérica.
5. Es bueno que se ___ (*traducir*) algunos documentos oficiales a algunas de las muchas lenguas que se hablan.

17 Expresiones impersonales

Haga frases originales utilizando las siguientes expresiones e información del texto anterior.

Es increíble que	Es preciso que	Es menester que	Es evidente que
No hay duda que	Es que	No es que	Más vale que

18 Haga un gráfico

Haga un gráfico en el que muestre los diez idiomas más hablados en los EE.UU.

Answers

15 25. que; 26. de; 27. minorías; 28. mezclando; 29. Provienen; 30. principalmente; 31. de; 32. una; 33. mayor; 34. como; 35. de; 36. de; 37. Actualmente; 38. mayor; 39. son; 40. los cuales

16 1. integrara; 2. consigo; 3. expulsaran; 4. investigue; 5. traduzcan

17 Sentences will vary.

18 Graphs will vary.

Additional Activities

Juego
Ask students to play *Lo tengo en la punta de la lengua*. See p. TE25.

La definición interminable
See p. TE27.

Activities 5–6

Answers

19 **Verbos**
aprender *to learn*
computar *to calculate*
educar *to educate*
estudiar *to study*
enseñar *to teach*
hablar *to speak*
inventar *to invent*
usar *to use*

Sustantivos
el aprendizaje *learning*
la computadora/el ordenador *computer*
el/la educador(a) *educator*
el/la estudiante *student*
la enseñanza *teaching*
el/la hablante *speaker*
el invento, la invención *invention*
el uso, el/la usuario/a *use; user*

Adjetivos
aprendido *learned*
computado *computed*
educado *educated*
estudioso *studious*
enseñado *taught*
hablado *spoken*
inventado *invented*
usado *used*

20 1. educado; 2. hablantes; 3. la enseñanza;
4. un invento; 5. computadoras; 6. hubiera estudiado;
7. usuarios; 8. El aprendizaje; 9. Enseña;
10. estudian, estudiosos

Instructional Notes

After students have discussd the *Cita* with their partners, ask them if they think that computers have replaced television as a form of entertainment. You might want to take an informal survey to see how many hours students spend watching TV and how many they spend in front of their computers that are not related to schoolwork.

Additional Activities

Trabajo de investigación
Ask students to work with a partner and to think about an everyday object, such as an alarm clock, and research its history (make sure that pairs of students research different objects). Later, students could make brief presentations to the class.

Juego
Ask students to play *Voluntario, derecha e izquierda*. See p. TE25.

Tengo memoria de mosquito
See p. TE28.

Idioma

19 Familia de palabras

Complete la tabla con el verbo, sustantivo o adjetivo apropiado, y la traducción correspondiente.

Verbos		Sustantivos		Adjetivos	
_____	to learn	_____	computer	_____	computed
computar		_____			
educar		el/la educador(a)		_____	studious
_____	to study				taught
_____	to teach				
hablar		_____	speaker	_____	invented
_____	to invent	el invento, _____	invention		used
usar		el uso; el/la usuario/a	_____ ;		

20 ¿Verbo, sustantivo o adjetivo?

Complete las oraciones usando la forma correcta de las palabras que aparecen en la tabla, ya sea verbo, sustantivo o adjetivo. En el caso del sustantivo puede que necesite artículo.

1. En enero de 2006, Michele Bachelet ganó la presidencia de Chile en unas elecciones contra Sebastián Piñera, un multimillonario ___ (*educar*) en la Universidad de Harvard en los Estados Unidos.
2. El quechua era la lengua del Imperio Inca y hoy día hay más de 10 millones de ___ (*hablar*).
3. Con el incremento de la globalización, ___ (*enseñar*) de lenguas extranjeras se hace más importante.
4. Se puede conceder protección legal a ___ (*inventar*) por medio de una patente.
5. Las primeras ___ (*computar*) digitales eran de gran tamaño y se utilizaban principalmente para hacer cálculos científicos.
6. Si ___ (*estudiar*) más, ella habría salido mejor en el examen.
7. El número de ___ (*usar*) de teléfonos celulares aumenta a un ritmo increíble.
8. ___ (*Aprender*) de una lengua no es obligatorio, pero es sumamente importante en nuestro mundo.
9. ¿___ (*Enseñar*) su profesor exclusivamente en español en su clase?
10. Como ellos ___ (*estudiar*) día y noche, sus amigos les llaman ___ (*estudiar*).

Cita

Recurrimos a la televisión para apagar el cerebro, y a la computadora para encenderlo.
—Steve Jobs, (1955-2011) CEO de Apple Computer

 ¿Está de acuerdo con lo que dice el autor de esta cita? ¿Por qué? Hable sobre las ventajas y desventajas de la televisión y de la computadora. Comparta sus opiniones con un/a compañero/a.

¡Dato curioso!

El prototipo más antiguo del despertador fue inventado por los griegos en torno a 250 a. de J. C. Construyeron uno que funcionaba con la marea: cuando el nivel del agua llegaba a un determinado nivel, hacía sonar un pájaro mecánico. Tal y como lo conocemos hoy, lo inventó un relojero, Levi Hutchins, en 1787. Entonces, la gente confiaba en el sol para despertarse, pero a las 4 de la mañana, la hora en que se levantaba Hutchins, no había sol. Así que el relojero colocó una palanca en el número 4 de un reloj, que a su vez hacía sonar una campana cuando la manecilla llegaba a la hora.
www.quo.es

21 El último telegrama

Lea el artículo y decida cuál de las dos palabras entre paréntesis es la correcta para completar cada oración. Después conteste las siguientes preguntas:

- ¿Cuál es el propósito del artículo?
- ¿Cómo resumiría el artículo en una frase?
- ¿Qué pregunta sería apropiada para hacerle al autor después de leer el artículo?

El último telegrama

Carlos Chirinos de BBC Mundo, Washington

Western Union abandona el negocio que __1.__ (*era / fue*) su razón de existir __2.__ (*de / desde*) hace siglo y medio: el envío de mensajes __3.__ (*por / para*) telégrafo o telegramas. El telegrama tuvo
⁵ su apogeo durante las décadas 20 y 30. "Envíe un mensaje que diga más que palabras" fue la promesa publicitaria de Western Union por __4.__ (*más que / más de*) 150 años, cuando empezó el negocio de enviar telegramas, el primer medio de comunicación
¹⁰ instantánea. Hoy hay muchas otras y, sobre todo, mucho más baratas. Por eso la empresa __5.__ (*decidía / decidió*) eliminar el servicio que monopolizaba en el territorio estadounidense. La noticia pasó desapercibida. Un sencillo anuncio en la página web
¹⁵ de Western Union advierte __6.__ (*al fin / el fin*) de una era y agradece a los clientes por su fidelidad. Es irónico que __7.__ (*es / sea*) en la Web que se anuncie la muerte de los telegramas en EE.UU. Al fin y __8.__ (*al cabo / el cabo*) en gran parte su desaparición es
²⁰ culpa de la Internet y el correo electrónico. Pero no fue el único verdugo. El telegrama no pudo con el bajo costo de las llamadas telefónicas, la expansión de los teléfonos celulares y con ellos __9.__ (*el / la*) sistema de envío de textos y hasta con el fax, por
²⁵ cierto otra tecnología en decadencia. Los telegramas registraron momentos históricos.

En los últimos tiempos enviar un telegrama resultaba caro. Según Western Union, se pagaba US$10 por textos cortos de no más de 20 palabras. En 2005 se
³⁰ enviaron 55 telegramas diarios en promedio, __10.__ (*comparando / comparado*) con los más de medio millón que se manejaban diariamente en los años 30, cuando el servicio vivió sus tiempos de gloria. De ahí __11.__ (*por adelante / en adelante*) todo fue declive.
³⁵ Incluso técnicamente el telégrafo, con sus kilómetros de tendidos entre ciudades, __12.__ (*dejaba / dejó*) de existir en los años 60, cuando los mensajes empezaron a ser enviados por microondas o satélites. Western Union no sufre por el cierre de esa división.
⁴⁰ Sólo completa una transición que desde los años 60 la __13.__ (*llevó a / llevó de*) ser una empresa de servicios de comunicaciones a ser una de servicios financieros. Millones de personas mandan remesas a sus países de origen a través de la compañía, que tiene una fuerte
⁴⁵ presencia en América Latina.

Aunque Western Union recibió el __14.__ (*primer /*

Esperando fuera de Western Union en Miacatitlán (Morelos), México

primero) mensaje en 1844, el negocio tuvo un repunte durante la Segunda Guerra Mundial (1939–1945)
⁵⁰ cuando el gobierno contrató a la empresa para informar a las familias de la suerte de sus familiares que combatían en los varios frentes abiertos en el extranjero. Para decenas de miles de familias en EE.UU. la llegada de un mensaje de Western Union
⁵⁵ __15.__ (*anunció / anunciaba*) un momento doloroso. Es una imagen algo manida por el cine. En una apartada granja se ve llegar un vehículo oficial. De él se baja un militar impecable que sin mediar palabra entrega un sobre a la madre quien, inconsolable,
⁶⁰ __16.__ (*se deja / se deja de*) caer en el umbral de la casa. En el sobre iba el telegrama de Western Union.

En sus inicios, algunos veían la "corrupción del lenguaje" como un mal asociado al telegrama. Como cada letra costaba, había que decir lo más con las menos posibles. __17.__ (*Ese / Eso*) llevó
⁶⁵ a abreviaciones que a algunos puristas parecían injustificables ni por la economía, ni en aras de la inmediatez de la comunicación. Desaparecido el telegrama no desaparece el problema porque el espíritu del telegrama seguirá vivo en la manera
⁷⁰ sintética en que se redactan los mensajes de textos telefónicos que millones de personas envían cada día __18.__ (*por / desde*) sus celulares.

www.paginadigital.com

Answers

22 1. j; 2. n; 3. k; 4. o; 5. i; 6. p; 7. m; 8. f; 9. r; 10. b;
11. l; 12. q; 13. c; 14. e; 15. h; 16. d; 17. a; 18. g

23 1. hacer; 2. que; 3. como; 4. a; 5. con; 6.hasta;
7. de; 8. tomar; 9. responderlas; 10. planteen; 11. a;
12. para; 13. para; 14. ser; 15. que; 16. por; 17. para;
18. sobre; 19. de; 20. han comercializado; 21. parezcan;
22. ha puesto; 23. la

Instructional Notes

23 Ask students: *¿Qué funciones extra tienen los teléfonos celulares hoy en día? ¿Usan Uds. sus celulares para escuchar música, jugar juegos, mandar mensajes o como calculadora? ¿Es imprescindible que el celular tenga cámara? ¿Por qué?*

---

22 ¿Qué significa?

Empareje las palabras de la primera columna con su traducción correspondiente de la segunda columna.

1. apogeo	a. for the sake of
2. desapercibido	b. remittance
3. fidelidad	c. hackneyed
4. culpa	d. threshold
5. verdugo	e. solitary farm
6. resultar caro	f. cable laid
7. declive	g. to write
8. tendido	h. without saying a word
9. cierre	i. executioner
10. remesa	j. zenith, peak
11. tener un repunte	k. loyalty
12. frente	l. to have a rally
13. manido	m. decline
14. apartada granja	n. unnoticed
15. sin mediar palabra	o. blame
16. umbral	p. to turn out to be expensive
17. en aras de	q. front
18. redactar	r. closing

23 Los teléfonos móviles en clase

Lea el artículo y decida cuál de las palabras entre paréntesis es la correcta para completar cada oración. Después conteste las siguientes preguntas:

- ¿Cómo resumiría el artículo en una frase?
- ¿Qué pregunta sería apropiada para hacerle al autor después de leer el artículo?

Una herramienta para usar el móvil en clase

¿Tus alumnos se distraen durante las clases por culpa del teléfono móvil? En lugar de __1.__ (*hagan / hacer*) desaparecer este dispositivo del aula, LectureTools propone otra solucion: __2.__ (*que / ⁵cuales*) los teléfonos formen parte del aprendizaje. Perry Samson, profesor de Ciencias Atmosféricas de la Universidad de Michigan (EE.UU.), diseñó la herramienta __3.__ (*como / para*) una forma de mejorar la interacción y retención de los estudiantes ¹⁰en las disertaciones largas. "La clave está en 'enganchar' a los estudiantes __4.__ (*x / a*) través de sus portátiles o teléfonos móviles de manera que no se vayan a las redes sociales", asegurar Samson, que ha tenido buenos resultados __5.__ (*a / con*) sus ¹⁵alumnos __6.__ (*hasta / hacia*) el momento.

Este otoño más __7.__ (*que / de*) 4.000 estudiantes de la Universidad de Michigan de veinte clases diferentes pondrán a prueba la herramienta, que entre otras cosas permite __8.__ (*tomar / tomen*) ²⁰apuntes, hacer preguntas y __9.__ (*las responder / responderlas*), mostrar el contenido de la clase con diapositivas, y que los profesores __10.__ (*plantean / planteen*) tareas interactivas __11.__ (*x / a*) los alumnos. Las preguntas respondidas se hacen ²⁵visibles, aunque de forma anónima, __12.__ (*por / para*) todos los estudiantes en la clase, y se guardan en un archivo de preguntas de los estudiantes. Los teléfonos móviles se convierten así en ayudas __13.__ (*por / para*) el aprendizaje en lugar de __14.__ (*estar / ³⁰ser*) aparatos __15.__ (*que / cuales*) distraen.

De hecho, un estudio realizado __16.__ (*por / para*) el Centro de la Universidad de Michigan __17.__ (*por / para*) la Investigación del Aprendizaje y la Enseñanza __18.__ (*en / sobre*) la versión de investigación de ³⁵LectureTools ha demostrado que su uso incrementa significativamente la participación y la atención __19.__ (*en / de*) los estudiantes. Ahora Samson y sus colegas __20.__ (*comercialicen / han comercializado*) la tecnología. "Realmente hace que las clases grandes __21.__ ⁴⁰(*parecen / parezcan*) más pequeñas; esta herramienta incrementa la interacción, también, al viejo estilo", explica Mika Lavaque-Manty, otra de las profesoras que lo __22.__ (*haya puesto / ha puesto*) a prueba. "Más estudiantes levantan __23.__ (*el / la*) mano", añade.

www.muyinteresante.es

24 Una nueva propuesta tecnológica

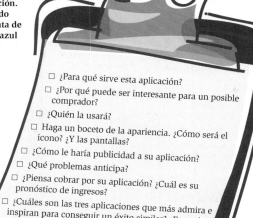

¿Puede pensar en una aplicación que podría tener mucho éxito? Después de leer el artículo anterior, piense en cómo se puede usar la tecnología en clase. Proponga una nueva aplicación para el móvil o tableta electrónica. Escriba un párrafo describiendo esa nueva aplicación. Use la lista de preguntas que está al lado para generar y organizar sus ideas. Trata de utilizar el vocabulario que aparece en azul en el texto.

- ☐ ¿Para qué sirve esta aplicación?
- ☐ ¿Por qué puede ser interesante para un posible comprador?
- ☐ ¿Quién la usará?
- ☐ Haga un boceto de la apariencia. ¿Cómo será el icono? ¿Y las pantallas?
- ☐ ¿Cómo le haría publicidad a su aplicación?
- ☐ ¿Qué problemas anticipa?
- ☐ ¿Piensa cobrar por su aplicación? ¿Cuál es su pronóstico de ingresos?
- ☐ ¿Cuáles son las tres aplicaciones que más admira e inspiran para conseguir un éxito similar? ¿En qué consisten?

A muchos jóvenes les encanta la tecnología. ¿Y a Ud.?

Additional Activities

Comunicación

Divide the class into small groups and have them brainstorm some possible uses for cell phones in this Spanish class. They should come up with at least four uses they can describe to the other groups.

Ask students to play *Lo tengo en la punta de la lengua.* See p. TE25.

Teacher Resources

 Activity 25

 Activity 7

Answers

26 1. para; 2. con; 3. por; 4. Fue; 5. la elegida;
6. la cual; 7. esa; 8. se duplique;

Instructional Notes

25 You might want to review the following words before students listen to the audio: *burlar el código,* to trick the code; *fichero,* file; *informático,* computer technician; *descargar,* to download; *internauta,* related to the Internet; *entorno,* program/environment; *absuelto,* acquitted; *fallar,* to pronounce sentence on; *descifrar,* decipher/decode.

Remind students to review all the articles and discussions about technology to date when organizing their essays.

Additional Activities

Comunicación

Ask those students who might know bilingual professionals—especially in those professions mentioned in the *Dato curioso*—to talk to these men and women and ask them what role knowing two (or even more) languages has had in their careers. They should share this information with the class.

---

25 Lea, escuche y escriba/presente

Vuelva a leer los textos completos de las Actividades 21 y 23, y luego escuche "Hacker noruego descubre manera de piratear protección de Apple" y tome las notas necesarias. Escriba un ensayo o haga una presentación en clase contestando la pregunta, "¿Cómo ha revolucionado la tecnología a nuestro mundo?" No se olvide de citar las fuentes debidamente.

 Compare

Piense en inventos que revolucionaron a este país a lo largo de la historia.

Cita

El progreso consiste en el cambio.
—Miguel de Unamuno (1864–1936), escritor y filósofo español

 ¿Está de acuerdo con esta cita? ¿Por qué? ¿A qué situaciones se puede aplicar? ¿Qué opina de los cambios recientes en nuestro mundo? ¿Siempre son positivos o a veces son negativos? Dé ejemplos tanto de cambios positivos como negativos. Comparta sus respuestas con un/a compañero/a.

¡Dato curioso! Una revista hispana dice que las profesiones más populares entre personas bilingües en los Estados Unidos son (en orden de popularidad): 1. Comunicación, 2. Traducciones, 3. Política, 4. Cuidado de la salud, 5. Discurso profesional, 6. Leyes y abogacía, 7. Bienes raíces, 8. Préstamos y Finanzas, 9. Educación, 10. Ventas.

26 El español en EE.UU.

Lea el artículo y decida cuál de las dos palabras entre paréntesis es la correcta para completar cada oración. Después conteste las siguientes preguntas:

- ¿Cuál es el propósito del artículo?
- Si quisiera consultar otra fuente, ¿podría pensar en un posible título de una publicación?

Buscan expansión del español en EE.UU.

MANUEL E. AVENDAÑO

Casi la mitad de la población de los Estados Unidos será capaz de hablar y entenderse en español __1.__ (*por / para*) el año 2050, de acuerdo __2.__ (*de / con*) una proyección anunciada __3.__ (*por / para*) el presidente de la comunidad de Castilla y León en España, Juan Vicente Herrera, revelando un plan para intensificar la enseñanza del español en coordinación con la asociación que agrupa a los profesores de esta lengua en la Unión Americana. __4.__ (*Era / Fue*) precisamente la ciudad española de Salamanca, en Castilla y León, __5.__ (*el elegido / la elegida*) por la Asociación Americana de Profesores de Español y Portugués (AATSP) para realizar su reciente Conferencia Anual, en __6.__ (*el cual / la cual*) se delinearon los

La ciudad de Salamanca

detalles para incrementar la enseñanza del español a ciudadanos estadounidenses. Herrera indicó que hoy en día se tiene a 30,000 estudiantes extranjeros que llegan a __7.__ (*esa / ese*) región española para estudiar el idioma de Cervantes. Sin embargo, la meta es ambiciosa y se espera que para el año 2010 esa cifra __8.__ (*se duplica / se duplique*), según explicó. "En

---

Nota cultural

Como en cualquier lengua, especialmente cuando se distribuye por un dominio geográfico extenso, el español presenta convencionalmente dos tipos de modalidades presentes tanto en España como en América: las modalidades conservadoras, como el español del norte de España, el del interior de México o el de los Andes, y las modalidades innovadoras, como el español de Andalucía o Canarias, el del Caribe o el del Río de la Plata. Una característica típica del español peninsular es la división del grupo consonántico *tl* que en palabras tales como *atlas* y *atletismo* se pronuncia ['at.las] y [at.le.'tis.mo], mientras que en América la pronunciación corriente es ['a.

tlas] y [a.tle.'tis.mo]. Independiente de estos rasgos, es posible distinguir grandes grupos de variedades dialectales del español. Por ejemplo, para Menéndez y Otero (2007) serían ocho: las variedades castellana, andaluza y canaria en España, y las variedades caribeña, méxico-centroamericana, andina, chilena y rioplatense en América.

Investigue palabras clave: Salamanca, AATSP (Asociación Americana de Profesores de Español y Portugúes)

este plan tenemos tres avales: la relación directa de Castilla y León con el nacimiento
[30] del español (que nació castellano); un sistema pujante comprometido con la lengua; y un plan iniciado sólo hace __9.__ (*año / un año*) y medio para lograr los 60,000 estudiantes para el 2010, ofreciendo dentro
[35] de nuestra 'oferta turística' la enseñanza del español", dijo Herrera Campos. "La conferencia __10.__ (*contaba / contó*) con los principales representantes de la institución que agrupa a 700 profesores titulares y un
[40] total de 12,000 profesores asociados. __11.__ (*Era / Ha sido*) un encuentro muy importante porque __12.__ (*había tenido / tendrá*) repercusiones", dijo Herrera al comentar la reunión de profesores en la
[45] histórica ciudad de Salamanca. "Primero, en la relación directa con la asociación más importante de profesores en Estados Unidos y, segundo, por la relación con todos los estudiantes de español que ya sabrán que
[50] el lugar más adecuado para perfeccionar el idioma que están aprendiendo es __13.__ (*viajar y realizar / viajando y realizando*) ese turismo cultural, idiomático, a Salamanca y al conjunto de Castilla y León", agregó. Herrera
[55] dijo que el español es __14.__ (*lengua / una lengua*) "que hoy te permite perfectamente __15.__ (*desenvolverse / desenvolverte*) en todos los ámbitos de la vida, desde los científicos, financieros, culturales,
[60] a los ámbitos más cotidianos del desenvolvimiento turístico, sin necesidad de dominar el inglés, como __16.__ (*es / está*) mi caso". Indicó a continuación que "este hecho da a entender la extraordinaria

[65] presencia del español en Estados Unidos: 44 millones de hispanos censados. Pero, sobre todo, la comprensión de un mundo práctico, de un mundo inteligente —como es el mundo anglosajón— que ha entendido
[70] que hoy el español es una clave, no __17.__ (*sola / solamente*) para el mercado interno de los EE.UU., __18.__ (*pero / sino*) una clave en el ámbito mundial, con esos 400 ó 600 millones de seres humanos que ya lo
[75] hablamos." El presidente de Castilla y León enfatizó que actualmente "Estados Unidos __19.__ (*abre / abren*) inmensas posibilidades para la expansión del idioma español, con __20.__ (*el / los*) 60% de los estudiantes
[80] universitarios que han escogido este idioma en el desarrollo de su carrera. El español es, sin duda, una realidad cultural en el mundo. Actualmente, debe considerarse que sólo ocho idiomas en todo el mundo
[85] superan los 100 millones de habitantes y entre ellos figura el español". E indicó seguidamente que "Estos datos __21.__ (*les / nos*) demuestran que nos encontramos ante un fenómeno social y cultural, con
[90] el aprendizaje de un español realmente dinámico y de importante crecimiento. El español __22.__ (*crecía / ha crecido*) en un 10% en los últimos ocho años, dando lugar a 32 millones de nuevos hispanohablantes,
[95] sólo __23.__ (*de / desde*) 1998". El señor Herrera finalmente sentenció: "como dicen los expertos, de seguir esta tendencia, a mediados del siglo XXI, la cuarta parte de la población mundial __24.__ (*habla / hablará*)
[100] español".

www.eldiariony.com

27 Amplíe su vocabulario 🔍

Después de leer el artículo anterior, haga frases originales utilizando las palabras que aparecen en azul.

28 Lea y escriba

Lea el artículo que sigue. Después reaccione con un mensaje sobre el uso de su red social favorita. Le puede servir alguna información y vocabulario del artículo.

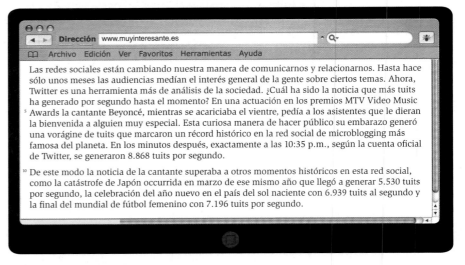

Las redes sociales están cambiando nuestra manera de comunicarnos y relacionarnos. Hasta hace sólo unos meses las audiencias medían el interés general de la gente sobre ciertos temas. Ahora, Twitter es una herramienta más de análisis de la sociedad. ¿Cuál ha sido la noticia que más tuits ha generado por segundo hasta el momento? En una actuación en los premios MTV Video Music
5 Awards la cantante Beyoncé, mientras se acariciaba el vientre, pedía a los asistentes que le dieran la bienvenida a alguien muy especial. Esta curiosa manera de hacer público su embarazo generó una vorágine de tuits que marcaron un récord histórico en la red social de microblogging más famosa del planeta. En los minutos después, exactamente a las 10:35 p.m., según la cuenta oficial de Twitter, se generaron 8.868 tuits por segundo.

10 De este modo la noticia de la cantante superaba a otros momentos históricos en esta red social, como la catástrofe de Japón occurrida en marzo de ese mismo año que llegó a generar 5.530 tuits por segundo, la celebración del año nuevo en el país del sol naciente con 6.939 tuits al segundo y la final del mundial de fútbol femenino con 7.196 tuits por segundo.

29 Influencia de la Internet

Échele una ojeada al artículo que sigue para ver de qué se trata, prestando atención a las palabras en azul, ya que se le harán preguntas sobre ellas. Luego lea el artículo y decida cuáles de los verbos del recuadro completan mejor las oraciones y escríbalos.

cogías	conoce	ha cambiado	ha evolucionado	mantener
parecen	realizado	se celebra	se convirtió	se trata
seguido	tecleas	utiliza		

Internet cambia la economía, la cultura y hasta las relaciones personales

En mayo __1.__ el Día Mundial de las Telecomunicaciones y de la Sociedad de la Información. __2.__ de un día en el que celebramos la creación de la mayor innovación de la historia moderna: Internet. Así __3.__ nuestras vidas, tanto a nivel económico como social.

5 Hace unos años, si querías saber cómo se decía *iglesia* en inglés te acercabas a la estantería por el diccionario, ahora lo __4.__ en un traductor; si querías saber qué película ver el sábado por la noche __5.__ el periódico, ahora lo buscas en una guía de ocio; incluso si querías ligar te ibas de bares, ahora te creas un perfil en una web de contactos. Es innegable que Internet ha cambiado nuestra vida diaria en todos los aspectos.

10 En el caso de España, con los datos en la mano, la incidencia de esta nueva forma de comunicarnos, buscar información, comprar, etcétera ha sido más que notable. Según el estudio sobre Comercio Electrónico 2010 del Minsterio de Industria, Turismo y Comercio,

España __6.__ el año pasado en el tercer país de la UE con mayor comercio electrónico. Según los datos, en 2009 el 41,5 por ciento realizó compras online y 9 de cada 10 las realizó desde su casa. Es más, a nivel económico la Internet ya aporta 23.400 millones de euros al PIB español, según un estudio __7.__ por el Boston Consulting Group. Igualmente las relaciones sociales han cambiado con el nacimiento de la Internet. Las redes sociales se han convertido en "el dorado" de la Red en los últimos meses, con miles de millones de visitas, usuarios únicos y unas posibilidades de desarrollo que, a día de hoy, __8.__ infinitas. Según el estudio "Ola del Observatorio de redes Sociales" realizado por The Cocktail Analysis, el 78 por ciento de los españoles __9.__ Facebook, __10.__ de Tuenti con el 35 por ciento y Twitter con un 14 por ciento de los usuarios de nuestro país.

Incluso en relaciones personales más intrínsecas y amorosas Internet ha cambiado nuestra forma de interactuar. ¿Quién no __11.__ a algún amigo que conoció a su actual novia, o viceversa, a través de webs de búsqueda de pareja? ¿Quién no conoce alguna persona cercana que ha podido __12.__ su relación a distancia gracias a servicios de llamadas gratuitas como Skype?

La Internet __13.__ mucho desde que nació hace ya más de dos décadas, y la sociedad está evolucionando a marchas forzadas de su mano.

www.muyinteresante.es

30 Use el vocabulario

Escriba un párrafo sobre compañías de Internet que vendan productos en línea que le resulten interesantes y su impacto en el consumidor. Utilice las palabras que aparecen en azul en el artículo anterior y que están en el recuadro. No se olvide de citar las fuentes debidamente.

31 Haga un gráfico

Busque información sobre el uso de las redes sociales y cualquier otra herramienta que usen los estadounidenses estos días. Haga un gráfico y preséntelo a un/a compañero/a o a la clase. Si es posible, compare la información obtenida con la de hace unos años y con los datos que se esperan para el futuro. No se olvide de citar las fuentes debidamente.

Compare

Debido a que los mensajes de SMS tienen un límite en el número de letras que se pueden usar, los jóvenes han terminado creando un lenguaje propio de SMS. Aquí tienes algunas abreviaciones populares: **stoy**: estoy; **s3**: estrés; **aki**: aquí; **bs**: beso; **bss**: besos; **cn**: con; **d**: de; **ers**: eres; **mñn**: mañana; **msj**: mensaje; **mxo**: mucho; **fa**: por favor; **¿pq?**: ¿por qué?; **¿q?**: ¿qué?; **tb**: también; **t2**: todos; **¿kdms?**: ¿quedamos?; **tkm**: te quiero mucho. ¿Puede compararlas con otras que se usen en su país?

Cita

La vida es muy peligrosa. No por las personas que hacen el mal, sino por las que se sientan a ver lo que pasa.
—Albert Einstein (1879–1955), científico estadounidense de origen alemán

 ¿Qué responsabilidad tenemos con la sociedad? ¿De qué manera puede uno ayudar? Comparta sus opiniones con un/a compañero/a.

¡Dato curioso!

El español avanza fuerte en el mundo real, pero tiene menos pegue en el mundo virtual. Se dice que 550 millones de personas van a hablar español a mediados de este siglo, pero aunque el español ya tiene gran potencial de crecimiento en el mundo digital, el inglés es el idioma que goza de una especie de monopolio en la Red.

Answers

29 6. se convirtió; 7. realizado; 8. parecen; 9. utiliza; 10. seguido; 11. conoce; 12. mantener; 13. ha evolucionado

30 Paragraphs will vary.

31 Graphs will vary.

Instructional Notes

31 After students discuss the *Cita* with their partners, encourage a classroom discussion on the dangers of passivity.

Additional Activities

Juego
Ask students to play *Cada uno una*. See p. TE24.

Teacher Resources

 Activities 8–16

Instructional Notes

32 Ask students: *¿Qué aportan los árboles al mundo? ¿Están protegidos los bosques en el mundo, o piensan que están en peligro?*

33 You might want to show some pictures of mangles to students to go along with the written description in the *Nota cultural* below.

After students finish reading this article, ask them to look for clues that confirm this was written by someone from Panama (line 52: *en nuestro país*).

Additional Activities

Trabajo de investigación
Ask students to look for information on the Kyoto Protocol, including the member nations that have signed it, and those that have not.

Juego
Ask students to play *¿Verdadero o falso?* See p. TE25.

¡A leer!

32 Antes de leer

¿Piensa que es importante conservar la biodiversidad terrestre? ¿Por qué? ¿Qué sabe de la deforestación? ¿Qué podemos o debemos hacer para reducirla?

33 Los bosques

Lea con atención el siguiente artículo. Después conteste las siguientes preguntas:

- ¿Cuál es el propósito del artículo?
- ¿Cómo resumiría el artículo en una frase?
- Si quisiera consultar otra fuente, ¿podría pensar en un posible título de una publicación?

Árboles para la Tierra

Los bosques, tanto primarios como secundarios, ofrecen a la humanidad toda una serie de beneficios insuficientemente valorados y pueden ser grandes aliados en la batalla contra el cambio climático y el ⁵calentamiento del planeta; siempre que la sociedad en su conjunto comience a plantarlos y cuidarlos y que deje de destruirlos. Los árboles y otras plantas verdes, que utilizan únicamente la luz solar como fuente de energía, absorben de la atmósfera el dióxido ¹⁰de carbono, causante del cambio climático; liberan oxígeno, fuente de vida y almacenan el carbono —el efecto invernadero— de forma segura y útil, mientras armonizan y mejoran la calidad de vida de los habitantes de las ciudades y ofrecen las condiciones ¹⁵ideales para el ecoturismo y la apreciación de la naturaleza en zonas apartadas. La deforestación, fenómeno que se registra con intensidad y descaro en Panamá y en todo el mundo tiene un efecto doblemente nocivo: reduce el número de árboles que ²⁰pueden recuperar el dióxido de carbono producido por las actividades humanas, y libera en la atmósfera el carbono contenido en los árboles que se talan, aumentando el calentamiento global sin obviar la reducción inmediata de flora y fauna. El valor de los ²⁵árboles como fuente de madera y leña, y el de la tierra que ocupan y que puede utilizarse para viviendas o actividades agrícolas, suele ser de corta duración e insostenibles en el tiempo. De hecho, estos beneficios suelen ser una cuestión de supervivencia en algunas ³⁰regiones y de acaparamiento por parte de algunos "empresarios" inescrupulosos. El valor de los bosques para impedir el calentamiento atmosférico, producir agua, conservar la biodiversidad terrestre y dar sosiego a los ciudadanos, por el contrario, son actividades ³⁵a largo plazo, y favorecen a todos; mejor dicho, es un comportamiento humano sustentable. Tenemos que buscar el medio de conseguir que la expansión y cuidado de los bosques resulten atractivos y eficaces en función de los costos para las poblaciones locales ⁴⁰que normalmente deciden su destino y el desarrollo económico del país en su conjunto. No importa que

un bosque se encuentre en un lugar o en otro muy distante. Ello puede hacer posibles algunos mecanismos prácticos y soluciones eficientes. En el marco del ⁴⁵Protocolo de Kyoto, los países industrializados que no tienen espacio ni opciones rentables para ampliar los bosques en sus propios territorios, pueden compensar parcialmente sus emisiones de gases de efecto invernadero pagando los gastos correspondientes al ⁵⁰establecimiento y mantenimiento de las áreas verdes protegidas o "sumideros" en nuestro país. El término poco glorioso "sumidero" es el utilizado por los climatólogos para las grandes extensiones de árboles y otras formas de vegetación verde que "eliminan" el ⁵⁵gas del efecto invernadero más dominante. Por todo lo anterior, el mejor regalo que podemos hacerle a la Madre Tierra es el llenarla nuevamente de árboles, bosques y sumideros, protegiendo la integridad de nuestros parques nacionales y áreas protegidas. ⁶⁰Promover la conservación de los bosques urbanos y los árboles que aun se encuentran en nuestras casas, calles y avenidas; aumentar nuestras áreas recreativas con nuevos parques, como el Eco Parque Panamá, en la cuenca oeste del canal de Panamá; promover, mediante ⁶⁵la cultura y la ley, programas masivos de reforestación dentro de nuestro sistema de áreas protegidas y detener de una vez por todas la deforestación del Darién, para así lograr un desarrollo que sea sostenible y que aumente nuestra calidad de vida en la casa de todos, el ⁷⁰Planeta Tierra.

www.paginadigital.com

Nota cultural

El manglar es un hábitat considerado a menudo un tipo de bioma, formado por árboles (mangles) muy tolerantes a la sal que ocupan la zona intermareal cercana a las desembocaduras de cursos de agua dulce de las costas de latitudes tropicales de la Tierra. Así, entre las áreas con manglares se incluyen estuarios y zonas costeras. Tienen una enorme diversidad biológica con alta productividad, encontrándose tanto gran número de especies de aves como de peces, crustáceos, moluscos, etc. Su nombre deriva de los árboles que los forman, los mangles; es originalmente guaraní y significa *árbol retorcido*. Normalmente se dan como barrera cuando la costa ha sufrido una rápida erosión. También sirven de hábitat para numerosas especies y proporcionan una protección natural contra catástrofes del tipo de fuertes vientos, olas producidas por huracanes e incluso por maremotos.

Investigue palabras clave: deforestación, efecto invernadero, calentamiento global

34 ¿Qué significa?

Busque el significado de las palabras en azul en la Actividad 33 según su uso en el artículo y haga frases con ocho de ellas. Comparta sus frases con un/a compañero/a.

35 ¿Ha comprendido?

1. ¿Cómo puede la sociedad recibir los beneficios de los bosques?
   a. Cuando comience a plantar árboles
   b. Cuando comience a cuidar los ríos
   c. Cuando comience a impedir la destrucción del clima amazónico
   d. Todas las respuestas anteriores

2. ¿Cómo ayudan los árboles al ciclo atmosférico?
   a. Armonizan y mejoran la calidad de vida de los habitantes de las ciudades.
   b. Ofrecen las condiciones ideales para el ecoturismo.
   c. Absorben de la atmósfera el dióxido de carbono y liberan oxígeno.
   d. Todas las respuestas anteriores

3. ¿Qué doble efecto tiene la deforestación?
   a. Libera carbono en la atmósfera e impide el calentamiento atmosférico.
   b. Reduce el número de árboles e impide el ecoturismo.
   c. Libera carbono en la atmósfera e impide el ecoturismo.
   d. Reduce el número de árboles y libera carbono en la atmósfera.

4. ¿Cuál *no* es un valor de los bosques?
   a. El bosque genera agua.
   b. El bosque exaspera a los ciudadanos.
   c. El bosque mantiene la biodiversidad terrestre.
   d. El bosque interrumpe la posibilidad del calentamiento atmosférico.

5. ¿Qué solución puede ayudar a los programas de reforestación de los bosques?
   a. Se debe encontrar una manera eficaz que no cueste mucho dinero.
   b. Se debe proponer una solución que incluya todos los puntos políticos de los ciudadanos.
   c. Se debe prometer usar métodos ecológicamente compatibles con el conjunto.
   d. Se debe poner en práctica toda la tecnología disponible de las empresas multinacionales.

6. ¿Qué tipo de solución *no* está mencionada en el artículo?
   a. Una solución cultural
   b. Una solución ambiental
   c. Una solución histórica
   d. Una solución natural

7. Si tuviera que consultar otra fuente, ¿cuál cree que sería la más apropiada para buscar información sobre este tema?
   a. Organizaciones con fines sin ánimo lucro
   b. Biología, ayer y hoy
   c. Los manglares y otros ecosistemas en peligro
   d. El impacto de las nuevas tecnologías en el siglo XXI

Answers

34 Answers will vary.

35 1. a; 2. d; 3. d; 4. b; 5. a; 6. c; 7. c or d

Additional Activities

El desafío del minuto
See p. TE27.

Answers

36 *Ejemplos:*

1. ¿En qué batalla está involucrado el bosque?
2. ¿Qué usan los árboles como fuente de energía?
3. Después de absorber el dióxido de carbono en la atmósfera, ¿qué liberan los árboles?
4. ¿Cómo es el efecto de la deforestación?
5. ¿Por qué tienen valor los bosques?
6. ¿Qué acuerdo les permite a los países industrializados establecer áreas verdes en Panamá para así compensar sus emisiones de gases de efecto invernadero?
7. ¿Cómo se puede caracterizar el acto de llenar la Tierra con árboles, bosques y sumideros?
8. ¿Cómo se llama la nueva área recreativa con nuevos parques en Centroamérica?
9. ¿Cómo promueve el Eco Parque Panamá la reforestación?
10. ¿Cómo caracteriza el artículo al Planeta Tierra?

37 *Ejemplo:* conseguir que se lleve a cabo algo que se mantenga o que dure. Las sugerencias variarán.

38 Commercials will vary.

Instructional Notes

39 Before students begin reading, have them research and then discuss some of the multinational corporations and their powerful influence in international politics and in the Amazon.

Ask students to imagine what our planet would be like as described in the *Cita*: without trees, with polluted rivers, and a contaminated food supply. Why do they think that the indigenous are so close to nature? What role does nature have in the students' lives?

Additional Activities

Trabajo de investigación
Ask students to look for other quotes, such as the one of the *Cita*, that reflect a sense of awe and respect for the Earth.

Proyecto
Have students work in small groups and create a poster to promote recycling in the community. They should also come up with a catchy slogan.

---

36 ¿Cuál es la pregunta?

Según el artículo que acaba de leer, escriba una pregunta lógica para estas respuestas.

1. El cambio climático y el calentamiento del planeta
2. La luz solar
3. Oxígeno
4. Un efecto doblemente nocivo
5. Impiden el calentamiento atmosférico, producen agua, conservan la biodiversidad terrestre y dan sosiego a los ciudadanos.
6. El Protocolo de Kyoto
7. El mejor regalo
8. El Eco Parque Panamá
9. Mediante la cultura y la ley
10. Es la casa de todos

37 ¿Qué piensa Ud.?

¿Qué cree que significa la expresión "lograr un desarrollo que sea sostenible"? Dé sugerencias para este tipo de desarrollo.

38 Eslogan

Busque un par de anuncios en países de habla hispana que promuevan el Día de la Tierra o planes para protegerla. Después piense en una idea para su propio anuncio televisivo.

39 Antes de leer

¿Qué sabe de la selva amazónica y su importancia? ¿Qué sabe de la soja? ¿Qué opina de la biodiversidad y de la deforestación?

Cita

Sólo cuando el último árbol esté muerto, el último río envenenado, y el último pez atrapado, te darás cuenta de que no puedes comer dinero.
—Sabiduría indo-americana

¿Está de acuerdo con esta cita? ¿Por qué? ¿Cree que los seres humanos se dan cuenta o no del mundo de la naturaleza que les rodea y de su importancia? ¿Qué evidencia tiene Ud. de esto? Comparta su opinión con un/a compañero/a.

Reciclar protege nuestro planeta.

 Compare

¿Qué está haciendo EE.UU. para proteger los bosques? ¿Qué acciones tomó en el pasado que han tenido un gran impacto en lo que es EE.UU. en la actualidad? ¿Qué zonas piensa que están en peligro?

¡Dato curioso! El Día de la Tierra se celebró por primera vez en 1970 en los Estados Unidos y desde entonces se busca llamar la atención sobre temas que afectan al medio ambiente. Uno de estos temas es el calentamiento global y los cambios atmosféricos que son consecuencia del descongelamiento de la capa de hielo en los polos. Este fenómeno, a su vez, puede determinar el alza del nivel de los océanos.

Investigue palabras clave: el Día de la Tierra

Lea con atención el siguiente artículo. Después conteste las siguientes preguntas:

- ¿Cuál es el propósito del artículo?
- ¿Cómo resumiría el artículo en una frase?
- ¿Qué pregunta sería adecuada hacerle al periodista sobre lo que escribió?

Arrasando la Amazonia en nombre del progreso (de las multinacionales)

Hernán L. Giardini

Destrucción de la selva amazónica por el avance del monocultivo de soja

La selva amazónica es la mayor extensión de Bosque Primario del planeta y en ella viven el 50% de las especies vegetales y animales conocidas, y 220.000 indígenas de 180 pueblos diferentes. Pero está desapareciendo a un ritmo alarmante. Todas las medidas que se han tomado para atajar esta situación se están revelando inútiles, ya que la tasa de deforestación continúa aumentando. Este aumento se debe, en buena parte, a un nuevo agente de deforestación, que se suma a la actividad maderera ilegal, y que se ha agravado durante los últimos años: la plantación de soja transgénica en zonas de selva previamente deforestadas.

El viaje en avión desde Manaus hacia Santarém fue de lo más revelador: pude comprobar la inmensidad de la Amazonia y deslumbrarme con el imponente río Amazonas y sus brazos; pero también pude observar con mis propios ojos la destrucción de miles de hectáreas de bosque. La vastísima y compleja red fluvial que configura el río Amazonas y sus innumerables afluentes es el mayor reducto de biodiversidad intacta que queda en el mundo y su reducción es un problema de escala global. Cubriendo el 5% de la superficie terrestre, la Amazonia se extiende por aproximadamente 7,8 millones de kilómetros cuadrados en nueve países (Brasil, Bolivia, Colombia, Ecuador, Guayana, Perú, Surinam, Guayana Francesa y Venezuela). Del total, más de 5 millones de km² se concentran en Brasil. La región amazónica posee 25 mil kilómetros de ríos navegables y contiene cerca del 20% del agua dulce del planeta, y se estima que allí viven el 50% de las especies vegetales y animales conocidas:

- 350 especies de mamíferos, siendo 62 sólo de primates.
- 1.000 especies de pájaros.
- 60.000 especies de plantas, siendo 5.000 sólo de árboles.
- 3.000 especies de peces.
- 100 variedades de anfibios.
- 30 millones de especies de insectos.
- Millones de invertebrados.

En las profundidades de la selva amazónica habitan unos 180 pueblos originarios diferentes (unas 220.000 personas) que, junto con muchas más comunidades tradicionales, dependen del bosque que les proporciona todo lo que necesitan, desde alimento y cobijo hasta herramientas y medicinas, y que juega un papel crucial en su vida espiritual.

La soja, nueva amenaza

El cultivo de soja se ha convertido en uno de los principales agentes de la destrucción de la selva amazónica brasileña. Se calcula que, hasta el momento, 1,2 millones de hectáreas de selva han sido arrasadas para cultivar soja. La expansión del monocultivo de soja en la Amazonia implica la pérdida de biodiversidad y en muchos casos la contaminación del agua de las reservas indígenas. Entre agosto de 2003 y agosto de 2004 se han perdido en un solo año 27.200 km² de selva amazónica, un área del tamaño de Bélgica, y tres cuartas partes de dicha destrucción fueron ilegales. Se calcula que se pierden más de 3 km² por hora.

En 2004 y 2005 se plantaron más de un millón de hectáreas de soja dentro del bioma amazónico. Soja que, por su alto valor proteico, se utiliza principalmente para producir el alimento del ganado que comen en Europa. Lo cierto es que empresas multinacionales están devorando la Amazonia para plantar soja. Y la carne alimentada con esta soja (pollos, cerdos y vacas) termina en los estantes de los supermercados europeos y en los mostradores de empresas de comida rápida como Kentucky Fried Chicken y McDonald's. El gigante agroalimentario Cargill es la mayor firma privada de los Estados Unidos, con unos ingresos cercanos a los 63.000 millones de dólares en 2003. Es el rey indiscutible del comercio mundial de grano. Compra, vende, transporta, mezcla, muele, moltura, refina y distribuye por todo el planeta. La deforestación de la Amazonia por el avance de la frontera agrícola debe ser imperiosamente detenida, tanto por lo que implica la importante pérdida de biodiversidad como por su influencia en las condiciones meteorológicas de la región y sobre el cambio climático global, dada la capacidad de los árboles de fijar el dióxido de carbono y producir oxígeno. Además, la quema de la selva, como paso previo a la plantación de soja transgénica, produce el 75% de las emisiones de efecto invernadero de Brasil.

www.eldiariony.com

Instructional Notes

40 Suggest that students take notes since they will need information from this article to complete activity 45.

Additional Activities

Juego
Ask students to play *¿Quién quiere ser millonario?*
See p. TE25.

---

41 Amplíe su vocabulario 🔍

Mire las palabras que aparecen en la primera columna y busque su correspondiente sinónimo o definición entre las palabras de la segunda.

1. atajar		a.	pulverizar, moler
2. tasa		b.	contener
3. transgénico		c.	tributario
4. imponente		d.	dominadoramente
5. afluente		e.	relacionado con la comida y la agricultura
6. agua dulce		f.	ámbito
7. mamífero		g.	talado
8. anfibio		h.	refugio
9. cobijo		i.	agua que llena la mayoría de los ríos y lagos mundiales
10. arrasado		j.	grandioso
11. monocultivo		k.	ritmo
12. bioma		l.	animal que puede vivir en tierra o sumergido en el agua
13. agroalimentario		m.	modificado genéticamente
14. molturar		n.	animal vertebrado cuyos críos se alimentan con leche
15. imperiosamente		o.	cultivo único o predominante de una especie vegetal

42 ¿Ha comprendido?

1. ¿Por qué no han tenido éxito en detener la deforestación de la selva amazónica?
   a. Se ha hecho todo a un ritmo alarmante.
   b. Han hecho cosas inútiles.
   c. Se ha hecho todo lo posible, pero no es suficiente.
   d. Han hecho poco porque hay mucha oposición.

2. ¿Qué ha aumentado la deforestación de la selva amazónica?
   a. Se ha plantado soja.
   b. Se ha talado más árboles.
   c. Se ha inundado el río Amazonas.
   d. Las respuestas a y c

3. ¿Por qué se puede decir que la Amazonia es una región enriquecida?
   a. Porque tiene muchos brazos del río Amazonas, mucha vegetación y mucha soja
   b. Porque tiene la quinta parte mundial del agua dulce, y mucha flora y fauna
   c. Porque tiene muchos minerales y recursos naturales mundiales
   d. Las respuestas b y c

4. ¿Qué proporciona la Amazonia a la gente que vive allí?
   a. Comida, refugio y medicina
   b. Conexión al mundo exterior
   c. Fuente de soja para la mayoría de ellos
   d. Todas las respuestas anteriores

5. ¿Por qué la soja es la nueva amenaza para la región amazónica?
   a. Se pierde la biodiversidad con la plantación de la soja.
   b. Se contamina el agua con la plantación de la soja.
   c. Se promueve la soja como sustituto a la alimentación para el ganado.
   d. Las respuestas a y b

6. ¿Qué propone el autor?
   a. Detener el avance del frente agrícola
   b. Dar multas a las empresas multinacionales para financiar programas de reforestación
   c. Investigar métodos para mejorar las condiciones meteorológicas de la región e invertir el cambio climático global
   d. Aumentar la quema de la selva

43 Responda brevemente

¿Cree que el cultivo de la soja justifica la deforestación de la Amazonia? Si su respuesta es afirmativa, ¿por qué? Si su respuesta es negativa, ¿hay algo que justifique la deforestación? ¿Qué es? ¿Por qué opina así?

44 Se titula...

Piense en otro título para esta lectura. ¿Por qué lo ha escogido?

45 Lea, escuche y escriba/presente

Vuelva a leer "Arrasando la Amazonia en nombre del progreso (de las multinacionales)" y luego escuche "La Tierra no 'crece' más". Esta grabación trata del hecho de que hoy en día consumimos más alimentos de los que producimos. La grabación dura aproximadamente 3.5 minutos. ¿Cuál es el propósito de la grabación? Luego escriba un ensayo o haga una presentación en clase sobre el siguiente tema: "La Madre Tierra y el ser humano moderno". No se olvide de citar las fuentes debidamente. Si quisiera consultar otra fuente, ¿podría pensar en un posible título de una publicación?

Cita

Ningún hombre es una isla, algo completo en sí mismo; todo hombre es un fragmento del continente, una parte de un conjunto.
—John Donne (1572–1631), poeta, prosista y clérigo inglés

 ¿Cómo cree que sus acciones pueden afectar el mundo que le rodea? ¿Cree que puede hacer algún tipo de cambio en su entorno? ¿De qué modo? Comparta sus opiniones con un/a compañero/a.

¡Dato curioso!

¿Sabía que muchos científicos sostienen que la vida empezó en el mar y que las especies primitivas se aprovecharon de la luz solar para evolucionar en la flora y fauna que existe hoy? Hay muchas zonas climáticas e infinidad de ecosistemas que aún no se han estudiado muy a fondo hasta ahora; un buen ejemplo es la selva tropical, donde hay una gran riqueza de plantas y animales. Se han identificado alrededor de 1.700.000 especies, pero algunos científicos estiman que hay unos cinco millones de especies distintas en la Tierra.

 Compare
¿Qué ha estudiado en su clase de ciencias o ha leído sobre la deforestación?

La selva amazónica

Lección 7A   383

Teacher Resources

 Activity 45

Answers

43 Answers will vary.

44 Titles will vary.

Instructional Notes

43 Encourage a debate between those who have answered affirmatively and those who disagree.

45 Before students listen to the audio, you might want to review the following words: *proclive*, inclined to; *de largo plazo*, in the long run; *hallar*, to find; *sombrío*, dark/somber.

Additional Activities

Comunicación
Ask students to look for more information on biodiversity and discuss their findings with a partner.

384

¡A escuchar!

> *amor* *madre*
>
> *esperanza* *camino*
>
> *caravana* *desasosiego*

46 La palabra más bella del castellano

Esta grabación trata de una votación que se llevó a cabo para elegir la palabra más bella del castellano. La grabación dura aproximadamente 6 minutos. Lea las posibles respuestas primero y después escuche "Se busca la palabra más bella del castellano". Escoja la mejor respuesta para cada pregunta. Después piense en cuál sería una pregunta apropiada para hacerle al autor. Si quisiera consultar una fuente para saber más sobre este tema, ¿qué fuente consultaría? Explique por qué.

1. ¿Quién patrocina el concurso?

   a. El gobierno de España
   b. La Escuela de Escritores
   c. La Real Academia Española
   d. Los internautas hispanohablantes

2. ¿Quién va a elegir la palabra?

   a. El gobierno de España
   b. La Escuela de Escritores
   c. La Real Academia Española
   d. Los internautas hispanohablantes

3. ¿Cómo se caracterizan las palabras que ya se han enviado?

   a. Por la belleza de su construcción y sonoridad de la palabra
   b. Por el significado de la palabra
   c. Por lo que representa la palabra
   d. Todas las respuestas anteriores

4. ¿Por qué escogió Ana María Matute la palabra resplandor?

   a. Porque tiene latín, tiene mar, historia, aroma y memoria
   b. Porque es una palabra que en sí misma, sin estar inscrita entre otras, tiene mucha poesía
   c. Porque tiene cuatro sílabas sonoras, cada una terminando en una *a*
   d. Porque es donde siempre he andado y me hace pensar en tomarlo sin tener que imaginar dónde me lleve

5. ¿Qué característica es aceptable para la palabra más bella del castellano?

   a. Que es un nombre propio
   b. Que es una palabra reconocida en los diccionarios de la lengua española
   c. Que la palabra debe aparecer en la Red
   d. Que es una palabra compuesta

47 Celularmanía

Esta grabación es sobre el mercado de los celulares. La grabación dura aproximadamente 6 minutos. ¿Cuál es el objetivo del artículo? Lea las posibles respuestas primero y después escuche la grabación "Celularmanía". Escoja la mejor respuesta para cada pregunta. Después piense en cuál sería una pregunta apropiada para hacerle al autor.

1. ¿Qué son prácticos, convenientes y cada vez más pequeños?
   a. Los teléfonos celulares
   b. Los planes de teléfonos celulares
   c. Los teléfonos fijos
   d. Los resultados telefónicos

2. ¿Qué función no es parte de las compañías de telecomunicaciones y fabricantes de teléfonos celulares inalámbricos?
   a. Componer música
   b. Información del tiempo atmosférico
   c. Los resultados deportivos
   d. Los informes de las acciones

3. ¿Cuántas personas usan teléfonos celulares en los Estados Unidos?
   a. 10 millones   c. Un millón
   b. 110 millones   d. 500 millones

4. ¿Qué compañía ofrece un período de 14 días para que los usuarios se decidan por un plan?
   a. Verizon
   b. Sprint PCS
   c. AT&T
   d. Todas las respuestas anteriores

5. ¿Quién tendrá que subastar nuevas frecuencias para que Verizon pueda implementar tecnologías más avanzadas?
   a. El gobierno
   b. Las otras compañías de telecomunicaciones
   c. Los usuarios telefónicos
   d. Las repuestas a y c

48 Participe en una conversación

Ud. va a participar en una conversación. Primero lea la descripción de la conversación y piense en algunas palabras o expresiones que le serían útiles; le pueden servir algunas expresiones del recuadro. Organice sus ideas, haciendo predicciones sobre lo que se le pueda preguntar o comentar. Una descripción de lo que va a escuchar aparece abajo en color. Participe en la conversación grabando las respuestas o escribiéndolas en su cuaderno.

el maremoto	el sismo	el terremoto	de una magnitud de (7) grados
la ola	el pueblo costero	ahogarse	

Escena: Ud. y una amiga suya, Soledad, están hablando de un desastre natural.

Soledad:	Le habla de algún desastre natural que ocurrió y le hace unas preguntas.
Ud.:	• Conteste sus preguntas.
Soledad:	Le hace otra pregunta.
Ud.:	• Contéstela.
Soledad:	Hace un comentario y le hace otra pregunta.
Ud.:	• Reaccione a su comentario y conteste su pregunta.
Soledad:	Sigue la conversación y le pide información.
Ud.:	• Conteste su pregunta y hágale una sugerencia.
Soledad:	Reacciona a su sugerencia.
Ud.:	• Reaccione positivamente.

Lección 7A   **385**

Teacher Resources

Activity 47
Activity 48

Answers

47 1. a; 2. a; 3. b; 4. b; 5. a

Instructional Notes

47 You might want to review the following words before students listen to the audio: *inalámbrico*, wireless; *acciones*, stock; *almacenar*, to store; *destacar*, to emphasize; *vanagloriarse*, to boast; *despegue*, takeoff; *subastar*, to auction off.

48 Review the words in the word bank with students and encourage them to use the new vocabulary from the lesson for their conversation with Soledad.

Additional Activities

Las noticias de hoy
See p. TE28.

Audioscript Activity 48

Soledad: Acabo de oír otro tsunami ocurrió en Indonesia. Exactamente, ¿qué es un tsunami? ¿Sabes qué causó éste?
[STUDENT RESPONSE]
Soledad: ¿Qué destrucción causó el tsunami allí?
[STUDENT RESPONSE]
Soledad: Esto es terrible. ¿Dónde pasó la mayoría de la destrucción?
[STUDENT RESPONSE]
Soledad: Yo quiero ayudar. ¿Cómo y dónde podemos enviar ayuda?
[STUDENT RESPONSE]
Soledad: Buena idea. Quiero ayudar también. Vámonos en seguida.
[STUDENT RESPONSE]

Instructional Notes

49–52 Remind students to go over the expectations outlined in the *Pautas* on p. 480 before they begin writing.

Additional Activities

Corrija una carta and **A escribir por quince minutos** See p. TE26.

¡A escribir!

49 Texto informal: Tengo una tableta, ¿para qué sirve?

Ud. ha recibido de su abuela el correo electrónico que está a continuación. Responda con su propio mensaje en el que explica para qué sirve una tableta electrónica.

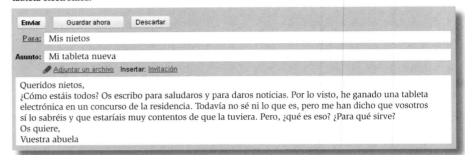

En la respuesta a su abuela incluya lo siguiente:
- Hable sobre lo que es una tableta.
- Háblele de las ventajas en general.
- Háblele de cómo puede usarla en su vida diaria.
- Comparta alguna historia y anécdota personal o ajena.

50 Texto informal: romper por Facebook

Ud. ha recibido el correo electrónico que está a continuación de su amiga Paula. Responda con su propio mensaje en el que reacciona a lo que le ha contado y hable sobre el uso de la tecnología en las relaciones personales.

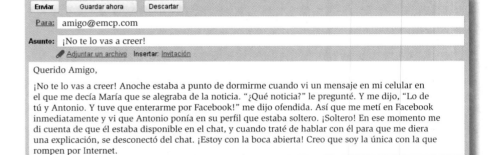

51 Ensayo: expresando sentimientos en las redes sociales

Cada vez más personas hablan de sus sentimientos íntimos en las redes sociales o en su teléfono. Escriba un ensayo en el que compare los pros y los contras de hacerlo.

52 Ensayo: los inventos

Escriba un ensayo en el que compare las ventajas y desventajas de algunos inventos nuevos.

53 En parejas 👤👤

Intercambie sus ensayos con los de un/a compañero/a. Exprésele su opinión sobre el contenido y el uso del idioma.

¡A hablar!

54 Charlemos en el café 👤👤

Ud. va a debatir los siguientes temas con un/a compañero/a. Uno estará a favor de lo que se ha dicho y otro en contra. El debate durará varios minutos. El/La estudiante que esté de acuerdo comenzará el debate y hablará por unos dos minutos. Cuando el/la profesor/a lo indique, el/la otro/a estudiante tomará la palabra y expresará su opinión por otros dos minutos, y así sucesivamente.

1. Los inventos más necesarios ya han sido inventados.
2. La fuga de talentos en países es un gran problema.
3. EE.UU. tiene los mejores científicos del mundo.
4. Hasta la llegada de Cristóbal Colón no había apenas avances en Latinoamérica.
5. No se debería usar el móvil en la clase.
6. La moda de las redes sociales desaparecerá.
7. El acceso a la tecnología debería estar limitado a los jóvenes.
8. Algunas tribus que siempre han estado aisladas en el amazonas están empezando a usar Internet. Es un gran error.

55 ¿Qué opinan? 👤👤

Converse con un/a compañero/a sobre estas preguntas.

1. ¿Cree que la gente se cansará de las redes sociales?
2. ¿Qué piensa de poner constantemente fotos en las redes sociales?
3. ¿Cuántos "amigos" se suelen tener como media en las redes sociales? ¿Cree que se deben tener menos o más?
4. Si creara un grupo en una red social para hablar sobre una causa que afecte al futuro de la humanidad, ¿qué grupo crearía?
5. ¿Cree que las cartas, los carteros y las oficinas de correos desaparecerán al igual que lo hizo en su día el telégrafo?
6. Hable de la población en Latinoamérica.
7. ¿Cómo afectan los avances científicos nuestras vidas?

Teacher Resources

Activity 18

Instructional Notes

52 Encourage students to research more information on new inventions.

53 You might want to have students work in small groups rather than with a partner to critique one another's work.

54 Because all students will speak, allow them time to prepare this activity. Be sure to tell students which issue and which side of the issue they will be debating, so that they can do some research and practice before their debate.
After students have debated these issues with a partner, you might want them to continue the debate in small groups, or even have a discussion with the whole class on one or two of these topics. Remind students to use as much of the new vocabulary from this lesson as they can.

55 After students discuss these issues with their partners, you might want to have a classroom discussion on either one or both questions.

Additional Activities

La noticia del día
See p. TE28.

56 Review the *Pautas para presentaciones formales* on p. 481, and refer students to their copies of the guidelines given to them in *Lección 1A* (*Antes y durante una presentación*). (See p. 27 of this Annotated Edition.) Remind them that while they are presenting they should not read from their notes.

57 Before students start their projects, go over the questions from *Lección 1A*, p. 28. Students should have a copy of these questions for each project.
Remind them that after they complete their project, they will self-assess their work as a team using the grading system 1–5 (5 being the highest, and 1 the lowest) and write a grade next to each question. After they turn in their work or make their presentation to the class, you will review their project and write your comments and evaluation next to theirs.

Additional Activities

Gráfico sobre un tema
See p. TE27.

---

56 Presentemos en público

Haga una presentación sobre uno de los temas durante varios minutos. Organice sus ideas antes de hacer la presentación, busque las palabras necesarias y, después de practicar, presente en clase sin mirar las notas.

1. Hable de cómo afectan los avances tecnológicas nuestras vidas.
2. Hable sobre las innovaciones tecnológicas.
3. Hable del Amazonas (geografía, historia, fauna y flora, lenguas, economía y deforestación).
4. Hable sobre las minorías en Latinamérica.
5. Hable sobre los afrocolombianos en Colombia.
6. Hable sobre Cuba: su geografía, historia, gobierno y cultura (arte, cocina y literatura).
7. Hable sobre Chile: su geografía, historia, gobierno y cultura (arte, cocina y literatura).
8. Hable sobre España: su geografía, historia, gobierno y cultura (arte, cocina y literatura).

Proyectos

57 ¡Manos a la obra!

Trabaje en un grupo de cuatro o cinco estudiantes para llevar a cabo uno de los siguientes proyectos y presentarlo en clase.

1. Les han encargado que desarrollen un nuevo plan de estudios en su escuela o universidad. Decidan los diferentes temas; por ejemplo, el horario, las asignaturas y la metodología que deberían usar los profesores. No se olviden de incluir idiomas extranjeros en su plan.
2. Hagan un anuncio para promover el Día de la Tierra en su comunidad. Decidan si va a ser un anuncio gráfico, de radio o de televisión.
3. Presenten un plan para disminuir la contaminación del aire en su comunidad, ciudad, región o estado. Hablen de las causas de la contaminación del aire ahora y dé soluciones para disminuirla en los próximos cinco años.
4. Hagan un cartel con los diez inventos de los últimos cincuenta años que han tenido más impacto en nuestras vidas. No se olviden de explicar un poco la historia y la importancia de cada invento.

El corazón artificial Jarvik-7, uno de los inventos clave de los últimos años

Vocabulario

Verbos

acercarse	to approach
avisar	to notify
complacer	to please
descargar	to unload, download
promover	to promote
proponer	to propose
proporcionar	to provide, supply
realizar	to achieve, fulfill
redactar	to write, draft
regalar	to give away
respaldar	to back up
sobrevivir	to survive
talar	to cut down, to fell (*trees*)

Verbos con preposición

verbo + con:

acabar con	to eliminate
conectarse con	to connect with, relate to

verbo + de:

disponer de	to have something at one's disposal
manifestarse (ie) en contra de	to speak out against

Sustantivos

el	apogeo	peak
el	aprendizaje	apprenticeship, learning
la	armonía	harmony
el	bienestar	well-being
el	carácter	character, personality
el	cohete	rocket
la	creación	creation
el	descaro	shamelessness
el	deterioro	damage, deterioration
la	epidemia	epidemic
la	época	time period
la	factura	bill
la	gama	range
la	ganancia	profit
la	grabadora	tape recorder
el	informe	report
la	innovación	innovation
el	invento	invention
el	maremoto	tidal wave
el	medio ambiente	environment
la	oferta	offer
el	oído	hearing; ear
el	ordenador	computer
la	plataforma	platform
las	redes sociales	social networks
el	retroceso	backward step

la	sede	headquarters
las	telecomunicaciones	telecommunications
el	usuario	user
la	ventaja	advantage

Adjetivos

arquitectónico, -a	architectural
corriente	common, usual
costero, -a	coastal
desapercibido, -a	unnoticed
desechable	disposable
deshidratado, -a	dehydrated, dried
enriquecedor(a)	enriching
imprescindible	essential
imprevisible	unforeseeable
innegable	undeniable
inalámbrico, -a	wireless
infinito, -a	infinite, limitless
insuperable	unbeatable
jubilado, -a	retired
nocivo, -a	harmful
sencillo	simple
tecnológico, -a	technological
vivaz	lively

Adverbios

laboriosamente	laboriously
mundialmente	worldwide, throughout the world
seguidamente	next

Expresiones

a largo plazo	in the long run
a marchas forzadas	against the clock
a mediados de	in the middle of
a través de	through
el agua dulce	fresh water
el (programa) buscador	search engine
el calentador de aire	fan heater
el calentamiento global	global warming
el (ordenador/computador) portátil	laptop computer
dar lugar a	to provoke, give rise to
dar origen a	to give birth to (*an idea*)
el dominio de lenguas	command of languages
el efecto invernadero	greenhouse effect
en el caso de	in the case of
en todos los aspectos	in every way
es más	furthermore
la esperanza de vida	life expectancy
la fuerza laboral	labor force
igualmente	likewise
lo que sucede	what happens
mediante	by means of

Teacher Resources

Activities 19–23

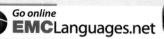
Go online
EMCLanguages.net

Additional Activities

Juegos

To practice and reinforce the lesson's vocabulary, have students play either one or both of these games: *Cadena de palabras, Lo tengo en la punta de la lengua.* See pp. TE24 and TE25.

Juego

To practice the culture, grammar, or vocabulary presented in the lesson, ask students to play *¿Quién quiere ser millonario?* See p. TE25.

Ask students to do any of the following activities to practice and strengthen the vocabulary presented in this lesson: *¿Cómo están relacionados?, La definición interminable, Repaso Expreso, De periodistas.* See pp. TE26–TE28.

See ExamView for assessment options.

Instructional Notes

Remind students that they should adhere to the punctuation outlined in the *A tener en cuenta* section in all their compositions.

no poder con	to be unable to cope with	el teléfono celular, teléfono móvil	cell phone
el orden cronológico	chronological order	el teléfono fijo	landline phone
letras pequeñas del contrato	small print of the contract	o viceversa	or viceversa
la red inalámbrica	wireless network		

A tener en cuenta
La puntuación

el punto [.]	se usa al final de una oración y después de algunas abreviaturas Decimos *punto seguido* para separar oraciones en un párrafo. Decimos *punto y aparte* para separar dos párrafos distintos. Decimos *punto final* para cerrar el párrafo.

la coma [,]	indica una pausa dentro de una oración
	separa las palabras de una enumeración, pero no antes de
	  y, e, o, u, ni: Estudio francés, geografía, matemáticas e historia.
	separa los miembros de una cláusula independiente: Estudié
	  español, preparé los ejercicios, escribí el ensayo.
	separa el nombre en vocativo: Juan, ven aquí.
	se usa con una aposición exclamativa: Celia Cruz, gran cantante
	  cubana, murió en 2003.

el punto y coma [;]	se usa para separar los miembros de una oración que ya tienen
	  alguna coma: No fui al café, ni al teatro, ni a la reunión; me
	  quedé en casa leyendo.

dos puntos [:]	preceden una enumeración (Hay dos coches: uno rojo y otro azul.)
	  y las palabras que se citan en una oración (Mari dijo: No hay
	  que temer nada.). También siguen el encabezamiento de una
	  carta (Estimada María:).

los puntos suspensivos […]	indican una pausa inesperada o cuando se suprime algún texto
la interrogación [¿?]	encierra una oración interrogativa
la exclamación [¡!]	indica una oración o frase cargada de emoción
los paréntesis [( )]	aislan una observación
los corchetes [ ]	se usan como los paréntesis, pero cuando se introducen en una frase que ya va entre paréntesis
la raya [—]	se usa como los paréntesis y para indicar diálogo

Lección B

Objetivos

Comunicación
- Discutir algunos temas ecológicos
- Hablar del proceso de aprender idiomas

Gramática
- El subjuntivo
- El progresivo
- El participio presente y pasado
- Repaso de los tiempos verbales
- El infinitivo

"Tapitas" gramaticales
- verbos seguidos de preposiciones
- *lo* y *lo que*
- *por, por qué, para* y *para que*
- transformar adjetivos en adverbios
- los usos y omisión del artículo definido
- los adjetivos y pronombres demostrativos

Cultura
- El problema del narcotráfico
- El idioma y la Internet
- Adicciones a las redes sociales
- El problema del agua
- Los océanos en peligro

Go online
EMCLanguages.net

Lección 7B   391

Answers

1 Answers will vary.

2 Dialogues will vary.

Instructional Notes

1 After students answer these questions with their partners, you might have a whole-class discussion after which you could ask some students to take notes of their classmates' opinions and tally the results on a chart.

The robotic functions described in the *Dato curioso* are purely scientific ones, but ask students to think about the kind of robot they would invent and what tasks they would ask it to do.

After you share the *Nota cultural* with students, ask them what they think might be the meaning of the prefix *tele* and what they might observe with a *telescopio*. (*Tele* = *lejos; un telescopio se usa para observar objetos que están muy lejos, especialmente los cuerpos celestes*.)

Additional Activities

Comunicación

Ask students to work with a partner and talk about how a current news event is being handled by the media.

Para empezar

1 Conteste las preguntas

Piense en las respuestas a las siguientes preguntas. Ud. puede tomar notas si lo considera necesario. Cuando termine, compare sus respuestas —pero sin mirar sus notas— con las de un/a compañero/a.

1. ¿Piensa que todos los inventos y tecnología de los últimos cien años han mejorado nuestro mundo? ¿Por qué? ¿Nos han perjudicado alguna vez? Explique su respuesta.
2. ¿Piensa que en la actualidad es más fácil o difícil inventar algo nuevo? ¿Por qué?
3. ¿Ha mejorado la tecnología nuestra vida o solamente ha acelerado el ritmo de nuestras rutinas diarias? Explique su respuesta.
4. Los teléfonos celulares: ¿han mejorado o han complicado nuestra vida cotidiana? ¿Cómo?
5. ¿Tiene derecho a una educación universitaria todo el mundo? ¿Debe ser gratis o a un costo bajo? ¿Por qué?
6. ¿Qué opina de tener una lengua oficial en los Estados Unidos? ¿Cree que algún día tendremos dos lenguas oficiales? ¿Cuándo y cómo podría ocurrir esto?
7. En el futuro, ¿será imprescindible perfeccionar otras fuentes de energía? ¿Por qué? ¿Con qué otras energías alternativas se está ya experimentando?
8. ¿Dónde vive la mayoría de la gente en nuestro planeta: en las costas, en el interior, en áreas metropolitanas o rurales? ¿Por qué?
9. ¿Qué opina de la sobrepoblación y la hambruna mundial? ¿Qué soluciones hay?
10. ¿Piensa que después de los desastres naturales que han causado tanto daño en los últimos cinco años, estamos más preparados para enfrentarnos a ellos? ¿Por qué?

2 Mini-diálogos

Ud. va a crear un mini-diálogo con un/a compañero/a. Lea la descripción de la conversación antes de empezar. Puede tomar notas para organizar sus ideas, pero no las mire mientras conversa.

> **Escena:** Dos amigos/as hablan del futuro mientras miran el noticiero en la televisión. Uno/a tiene una actitud pesimista, y ve un futuro muy negro.

A: Entable una conversación sobre una noticia (real) de la que están hablando estos días en los medios de comunicación. Haga un comentario pesimista.

B: Haga unos comentarios sobre la misma noticia.

A: Hable sobre otra noticia actual, y vuelva a hacer otro comentario donde muestra su pesimismo.

B: Hable sobre la misma noticia, pero búsquele el lado positivo a la situación.

A: Muestre que no le interesa lo que le está diciendo. Continúe mostrando su pesimismo al respecto.

B: Dele ejemplos para convencerle que está equivocado/a.

A: Reaccione a sus comentarios positivamente. Muestre respeto y admiración.

B: Despídase cordialmente y con un comentario positivo.

Cita

Cuando la vida te presente razones para llorar, demuéstrale que tienes mil y una razones para reír.
—Anónimo

 ¿Cómo reacciona cuando ve una noticia triste? ¿Se deprime? ¿Piensa que los noticieros muestran la realidad de nuestro entorno o, por el contrario, buscan el sensacionalismo? Comparta su opinión y experiencias con un/a compañero/a.

Dato curioso

La fabricación de micro-robots para, por ejemplo, explorar el cuerpo humano, es uno de los desafíos actuales de la tecnología. Entre los problemas a resolver se encuentra el desarrollo de una fuente de energía que funcione a nivel microscópico e incluso nanoscópico.
www.quo.es

Nota cultural

Las palabras *microscópico* y *nanoscópico* que aparecen en el *Dato curioso* son de origen griego. *Microscópico* se deriva de *mikrós* (pequeño). El prefijo *nano* se deriva de *nánnos* (enano) y, por lo tanto, significa muy pequeño. *Scopio* viene de *scopeo* (observar, examinar). Decimos que algo es microscópico si sólo se observa con un microscopio; lo nanoscópico se refiere a lo que es la milmillonésima parte de una unidad. La nanotecnología es la ciencia de manipular materiales a una escala atómica o molecular en la construcción de aparatos microscópicos.

Vocabulario y gramática en contexto

3 Un foro

Túrnese con un/a compañero/a para leer los comentarios que dos personas han escrito en un foro sobre los teléfonos celulares y la contaminación. Fíjese en las palabras que aparecen en azul (relacionadas con el vocabulario) y en rojo (relacionadas con la gramática), ya que en las siguientes actividades se le harán preguntas sobre ellas.

Los celulares

Gabriela

Me enoja que la gente siga desobedeciendo las advertencias de que tengan que apagar su celular. Con el incremento del uso de teléfonos celulares, esta forma de comunicación requiere cierta educación. Ese aparato conecta, rescata, reconforta y reporta, pero también puede convertirse fácilmente en algo que aísla,
⁵ amenaza y fastidia.

¿Existe un código de cortesía o no, hoy en día? Se han hecho algunas advertencias de lo peligroso que es manejar y hablar por teléfono al mismo tiempo. Pero hasta ahora, no hay ninguna educación universal sobre la cortesía. Todos los celulares tienen diferentes tipos de timbres —para colmo, la mayoría de
¹⁰ los timbres suele ser molesta. Algunas personas comparten mi opinión de que la tecnología deshumaniza a las personas. Cuando se usa un móvil, yo recomiendo tres medidas generales: no hable y maneje, baje el volumen y mire a su alrededor. Muchos usuarios prefieren los celulares por la rapidez con que se obtiene una respuesta. Muchos encuentran la gratificación instantánea con su teléfono celular. Es sumamente importante recordar una cosa: si Ud. está en el cine o en
¹⁵ misa, apague su celular, por favor.

La contaminación

Rafael

Aconsejo que se busquen métodos para detener la contaminación del aire que provocan las plantas generadoras de electricidad y refinerías lo más pronto
⁵ posible. Es fundamental reducir las emisiones de gases que producen el efecto invernadero porque tenemos que pensar en lo que vamos a dejar a nuestros niños, y a los hijos de nuestros hijos. Toda la
¹⁰ contaminación es una amenaza a la calidad del aire y la salud pública. Debemos crear una agencia gubernamental y eficaz que expida un informe oficial que limite las emisiones y que establezca un sistema de
¹⁵ seguimiento que vigile el cumplimiento de los niveles permitidos para que éstas no contribuyan más al calentamiento global. Las refinerías, plantas termoeléctricas y otras industrias liberan productos químicos que producen contaminación en el aire que respiramos y también promueven el aumento de las temperaturas. El calentamiento global continúa amenazando las reservas de agua, la salud pública, y algunas de
²⁰ las industrias como la agricultura y el turismo. A mi juicio, esto es el tema de más relieve que hay en nuestro tiempo.

Instructional Notes

3 Ask students who they think are the most abusive cell phone users, and which industries in their community or region produce the most pollution.

Answers

4 *Answers might vary; some expressions could be part of nouns or adjectives.*

Los celulares

Sustantivos: advertencias, incremento, cortesía, tipos, medidas, usuarios; *Adjetivos:* diferentes, molesta; *Verbos:* me enoja, siga desobedeciendo, apagar, rescata, reconforta, aísla, amenaza, fastidia, manejar, hablar, deshumaniza, se usa, no hable, maneje, baje, mire

La contaminación

Sustantivos: refinerías, amenaza, informe, seguimiento, cumplimiento; *Adjetivos:* generadoras, gubernamental, eficaz; *Verbos:* detener, reducir, crear, expida, establezca, vigile, contribuyan, liberan, promueven, continúa amenazando; *Expresiones:* efecto invernadero, calidad del aire, salud pública, calentamiento global, plantas termoeléctricas, reservas de agua, de más relieve

5 **1.** siga, tengan: el verbo principal (*me enoja*) expresa una reacción emotiva; hable, maneje, baje, mire: el verbo principal (*recomiendo*) expresa voluntad/orden y también son mandatos; apague: es mandato; busquen: el verbo principal (*aconsejo*) expresa voluntad u orden; expida, limite, establezca, vigile: describe lo que es indefinido o hipotético; contribuyan: va precedido de una locución final (*para que*); **2.** Se han hecho algunas advertencias, se busquen métodos: funciona como voz pasiva; se usa un móvil, se obtiene una respuesta: es la *se* impersonal; en el caso de *convertirse*, *se* funciona como reflexivo. **3.** Los mandatos son: no hable y maneje, baje, mire, apague; tienen la misma forma que el presente del subjuntivo. **4.** siga obedeciendo, continúa amenazando; Indica que la acción sigue pasando en la actualidad; el presente progresivo se forma con un verbo auxiliar (*estar, continuar, seguir*) más el participio presente del verbo principal (*obedecer, amenazar*). **5.** El infinitivo va precedido de ciertos verbos o expresiones verbales como *tener que* (tengan que apagar, tenemos que pensar); *poder* (puede convertirse); *soler* (suele ser); *ir a* (vamos a dejar); *deber* (debemos crear); también se usa como sustantivo (lo peligroso que es manejar y hablar); cuando va precedido de una preposición (para detener); y cuando va precedido de una expresión impersonal sin cambio de sujeto (es importante recordar, es fundamental reducir).

6 **1.** convertirse en, hablar por, deshumaniza a, mire a, está en, pensar en, vamos a, dejar a; **2.** *Lo* es artículo determinado del género neutro, se utiliza solamente acompañado de adjetivos, adverbios o preposiciones; *lo* más un adjetivo masculino singular forma un sustantivo (de lo peligroso = del peligro); funciona como intensificador del adverbio que le sigue: *lo más*

 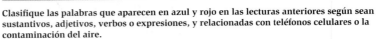
Clasifique las palabras que aparecen en azul y rojo en las lecturas anteriores según sean sustantivos, adjetivos, verbos o expresiones, y relacionadas con teléfonos celulares o la contaminación del aire.

5 Repaso

Conteste estas preguntas basadas en las lecturas de la Actividad 3.

1. Haga una lista de todos los verbos del subjuntivo en los comentarios del foro y explique su uso.
2. Busque los verbos con *se* (por ejemplo, *convertirse*) y explique el uso de *se* con estos verbos.
3. Busque los mandatos y compare su uso con el del subjuntivo en los comentarios.
4. Explique el uso de los verbos del presente progresivo en los comentarios.
5. Busque los usos diferentes del infinitivo en los comentarios del foro y diga cuáles son, citando ejemplos de los comentarios.

6 Más repaso

Con un/a compañero/a haga las siguientes actividades.

1. Hagan una lista de los verbos seguidos de una preposición en las lecturas anteriores.
2. Expliquen el uso de *lo* según los ejemplos de las lecturas.
3. Traduzcan la oración "Si Ud. está en el cine o en misa, apague su celular, por favor." Cambien la oración a otros tipos de oraciones con *si*.
4. Traduzcan la oración "Es fundamental reducir las emisiones de gases" y vuelvan a escribirla usando el subjuntivo.

7 "Tapitas" gramaticales

Conteste estas preguntas basadas en las lecturas de la Actividad 3.

1. Haga una lista de las expresiones que exigen el uso del subjuntivo.
2. Explique el uso del verbo *soler* en la frase "la mayoría de los timbres suele ser molesta".
3. Explique por qué se usa el artículo *el* con la palabra *sistema*.

8 Práctica de tiempos

Complete el siguiente texto con el tiempo adecuado de los verbos entre paréntesis.

En algunos países el tráfico ilícito de drogas __1.__ (*ser /estar*) motivo de formación y fortalecimiento de grupos armados al margen de la ley, corrupción estatal, desplazamiento __2.__ (*forzar*) de población, deterioro de regiones rurales, entre otros. La Primera Guerra del Opio __3.__ (*ser / estar*) un esfuerzo por obligar a China a __4.__ (*permitir*) a los comerciantes británicos comerciar opio entre la población general de China. Aunque __5.__ (*ser / estar*) ilegal, fumar opio __6.__ (*ser / estar*) común en el siglo XIX. Los chinos __7.__ (*llevar*) el opio a México, y rápidamente __8.__ (*darse*) cuenta de que las condiciones climáticas de Sinaloa __9.__ (*permitir*) el buen cultivo de esta planta; así __10.__ (*ser / estar*) como se iniciaron las primeras rutas de narcotráfico hacia los Estados Unidos por el territorio mexicano. Colombia __11.__ (*ser / estar*) quizás el ejemplo más notorio del deterioro al que __12.__ (*poder*) llegar un país a causa del narcotráfico. Políticamente, este país tocó fondo cuando el reconocido narcotraficante Pablo Escobar Gaviria __13.__ (*hacer*) parte del Congreso de la República. Actualmente los carteles colombianos __14.__ (*ser / estar*) bandas discretas.

---

pronto posible. *Lo que* es un pronombre relativo que se refiere a una frase o idea y, como tal, es neutro (pensar en *lo que* vamos a hacer). Ejemplo con preposición: *He leído lo del subjuntivo*. **3.** *If you're at the movies or at mass, turn off your cell phone, please.* Si estuviera en el cine o en misa, apagaría el celular. Si hubiera estado en el cine o en misa, hubiera apagado el celular. **4.** *It is essential to reduce gas emissions.* Es fundamental que reduzcan las emisiones de gases.

7 **1.** enojarse, recomendar, aconsejar, para que; **2.** *Suele ser* significa que los timbres frecuentemente son molestos. *Soler* imparte la idea de "generalmente" o "acostumbraba"; no se usa en el futuro,

condicional o pretérito. **3.** *Sistema* es de origen griego y generalmente estos sustantivos son masculinos.

8 1. ha sido; 2. forzado; 3. era; 4. permitir; 5. era; 6. era; 7. llevaron; 8. se dieron; 9. permitían; 10. fue; 11. es; 12. puede; 13. hizo; 14. son

Additional Activities

Hablen sobre esta foto
See p. TE27.

9 Aprender inglés

Lea con atención el siguiente artículo e intente averiguar el significado de las palabras en azul por el contexto, ya que se le harán preguntas sobre ellas. Después, resuma lo que leyó en una frase.

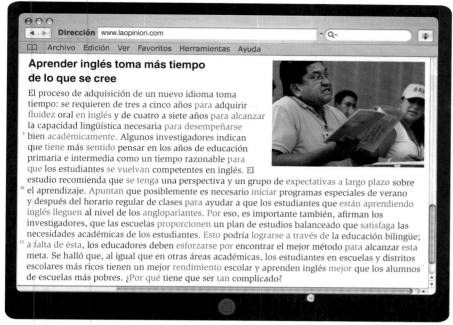

Dirección www.laopinion.com

Archivo   Edición   Ver   Favoritos   Herramientas   Ayuda

Aprender inglés toma más tiempo de lo que se cree

El proceso de adquisición de un nuevo idioma toma tiempo: se requieren de tres a cinco años para adquirir fluidez oral en inglés y de cuatro a siete años para alcanzar la capacidad lingüística necesaria para desempeñarse
5 bien académicamente. Algunos investigadores indican que tiene más sentido pensar en los años de educación primaria e intermedia como un tiempo razonable para que los estudiantes se vuelvan competentes en inglés. El estudio recomienda que se tenga una perspectiva y un grupo de expectativas a largo plazo sobre
10 el aprendizaje. Apuntan que posiblemente es necesario iniciar programas especiales de verano y después del horario regular de clases para ayudar a que los estudiantes que están aprendiendo inglés lleguen al nivel de los angloparlantes. Por eso, es importante también, afirman los investigadores, que las escuelas proporcionen un plan de estudios balanceado que satisfaga las necesidades académicas de los estudiantes. Esto podría lograrse a través de la educación bilingüe;
15 a falta de ésta, los educadores deben esforzarse por encontrar el mejor método para alcanzar esta meta. Se halló que, al igual que en otras áreas académicas, los estudiantes en escuelas y distritos escolares más ricos tienen un mejor rendimiento escolar y aprenden inglés mejor que los alumnos de escuelas más pobres. ¿Por qué tiene que ser tan complicado?

10 Amplíe su vocabulario

Escriba la letra que corresponda a la mejor definición de cada palabra de la primera columna.

1. fluidez
2. alcanzar
3. desempeñar
4. tener sentido
5. expectativa
6. a largo plazo
7. apuntar
8. iniciar
9. angloparlante
10. a través de
11. a falta de
12. rendimiento

a. anotar
b. productividad
c. sin
d. lograr
e. por
f. después de mucho tiempo
g. persona que habla inglés
h. cumplir
i. facilidad
j. ser lógico
k. esperanza de conseguir algo
l. comenzar

11 El aprendizaje de lenguas

Con un/a compañero/a haga una lista de las palabras o expresiones que conozcan relacionadas con el aprendizaje de lenguas. Piensen en otras palabras o expresiones relacionadas que les gustaría saber y búsquenlas en el diccionario.

Lección 7B   **395**

Nota cultural

La mayoría de los hijos de inmigrantes hispanos aprenden inglés a la edad adulta. Tan solo un 23 % de la primera generación lo habla bien, aunque cuando se trata de segundas generaciones el porcentaje sube a un 88 %.

Teacher Resources

Activities 5–6

Answers

16 1. b; 2. c; 3. a; 4. d; 5. b; 6. a; 7. b; 8. d; 9. d; 10. c; 11. a; 12. b; 13. c; 14. b; 15. b

17 1. *Participio presente:* pidiendo, pagando, firmando, adquiriendo; *Participio pasado:* costado, prestado, podido, sido, suspendido, recibido, hecho, pagado, extendido, sido (es una opción en las respuestas), firmado, hecho (es una opción en las respuestas), investigado; *Participios usados como adjetivos:* aislado, permitidos, escrito, engañados, encargada, acusadas, engañado, escrito; **2.** *Pretérito:* hizo, llegó, fue, terminó, ayudó, aclaró, dijeron, continuaron, suspendió, indicó, dijo, indicó, agregó, instó, autorizaron, se sintieron, solicitaron, indicó, subrayó, hicieron, expresó, enfatizó, indicó, agregó, recomendó, especificó, subrayó, habló; Expresa acciones realizadas en el pasado sin tener relación con el presente. *Imperfecto:* pensaba, parecía, había, afirmaba, recibía, pagaba, había, cancelaba, tenía, podía, podía, veía, podía (opción); Expresa acciones pasadas sin precisar el principio ni el final de la acción. **3.** *sea:* en ciertas frases hechas como *o sea; dé:* depende del verbo *exigir* en la cláusula principal; *expliquen:* depende de la expresión verbal *tiene el derecho a que* en la cláusula principal; *firme:* sigue la conjunción *aunque* que expresa duda; *sea / haya sido:* sigue la expresión *sin importar; sea:* sigue la conjunción *aunque* que expresa duda; *pida:* es mandato y los mandatos se expresan con el subjuntivo.

18 1. Con la preposición **con** indica lo que contiene: *con mil minutos;* con **de** indica posesión o pertenencia: *de 200 mensajes;* indica edad, fechas y tiempo: *de 17 años, de 2005, de 30 días, de dos años;* indica contenido: *de 300 dólares;* con **cerca de** indica proximidad: *cerca de 1.500 dólares, cerca de 4.000 millones;* con **más de** indica comparación: *más de 200, más de 180 millones;* con **por** indica trueque o cambio: *todo por 89 dólares, por tres teléfonos;* y duración: *por dos años, por dos o tres años;* con **a** indica comparación: *a los 300 dólares;* con **en** indica tiempo durante el cual tiene lugar algo: *en cinco meses, en tres años;* con **hasta** indica el punto límite: *hasta un 25%;* con **durante** indica tiempo: *durante los 30 días;* con **hasta por** indica límite y precio: *hasta por 1,500 dólares;* **sin preposición:** cuando la cantidad va precedida de un verbo: *pagar 175 dólares, o sea 525 dólares, pagar 25 dólares;* con el artículo indefinido **un** indica proximidad y porcentaje: *un 25% y un 31%;* **2.** Los adjetivos son palabras que modifican a los sustantivos para designar una cualidad, determinar o limitar extensión, relación u origen; su género y número depende del sustantivo al que describen. Algunos adjetivos, como *nacional y celular,* no tienen género, pero

---

Según el contexto del artículo anterior, ¿cuál es la mejor traducción de cada palabra?

1. coraje
   a. courage
   b. anger
   c. moment of despair
   d. moment of frustration

2. convenio
   a. promise
   b. convention
   c. agreement
   d. offer

3. sin cargo
   a. without charge
   b. without a contract
   c. without extras
   d. without debit

4. aclarar
   a. to declare
   b. to offer
   c. to order
   d. to explain

5. lo peor
   a. the poor thing
   b. the worst thing
   c. the bad thing
   d. the evil thing

6. deber
   a. to owe
   b. to have to
   c. to be in debt
   d. must

7. de acuerdo
   a. from the agreement
   b. in agreement
   c. in order
   d. from the order

8. lujo
   a. gift
   b. feature
   c. part of the contract
   d. luxury

9. al marcar
   a. when they turn on the phone
   b. when they text-message
   c. when they use
   d. when they dial the Internet

10. instar
    a. to explain
    b. to challenge
    c. to urge
    d. to demand

11. denunciar
    a. to report
    b. to protect
    c. to reject
    d. to trick

12. solicitar
    a. to accept
    b. to request
    c. to use
    d. to propose

13. al respecto
    a. respectfully
    b. with no relation
    c. in the matter
    d. about any aspect

14. 30 días previos
    a. the same 30 days
    b. the previous 30 days
    c. the first 30 days
    d. the next 30 days

15. puesto
    a. employee
    b. booth
    c. company
    d. contract

17 Un pequeño repaso

Conteste estas preguntas basadas en el texto de la Actividad 15.

1. ¿Qué participios presentes y pasados se han usado en el texto con un tiempo verbal? Haga una lista de ellos. Haga otra lista de los participios pasados usados como adjetivos.
2. Haga una lista de los verbos en el pretérito e imperfecto. ¿Qué expresan estos dos tiempos verbales?
3. Haga una lista de los verbos que aparecen en el subjuntivo en las respuestas de la Actividad 15 y explique su uso.

18 "Tapitas" gramaticales

Conteste estas preguntas basadas en el texto de la Actividad 15.

1. Explique el uso de preposiciones delante de números. Cite los casos en que los números no van precedidos por preposiciones.
2. Explique la función general de los adjetivos y cómo se determinan su género y número. Cite por lo menos quince adjetivos que se usaron en el artículo de la Actividad 15.
3. Explique los usos de la palabra *lo* y cite ejemplos del artículo.

Cita

No progresas mejorando lo que ya está hecho, sino esforzándote por lograr lo que aún queda por hacer.
—Kahlil Gibran (1883–1931), escritor y pintor libanés

¿Piensa que siempre es mejor progresar, o quedarse satisfecho con lo que hay ahora en el mundo? ¿Cómo interpreta "lo que aún queda por hacer"?

---

tienen número. Los adjetivos del artículo son: *celulares, celular, perfecto, primera, proveedora, esos, siguientes, iguales, diarios, similares, cancelada, Centroamericanos, aislado, latina, fraudulentos, nacional, pequeñas, estratosféricas, comunes, malos, internacionales, permitidos, inalámbrica, otro, extra, escrito, clara, todo, engañados, importantes, cualquier, primer, extras, Públicos, encargada, celular, mayor, acusadas, específicos, latina, cualquier, cierta, única, bueno, todo, previos, primer, verbal, mismo, engañado, muchos, comerciales, celulares, difícil, completo.* **3.** *Lo que* es un pronombre relativo que se refiere a una frase o idea y, como tal, es neutro: *lo que pensaba; entre lo que se promete* verbalmente y lo que dice el contrato; *todo lo que; lo* es pronombre complemento directo: *para restararlo o cancelarlo; restaurarlo; pero si lo engañan; el servicio no lo hicieron/han hecho; la ley los apoya; los latinos lo utilizan; denunciarlo; pídalo; lo* más un adjetivo forma un sustantivo, similar a "thing" en inglés: *lo peor* ("the worst thing"), *lo malo* ("the bad thing").

Additional Activities

¡Pongámonos de acuerdo!
See p. TE28.

Idioma

19 Familia de palabras

Complete la tabla con el verbo, sustantivo o adjetivo apropiado, y la traducción correspondiente.

Verbos		Sustantivos		Adjetivos	
advertir		_____	_____	advertido	_____
_____	to threaten	el aumento	threat	_____	threatened increased
conectar	_____	_____	warming connection pollution	calentado	_____ connected
generar	to pollute	el generador		contaminado generado obligado	_____
_____	to oblige	_____	provocation		

20 ¿Verbo, sustantivo o adjetivo?

Complete las oraciones usando la forma correcta de las palabras que aparecen en la tabla, ya sea verbo, sustantivo o adjetivo. En el caso del sustantivo puede que necesite artículo.

1. Los problemas ___ (*generar*) por la contaminación del medio ambiente son graves.
2. Uno de los problemas de mayor importancia es ___ (*contaminar*) del aire.
3. Otro gran problema es ___ (*calentar*) global que afecta el clima en muchas partes del planeta.
4. Hace mucho tiempo que la deforestación ___ (*amenazar*) la selva amazónica.
5. Si ella fuera menor, sus padres le ___ (*obligar*) a ir acompañada.
6. Me encanta usar mi computadora inalámbrica, pero me fastidia cuando ___ (*conectar*) no funciona bien.
7. ¡Ojalá que sus comentarios no ___ (*provocar*) tal reacción!
8. ___ (*Advertir*): ¡Apague su celular!
9. Los chicos no pueden comprar un nuevo celular con cámara porque ___ (*aumentar*) el precio.
10. Hay que buscar nuevos ___ (*generar*) de energía para reemplazar la electricidad y nuestra dependencia del petróleo.

Cita

Produce una inmensa tristeza pensar que la naturaleza habla mientras el género humano no escucha.
—Víctor Hugo (1802–1885), escritor francés

 Explique la cita. ¿Cómo reaccionaría el escritor con la situación de la contaminación en el siglo XXI? ¿Por qué? Comparta su opinión con un/a compañero/a.

Compare

¿Puede pensar en cinco acontecimientos históricos (recientes o muy anteriores) en los que la gente se ofreció como voluntaria en los EE.UU. para ayudar a alguna causa?

¡Dato curioso! Hacer trabajos voluntarios en su comunidad suena para muchos estudiantes como un verdadero sacrificio, pero los que se acostumbran a hacerlo opinan todo lo contrario. Aparte de la satisfacción de hacer un bien para alguien en su comunidad sin esperar nada a cambio, las personas que llevan a cabo esta labor experimentan vivencias únicas que recuerdan toda la vida.

Lección 7B **399**

Investigue palabra clave: Greenpeace

Teacher Resources

Activities 7–8

Answers

19 Verbos
advertir *to warn*
amenazar *to threaten*
aumentar *to increase*
calentar *to warm*
conectar *to connect*
contaminar *to pollute*
generar *to generate*
obligar *to oblige*
provocar *to provoke*

Sustantivos
la advertencia *warning*
la amenaza *threat*
el aumento *increase*
el calentamiento *warming*
la conexión *connection*
la contaminación *pollution*
el generador *generator*
la obligación *obligation*
la provocación *provocation*

Adjetivos
advertido *warned*
amenazado *threatened*
aumentado *increased*
calentado *warmed*
conectado *connected*
contaminado *polluted*
generado *generated*
obligado *obligated*
provocado *provoked*

20 1. generados; 2. la contaminación; 3. el calentamiento; 4. amenaza; 5. obligarían; 6. la conexión; 7. provoquen; 8. Advertencia; 9. aumentaron / han aumentado; 10. generadores

Instructional Notes

19 Tell students to use as many of these words as possible in a brief essay on the threats that pollution has on our environment.

Additional Activities

Juego
Ask students to play *Voluntario, derecha e izquierda.* See p. TE25.

Trabajo de investigación
Ask volunteers to research some ecology programs (even some early ones from before the 20th century) and analyze their effectiveness. They should also propose new programs to protect the planet. They could write a short report or make a brief presentation to the class.

Comunicación
Have students debate whether or not community service should be a requirement for high school or college graduation.

Answers

21 **21** 1. dentro; 2. El; 3. hacia; 4. hablar; 5. para; 6. bajo el; 7. está; 8. sobre; 9. advirtiendo; 10. pueda; 11. esto; 12. hablan; 13. la cual; 14. darle; 15. obliguen; 16. hayan puesto

Instructional Notes

21 Before students start reading, encourage a discussion about language or cultural discrimination and prejudice. Ask them: *¿Qué es la xenofobia? ¿Por qué creen que algunas personas reaccionan tan negativamente a todo lo que no sea de su cultura? ¿Será debido al odio, al miedo o a una combinación de las dos emociones? ¿O a otra cosa?*

Additional Activities

Comunicación

Ask small groups of students to role-play in front of the class a similar situation to that described in the article they have just read. But this time, the foreigner will be an English speaker and the driver, the police, and any witnesses should be from a Spanish-speaking country. Encourage creativity.

---

21 Un taxista

Lea el artículo y decida cuál de las palabras entre paréntesis es la correcta para completar cada oración. Después conteste las siguientes preguntas:

- ¿Cuál es el propósito del artículo?
- ¿Qué pregunta sería apropiada para hacerle al taxista después de leer el artículo?

Por hablar español taxista expulsa a pasajero

En represalia por hablar español **1.** (*adentro / dentro*) de su taxi, un conductor expulsó de su vehículo a un hombre de negocios colombiano procedente del Aeropuerto Internacional George [5] Bush. **2.** (*El / La*) taxista Tony Mitchell interrumpió el viaje de su pasajero **3.** (*hacia / hacía*) el Hotel Adams Mark cuando escuchó al colombiano Mauricio Camargo **4.** (*hablar / hablando*) en español por su teléfono celular. Luego orilló su taxi fuera de la [10] carretera, sacó el portafolio del pasajero de la cajuela y utilizó la fuerza física **5.** (*por / para*) desalojar a Camargo del automóvil. Ambos hombres llamaron a la policía, y los alguaciles del Condado de Harris que se presentaron en el lugar del incidente multaron al [15] taxista, **6.** (*bajo el / bajo del*) cargo menor de asalto; otro taxi de la misma compañía llevó a Camargo a su hotel. Las autoridades dijeron que las acciones del taxista no violan ningún reglamento de la ciudad y que no **7.** (*es / está*) claro si sus acciones, que [20] incluyeron la remoción del portafolio de Camargo de la cajuela, representan una violación de las leyes federales sobre los derechos civiles. "El taxista estaba haciendo declaraciones sin sentido **8.** (*cerca de / sobre*) terroristas", dijo el capitán M.H. [25] Talton, perteneciente al Departamento de Alguaciles. Dentro del taxi, el conductor llevaba un letrero **9.** (*advertencia / advirtiendo*): "Inglés Solamente". Citado por el *Houston Chronicle*, Camargo dijo tener "una mala impresión sobre la ciudad", adonde se [30] dirigió para acudir a una conferencia de negocios. "Es completamente absurdo que en una ciudad como Houston, tan cercana a México, una persona no **10.** (*puede / pueda*) hablar español en un taxi. Si la ciudad está tratando de atraer negocios, **11.** [35] (*este / esto*) no es un aliciente", dijo Camargo. No es usual en Houston que los taxistas, que en su

mayoría operan como contratistas independientes para compañías que son dueñas de los vehículos, discriminen contra personas que **12.** (*hablan /* [40] *hablen*) un idioma extranjero, pues para cerca de un tercio de la población el inglés no es su idioma materno. Mientras que el taxista no ha declarado ante los medios, la compañía para **13.** (*el cual / la cual*) trabaja, Liberty Cab Co., finalizó su contrato [45] basándose en la violación de un reglamento municipal que prohíbe a un conductor abandonar a un pasajero en la carretera. De acuerdo con el *Chronicle*, Camargo acudió a Houston para la conferencia de la Asociación Nacional de Organizaciones Estadounidenses de [50] Colombia. Luego de **14.** (*darse / darle*) una tarjeta con la dirección del hotel al taxista, recibió dos llamadas por su celular, una de ellas de su esposa, quien pertenece al servicio exterior colombiano en Washington, y otra de su jefe en Bogotá. Fue entonces [55] que el conductor usó la fuerza física para sacarle del taxi. La legislación federal sobre derechos civiles prohíbe que empleadores **15.** (*oblijen / obliguen*) a sus trabajadores a hablar inglés en el trabajo, al tiempo que hace ilegal que un hotel, por ejemplo, se niegue a [60] prestar servicios debido al idioma que se habla. Hasta ahora no se han presentado casos semejantes que **16.** (*han puesto / hayan puesto*) en tela de juicio la legalidad de acciones como las del taxista, dijeron abogados especializados en derechos civiles citados [65] por el *Chronicle*.

www.laraza.com

Nota cultural

La palabra *xenofobia* se deriva del griego *xeno-* (extraño, extranjero) y *phobeomai* (temer). *Fobia* se define como aversión apasionada, temor morboso.

22 ¿Qué significa?

Según el contexto del artículo anterior, empareje cada palabra de la primera columna con su definición o sinónimo en la segunda.

1. represalia
2. procedente de
3. orillar
4. cajuela
5. desalojar
6. alguacil
7. multar
8. violar
9. remoción
10. acudir
11. aliciente
12. contratista
13. debido a
14. en tela de juicio

a. expulsar
b. a causa de
c. parar a un lado y terminar el viaje
d. desobedecer
e. estímulo
f. maletero de un automóvil
g. imponer una penalidad
h. venganza
i. funcionario del gobierno local
j. expulsión
k. asistir
l. en duda
m. proveniente de
n. empresario

23 Adicción a Facebook

Lea el artículo y decida cuál de las palabras o expresiones entre paréntesis es la correcta para completar cada oración. Después conteste las siguientes preguntas:

- ¿Cuál es el propósito del artículo?
- ¿Cómo resumiría el artículo en dos frases?
- ¿Qué pregunta sería apropiada para hacerle a un usuario de las redes sociales?

¿Eres adicta a Facebook?

__1.__ (*Tal / Rara*) vez tu afición a Facebook comenzó como un simple deseo de estar en contacto con tus amigos o hacer nuevos amigos __2.__ (*por / para*) Internet. Pero ahora Facebook se ha convertido __3.__ (*sobre / en*) una adicción y
⁵ te resulta difícil llevar a cabo tu vida sin estar __4.__ (*revisar / revisando*) tu cuenta constantemente. Si estás buscando una manera de salir de esta adicción, __5.__ (*siga / sigue*) la siguiente guía.

1. **Reconoce que tienes una adicción.** El primer paso __6.__ (*por / ¹⁰ para*) resolver un problema __7.__ (*es / está*) reconocerlo.
2. **Define tus metas en Facebook.** Haz una lista de __8.__ (*que / lo que*) realmente quieres lograr con la actividad que llevas __9.__ (*en / a*) cabo en tu cuenta. Tal vez deseas estar al tanto de los cumpleaños de tus amigos, tener un medio de contacto con ellos, encontrar viejos amigos, etc. Define exactamente cuáles __10.__ (*están / son*) las metas que buscas lograr con tu cuenta y
¹⁵ anótalas.
3. **Calcula cuánto tiempo por semana necesitas __11.__ (*por / para*) lograr esas metas.** Desglosa el tiempo de acuerdo a cada objetivo como chequear los cumpleaños, saludar espontáneamente a tus amigos, etc.
4. **Establece una agenda __12.__ (*por / para*) el tiempo que le vas a dedicar a Facebook y síguela.** ²⁰ Escribe un horario __13.__ (*por / para*) tu actividad en Facebook, de tal manera que no __14.__ (*interfiere / interfiera*) con tus demás actividades. Y __15.__ (*lo / el*) más importante, tienes que seguirla.
5. **Encuentra un sustituto __16.__ (*por / para*) el tiempo que ya no le vas a dedicar a Facebook.** Este paso no te será difícil. Si __17.__ (*estás / eres*) adicto a Facebook, seguramente has estado

continúa

Teacher Resources

 Activity 25

Answers

23 18. caes; 19. que; 20. son; 21. un; 22. controle; 23. a; 24. a

24 Email messages will vary.

Instructional Notes

25 You might want to review the following words before students listen to the audio: *ingresar*, to enter; *congreso*, conference; *analfabetismo*, illiteracy.

Additional Activities

Mini proyecto
Have students create and promote a campaign to stop using social networks. You could arrive one day with a t-shirt that says "Ya no uso redes sociales".

La definición interminable
See p. TE27.

---

²⁵ descuidando otras áreas importantes de tu vida. Así que ocupa tu tiempo en actividades productivas.

Puedes usar algún programa para bloquear tu acceso a Facebook si __18.__ (*caes / caigas*) en la tentación de usarlo fuera del horario establecido. Puedes eoncontrar algunos programas en la Red __19.__ (q*ue / cuales*) funcionan como controles de horario y parentales. Algunos de ³⁰ estos programas __20.__ (*son / están*) gratuitos. Otras cosas que puedes hacer son desactivar las notificaciones por email, borrar el muro, usar grupos privados de Facebook con los amigos y la familia, quitar a algunos "amigos", desconéctate del chat, instala __21.__ (*un / una*) programa que __22.__ (*controla / controle*) cuánto tiempo pasas.

Si después de llevar a cabo estos pasos para limitar tu uso de Facebook no logras deshacerte ³⁵ de tu adicción, cierra tu cuenta. Este sería el último recurso y no es fácil llevarlo __23.__ (*a / en*) cabo, pero si tu vida se está trastocando debido __24.__ (*x / a*) esta adicción, entonces es una decisión razonable.

http://es.wikihow.com/dejar-la-adicci%C3%B3n-al-Facebook

---

24 Escriba un correo

Ha recibido el siguiente correo electrónico de un amigo. Responda con su propio mensaje en el que le da su opinión y consejos acerca de su supuesta adicción a las redes sociales. Incluya detalles en su mensaje e intente usar vocabulario de los artículos anteriores.

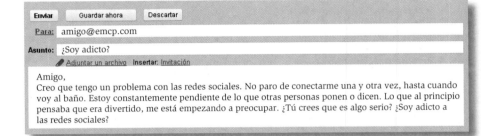

| Enviar | Guardar ahora | Descartar |

Para: amigo@emcp.com

Asunto: ¿Soy adicto?

Adjuntar un archivo Insertar: *Invitación*

Amigo,
Creo que tengo un problema con las redes sociales. No paro de conectarme una y otra vez, hasta cuando voy al baño. Estoy constantemente pendiente de lo que otras personas ponen o dicen. Lo que al principio pensaba que era divertido, me está empezando a preocupar. ¿Tú crees que es algo serio? ¿Soy adicto a las redes sociales?

---

25 Lea, escuche y escriba/presente

Después de leer los textos completos de las Actividades 21 y 23, escuche "Más de 1,5 millones de palabras del quechua en Windows y Office" y tome las notas necesarias. Escriba un ensayo sobre el mundo multilingüe en que vivimos y el impacto de las redes sociales en diferentes comunidades (más o menos desarrolladas). No se olvide de citar las fuentes debidamente.

Cita

Vivimos bajo el mismo techo, pero no tenemos el mismo horizonte.
—Konrad Adenauer (1876–1967), político alemán

 ¿Qué es lo más importante en el mundo que le rodea? ¿En qué se diferencia de los retos, los sueños y los miedos de otras comunidades en países menos desarrollados? Comparta sus opiniones con un/a compañero/a.

¡Dato curioso!

Quienes están acostumbrados a viajar en el transporte público también lo están a la siguiente escena: un vagón lleno de pasajeros con cables de los audífonos enchufados a los oídos. En los autos, los niños ya no charlan con su familia o se pelean; ahora escuchan su música con auriculares. En lugar de charlar, comentar jugadas o jugar a las cartas en el autobús como en otros tiempos, los futbolistas viajan ahora con los auriculares puestos.

26 Bolsas de plástico

Lea el artículo y decida cuál de las palabras entre paréntesis es la correcta para completar cada oración. Después conteste las siguientes preguntas:

- ¿Qué otro título le daría al artículo?
- ¿Qué dos preguntas serían apropiadas para hacerles a dos personas de países en desarrollo?

Compare

¿Cómo se distraían antes las personas cuando viajaban? ¿Cómo lo hacen ahora? ¿Cuál es el impacto que tiene esto?

Las bolsas de plástico y las preocupaciones ambientales

Mucha gente tiene preocupaciones __1.__ (*sobre / acerca*) de las bolsas de plástico tiradas: las bolsas tiradas __2.__ (*están / son*) antiestéticas y pueden crear un peligro para la vida animal. Se __3.__ (*realizan / están realizando*)
5 esfuerzos para controlar el exceso de consumo, reducir la basura y para aumentar la reutilización y el reciclaje. Tirar basura es __4.__ (*en / a*) menudo un problema mayor en los países en desarrollo, donde la infraestructura de recolección de basura es
10 menos desarrollada __5.__ (*cual / que*) en los países desarrollados. Los plásticos y los materiales sintéticos son los dos tipos de basura marina más común y __6.__ (*son / están*) responsables __7.__ (*en / de*) la mayor parte de los problemas que sufren los animales y aves
15 marinas. Se conocen __8.__ (*a / al*) menos 267 especies diferentes que se han enredado o han ingerido restos marinos, entre ellas se cuentan aves, tortugas, focas, leones marinos, ballenas y peces. El lecho marino, especialmente cerca de las regiones costeras, también
20 está contaminando, sobre todo con bolsas de basura. Los plásticos __9.__ (*son / están*) también presentes en las playas __10.__ (*desde / de*) las regiones más pobladas __11.__ (*hasta / para*) las costas de islas remotas y deshabitadas.
25 De las fábricas __12.__ (*de / en*) todo el mundo salieron el año pasado aproximadamente 4 o 5 billones de bolsas de plástico, desde bolsas de basura de __13.__ (*gran / grande*) tamaño hasta bolsas gruesas para la compra y más finas para alimentos. Aunque __14.__
30 (*son / sean*) prácticas, livianas y baratas, __15.__ (*estén /*

están) fabricadas con un derivado del petróleo, una fuente de energía no renovable y cada vez más cara. Así, además __16.__ (*x / de*) colaborar al agotamiento de este recurso, potenciamos la enorme contaminación
35 que origina su obtención, transporte y transformación en plástico. Cuando las bolsas de plástico están serigrafiadas todavía es __17.__ (*mejor / peor*) __18.__ (*ya / ya que*) las tintas contienen residuos metálicos también contaminantes. Las pinturas de impresión
40 __19.__ (*contengan / contienen*) plomo y cadmio, metales pesados altamente tóxicos. Su incineración también genera gases altamente tóxicos.

Muchos plásticos son casi indestructibles y algunos pueden permanecer estables por 400 años. __20.__
45 (*X / Hace*) cincuenta años __21.__ (*x / hace*), era impensable utilizar las bolsas de plástico una sola vez, y ahora las utilizamos unos minutos y contaminan nuestro medio ambiente durante décadas. Pero las actitudes sociales evolucionan y hay un amplio
50 deseo de cambio. Por eso __22.__ (*ya / ya que*) se están estudiando todas las opciones, __23.__ (*incluida / incluya*) la de una prohibición de las bolsas __24.__ (*en / de*) plástico en algunos países.

http://es.wikipedia.org/wiki/Bolsa_de_pl%C3%A1stico

27 Haga una lista

Haga una lista con las quince o veinte palabras más importantes del artículo anterior. Compártalas con un compañero/a.

28 Lea, escuche y escriba/presente

Busque un video y/o podcast en el que muestre los daños que causan los plásticos y otras basuras a las tortugas gigantes y delfines. Tome notas de las fuentes y escriba un ensayo o haga una presentación en clase sobre la influencia del hombre en la desaparición de estas especies. No se olvide de citar las fuentes debidamente.

29 Lenguas indígenas

Échele una ojeada al artículo que sigue para ver de qué se trata, prestando atención a las palabras en azul, ya que se le harán preguntas sobre ellas. Lea el artículo que sigue y decida cuál de las palabras o expresiones entre paréntesis es la correcta para completar cada oración y escríbala.

Lenguas indígenas en agonía

DIEGO CEVALLOS

Cientos de lenguas desaparecieron en **1.** (américa / América) Latina y el Caribe en los últimos 500 años, y varias de las más de 600 que aún sobreviven podrían correr la misma suerte dentro **2.** (de / en) poco. Agencias de la Organización de las Naciones Unidas (ONU) y algunos expertos sostienen que se trata de una tragedia evitable, pero hay quienes lo ven como un destino consustancial a toda lengua. Enfrentadas a la cultura occidental y a la presencia dominante del castellano, portugués e inglés, lenguas indígenas como el kiliwua en México, el ona y el puelche en Argentina, el amanayé en Brasil, el záparo en Ecuador y el mashco-piro en Perú, apenas sobreviven **3.** (para / por) el uso que hacen de ellas pequeños grupos de personas, en su mayoría ancianos. Pero también hay otras como el quechua, aymará, guaraní, maya y náhuatl, cuyo futuro parece más halagüeño, pues en conjunto las hablan más **4.** (de / que) 10 millones de personas, y muchos gobiernos apadrinan su existencia con distintos programas educativos, culturales y sociales. En el mundo hay alrededor de siete mil lenguas en uso y cada año desaparecen veinte. Además, la mitad de las existentes están bajo amenaza de extinción, según la Organización de las Naciones Unidas para la Educación y la Cultura (UNESCO).

Esta agencia, que promueve la preservación y diversidad de las lenguas en el mundo, sostiene que la desaparición de un idioma es una tragedia, pues con ella se esfuma una cosmovisión y una cultura particulares. Pero no todos **5.** (lo / el) ven así. "La extinción de lenguas es un fenómeno consustancial con la existencia misma de ellas, y ha venido sucediendo desde que el hombre emitió su primer sonido con valor lingüístico", dijo a Tierramérica José Luis Moure, filólogo de la Universidad de Buenos Aires y miembro de la Academia Argentina de Letras. **6.** (En / X) contraste, Gustavo Solís, lingüista peruano experto en lenguas vernáculas y autor de estudios sobre el tema en la Amazonia, afirma que "no hay nada en las lenguas que diga que deba desaparecer una y mantenerse otra. Toda desaparición de lengua y cultura es una tragedia mayor de la humanidad. Cuando ocurre, se extingue una experiencia humana única e irrepetible", declaró Solís a Tierramérica. Según **7.** (este / esta) especialista, hay experiencias que indican que es posible planificar la revitalización de lenguas

Nota cultural

La gran cantidad de lenguas que se hablan en el territorio mexicano hacen del país uno de los que poseen mayor diversidad lingüística en el mundo. Además del idioma español, cuyos hablantes en sus variedades locales constituyen la mayoría lingüística, se hablan en México sesenta y siete lenguas y agrupaciones lingüísticas indígenas. A partir de la independencia de México, se planteó la necesidad de castellanizar a todos los pueblos indígenas, pues se veía en la diversidad lingüística una dificultad para integrarlos a la sociedad nacional. Hasta el siglo XX, la única lengua de enseñanza y de gobierno era el español.

para que no __8.__ (mueren / mueran) pero que los
esfuerzos que se hacen al respecto en América Latina
y el Caribe son aun pequeños. Cuando llegaron los
europeos a América, en el __9.__ (año / siglo) XV,
había entre 600 y 800 lenguas sólo en América del
Sur, pero con el proceso colonizador "la inmensa
mayoría desapareció y en este mismo momento,
hay lenguas en proceso de extinción por el contacto
desigual entre la sociedad occidental y algunas
sociedades indígenas", expresó. Fernando Nava,
director del gubernamental Instituto Nacional de
Lenguas Indígenas de México (INALI), señaló
a Tierramérica que las lenguas desaparecen por
evolución natural, lo que es entendible, o por la
presión cultural y por la "discriminación" que
sufren sus hablantes. Es contra la segunda causa
que muchos gobiernos, agencias internacionales y
académicos enfocan sus esfuerzos, pues se trata
__10.__ (x / de) algo inaceptable, declaró.

"En este campo, en América Latina y el Caribe
estamos apenas transitando por una etapa de
'sensibilización'", opinó. Según la Unesco, la
mitad de las lenguas existentes en el mundo podría
perderse dentro de "pocas generaciones", debido a
su marginación de Internet, presiones culturales y
económicas y el desarrollo de nuevas tecnologías
que favorecen la homogeneización. El organismo
difundirá __11.__ (por / en) mayo un amplio estudio
sobre las lenguas en la Amazonia, varias de __12.__
(las / ellas) habladas por muy pocos individuos,
con lo que aspiran a llamar la atención sobre el
fenómeno. En las selvas amazónicas sobreviven
pueblos indígenas aislados, que se niegan __13.__
(a / x) tener contacto con el mundo occidental y
su "progreso". Suman unas cinco mil personas
pertenecientes a varias etnias, entre ellas, los tagaeri
en Ecuador, los ayoreo en Paraguay, los korubo en
Brasil y los mashco-piros y ashaninkas en Perú.
De acuerdo __14.__ (a / con) Rodolfo Stavenhagen,
relator especial de la ONU sobre Derechos Humanos
y Libertades Fundamentales de los Indígenas, esos
nativos enfrentan un "verdadero genocidio cultural".
"Me temo que en las circunstancias actuales es muy
difícil que sobrevivan muchos años más, pues el

llamado desarrollo niega el derecho de esos pueblos
a seguir __15.__ (son / siendo) pueblos", ha dicho.
Aunque el universo de idiomas y dialectos en uso
en el mundo es alto, la gran mayoría de la población
habla apenas un puñado de ellos, como el inglés o el
español. Para garantizar que la diversidad lingüística
se mantenga, la comunidad internacional acordó
en los últimos años una batería de instrumentos
internacionales, y expertos organizan periódicas
citas donde analizan el tema. Una de esas últimas
reuniones se celebró del 31 de marzo __16.__ (a / al)
2 de abril en el central estado estadounidense de
Utah, donde funcionarios y estudiosos del tema
de toda América debatieron sobre cómo evitar la
desaparición de docenas de lenguas en la región.
Desde 1999 y por iniciativa de la Unesco, cada
21 de febrero se __17.__ (celebra / celebrará) el
Día Internacional de la Lengua Materna. Además,
existen acuerdos en el sistema de la ONU, como la
Declaración Universal sobre la Diversidad Cultural
y su Plan de Acción, de 2001, y la Convención para
la Salvaguardia del Patrimonio Cultural Inmaterial,
de 2003. También está la Recomendación sobre la
Promoción y el Uso del Plurilingüismo y el Acceso
Universal al Ciberespacio, de 2003, y la Convención
sobre la Protección y Promoción de la Diversidad
de las Expresiones Culturales, de 2005. Según el
argentino Moure, es importante __18.__ (luchen /
luchar) por la preservación de las lenguas, aunque el
número de sus usuarios __19.__ (son / sea) pequeño,
pues "son marcas de identidad que merecen el
máximo respeto y atención científica". Pero "no
estoy tan seguro de que la muerte de una lengua
implique necesariamente la desaparición de la
cosmovisión que conlleva, porque sus hablantes
nunca dejan __20.__ (x / de) hablar (a menos que los
extermine una enfermedad o un genocidio) sino
que, después de un período de bilingüismo, adoptan
otra lengua que les resulta más útil por su mayor
inserción en el mundo", apuntó. "Esto es un hecho de
la realidad, y creo que debe admitírselo sin apelar a
excesivas teorías conspirativas", añadió.

www.paginadigital.com

Answers
29 8. mueran; 9. siglo; 10. de; 11. en; 12. ellas; 13. a;
14. con; 15. siendo; 16. al; 17. celebra; 18. luchar; 19. sea;
20. de

Additional Activities

Trabajo de investigación

Ask students to work with a partner and research one
of the indigenous languages mentioned in the article:
kiliwua (Mexico), *ona*, *puelche* (Argentina), *amanayé*
(Brazil), *záparo* (Ecuador), *mashco-piro* (Peru),
quechua, aymará, guaraní, maya, and *náhuatl* or one of
the indigenous groups: *los tagaeri* (Ecuador), *los ayoreo*
(Paraguay), *los korubo* (Brazil), *los mashco-piros* and
ashaninkas (Peru), and prepare a short presentation to
the class.

Nota cultural

Hace unos diez años unos funcionarios de
la Fundación Nacional del Indio de Brasil
encontraron al único sobreviviente de una
étnia que fue eliminada por los dueños
de las tierras ahora dedicadas al ganado.
Los funcionarios lo llamaron "el indio del
agujero" porque en medio de las chozas que
hacía siempre había un enorme agujero de
unos tres metros de profundidad (pero se
desconoce para qué sirve). No han podido
establecer contacto con él: le ofrecieron
comida, herramientas e intentaron hacer
rituales de cura para obtener su confianza,
pero él contestó con flechas. Ahora el
objetivo de la Fundación no es ponerse en

contacto con él, sino protegerlo, hacerle la
vida menos traumática.

Investigue
palabras clave:
el Día Internacional
de la Lengua Materna

30 Resumen de lo que leyó

¿Qué significan las palabras que aparecen en azul en el artículo anterior? Escriba su significado y haga un resumen de un párrafo sobre lo que leyó usando todas las palabras.

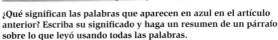

Compare

Compare la desaparición de estas lenguas con la de los indios nativos de Norteamérica.

31 Escriba

Según el artículo anterior, "en el mundo hay alrededor de siete mil lenguas en uso y cada año desaparecen veinte". Proponga un plan para evitar la desaparición de tantos idiomas cada año. Defienda el programa y sugiera la financiación del mismo. Use una variedad de tiempos verbales e intente usar algunas de las "tapitas" gramaticales y vocabulario que ha repasado en esta lección.

Cita

En el corazón de todos los inviernos vive una primavera palpitante, y detrás de cada noche, viene una aurora sonriente.
—Kahlil Gibran (1883–1931), escritor y pintor libanés

¿Qué piensa de esta cita? ¿Cree que los indígenas miran al futuro con esta misma actitud? Comparta su opinion con un/a compañero/a.

¡Dato curioso! Iberoamérica quiere estar libre de analfabetos en el año 2015. Muchos gobiernos hispanos expresaron que la educación y la cultura son el cemento para la base de sociedades más productivas, más equilibradas y más justas.

¡A leer!

32 Antes de leer

¿Piensa Ud. que el acceso al agua potable es un tema mundial importante? ¿Por qué? ¿Qué sabe de la purificación del agua?

Planta de tratamiento de agua.

Investigue palabras clave: Kahlil Gibran

33 El agua

Lea con atención el siguiente artículo. Después conteste las siguientes preguntas:

- ¿Cuál es el propósito del artículo?
- ¿Cómo resumiría el artículo en una frase?
- Si quisiera consultar otra fuente, ¿podría pensar en un posible título de una publicación?

Dirección www.laopinion.com

Archivo   Edición   Ver   Favoritos   Herramientas   Ayuda

El agua, tema central de análisis internacional

KARLA WUCUAN OCHOA

La sequía, la calidad y seguridad del agua, y el uso de la tecnología para el desarrollo de infraestructura que permita su administración y abastecimiento adecuado frente a los desafíos legislativos en torno a este vital
5 líquido, fueron los temas que dominaron la convención anual de la Asociación Estadounidense de Obras Hidráulicas (AWWA).

Andrew Hudson, jefe de relaciones públicas de la AWWA, señaló que desde los ataques terroristas del
10 11 de septiembre de 2001 la seguridad del agua se ha vuelto una prioridad.

"Antes de los ataques sólo nos preocupábamos por las personas que echaban algún químico en el agua —como pintura—, pero ahora tenemos que vigilar más
15 en caso de que los terroristas quieran verter alguna sustancia dañina en el agua", dijo Hudson. Más de 500 compañías relacionadas con el agua exhibieron sus productos y avances tecnológicos para garantizar la calidad del vital líquido que llega a los hogares.

20 "La convención estuvo abierta al público; sin embargo, la mayoría de los asistentes eran miembros de la organización AWWA, que son personas que están muy involucradas en la industria del agua, como empresarios o personas que trabajan para el gobierno",
25 señaló Sabrina McKenzie, portavoz de la AWWA.

Virgilio Martínez, gerente internacional de Leopold Underdrain para América Latina, uno de los expositores más grandes en la convención, comentó que es importante dar a conocer los equipos de
30 tratamiento de agua que se usan en las ciudades para la seguridad de sus habitantes. "Nosotros estamos en el mercado desde 1924, y año tras año mejoramos nuestros productos", dijo el gerente. "Este año trajimos un equipo que cuenta con un material de filtración,
35 como cama de soporte, grava y arena, y cuando se introduce el agua se purifica automáticamente".

Este año más de 32 países visitaron la conferencia de la AWWA, entre los cuales se encontraban Brasil, Puerto Rico, Colombia y México. "Es la primera vez

40 que asisto a este tipo de eventos y creo que es muy importante que todas las personas participen y se preocupen por el medio ambiente", dijo Juan Felipe Serrato, de la Comisión Estatal de Servicios Públicos de Mexicali. "Además", continuó Serrato, "busco
45 la mejor tecnología que ofrezca un buen proceso de filtración y limpieza de agua".

La conferencia anual del tratado de agua, que incluía más de 70 sesiones y 13 talleres con diferentes expertos del tratado del agua, fue inaugurada el 15 de
50 junio y concluyó el 19 del mismo mes en el Centro de Convenciones de Anaheim. Hudson agregó que aparte de informar a las personas que están dentro de la industria del agua, también están tratando de alcanzar a todos los latinos y cambiar su cultura sobre el agua de
55 la llave. Según un estudio publicado por la AWWA, los latinos son los más propensos a comparar la calidad del agua de la llave que hay en Estados Unidos con la de sus países de origen. "Los latinos por lo general no consumen el agua de la llave que hay aquí, pues temen
60 que sea igual a la de sus países de origen, cuando la calidad del agua de aquí es muy buena y puede ser bebida sin ningún problema", comentó Hudson. Casi la mitad de los latinos toman sólo agua embotellada y como grupo están dispuestos a pagar más por agua de
65 alta calidad, según el estudio de la AWWA. Serrato agregó que espera que en el futuro se le haga más difusión a este tipo de eventos, pues en México se necesita concienciar más a la ciudadanía y al gobierno sobre la importancia de tener un buen sistema de
70 purificación.

Answers

34 1. d; 2. e; 3. b; 4. h; 5. a; 6. c; 7. f; 8. g

35 1. c; 2. b; 3. c; 4. a; 5. d; 6. b

Additional Activities

Juego

Ask students to play *Lo tengo en la punta de la lengua.*
See p. TE25.

Según el contexto del artículo anterior, ¿cuál es la mejor traducción para cada palabra de la primera columna?

1. sequía
2. abastecimiento
3. verter
4. dañino
5. agua de la llave
6. propenso
7. agua embotellada
8. concienciar

a. tap water
b. to pour
c. inclined to
d. drought
e. supply
f. bottled water
g. to make aware
h. harmful

35 ¿Ha comprendido?

1. ¿Cuáles fueron los temas que dominaron la convención anual de la Asociación Estadounidense de Obras Hidráulicas?
   a. La sequía y la calidad y seguridad del agua
   b. La sequía, la calidad y seguridad del agua y un plan de aprovisionamiento de agua por el gobierno federal
   c. La sequía, la calidad y seguridad del agua y un plan para aprovisionar el agua según las leyes que existen
   d. La sequía, la calidad y seguridad del agua y sugerencias de cómo transformar el agua salada en agua dulce

2. Según el artículo, ¿cuáles son dos tipos de ataques al agua que temen las autoridades?
   a. Verterle al agua algún producto químico o pintura
   b. El ataque al agua por parte de terroristas y por productos químicos
   c. Los ataques a la calidad del agua en las grandes ciudades y a nivel internacional
   d. Ninguna de las respuestas anteriores

3. ¿Qué exhibieron 500 compañías relacionadas con el agua?
   a. Productos para transformar el agua salada en agua dulce
   b. Productos para garantizar la seguridad del agua
   c. Productos para garantizar la calidad del agua
   d. Productos contra la sequía

4. ¿Qué producto ayuda a purificar el agua automáticamente?
   a. Una cama de soporte, grava y arena
   b. No hay ningún producto eficaz y no se lo menciona en el artículo.
   c. Existen algunos productos, pero son muy costosos y no se los mencionan en el artículo.
   d. Un producto que se usa también en las ciudades para la seguridad de sus habitantes

5. ¿Qué buscaba uno de los oficiales mexicanos durante la conferencia?
   a. La ayuda de otros países latinos para solucionar los problemas con el agua
   b. La ayuda de otros países latinos para purificar el agua
   c. La mejor tecnología que ofrezca un buen proceso para la seguridad del agua
   d. La mejor tecnología que ofrezca un buen proceso de filtración y limpieza del agua

6. ¿Cuál era uno de los propósitos de la conferencia?
   a. Proponer más uso del agua embotellada en las culturas latinas
   b. Proponer más uso del agua de la llave en las culturas latinas
   c. Proponer a todos los países latinos un mejor sistema de purificación del agua
   d. Ninguna de las respuestas anteriores

36 ¿Cuál es la pregunta?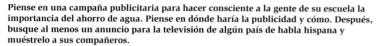

Según el artículo que acaba de leer, escriba una pregunta lógica para estas respuestas.

1. Un tema central de análisis internacional
2. En la convención anual de AWWA
3. El 11 de septiembre de 2001
4. Personas que están muy involucradas en la industria del agua
5. Leopold Underdrain para América Latina
6. Brasil, Puerto Rico, Colombia y México
7. En Anaheim
8. El agua de la llave
9. El agua embotellada
10. Agua de alta calidad

37 ¿Qué piensa Ud.?

¿Cuáles son al menos cinco sinónimos, que se usan en el artículo, de *personas* en general? ¿Puede pensar en otras? Escríbalas.

38 Campaña publicitaria

Piense en una campaña publicitaria para hacer consciente a la gente de su escuela la importancia del ahorro de agua. Piense en dónde haría la publicidad y cómo. Después, busque al menos un anuncio para la televisión de algún país de habla hispana y muéstrelo a sus compañeros.

Cita

Tres facultades hay en el hombre: la razón que esclarece y domina; el coraje o ánimo que actúa; y los sentidos, que obedecen.
—Platón (427–347 a. de J. C.), filósofo griego

 ¿Está de acuerdo con la cita? ¿En qué situaciones ha podido observar esto? ¿Qué facultades dominan al ser humano que se preocupa por el medio ambiente? Comparta sus opiniones con un/a compañero/a.

Dato curioso

Las Naciones Unidas recuerda todos los años, desde 1993, que el agua es un elemento tan valioso como escaso. Más de 1.100 millones de personas no disponen de agua potable y 2.600 millones carecen de sistemas de saneamiento adecuados. Según la ONU, el agua en malas condiciones provoca la muerte cada año de unos dos millones y medio de personas.
www.quo.es

Compare

¿Qué lugares en los EE.UU. tienen o han tenido problemas con el agua (ya sea por sequías o inundaciones)?

Lección 7B **409**

Instructional Notes

39 Ask students if they have followed any story in the news regarding our oceans, seas, or lakes, or regarding commercial fishing, and to summarize what they have read.

40 Before students begin reading, ask them: *¿Por qué creen que la mayoría de la gente no se ocupa de los océanos?*
After students read the article, ask them if they can identify the fish that are mentioned in it: *tiburón*, shark; *atún*, tuna fish; *albacora*, albacore tuna.

---

39 Antes de leer 👤👤

¿Qué sabe de los océanos? ¿Qué opina de la sobreexplotación de las especies que habitan los océanos? ¿Qué sabe de los tiburones? ¿Qué son el atún, la albacora y la merluza?

40 Los océanos 📖

Lea con atención el siguiente artículo. Después conteste las siguientes preguntas:

- ¿Cuál es el propósito del artículo?
- Si quisiera consultar otra fuente, ¿podría pensar en un posible título de una publicación?

Los océanos y el planeta en peligro

RICARDO NATALICHIO

Una gran cantidad de las diferentes especies que habitan los océanos del planeta se encuentran en una situación de alerta roja. La fundación Oceana calcula que el 75% de las que el hombre consume están sobreexplotadas, o siendo explotadas al límite de su capacidad, y que el 90% de la población de los peces grandes (tiburones, atunes, albacoras, etc.) ha desaparecido de los océanos desde el surgimiento de la pesca industrial. Quinientas toneladas de tiburón se requieren para obtener unas 12 toneladas de aletas, las cuales son vendidas como afrodisíaco principalmente en Asia. Estos animales se cazan, se mutilan y se devuelven vivos al mar, donde mueren ahogados y desangrados. Por cada merluza pescada, dos son devueltas al mar por no alcanzar la talla mínima para ser vendida. Muchas veces los peces han muerto antes de ser devueltos. Si este ritmo de sobreexplotación continúa, la FAO prevé que en cuatro años se vivirá un colapso global de las pesquerías, afectando a más de 2 mil 500 millones de personas, que obtienen del mar su principal fuente de proteínas. La sobreexplotación pesquera está acabando con la pesca a nivel planetario, poniendo en riesgo la supervivencia de los ecosistemas, las especies, y la viabilidad del propio sector pesquero. Greenpeace estima que cada cuatro segundos, un área marina del tamaño de 10 campos de fútbol es barrida por buques de arrastre. En el transcurso del Día Mundial de los Océanos una flota de unos 300 arrastreros que faenan en aguas internacionales habrá barrido con sus pesadas redes unos 1.500 km² de fondos marinos profundos, en uno de los hábitats más diversos y más frágiles del planeta. De ahí que sea tan importante una moratoria sobre la pesca de arrastre en alta mar para detener la destrucción de estos ecosistemas únicos. La inmensidad de los océanos muchas veces provoca que perdamos de vista la fragilidad de sus ecosistemas, y la velocidad con la que los estamos degradando es una muestra más de la forma insostenible y destructiva con la que nos estamos manejando con respecto a los recursos del planeta. La importancia de mantener saludables a los ecosistemas oceánicos es tal que posiblemente su degradación llevaría a la extinción misma del ser humano entre otras especies, o al menos causaría graves efectos en varios miles de millones de personas en todo el planeta. La semana que viene Naciones Unidas se reúne en Nueva York para discutir medidas urgentes de protección de las profundidades marinas. Por el momento, en el Día de los Océanos, no tenemos nada que festejar.

www.paginadigital.com

Nota cultural

Se calcula que para el año 2050, el 90% de todas las especies de peces del mundo habrá desaparecido.

Investigue palabras clave: Día Mundial de los Océanos, Oceana, FAO (Organización de las Naciones Unidas para la Agricultura y la Alimentación)

41 Amplíe su vocabulario 🔍

Mire las palabras de la primera columna y busque su correspondiente sinónimo o definición entre las palabras de la segunda.

1. sobreexplotado
2. surgimiento
3. aleta
4. ecosistema
5. pesquero
6. barrer
7. arrastre
8. faenar
9. festejar

a. comunidad de seres vivos interrelacionados por el medio ambiente
b. celebrar
c. relacionado con los peces
d. acción de tirar
e. limpiar el suelo con una escoba
f. pescar en el mar
g. extraído demasiado
h. aparición
i. apéndice que se utiliza para moverse en el agua

42 ¿Ha comprendido?

1. Según el artículo, ¿qué está en una situación de alerta roja?
   a. Los peces grandes
   b. La calidad y la seguridad del agua
   c. Muchas especies marinas
   d. Las repuestas a y c

2. ¿Qué ha desaparecido desde el surgimiento de la pesca industrial?
   a. El 25% de las especies de peces
   b. El 10% de las especies de los peces grandes
   c. El 75% de las especies de peces
   d. El 90% de las especies de los peces grandes

3. ¿En cuántos años se calcula que habrá un colapso global de las pesquerías?
   a. En doce
   b. En cuatro
   c. A finales de este siglo
   d. Ninguna de las respuestas anteriores

4. ¿Por qué no se vende la mayoría de las merluzas pescadas?
   a. No hay ningún mercado que apoye toda la merluza pescada.
   b. Su popularidad ha disminuido.
   c. Son demasiado pequeñas.
   d. Todas las respuestas anteriores

5. ¿Qué hicieron los 300 arrastreros el Día Mundial de los Océanos?
   a. Celebraron ese día en el mar.
   b. Soltaron todos los peces que habían pescado ese día.
   c. Protestaron esa celebración.
   d. Trabajaron en los océanos como siempre.

6. ¿Por qué no es tan obvia la fragilidad del ecosistema marino?
   a. Porque los océanos son muy grandes
   b. Porque la mayoría de la gente del planeta no vive cerca de un océano
   c. Porque no hay mucha información disponible sobre el tema
   d. Porque, hasta ahora, no había ninguna plataforma internacional para discutir

7. Si tuviera que consultar otra fuente para tener mayor información, ¿cuál cree que sería más útil?
   a. La historia de los petroleros
   b. Las previsiones de Julio Verne
   c. La fragilidad del ecosistema marino
   d. Las futuras cruciales reuniones en las Naciones Unidas

Answers

41 1. g; 2. h; 3. i; 4. a; 5. c; 6. e; 7. d; 8. f; 9. b

42 1. d; 2. d; 3. b; 4. c; 5. d; 6. a; 7. c

Teacher Resources

 Activity 45

Instructional Notes

43 You might want to have some students follow up with the most recent developments in the ecology initiatives and programs of the United Nations that have to do with the world's oceans and share them with their classmates.

44 Have students discuss why they chose their titles.

45 You might want to review the following words before students listen to the audio: *escaso*, scarce; *inversión*, investment; *rentable*, profitable; *condado*, county; *abastecimiento*, supply; *agua potable*, drinking water; *desembocar*, to culminate; *plebiscito*, plebiscite; *de lucro*, for profit; *desalentar*, to discourage; *ahorro*, saving; *capas de nieve montañosas*, mountainous snow caps; *sequía*, drought; *nevada*, snowfall; *inalcanzable*, unreachable.

Cita
Ask students to provide definitions for *Universo*.

Additional Activities

Proyecto
Ask students to work with a partner and plan an ecotour through a Spanish-speaking country. They should be prepared to describe the flora and fauna of the places they will travel to, as well as any other points of interest from an ecological point of view. Encourage them to prepare a poster or some brochures.

---

43 Responda brevemente

¿Cree que las reuniones en las Naciones Unidas pueden establecer medidas urgentes de protección de las profundidades marinas? ¿Por qué? ¿Tiene Ud. algunas sugerencias que hacer para mejorar la situación? ¿Cuáles son? ¿Por qué es importante proteger el ecosistema marino?

44 Se titula...

Piense en otro título para esta lectura. ¿Por qué lo ha escogido?

45 Lea, escuche y escriba/presente

Después de leer "El agua, tema central de análisis internacional" y "Los océanos y el planeta en peligro" escuche "El verdadero valor del agua" y tome las notas necesarias de las fuentes. ¿Cuál es el propósito de la grabación? ¿Cómo resumiría lo que escuchó en una frase? Escriba un ensayo o haga una presentación en clase sobre el tema, "La calidad del agua, los océanos y la industria pesquera: crisis del siglo XXI". No se olvide de citar las fuentes debidamente.

Cita

Si viéramos realmente el Universo, tal vez lo entenderíamos.
—Jorge Luis Borges (1899–1986), escritor argentino

 ¿Por qué escribió Borges *Universo* con mayúscula? Explique lo que quiere decir Borges. ¿Está de acuerdo con él? ¿Por qué piensa que pudo haber hecho este comentario? Comparta sus opiniones con un/a compañero/a.

Las Torres de Paine, Chile.

¡Dato curioso! El ecoturismo consiste en viajar por áreas naturales sin perturbarlas, con el fin de disfrutar, apreciar y estudiar sus atracciones naturales: los paisajes, la flora y la fauna y las manifestaciones culturales que se puedan encontrar allí. Hay muchos países latinoamericanos donde este tipo de turismo es muy popular.

 Compare

¿Qué lugares en los EE.UU. son famosos por el ecoturismo? ¿Es algo que le interesa?

¡A escuchar!

46 No existe relación entre celulares y tumores cerebrales

Esta grabación trata de un estudio realizado sobre la relación entre celulares y tumores cerebrales. La grabación dura aproximadamente 4 minutos. Lea las posibles respuestas primero y después esuche "No existe relación entre celulares y tumores cerebrales." Conteste las preguntas y después piense en una pregunta apropiada para hacerle al periodista.

1. ¿De qué país eran los médicos que hicieron este estudio?

   a. De Dinamarca
   b. De los Estados Unidos
   c. De Finlandia
   d. De Holanda

2. ¿Cuántas personas en total entrevistaron para este estudio?

   a. 427 personas
   b. 822 personas
   c. Más de mil personas
   d. Casi dos mil personas

3. ¿Qué resultado señalaron los doctores?

   a. Ningún cambio importante en el número de tumores cerebrales vinculado a la frecuencia del uso de celulares
   b. Ningún aumento en el número de tumores cerebrales vinculado a la frecuencia del uso de celulares
   c. Ninguna reducción importante en el número de tumores cerebrales vinculado a la frecuencia del uso de celulares
   d. Ninguna de las respuestas anteriores

4. ¿Qué otro estudio cita el artículo?

   a. Uno de Suiza
   b. Uno de los Estados Unidos
   c. Uno de Suecia
   d. Uno de Austria

5. ¿Encontraron los médicos algunos tumores causados por el uso del celular?

   a. Sí, con las personas que usaron su celular muy frecuentemente
   b. No, porque la mayoría de las personas entrevistadas no usaron su celular frecuentemente
   c. Sí, pero no podían atribuir la aparición de los tumores debido al uso del celular
   d. No, porque hay otros factores que podían explicar la aparición de los tumores

Teacher Resources

 Activity 46

Activity 18

Answers

46 1. a; 2. c; 3. b; 4. c; 5. d

Instructional Notes

46 You might want to review the following words before students listen to the audio: *danés*, Danish; *facultativo*, doctor; *vinculado*, connected; *sueco*, Swedish; *riesgo*, risk.

Additional Activities

La noticia del día
See p. TE28.

Teacher Resources

Activity 47
Activity 48

Answers

47

1. Oficina Nacional para la Seguridad en las Carreteras
2. Para evitar accidentes relacionados con los celulares
3. Para poder conducir y no marcar, sostener y colgar el celular
4. Ejemplos: un empleo más eficiente del tiempo destinado al transporte, la capacidad de recibir ayuda de emergencia y la posibilidad de mantener mayor comunicación con la familia, los negocios y la comunidad
5. Ahorros en lesiones personales y daño a la propiedad, y costos causados por las demoras en el tráfico a causa de accidentes
6. Presentar soluciones y posibles problemas al restringir el uso del celular
7. Answers will vary.
8. Presentar una situación y analizar las diferentes soluciones y problemas
9. Sigue habiendo mucha controversia sobre este tema. Se sabe que es peligroso conducir y hablar al mismo tiempo, aunque al mismo tiempo las nuevas tecnologías si se usan correctamente pueden ayudar (ya muchos celulares permiten tener GPS, información sobre atascos, el tiempo, etc.).

Instructional Notes

47 You might want to review the following words before students listen to the audio: *restringir*, to restrict; *medida*, measure; *comportamiento*, behavior; *propuesta*, proposal; *sostener el aparato*, to hold the apparatus/machine; *marcar*, to dial; *colgar*, to hang up; *mitigar*, to alleviate; *invertir*, to invest; *lesión*, injury; *demora*, delay.

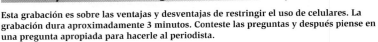

47 Pros y contras de restringir el uso del celular

Esta grabación es sobre las ventajas y desventajas de restringir el uso de celulares. La grabación dura aproximadamente 3 minutos. Conteste las preguntas y después piense en una pregunta apropiada para hacerle al periodista.

1. ¿Qué significa la sigla NHTSA en español?
2. ¿Por qué recomienda la NHTSA que no se conduzca mientras se usa el celular?
3. ¿Por qué se recomienda que los conductores dejen las manos libres mientras manejan?
4. ¿Cuál es un beneficio del uso sin restricciones del celular mientras se conduce?
5. ¿Cuáles son dos beneficios potenciales de la legislación con respecto al uso del celular?
6. ¿Cuál es el objetivo de la grabación?
7. ¿Cómo resumiría lo que escuchó en una frase?
8. ¿Cuál es el propósito del artículo? ¿Analizar diferentes soluciones/problemas, resumir diferentes opiniones, presentar una situación, criticar una situación?
9. ¿Qué dicen las investigaciones más recientes sobre este tema?

48 Participe en una conversación

Ud. va a participar en una conversación. Primero lea la descripción de la conversación y piense en algunas palabras o expresiones que le serían útiles. Organice sus ideas, haciendo predicciones sobre lo que se le pueda preguntar o comentar. Una descripción de lo que va a escuchar aparece abajo en color. Participe en la conversación grabando las respuestas o escribiéndolas en su cuaderno.

> **Escena:** Ud. y otros estudiantes están planeando un programa ecológico en su colegio o universidad. Un día, Ud. entra en la oficina del director para hablar de este asunto.

El director:	Le saluda y le pide algo.
Ud.:	• Conteste.
El director:	Le pregunta sobre el programa.
Ud.:	• Conteste su pregunta.
El director:	Le hace otra pregunta.
Ud.:	• Conteste su pregunta afirmativamente.
El director:	Le hace otra pregunta.
Ud.:	• Contéstele y dele detalles sobre lo que le pide.
El director:	Le hace más preguntas sobre el programa.
Ud.:	• Háblele sobre sus preferencias para este programa. Explique las razones.
El director:	Sigue la conversación y luego se despide.
Ud.:	• Haga un comentario y despídase.

Audioscript Activity 48

El director: ¡Hola, y buenas tardes! Siéntate y explícame por qué estás aquí esta tarde.
[STUDENT RESPONSE]

El director: ¿Cuántas personas quieren participar en este tipo de programa?
[STUDENT RESPONSE]

El director: ¿El colegio tendrá que pagar algo?
[STUDENT RESPONSE]

El director: ¿Cuánto dinero, aproximadamente? ¿Y para qué es?
[STUDENT RESPONSE]

El director: ¿Tienen los estudiantes el apoyo de los adultos de nuestra comunidad? ¿Por qué quieres empezar el programa en este momento?
[STUDENT RESPONSE]

El director: Parece que tienes ideas muy buenas. Voy a hablar con la administración de la escuela y contestarte dentro de una semana. Hasta pronto entonces.
[STUDENT RESPONSE]

¡A escribir!

49 Texto informal: los teléfonos celulares

Ud. es el/la director/a de su escuela o universidad, detallando cómo se deben usar los teléfonos celulares mientras está en su colegio o universidad. Incluya lo siguiente:

- Las horas del uso de los celulares
- Las restricciones sobre el uso de los celulares
- Las sanciones contra los estudiantes que no sigan las reglas sobre el uso de los celulares
- Unas frases o expresiones que se puedan usar en los carteles u otros anuncios para describir esta política

50 Texto informal: las lenguas indígenas

En un foro alguien pide consejos para aprender una lengua indígena. Contéstele e incluya lo siguiente:

- Háblele de la importancia de hablar una lengua indígena.
- Sugiérale centros donde se puede aprender una de estas lenguas.
- Enumere los beneficios de aprender una lengua indígena.
- Mencione la posibilidad de vivir entre los indígenas para aprender dicha lengua.

51 Ensayo: el impacto de la ecología en nuestras vidas

Escriba un ensayo sobre el impacto de la ecología en nuestras vidas. Compárelo con otros países de habla hispana y también con la época en la que vivieron sus abuelos.

52 Ensayo: el narcotráfico

Escriba un ensayo en el que describa el problema del narcotráfico. Busque videos o podcasts con noticias recientes sobre este tema. Compare este problema entre Latinoamérica y los EE.UU.

53 En parejas

Intercambie sus ensayos con los de un/a compañero/a. Exprésele su opinión sobre el contenido y el uso del idioma.

Los coches híbridos como éste son más ecológicamente correctos, puesto que gastan menos petróleo.

Lección 7B | 415

Teacher Resources

Activity 19

Instructional Notes

49–52 Remind students to go over the expectations outlined in the *Pautas* on p. 480 before they begin writing.

53 You might want to have students work in small groups rather than with a partner to critique one another's work.

Additional Activities

Corrija una carta
See p. TE26.

A escribir por quince minutos and/or **Lea, escriba y páselo**
See pp. TE26 and TE27.

Teacher Resources

 Activity 20

Instructional Notes

54 Because all students will speak, allow them time to prepare this activity. Be sure to tell students which issue and which side of the issue they will be debating, so that they can do some research and practice before their debate.

After students have debated these issues with a partner, you might want them to continue the debate in small groups, or even have a discussion with the whole class on one or two of these topics. Remind students to use as much of the new vocabulary from this lesson as they can.

55 After students discuss these issues with their partners, you might want to have a classroom discussion on one or more of the questions.

56 Review the *Pautas para presentaciones formales* on p. 481, and refer students to their copies of the guidelines given to them in *Lección 1A* (*Antes y durante una presentación*). (See p. 27 of this Annotated Edition.) Remind them that while they are presenting they should not read from their notes.

Additional Activities

Responda a esta situación
See p. TE28.

¡A hablar!

54 Charlemos en el café

Ud. va a debatir los siguientes temas con un/a compañero/a. Uno estará a favor de lo que se ha dicho y otro en contra. El debate durará varios minutos. El/La estudiante que esté de acuerdo comenzará el debate y hablará por unos dos minutos. Cuando el/la profesor/a lo indique, el/la otro/a estudiante tomará la palabra y expresará su opinión por otros dos minutos, y así sucesivamente.

1. Tenemos obligación de elevar la conciencia ecológica del mundo.
2. Los políticos deberían prestar más atención a los programas ecológicos que protegen el planeta.
3. El mejor ciudadano es el ciudadano que hable varios idiomas.
4. El petróleo crea la mayoría de las guerras.
5. Es necesario buscar nuevas formas de energía.
6. Soy adicto/a a mis redes sociales.
7. Gracias a las redes sociales tengo más amigos.
8. Es una ventaja tener una tele en el cuarto.
9. Hoy hacemos guerras por el petróleo, dentro de muy poco las haremos por el agua.

55 ¿Qué opinan?

Converse con un/a compañero/a sobre estas preguntas.

1. Si pudiera inventar cualquier cosa para mejorar nuestra ecología, ¿qué le gustaría inventar y por qué?
2. ¿Cree que la educación primaria debe incluir la enseñanza de idiomas extranjeros? ¿Por qué? Si Ud. fuera director(a) de una escuela primaria, ¿qué idiomas se enseñarían en la escuela? ¿Por qué?
3. ¿Es adicto/a a su teléfono móvil/celular?
4. ¿Es adicto/a las redes sociales?
5. ¿Qué piensa de la basura que es arrojada al mar? ¿Qué especies sufren principalmente?
6. ¿Es voluntario/a para alguna causa social? ¿Cuál/cuáles?
7. ¿Qué piensa del comercio legal de drogas ilegales?

56 Presentemos en público 🎤

Haga una presentación sobre uno de los temas durante varios minutos. Organice sus ideas antes de hacer la presentación, busque las palabras necesarias y, después de practicar, presente en clase sin mirar las notas.

1. ¿Cómo han cambiado las redes sociales nuestra vida?
2. Si pudiera cambiar un aspecto de nuestra rutina diaria y eliminar un elemento de contaminación en nuestro mundo, ¿cuáles le gustaría cambiar o eliminar? ¿Por qué? ¿Cómo lo haría?
3. Ud. es un gran experto sobre los nuevos carros híbridos. Presente una lista de los carros híbridos que existen ahora a la clase. Hable de su eficacia, los beneficios y las desventajas de estos carros.
4. Piense en un problema ecológico que afecta a su comunidad y presente un plan eficaz para solucionar el problema.
5. Hable de las tortugas gigantes y el peligro de extinción.
6. Presente una fundación que proteja el medio ambiente o los animales en un país de habla hispana.
7. Hable sobre el problema del narcotráfico en Latinoamérica y los EE.UU.

Proyectos

57 ¡Manos a la obra!

Trabaje en un grupo de cuatro o cinco estudiantes para llevar a cabo uno de los siguientes proyectos y presentarlo a la clase.

1. Diseñen el teléfono celular perfecto. Hagan un folleto mostrando las características.
2. Hagan una campaña para proteger las especies en peligro de extinción.
3. Escriban tres minutos de una telenovela que trate alguno de los problemas presentados en esta unidad. Muéstrenla en la clase. Si tienen tiempo muéstrenle el fragmento filmado (incluso puede añadir un anuncio). Si no tienen mucho tiempo pueden mostrarle a su clase el guión.
4. Hagan un gráfico en el que muestren cómo la contaminación está afectando a algunas especies.

Vocabulario

Verbos

aclarar	to clarify, explain
acoger	to welcome
agarrar	to seize
aislar	to isolate
alcanzar	to reach
amenazar	to threaten
apadrinar	to sponsor
concienciar	to make aware
consumir	to consume, to use
dejar	to leave behind
desalojar	to vacate
desempeñarse	to fulfill, make out
detener	to stop
elogiar	to praise
esfumarse	to vanish, fade away
faenar	to fish
fastidiar	to bother
festejar	to celebrate
hallar	to find
iniciar	to begin
instar	to urge
inundarse	to flood
liberar	to free
manejar	to drive; to manage
multar	to fine
ocasionar	to cause, bring about
padecer	to suffer
permitir	to allow
prevalecer	to prevail
prohibir	to prohibit, to ban
rechazar	to reject
reconfortar	to comfort
rescatar	to rescue
sobreexplotar	to overexploit
solicitar	to request
sostener	to support
verter (ie)	to pour, spill

Verbos con preposición

verbo + a:

contribuir a	to contribute to

verbo + por:

esforzarse (ue) por	to make an effort to

Sustantivos

el	abastecimiento	supply
el/la	activista	activist
la	advertencia	warning
la	albacora	albacore tuna
la	aleta	fin
el	alguacil	sheriff
el	aliciente	incentive
el	alrededor	surrounding area
la	amenaza	threat
las	andanzas	adventures
la	aportación	contribution
el	arrastre	trawling
el	atún	tuna fish
la	ayuda humanitaria	humanitary aid
la	carencia	deficiency
el	contrabando	smuggling
el/la	contratista	contractor
el	convenio	agreement
la	corrupción	corruption
la	cortesía	courtesy
el	crimen	crime
el	cumplimiento	fulfillment
el	desastre natural	natural disaster
el	empeño	persistence
la	expectativa	expectation
el	huracán	hurricane
la	inundación	flooding
el	incremento	increase

especies.

Teacher Resources

 Activities 21–25

 Go online
EMCLanguages.net

Instructional Notes

57 Before students start their projects, go over the questions from *Lección 1A*, p. 28. Students should have a copy of these questions for each project.

Remind them that after they complete their project, they will self-assess their work as a team using the grading system 1–5 (5 being the highest, and 1 the lowest) and write a grade next to each question. After they turn in their work or make their presentation to the class, you will review their project and write your comments and evaluation next to theirs.

Additional Activities

Juegos

To practice and reinforce the lesson's vocabulary, have students play either one or both of these games: *Cadena de palabras*, *Lo tengo en la punta de la lengua*. See pp. TE24 and TE25.

Teacher Resources

See ExamView for assessment options.

Additional Activities

Juego

To practice some of the grammar presented in the lesson, ask students to play *Aplausos o chasquidos*. See p. TE24.

To practice the culture presented in the lesson, ask students to play one or more of the following: *¿Verdadero o falso? ¿Quién quiere ser millonario?, Trivia*. See p. TE25.

Ask students to do any of the following activities to practice and strengthen the vocabulary, grammar, or culture presented in this lesson: *Hablen sobre esta foto, ¿Cuáles son las diferencias?, Repaso Expreso, Imágenes que cuentan*. See pp. TE26–TE28.

Instructional Notes

Refer students to the *A tener en cuenta* section and ask them to come up with more expressions that use the verb *hacer*.

---

el/la	internauta	Internet user
el	juicio	judgment
el	lujo	luxury
la	marginación	marginalization
la	medida	measure
la	merluza	hake (whitefish)
la	orilla	shore
la	ortografía	spelling
la	refinería	refinery
la	remoción	removal
el	rendimiento	performance
la	represalia	retaliation
la	salvaguardia	safeguard
el	seguimiento	tracking, monitoring
la	sequía	drought
el	surgimiento	emergence
la	sustancia tóxica	toxic substance
el	terremoto	earthquake
el	tiburón	shark
el	tornado	tornado
el/la	usuario/a	user
la	violencia	violence

Adjetivos

dañino, -a	harmful
deteriorado, -a	run down, damaged
disponible	available
eficaz	efficient
halagüeño, -a	flattering
ineficaz	inefficient
inoportuno, -a	inopportune
insostenible	unsustainable
irrepetible	unrepeatable
lejano, -a	distant
molesto, -a	bothersome
oportuno, -a	opportune, timely

perjudicial	damaging, harmful
propenso, -a	prone

Expresiones

a falta de	for want of
el agua de la llave	tap water
el agua embotellada	bottled water
al límite de su capacidad	to the limit of their capacity
al respecto	in the matter
la calidad del aire	air quality
el cartel de aviso	warning poster
de ahí que (+ *subjuntivo*)	that is why
denunciar (*un abuso*)	to report (*abuse*)
efectos perjudiciales para la salud	effects harmful to one's health
en alta mar	on the high seas
la lengua materna	mother tongue
la planta termoeléctrica	thermoelectrical plant
poner en tela de juicio	to put something in doubt
ponerse en el lugar (*de alguien*)	to put yourself in someone's place
procedente de	coming from
la salud pública	public health
si tan siquiera	if only
sustancias controladas	controlled substances
sin prescripción médica	without a prescription
sustancias estupefacientes	narcotics
el tráfico ilícito de drogas	illegal drug trafficking

A tener en cuenta
Expresiones con *hacer/hacerse*

hacer buenas/malas migas con alguien	to hit it off well/badly with someone
hacer cargo	to take charge
hacer caso	to pay attention
hacer daño	to hurt; (*of food*) to disagree with
hacer época	to be sensational, mark a new era
hacer escala	to make a stopover
hacer las paces	to make up with someone
hacer el tonto	to play the fool
hacer la vista gorda	to turn a blind eye, pretend not to notice
hacerse + me/te/le/etc.	to get the feeling (*Se nos hace que no están aquí.* We get the feeling that they're not here.)
hacerse a algo	to get used to (*No me hago al frío.* I can't get used to the cold.)
hacerse llamar	to go by the name (*Se hacía llamar María.* She went by the name of María.)

Capítulo 8

Temas

- El arte
- El baile
- La música
- El cine, la radio y la televisión

Festival de Arte

419

Overview of chapter 8

In this chapter students will have the opportunity to explore the world of the arts in many of its forms: painting, sculpture, architecture, music, dance, and film, as well as television and radio, while examining the impact several artists and entertainment personalities have had on world culture.

Instructional Notes

You might ask the following questions related to the chapter topics: *¿Cómo definirían el arte? ¿Cuáles son los elementos fundamentales del baile? ¿Qué es la coreografía? ¿Qué tipo de música les gusta? ¿Por qué piensan que los seres humanos han creado el arte, el baile y la música? ¿Qué tipo de películas les gustan? ¿Han visto películas en español? ¿Cuáles? ¿A qué actores hispanos conocen? ¿Escuchan programas en español por la radio o los miran por televisión? ¿Cuáles les gustan? ¿Cómo son?*

Instructional Notes

The photos on this page lend themselves to further research of their subjects. Ask students to look for information about Picasso's *Guernica*, which depicts the horrors of war. In their research, they should also include some facts about the Spanish Civil War and an interpretation of the characters and objects in the painting. Other students could research the origins and popularity of the tango, and others could look for the history and some facts on the mariachi.

Lección A

Objetivos

Comunicación
- Hablar de las bellas artes
- Comprender el arte de varios artistas hispanos
- Entender el impacto de la población hispana en la televisión norteamericana
- Comparar las telenovelas en el mundo hispano y EE.UU.

Gramática
- Tiempos perfectos
- El imperfecto del subjuntivo
- Repaso de tiempos en pasado

"Tapitas" gramaticales
- *gran* y *grande*
- *y* o *sin*
- el género de los sustantivos
- números ordinales
- *ser* y *estar*
- *por* y *para*
- los sustantivos compuestos

Cultura
- El Museo Guggenheim Bilbao
- Fernando Botero
- La televisión hispana en Estados Unidos
- Pablo Picasso
- Frida Kahlo
- Las telenovelas

Go online
EMCLanguages.net

Notas culturales

Guernica es un pueblo vasco que fue bombardeado por los alemanes, aliados del General Franco durante la guerra civil española (1936–1939). El brutal ataque ocurrió el 26 de abril de 1937 y fue la primera vez en la historia que se atacaba por el aire a una ciudad.

Aunque todo el mundo asocia el tango con el baile argentino, no fue así al principio. En 1889 la palabra significaba "fiesta y baile de la gente de pueblo en América". Otros dicen que la palabra *tango* se deriva de una lengua africana en la que significa "lugar cerrado".

En un grupo de *mariachi* puede haber hasta ocho violines, dos trompetas y una guitarra, todos instrumentos europeos. Luego hay instrumentos de origen europeo, pero adaptados al estilo mexicano: la vihuela y el guitarrón, ambos unas especies de guitarras, y un harpa mexicana. A veces hay un acordeón, como se ve en la foto.

Para empezar

1 Conteste las preguntas 👥

Piense en las respuestas a las siguientes preguntas. Puede tomar notas si lo considera necesario. Cuando termine, compare sus respuestas —pero sin mirar sus notas— con las de un/a compañero/a. Busque información en Internet si lo considera necesario.

1. ¿Quién es su artista favorito? ¿Le gusta el arte tradicional o el moderno?
2. ¿Le gusta la escultura? ¿Por qué? Nombre a algunos escultores hispanos. ¿Cuáles son algunas de sus esculturas famosas?
3. ¿Qué sabe de lo siguiente: el arte clásico, el arte del Renacimiento, el arte moderno, el arte abstracto, el realismo, el surrealismo y el arte impresionista? Nombre a algunos pintores o cuadros asociados con cada período o estilo de arte.
4. Cuando visita un museo, ¿generalmente va solo/a, con amigos o con un grupo? ¿Le gustan las visitas guiadas en los museos? ¿Piensa que los guías del museo le ayudan a uno/a a apreciar el arte, o prefiere apreciar y mirar el arte por su cuenta?
5. En un museo, ¿ha visto a algunas personas pintando copias de cuadros famosos? ¿Por qué los pintarán? ¿Qué aprenden esas personas del artista y de la pintura en general? ¿Le gustaría copiar un cuadro famoso? ¿Cuál? ¿Por qué?
6. ¿Qué tipo de música le gusta? ¿Qué opina de la música hispana? Nombre a algunos cantantes hispanos y algunas de sus canciones.
7. Algunos músicos o actores cambian su nombre; por ejemplo, el puertorriqueño Raymond Ayala es mejor conocido como Daddy Yankee. Otros artistas usan su nombre verdadero como el dominicano Juan Luis Guerra. ¿Por qué será? ¿Cuáles son las ventajas y las desventajas de usar su propio nombre cuando uno es famoso?
8. ¿Qué sabe del baile profesional, del ballet clásico o del ballet folclórico? Algunos dicen que la actividad física de los bailarines es más exigente que la de los atletas profesionales. ¿Qué opina?
9. ¿Ha visto muchas películas extranjeras? ¿Y en español? ¿A qué actores o directores de cine hispanos conoce? ¿De dónde son ellos?
10. ¿Qué cadenas de televisión hispanas conoce? ¿Conoce algunos programas o actores en estas cadenas? ¿Cuáles?

2 Mini-diálogos 👥

Va a crear un mini-diálogo con un/a compañero/a. Lea la descripción de la conversación antes de empezar. Puede tomar notas para organizar sus ideas, pero no las mire mientras conversa. Le pueden servir los artistas en el recuadro de la página siguiente, pero hay muchos más. Búsquelos en Internet e investigue algo sobre su arte.

Escena: En la clase de español, la profesora acaba de anunciar que tienen que hacer una presentación sobre un artista hispano. Ud. y un/a compañero/a de clase hablan de los artistas hispanos que conocen.

continúa

Answers

1 Answers will vary.

Instructional Notes

1 Before students start answering these questions, ask some to research and define the following terms and share them with the class: *el arte clásico, el arte del Renacimiento, el arte moderno, el arte abstracto, el realismo, el surrealismo, el arte impresionista.*

Additional Activities

After students answer the questions on the page, you might take a poll to know their responses. Suggest that students add definitions or explanations for the terms in the third question to their notebooks.

De España:
El *Greco*, Velázquez, Goya, Zurbarán, Murillo, Gaudí, Sorolla, Picasso, Miró, Gris, Dalí

De las Américas:
Botero (colombiano), Roberto Matta (chileno), Francisco Zúñiga (costarricense), Wilfredo Lam (cubano), José Guadalupe Posada (mexicano), Diego Rivera (mexicano), Frida Kahlo (mexicana), José Clemente Orozco (mexicano), David Alfaro Siqueiros (mexicano), Rufino Tamayo (mexicano), María Izquierdo (mexicana), Gil de Castro (peruano), Joaquín Torres-García (uruguayo), Juan Carlos Castagnino (argentino), Prilidiano Pueyrredón (argentino)

A: Salúdelo/la y pregúntele qué tipo de arte le gusta.

B: Contéstele, y pídale que le sugiera un par de artistas.

A: Dele el nombre de dos artistas muy conocidos y hable brevemente sobre ellos.

B: Reaccione negativamente a sus sugerencias. Muestre interés por uno menos conocido.

A: Reaccione con sorpresa. Intente convencerle de lo contrario.

B: Reaccione cordialmente, pero rechace la sugerencia y decida qué artista va a escoger.

A: Haga un comentario sobre su reacción. Despídase un poco ofendido/a.

B: Despídase cordialmente.

Cita

- *La pintura abstracta es buena para hacer cortinas y forrar muebles.*
- *Cuando comienzas una pintura es algo que está fuera de ti. Al terminarla, parece que te hubieras instalado dentro de ella.*
- *En mis cuadros hay cosas improbables, no imposibles.*
  —Fernando Botero (1932-), artista colombiano

 Elija su cita preferida de Botero. Comparta su elección con su compañero/a.

¡Dato curioso!

¿Sabía que el pintor y escultor colombiano Fernando Botero es considerado un icono de la cultura latinoamericana? Botero nació en 1932 en Medellín, Colombia, y se conoce su obra por las figuras grandes y gorditas. A partir de 1983, Botero comenzó una serie de exposiciones a nivel mundial, y en las avenidas y plazas más famosas de muchas ciudades ya se ven sus populares esculturas.

Botero: *Una pareja*

Nota cultural

La exposición de 1983 que se menciona en el *Dato curioso* pasó por Londres, Roma, San Francisco, Filadelfia, Boston, Chicago, San Juan de Puerto Rico, Berlín, Munich, Francfort, Tokio, Milano, Nápoles, París, Montecarlo, Madrid, Moscú, Viena, Ciudad de México y Caracas, entre muchas otras ciudades. El Museo de Antioquia en Medellín contiene la colección más grande de pinturas y esculturas de Botero.

Investigue palabras clave:
Fernando Botero

Vocabulario y gramática en contexto

3 Las bellas artes

Túrnese con un/a compañero/a para leer los comentarios que dos personas han escrito en un blog sobre sus intereses en el arte y la danza. Fíjese en las palabras que aparecen en azul (relacionadas con el vocabulario) y en rojo (relacionadas con la gramática), ya que en las siguientes actividades se le harán preguntas sobre ellas.

El arte y la danza

Ramón   **Las artes**

En la historia de la humanidad, muchos fueron los que se destacaron en el mundo de las artes. Sería imposible incluir aquí a todos los grandes genios de la pintura, la escultura, la arquitectura o la música, pero entre ellos hay
5 muchos hispanos que ampliaron la expresión artística del ser humano a través de los siglos. Las danzas españolas e hispanas folclóricas y la gran variedad de música hispana han mejorado la vida de muchos. Actualmente, la música no está identificada ni por regiones ni por
10 países. La globalización de los cantantes y de los ritmos, la tecnología de los instrumentos musicales y un mundo abierto a las diversas letras de las canciones han creado una música sin fronteras. Shakira Isabel Mebarak Ripoll, más conocida como Shakira, es un buen ejemplo del
15 fenómeno musical. Ella nació en 1977 en Barranquilla, Colombia, de padre de ascendencia libanesa, y de madre colombiana. Shakira canta en español, en inglés y en árabe y tiene éxito en casi todo el mundo. Muchos de los grandes pintores, escultores y arquitectos internacionales han sido y son hispanos. Hay tres conocidos maestros españoles: Diego Rodríguez de Silva y de Velázquez (1599–1660), El Greco, cuyo nombre verdadero fue Domenikos Theotokopoulos (1541–1614) y Francisco José de Goya y Lucientes
20 (1746–1828). También hay influencias del muralista y pintor mexicano Diego Rivera (1886–1957), del pintor y escultor colombiano Fernando Botero (1932–), del impresionista español Joaquín Sorolla y Bastida (1863–1923) y del gran arquitecto barcelonés Antonio Gaudí (1852–1926), entre muchos más que han pasado por nuestro planeta. El arte es la expresión máxima del alma y muchos artistas hispanos nos han inspirado y nos seguirán inspirando. Las bellas artes embellecen nuestras vidas. Todo esto me apasiona.

Goya: *Los fusilamientos de la Moncloa*
(Madrid, Museo del Prado)

Francesca   **El baile**

Soy estudiante de danza y quiero hacerme bailarina profesional. Desde la antigüedad, el ser humano ha bailado. Me siento conectada al mundo cuando bailo. El baile siempre ha sido un signo representativo del grado de cultura o civilización de un pueblo. No sé pero. . .me siento más culta cuando bailo. A través de sus danzas,
5 los hombres y mujeres han expresado sus sentimientos religiosos, sus costumbres sociales y políticas, sus afanes agrícolas y guerreros, sus amores y pasiones, sus emociones nobles y felices. Tres de mis danzas hispanas favoritas son la salsa, el tango y el flamenco. La música salsa es música caribeña latinoamericana que mezcla ritmos tradicionales latinos con elementos del jazz según el ejemplo del mambo y
10 del chachachá. La música del tango se interpretaba en locales de Buenos Aires y Montevideo, en las dos últimas décadas del siglo XIX, con violín, flauta y guitarra, pero a comienzos del siglo XX se extendió por muchos rincones del mundo. Un argentino, Carlos Gardel, fue cantante y compositor de tangos, y es considerado el más importante tanguero de la primera mitad del siglo XX. El flamenco nació y se
15 desarrolló en la región española de Andalucía durante el período que va desde el siglo XVIII hasta el siglo XX. El flamenco es una mezcla de varios estilos musicales populares con influencia judía, morisca, gitana, castellana y africana. Además del baile, el flamenco se expresa a través del cante y las palmas. He pensado en empezar un club y busco a gente que esté interesada. ¿Te apuntas?

Nota cultural

El 2 de mayo de 1808, los españoles se levantaron contra las tropas francesas que habían invadido el país. Como represalia por el levantamiento, el general encargado de los soldados mandó hacer ejecuciones masivas. Goya fue testigo de la violencia durante esta etapa de la historia española. Pintó *Los fusilamientos de la Moncloa* entre los años 1814 y 1815.

Investigue palabras clave:
Goya, Velázquez, El Greco, Diego Rivera, Sorolla, Gaudí

Instructional Notes

3 Draw a spider web (mind map) for the students showing different categories of artists (dancers, singers, painters, architects, etc.). Fill in each category with the names of at least three famous hispanics. Ask students to contribute additional names.

Additional Activities

Trabajo de investigación
Ask students to choose one of the artists, singers, or dance styles that are mentioned in the two articles and find some interesting facts or anecdotal information about them. After they complete their research, ask them to share this information with the rest of the class.

Comunicación
Encourage students of history in the class to look into the Napoleonic invasion of Spain and summarize the events leading up to it in a brief presentation to the class.

Juego
Ask the students to play *Dibuje, defina o gesticule* using the names of famous artists. See p. TE24.

---

4 Amplíe su vocabulario

Clasifique las palabras que aparecen en azul y rojo en las lecturas anteriores según sean sustantivos, adjetivos, verbos o expresiones, y relacionadas con las artes o la danza.

5 Un repaso

Complete el texto con el tiempo perfecto apropiado de los verbos entre paréntesis.

Shakira **1.** (*actuar*) muchísimas veces en España últimamente. Ojalá yo la **2.** (*ver*) actuar alguna vez de las que vino, pero no **3.** (*tener*) esa suerte por ahora. Te aseguro que si Shakira **4.** (*dar*) un concierto cuando yo estaba por aquí, yo **5.** (*ir*). Lamentablemente nunca lo hizo cuando yo estaba, y yo **6.** (*ser / estar*) viajando mucho al extranjero estos últimos años. Mi hermano en cambio, me imagino que no **7.** (*perderse*) casi ni uno; es un gran admirador. Calculo que **8.** (*asistir*) a al menos seis. Reconozco que es una mujer que engancha y que parece tener siempre una gran fuerza en el escenario. La verdad es que no me extraña porque creo que **9.** (*prepararse*) muchísimo durante su vida para ser la artista que hoy en día es. Desde que era pequeña **10.** (*ser / estar*) bailando y cantando, y no es que me lo **11.** (*inventar*) yo; eso es lo que me **12.** (*decir*).

6 "Tapitas" gramaticales

Complete las oraciones con la palabra adecuada.

a. Elija entre *gran* o *grande*.
Shakira es una **1.** artista. Siempre actúa en un escenario muy **2.** . Por supuesto, tiene un **3.** equipo que trabaja para ella. Además utiliza una **4.** variedad de estilos. ¡Qué **5.** artista!

b. Elija entre *y* o *ni*.
1. Yo no sé bailar ___ cantar.
2. No tengo ganas de ir al concierto ___ tampoco al cine.
3. Tengo que comprar las entradas del concierto ___ bajarme alguna canción para ir aprendiendo las letras.
4. ¿No me invitas ___ al cine? ¡Cómo eres!

7 ¿Qué opina?

Reaccione a lo que cada persona ha escrito en los blogs de la Actividad 3 y comparta su opinión con un/a compañero/a. Incluya palabras del vocabulario nuevo que aparecen en azul.

8 El Guggenheim

Lea el artículo que sigue, prestando atención a las palabras en azul y rojo.

El Guggenheim celebra con dos días de entrada libre su octavo aniversario

El Museo Guggenheim Bilbao no cobrará la entrada durante este fin de semana para celebrar con sus visitantes el octavo aniversario de su inauguración. El Guggenheim cumplió ocho años de vida el pasado 19 de octubre, pero la celebración del
[5] aniversario se retrasó hasta este fin de semana a la espera de que estuviese abierta al público la exposición más importante del otoño, "Arquiescultura". Los visitantes también podrán disfrutar de la muestra "Informalismo y expresionismo abstracto" en las

El Museo Guggenheim Bilbao

colecciones Guggenheim, que finaliza el domingo, y de "La materia del tiempo", el montaje de ocho gigantescas
[10] esculturas de acero de Richard Serra, que ocupan la sala más grande. Desde su apertura en 1997, el Guggenheim
ha recibido cerca de ocho millones de visitantes. En este tiempo, su oferta ha alcanzado las 80 exposiciones, entre
muestras temporales y presentaciones de obras de su colección. En la actualidad, cuenta con el apoyo de 139
empresas e instituciones en sus programas de miembros corporativos y casi 14.500 personas forman parte del
colectivo de Amigos del Museo.

www.elpais.es

---

9 Amplíe su vocabulario

**Mire las palabras de la primera columna, que aparecen en el artículo anterior, y busque
su definición o sinónimo en la segunda.**

1. entrada libre
2. cobrar
3. retrasarse
4. a la espera de
5. disfrutar
6. muestra
7. montaje
8. acero
9. apertura
10. actualidad
11. apoyo
12. empresa

a. en expectativa de
b. acto de abrir
c. coordinación de los elementos
d. ayuda
e. metal
f. compañía
g. llegar tarde
h. exposición
i. recibir dinero
j. gozar
k. tiempo presente
l. permiso de entrar gratis

10 El Museo Guggenheim de Bilbao

**El edificio original del Museo Guggenheim de Bilbao fue diseñado por el arquitecto
canadiense Frank O. Gehry. Su forma original tiene una gran influencia en el éxito que ha
tenido. ¿Puede pensar en otros museos emblemáticos? Trabaje con un/a compañero/a y
hagan una lista de otros museos con una forma original que ha contribuido a su fama.**

11 El imperfecto de subjuntivo en oraciones temporales en pasado

**Complete las oraciones usando la forma correcta del imperfecto del subjuntivo de los
verbos entre paréntesis.**

1. Hasta que no ___ (*venir*) todas las obras, no podían abrir el Guggenheim.
2. Antes de que les ___ (*invitar*) los Amigos del Museo, nunca habían estado allí.
3. No podían empezar a trabajar hasta que no ___ (*llegar*) las esculturas de Richard Serra.
4. Antes de que las esculturas se ___ (*instalar*), todos estaban muy nerviosos.
5. Bilbao era una ciudad muy industrial y poco conocida antes de que ___ (*construirse*) el
   Guggenheim.

12 El pasado

**Complete las oraciones usando la forma correcta del verbo entre paréntesis en un tiempo
del pasado.**

Frank Gehry __1.__ (*realizar*) innumerables obras arquitectónicas pero para los españoles su
nombre siempre se asocia a Bilbao. Esta ciudad en los años anteriores a la construcción del museo
__2.__ (*ser / estar*) famosa por ser terriblemente industrial. El edificio del museo es espectacular.
Desde el exterior parece un barco pero se dice que Frank Gehry __3.__ (*inspirarse*) en un pez para
realizarlo. Es más, cuentan que cuando __4.__ (*ser / estar*) pequeño, __5.__ (*ser / estar*) fascinado
por el movimiento de ciertos peces. Hasta el año pasado yo nunca lo __6.__ (*visitar*) pero es cierto
que me __7.__ (*causar*) una muy buena impresión. ¿Y tú? ¿ __8.__ (*ser / estar*) alguna vez en Bilbao?

Teacher Resources

 Activities 3–4

Answers

9 1. l; 2. i; 3. g; 4. a; 5. j; 6. h; 7. c; 8. e; 9. b; 10. k;
11. d; 12. f

10 Lists will vary.

11 1. vinieran / viniesen; 2. invitaran / invitasen;
3. llegaran / llegasen; 4. instalaran / instalasen;
5. se construyera / se construyase

12 1. ha realizado; 2. era; 3. se inspiró; 4. era;
5. estaba; 6. había visitado; 7. causó; 8. has estado

Additional Activities

Comunicación

Assign one of the five Guggenheim Museums to small
groups of students and ask them to find information
about it. Students should then make an oral
presentation in class, and after all the presentations,
the entire class could compare and contrast these
museums.

Teacher Resources

 Activity 5

Answers

13a 1. la; 2. la; 3. la

13b 1. primer; 2. segundo; 3. tercer; 4. tercero; 5. primera; 6. quinta

14 Text messages will vary.

15 1. de; 2. del; 3. al; 4. por; 5. lo; 6. de; 7. de; 8. en; 9. un; 10. un; 11. Los; 12. de; 13. la; 14. de; 15. por; 16. el; 17. en

Instructional Notes

14 Suggest that students go online to find more images of the museum and some descriptions of past and present exhibitions held there.

15 Before students read this article, ask them to review the information they previously gathered on Botero and his work.

---

13 "Tapitas" gramaticales

Complete las oraciones con la palabra adecuada.

  a. Elija entre *el* o *la*.
    1. ___ inauguración fue el pasado sábado.
    2. ___ celebración del octavo aniversario fue un éxito.
    3. ___ colección plasma los principales momentos.

  b. Escriba los números ordinales en letra en los mini-diálogos según las pistas.
    -¿Éste fue su __1.__ (1°) cuadro?
    -No, fue el __2.__ (2°).

    -Éste es el __3.__ (3°) proyecto que rechaza.
    -¿El __4.__ (3°)? ¿En serio?

    -Es la __5.__ (1°) vez que estoy en Bilbao.
    -Pues ésta es la __6.__ (5°) para mí.

14 Escriba un SMS

En el Museo Guggenheim de Bilbao, Ud. ha recibido este mensaje de su amigo/a. Antes de responderle con sus primeras impresiones, busque más información sobre el museo.

> Oye, te llamé por teléfono el martes pero no contestaste. Tu madre me acaba de decir que estás de viaje. ¿Dónde estás?

15 Fernando Botero

Lea el artículo y decida qué artículo o preposición completa de mejor manera cada oración.

Botero tendrá su propio museo

La "Ciudad Botero", un museo con 14 esculturas monumentales y más __1.__ (*que* / *de*) 100 cuadros de las famosas figuras gordas de Fernando Botero, será abierta el 15 de octubre en Medellín, la ciudad natal __2.__ (*de* / *del*) célebre artista. Ya están en Medellín 75 obras y __3.__ (*a* / *al*) puerto de Cartagena llegaron cuatro esculturas gigantes procedentes de Italia y donadas __4.__ (*por* / *para*) el pintor. "Para Medellín, esto es __5.__ (*lo* / *el*) más grande que le ha pasado, porque aparte __6.__ (*de* / *para*) la belleza y el valor

Botero: *La Venus de Broadgate*

de las obras donadas por Botero, esto es un proyecto de ciudad", dijo hoy Pilar Velilla, directora del Museo de Antioquia. "Estamos saliendo __7.__ (*que* / *de*) ser la ciudad del cartel de Medellín (el epicentro del mayor cartel de la cocaína en la década de los años 80) a ser una ciudad de cultura y creación", agregó Velilla __8.__ (*en* / *a*) una entrevista telefónica. Como recuerdo de aquella época de terror cuando Medellín era el epicentro de carros-bomba, asesinatos y secuestros ordenados por Pablo Escobar, __9.__ (*un* / *una*) finado líder del cartel de la droga, Botero envió dos cuadros: *Escobar muriendo en un tejado ante las balas de la ley* y *La explosión de* __10.__ (*una* / *un*) *carro-bomba*. Botero es el artista colombiano más conocido internacionalmente. Sus esculturas han sido expuestas en las ciudades más importantes del orbe. __11.__ (*Unos* / *Los*) parisinos las vieron en los Campos Elíseos, estuvieron en Park Avenue en Nueva York, así como en Florencia y Tokio, entre otras famosas plazas artísticas. La donación de sus obras y su colección personal de otros artistas está avaluada en más __12.__ (*de* / *que*) 60 millones de dólares y será __13.__ (*la* / *el*) más grande del artista en el mundo. Bogotá también recibirá más __14.__ (*que* / *de*) 100 cuadros y 17 esculturas de Botero, conocido __15.__ (*por* / *para*) sus figuras rollizas. Botero dirigirá personalmente __16.__ (*lo* / *el*) montaje de sus obras tanto en Bogotá como __17.__ (*en* / *para*) Medellín.

www.eldiariohoy.com

---

16 Amplíe su vocabulario

Según el artículo que acaba de leer, complete cada oración con una breve definición que muestre que comprende el significado de las palabras.

1. Un cuadro es un objeto que… .
2. Mi ciudad natal es donde… .
3. Una escultura que ha sido donada es aquélla que… .
4. Un recuerdo es algo que… .
5. El tejado es la parte de la casa que… .
6. Un parisino es una persona que… .
7. Una persona que está rolliza es alguien que… .

17 Ser y estar

Complete el correo electrónico usando la forma correcta del verbo *ser* o *estar*.

| Enviar | Guardar ahora | Descartar |

Para: Elisa

Asunto: La exposición de Botero

Adjuntar un archivo   **Insertar:** Invitación

Hola Elisa,

¿Sabes que la exposición de Botero ya __1.__ abierta? Ayer __2.__ allí con mi madre y le encantó. Ella también me dijo que __3.__ increíble lo buenas que __4.__ sus obras. La mayoría __5.__ esculturas inmensas de mujeres que __6.__ muy gorditas. Es posible que las modelos no lo __7.__ en verdad, pues hasta los muebles y las plantas los dibuja así. Tú ya me conoces, y no es que yo __8.__ la persona experta en arte, de hecho yo __9.__ muy verde en este tema. Pero te prometo que __10.__ una muestra muy interesante; te aseguro que si vas, __11.__ una de esas noches que no olvidarás. Yo creo que la exposición __12.__ un éxito total porque ayer ya todas las salas __13.__ llenas y todos __14.__ comentando los aspectos interesantes de la obra. Desde luego que todos __15.__ entusiasmados. ¿ __16.__ libre el sábado que viene? Hay una charla sobre toda su obra. __17.__ en el mismo museo a las siete. ¿Te apetece ir? Cuando __18.__ libre, escribe de vuelta.
Besitos, Ana

18 "Tapitas" gramaticales

Conteste estas preguntas relacionadas con el artículo sobre Botero.

1. ¿Por qué se usa *célebre artista* y no *artista célebre*? ¿Qué diferencia hay?
2. ¿Por qué se usa *para* y no *por* en la frase "Para Medellín, esto es"? ¿Qué quiere decir *esto* en este caso?
3. Hable sobre la formación de las palabras como *el carro-bomba*. ¿Cómo se determina el género de los sustantivos compuestos? ¿Cuál sería el plural de esta palabra? ¿Hay una regla en general? Explíquela. Piense en tres otros ejemplos de sustantivos compuestos.

Compare

¿Qué tres libros o películas han causado polémica en los EE.UU.?

¡Dato curioso!

¿Sabía que la película *El código Da Vinci* fue un éxito taquillero? Ganó 224 millones de dólares en todo el mundo durante los tres primeros días a pesar de una fuerte polémica en torno a la película. La película despertó la ira de la iglesia católica por decir que Jesucristo tuvo descendencia con María Magdalena. *El código* es el segundo éxito taquillero más grande de la historia, después de la película *Star Wars*. El libro de Dan Brown también fue un éxito, con más de 40 millones de copias vendidas en todo el mundo desde su publicación en 2003.

Lección 8A   **427**

Teacher Resources

Activity 6

Answers

16 Answers will vary.

17 1. está; 2. estuve; 3. es; 4. son; 5. son; 6. están; 7. estén; 8. sea; 9. estoy; 10. es; 11. será; 12. será; 13. estaban; 14. estaban; 15. estaban; 16. Estás; 17. Es; 18. estés

18 1. Generalmente, si el adjetivo indica una cualidad objetiva, sigue al sustantivo (*artista célebre*); pero si el adjetivo precede al sustantivo (*célebre artista*), expresa una evaluación subjetiva. 2. Aquí, *para* indica reacción; *por* expresaría una implicación personal. *Esto* es pronombre demostrativo neutro; se refiere a lo que se acaba de mencionar: la ciudad museo es lo más grande que le ha pasado a Medellín. 3. Son palabras compuestas, en este caso por dos sustantivos; aquí, el segundo es un sustantivo adjetivado (*bomba*) que modifica al primero (*carro*) que, a su vez, determina el género. El primer sustantivo también determina el plural: *los carros-bomba*. Las palabras compuestas también se pueden formar por sustantivos y adjetivos, verbos y sustantivos, dos verbos, adverbios y verbos, dos adverbios y por otras funciones gramaticales.

Instructional Notes

17 Review the differences in meaning of the following, depending on their use with *ser* or *estar*: *ser listo = inteligente, estar listo = preparado; ser vivo = avispado, estar vivo = no muerto; ser joven = tener pocos años, estar joven = parecer joven; ser decidido = de carácter, estar decidido = estar dispuesto a; ser nuevo = recientemente hecho, estar nuevo = parecer nuevo; ser difícil = no ser fácil, estar difícil = resultar complicado; ser bueno = de carácter, estar bueno = de salud, de aspecto (comida).*

18 Point out that the following adjectives only appear before the nouns they modify: *ambos, llamado, mero, mucho, otro, pleno, presunto, poco, pretendido, sendos, tanto.* You might want to have students write example sentences with these words.

Ask students to review *las palabras compuestas* in the *A tener en cuenta* section on p. 449.

Nota cultural

Star Wars (*La guerra de las galaxias*) ganó 253 millones de dólares cuando salió en 1977.

Additional Activities

Comunicación

Ask students to talk about the characteristics of popular movies and what some of the box-office hits have in common.

Juego

Ask students to play *Trivia*. See p. TE25.

427

Activity 7

Answers

19 **Arte**
la arquitectura *architecture*
el baile, la danza *dance*
la canción *song*
el dibujo *drawing*
la escultura *sculpture*
la película; la cinematografía; el guión *film, movie; cinematography; script*
el mural *mural*
la música *music*
la pintura, el cuadro *painting*
la obra de teatro *play*

Persona
el/la arquitecto/a *architect*
el/la bailarín(a) *dancer*
el/la cantante *singer*
el/la dibujante *illustrator*
el/la escultor(a) *sculptor*
el/la director(a); el/la productor(a); el/la cinematógrafo/a; el/la guionista *director; producer; cinematographer; screenwriter*
el/la muralista *muralist*
el/la músico/a *musician*
el/la pintor(a) *painter*
el actor/la actriz *actor, actress*

Verbos
construir, edificar; diseñar *to construct, build; to design*
bailar *to dance*
cantar *to sing*
dibujar *to draw/sketch*
esculpir *to sculpt*
filmar, rodar una película *to film*
pintar *to paint*
tocar *to play*
pintar *to paint*
hacer/interpretar un papel *to play a part*

20 1. los guionistas; 2. dibujos, dibujante; 3. la cantante; 4. cine; 5. arquitecto; 6. el pintor, escultor, esculpir;

Additional Activities

Juego

Ask students to play *Voluntario, derecha e izquierda*. See p. TE25.

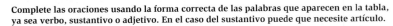

Idioma

19 Familia de palabras

Complete la tabla con el arte, la persona que lo hace, el verbo asociado, y la traducción correspondiente.

Arte		Persona		Verbos	
la arquitectura	_____	el/la arquitecto/a	_____	construir, edificar; diseñar	to construct, build;
el baile, la danza	_____	el/la bailarín (a)	_____	_____	_____
_____	*song*	el/la cantante	_____	_____	_____
el dibujo		el/la dibujante	_____	_____	_____
la escultura	_____	el/la escultor (a)	_____	esculpir	_____
la película;	*film, movie;*	el/la director (a);	_____;	filmar, rodar una película	_____
		el/la productor (a);	_____;		
la cinematografía;	_____	el/la cinematógrafo/a;	_____;		
el guión	_____	el/la guionista	_____		
el mural	_____	el/la muralista	_____		
la música	_____	_____	*musician*	_____	_____
la pintura, el cuadro	*painting*	_____	*painter*		
la obra de teatro		_____ _____	*actor, actress*	hacer/interpretar un papel	

20 ¿Verbo, sustantivo o adjetivo?

Complete las oraciones usando la forma correcta de las palabras que aparecen en la tabla, ya sea verbo, sustantivo o adjetivo. En el caso del sustantivo puede que necesite artículo.

1. Dan Brown, el autor de *El código Da Vinci*, también fue uno de ___ (*guión*) de la película basada en la novela que tuvo gran fama por todo el mundo.
2. Había una muestra en el Prado de Madrid de unos cincuenta ___ (*dibujar*) hechos por Goya durante sus últimos años de vida. Francisco de Goya era un gran pintor y ___ (*dibujo*).
3. ¿Sabía que ___ (*cantar*) cubana-americana, Gloria Estefan, se ha recuperado de un accidente que casi le cuesta la vida en 1990 y que le produjo graves lesiones en la espalda?
4. Muchos aficionados del ___ (*cine*) asistieron al festival de cine de Cantinflas, actor y cómico mexicano.
5. El ___ (*arquitectura*) español Antonio Gaudí nunca terminó su obra cumbre, la Catedral de la Sagrada Familia en Barcelona. Trabajó en ella hasta su muerte en 1926.
6. Sería muy interesante hablar con Fernando Botero, ___ (*pintar*) y ___ (*esculpir*) colombiano, antes de que él empezara a ___ (*escultura*) una de sus creaciones gigantescas.

7. Los bailarines del Ballet Folclórico de México presentarán ___ (*bailar*) típicos del pueblo mexicano antes de la toma de posesión del nuevo presidente mexicano.

8. ___ (*Pintar*) mexicana Frida Kahlo se casó dos veces con Diego Rivera, ___ (*mural*) mexicano: en 1932 y 1940.

9. Con películas en tres idiomas como *Volver* del director español Pedro Almodóvar, *Vanilla Sky* con Tom Cruise y *Belle Epoque*, ___ (*actor*) Penélope Cruz ha hecho diversos ___ (*actor*) que muestran su gran talento.

10. En 1997, la película y la música de *Buena Vista Social Club* mostró las vidas y las carreras de algunos ___ (*música*) cubanos de los años 40 en Cuba.

Cita

Hija de una isla rica, esclava de una sonrisa, soy calle y soy carnaval, calle, corazón y tierra, mi sangre es de azúcar negra, es amor y es música. ¡Azúcar!

—Letra de la canción "Azúcar negra" de Celia Cruz (1929–2003), cantante cubana, Reina de la Salsa

¿Conoce a Celia Cruz, su famoso grito de "¡Azúcar!" y su música? ¿Conoce a otros músicos con expresiones peculiares? ¿Quiénes son, y qué dicen? ¿En qué consiste ser "reina" o "rey" de la música? ¿Quiénes son otros reyes o reinas de la música? Comparta sus respuestas con un/a compañero/a.

¡Dato curioso!

¿Sabía que Diego de Silva y Velázquez, pintor español (1599–1660), pintaba retratos de la corte del rey Felipe IV para ganarse la vida? En la vida artística de este gran pintor hay tres nombres claves: El Greco, que tenía ya 70 años cuando el joven Velázquez lo visitó en su estudio de Toledo; el pintor italiano Caravaggio (1573–1610); y Pedro Pablo Rubens, pintor flamenco (1577–1640). De todos Velázquez aprendió técnicas importantes.

Celia Cruz

Compare

¿Cuáles son los dos cantantes más influyentes de los últimos años en los EE.UU. en música country? ¿Y de otros dos tipos de música? ¿Y los pintores? ¿Y los bailarines? Compare su estilo e influencia con la de algún artista latino.

Nota cultural

Celia Cruz nació en La Habana, Cuba. En 1960, dejó su tierra natal y se mudó a los Estados Unidos. Ella grabó varias canciones con el maestro Tito Puente, el Rey de los Timbales y músico de salsa y de jazz latino. Juntos despertaron en el público norteamericano y europeo un gran interés por la música salsa. Miles de compatriotas cubanos desfilaron, en Miami y Nueva York, ante los restos de Celia después de que falleciese el 16 de julio de 2003, a los setenta y ocho años de edad. La reina de la salsa recibió sepultura en el cementerio Woodlawn en el Bronx, Nueva York.

Answers

20 7. bailes; 8. La pintora, muralista; 9. la actriz, papeles; 10. músicos

Instructional Notes

After students discuss the *Cita* with their partners, take a survey to see which singers they considered to be *reyes* and *reinas* of music.

You might want to bring in some art books that have representative works by the artists mentioned in the *Dato curioso* and ask the students to compare the styles among these painters.

Additional Activities

Canción
See p. TE26.

21 Frida

Lea el siguiente artículo con atención, fijándose en las palabras en azul, ya que se le harán preguntas sobre ellas.

Los mundos de Frida Kahlo

Con un enfoque único de la obra de una de las artistas más representativas del siglo XX, el Museo de Arte de Ponce, Puerto Rico, (MAP), presenta la muestra "Frida Kahlo y sus mundos". Más de 250 objetos presentes en esta exhibición evidencian la gran influencia que ejerció el trabajo de la mexicana en el arte popular. Las 21 pinturas sobre tela, metal, madera y papel, 16 dibujos, diez bocetos y dos grabados y acuarelas elaboradas por Kahlo desde 1925 integran esta muestra, además de la obra de otros artistas como Diego Rivera, Rufino Tamayo, Abraham Ángel, Hemernegildo Bustos, José María Velasco, Guillermo Kahlo, entre otros. "El positivismo, una enseñanza popular", "El estudio fotográfico y el retrato" y "La educación cultural y artística" son los títulos de tres de las cinco secciones que conforman la exposición. Cada una de ellas refleja las influencias y la evolución del arte de Kahlo. La primera presenta cómo el desarrollo del sistema educativo post revolucionario mexicano predominó en el trabajo de la artista. Dentro de las obras destacadas en esta sección se encuentran los bocetos de José María Velasco, que hacen alusión al desarrollo evolutivo de las especies basado

Kahlo: *Raíces*

en la teoría "darwiniana". En "Diego Rivera, Frida Kahlo y el arte popular", otra de las secciones presentes, se muestran objetos de arte folklórico, trajes indígenas tradicionales y joyería y cerámica precolombina, que eran coleccionados por Kahlo y Rivera para posteriormente representarlos en sus trabajos. También se pueden apreciar obras como *Autorretrato en la frontera de México y Estados Unidos* y *Allí cuelga mi vestido* realizados por la mexicana durante el período que acompañara a su esposo en sus viajes a Estados Unidos para pintar murales. Las dos últimas secciones están conformadas por fotografías de primera clase de Kahlo en su reconocida Casa Azul, que se convirtiera en museo después de su muerte.

Investigue palabras clave: Frida Kahlo

22 Amplíe su vocabulario

Mire las palabras de la primera columna, que aparecen en el artículo anterior, y busque su definición o sinónimo en la segunda.

1. enfoque
2. ejercer
3. tela
4. boceto
5. grabado
6. acuarela
7. conformar
8. obra destacada
9. traje indígena
10. posteriormente
11. autorretrao
12. realizado

a. ropa típica de un país
b. retrato que se hace uno de sí mismo
c. tener
d. después
e. pruebas que hace un artista con un dibujo antes de su obra final
f. forman, constituyen
g. hecho, llevado a cabo
h. forma en la que se trata un problema
i. tejido, material con el que haces ropa o un lienzo
j. arte en el que se graba o inscribe sobre una superficie
k. importante trabajo
l. pintura realizada con colores diluidos en al agua

23 ¿Ha comprendido?

1. ¿Por qué escogió el Museo de Arte de Ponce, Puerto Rico, la obra de Frida Kahlo?
   a. Ya tiene una gran colección de su obra en el museo y era lógico escogerla.
   b. Hay mucha variedad en la obra de Frida Kahlo.
   c. La obra de Frida Kahlo es muy exclusiva, según el museo, y quería presentar a un solo artista.
   d. La obra de Frida Kahlo influyó mucho en el arte popular.

2. ¿Cuántas secciones en total hay en la muestra?
   a. Dos
   b. Tres
   c. Cuatro
   d. Cinco

3. ¿Cuál es el tema de la primera sección de la obra de Frida Kahlo?
   a. La enseñanza como influencia sobre Frida
   b. Recuerdos de su casa donde creció
   c. La revolución mexicana
   d. El darwinismo

4. ¿Cuál es el tema de otra sección de la obra de Frida Kahlo?
   a. Los autorretratos
   b. El arte folklórico
   c. El darwinismo
   d. Todas las respuestas anteriores

5. ¿Cuántos mundos de Frida Kahlo están presentes en la muestra?
   a. Dos
   b. Tres
   c. Cinco
   d. No se precisa.

6. Si tuviera que consultar otra fuente, ¿cuál de estos libros consideraría más interesante para escribir sobre lo que leyó?
   a. Frida Kahlo y la fotografía
   b. Casas azules famosas
   c. Las influencias y la evolución del arte de Frida
   d. Las joyas y cerámica precolombinas

Cita

Los espejos sirven para verse la cara, el arte para verse el alma.
—Frida Kahlo (1907–1954), pintora mexicana

Frida empezó a pintar durante una larga convalecencia después de sufrir un trágico accidente. Pintaba imágenes de su cuerpo destrozado con expresiones alucinantes, y a veces brutales. ¿Qué revela esto del alma de Frida? Busque sus obras en Internet y úselas para contestar la pregunta. Comparta su opinión con un/a compañero/a.

Answers

24 1. la; 2. toca; 3. la; 4. la quinta; 5. ambos;
6. consultados; 7. sobrepasando; 8. cuya; 9. ganadora;
10. culminar; 11. sigue; 12. incluyen; 13. basó; 14. la;
15. ellos; 16. fue; 17. lo

 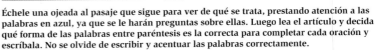
Échele una ojeada al pasaje que sigue para ver de qué se trata, prestando atención a las palabras en azul, ya que se le harán preguntas sobre ellas. Luego lea el artículo y decida qué forma de las palabras entre paréntesis es la correcta para completar cada oración y escríbala. No se olvide de escribir y acentuar las palabras correctamente.

Televisión hispana busca captar más audiencia con nueva programación

Las grandes cadenas de televisión en español de Estados Unidos presentaron esta semana una nueva programación para la próxima temporada, con __1.__ (*el*) que esperan aumentar su audiencia y, sobre todo, sus ingresos publicitarios. Los primeros en hacerlo fueron TV Azteca y Telemundo, y hoy le __2.__ (*tocar*) el turno a Univisión, que durante su presentación —para __3.__ (*el*) cual contó con varias de sus principales figuras—, inició con un musical tipo Broadway, e insistió a los representantes de agencias de publicidad que ellos son la mejor alternativa para colocar sus anuncios. Los principales ejecutivos de Univisión, desde su presidente Ray Rodríguez, destacaron las estadísticas que la colocan como la primera cadena en español y __4.__ (*el quinto*) en EE.UU. en __5.__ (*ambos*) idiomas, con 2,2 millones de televidentes entre los 18 y 49 años. En ese sentido, la empresa destacó además que en 146 de las 231 noches de esta temporada hasta la fecha, Univisión superó a ABC, CBS, NBC o Fox, captando la audiencia adulta entre los 18 y 34 años. Aunque las cadenas no comentan sobre el tema, analistas __6.__ (*consultado*) por el *Wall Street Journal* aseguran que con la presentación de hoy, Univisión busca generar hasta mil millones de dólares en publicidad, __7.__ (*sobrepasar*) la cifra de 850 millones del año pasado. Para la nueva temporada, __8.__ (*cuyo*) fecha de inicio no indicaron, la cadena anunció en primer lugar su programación deportiva, en particular el Mundial del Fútbol en Alemania, aunque no será hasta el verano del 2006, con una audiencia que se espera alcance los 45 millones de espectadores. También lo que ha sido su fórmula __9.__ (*ganador*), los melodramas, y para ello continuarán su relación con Televisa —socia fundadora de Univisión— pese a la disputa que involucra a ambas compañías y que incluye renuncias y una demanda en la corte federal de Nueva York por regalías. Rodríguez recordó, en conferencia de prensa al __10.__ (*culminar*) la presentación, que el contrato con Televisa __11.__ (*seguir*) vigente hasta el 2017, "por lo que seguiremos transmitiendo novelas" producidas por esa empresa. Televisa, el mayor productor de contenido para la televisión hispana, suple el 70 por ciento de la programación del horario estelar de Univisión, empresa en la que además tiene una participación cerca del 10,9 por ciento. Rodríguez aseguró que las renuncias de ejecutivos de Televisa a la junta de directores de Univisión (molestos por el nombramiento de Rodríguez) no afectará la programación que ofrecen a la comunidad latina. Los melodramas en horario estelar __12.__ (*incluir*) "El amor no tiene precio", producida en EE.UU., "Contra viento y marea", realizada en México y Latinoamérica, "Alborada", desarrollada en el México de los 1800, y "Piel de Otoño", con filmaciones en España. Mientras Univisión, empresa que además incluye Galavisión y TeleFutura, presentó una programación que no produce en su totalidad, Telemundo __13.__ (*basar*) su estrategia publicitaria en destacar precisamente sus propias producciones. Telemundo enfatizó en su presentación, también en Nueva York y un día antes que Univisión, que producirá o coproducirá los cuatro culebrones que formarán parte de su nuevo bloque en horario estelar. También producirá __14.__ (*el*) serie "Pedro Navaja", basada en la canción del cantautor panameño Rubén Blades. Alicia Falcón, gerente de Operaciones de Univisión, dijo que la cadena produce varios programas, entre __15.__ (*el*) destacó "Despierta América" y otros que presentan las cadenas hermanas. "Punto de encuentro", un programa de discusión y análisis que se transmite los domingos a cargo del periodista Jorge Ramos, "¡Ay qué noche!", con entrevistas exclusivas a personalidades, y los especiales "En exclusiva con Myrka Dellanos" y "Soñando contigo", que conducirá Cristina Saralegui, forman parte de lo nuevo de Univisión. También los premios Grammy Latino, el próximo 3 de noviembre, cuyo contrato de exclusividad __16.__ (*ser*) firmado hace dos semanas, y que antes presentó CBS. En cuanto a TeleFutura, __17.__ (*el*) nuevo incluye el espacio noticioso "En vivo y en directo", películas premiadas con un Oscar, la novela infantil "Sueños y caramelos" y deportes, mientras que en Galavisión debutarán el programa interactivo "Acceso máximo", "En profundidad", de análisis de noticias, y "El rastro del crimen". El evento de Univisión culminó con la presentación de David Bisbal y contó además con la ganadora de Objetivo Fama, Anaís Martínez.

www.laraza.com

25 ¿Qué significa?

Según el contexto del artículo anterior, empareje las palabras de la primera columna con su traducción correspondiente en la segunda.

1. temporada	a. long and melodramatic soap opera
2. ingresos publicitarios	b. to put or place
3. tocar el turno	c. sister channels
4. colocar	d. come hell or high water
5. sobrepasar	e. to continue to be in force
6. pese a	f. singer-songwriter
7. involucrar	g. to surpass
8. renuncia	h. profits from ads
9. regalía	i. to emphasize
10. seguir vigente	j. led by
11. contra viento y marea	k. dawn
12. alborada	l. news slot
13. enfatizar	m. season
14. culebrón	n. in spite of
15. cantautor	o. royalty
16. cadenas hermanas	p. resignation
17. a cargo de	q. to be next
18. espacio noticioso	r. to involve

26 Lea, escuche y escriba/presente

Vuelva a leer el texto completo de la Actividad 24. Luego escuche "Radio hispana: un negocio que nadie se quiere perder" y tome las notas necesarias. Escriba un ensayo o haga una presentación en clase sobre "El público hispano: mercado abierto en la televisión y en la radio". No se olvide de citar las fuentes debidamente.

Cita

Un pintor es un hombre que pinta lo que vende. Un artista, en cambio, es un hombre que vende lo que pinta. Yo pinto las cosas no como las veo, sino como las pienso.
—Pablo Picasso (1881–1973), pintor español

 ¿Qué diferencia hay entre pintar lo que uno ve y pintar lo que uno piensa? Comparta opiniones con un/a compañero/a.

¡Dato curioso!

¿Sabía que después del gran éxito de *American Idol*, Sony Entertainment presenta *Latin American Idol* y así esperan unir a países latinos a través de la música? Se anticipa que toda Latinoamérica estará unida con un solo propósito: ver nacer al próximo ídolo de la canción en español. La música borra las fronteras y éste será un claro ejemplo de ello. El programa se estrenó en julio de 2006, en Buenos Aires, Argentina.

Compare

¿En qué series aparecen actores latinos? ¿Cree que tienen una gran presencia en la pantalla? ¿Qué series o programas cree que son de interés para la audiencia latina en los EE.UU.? ¿Qué piensa de los premios ALMA? ¿Piensa que son vistos por audiencia no latina? ¿En qué se diferencian los premios ALMA de los Oscares?

Teacher Resources

🎧 Activity 26

Answers

25 1. m; 2. h; 3. q; 4. b; 5. g; 6. n; 7. r; 8. p; 9. o; 10. e; 11. d; 12. k; 13. i; 14. a; 15. f; 16. c; 17. j; 18. l

Instructional Notes

26 Before students listen to the audio, you might want to review the following words with them: *radial*, related to the radio; *a corto y largo plazo*, in the short and long run; *flujo*, flow; *cadena*, chain; *ramo*, branch.

Cita
Ask students if they are familiar with the work of Picasso and encourage them to look for more information about his life, work, and the major events that took place during his lifetime. Urge them to take notes and keep this information available for the next two articles in this lesson.

Additional Activities

Composición
After students research Picasso's life and work, ask them to briefly explain why he is considered one of the most prominent artists of the twentieth century and why they think his style of painting changed through the years.

Trabajo de investigación
Ask some students to look for more information on *Latin American Idol* and make a brief presentation to the class. If they are familiar with *American Idol*, they should compare the two programs.

Juego
Ask students to play *El juego de la alarma*. See p. TE25.

Answers

27 1. adquirió; 2. sale; 3. por; 4. pintado; 5. fue;
6. francesa; 7. la; 8. explicaron; 9. es; 10. ha salido;
11. despierte; 12. sobre; 13. los; 14. estilo anterior

28 1. b; 2. a; 3. e; 4. d; 5. g; 6. f; 7. i; 8. c; 9. h

Instructional Notes

27 Before students start reading, ask them: *¿Han estado alguna vez en una subasta? Expliquen cómo se llevó a cabo. ¿Qué saben de las subastas de arte? ¿Quiénes comprarán el arte que se saca a subasta? En estas subastas, ¿qué saben Uds. de los precios de las obras de artistas muy famosos?*

When discussing the *Nota cultural* at the bottom of the page, re-direct students' attention to the photo on p. 420.

Additional Activities

Juego

Ask students to play *Lo tengo en la punta de la lengua*. See p. TE25.

---

27 Picasso

Lea el artículo y decida cuál de las palabras entre paréntesis es la correcta para completar cada oración. Después conteste las siguientes preguntas:

- ¿Cuál es el propósito del artículo y cómo lo resumiría en una frase?
- Si quisiera consultar otra fuente, ¿podría pensar en un posible título de una publicación?
- ¿Qué pregunta sería apropiada para hacerle al autor después de leer el artículo?

Un Picasso recuperado de los nazis, en subasta de arte moderno

Un retrato del período neoclásico del pintor español Pablo Picasso, robado por los nazis y luego restituido al coleccionista que lo __1.__ (*adquiría / adquirió*), es el plato fuerte de la temporada de subastas de arte [5]moderno que se inicia esta semana en Nueva York. *Tête et Main de Femme* (1921), un "ejemplo supremo" del llamado período neoclásico del maestro español, que __2.__ (*sale / salga*) a subasta el 4 de mayo, no tiene un precio de venta estimado __3.__ (*por / para*) los expertos [10]de Christie's, pero éstos creen que podría venderse por entre 13 y 15 millones de dólares. Este retrato de una mujer de enormes manos y mirada baja, __4.__ (*pintado / pintada*) con tonos ocres, __5.__ (*era / fue*) adquirido por el coleccionista francés Alphonse Kann en la Galerie [15]Simon de París, en 1923, y robado de su casa por los nazis en 1940, durante la ocupación de la capital __6.__ (*francés / francesa*). La obra pasó por otras manos hasta que fue restituida a la familia Kann en 2003, año en que __7.__ (*el / la*) vendieron a un coleccionista privado [20]que ahora la pone a la venta, __8.__ (*explicó / explicaron*) los especialistas de Christie's en una presentación a la prensa. Sotheby's también pondrá a la venta una obra de Picasso, titulada *Les Femmes d'Alger* (1955), que __9.__ (*está / es*) parte de la serie homónima integrada [25]por quince lienzos que plasman harenes de mujeres del Norte de África. La obra, con un precio estimado por los expertos de entre 15 y 20 millones de dólares, fue adquirida por los coleccionistas neoyorquinos John A. Cook y su esposa en 1962, y desde entonces [30]no __10.__ (*salió / ha salido*) a subasta, por lo que se espera que __11.__ (*despierta / despierte*) especial interés en el mercado. La pintura es una de las representaciones más detalladas de la serie de Picasso __12.__ (*sobre / en*) las mujeres de Argelia; en 1956 [35]la serie fue adquirida en su totalidad por __13.__ (*los / las*) coleccionistas Víctor y Sally Ganz por 212.000 dólares. En la venta de Christie's también destaca el óleo de Cézanne, *Les grands arbres au Jas de Bouffan*, un paisaje con valor estimado de entre 12 y [40]16 millones de dólares y que representa una ruptura con el __14.__ (*estilo anterior / anterior estilo*) de este máximo exponente del Impresionismo.

www.laraza.com

---

28 Amplíe su vocabulario

Mire las palabras de la primera columna, que aparecen en el artículo anterior, y busque su definición o sinónimo en la segunda.

1. recuperar	a. puja
2. subasta	b. devolver
3. restituir	c. separación
4. tonos ocres	d. tonos tierra
5. poner a la venta	e. reponer
6. lienzo	f. tela
7. plasmar	g. sacar al mercado
8. ruptura	h. figura máxima
9. máximo exponente	i. reflejar

Nota cultural

Guernica es un famoso cuadro de Pablo Picasso, pintado en los meses de mayo y junio de 1937, cuyo título alude al bombardeo del pueblo vascuence de Guernica, ocurrido el 26 de abril de dicho año, durante la guerra civil española. Fue realizado por encargo del gobierno de la República Española para ser expuesto en el pabellón español durante la Exposición Internacional de 1937 en París, con el fin de atraer la atención del público hacia la causa republicana en plena guerra civil española. En la década de 1940, puesto que en España se había instaurado el régimen dictatorial del General Franco, Picasso optó por dejar que el cuadro fuese custodiado por el Museo de Arte Moderno de Nueva York, aunque expresó su voluntad de que fuera devuelto a España cuando volviese al país la democracia. En 1981 la obra llegó finalmente a España. Se expuso al público primero en el Casón del Buen Retiro, y luego, desde 1992, en el Museo Reina Sofía de Madrid, donde se encuentra en exhibición permanente. Su interpretación es objeto de polémica, pero su valor artístico está fuera de discusión. No sólo es considerado una de las obras más importantes del arte del siglo XX, sino que se ha convertido en un auténtico "icono del siglo XX", símbolo de los terribles sufrimientos que la guerra inflige a los seres humanos.

29 Lea y escriba/presente

Vuelva a leer el artículo completo anterior. Luego escriba un ensayo o haga una presentación en clase sobre el tema "El valor del arte en las subastas de obras de arte".

30 Picasso

Lea el artículo y complete los espacios con las palabras adecuadas. Después conteste las siguientes preguntas:

- ¿Cuál es el propósito del artículo?
- ¿Cómo resumiría el artículo en una frase?

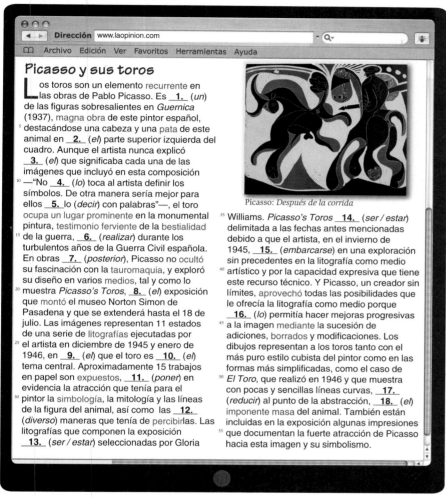

Picasso y sus toros

Los toros son un elemento recurrente en las obras de Pablo Picasso. Es **1.** (un) de las figuras sobresalientes en *Guernica* (1937), magna obra de este pintor español,
⁵ destacándose una cabeza y una pata de este animal en **2.** (el) parte superior izquierda del cuadro. Aunque el artista nunca explicó **3.** (el) que significaba cada una de las imágenes que incluyó en esta composición
¹⁰ —"No **4.** (lo) toca al artista definir los símbolos. De otra manera sería mejor para ellos **5.** lo (decir) con palabras"—, el toro ocupa un lugar prominente en la monumental pintura, testimonio ferviente de la bestialidad
¹⁵ de la guerra, **6.** (realizar) durante los turbulentos años de la Guerra Civil española. En obras **7.** (posterior), Picasso no ocultó su fascinación con la tauromaquia, y exploró su diseño en varios medios, tal y como lo
²⁰ muestra *Picasso's Toros*, **8.** (el) exposición que montó el museo Norton Simon de Pasadena y que se extenderá hasta el 18 de julio. Las imágenes representan 11 estados de una serie de litografías ejecutadas por
²⁵ el artista en diciembre de 1945 y enero de 1946, en **9.** (el) que el toro es **10.** (el) tema central. Aproximadamente 15 trabajos en papel son expuestos, **11.** (poner) en evidencia la atracción que tenía para el
³⁰ pintor la simbología, la mitología y las líneas de la figura del animal, así como las **12.** (diverso) maneras que tenía de percibirlas. Las litografías que componen la exposición **13.** (ser / estar) seleccionadas por Gloria

Picasso: *Después de la corrida*

³⁵ Williams. *Picasso's Toros* **14.** (ser / estar) delimitada a las fechas antes mencionadas debido a que el artista, en el invierno de 1945, **15.** (embarcarse) en una exploración sin precedentes en la litografía como medio
⁴⁰ artístico y por la capacidad expresiva que tiene este recurso técnico. Y Picasso, un creador sin límites, aprovechó todas las posibilidades que le ofrecía la litografía como medio porque **16.** (lo) permitía hacer mejoras progresivas
⁴⁵ a la imagen mediante la sucesión de adiciones, borrados y modificaciones. Los dibujos representan a los toros tanto con el más puro estilo cubista del pintor como en las formas más simplificadas, como el caso de
⁵⁰ *El Toro*, que realizó en 1946 y que muestra con pocas y sencillas líneas curvas, **17.** (reducir) al punto de la abstracción, **18.** (el) imponente masa del animal. También están incluidas en la exposición algunas impresiones
⁵⁵ que documentan la fuerte atracción de Picasso hacia esta imagen y su simbolismo.

Answers

30 1. una; 2. la; 3. lo; 4. le; 5. decir; 6. realizada; 7. posteriores; 8. la; 9. las; 10. el; 11. poniendo; 12. diversas; 13. fueron; 14. está; 15. se embarcó; 16. le; 17. reducidas; 18. la

Instructional Notes

30 Have the students refer to their notes on Picasso and, if appropriate, ask them to do more research on his painting *Guernica*, the Spanish Civil War, and his fascination with depicting *la corrida*.

Additional Activities

Inserte una frase
See p. TE27.

Nota cultural

En mayo de 2004 se vendió el cuadro más caro de Picasso en una subasta: *Garçon à la pipe* (*Niño con pipa*). El precio fue $93 millones, y con las comisiones salió por $104.1 millones. Generalmente la casa de subastas cobra el 20% de los primeros $200.000, y a partir de esta cifra cobran el 12%. Fue todo un récord para un Picasso, superando el precio de $55 millones en 2000 por otro cuadro suyo.

Investigue palabras clave:
Pablo Picasso, Guernica, Guerra Civil española, Picasso y los toros

31 Amplíe su vocabulario

Según el contexto del artículo anterior, ¿cuál es la mejor definición o sinónimo de cada palabra?

1. recurrente
   a. actual
   b. moderno
   c. repetido
   d. profundo

2. magna obra
   a. libro muy grande
   b. cuadro extraordinario
   c. empresa espaciosa
   d. función ilustre

3. pata
   a. pie y pierna de un animal
   b. nariz de un animal
   c. forma femenina de pato
   d. pierna pequeña

4. ocupar un lugar prominente
   a. estimar
   b. señalar sutilmente
   c. tener fama
   d. destacarse

5. testimonio ferviente
   a. confirmación apasionada
   b. justificación débil
   c. prueba sin pasión
   d. explicación ridícula

6. bestialidad
   a. amistad
   b. crueldad
   c. sensibilidad
   d. suavidad

7. ocultar
   a. aparecer
   b. mostrar
   c. descubrir
   d. esconder

8. tauromaquia
   a. relacionado con las máquinas
   b. relacionado con los toros
   c. expresión artística
   d. ninguna de las respuestas anteriores

9. medio
   a. forma
   b. condición artística
   c. artista
   d. bosquejo

10. montar
    a. pagar
    b. alquilar
    c. recoger
    d. organizar

11. litografía
    a. óleo
    b. acuarela
    c. dibujo
    d. arte de reproducir dibujos

12. expuesto
    a. protegido
    b. exhibido
    c. escondido
    d. omitido

13. simbología
    a. uso de perspectivas diferentes
    b. uso de lienzos diferentes
    c. uso de símbolos
    d. uso de colores para expresar emociones

14. percibir
    a. ignorar
    b. oler
    c. sentir
    d. distinguir

15. aprovechar
   a. emplear   b. perder
   c. disminuir   d. dañar

16. mediante
   a. para   b. por
   c. desde   d. hacia

17. borrado
   a. producto final   b. óleo
   c. tachado   d. raya

18. imponente masa
   a. conjunto minúsculo   b. conjunto grandioso
   c. unidad imperceptible   d. totalidad mediana

32 Lea, escuche y escriba/presente

Vuelva a leer los dos artículos completos sobre Picasso, y luego escuche "MoMA restaura *Las señoritas de Aviñón*" y tome las notas necesarias. Escriba un ensayo o haga una presentación en clase sobre "Pablo Picasso: maestro del siglo XX". Si quiere, busque más información sobre el arte de Picasso en Internet. No se olvide de citar las fuentes debidamente.

Cita

La única diferencia entre un loco y yo, es que el loco cree que no lo está, mientras yo sé que lo estoy.
   —Salvador Dalí (1904–1989), pintor surrealista español

¿Conoce Ud. el arte de Dalí? Si no, busque muestras de su arte en Internet. ¿Es difícil de interpretar su arte? ¿Por qué? ¿Cree que Dalí estaba loco o, por el contrario, fue un valiente por actuar y pintar de la forma en que lo hizo? Comparta su opinión con un/a compañero/a.

Dato curioso

¿Sabía que Goya, además de ser pintor y dibujante, revolucionó la industria de los tapices, pintando escenas de la vida cotidiana en ellos? También fue un gran amante de las corridas de toros y en su vejez hizo una serie de grabados sobre la tauromaquia. Las figuras de estos grabados —hechas de memoria— son de un realismo increíble. Goya admiraba el peligro que afrontaba el torero y sentía cierta atracción hacia el riesgo.

Compare

A Dalí siempre le gustaba llamar la atención y escandalizar. ¿Puede pensar en cinco famosos/as en los EE.UU. que tienen o tuvieron una personalidad similar?

Goya: *La corrida*

Lección 8A   **437**

Teacher Resources

 Activities 8–16

Instructional Notes

34 Brainstorm with students the common themes in Spanish soap operas: social status (a poor girl falls in love with a rich man); a family business falling apart; a missing family member; revenge (jealousy, not loved by another person, death of an innocent person); someone trying to tell a secret or the truth.

Additional Activities

Look for a scene from a famous soap opera. Turn down the volume and ask the students to write a dialogue for the scene. Have them share in small groups or with the whole class. Then show the the scene again, this time with sound, so the students can make a comparison with their own dialogues.

¡A leer!

33 Antes de leer

¿Sabe algo de las telenovelas? ¿Le parecen interesantes? ¿Ha visto alguna o parte de alguna en un canal en español? Si así es, cuéntele a su compañero/a de qué se trataba y qué le pareció.

34 Las telenovelas

Lea con atención el siguiente artículo. Después conteste las siguientes preguntas:

- ¿Cuál es el propósito del artículo?
- ¿Cómo resumiría el artículo en una frase?
- Si quisiera consultar otra fuente, ¿podría pensar en un posible título de una publicación?
- ¿Qué pregunta sería apropiada para hacerle al autor después de leer el artículo?

El impacto de las telenovelas

El término es el resultado de la fusión de las palabras: tele (de televisión) y novela (el género literario romántico). Es también conocida como teleromance, llamada novela de TV o simplemente novela en Brasil; teleteatro o tira en Argentina; culebrón (por su larga duración) en España y Venezuela; seriado (por la cronología) en Colombia.

El habla cotidiana en países latinoamericanos acepta el uso de novela como apócope para referirse a la obra
5 audiovisual. En Europa, se prefiere usar telenovela, con el fin de distinguir el trabajo audiovisual de la obra literaria.

Impacto económico
Las telenovelas se pueden comparar mejor al cine hollywoodense más que a las soap operas por la importancia económica que tienen en países como México, Colombia, Argentina o Brasil. Destinan grandes presupuestos sabiendo que obtendrán grandes beneficios. Sólo en 1997, las ventas de Televisa por telenovelas fueron aproximadamente 100 millones de dólares y en 2008 las ventas sumaron 400 millones de dólares, es decir sólo un
10 poco menos que los ingresos de la BBC de Gran Bretaña y comparables a los 500 millones de dólares en ventas de la estadounidense Warner Brothers. En muchos canales, las telenovelas actúan como una columna vertebral de la programación de la estación, ya que si éstas son exitosas, ayudan a mejorar los niveles de audiencia del resto de la oferta televisiva de la señal. Es ésta otra razón por la que las estaciones televisivas destinan grandes presupuestos en la producción de este tipo de programas.

15 Además las telenovelas son un producto de exportación en que los derechos de transmisión y los derechos de formato para su adaptación local son vendidos a otros países del mundo, generando aún más ganancias. Los países latinoamericanos que más exportan novelas al mundo son México, Argentina, Brasil y Colombia. Este último ha logrado posicionar en el mundo cerca de 84 historias, todas con un rotundo éxito. La telenovela colombiana *Yo soy Betty, la fea*, uno de los éxitos televisivos más grandes de la historia de los dramatizados, ha sido exportada a numerosos países y en
20 todos ha alcanzado elevados ratings de audiencia, incluso en el 2010 entró al libro de los Guinness World Records como la telenovela más exitosa de la historia. Entre sus muchas adaptaciones se encuentran: *La fea más bella* en México, *Ne rodis krasivoy* en Rusia, y *Ugly Betty* producida por Salma Hayek para la ABC de Estados Unidos.

Impacto cultural
Las telenovelas gozan de gran popularidad en toda América Latina y en países como Portugal, España, Europa del Este, África e incluso en China. De acuerdo con un reportaje de la Unesco, en Costa de Marfil muchas mezquitas
25 adelantaron sus horarios de oraciones durante 1999 para permitir a los televidentes disfrutar de la telenovela *Marimar*, protagonizada por la mexicana Thalía. Dos años antes, la misma actriz fue recibida en Filipinas con honores reservados para jefes de estado. En Rusia, querían que las actrices mexicanas Verónica Castro y Victoria Ruffo actuaran en comerciales para las elecciones de 1993. Estas dos actrices eran consideradas entonces las más populares de toda la historia de Rusia.

El papel social de las telenovelas
30 Sin atenernos a un país concreto, las telenovelas causan gran impacto en la sociedad. Por ejemplo, en Brasil hay una nueva tendencia en la que se tratan temas sociales a través de las telenovelas. Las investigaciones corroboran que esta fórmula funciona. Ya son muchos los países que las usan como herramienta para estos mensajes. El impacto ha sido muy positivo en la lucha de causas importantes como contra la propagación del SIDA, para

proteger el medio ambiente, para animar a las mujeres contra la violencia familiar, el control de la natalidad, ³⁵ animar a los mujeres a que se hagan revisiones para prevenir el cáncer de pecho, entre muchos otros. Para esto, los escritores son conscientes de que deben de escribir sobre estos temas de forma muy sútil y cuidadosa, ya que a nadie le gusta saber que está siendo aleccionado como si estuviera en una clase.

35 Amplíe su vocabulario

Mire las palabras de la primera columna, que aparecen en el artículo anterior, y busque su definición o sinónimo en la segunda.

1. sumar
2. destinar
3. presupuesto
4. generar
5. rotundo
6. reportaje
7. oración
8. fórmula
9. herramienta
10. animar
11. prevenir
12. cuidadoso
13. aleccionado

a. producir
b. prever
c. agregar
d. instruido
e. estimular
f. estimación
g. informe
h. rezo
i. meticuloso
j. instrumento
k. trajante
l. asignar
m. regla

36 ¿Ha comprendido?

1. El término culebrón hace referencia a…
   a. la naturaleza maligna de los personajes.
   b. los temas de las telenovelas.
   c. la gran cantidad de capítulos.
2. Se destinan grandes presupuestos a la producción de telenovelas debido a…
   a. que sirven para aleccionar a los televidentes.
   b. que mejoran la oferta televisiva de la cadena.
   c. se genera un gran impacto cultural de la población.
3. *Betty, la fea* entró en el libro de los *Guinness World Records* en el año 2010 por…
   a. haber sido la telenovela más adaptada.
   b. haber sido la telenovela más exitosa.
   c. haber sido la más rentable económicamente.
4. En Brasil, se han utilizado telenovelas para…
   a. educar a la sociedad.
   b. manipular a la población políticamente.
   c. hacer que la población se sienta mejor.
5. Los escritores de telenovela deben escribir sobre ciertos temas de forma muy cuidadosa…
   a. porque el público no posee mucha cultura.
   b. porque el público no debe ser consciente de estar siendo educado.
   c. porque los televidentes no quieren saber sobre temas sociales.

37 ¿Cuál es la respuesta?

Conteste las siguientes preguntas.

1. ¿En qué sentido son las telenovelas comparables a las series de Hollywood? ¿Son realmente comparables?
2. ¿Por qué querían algunos políticos rusos utilizar la imagen de actrices de telenovelas mexicanas en sus comerciales? ¿Piensa que era una buena idea?
3. ¿En qué temas se ha podido concienciar a la población? ¿De qué forma pueden servir las telenovelas para estos fines? ¿Cómo pueden ser incorporados estos temas en los episodios?

Lección 8A **439**

Additional Activities

Juego
Ask students to play *Lo tengo en la punta de la lengua.* See p. TE25.

Answers

38 Answers will vary.

Instructional Notes

38 As an option, ask students to write a short composition that answers these questions.

40 You might want to make this a whole-class discussion.

41 Ask students to cite examples of commercialism "gone astray" with respect to brand names and images of celebrities. Ask: *¿Debe haber límites a la comercialización de productos relacionados con personalidades del mundo de las artes? ¿Por qué?*

Additional Activities

Ask the students to look online for objects that have been commercialized under the name "Frida" or "Frida Kahlo". Then you could ask the following questions to encourage students to share in small groups what they found: *¿Cuáles son los favoritos? ¿Y los más absurdos? ¿Por qué creen que se ha comercializado tanto a Frida y no a otros artistas? ¿A qué artista le gustaría comercializar? ¿Qué tres objetos vendería? ¿Cómo sería el diseño?*

---

38 ¿Qué piensan?

¿Piensa que es una buena idea utilizar las telenovelas para educar a la población menos culta? ¿Cuáles son los aspectos positivos de esta cuestión? ¿Hay aspectos negativos? ¿Hay series televisivas norteamericanas que educan a la población? ¿Qué temas sociales sugeriría? Comparta su opinión con un/a compañero/a.

39 Y ahora. . . escriban y actúen

En grupos de tres elijan uno de los temas presentados a continuación y preparen una escena de una telenovela para representar delante de la clase. Elijan los personajes y no olviden que su objetivo es aleccionar a su público.

1. Control de la natalidad
2. La violencia en casa

40 Antes de leer

¿Cómo cree que alcanzan la fama los artistas? ¿Se debe sólo al talento, o influyen también los contactos que tienen en el mundo del arte, el apoyo de la familia o la época en qué pintan? Dé ejemplos. ¿Qué importancia tiene el papel de los críticos en el éxito de los artistas?

41 Frida Kahlo

Lea con atención el siguiente artículo. Después conteste las siguientes preguntas:

- ¿Cuál es el propósito del artículo?
- ¿Cómo resumiría el artículo en una frase?
- ¿Qué pregunta sería apropiada para hacerle al autor después de leer el artículo?

Crítica de arte reprueba comercialización de Frida Kahlo

La crítica de arte mexicana Raquel Tibol, quien conoció de cerca los últimos años de vida de la artista mexicana Frida Kahlo, reprobó la comercialización de que ha sido objeto la pintora
[5] en los últimos tiempos. En una entrevista, la escritora de origen argentino lamentó el uso que los familiares de Kahlo, en particular su sobrina nieta Mara de Anda, han hecho de los derechos que tienen sobre el nombre de "Frida",
[10] transformado en una marca. Tibol considera que la reciente comercialización de una muñeca con ese nombre es un ejemplo más de los múltiples negocios que está impulsando de forma "vulgar" y "oportunista" la familia. "Hay muchas maneras
[15] de sobrevivir sin hacer negocios tan abyectos", dijo Tibol, quien lamentó que además de tequilas y muñecas marca "Frida" se estén vendiendo incluso "calzones" (ropa interior femenina). Tibol cuenta que conoció a Frida en 1953, poco
[20] antes de que a la artista le amputaran la pierna en agosto de ese año, cuando la escritora comenzó a colaborar con Diego Rivera, esposo de la pintora, como secretaria. La de entonces "era una Frida muy dolida, que se drogaba en exceso.
[25] Sin embargo, tenía un encanto y una posibilidad de embelesar a todos a su alrededor", confesó. Para el centenario del natalicio de la pintora, Tibol está preparando una nueva edición de *Las escrituras de Frida Kahlo*, uno de sus libros.

³⁰Explicó que la primera edición de ese libro se basó en 150 documentos de Frida, que luego aumentó en nuevas ediciones y que ahora ascienden a 300. "Los documentos ya están en manos de la editorial para integrarlos a la nueva ³⁵edición", dijo. "Hay muchas sorpresas, pero prefiero no adelantar nada. Hay que esperar a que esté el libro", aseguró. Anoche, dentro de las actividades de la Feria del Libro que se celebra en el Palacio de Minería de la capital ⁴⁰mexicana, conversó con el público mexicano sobre otro de los que ha escrito, *Frida Kahlo en su luz más íntima* (Lumen, 2005), una reedición de *Frida Kahlo: una vida abierta* (Oasis, 1983).

Frida Kahlo (1907–1954) nació y murió en el ⁴⁵barrio de Coyoacán, al sur del Distrito Federal. Su verdadero nombre era Magdalena Carmen Frida Kahlo Calderón y empezó a pintar durante una larga convalecencia del accidente que sufrió cuando era adolescente. Como artista, ⁵⁰primero fue realista y pintó retratos de amigos y familiares, flores y otros temas. Luego, a causa del dolor y los nuevos sentimientos que vivió con un cuerpo destrozado por un accidente de tránsito que la dejó semi-inválida, ⁵⁵pintó más y más su propia imagen combinada con expresiones oníricas a veces brutales. Así, se transformó en una pintora surrealista, cuya obra estaba centrada en los sentimientos femeninos más íntimos y en el dolor. En 1938 ⁶⁰montó su primera exposición individual en la Julien Levy Gallery de Nueva York. En la actualidad, instituciones de la importancia del Museo de Arte Moderno de Nueva York y el Georges Pompidou de París alojan obras suyas.

www.laraza.com

42 Amplíe su vocabulario

Según el contexto del artículo anterior, empareje las palabras de la primera columna con su correspondiente sinónimo o definición entre las palabras de la segunda.

1. crítica
2. en los últimos tiempos
3. lamentar
4. los derechos
5. marca
6. muñeca
7. vulgar
8. oportunista
9. amputaran
10. dolido
11. tenía un encanto
12. ascienden a
13. destrozado
14. semi-inválida
15. alojar

a. grosero
b. juguete
c. suben a
d. control legal
e. persona que sabe aprovechar
f. albergar
g. atormentado
h. en los años pasados
i. que juzga las cualidades de una obra
j. que casi no puede andar
k. quejarse
l. cortar
m. tener atractivo, seducir
n. fragmentado
o. algo de uso exclusivo

43 ¿Qué son?

Trabaje con un/a compañero/a y escriban oraciones completas que expliquen cada una de las siguientes ideas en el contexto del artículo.

1. La comercialización
2. Una marca
3. Oportunista
4. Una larga convalecencia
5. Artista realista
6. Pintora surrealista

Answers

44 1. d; 2. b; 3. d; 4. d; 5. b; 6. c

Instructional Notes

45 Before students listen to the audio, you might want to review the following words with them: *gallego*, Galician (region of Spain); *poliomielitis*, polio; *cojo*, lame; *cadera*, hip; *matriz*, uterus/womb; *postrado*, laid up; *fallecer*, to die; *destacar*, to emphasize; *franquista*, related to General Francisco Franco, dictator of Spain, 1939–1975; *reforzar*, to reinforce.

Additional Activities

Los premios
See p. TE28.

---

44 ¿Ha comprendido?

1. ¿Cuándo conoció la crítica de arte a Frida Kahlo?
   a. Cuando eran niñas
   b. Cuando se casó con Diego Rivera
   c. En una muestra de su arte
   d. Poco antes de su muerte

2. ¿Qué productos comerciales llevan el nombre de Frida?
   a. Juguetes y alcohol
   b. Alcohol, juguetes y ropa
   c. Cuadros, juguetes y ropa
   d. Cuadros, juguetes, ropa y alcohol

3. ¿Quiénes se oponen a la comercialización del nombre de Frida?
   a. Los familiares
   b. Los críticos de arte
   c. Los artistas
   d. Ninguna de las respuestas anteriores

4. ¿Por qué le amputaron una pierna a Frida?
   a. Le dolía demasiado.
   b. Tenía cáncer.
   c. Usaba muchas drogas en esta época.
   d. No se precisa.

5. ¿Por qué pintó Frida escenas tan brutales?
   a. Quería mostrar cosas desagradables en sus cuadros.
   b. Quería representar su realidad en sus cuadros.
   c. Tenía el cuerpo semi-inválido y no podía pintar de otra manera.
   d. Todas las respuestas anteriores

6. Si quisiera consultar otra fuente, ¿cuál de estos artículos consultaría?
   a. Los temas políticos en la obra de Frida Kahlo
   b. El miedo y Frida
   c. El dolor y su representación artística
   d. El abandono y la fantasía

45 Lea, escuche y escriba/presente

Vuelva a leer los dos artículos anteriores sobre Frida Kahlo. Luego escuche "Inaugurada mayor exposición en España de obras de Frida Kahlo" y tome las notas necesarias. Luego escriba un ensayo o haga una presentación en clase sobre "El arte y la vida de Frida Kahlo". Si lo desea, busque más información en Internet sobre la vida y el arte de esta artista mexicana. No se olvide de citar las fuentes debidamente.

¡A escuchar!

46 Cristina Saralegui

Esta grabación es sobre la famosa Cristina Saralegui y el premio que recibió por su labor humanitaria. La grabación dura aproximadamente 3.5 minutos. Escuche "Cristina Saralegui premiada como humanitaria". Luego escoja la mejor respuesta para cada pregunta. Después piense en cuál sería una pregunta apropiada para hacerle a Cristina Saralegui y el posible título de una publicación si quisiera consultar otra fuente.

1. ¿Por qué recibió Cristina Saralegui este premio?

   a. Por su labor humanitaria y su visión mundial
   b. Por su programa para los hispanohablantes
   c. Por su organización Mujeres en el Cine y la Televisión Internacional
   d. Por su promoción del cine y la televisión latinoamericana

2. ¿Qué es Celebración Latina?

   a. Un programa de televisión
   b. Una fiesta y una ceremonia
   c. Una película
   d. Todas las respuestas anteriores

3. ¿Qué forma parte de la Celebración Latina?

   a. Una película de la televisión hispana
   b. Un concurso de cine
   c. Una competencia hispana en la televisión
   d. Ninguna de las respuestas anteriores

4. ¿Quiénes estarán presentes durante la Celebración Latina?

   a. Afanes del cine
   b. Invitados importantes
   c. Deportistas
   d. Las respuestas a y b

5. ¿De qué nacionalidad es la presentadora del premio?

   a. Es neozelandesa.
   b. Es hispana.
   c. Es española.
   d. No se precisa.

6. ¿Quién es activista social y luchadora en contra del SIDA?

   a. Cristina Saralegui
   b. Fiona Milburn
   c. Las dos señoras
   d. Ninguna de estas señoras

Cristina Saralegui

Lección 8A 443

Answers

46 1. a; 2. b; 3. d; 4. b; 5. a; 6. a

Instructional Notes

46 Before students listen to the audio, you might want to review the following words with them: *presentadora*, talk-show hostess; *cineasta*, filmmaker; *estelar*, star.

Additional Activities

Las noticias de hoy
See p. TE28.

Answers

47 *Ejemplos:*

1. Es un popular y veterano presentador chileno mejor conocido como "Don Francisco".
2. Recibió el homenaje por sus veinte años de presencia en la televisión hispana de Estados Unidos.
3. En Univisión y por 20 años
4. Él cierra la brecha entre la cultura latinoamericana y estadounidense.
5. Los 20 primeros en la Corporación de Televisión de la Universidad Católica de Chile y los otros en los Estados Unidos
6. Quiere decir que sólo el físico, la salud, la capacidad intelectual o la cuota de pantalla obligan a uno a jubilarse, pero si uno logra entretener, informar y orientar, va a seguir adelante.
7. Agradece a los esfuerzos de los congresistas, la comunidad hispana y Univisión. También agradece a sus compañeros detrás de las cámaras y al público fiel.
8. Informar sobre el personaje de "Don Francisco"

---

47 "Don Francisco"

Esta grabación es sobre el homenaje que recibió el famosísimo presentador de televisón Don Francisco. La grabación dura aproximadamente 3.5 minutos. Antes de escuchar "'Don Francisco' recibe homenaje de congresistas" repase las palabras del recuadro. Luego conteste las siguientes preguntas con oraciones completas. Después piense en cuál sería una pregunta apropiada para hacerle a "Don Francisco".

la escalinata *step*	**emitir** *to broadcast*	**el compromiso** *pledge, commitment*
cerrar la brecha *to close the gap*	**merecedor** *deserving*	**entretener** *to entertain*
tras *after*	**fiel** *loyal*	

1. ¿Quién es Mario Kreutzberger?
2. ¿Por qué recibió un homenaje de los congresistas estadounidenses?
3. ¿Dónde y por cuántos años ha aparecido su programa *Sábado gigante*?
4. Según la congresista de la Florida, ¿qué brecha cierra "Don Francisco" con su programa?
5. ¿Dónde ha pasado "Don Francisco" sus 44 años en la televisión?
6. Explique la oración de "Don Francisco": "Nadie se retira".
7. ¿A qué dos grupos agradece "Don Francisco"?
8. ¿Cuál es el objetivo de la grabación?

"Don Francisco"

48 Participe en una conversación 🎧

Ud. va a participar en una conversación. Primero lea la descripción de la conversación y piense en algunas palabras o expresiones que le serían útiles. Organice sus ideas, haciendo predicciones sobre lo que se le pueda preguntar o comentar. Una descripción de lo que va a escuchar aparece abajo en color. Participe en la conversación grabando las respuestas o escribiéndolas en su cuaderno.

Escena: Su tía, quien tiene unos cincuenta años, le habla de los cambios en la música contemporánea. Conteste sus preguntas.

Su tía: Empieza la conversación y le hace una pregunta.

Ud.: • Conteste negativamente.

Su tía: Le hace un comentario sobre la música y le hace otra pregunta.

Ud.: • Dele detalles sobre lo que le pregunta.

Su tía: Le pregunta sobre sus gustos en la música.

Ud.: • Dele detalles sobre lo que le pide.

Su tía: Hace un comentario y le hace una pregunta.

Ud.: • Conteste y háblele sobre sus preferencias. Explique las razones.

Su tía: Se lo agradece y se despide.

Ud.: • Despídase. Haga un comentario o use una expresión nueva de la lección.

Audioscript Activity 48

Tía: ¡Hola! Acabo de comprar el nuevo CD de Julio Iglesias. ¿Quieres escucharlo conmigo?
[STUDENT RESPONSE]

Tía: Su nuevo CD tiene muchos tipos de canciones de cuando era niña. ¿Te gusta la música tradicional como la canta él?
[STUDENT RESPONSE]

Tía: Ah, comprendo. Pero toda esta música nueva, ¿te gusta? ¿Todo? ¿Cuáles son tus músicos favoritos hoy en día?
[STUDENT RESPONSE]

Tía: Mmmm, bien interesante. Pero no me gusta para nada. Ni puedo escuchar esas canciones en la radio. Tengo que cambiar la estación. ¿Las escuchas, de veras, en la radio?
[STUDENT RESPONSE]

Tía: De acuerdo y gracias, mi amor. Ahora sé lo que puedo comprarte para tu cumpleaños. Adiós y hasta pronto.
[STUDENT RESPONSE]

¡A escribir!

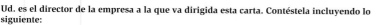

49 Texto informal: una carta

Ud. es el director de la empresa a la que va dirigida esta carta. Contéstela incluyendo lo siguiente:

- Escríbale una respuesta cordial.
- Dígale que quiere colaborar.
- Háblele de lo que su empresa hace.
- Pídale detalles sobre el desfile y los diseños.
- Exprese duda/precaución por el estilo de los diseños.
- Conteste las preguntas que le hace.
- Termine con una nota optimista.

> Estimado señor:
>
> Me llamo Alicia García y le escribo en nombre de nuestra escuela Pino Alto. Nuestra escuela tiene unos mil estudiantes, y contamos con una fantástica asociación de padres que ayuda a los estudiantes en viajes, asambleas, materiales escolares y otras actividades para ayudarnos a mejorar nuestra educación. Durante el año, tratamos de recaudar fondos a través de otras actividades, como vendiendo tartas, haciendo bailes, limpiando coches cuando los padres vienen a los partidos y muchos otros eventos más.
>
> En esta ocasión nos gustaría pedirle a su empresa que colaborara para uno de ellos. Un grupo de talentosos estudiantes a los que les interesa mucho el diseño y la moda han propuesto hacer un desfile de modelos. Sería una oportunidad increíble para ellos poder llevar a cabo este evento, al mismo tiempo toda la comunidad se vería beneficiada.
>
> Si estuviera interesado en hacer una donación, ¿podría contestar a esta carta diciendo cuánto podría subvencionar y cómo querría que se le diera publicidad a su empresa? Nos gustaría saber su opinión sobre nuestra propuesta y si tiene alguna pregunta.
>
> Atentamente,
>
> Alicia García
>
> Presidenta de la asociación de alumnos

50 Texto informal: un correo electrónico

Juan le ha mandado a Ud. un correo electrónico. Contéstele dándole detalles.

Enviar	Guardar ahora	Descartar

Para: amigo@emcp.com

Asunto: El baile flamenco

🔗 Adjuntar un archivo   Insertar: Invitación

Amigo,
Me han invitado a un espectáculo de flamenco. Tengo las entradas, pero la verdad es que no sé muy bien qué es eso. Tú sabes algo más del tema, ¿me lo podrías explicar? Es mañana por la noche. Si te apetece, podríamos ir juntos. ¡Te invito! Hace mucho tiempo que no te veo.
Un abrazo,
Juan

- Explíquele lo que es el flamenco.
- Exprese interés por este arte.
- Déle una excusa para no ir (no se lleva bien con su amigo últimamente).
- Anímele a asistir.

Teacher Resources

📝 Activity 19

Instructional Notes

49–52 Make sure students go over the expectations outlined in the *Pautas* on p. 480 before they prepare the writing activities on this page and the next.

Additional Activities

Corrija una carta
See p. TE26.

Instructional Notes

53 Monitor students' comments and corrections as they evaluate their classmates' work. If certain errors are being made repeatedly, go over this grammar with the class.

54 Because all students will speak, allow them time to prepare this activity. Be sure to tell students which issue and which side of the issue they will be debating, so that they can do some research and practice before their debate.

After students have debated these issues with a partner, you might want them to continue the debate in small groups, or even have a discussion with the whole class on one or two of these topics.

55 Encourage students to review the vocabulary at the end of the lesson in order to enhance their discussions. They need to pay attention to the grammar, pronunciation, and intonation, and use appropriate vocabulary to contradict or agree with their partner's comments. After students discuss these questions with a partner, you could hold a whole-class discussion on some of these topics.

Additional Activities

La noticia del día
See p. TE28.

---

51 Texto formal: un ensayo

Escriba un ensayo sobre los artistas que denuncian temas sociales o políticos a través del arte. Puede hablar de artistas como Picasso (y el *Guernica*) o Diego Rivera (y sus murales), entre otros. También puede compararlos con alguno en los EE.UU.

52 Texto formal: un ensayo

Escriba un ensayo sobre Pedro Almodóvar. Incluya detalles sobre sus comienzos, sus películas y su impacto en el cine. Busque alguna video-entrevista al director o sobre él en Internet, y cítela en su ensayo.

53 En parejas

Intercambie sus ensayos con los de un/a compañero/a. Exprésele su opinión sobre el contenido y el uso del idioma.

¡A hablar!

54 Charlemos en el café

Ud. va a debatir los siguientes temas con un/a compañero/a. Uno estará a favor de lo que se ha dicho y otro en contra. El debate durará varios minutos. El/La estudiante que esté de acuerdo comenzará el debate y hablará por unos dos minutos. Cuando el/la profesor/a lo indique, el/la otro/a estudiante tomará la palabra y expresará su opinión por otros dos minutos y así sucesivamente.

1. No todos tienen el don para poder apreciar el arte.
2. Todos deberían estudiar arte de manera obligatoria hasta que se gradúen de la universidad.
3. Albert Einstein tenía razon: "Los bailarines son los atletas de Dios".
4. Estoy totalmente de acuerdo con Oscar Wilde cuando dijo: "Ningún artista ve las cosas como son en realidad; si lo hiciera, dejaría de ser artista".
5. El requisito para la grandeza de un artista es su propia muerte.

55 ¿Qué opinan?

En parejas conversen sobre estas situaciones o preguntas.

1. ¿Qué piensa de los diferentes diseños que aparecen a diario en la página de Google? ¿Los considera arte?
2. ¿Es la moda un arte? ¿Hay algún diseñador que te guste?
3. ¿Cuál cree que es el edificio más famoso de EE.UU.?
4. ¿Qué opina del cine latinoamericano o el cine de España? ¿Quiénes son algunos actores y actrices de origen hispano? ¿Cree que serían más famosos si interpretaran papeles en inglés en el cine estadounidense? ¿Por qué?
5. ¿Cuáles son las cinco obras de arte que Ud. más valora del mundo?
6. ¿Cuál es la canción más bonita que jamás se ha escrito?

Cita

El cine latinoamericano es de los mejores que se hacen en el mundo, pues tiene contenido y calidad, aunque no cuenta con grandes presupuestos.
—Edward James Olmos (1947–), actor estadounidense de origen mexicano

¿Conoce algunas de las películas de Olmos, como *American Me* (1992), *My Family* (1995) y *Selena* (1997)? ¿Conoce alguna otra película latinoamericana? ¿Y española? ¿Puede nombrarlas? ¿Está de acuerdo con lo que dice Olmos? Comparta su opinión con un/a compañero/a.

Investigue palabras clave: cine latinoamericano

56 Presentemos en público

Haga una presentación oral sobre alguno de los temas listados abajo durante varios minutos en clase. Organice sus ideas antes de hacer la presentación, busque las palabras necesarias y, después de practicar, presente en clase sin mirar las notas.

1. El arte es como un naranjo, que precisa un suelo y un clima adecuados para florecer y dar fruto. Relate sus experiencias con el arte y use este símil para hacerlo.
2. "La música no se hace, ni debe hacerse jamás, para que se comprenda, sino para que se sienta": Manuel de Falla, compositor español (1876–1946). Escoja un tipo de música; preséntelo y explíquelo según la cita de Falla.
3. Haga una presentación sobre Indetex (su tienda más popular es Zara).
4. Haga una presentación sobre el flamenco, el tango o la salsa.
5. Hable sobre su cantante favorito en español y comparta la canción suya que más le gusta.

Proyectos

57 ¡Manos a la obra!

Trabaje en un grupo de cuatro o cinco estudiantes para llevar a cabo uno de los siguientes proyectos y presentarlo en clase.

1. Uds. son grandes expertos de la vida y obras de un artista hispano. Presenten al artista, o a la artista, a sus compañeros de clase. Hablen de su vida, el arte que ha producido y su impacto en el mundo artístico.
2. Uds. son grandes expertos de la vida y obras de un músico hispano. Presenten al músico, o a la música, a sus compañeros de clase. Hablen de su vida, la música que ha producido y su impacto en el mundo musical.
3. Hagan un anuncio para promover las artes en su comunidad. Decidan qué medios van a usar para hacer la publicidad, y a qué grupos ésta va dirigida: a los niños, los jóvenes, los adultos, los jubilados o a todo el mundo.
4. Van a crear un museo de bellas artes en su escuela o universidad. Decidan cuál de las bellas artes quieren representar y por qué, qué tipo de exposiciones piensan tener, cómo van a recaudar fondos para financiar los costos y quiénes van a exponer sus obras allí. No se olviden de ponerle un nombre al museo.

¡Dato curioso! Pocos imaginaron que el reggaetón, un género musical nacido en Panamá en 1989 como una versión en español del reggae jamaiquino, iba a terminar convirtiéndose en todo un fenómeno de ventas para la industria musical latina. Hoy día, el reggaetón tiene fama internacional debido a estrellas puertorriqueñas como el actor y productor Daddy Yankee.

El Palacio de Bellas Artes, México, D.F.

Lección 8A   **447**

Vocabulario

Verbos

agradecer	to thank
alegrar	to make happy
animar	to encourage
aportar	to contribute
construir	to build
destacarse	to stand out
diseñar	to design
doblar	to dub
donar	to donate
entretener	to entertain
filmar	to film
involucrar	to involve
lograr	to attain, achieve
otorgar	to grant, give
pintar	to paint
recuperar	to recover
retirarse	to retire
retrasar	to delay
subastar	to auction
superar	to excel

Verbos con preposición

verbo + a:

asistir a	to attend
sonar a	to sound like

verbo + en:

confiar en	to trust

Sustantivos

el	acero	steel
la	acuarela	watercolor
el	afán	zeal, eagerness
el/la	aficionado/a	fan, enthusiast
la	alegría	happiness
la	apertura	opening
el/la	arquitecto/a	architect
la	arquitectura	architecture
el	autorretrato	self-portrait
el/la	bailarín/bailarina	dancer
las	bellas artes	fine arts
la	belleza	beauty
el	beneficio	benefit, profit
el	boceto	sketch
el/la	cantante	singer
el/la	coleccionista	collector
el/la	compositor(a)	composer
el	contrincante	competitor, rival
la	crítica	critique, criticism
el/la	crítico/a	critic
la	danza	dance

el	dolor	pain
el	efecto	effect
la	encuesta	survey
el	enfoque	focus
la	escena	scene
el	escenario	stage
el/la	escultor(a)	sculptor
la	escultura	sculpture
el	espectáculo	show
el	estilo	style
el	fenómeno	phenomenon
el	fondo	fund
la	forma	form, shape
el	genio	genius
la	globalización	globalization
el	grabado	engraving
la	inspiración	inspiration
la	letra	lyric, word
el	lienzo	canvas
la	litografía	lithograph
el/la	maestro/a	master
la	manera	way
la	marca	brand name
el	marco	frame (of a painting)
el	medio	medium
la	moda	fashion
el	montaje	assembly, show
la	muerte	death
la	muestra	show, sample
el/la	muralista	muralist
la	música	music
el/la	músico/a	musician
el	óleo	oil painting
el	paisaje	landscape
la	pasarela	runway (fashion)
la	pasión	passion
el	presupuesto	budget
la	publicación	publication
el	rechazo	rejection
la	regalía	royalty
la	renuncia	resignation
el	ritmo	rhythm
la	ruptura	break
la	subasta	auction
el	subtítulo	subtitle
el	sueño	dream
la	tela	cloth, fabric
la	telenovela	soap opera
la	temporada	season
el	toque	touch, beat
la	tristeza	sadness

Adjetivos

abstracto, -a	abstract
artístico, -a	artistic
caribeño, -a	Caribbean
culto, -a	cultured, refined
divino, -a	divine
encantador, -a	charming
espectacular	spectacular
extravagante	extravagant
fiel	faithful, loyal
folclórico, -a	folkloric
impactante	shocking, powerful
incomprendido, -a	misunderstood
incomprensible	incomprehensible
influyente	influential
inspirador, -a	inspiring
inválido, -a	handicapped
judío, -a	Jewish
moderno, -a	modern
raro, -a	strange
rollizo, -a	stocky, plump
vivo, -a	lively
vulgar	vulgar

Expresiones

la cadena de televisión	TV station
la entrada libre	free admittance
escribir un guión	to write a script
el éxito taquillero	box-office hit
gozar de gran popularidad	to enjoy great popularity
hacer un papel	to act, play a part
el horario estelar	prime time
interpretar un papel	to play a (movie, television) role
la lucha contra el SIDA	the fight against AIDS
poner a la venta	to put up for sale
rodar una película	to film a movie
seguir vigente	to continue to be valid
según el punto de vista	according to (one's) point of view
ser de buena/mala calidad	to be of good/bad quality
ser la fuente de inspiración	be the source of inspiration
ser un fracaso	to be a failure
sin fronteras	without limits (borders)
tener gran éxito taquillero/televisivo	to be successful at the box office/on television

A tener en cuenta
Palabras compuestas

Las palabras compuestas se forman de varias maneras:

sustantivo + sustantivo:

el aguafiestas	party pooper, wet blanket
la bocacalle	street entrance
el camposanto	cemetery, graveyard
la telaraña	spider's web, cobweb

sustantivo + adjetivo:

boquiabierto	astonished, aghast
caradura	shameless, brazen
pelirrojo	redhead

verbo + sustantivo:

el abrebotellas	bottle opener
el abrecartas	letter opener
el abrelatas	can opener
el bajamar	low tide
el cascanueces	nutcracker
el paraguas	umbrella
el paracaídas	parachute
el pasamano	handrail, banister
el portafolios	briefcase
el portamonedas	pocketbook, coin purse
el portaviones	aircraft carrier
el quitamanchas	stain remover
el quitanieves	snowplow
el quitasol	sunshade, parasol
el rompecabezas	jigsaw puzzle

verbo + verbo:

el duermevela	nap, snooze
el hazmerreír	laughingstock
el vaivén	rocking, swaying motion; *pl.*, ups and downs

adverbio + verbo:

menospreciar	to despise, look down on

adverbio + adverbio:

anteayer	the day before yesterday

de varias funciones gramaticales:

el limpiaparabrisas	windshield wiper
el nomeolvides	forget-me-not
el sabelotodo	know-it-all

Instructional Notes

To encourage a discussion of some of the lesson's topics, ask students: *¿Existe el arte sólo en los museos? ¿En qué otros lugares pueden ver arte? Definan la palabra* artista. *¿Cómo se aplica esta definición a los músicos, escultores y cantantes? ¿Qué saben de las clasificaciones de películas? ¿Les han privado alguna vez estas clasificaciones de ver una película? Describan las circunstancias. ¿Qué tipo de música les gusta y por qué les gusta escucharla? ¿Debe haber clasificaciones en la música popular, como para las películas? ¿Por qué? Expliquen cómo refleja el arte los valores de una cultura —por ejemplo, ¿qué podemos aprender del imperio azteca a través de su arte?*

You might want to tell students that the photos on the page represent (from top to bottom): The main lobby of the Dalí Museum in Figueres, Spain; Dalí's surrealistic masterpiece *La persistencia de la memoria* (1931); a street vendor of, most likely, pirated CDs.

Additional Activities

Trabajo de investigación
Ask some students to find interpretations of Dalí's *La persistencia de la memoria* and share this information with the class.

Lección B

Objetivos

Comunicación
- Hablar de arte
- Discutir las clasificaciones de películas
- Hablar de la moda
- Hablar del cine
- Debatir sobre la controversia en el arte

Gramática
- Los pronombre relativos
- Las preposiciones
- El presente perfecto

"Tapitas" gramaticales
- la posición de los adjetivos
- las preposiciones
- el uso de *lo*
- el sufijo *-azo*
- el género de los sustantivos
- *sino* y *pero*
- la omisión del artículo
- formas apócopes
- los nexos

Cultura
- El arte moderno
- La Ruta Quetzal
- La ópera
- El arte para ciegos
- "Accidentes" millonarios
- Salvador Dalí
- La Oreja de Van Gogh
- Shakira y su obra social
- La moda de Zara
- Polémica en los museos
- El cine

Go online
EMCLanguages.net

Nota cultural

En *La persistencia de la memoria* se ve la bahía de un puerto catalán al amanecer. El paisaje es muy sencillo: el mar al fondo y, a la derecha, una montaña. Según el artista, se inspiró en un queso camembert cuando pintó los relojes, describiéndolos como "tiernos, extravagantes, solitarios y paranoico-críticos". Dijo Dalí sobre esta obra: "Lo mismo que me sorprende que un oficinista de banco nunca se haya comido un cheque, asimismo me asombra que nunca antes de mí, a ningún otro pintor se le ocurriese pintar un reloj blando".

Investigue palabras clave:
Salvador Dalí
Museo Dalí Figueres,
La persistencia
de la memoria

Para empezar

1 Conteste las preguntas 🧑🧑

Piense en las respuestas a las siguientes preguntas. Puede tomar notas si lo considera necesario. Cuando termine, compare sus respuestas —pero sin mirar sus notas— con las de un/a compañero/a.

1. ¿Existe el arte por el arte? ¿Piensa que los artistas esculpen o pintan cuadros para que las masas aprecien la vida y la belleza de nuestro mundo? ¿O piensa que lo hacen sólo para vender su arte, ganar fama y hacerse ricos?
2. ¿Cree que sólo la elite asiste a los espectáculos de las bellas artes como la ópera, conciertos de música clásica, el ballet y el teatro, o que van las masas también?
3. Para ser un artista legítimo, ¿es necesario que uno estudie en una Facultad de Arte? ¿Existe el arte callejero? ¿Son las pintadas (el graffiti) una forma de arte? ¿Por qué?
4. En general, ¿qué prefiere: el arte plástico o la música? ¿Por qué?
5. Si estuviera solo/a en una isla, ¿qué música llevaría? Identifique tres CDs que llevaría y explique por qué.
6. ¿Qué opina de las películas documentales? ¿Ha visto algunos documentales? ¿Cree que el objetivo de ellos es simplemente informar sobre un tema, o sirven de propaganda? Explique por qué piensa así. ¿Por qué no suelen tener mayor distribución?
7. ¿Qué opina de la piratería de los DVDs de películas? ¿Le parece un problema mundial o nacional? ¿Cómo se puede solucionar el problema?
8. ¿Qué opina de la piratería de los CDs de música? ¿Es un gran problema internacional? ¿Cómo se puede solucionarlo?
9. ¿Qué opina de la censura de las letras de los CDs de música? ¿Le parece bien que haya censura? ¿Por qué? ¿Cree que es buena idea incluir una advertencia en las etiquetas de los CDs si hay alguna letra "problemática"? ¿Por qué?
10. ¿Qué opina de la censura de las películas cuando las ponen en la televisión normal y corriente (o sea, no en el cable) o en los aviones? ¿Qué le parece más perjudicial para los chicos de 16 años: la desnudez (no pornográfica) o la violencia? ¿Por qué?

El Palacio de las Artes Reina Sofía, Valencia, España (obra de Santiago Calatrava)

Nota cultural

El Palacio de las Artes Reina Sofía se inauguró el 8 de octubre de 2005 en la ciudad mediterránea de Valencia. La combinación de acero y cristal en su construcción le da la sensación de ser un barco en movimiento. Está equipado con las tecnologías más modernas para que el público goce de la música, representaciones teatrales y muestras de pintura, escultura y otras manifestaciones artísticas en sus múltiples salas.

Answers

2 Dialogues will vary.

Instructional Notes

Cita

Bring in some art books that show the work of Picasso, Dalí, and Miró so students can see some of their representative pieces and talk about them.

Dato curioso

Ask students why they think some people would pay large sums of money to buy "paintings" done by a chimpanzee.

Additional Activities

Ask students to do *¡Pongámonos de acuerdo!* with the words in the word bank. See p. TE28.

---

2 Mini-diálogos

Ud. va a crear un mini-diálogo con un/a compañero/a. Lea la descripción de la conversación antes de empezar. Puede tomar notas para organizar sus ideas, pero no las mire mientras conversa. Le pueden servir las palabras del recuadro.

el retrato	el autorretrato	el paisaje	la naturaleza muerta
el dibujo	la acuarela	el óleo	colores vivos
colores oscuros	el fondo		

> **Escena:** En un museo de arte moderno, un/a amigo/a ("B") lo/la saluda mientras va caminando por las salas. Los dos tienen que escribir un informe sobre el arte para el próximo lunes.

A: Salude a su amigo/a y pregúntele por qué está en el museo.

B: Conteste, y pregúntele qué tipo de arte le gusta.

A: Conteste con dos ejemplos de cuadros que ha visto en el museo hoy.

B: Reaccione a los dos cuadros y mencione otro que le gusta mucho más y que ha visto en el museo.

A: Intente convencerle de que debe considerar uno de esos dos cuadros que Ud. mencionó.

B: Reaccione cordialmente, pero rechace la sugerencia.

A: Haga un comentario sobre su reacción. Despídase cordialmente.

B: Despídase cordialmente.

Cita

El arte es maravillosamente irracional, no tiene el menor sentido y, a pesar de todo, es necesario.
—Günter Grass (1927–), autor alemán y Premio Nobel de Literatura

 ¿Es difícil comprender el arte en general o sólo el arte moderno? ¿Le gusta el arte moderno? ¿Por qué? ¿Conoce el arte de Picasso, Dalí o Miró? ¿Le gusta? ¿Por qué? ¿Es imprescindible interpretar el arte de estos grandes maestros para apreciarlo? Comparta sus opiniones con un/a compañero/a.

¡Dato curioso!

¿Sabía que recientemente en Londres unos expertos de una casa de subastas vendieron tres cuadros "pintados" por Congo, un chimpancé, por US$22.000 a un estadounidense entusiasta del arte moderno? Congo produjo cerca de 400 obras a finales de los años 1950, las cuales fueron recibidas por el mundo del arte con una mezcla de burla y escepticismo.

Compare

¿Qué obras conoce que hayan creado gran polémica por quien las hizo? ¿Qué piensa de eso?

Nota cultural

Hoy en día España es uno de los países europeos con las mayores colecciones de arte en los museos. Los museos más famosos son: El Museo del Prado, conocido como "El Prado" (Madrid), El Museo Reina Sofía (Madrid), El Museo Thyssen-Bornemisza (Madrid), El Museo Guggenheim (Bilbao), El Museo Picasso (Málaga y Barcelona).

Vocabulario y gramática en contexto

3 Un blog

Túrnese con un/a compañero/a para leer los comentarios que dos estudiantes han escrito en un blog sobre el arte y sobre las clasificaciones de películas. Fíjese en las palabras que aparecen en azul (relacionadas con el vocabulario) y en rojo (relacionadas con la gramática), ya que en las siguientes actividades se le harán preguntas sobre ellas.

Arte moderno

Paulina, Estudiante De Arte

Arte moderno. El concepto de arte moderno no es cronológico, sino estético; de estilo, de sensibilidad o incluso de actitud: un pintor academicista como William Adolphe Bouguereau (fallecido en 1905) no hace arte moderno, mientras que Vincent van Gogh (fallecido en 1890) indudablemente sí.

[5] El arte moderno representa como innovación frente a la tradición artística del arte occidental una nueva forma de entender la estética, la teoría y la función del arte, en que el valor dominante (en pintura o escultura) ya no es la imitación de la naturaleza o su representación literal. No se debe olvidar que la invención de la fotografía había hecho esta función obsoleta. En su lugar, los artistas comenzaron a experimentar con nuevos puntos de vista, con nuevas ideas sobre la [10] naturaleza, nuevos materiales y funciones artísticas, y por supuesto, con las formas abstractas.

Ante la ruptura de las formas anteriores, el rechazo al arte moderno fue muy fuerte desde que comenzó a acuñarse el concepto. En el caso del nazismo, se identificó el arte moderno con lo que dominó arte de los dementes y de las razas inferiores, en contraste con los valores de una pretendida estética aria o arte ario. No obstante, la persecución a los judíos y la ocupación [15] alemana de Europa durante la Segunda Guerra Mundial dio oportunidad para el expolio de muchas piezas de arte moderno por parte de los dirigentes nazis (que no lo destruían, sino que en muchos casos se lo apropiaban). En contraposición, en un mismo período, el capitalismo estadounidense asumió con gran dinamismo el arte moderno, implicándolo en el proceso productivo y aprovechando sus grandes posibilidades para el mercado.

[20] La obra de Marcel Duchamp *Fuente* (1917) tuvo gran importancia en el postmodernismo ya que supuso el cuestionamiento de la institución del arte al utilizar un objeto cotidiano (un urinario puesto al revés), y exhibirlo provocativamente como obra de arte.

Fuente:
Duchamp, 1917

Cita

Las obras de arte se dividen en dos categorías: las que me gustan y las que no me gustan. No conozco ningún otro criterio.
— Antón Pavlovich Chéjov (1860–1904), dramaturgo y autor de relatos rusos

¿Está de acuerdo con esta cita? ¿Puede pensar en otra(s) categoría(s) en las que se puede dividir el arte? ¿Cuál sería su criterio para clasificarlo? Comparta sus opiniones con un/a compañero/a.

Lección 8B **453**

Instructional Notes

3 Encourage students to name their favorite modern artist and be prepared to explain why he or she is their favorite.

Clasificaciones de películas

Felipe

¡No puedo creerlo, pero el Consejo Municipal piensa censurar la nueva película de *El Señor de los Anillos* en mi pueblo! Es increíble que la Oficina de Clasificación de Películas mantenga tanto control sobre las clasificaciones de películas y aun peor que nuestro Consejo Municipal consolide con más rigor las decisiones suyas. Esta discusión me hace recordar la decisión que tomó la Oficina
5 de Clasificación de Películas Británica en 2001 cuando los espectadores británicos tuvieron que conformarse con una versión "light" de *Lara Croft: Tomb Raider*, por decisión de la Oficina de Clasificación de Películas que había decidido cortar las escenas más violentas de la cinta de acción, como las que incluyen cabezazos y golpes en la garganta, para poder autorizarla a los mayores de 12 años. En opinión de la Oficina, Lara Croft, la heroína nacida de un videojuego y que ha tomado
10 forma humana en Angelina Jolie, es la estrella de una película para niños, pero con escenas que son demasiado violentas para los espectadores más jóvenes. El público habitual de Lara Croft es de entre 12 y 15 años de edad, pero las normas de clasificación dejan claro que a los 12 años, la "glamourización" de las armas, como cuchillos, y la ilustración gráfica de técnicas peligrosas, como los cabezazos o los golpes en la garganta, son inaceptables. Era evidente que la oficina les había causado dificultades a muchos cineastas, pero éstos sugirieron que el público fanático de Lara Croft encontrara manera de ver la versión inédita por medio del Internet o por ventas del DVD fuera de Gran Bretaña. Intento imitarlos y comprar una versión pirateada de la nueva película de *El Señor de los Anillos* sin la censura absurda del Consejo Municipal. No es que me apetezca ver más violencia, es que quiero que me muestren las películas con su versión original, tal y como las creó el director. ¡Qué ridículo! Tengo 17 años y soy casi un adulto. Voy a votar el próximo año. ¿Por qué no puedo ver las películas como quiera?

Adaptado de: www.elmundo.es

4 Amplíe su vocabulario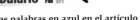

Busque el significado de las palabras en azul en el artículo anterior y explíquele a un/a compañero/a lo que significan.

5 Pronombres relativos

En cada número transforme las dos oraciones en una sola usando pronombres relativos. Si hay más de una manera de combinarlas, escriba todas las posibilidades.

1. El arte moderno es un término. Nos referimos con este término a la mayor parte de la producción artística desde finales del siglo XIX.
2. He visitado un museo. En este museo hay muchos cuadros de arte abstracto.
3. El cuadro estaba en el primer piso, en la sala. Estoy pensando todo el tiempo.

Angelina Jolie en el papel de Lara Croft

6 "Tapitas" gramaticales

Conteste estas preguntas basadas en los blogs de la Actividad 3.

1. En el primer texto, ¿con qué propósito se usan las palabras que aparecen en rojo en el artículo sobre el modernismo? ¿Qué significan? Haga una lista de otras ocho que considere importantes para escribir textos formales. Haga una frase con cada palabra o expresión.
2. En el primer texto, aparece la palabra "judíos" en minúscula. ¿Cuál es la regla? ¿Qué otros ejemplos recuerda en los que no se usa mayúscula en español pero sí en inglés?
3. En el segundo texto, aparecen expresiones de subjuntivo. Haga una lista de las expresiones y diga en qué tiempo va el verbo que le sigue. ¿Puede escribir ocho expresiones impersonales que van seguidas de subjuntivo?
4. ¿Qué género tiene la palabra "arma"? ¿Sigue la regla o es una excepción?
5. ¿Qué significa *no puedo creerlo*? ¿Podría ser *no lo puedo creer*? ¿Por qué? Busque *llevarlo, autorizarla* e *imitarlos*. Explique el uso de los pronombres en cada caso y ofrezca otra variación como, por ejemplo, *no lo puedo creer*, si es posible.
6. Compare los pronombres de objeto directo e indirecto.
7. ¿Qué significa "las que"? Escriba otro ejemplo.
8. ¿Qué significa "cabezazo"? ¿Qué sufijo se le añadió al final? ¿Puede pensar en otros ejemplos en los que pueda usar este sufijo?

7 ¿Qué opina? 🧍🧍

Si el famoso urinario de Duchamp es arte, ¿puede ser el un tenedor, una cuchara, un teléfono o un cepillo arte? Comparta su opinión con un/a compañero/a. Incluya palabras de las lecturas que aparecen en azul.

8 La Ruta Quetzal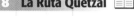

Lea con atención el siguiente artículo. Despúes resuma lo que leyó en una frase.

La Ruta Quetzal acaba en el Guggenheim tras 40 días de recorrido por Perú y España

El Museo Guggenheim Bilbao

Trescientos cincuenta jóvenes de 16 y 17 años soltaron ayer su mochila tras haber andado durante 40 días en Perú y España. La 20ª edición de la Ruta Quetzal, el programa que lleva a centenares de chavales de decenas de países a recorrer tierras americanas y españolas y descubrir ambas civilizaciones, acabó ayer con la entrega de sus diplomas en el Museo Guggenheim. Muchos de los participantes no pudieron contener las lágrimas el penúltimo día que pasaban juntos, antes de ganar Madrid y regresar a sus hogares. La palabra más repetida por los "expedicionarios" a la hora de definir lo que aprendieron era la de "tolerancia". Los jóvenes vienen de 52 países diferentes y han sabido establecer vínculos transnacionales. Xavier Bernadó, un participante originario de Lleida, explica que lo importante no es el diploma, sino la amistad que ha nacido durante el viaje. Para Carlos Berzosa, rector de la Universidad Complutense de Madrid, este diploma es algo más que simbólico, la prueba de una aventura humana que podrán colocar en su currículum. El proyecto que patrocina la BBVA fue creado hace 26 años por sugerencia del Rey y el afán del periodista Miguel de la Quadra Salcedo.

www.elpais.es

Nota cultural

Diseñado por el equipo de arquitectos de Frank Gehry, el Guggenheim Bilbao fue abierto al público en 1997 y alberga exposiciones de arte de obras pertenecientes a la fundación Guggenheim y exposiciones itinerantes. Muy pronto el edificio se reveló como uno de los más espectaculares edificios deconstructivistas. El diseño del museo y su construcción siguen el estilo y métodos de Frank Gehry. Como muchos de sus trabjos anteriores la estructura principal está radicalmente esculpida siguiendo contornos casi orgánicos. El museo afirma no contener una sola superficie plana en toda su estructura. El edificio visto desde el río aparenta tener la forma de un barco rindiendo homenaje a la ciudad portuaria en la que se inscribe. Sus paneles brillantes se asemejan a las escamas de un pez recordándonos las influencias de formas orgánicas presentes en muchos de los trabajos de Gehry. Visto desde arriba, sin embargo, el edificio posee la forma de una flor. Mientras que el museo domina las vistas de la zona desde el nivel del río su aspecto desde el nivel superior de la calle es mucho más modesto por lo que no desentona con su entorno de edificios más tradicionales.

Answers

9 1. c; 2. g; 3. a; 4. h; 5. d; 6. l; 7. k; 8. b; 9. e; 10. i; 11. j; 12. f

10 Descriptions will vary.

11 1. de; 2. de; 3. a; 4. con; 5. x

12 1. en; 2. por; 3. en; 4. con; 5. para; 6. de; 7. del; 8. por; 9. por; 10. por

13 Text messages will vary.

Instructional Notes

10 Ask students if they think it is possible to mix culture and adventure, and to think of ways to do this. After discussing these possibilities, you could cite the *Ruta Quetzal* as one way to combine *la cultura con la aventura*.

Additional Activities

La Ruta Quetzal

Ask some students to search for more information about the *Ruta Quetzal* and to prepare a short composition about one of the following: its history, objectives, past excursions, or eyewitness accounts. They should then post or read their compositions for the class.

Comunicación

One of the objectives of the *Ruta Quetzal* is *descubrir quiénes somos a través de la historia*. Ask students to contribute their thoughts on this topic in a whole-class discussion.

Juego

Ask students to play *Historias en cadena*. See p. TE25.

---

9 Amplíe su vocabulario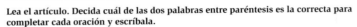

Según el contexto del artículo anterior, empareje las palabras de la primera columna con su definición o sinónimo en la segunda.

1. soltar	a. chico
2. centenar	b. participante
3. chaval	c. dejar
4. recorrer	d. distribución
5. entrega	e. enlace, unión
6. penúltimo	f. deseo fuerte
7. ganar Madrid	g. ciento
8. expedicionario	h. cruzar una región
9. vínculo	i. indicio o señal
10. prueba	j. poner
11. colocar	k. llegar a Madrid
12. afán	l. inmediatamente antes del final

10 La Ruta Quetzal

Con un/a compañero/a, describa cómo sería la Ruta Quetzal que hicieron los jóvenes en Perú y en España. Describan lo que aprendieron estos chicos de las culturas latinoamericanas y de la cultura española.

11 Las preposiciones

Lea el artículo. Decida cuál de las dos palabras entre paréntesis es la correcta para completar cada oración y escríbala.

Cerca __1.__ (*de / en*) un millón de colombianos viven de forma directa o indirecta del sector __2.__ (*de / x*) la artesanía, particularmente dinámico en el país. Este sector, que contribuye notablemente __3.__ (*con / a*) la economía nacional, cuenta __4.__ (*con / x*) unos 350.000 artesanos, de los cuales aproximadamente __5.__ (*x / en*) el 60% procede de zonas rurales y de comunidades indígenas, y el 65% son mujeres.

12 Más preposiciones

Lea el artículo. Decida cuál de las dos palabras entre paréntesis es la correcta para completar cada oración y escríbala.

El arte precolombino milenario era particularmente rico. Las figuras construidas __1.__ (*en / por*) oro y las piezas de joyería fueron bastante codiciadas __2.__ (*por / para*) los colonizadores españoles, que __3.__ (*en / por*) algunos casos desataron auténticas masacres __4.__ (*para / con*) el fin de poseerlas (más por los materiales preciosos usados en ellas que por su valor artístico). Muchas de esas piezas fueron llevadas a España, donde fueron destruidas __5.__ (*por / para*) usar el oro y otras piedras preciosas en otros objetos. Las excavaciones arqueológicas han revelado muchos __6.__ (*de / en*) estos objetos, que aún hoy en día son una pequeña ventana hacia la opulencia artística __7.__ (*de / del*) pasado de este pueblo. Las artesanías producidas __8.__ (*por / para*) los grupos étnicos son igualmente ricas y bastante apreciadas, tanto __9.__ (*por / para*) los locales como __10.__ (*por / para*) los turistas.

13 Escriba un SMS

Está en un museo. Ha recibido este mensaje de su amigo/a. Responda con su propio SMS contándole que alguien ha robado un cuadro famoso. Incluya detalles en su mensaje e intente usar vocabulario de los artículos anteriores.

> Oye, ¿te has enterado? Por lo visto ha habido un robo en el museo.

Nota cultural

La Ruta Quetzal es prueba de que el arte no se limita a ver sólo en los museos o escuchar en las salas de conciertos. Los jóvenes que participan en ella pueden vivir el arte a través de una ruta cultural que mezcla la cultura y la aventura. Más de 8.000 jóvenes han tenido la oportunidad de descubrir las dimensiones históricas, geográficas y culturales de diferentes pueblos desde el mediterráneo hasta el precolombino. Los expedicionarios son elegidos entre los mejores estudiantes de cada país participante.

La Ruta Quetzal 2006 ("A las selvas de la serpiente emplumada, las ciudades perdidas de los mayas") recorrió sitios arqueológicos de la civilización maya en México, Guatemala y Belice, y finalizó con una visita a varios lugares de España. La Ruta Quetzal 2007 ("La huella de la Nao de la China en México") coincidió con el Año de España en China y, al seguir la huella de la Nao ("nave" o "barco") de la China en México, fue un recorrido de más de 300 kilómetros de la costa del Pacífico desde Acapulco hasta Playa Azul. El barco que en los siglos XVI, XVII y XVIII tenía como destino el puerto de Acapulco se conocía como "Galeón de Manila", "Nave de la Seda" o "Nao de la China", mientras que cuando regresaba a Oriente se denominaba "Galeón de Acapulco". En Acapulco se vendían las porcelanas chinas de la dinastía Ming, especias, sedas y mantones de Manila, bordados en Cantón y muy apreciados en México.

14 Escriba un correo electrónico

Ha recibido el siguiente correo electrónico de un/a amigo/a. Responda con su propio mensaje en el que contrasta un par de películas. Le pueden servir las palabras del recuadro que ha visto en lecturas anteriores.

Eso me hace recordar	en opinión de	por tanto	en cambio
en su lugar	mientras	no obstante	al contrario de

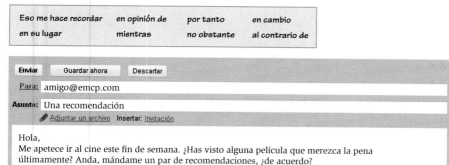

Enviar | Guardar ahora | Descartar

Para: amigo@emcp.com

Asunto: Una recomendación

Adjuntar un archivo Insertar: Invitación

Hola,
Me apetece ir al cine este fin de semana. ¿Has visto alguna película que merezca la pena últimamente? Anda, mándame un par de recomendaciones, ¿de acuerdo?

15 El presente perfecto

Échele una ojeada al artículo que sigue para ver de qué se trata, prestando atención a las palabras en azul y rojo, ya que se le harán preguntas sobre ellas. Luego lea el artículo y decida qué forma del presente perfecto del verbo entre paréntesis es la correcta según el contexto y escríbala. ¡Ojo! Hay un verbo en pretérito.

La ópera

La nómina de cantantes hispanohablantes en la Ópera Metropolitana de Nueva York (Met) se __1.__ (ver) notablemente incrementada esta temporada, ya que a los célebres habituales —y ya casi decanos— Plácido Domingo y Joan Pons __2.__ (añadirse) la presencia del barítono español Carlos Álvarez, que __3.__ (cantar) ya en las anteriores cuatro temporadas, la mezzo canaria Nancy Fabiola Herrera, el director Jesús López Cobos y la soprano puertorriqueña Ana María Martínez. Domingo, con una agenda muy apretada, interviene en varias óperas, aunque destaca su papel en dos: Sansón, en la ópera de Saint-Saëns, y Cyrano de Bergerac, en la reaparición que __4.__ (llevarse) a cabo de este título del desconocido Franco Alfano. Con una voz fuerte y una disposición dulce, la soprano puertorriqueña

Metropolitan Opera House, Nueva York

Ana María Martínez debutó en el Met la semana pasada y a juzgar por los aplausos, parece tener un futuro prometedor. Martínez, quien interpretó el papel de Micaela en la obra *Carmen* de Bizet, recibió una fuerte ovación por su aria del tercer acto y otra más durante los aplausos de despedida. La soprano nació en Puerto Rico pero creció en Nueva York, donde recibió varios títulos de Juilliard. Ella ya __5.__ (tener) presentaciones exitosas como Violetta en *La Traviata* de Verdi con la Ópera Real de Londres y como la Condesa en *Le Nozze di Figaro* de Mozart en la Gran Ópera de Houston. Durante algunas de las presentaciones de Martínez como Micaela, coincidirá en el escenario con la mezzo-soprano Nancy Fabiola Herrera, gran amiga suya y ex-compañera en la escuela Juilliard.

Lección 8B **457**

Nota cultural

La zarzuela es un género de música típicamente español, en el que se alternan la canción y la declamación. La inclusión de bastante diálogo y los temas más ligeros la diferencian de la ópera. La primera zarzuela se presentó en el Palacio Real llamado "Zarzuela" (debido a que estaba rodeado de zarzas, una especie de arbusto) del rey Felipe IV en 1648. La obra se basó en una comedia, *El jardín de Falerina*, del gran escritor Pedro Calderón de la Barca; Juan de Hidalgo escribió la música. Sin embargo, la popularidad de la ópera italiana redujo la zarzuela a un espectáculo de bajo orden y no alcanzó gran popularidad hasta mediados del siglo XIX, la llamada "época de oro" de la zarzuela.

El tenor Plácido Domingo es un gran defensor de este género musical. Como director general de la Ópera de Los Ángeles, en la temporada 2006–2007 puso en escena la zarzuela *Luisa Fernanda* de Federico Moreno Torroba y cantó el papel principal.

Investigue palabras clave:
zarzuela, Calderón de la Barca, Juan de Hidalgo

Answers

16 1. j; 2. f; 3. c; 4. b; 5. e; 6. a; 7. g; 8. d; 9. h; 10. i

17 1. adverbio; *since*; **2.** pronombre relativo; *who (sang)*; **3.** conjunción; *although*; **4.** pronombre relativo; *that*; **5.** pronombre relativo; *who*; **6.** conjunción; *where*

18 1. Se refiere a cantantes hispanos, no a los que simplemente cantan en español. **2.** Son acciones realizadas y acabadas en el pasado sin tener relación con el presente. Se usa la apócope *tercer* delante de un sustantivo masculino singular. **3.** El artículo sólo se ocupa de narrar hechos; no hay verbos que expresan deseo, emoción o duda. Todo lo que pasa o pasó es un hecho, no una hipótesis. Ejemplos: Ojalá que cante Carlos Álvarez esta temporada. Espero que Ana María Martínez vuelva a cantar en *Carmen*. No creo que ella haya tenido ninguna presentación exitosa.

Instructional Notes

In addition to museums that are mentioned in the *Cita*, ask students to think of other places where painting is learned.

Additional Activities

Comunicación
Ask a few students to debate the issue of whether admission to museums should be free.

Los premios
See p. TE28.

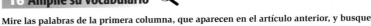

16 Amplíe su vocabulario

Mire las palabras de la primera columna, que aparecen en el artículo anterior, y busque su definición o sinónimo en la segunda.

1. notablemente	a. función, rol
2. incrementada	b. período, tiempo
3. anteriores	c. previas, pasadas
4. temporada	d. considerando
5. agenda muy apretada	e. agenda muy llena
6. papel	f. que subió
7. llevarse a cabo	g. tener lugar
8. a juzgar por	h. con muy posible éxito
9. un futuro prometedor	i. parte del teatro donde se actúa y presenta
10. el escenario	j. considerablemente

17 ¿Qué función gramatical tienen?

Explique qué función gramatical tienen las siguientes palabras en el artículo de la Actividad 15, y tradúzcalas.

1. *Ya que* en la línea 4
2. *Que* (cantar) en la línea 7
3. *Aunque* en la línea 14
4. *Que* (llevarse a cabo) en la línea 18
5. *Quien* en la línea 26
6. *Donde* en la línea 31

18 "Tapitas" gramaticales

Conteste estas preguntas basadas en el artículo de la Actividad 15.

1. ¿Por qué se dice *cantantes hispanohablantes* y no *cantantes en español*?
2. Explique el uso del pretérito en la oración "Martínez, quien interpretó el papel de Micaela en la obra *Carmen* de Bizet, recibió una fuerte ovación por su aria del tercer acto..." Explique también por qué decimos "el tercer acto".
3. ¿Por qué no se usó el subjuntivo en el artículo? Vuelva a escribir dos oraciones con el modo subjuntivo; haga cualquier cambio que sea necesario.

Cita

La pintura se aprende en los museos.
— Pierre-Auguste Renoir (1841–1919), impresionista francés

¿Está de acuerdo con esta cita? ¿Cree que más personas "aprenderían" arte si las entradas a los museos fueran gratis? ¿Cree que es el deber del estado ofrecer entradas gratis a los museos? Comparta sus opiniones con un/a compañero/a.

Compare

¿Cuáles son los museos más conocidos cerca de donde Ud. vive? ¿Qué piensa de ellos? ¿Qué museos le gustaría visitar?

Investigue palabras clave: Pierre-Auguste Renoir

Idioma

19 Familia de palabras

Complete la tabla con el verbo, sustantivo o adjetivo apropiado, y la traducción correspondiente.

Verbos		Sustantivos		Adjetivos	
aplaudir				aplaudido	
	to attract	la atracción			
crear		el/la creador(a);	_____;	creativo	
		la creación; la creatividad	_____; _____		
donar		la donación			donated
enloquecer,	_____,	el/la loco/a; la locura	crazy person;		
estar loco/a	_____				
por					
imaginar					imaginative
piratear		el/la pirata; la piratería	_____;		pirated
quedarse ciego		el/la ciego/a, el/la invidente	blind person	ciego	
saber		la sabiduría; el/la sabio/a	wisdom; wise person		
seguir		el/la seguidor(a)			
ver		el/la vidente	clairvoyant	visto	

20 ¿Verbo, sustantivo o adjetivo?

Complete las oraciones usando la forma correcta de las palabras que aparecen en la tabla, ya sea verbo, sustantivo o adjetivo. En el caso del sustantivo puede que necesite artículo.

1. En muchos países se venden películas ___ (piratear) en la calle.
2. Cada vez que sale un nuevo CD de mi banda favorita, ___ (enloquecer) comprarlo lo más pronto posible.
3. Se ___ (creación) la cueca, el baile nacional de Chile, como recuerdo del heroísmo de los que lucharon por la independencia del país en 1810.
4. El público ___ (aplauso) al cantaor de flamenco cuando terminó su interpretación del cante jondo.
5. El filántropo ___ (donación) muchas obras de arte de su colección personal al Museo de Bellas Artes.
6. A veces las canciones y las películas fracasan a pesar de ___ (sabio) de los expertos.
7. Si la película tiene mucha acción y efectos especiales, ___ (atracción) a muchos para que vayan al cine a verla porque no querrán esperar hasta que llegue en versión DVD.
8. ONCE es la Organización Nacional de ___ (ciego) Españoles.
9. ___ (Ver) de tarot consultan sus tarjetas y la astrología de sus clientes.
10. Algunos ___ (seguir) de George Lucas, el director de *Star Wars*, prefieren la película *Star Wars: Episodio III—La venganza de los Sith*.
11. Me quedé aturdido cuando vi la obra musical *El Rey León* en Broadway. ___ (Imaginar) y ___ (crear) de la directora/productora Julie Taymor son tremendas.

Cita
Lea las siguientes famosas frases de cine:

- *Hazlo o no lo hagas, pero no lo intentes.* –De la película *Star Wars Episode V: Empire Strikes Back*
- *La vida es como una caja de bombones, nunca sabes lo que te va a tocar.* –De la película *Forrest Gump*
- *Volveré.* –De la película *The Terminator*
- *No ayudo a personas que tienen problemas con caballos, de hecho, ayudo a caballos que tienen problemas con personas.* –De la película *The Horse Whisperer*

¿Cuál es su favorita? ¿Recuerda alguna otra frase famosa? Dígale en español a un/a compañero/a que trate de averiguar de qué película es.

¡Dato curioso! Los premios Goya en España son los equivalentes a los Óscar en EE.UU. y a los César en Francia. En España no se empezaron a premiar los Goya hasta el año 1987.

Answers

21 1. vincular; 2. la primera; 3. inaugurada; 4. explicó;
5. anda; 6. Se está haciendo; 7. ven; 8. construyó;
9. mías; 10. algún; 11. descubriendo; 12. diciendo;
13. leyendo; 14. imaginando; 15. colaboraron /
colaboran

22 1. e; 2. b; 3. g; 4. f; 5. h; 6. d; 7. a; 8. c

Instructional Notes

21 Before they read the article, ask students: *¿Cómo
imaginan que sería una exposición de arte para ciegos?*

Look for a video on the Internet advertising an art
exhibit for blind people. Show it to the students and ask
them to give their opinion about what they saw in the
video and read in the article in Activity 21.

Additional Activities

Juego
Ask students to play *Lo tengo en la punta de la lengua.*
See p. TE25.

---

21 Ciudadparaciegos

Lea el artículo y complete el espacio con la palabra adecuada. Después conteste las siguientes
preguntas:

- ¿Cuál es el propósito del artículo?
- ¿Qué pregunta sería apropiada para hacerle al pintor cubano?

Pintor cubano dedica una exposición a los ciegos

El pintor cubano Arturo Montoto, fiel a __1.__ (*vincular*) su obra con el entorno urbano, ha dedicado una singular exposición a los invidentes, "Ciudadparaciegos", una mezcla
5 de obra pictórica, vídeo y "performance". El proyecto de Montoto es __2.__ (*el primero*) muestra colateral abierta al público de la IX Bienal de Artes Plásticas de La Habana, que será __3.__ (*inaugurar*) oficialmente mañana con
10 el título de "Dinámicas de la cultura urbana". Muy en sintonía con la temática de la Bienal, que ocupará varios espacios y galerías de la capital cubana durante un mes, el artista __4.__ (*explicar*) que con esta exhibición pretende hacer
15 una llamada de atención sobre los invidentes, "ese sector minoritario de la población que __5.__ (*andar*) en la ciudad y que casi nadie tiene en cuenta".

" __6.__ (*Hacerse*) una exposición de artes
20 visuales y pienso que sería interesante que ellos

(los ciegos) aun cuando no __7.__ (*ver*), son los principales invitados a un evento artístico, a ver a su manera, y en el que siempre van a ver por la descripción (a través del sistema braille)", señaló.
25 Montoto apuntó que para "Ciudadparaciegos" __8.__ (*construir*) un recorrido por la ciudad, que "son fragmentos de las obras __9.__ (*mío*), de __10.__ (*alguno*) modo yuxtapuestas, en los que aparecen obstáculos, que pueden hacer daño al
30 ciego".

"Ellos con su tacto van __11.__ (*descubrir*) que hay textos descriptivos que les van __12.__ (*decir*) aquí hay una pared, un obstáculo, aquí hay sombra, luz y ellos, como van __13.__ (*leer*), se van __14.__
35 (*imaginar*) el paisaje", añadió. En el proyecto — instalado en el Museo de Arte Colonial del centro histórico de La Habana Vieja— __15.__ (*colaborar*) la Asociación Nacional del Ciego (ANCI), entre otras instituciones cubanas, y el Museo
40 Tiflológico de la Organización Nacional de Ciegos Españoles (ONCE).

www.eldiariony.com

---

22 ¿Qué significa?

Mire las palabras de la primera columna, que aparecen en la
lectura anterior, y busque su traducción en la segunda columna.

1. entorno	a. tocando con las manos
2. mezcla	b. combinación
3. en sintonía	c. cooperar
4. temática	d. producir dolor
5. recorrido	e. lo que te rodea
6. hacer daño	f. tema
7. tacto	g. en armonía
8. colaborar	h. camino

Cita
*La calidad de un pintor depende
de la cantidad del pasado que lleve
consigo.*
—Pablo Picasso (1881–1973),
pintor español

¿Piensa que la obra de un artista
es su vida y su historia personal?
¿Cree que los mejores artistas
son los mayores, puesto que
han tenido más experiencias?
Comparta su opinión con un/a
compañero/a.

23 Lea, escriba/presente

Vuelva a leer el artículo anterior y piense en cómo contestaría las siguientes preguntas:
¿Cree que el arte es solamente un fenómeno visual? ¿Cómo ayudó el pintor cubano Arturo
Montoto a los ciegos a apreciar el arte? Luego escriba un ensayo o haga una presentación
en clase sobre el tema.

Nota cultural
En el mundo hispano hay numerosas
iniciativas para acercar el arte a las personas
invidentes. Las personas discapacitadas ya
pueden disfrutar de pinturas que reproducen
piezas clásicas desde renacentistas y hasta
surrealistas. Los ciegos pueden tocarlas
y disfrutar de los diferentes estilos de los
artistas.

Lea con atención el siguiente artículo. Después piense en una pregunta apropiada para hacerle a la señora que dañó el cuadro.

Una mujer daña un Picasso en el Metropolitan en Nueva York

La expresión "dar un mal paso en la vida" ha cobrado un significado muy particular para una señora de Nueva York. Matriculada en una clase de historia del arte para adultos, la alumna formaba parte el pasado viernes por la tarde de una visita guiada a través de la enciclopédica colección del Metropolitan. Todo muy pedagógico, cultural y divulgativo, hasta que el grupo se acercó al famoso lienzo *El actor* de Pablo Picasso (1881-1973). De forma inopinada, la señora perdió su sentido del equilibrio y se precipitó sobre el cuadro de cerca de dos metros de largo y más de un metro de ancho, con un valor estimado en más de 130 millones de dólares. El resultado de la colisión ha sido un desgarro irregular de aproximadamente unos quince centímetros en la esquina inferior derecha del cuadro.

Como el Metropolitan no sigue la política de algunas tiendas que equiparan ese tipo de percances involuntarios a una compra instantánea ("you break it, you buy it"), el conocido cuadro de la etapa rosa de Picasso fue traslado urgentemente al estudio de conservación del museo. Después de un cuidadoso estudio, los especialistas del Metropolitan consideran que el daño registrado no afecta a ningún "punto focal de la composición". Y que la reparación de esa raja vertical "no será prominente".

Al dar noticia sobre de lo ocurrido, el Metropolitan ha insistido en la naturaleza estrictamente accidental de lo ocurrido, lo que parece excluir una posible intervención de las autoridades o acciones legales. El museo también ha declinado identificar a la involuntaria agresora del Picasso, salvo para dejar claro que la señora no resultó herida como consecuencia de sus traspiés con *El actor*, exhibido en el piso segundo del museo junto a otros ejemplos de las primeras frases de la legendaria obra de Picasso.

Los trabajos de reparación se van a realizar sin demora durante las próximas semanas. Ya que el Metropolitan espera contar con el dañado lienzo para una de las exposiciones incluidas para su programación de primavera-verano. En concreto, una muestra que desde el 27 de abril al 1 de agosto ofrecerá al público la posibilidad de contemplar 250 obras de Picasso que forman parte de los fondos propios del gran museo de arte de Nueva York.

El actor: Pablo Picasso, 1904-5

El actor fue donado en el año 1952 al Metropolitan por la multimillonaria Thelma Chrysler Foy, heredera del imperio automovilístico fundado por su padre, Walter P. Chrysler. Pintado en París durante el invierno de 1904 sobre un lienzo ya usado con anterioridad, el cuadro marca el inicio de la transición estética realizada por Pablo Picasso desde su fase azul a su período rosa.

Se supone que el pintor malagueño utilizó como modelo a un vecino para este cuadro de fondo abstracto. La obra supone el arranque de una sensibilidad estética de colores diferentes, poblada por imágenes teatrales y circenses, y con imágenes recurrentes de acróbatas y artistas ambulantes inspirados por el género dramático italiano de la *Commedia dell'Arte*.

El percance en el Metropolitan ha recordado a la célebre colisión que el multimillonario Stephen Wynn tuvo hace tres años con otro lienzo de Picasso, *Le Rêve*, retrato de una de las amantes del pintor español realizado en 1932. El gran empresario de los casinos, con un problema de visión periférica, propinó un fortuito y perforador codazo al cuadro que había adquirido por casi cincuenta millones de dólares en 1997. Como consecuencia del accidente, Wynn reconsideró la decisión de vender este Picasso. Y ahora, el cuadro reparado forma parte de la decoración de su despacho.

www.abc.es – Martes, 26-01-10 a las 09:24

Instructional Notes

24 Ask students to look for five interesting facts about Picasso. The following day ask them to share their facts with another student and / or the class.

Additional Activities

Juego
Ask students to play *Trivia*. See p. TE25.

Teacher Resources

 Activity 7

Answers

25 Answers will vary.

26 Text messages will vary.

27 1. este; 2. repasan; 3. nació; 4. nororiental; 5. Para; 6. recuperado; 7. se acercan / se acerquen; 8. con; 9. cómo; 10. le;

Instructional Notes

Cita

Ask students to share their moments of inspiration with the rest of the class.

27 Before they begin reading the article, encourage students to look for more information on Salvador Dalí and his work. Ask them to share their facts with another student and / or the class.

Additional Activities

¿Cuáles son las diferencias?
See p. TE26.

---

25 Amplíe su vocabulario

Busque el significado de estas palabras según el artículo que acaba de leer, y escriba una frase con cada una que muestre que comprende su significado.

1. dar un mal paso en la vida
2. visita guiada
3. lienzo
4. percances involuntarios
5. la etapa rosa de Picasso
6. daño
7. acciones legales
8. traspiés
9. está valorado en
10. demora
11. una muestra
12. fue donado por
13. célebre
14. empresario
15. codazo

26 Escriba un SMS

Está en una galería de arte y acaba de destrozar una importante obra, sin querer (de forma accidental). Mándele un SMS a un/a amigo/a, contándole qué pasó. Incluya detalles en su mensaje e intente usar vocabulario de los artículos anteriores.

27 Dalí

Lea el artículo y decida cuál de las palabras entre paréntesis es la correcta para completar cada oración. Después conteste las siguientes preguntas:

- ¿Cuál es el propósito del artículo?
- ¿Cómo resumiría lo que leyó en una frase?

 Dato curioso! Después de vender por 139 millones de dólares el famoso cuadro de Picasso *El sueño*, Stephen Wynn rompió el lienzo sin querer mientras que se lo enseñaba a un grupo de amigos. Éste era el precio más alto que jamás se ha pagado por una obra. En cuanto pasó el accidente lo primero que dijo fue "Gracias a Dios que he sido yo". *El sueño* de Picasso se terminó convirtiendo en una "pesadilla" para el multimillonario

Cita

La inspiración existe, pero tiene que encontrarte trabajando.
—Pablo Picasso, (1881–1973), artista español

¿Cómo piensa que los artistas encuentran su inspiración? Mucha gente dice que su inspiración viene cuando uno menos lo piensa —por ejemplo, mientras uno se ducha por la mañana. ¿Esto le pasa a Ud.? ¿Cuál fue su última "inspiración", y cuándo le llegó? ¿Se realizó? Comparta sus opiniones y respuestas con un/a compañero/a.

Múltiples conmemoraciones por el centenario de Salvador Dalí

El centenario del nacimiento de Salvador Dalí, quizás el personaje más excéntrico de la historia del arte español, concita **1.** [5] *(este / aquel)* año decenas de exposiciones, ediciones de libros y otras actividades que **2.** *(repasa/repasan)* una vida y una obra surrealistas por excelencia.

[10] Salvador Felipe Jacinto Dalí Domenech **3.** *(nacía / nació)* en Figueras, en la región de Cataluña, en la esquina **4.** *(nororiental / nororientala)* [15] española, el 11 de mayo de 1904, y murió en la misma villa el 23 de enero de 1989, víctima de un paro cardíaco. **5.** *(Por / Para)* celebrar el natalicio de Dalí, [20] diversas entidades públicas y privadas han reunido obras y **6.** *(recuperado / recuperados)* textos para satisfacer la gran curiosidad de los seguidores de [25] su trabajo y de los que **7.** *(se acercan / se acerquen)* a él por primera vez. Tal vez la exposición más importante, por su contenido, es la organizada en Barcelona [30] por Caixaforum, "Dalí, cultura de masas", que será inaugurada el 5 de febrero **8.** *(en / con)* unas 400 obras, entre dibujos, fotografías, recortes, portadas [35] de revistas, postales, objetos variopintos, manuscritos y películas. La exposición —que irá después a Madrid y luego a EE.UU. y a Holanda— explora [40] la relación de Dalí con la cultura de masas y **9.** *(como / cómo)* su universo visual reflejó los grandes cambios tecnológicos y económicos del siglo XX, que [45] **10.** *(le / lo)* fascinaron. Fuera de España, una muestra importante será la antológica "Dalí" —con 150 óleos representativos de todas las vertientes creativas del pintor,

⁵⁰ especialmente surrealismo y __11.__
(*vanguardista / vanguardia*)—,
en el Palazzo Grassi de Venecia,
y que será llevada luego al Museo
de Arte de Filadelfia, en Estados
⁵⁵ Unidos. La Fundación Gala-
Salvador Dalí ha organizado la
exposición "El Quijote según
Salvador Dalí", con los dibujos y
acuarelas que utilizó para ilustrar
⁶⁰ la obra de Cervantes, y __12.__ (*otro /
otra*) de dibujos dalinianos en el
Museo Municipal de Cadaqués.
En Barcelona, el gobierno
regional __13.__ (*promueve /
⁶⁵ promueva*) "Dalí. Afinidades
electivas", muestra que analizará
las influencias literarias y estéticas
del pintor. El Centro de Arte Reina
Sofía, en Madrid, montará las
⁷⁰ exposiciones "La huella de Dalí"
— __14.__ (*como / cómo*) modelo
seguido por otros artistas—,

"Dalí y la cultura de masas" y
"Dalí lector", que hurgará en
⁷⁵ las lecturas que el artista tenía
en su biblioteca de Figueras. La
galería madrileña Blanquerna ha
reunido una serie de retratos de
Dalí hechos __15.__ (*por / para*)
⁸⁰ catorce autores catalanes entre
1951 y 1979 en la exposición
"Dalí y el retrato cómplice". El
comisario de esta exposición,
Balsells, recordó la mitomanía y la
⁸⁵ calculada excentricidad del genio
que acostumbraba a decir a los
fotógrafos: "para fotografiarme
esperad a que me __16.__ (*viste /
vista*) de Dalí". En el terreno
⁹⁰ editorial destaca la publicación de
Rostros ocultos, la única novela
de Dalí, escrita en 1943, que ahora
se publica con fragmentos que en
su época __17.__ (*eran / fueron*)
⁹⁵ censurados. Y hasta la gastronomía

catalana rinde homenaje a Dalí:
treinta restaurantes y sendos
cocineros regionales recuerdan el
interés que manifestó hacia el buen
¹⁰⁰ comer y por eso sirven esta __18.__
(*estación / temporada*) menús
con ingredientes relacionados con
su vida y obra: huevos, crustáceos,
ocas, patas de cerdo, caracoles y
¹⁰⁵ chocolate. Todas estas y muchas
otras actividades previstas,
entre ciclos de cine, conciertos,
monográficos sobre la obra
daliniana, contenidos en Internet
¹¹⁰ (www.salvador-dali.org o www.
daliphoto.com), __19.__ (*pretenden /
pretendan*) satisfacer la gran
atracción que ejerce la figura de
Dalí.

¹¹⁵ www.eldiariony.com

28 Amplíe su vocabulario

Según el contexto del artículo que acaba de leer, empareje las palabras de la primera columna con su traducción correspondiente en la segunda.

1. excéntrico
2. por excelencia
3. paro cardíaco
4. recuperar
5. recorte
6. portada de revista
7. variopinto
8. vertiente
9. vanguardia
10. daliniano
11. promover
12. afinidad
13. huella
14. hurgar
15. madrileño
16. excentricidad
17. destaca
18. rendir
19. crustáceo
20. oca
21. caracol
22. previsto

a. goose
b. affinity
c. eccentricity
d. magazine cover
e. mark
f. from Dalí
g. eccentric
h. from Madrid
i. highlights
j. to pay
k. aspect
l. to rummage
m. par excellence
n. snail
o. clipping
p. anticipated
q. crustacean
r. heart attack
s. movement that is foremost in its field
t. to recover
u. to promote
v. miscellaneous

¡Dato curioso!

En 1939 Dalí
aceptó la decoración
de un escaparate de los
almacenes Bonwit Teller en la
Quinta Avenida de Nueva York.
Hizo una polémica composición.
Se realizaron modificaciones
sin permiso del autor, y Dalí,
en protesta, acabó lanzando
la bañera contra el vidrio del
escaparate. Fue detenido y
debió pagar los desperfectos.
El juzgado le absolvió, pues
argumentó que defendía su obra.
Se entendió esta protesta como
una defensa de los derechos del
autor.

Answers

27 11. vanguardia; 12. otra; 13. promueve;
14. como; 15. por; 16. vista; 17. fueron; 18. temporada;
19. pretenden

28 1. g; 2. m; 3. r; 4. t; 5. o; 6. d; 7. v; 8. k; 9. s; 10. f;
11. u; 12. b; 13. e; 14. l; 15. h; 16. c; 17. i; 18. j; 19. q;
20. a; 21. n; 22. p

Instructional Notes

27 Bring some art books to class so students can see
more of Dalí's work. Include images of some of the
museums where his work is exhibited, especially the
Dalí Museum in Figueres, Spain, his birthplace.

Additional Activities

Amnesia
See p. TE26.

29 Lea y escriba/presente

Vuelva a leer el texto completo sobre el centenario de Dalí y, si lo desea, consulte las fuentes citadas en el artículo u otras para aprender más sobre la vida del artista. Luego escriba un ensayo o haga una presentación en clase sobre "Salvador Dalí: el artista de las masas". No se olvide de citar las fuentes debidamente.

30 La Oreja de Van Gogh

Lea el artículo y decida cuál de las palabras entre paréntesis es la correcta para completar cada oración. Después conteste la siguiente pregunta: ¿Qué pregunta sería apropiada para hacerle al grupo musical?

La Oreja de Van Gogh termina su gira de dos años y medio tocando ante más de 140.000 personas

Más de 140.000 personas **1.** (*ha / han*) asistido a los conciertos que La Oreja de Van Gogh ha ofrecido en su reciente gira **2.** (*por / para*) Chile, Argentina y Uruguay. Un éxito absoluto ha sido la característica común de estos recitales, en **3.** (*el / los*) que el grupo donostiarra agotó todas las entradas de sus conciertos. La gira **4.** (*comenzaba / comenzó*) en Chile, en la 47ª edición del Festival de Viña del Mar. **5.** (*Aquí / Allí*) La Oreja de Van Gogh llenó el enorme anfiteatro y después del primer bis del concierto, la organización entregó a la banda la Antorcha de Plata. Pero al público no **6.** (*le / les*) pareció suficiente. Las 20.000 personas que abarrotaban el recinto de la Quinta Vergara **7.** (*pidió / pidieron*) a "grito pelado" la Antorcha de Oro **8.** (*por / para*) La Oreja de Van Gogh. En un ambiente de enorme emoción, el público exigió durante media hora el regreso de La Oreja de Van Gogh al escenario para recibir el trofeo más preciado del festival: la célebre Gaviota de Plata que se concede por aclamación popular. Es el público **9.** (*él / el*) que otorga la Gaviota que, a lo largo de 47 años, se ha convertido en el galardón más importante del festival. La retransmisión por televisión del concierto de La Oreja de Van Gogh batió récords, alcanzando un índice de audiencia de 54 puntos. El grupo español también llenó dos días el mítico Luna Park de Buenos Aires, Argentina, **10.** (*por / con*) 14.000 personas, el mismo número de personas que asistió a la primera presentación de La Oreja de Van Gogh en Montevideo, Uruguay. Más tarde el grupo regresó a Chile para actuar en La Serena, Pucón y Santiago, este último **11.** (*antes / ante*) más de 30.000 personas remató el éxito de la gira. En este país, el grupo también ganó el Premio de la Popularidad al recibir más de 100.000 votos a través de llamadas telefónicas. Con estos conciertos, La Oreja de Van Gogh cierra la gira internacional del álbum *Lo que te conté mientras te hacías la dormida.* **12.** (*Desde / Durante*) dos años y medio el grupo ha actuado en 12 países: Estados Unidos, Francia, México, Puerto Rico, El Salvador, Panamá, Ecuador, Colombia, Chile, Argentina, Uruguay y Guatemala.

31 ¿Qué significa?

Según el contexto del artículo que acaba de leer, elija la mejor traducción para cada palabra.

1. gira
   a. show
   b. audition
   c. tour
   d. none of these

2. donostiarra
   a. very generous
   b. from San Sebastián
   c. popular
   d. universal

3. agotar
   a. to sell out
   b. to resell
   c. to bring out
   d. to print

4. bis
   a. show
   b. applause
   c. both
   d. encore

5. Antorcha de Plata
   a. Silver Prize
   b. Silver Torch
   c. Silver Medal
   d. Silver Reward

6. abarrotar
   a. to applaud
   b. to shout with approval
   c. to sit
   d. to jam-pack

7. grito pelado
   a. fiery applause
   b. subtle encouragement
   c. wild cheers
   d. angry screams

8. regreso al escenario
   a. return to the audience
   b. return to the stage
   c. return to the scene
   d. exit from the stage

9. conceder
   a. to give up
   b. to oblige
   c. to award
   d. to distribute

10. otorgar
    a. to grant
    b. to permit
    c. to disagree
    d. to choose

11. rematar
    a. to kill
    b. to prevent
    c. to fail
    d. to finish off

32 Lea, escuche y escriba/presente

Vuelva a leer el artículo completo sobre La Oreja de Van Gogh. Luego escuche "Guadalajara se inaugura como capital de la cultura" y tome las notas necesarias. Escriba un ensayo o haga una presentación en clase sobre "El impacto del arte y cultura en la comunidad". No se olvide de citar las fuentes debidamente.

Investigue palabras clave: Guadalajara

Activity 32

Answers

31 1. c; 2. b; 3. a; 4. d; 5. b; 6. d; 7. c; 8. b; 9. c; 10. a; 11. d

Instructional Notes

32 You might want to review the following words with students before they listen to the audio: *inversión*, investment; *ayuntamiento*, city hall; *alcalde*, mayor; *realce*, enhancement; *cátedra*, chaired professorship; *charrería*, horsemanship and rodeo riding.

Additional Activities

Juego
Ask students to play *Lo tengo en la punta de la lengua*. See p. TE25.

¡A leer!

33 Antes de leer

¿Qué artistas conoce que estén involucrados/as con una causa social? ¿Cuáles cree que son las razones que le llevan a ello? ¿Qué piensa Ud. de todo esto? ¿Cree que deberían todos los famosos hacer lo mismo? ¿Y Ud.? ¿Colabora o piensa colaborar en el futuro con alguna causa humanitaria?

34 Shakira y su obra social

Lea con atención el siguiente artículo. Después conteste la siguiente pregunta:

- ¿Cuál seria una pregunta apropiada para hacerle a Shakira?

Shakira y las causas humanitarias

. . . Shakira también se ha dedicado a la fundación que creó en 1995, llamada Pies Descalzos, con el fin de ayudar a niños de Colombia y de países del tercer mundo. La cantante colombiana, gracias a
5 su labor con esta fundación, fue escogida por la UNICEF como embajadora de buena voluntad. En abril de 2006, Shakira recibió una mención honorífica en una ceremonia de la Organización de las Naciones Unidas por la creación de la fundación
10 Pies Descalzos. En el acto de entrega declaró: "No olvidemos que al final del día cuando todos se vayan a casa, 960 niños habrán muerto en Latinoamérica".

La marca española de automóviles SEAT se unió con Shakira para crear un auto que lleva como nombre Pies
15 Descalzos y se subastó en 2007 entre quienes donaron dinero a la fundación. También ese año la cantante colombiana participó en la iniciativa Clinton, donde ella, en nombre de los miembros de la Fundación ALAS (América Latina en Acción Solidaria), donó
20 más de 40 millones de dólares a la gente de Perú y de Nicaragua por los hechos ocurridos en ambos países y 5 millones más para proyectos de educación en Latinoamérica. Además, en mayo de 2008 participó en uno de los conciertos benéficos de la ALAS.

25 A principios de 2009, se inauguró la Institución Educativa y Centro Comunitario Fundación Pies Descalzos. Ésta está enfocada en dar una mejor educación a las personas que viven en La Playa, a las afueras de Barranquilla, los cuales son en su gran
30 parte artesanos y pescadores. Este colegio comenzó labores el día en que Shakira cumplió 32 años. En octubre de ese mismo año Shakira representó a Colombia en una campaña
35 transmitida a nivel mundial para la fundación One Drop, para preservar el agua, donde actuaron el fundador del Cirque du
40 Soleil, Lila Downs, U2, Salma Hayek, Al Gore y otras personalidades de talla mundial. Este acto se transmitió en la página de
45 Internet de la fundación, en Estados Unidos, Canadá y otros países del mundo.

Shakira

Política

En octubre de 2010 Shakira expresó su desacuerdo con la política del presidente francés, Nicolás
50 Sarkozy, de expulsar a los gitanos rumanos del país. En la edición española de la revista *GQ* dedicó también unas palabras a Sarkozy: "Todos somos gitanos". En la entrevista dejó su punto de vista muy claro. "Lo que les pasa ahora a ellos - por los gitanos
55 - les pasará a nuestros hijos y a los hijos de nuestros hijos. Debemos recurrir a la acción ciudadana por los derechos fundamentales del ser humano y denunciar todo lo que nos parece denunciable", sentenció. En octubre de 2011 el presidente de los Estados Unidos
60 Barack Obama la nombra asesora de la Comisión para la Excelencia Educativa de los Hispanos.

http://es.wikipedia.org/wiki/Shakira#Activismo_social

Nota cultural
Shakira donó 10.000 zapatillas de deporte a los niños sin posibilidades económicas de la zona donde nació, en Barranquilla. También es embajadora de buena voluntad de la UNICEF, y apoya otras causas como Habitat for Humanity entre muchas otras.

35 Amplíe su vocabulario

Haga un resumen del artículo anterior en no más de cinco líneas. Use las palabras en azul y enuméralas.

36 ¿Ha comprendido?

1. Según el artículo anterior, ¿cuál es el objetivo de la fundación?
   a. Promocionar a la cantante
   b. Ayudar a los niños de Colombia
   c. Crear una nueva fundación en los países del tercer mundo
   d. Ayudar a los niños necesitados y países subdesarrollados y en Colombia

2. ¿Con qué motivo se subastó un coche de la marca SEAT en uno de los eventos?
   a. Para animar y motivar a los que hicieron donativos
   b. Para donar dinero a la fundación
   c. Para promocionar la marca de coches
   d. Para regalárselo a los niños pobres del tercer mundo

3. ¿Cómo ayuda la fundación Pies Descalzos en la zona de La Playa, a las afueras de Barranquilla?
   a. Preservando el agua
   b. Educando a los niños
   c. Haciendo conciertos benéficos
   d. Denunciando las injusticias

4. ¿A qué se refiere la frase "expresó su desacuerdo con la política del presidente francés"?
   a. Al rechazo de todos los artistas por la posición del presidente frente a los gitanos
   b. A la denuncia que hizo Shakira por la expulsión de los gitanos de Francia
   c. A la dificultad que tenemos todos en este mundo por ser gitanos
   d. Al hecho de que Shakira y el presidente encontraron una solución para ayudar a los gitanos

5. ¿Cuál es el propósito del artículo?
   a. Denunciar la situación de los niños pobres en los países del tercer mundo
   b. Criticar la postura de gobiernos, como el francés, frente a los gitanos
   c. Resumir la labor humanitaria de la cantante
   d. Promocionar el álbum de Shakira llamado Pies Descalzos

6. Si quisiera buscar información adicional, ¿cuál de las siguientes publicaciones consultaría?
   a. Los niños y su educación en las zonas pobres de Colombia
   b. Los famosos y sus viajes por causas benéficas
   c. SEAT y sus causas humanitarias
   d. Los desafíos de los gitanos hoy en día

¡Dato curioso! ¿Sabía que el esfuerzo del cantante colombiano Juanes en el concierto "Colombia sin minas" dio sus frutos, al lograr recaudar 350 mil dólares para las víctimas de las minas antipersonales en su país? Todas las colectas están relacionadas con la gala musical y la fundación "Mi sangre" de Juanes. Juanes nació Juan Esteban Aristizábal en Medellín, Colombia. Es cantante, guitarrista, productor y autor de la música y letra de todos los temas que canta. En los últimos cuatro años, Juanes ha ganado nueve Grammy Latinos, cinco Premios MTV y seis Premios Lo Nuestro, entre otros reconocimientos internacionales.

Compare ¿Cuáles son los famosos de su país más involucrados con causas sociales? Compare sus labores sociales con las de otros artistas de habla hispana.

Lección 8B   467

Dato curioso
Ask students to talk about the impact that celebrities can have on humanitarian causes.

Instructional Notes

38 Have students choose their favorite fashion quote from the following and discuss with a classmate. You might want to follow up with a whole-class discussion.

• *La autoridad de la moda es tal, que nos obliga a ser ridículos para no parecerlo.*
  -Joseph Sanial-Dubay (1754-1817), escritor francés

• *Todos los cerebros del mundo son impotentes contra cualquier estupidez que esté de moda.*
  -Jean de la Fontaine (1621-1695), escritor y poeta francés

• *Para lograr el éxito, mantenga un aspecto bronceado, viva en un edificio elegante, aunque sea en el sótano, déjese ver en los restaurantes de moda, aunque sólo se tome una copa, y si pide prestado, pida mucho.*
  -Aristóteles Onassis (1906-1975), magnate y empresario griego

Additional Activities

Trabajo de investigación / Composición

Tell students to shop for you, an administrator or another student in the class. Their budget is $150. They can choose to go to the online stores of either Zara or Mango. They will need to present the items chosen in an email using sentences with the subjunctive and indicative. **Por ejemplo:** Es evidente que necesitas un cambio de *look*, por eso recomiendo que compre(s) estas botas . . .

---

37 Lea, escuche y escriba/presente

Vaya a la página oficial de la fundación de Shakira, Pies Descalzos. Investigue sobre la organización y vea algunos de sus videos. Luego escriba un ensayo o haga una presentación en clase sobre esta organización, sus comienzos y su labor humanitaria.

38 La moda española

Lea con atención el siguiente artículo. Después conteste las siguientes preguntas:

- ¿Cuál es el propósito del artículo?
- ¿Cómo resumiría el artículo en una frase?
- Si quisiera consultar otra fuente, ¿podría pensar en un posbile título de una publicación?

La moda española, un gran imperio

Zara es una de las empresas más importantes en España y es una de las tiendas españolas más conocidas internacionalmente. Es parte del grupo Inditex. Zara fue fundada por Amancio Ortega al
5 igual que otras muchas empresas de moda como de la compañía. Hoy en día, hay más de 1500 Zaras en unos 76 países. Zara ha tenido éxito porque tiene una estrategia única. Normalmente, para un diseño de moda llegar en una tienda, el proceso
10 dura seis meses. No obstante, Amancio Ortega y su grupo creían que una prenda de vestir solo necesita dos semanas para llegar en una tienda. Esto le permite a Zara producir 10.000 estilos unevos al año. Produce prendas de calidad que se parecen
15 a las que hacen los grandes diseñadores de moda (a un alto precio). Todos los estilos en Zara son completamente diferentes cada semana. Por esta razón, los compradores siempre están ilusionados y deseando pasar por las tiendas para ver qué diseños
20 nuevos tienen.

La moda de España con su estilo único es una de las más reconocidas a nivel mundial. Algunas de sus diseñadores populares son:
25 Ágatha Ruiz de la Prada, Fernando Sánchez, Cristóbal Balenciaga, Paco
30 Rabanne, Custo (famoso por sus camisetas), Mariano Fortuny, Elena Benarroch, Manolo Blahnik (creador de
35 los famosísimos zapatos) y Amaya Arzuaga entre muchos otros. Junto a estos artistas tenemos a creadores latinoamericanos destacados como es el caso de Oscar de la Renta, Carolina Herrera o Ángel Sánchez.
40 Mientras que muchos valoran la creatividad de estos diseñadores y marcas, otros, sin embargo, critican a los mismos al definir los tamaños de ropa de las mujeres. El tamaño de muchas de las marcas al igual que los modelos que usan para lucirlas hace
45 que muchos jóvenes se sientan inseguros de sus cuerpos y comiencen una dieta extrema y peligrosa.

Una tienda Zara en Sevilla, España

39 Haga una entrevista

El fundador de Zara, Amancio Ortega, es conocido por no hacer muchas entrevistas. A pesar de ser un exitoso empresario, y su nombre aparecer en la revista *Fortune* como uno de los más ricos del mundo, pocos han conseguido hacerle una entrevista. Hoy Ud. tiene una gran oportunidad para hacerla. Después de leer el artículo, escriba 10 preguntas para él. Incluya información y vocabulario del artículo en sus preguntas.

Compare

¿Cuáles son las marcas más conocidas de ropa en los EE.UU. para gente de su edad? Compare el estilo de una de ellas con el estilo de Zara.

¿Deberían los museos del mundo devolver el patrimonio cultural de otros países? ¿Qué pasaría con las investigaciones que financian estas instituciones? ¿Habrían sobrevivido estas piezas en su lugar de origen? ¿Cree que hubiéramos podido conocer estas obras de no haber sido rescatadas? ¿Cómo se garantiza la seguridad y preservación del patrimonio en países de escasos recursos?

41 **El patrimonio en los museos**

Lea con atención el siguiente artículo. Después conteste las siguientes preguntas:

- ¿Cuál es el propósito del artículo?
- ¿Cómo resumiría el artículo en tres frases?
- Si quisiera consultar otra fuente, ¿podría pensar en un posible título de una publicación?
- ¿Qué pregunta sería apropiada para hacerle al autor del artículo?

Polémica sobre los patrimonios de la humanidad en los museos

Alrededor de los grandes museos de antigüedades, sobre todo el Museo del Louvre (Francia) y el Museo Británico, siempre se ha mantenido la polémica sobre la obtención de ciertas obras de arte ya que muchos
[5] sectores lo consideran un expolio. Muchos países que se consideran expoliados, han pedido en repetidas ocasiones la devolución de ciertas obras por parte de las autoridades británicas. El Gobierno británico responde diciendo que según una ley promulgado por el Parlamento en el año
[10] 1753, se prohíbe la salida del país de cualquier pieza a no ser que sea un duplicado, para preservar toda esta cantidad de obras. Además, el Gobierno británico esgrime como argumento el que esas obras no podrían haber sido conservadas adecuadamente en sus países de origen.

[15] El caso más paradigmático del Museo Británico, es el de los frisos y esculturas del frontón del Partenón. El gobierno de Grecia lleva solicitando formalmente desde hace varios años la devolución de los restos de este templo. El Gobierno británico dice que el estado compró
[20] oficialmente los restos del Partenón que se conservan en el museo a Lord Elgin, y que éste a su vez se lo compró al Imperio Otomano y es la postura oficial desde la página web del museo.

A raíz de las exigencias del gobierno griego, muchos otros
[25] países también están pidiendo la devolución de materiales, [30] como Nigeria y Egipto. De momento, el Museo Británico se ha negado a devolver toda pieza, aunque la presión de estos países es cada vez mayor.

El saqueo del patrimonio artístico se ha llevado a cabo en todos los tiempos y por todo tipo de gentes, incluso
[35] con autorización de los gobiernos nacionales para abastecer los museos, pues en todo tiempo ha existido el coleccionismo. Los romanos fueron unos grandes coleccionistas de antigüedades griegas. A partir del siglo III a. de C. los ricos conquistadores comenzaron a formar
[40] colecciones y participaron en una primera fase del pillaje a gran escala de la Grecia Clásica.

En el siglo XVII se abre el periodo de los grandes viajes, especialmente a Grecia. El coleccionismo es entendido como un acto de prestigio por parte de aficionados, a
[45] veces animado por un verdadero deseo de conocer la antigüedad. Los viajes aumentan más en el siglo XVIII. Se extiende la costumbre en las universidades de hacer un "grand tour" mediterráneo tras los estudios universitarios para aprender idiomas e iniciar colecciones. Al final del
[50] XVIII y comienzo del XIX la demanda de antigüedades por parte de los estados y los coleccionistas se hace tan grande que se crean los grandes museo, como el Museo Británico en 1753, uno de los más polémicos y criticados junto al Louvre, por la forma en la que ha conseguido

continúa

Lección 8B   **469**

Answers

42 Sentences will vary.

43

1. Falsa - Son el Louvre y el Británico.
2. Falsa - Es verdad que en muchos casos es así, pero no dice el artículo que es el caso de todos.
3. Verdadera
4. Falsa - Siempre ha habido saqueo, ya los romanos y los griegos lo hacían constantemente.
5. Verdadera

Instructional Notes

43 Look for a video on the Internet that talks about the controversy of cultural patrimony being housed in museums not in the country of origin. For example, you might find one having to do with the pieces from Machu Picchu that have been at Harvard for years and now are being returned to Peru.

Additional Activities

Juego

Ask students to play *Cadena de palabras*. See p. TE24.

---

hacerse con ese patrimonio. Muchos países como Grecia, Egipto o Nigeria se consideran expoliados por Inglaterra y piden la devolución de las obras de arte a su lugar de origen.

Se crean los primeros museos americanos (el Metropolitan Museum de Nueva York y el Boston Museum of Fine Arts en 1870), y surge una nueva demanda de antigüedades clásicas y, también, de arqueología precolombina. La arqueología en el siglo XX empieza a ser especialmente sensible el saqueo inexperto de los bienes culturales.

Según Interpol y Scotland Yard, el mercado de arte robado y de antigüedades expoliadas representa una cifra astronómica de dólares y constituye la segunda gran fuente de criminalidad organizada tras el tráfico de droga, a pesar de las convenciones internacionales y las tomas de posición de numerosas asociaciones profesionales y académicas. El pillaje continúa y aumenta sin parar, con métodos modernos como los detectores de metales y los *bulldozers*, aprovechándose de la pobreza de algunos países o con empresas enteras más o menos legales o paralegales dedicadas a este comercio, en particular si se trata de arqueología submarina. Los "Indiana Jones" actuales destruyen todo lo que tocan con su impaciencia y su falta de preparación, y pierden para siempre objetos que podrían suministar una valiosa información sobre el pasado.

Hiram Bingham es considerado culpable de extraer de manera ilegal 46.332 piezas arqueológicas incas, propiedad del pueblo peruano, llevándoselas a la Universidad de Yale, en Estados Unidos. La Universidad de Yale va a devolver casi 50.000 piezas retiradas de Machu Picchu hace casi un siglo. Los artefactos fueron excavados por Hiram Bingham, que descubrió la ciudad perdida de los incas, y llevados a la prestigiosa universidad norteamericana.

es.wikipedia.org

42 Amplíe su vocabulario

Haga una frase con cada una de las palabras que aparecen en azul mostrando que comprende su significado.

43 ¿Verdadero o falso?

Según la lectura anterior, decida si las siguientes frases son verdaderas o falsas. Escriba la frase verdadera en los casos en que una sea falsa.

1. El museo que causa mayor polémica es el Museo del Louvre.
2. Las obras no se hubieran podido conservar si no llega a ser por el Museo Británico.
3. Grecia quiere que le devuelvan los objetos del Partenón.
4. El saqueo es algo nuevo que cada vez es peor, debido al tráfico entre los coleccionistas.
5. El tráfico de antigüedades junto con las drogas son las dos grandes actividades del crimen organizado.

El Museo Británico

¡Dato curioso! Se denomina expolio, saqueo o pillaje arqueológico y artístico al delito consistente en la incautación del patrimonio histórico, arqueológico y artístico por parte de profesionales con afán de lucro, por coleccionistas, por arqueólogos aficionados e inexpertos, anticuarios sin escrúpulos o turistas, sin el permiso ni la información previa de las autoridades civiles y gubernativas de los lugares saqueados ni respeto a las leyes de protección de bienes culturales.

44 Haga preguntas

Escriba cinco preguntas sobre el texto anterior.

45 Lea, escuche y escriba/presente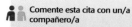

Después de leer el artículo anterior, busque un video en Internet o un podcast que hable del regreso de los artefactos a Machu Picchu. Luego, escriba un ensayo o haga una presentación en clase sobre el siguiente tema: ¿Cree que los museos deben de devolver las piezas a los países de origen? No se olvide de citar las fuentes debidamente.

Cita

Todo tiene sus límites.
— Quinto Horacio Flaco (65– 8 a. de J. C.), poeta latino

Comente esta cita con un/a compañero/a

Machu Picchu, Perú

¡A escuchar!

46 Vida de niños de la calle al cine

Esta grabación es sobre el documental que realizó la periodista Mercedes Jiménez Ramírez sobre los niños de la calle en la República Dominicana. La grabación dura aproximadamente 4.5 minutos. Primero, repase las palabras del recuadro porque le ayudarán a entender mejor la grabación. Luego lea las preguntas y sus posibles respuestas y después escuche "Vida de niños de la calle al cine". Escoja la mejor respuesta para cada pregunta. Después piense en cuál sería una pregunta apropiada para hacerle al director del documental. Si quisiera consultar otra fuente para aprender más sobre este tema, ¿podría pensar en el título de una publicación?

el limpiabotas	*shoeshine boy*	**lucir**	*to seem*	**las sobras**	*leftovers*
el pegamento	*glue*	**intercaladas**	*interwoven*		

1. ¿Qué cosas le impresionaron a la periodista durante su visita a la República Dominicana?

   a. La belleza del país, el folklore y la gente
   b. La pobreza del país y la personalidad de un joven
   c. El folklore y la riqueza de personalidades de allí
   d. El folklore y la malnutrición

2. ¿Qué es Boca Chica?

   a. Un pueblo
   b. El apodo del muchacho
   c. Un mercado
   d. Unos zapatos

3. ¿Cómo es la familia del joven?

   a. Matriarcal con pocos hermanos
   b. Grande sin madre
   c. Patriarcal con muchos hermanos
   d. Grande y sin padre

4. ¿Qué comen los niños de la calle?

   a. Lo que pueden encontrar
   b. Las aves
   c. El cemento
   d. Todas las respuestas anteriores

5. ¿De qué tipo de pegamento se habla en el documental?

   a. El cemento de las llantas
   b. El cemento de exportación
   c. La goma del zapatero
   d. La goma que se usa para pegar azulejos al suelo

6. ¿Qué premio recibió la película?

   a. Mejor Drama
   b. Mejor Documental
   c. Mejor Película Cubana del Año
   d. Ninguna de las respuestas anteriores

47 La piratería musical

Primero, repase las palabras del recuadro porque le ayudarán a entender mejor la grabación. Luego escuche "La piratería musical generó 4.600 millones de dólares en 2004" y conteste las preguntas que siguen.

hacer estragos	to wreak havoc	avivar	to intensify
la puesta en marcha	setting in motion	promover	to promote
superar	to exceed	actuación	performance

1. Normalmente se anuncia el Informe Mundial de Piratería Discográfica en Londres. ¿Por qué lo decidieron hacer en Madrid en 2004?
2. ¿Cuál es el problema en Paraguay?
3. ¿Cómo se ha tratado de solucionar el problema en Paraguay?
4. ¿Qué han hecho en Guadalajara, México, para cambiar la situación de la piratería?
5. ¿Qué ha hecho el Gobierno mexicano para cambiar la situación de la piratería?
6. Se mencionan tres efectos de la piratería. Nombre dos.
7. Se mencionan dos tipos de piratería. Una es la piratería musical. ¿Cuál es la otra?
8. ¿Cómo resumiría lo que escuchó en una frase?
9. ¿Cuál es el propósito del artículo?

48 Participe en una conversación

Ud. va a participar en una conversación. Primero lea la descripción de la conversación y piense en algunas palabras o expresiones que le serían útiles. Organice sus ideas, haciendo predicciones sobre lo que se le pueda preguntar o comentar. Una descripción de lo que va a escuchar aparece abajo en color. Participe en la conversación grabando las respuestas o escribiéndolas en su cuaderno.

Escena:	Se distribuirán los Oscar (o cualquier otro programa de premios) este domingo. Su amiga, Susana, está conversando sobre los que puedan ganar. Ella le pide sus opiniones. Conteste sus preguntas.

Susana: Plantea el problema y le hace una pregunta.

Ud.: • Conteste con detalles.

Susana: Hace un comentario y pregunta sobre una categoría en particular.

Ud.: • Dele detalles sobre lo que le ha preguntado.

Susana: Pregunta sobre otra categoría.

Ud.: • Dele detalles sobre otra nominación en esta categoría.

Susana: Hace un comentario y le hace otra pregunta.

Ud.: • Háblele sobre sus preferencias. Explique las razones y conteste su pregunta.

Susana: Hace un comentario y se despide.

Ud.: • Despídase. Haga un comentario e intente usar una expresión nueva de la lección.

Teacher Resources

Activity 47
Activity 48

Answers

47

1. Por el enorme problema de la piratería en España
2. Es el principal punto de tránsito de discos pirateados en Latinoamérica.
3. Han puesto en marcha una unidad policial especializada en piratería.
4. Han convertido las tiendas piratas en puntos de venta legales.
5. Ha promovido cambios legislativos para criminalizarla y también ha mejorado las medidas policiales.
6. *Any two of the following:* Destruye empleo, perjudica la inversión y financia el crimen organizado.
7. La piratería en Internet
8. Anwers will vary.
9. Informar sobre el problema de piratería musical

Instructional Notes

47 You might want to review these words before students listen to the audio: *hacer estragos*, to wreak havoc; *avivar*, to intensify; *puesta en marcha*, setting in motion; *promover*, to promote; *superar*, to exceed; *actuación*, performance.

Additional Activities

Comunicación
Ask students to work with a partner and create a plan or program that would help eliminate or reduce *la piratería musical*. They could then share their ideas with the rest of the class and decide whose plan or program is the most effective, and why.

Audioscript Activity 48

Susana: ¡Hola! ¿Te has fijado que se van a distribuir los premios por La Mejor Película del Año este domingo? ¿Ya has visto las cinco películas nominadas?
[STUDENT RESPONSE]
Susana: Me encantan las películas románticas. Espero que esa nueva basada en el libro *Mi Amor* gane. Y tú, ¿qué película prefieres? ¿Por qué?
[STUDENT RESPONSE]
Susana: Y se oye toda la música de la película *Mi Amor* en la radio. Seguramente, los cantautores van a recibir un premio también. ¿Qué opinas?
[STUDENT RESPONSE]

Susana: No puedo esperar. El programa empieza a las ocho. ¿Quieres venir a mi casa para mirarlo conmigo y ver si tengo razón en esas dos categorías?
[STUDENT RESPONSE]
Susana: Bueno, nos vemos como a las siete y media con muchas palomitas de maíz. Y el público va a decidir quién gana. Hasta el domingo a las siete.
[STUDENT RESPONSE]

¡A escribir!

49 Texto informal: un blog

Escriba en un blog. Responda a la persona de abajo.

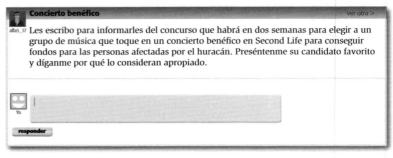

Concierto benéfico   ver otra >

alfa5_17   Les escribo para informarles del concurso que habrá en dos semanas para elegir a un grupo de música que toque en un concierto benéfico en Second Life para conseguir fondos para las personas afectadas por el huracán. Preséntenme su candidato favorito y díganme por qué lo consideran apropiado.

Yo

responder

- Nombre al grupo con detalles sobre los miembros, la nacionalidad, la fama alcanzada y los premios ganados.
- Mencione qué tipo de música tocan y los nombres de algunos de sus éxitos.
- Explique claramente por qué le gusta su música. Dé detalles.
- Termine con unas recomendaciones para convencer al público de que debe escuchar el grupo.
- Diga por qué cree que sería bueno para esta causa.

50 Texto informal: una carta

Lea esta carta con atención y respondale a la señora Amparo. Simpatice con su situación, cuéntele alguna anécdota y ofrézcale más ayuda y colaboración.

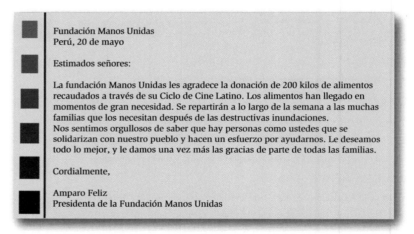

Fundación Manos Unidas
Perú, 20 de mayo

Estimados señores:

La fundación Manos Unidas les agradece la donación de 200 kilos de alimentos recaudados a través de su Ciclo de Cine Latino. Los alimentos han llegado en momentos de gran necesidad. Se repartirán a lo largo de la semana a las muchas familias que los necesitan después de las destructivas inundaciones.
Nos sentimos orgullosos de saber que hay personas como ustedes que se solidarizan con nuestro pueblo y hacen un esfuerzo por ayudarnos. Le deseamos todo lo mejor, y le damos una vez más las gracias de parte de todas las familias.

Cordialmente,

Amparo Feliz
Presidenta de la Fundación Manos Unidas

51 Ensayo: el cine y la televisión

Escriba un ensayo en el que compare las diferencias y semejanzas entre el cine y la televisión en los Estados Unidos y el cine y la televisión en los países hispanohablantes. Busque información en Internet antes de empezar el ensayo.

52 Ensayo: los actores hispanos

Escriba un ensayo sobre "El impacto social de los actores hispanos en el cine y en la televisión hoy en día". Busque información en Internet antes de empezar el ensayo.

53 En parejas

Intercambie sus ensayos con los de un/a compañero/a. Exprésele su opinión sobre su contenido y el uso del idioma.

¡A hablar!

54 Charlemos en el café

Ud. va a debatir los siguientes temas con un/a compañero/a. Uno estará a favor de lo que se ha dicho y otro en contra. El debate durará varios minutos. El/La estudiante que esté de acuerdo comenzará el debate y hablará por unos dos minutos. Cuando el/la profesor/a lo indique, el/la otro/a estudiante tomará la palabra y expresará su opinión por otros dos minutos, y así sucesivamente.

1. No se deberían devolver las piezas de los museos a países pobres o con problemas políticos.
2. Todo lo que haga un artista es arte.
3. Almodóvar es un genio. Es uno de los mejores directores de la historia.
4. Los precios de las entradas para el cine y otros espectáculos son demasiado caros. Tienen que bajar los precios.
5. Los padres deben poner controles en los televisores para que los menores de 18 años no vean programas inapropiados.

55 ¿Qué opinan?

En parejas conversen sobre estas preguntas.

1. ¿Cuáles son las películas que ha visto últimamente que tratan temas sociales?
2. ¿Por qué "vende" en la taquilla la violencia de las películas?
3. Dalí usaba mucho simbolismo en su obra. ¿Qué cree que representaban los huevos, las hormigas o los relojes blandos?
4. Algunos DJs ganan muchísimo dinero por un concierto. ¿Cree que se lo merecen igual que los otros músicos más tradicionales? ¿Quiénes son los pinchas/DJs más conocidos?

Pedro Almodóvar

Teacher Resources

 Activities 21–22

Instructional Notes

53 You might want to have students work in small groups rather than with a partner to critique one another's work.

54 Because all students will speak, allow them time to prepare this activity. Be sure to tell students which issue and which side of the issue they will be debating, so that they can do some research and practice before their debate.
After students have debated these issues with a partner, you might want them to continue the debate in small groups, or even have a discussion with the whole class on one or two of these topics. Remind students to use as much of the new vocabulary from this lesson as they can.

55 Encourage students to use as much of the vocabulary from all the preceding lessons as they can.

Additional Activities

Responda a esta situación
See p. TE28.

Instructional Notes

56 Review the *Pautas para presentaciones formales* on p. 481, and refer students to their copies of the guidelines given to them in *Lección 1A* (*Antes y durante una presentación*). (See p. 27 of this Annotated Edition.) Remind them that while they are presenting they should not read from their notes.

57 Before students start their projects, go over the questions from *Lección 1A*, p. 28. Students should have a copy of these questions for each project. Remind them that after they complete their project, they will self-assess their work as a team using the grading system 1–5 (5 being the highest, and 1 the lowest) and write a grade next to each question. After they turn in their work or make their presentation to the class, you will review their project and write your comments and evaluation next to theirs.

56 Presentemos en público

Haga una presentación sobre alguno de los temas de abajo durante varios minutos en clase. Organice sus ideas antes de hacer la presentación, busque las palabras necesarias y, después de practicar, presente en clase sin mirar las notas.

1. ¿Cree que la música contemporánea ha afectado demasiado a los jóvenes? ¿Cómo? ¿Por qué piensa que la música es tan importante en la vida de muchos jóvenes?
2. Haga una presentación sobre las excentricidades de Dalí y de otros artistas.
3. Haga una presentación sobre los artistas y su colaboración en obras humanitarias.
4. Haga una presentación sobre muebles y ropa de famosos artistas (por ejemplo el famoso sofá de Dalí de los labios, el teléfono langosta, etc.).

Proyectos

57 ¡Manos a la obra!

Trabaje en un grupo de cuatro o cinco estudiantes para llevar a cabo uno de los siguientes proyectos y presentarlo en clase.

1. Investiguen el arte azteca y presenten la información. Acompañen los datos con ilustraciones, fotos y videos.
2. Diseñen un museo original. Puede ser de cuadros, esculturas o de música, cine o baile, o una combinación de todos. Describan con detalles las muestras que piensan presentar esta temporada. Denle un nombre al museo, nombren a un/a director(a) y establezcan las tarifas de las entradas.

Cita

- *A los seis años quería ser cocinero. A los siete quería ser Napoleón. Mi ambición no ha hecho más que crecer; ahora sólo quiero ser Salvador Dalí y nada más. Por otra parte, esto es muy difícil, ya que, a medida que me acerco a Salvador Dalí, él se aleja de mí.*
- *El que quiere interesar a los demás tiene que provocarlos.*
- *Es curioso, a mí me interesa mucho más hablar, o estar en contacto con la gente que piensa lo contrario de lo que yo pienso, que de los que piensan lo mismo que pienso yo.*
- *Sólo hay dos cosas malas que pueden pasarte en la vida, ser Pablo Picasso o no ser Salvador Dalí.*
  —Salvador Dalí (1904-1989), artista español

Elija su cita preferida de Dalí. Comparta su elección con su compañero/a.

Dalí Theatre-Museum, Figueres, España

Vocabulario

Verbos

abarrotar	to jam-pack
admirar	to admire
adorar	to adore
adquirir	to acquire
alabar	to praise
aplaudir	to applaud
censurar	to censor
colaborar	to collaborate
colocar	to put, place
conceder	to award
crear	to create
denunciar	to denounce
enloquecer	to become irrational, go crazy
fascinar	to fascinate
hallar	to find, discover
ingresar	to enter, enroll
instalarse	to settle, establish oneself
patrocinar	to sponsor
piratear	to rob, pirate
promover	to promote
rechazar	to reject
recorrer	to travel, cross
recuperar	to recover, retrieve
soltar	to let go of; to untie

Sustantivos

la	causa humanitaria	humanitarian cause
el	cuestionamiento	questioning
el	entorno	environment
la	entrega	delivery, distribution
la	estrella	star
la	falsificación	forgery
el	fraude	fraud
la	fundación	foundation
la	exposición	exposition, show
el	fondo	background
el	galardón	award, prize
la	gira	tour
la	inversión	investment
la	jornada	the (working) day
el	legado	legacy
el	mercado	market
la	naturaleza muerta	still life
el	paisaje	landscape
el	papel	role
el	penúltimo	second to last
el	pincel	paintbrush
la	piratería	piracy
el	poder	power
la	polémica	controversy
el	proyecto	project
la	prueba	proof, sign, test

el	recorte	clipping
el	retrato	portrait
la	sabiduría	wisdom
el/la	sabio/a	wise person
el	sector	sector
el/la	seguidor(a)	follower
el	tacto	(sense of) touch
la	tela	cloth, fabric, material
la	temporada	season
el/la	vidente	clairvoyant
el	videojuego	videogame
el	vínculo	link, bond

Adjetivos

anterior	previous
codiciado, -a	desirable
creativo, -a	creative
dañado, -a	damaged
denunciable	indictable
inaceptable	unacceptable
innovador(a)	innovative
irracional	irrational
provocativo, -a	provocative
variopunto, -a	miscellaneous

Expresiones

abarrotar un recinto	to pack the premises
a juzgar por	judging by
al aire libre	outdoors
a grito pelado	wild cheers
apta para mayores de 18 años	suitable for those over 18 years old
el arte por el arte	art for art's sake
las clasificaciones de películas	movie ratings
colores vivos	bright colors
como consecuencia de	as a result of
dar concierto benéfico	to give a benefit concert
de nuevo	again
gracias a su labor humanitaria	thanks to his/her humanitarian work
llevarse a cabo	to carry out
lo bueno (malo) es que	the good (bad) thing is
prácticamente	practically
los pros y los contras	the pros and cons
el público fanático	fans
la puesta en marcha	setting in motion
quedarse ciego	to become blind
ser conocido internacionalmente	to be known internationally
ser un éxito rotundo	to be a resounding success
ser un fracaso	to be a failure

Teacher Resources

 Activities 23–27

Go online
EMCLanguages.net

Additional Activities

Juegos

To practice and reinforce the lesson's vocabulary and grammar, have students play either one or both of these games: *Cada uno una, Historias en cadena.* See pp. TE24 and TE25.

To practice the culture presented in the lesson, ask students to play *¿Verdadero o falso?* See p. TE25.

Ask students to do any of the following activities to practice and strengthen the vocabulary, grammar, or culture presented in this lesson: *El desafío del minuto, ¿Cómo están relacionados?, Repaso Expreso, De periodistas, Gráfico sobre un tema.* See pp. TE26–TE28

Teacher Resources

See ExamView for assessment options.

Instructional Notes

Tell students that the abbreviations *EE.UU., JJ.OO.,* and *SS.MM.* that appear in the *A tener en cuenta* section repeat the letters because they refer to plural subjects.

A tener en cuenta
Abreviaturas y siglas

a. de J. C./a. C./a. J. C.	B.C.	ONU	Organización de las Naciones Unidas
Cía.	compañía		
C.P.	código postal	OTAN	Organización del Tratado del Atlántico Norte (NATO)
D.	don		
D.ª	doña	pág., págs.	página, páginas
d. J. C./d. C.	A.D.	p. ej.	por ejemplo
dcha.	derecha	Prof., Prof.ª	profesor, profesora
D.E.P.	descanse en paz	S.A.	Sociedad Anónima
Dr., Dra.	doctor, doctora	Sr., Sra.	señor, señora
EE. UU.	Estados Unidos	Sres., Srs.	señores
ej.	ejemplo, ejemplar	Srta.	señorita
etc.	etcétera	SS. MM.	Sus Majestades
g	gramo/gramos	UE	Unión Europea
I.V.A.	impuesto de valor añadido		
izq., izqda.	izquierda		
JJ. OO.	Juegos Olímpicos		
Km, km	kilómetro, kilómetros		
l	litro, litros		
m	metro, metros		

Apéndice

Pautas

Antes de empezar

Complete este cuestionario antes de hacer la actividad.

1. ¿Cúal es mi objetivo? ¿Qué pretendo producir?
   a. Un texto escrito informal ☐
   b. Un texto escrito formal (ensayo) ☐
   c. Un diálogo ☐
   d. Una presentación oral informal ☐
   e. Una presentación oral formal ☐

2. ¿Qué necesito tener en cuenta?
   a. _____
   b. _____
   c. _____
   d. _____
   e. _____

3. ¿Cómo organizaré mis ideas: cómo comenzaré, desarrollaré y terminaré? Escriba los temas sobre los que va a escribir o hablar.
   a. _____
   b. _____
   c. _____
   d. _____
   e. _____
   f. _____

4. ¿Qué expresiones conozco que pueden servir en este contexto?
   a. _____
   b. _____
   c. _____
   d. _____

5. ¿Qué palabras o expresiones de la lección que he estudiado puedo usar?
   a. _____
   b. _____
   c. _____
   d. _____
   e. _____
   f. _____

6. ¿Hay elementos culturales presentes o alguno al que pueda referirme? ¿Cuáles son?
   a. _____
   b. _____
   c. _____
   d. _____

Pautas para textos informales

Reflexione sobre su trabajo y marque la casilla correspondiente.

	Estoy muy satisfecho/a	Estoy algo satisfecho/a	Regular	Debo mejorarlo
1. ¿Usé el registro correcto?	❏	❏	❏	❏
2. ¿Cuántas tareas debía completar? ¿Las completé todas?	❏	❏	❏	❏
3. ¿Fue buena mi organización? ¿Organicé mis ideas de forma lógica: con una introducción, oraciones completas que expresan ideas bien conectadas en párrafos coherentes y una conclusión o despedida?	❏	❏	❏	❏
4. ¿Terminé de forma adecuada?	❏	❏	❏	❏
5. Si era un texto entre varias personas, ¿mostré buenas destrezas interpersonales?	❏	❏	❏	❏
6. ¿Integré apropiadamente estructuras simples y de uso común?	❏	❏	❏	❏
7. ¿Usé correctamente algunas estructuras más complejas?	❏	❏	❏	❏
8. ¿Usé expresiones idiomáticas frecuentemente y de manera apropiada?	❏	❏	❏	❏
9. ¿Varié los tiempos verbales? ¿Cuántos usé, más o menos?	❏	❏	❏	❏
10. ¿Usé el vocabulario y la sintaxis apropiadamente?	❏	❏	❏	❏
11. ¿Revisé la ortografía, incluyendo la acentuación y la puntuación?	❏	❏	❏	❏

Pautas para ensayos

Reflexione sobre su trabajo y marque la casilla correspondiente.

	Estoy muy satisfecho/a	Estoy algo satisfecho/a	Regular	Debo mejorarlo
1. ¿Usé el registro correcto?	❏	❏	❏	❏
2. ¿Escribí un buen párrafo introductorio?	❏	❏	❏	❏
3. ¿Desarrollé mis ideas de una forma coherente?	❏	❏	❏	❏
4. ¿Usé los nexos — las palabras que unen ideas — correctamente?	❏	❏	❏	❏
5. ¿Cité todas las fuentes correctamente?	❏	❏	❏	❏
6. ¿Interpreté todas las fuentes adecuadamente: analicé la información, hice predicciones, evalué datos u opiniones y saqué conclusiones?	❏	❏	❏	❏
7. ¿Integré apropiadamente estructuras simples y de uso común?	❏	❏	❏	❏
8. ¿Usé correctamente algunas estructuras más complejas?	❏	❏	❏	❏
9. ¿Varié los tiempos verbales?	❏	❏	❏	❏
10. ¿Usé el vocabulario y la sintaxis apropiadamente?	❏	❏	❏	❏
11. ¿Reconocí elementos culturales?	❏	❏	❏	❏
12. ¿Terminé con una buena conclusión?	❏	❏	❏	❏
13. ¿Revisé la ortografía, incluyendo la acentuación y la puntuación?	❏	❏	❏	❏

Pautas para presentaciones informales
Reflexione sobre su trabajo y marque la casilla correspondiente.

		Estoy muy satisfecho/a	Estoy algo satisfecho/a	Regular	Debo mejorarlo
1.	¿Usé el registro correcto?	❑	❑	❑	❑
2.	¿Usé una buena entonación, evitando un solo tono?	❑	❑	❑	❑
3.	¿Pronuncié las palabras bien, sobre todo las con las letras *s, d, t, v, b* y *p*?	❑	❑	❑	❑
4.	¿Evité las pausas demasiado largas? ¿Uní las palabras apropiadamente para evitar sonar como un "robot"?	❑	❑	❑	❑
5.	¿Le dediqué el tiempo adecuado a cada parte de la presentación?	❑	❑	❑	❑
6.	¿Integré apropiadamente las estructuras simples y de uso común?	❑	❑	❑	❑
7.	¿Usé correctamente algunas estructuras más complejas?	❑	❑	❑	❑
8.	¿Elegí bien el vocabulario?	❑	❑	❑	❑
9.	¿Usé la sintaxis adecuadamente?	❑	❑	❑	❑
10.	¿Usé algunas expresiones nuevas de la lección?	❑	❑	❑	❑
11.	¿Incluí alguna referencia cultural?	❑	❑	❑	❑
12.	¿Mostré de forma adecuada lo que es una conversación entre dos personas — por ejemplo, al hacer las preguntas lógicas y usar expresiones que demuestran que sigo la conversación?	❑	❑	❑	❑
13.	¿Me comprendieron mis compañeros?	❑	❑	❑	❑

Pautas para presentaciones formales
Reflexione sobre su trabajo y marque la casilla correspondiente.

		Estoy muy satisfecho/a	Estoy algo satisfecho/a	Regular	Debo mejorarlo
1.	¿Logré usar el registro correcto?	❑	❑	❑	❑
2.	¿Tuvo mi presentación inicial un impacto positivo?	❑	❑	❑	❑
3.	¿Presenté la información de una manera adecuada para narrar, informar, describir, mostrar acuerdo, persuadir o refutar?	❑	❑	❑	❑
4.	¿Desarrollé mis ideas de una forma coherente?	❑	❑	❑	❑
5.	¿Hice referencia a varias fuentes?	❑	❑	❑	❑
6.	¿Interpreté las fuentes de una manera apropiada: analicé la información, hice predicciones, evalué datos u opiniones y saqué conclusiones?	❑	❑	❑	❑
7.	¿Integré apropiadamente las estructuras simples y de uso común?	❑	❑	❑	❑
8.	¿Usé correctamente algunas estructuras más complejas?	❑	❑	❑	❑
9.	¿Varié los tiempos verbales?	❑	❑	❑	❑
10.	¿Utilicé el vocabulario y la sintaxis apropiadamente?	❑	❑	❑	❑
11.	¿Hice una buena conclusión?	❑	❑	❑	❑
12.	¿Se desarrolló la presentación dentro del tiempo permitido?	❑	❑	❑	❑
13.	¿Logré conectar con la audiencia?	❑	❑	❑	❑

Vocabulario español-inglés

A

a falta de for want of *(7B)*

a fin de cuentas when it comes down to it, when all's said and done *(4A)*

a grito pelado wild cheers *(8B)*

a juzgar por judging by *(8B)*

a largo plazo in the long run *(7A)*

a las afueras de in the outskirts of *(1A)*

a lo largo de along, through *(1A)*

a lo mejor maybe *(4A)*

a marchas forzadas against the clock *(7A)*

a mediados de in the middle of *(7A)*

a menudo often *(1A)*

a pesar de in spite of *(2A)*

a pesar de in spite of *(4A)*

a tiempo in time *(6B)*

a través de through *(7A)*

a veces at times *(6B)*

el **abandono** abandonment *(2B)*

abanico de posibilidades range of possibilities *(4A)*

abarrotar to jam-pack *(8B)*

abarrotar un recinto to pack the premises *(8B)*

el **abastecimiento** supply *(7B)*

abordar to approach *(2B)*

un **abrazo** A hug *(6A)*

el **abrebotellas** bottle opener *(8A)*

el **abrecartas** letter opener *(8A)*

el **abrelatas** can opener *(8A)*

abrigarse con to keep warm with *(1A)*

abrir el apetito to whet someone's appetite *(3A)*

abrocharse to fasten *(1A)*

abrocharse to fasten *(2A)*

abstracto, -a abstract *(8A)*

lo **absurdo de la situación** the absurdity of the situation *(4A)*

aburrir to bore *(1B)*

abusar de to abuse *(2B)*

acabar con to finish off, end *(1B)*

acabar con to eliminate *(7A)*

acabar de + infinitivo to have just finished doing something *(1A)*

el **aceite de oliva** olive oil *(3A)*

acercarse to approach *(7A)*

acercarse a to approach, get close to *(6B)*

el **acero** steel *(8A)*

el **acierto** wise decision/move *(2B)*

aclamado, -a acclaimed *(4B)*

aclarar to be clear, to clear up *(3A)*

aclarar to clarify, explain *(7B)*

aclararse la voz to clear one's throat *(5B)*

acogedor(a) cozy, welcoming *(3A)*

acogedor(a) cozy, welcoming *(4A)*

acoger to welcome *(2B), (7B)*

la **acogida** welcome, reception *(1B)*

acomodarse a sus anchas (to make oneself) at home *(1A)*

acontecer to happen *(2B)*

el **acontecimiento** event *(2B)*

acordar (ue) to decide *(2B)*

acordarse (ue) de to remember *(3A)*

acostumbrarse to get used to *(5A)*

acostumbrarse a to get accustomed to *(1B)*

la **actitud** stance, attitude *(2B)*

el/la **activista** activist *(7B)*

la **actualidad** the present (time), nowadays *(5A)*

actualizarse to be up-to-date *(3A)*

actualmente nowadays, at the present time *(4A), (5A)*

actuar to act *(4B)*

la **acuarela** watercolor *(8A)*

el **acuerdo de paz** peace treaty *(1B)*

adecuado, -a appropriate *(3A)*

adelgazar to get thin, lose weight *(3B)*

además de besides, apart from *(3A)*

el/la **adepto/a** follower, supporter *(2A)*

adinerado, -a rich *(1A)*

adivinar to guess *(4B), (5B)*

admirar to admire *(4A), (8B)*

adorar to adore *(8B)*

adquirir to acquire *(8B)*

la **advertencia** warning *(7B)*

advertir (ie) to warn *(3A)*

el **afán** zeal, eagerness *(3B), (8A)*

afectuosamente affectionately *(6A)*

el/la **aficionado/a** fan, enthusiast *(8A)*

afortunado, -a lucky, fortunate *(4B)*

afrontar to face, face up to *(4B)*

agarrar to seize *(7B)*

agradar to be pleasing, please *(1B)*

agradecer to thank *(6A), (8A)*

el **agradecimiento** gratitude *(2A)*

agravar to make worse *(2B)*

agregar to add *(2B)*

agregar a to add to *(6A)*

el **agua de la llave** tap water *(7B)*

el **agua dulce** fresh water *(7A)*

el **agua embotlada** bottled water *(7B)*

el **agua potable** drinking water *(3B)*

el **aguafiestas** party pooper, wet blanket *(8A)*

aguantar, soportar to tolerate, stand, bear *(4A)*

ahogarse en un vaso de agua to get worked up about nothing *(4A)*

ahorrar to save *(2B)*

al aire libre outdoors *(8B)*

aislar to isolate *(7B)*

aislarse de to isolate oneself from *(6A)*

ajustado, -a tight *(2A)*

alabar to praise *(8B)*

alardear to boast *(3A)*

alarmante alarming *(2B)*

la **albacora** albacore tuna *(7B)*

albergar to house *(1A)*

alcanzable reachable *(6B)*

alcanzar to reach, catch up with *(1B), (3B), (7B)*

alegrar to make happy *(8A)*

alegrarse de to be happy about *(3B)*

la **alegría** happiness *(8A)*

alejarse de to move away from *(1A)*

la **aleta** fin *(7B)*

el **alguacil** sheriff *(7B)*

el **aliciente** incentive *(7B)*

la **alimentación** nourishment, feeding *(3B)*

el **alimento** food *(3B)*

aliviar to relieve *(3B), (6B)*

aliviar to relieve *(6B)*

el **alojamiento** accommodations *(1A), (6A)*

alojarse en to stay in *(1A)*

alrededor around *(2A)*

el **alrededor** surrounding area *(7B)*

la **altura** height *(4A)*

alzarse to rise up *(5A)*

amable gracious *(2B)*

amargo, -a bitter *(3A)*

el **ámbito** atmosphere *(6B)*

la **amenaza** threat *(4B), (7B)*

amenazador(a) threatening *(3A)*

amenazar to threaten *(7B)*

amenazar con to threaten to/
with *(1B), (3B)*

ameno, -a enjoyable,
pleasant *(4B)*

la **amistad** friendship *(2A)*

amortiguar to lessen, cushion,
absorb *(2B)*

amplio, -a wide *(3A), (4A)*

añadir to add *(3A)*

añadir a to add to *(3A)*

el/la **anciano/a** elderly man/
woman *(2A)*

las **andanzas** adventures *(7B)*

el/la **anfitrión/anfitriona** host,
hostess *(1A)*

animar to cheer somebody up *(5B)*

animar to encourage *(8A)*

el **ánimo por suo** to be feeling down
hearted *(5B)*

añorar to miss *(2A)*

añorar/echar de menos to
miss *(5B)*

anteayer the day before
yesterday *(8A)*

el/la **antepasado/a** ancestor *(1B), (4B)*

anterior previous *(8B)*

los **antibióticos** antibiotics *(3B)*

anticuado, -a old-fashioned, out of
style *(4B)*

la **antigüedad** antiquity *(3B)*

antojarse to have a craving for,
feel like *(3A)*

el **antojo** craving *(1B)*

anual annual *(1B)*

apadrinar to sponsor *(7B)*

apasionado, -a enthusiastic *(1A)*

apasionarse por to become very
interested in *(2B)*

apenado, -a sad *(5B)*

apenas hardly, scarcely *(1B), (5A)*

la **apertura** opening *(8A)*

apetecer to feel like *(1A)*

apetecer to crave, yearn for *(1B)*

el **apetito** appetite *(3A)*

aplaudir to applaud *(8B)*

el **apogeo** peak *(7A)*

la **aportación** contribution *(7B)*

aportar to contribute *(3B), (8A)*

el/la **apostador(a)** bettor (person who
bets) *(6B)*

apostar (ue) to bet *(6B)*

apostar por to bet on *(3A), (6A)*

apoyar to support *(2B)*

apoyarse en to lean/rely on *(2A)*

el **apoyo** support *(6B)*

aprender a to learn to *(1B)*

el **aprendizaje** apprenticeship,
learning *(7A)*

aprovecharse de to take
advantage of *(1B)*

**apta para mayores de 18
años** suitable for those over 18
years old *(8B)*

la **apuesta** bet *(6B)*

apuesto, -a good-looking *(4B)*

el/la **árbitro/a** referee, judge *(6A)*

la **arcilla** clay *(6A)*

arder to burn *(3A)*

la **arena** sand *(1A)*

el **arma (f.)** weapon *(2B)*

la **armonía** harmony *(7A)*

el **aroma** aroma *(3A)*

el/la **arquero/a, portero/a**
goalie *(6A)*

el/la **arquitecto/a** architect *(8A)*

**arquitectónico,
-a** architectural *(7A)*

la **arquitectura** architecture *(8A)*

arraigado, -a deeply rooted *(2B)*

arraigarse to take root, establish
oneself in a place *(1B)*

arrancar to pull up/out,
start *(1A)*

arrasar to have success,
victory *(4B)*

el **arrastre** trawling *(7B)*

arrebatar to snatch away *(6A)*

arrepentirse (ie) de to repent; to
regret *(2B)*

arriesgarse a to risk *(2A)*

arrugar(se) to wrinkle *(1A)*

arruinarse to be ruin *(4B)*

el **arte por el arte** art for art's
sake *(8B)*

artístico, -a artistic *(8A)*

el **asa (f.)** handle *(3A)*

ascender (ie) to raise *(1A)*

asegurar to ensure *(1A)*

asegurar to assure *(2A), (4A)*

asentir (ie, i) to agree,
consent *(1B)*

asimismo also *(6B)*

asistir a to attend *(8A)*

asombroso, -a amazing,
astonishing *(1A)*

la **aspiración** aspiration, wish *(5A)*

asumir to assume, take on *(2A)*

el **atasco** bottleneck *(1A)*

**atentamente/le saluda
atentamente** sincerely, yours
truly *(6A)*

aterrar to terrify *(5B)*

el **aterrizaje** landing *(1A)*

el/la **atleta** athlete *(6A)*

el **atletismo** track and field *(6B)*

atraer to attract *(4A)*

el **atraso** delay *(6A)*

atravesar to go through *(2A)*

atreverse a to dare to *(1A)*

atrevido, -a daring *(2A), (5B)*

atroz atrocious *(5B)*

el **atún** tuna fish *(7B)*

la **audacia** audacity, boldness *(4B)*

la **autobiografía** autobiography *(4B)*

la **autoestima** self-esteem *(2A), (3B)*

el **autógrafo** autograph *(4B)*

el **automovilismo** race-car
driving *(6A)*

el **autorretrato** self-portrait *(8A)*

aventurero, -a adventurous *(1A)*

avergonzado embarrassed *(2B)*

avergonzarse (ue) de to be
ashamed of *(2A)*

avisar to notify *(7A)*

la **ayuda humanitaria** humanitary
aid *(7B)*

ayudar a to help *(5B)*

el **ayuno** fast *(3B)*

el **azar** chance, random
happening *(5B)*

B

el/la **bailarín/bailarina** dancer *(8A)*

el **bajamar** low tide *(8A)*

el/la **baloncestista** basketball
player *(6A)*

el **baloncesto** basketball *(6A)*

el **barro** clay *(3A)*

el **básquetbol** basketball *(6A)*

el/la **basquetbolista** basketball
player *(6A)*

bastante sufficiently, quite *(1B)*

bastar to suffice, be enough *(1B),
(6A)*

el **batido de chocolate** milk shake,
chocolate milk *(3A)*

batir to beat *(3A)*

la **bebida carbónica** carbonated
drink *(3B)*

la **bebida energética** energy
drink *(6A)*

el/la **beisbolista** baseball player *(6A)*

las **bellas artes** fine arts *(8A)*

la **belleza** beauty *(1A), (8A)*

beneficiar de to benefit from *(3B)*

el **beneficio** benefit, profit *(1B), (8A)*

Besos y abrazos hugs and
kisses *(6A)*

bien educado, -a well-
mannered *(1B)*

el **bienestar** well-being *(2B), (7A)*

la **bienvenida** welcome *(1A)*

el **billete** bill *(1B)*

la **biografía** biography *(4B)*

el **bizcocho** sponge cake *(3A)*

la **bocacalle** street entrance *(8A)*

el/la **bocazas** big mouth,
blabbermouth *(4B)*

el **boceto** sketch *(8A)*

bombardear con to bombard
with *(3B)*

el **bombón** chocolate candy *(4A)*
boquiabierto astonished, aghast *(8A)*
brillante brilliant *(4B)*
brindar to provide *(2B)*
brindar to offer *(6B)*
brusco, -a abrupt *(4A)*
lo bueno (malo) es que the good (bad) thing is *(8B)*
el **bullicio** uproar *(2B)*
burlarse de to make fun of *(2A)*

C

caber to fit *(1A)*
cada cual con sus manías everyone with their funny little ways *(4A)*
cada vez each time *(6B)*
cada vez que each time that *(4A)*
la **cadena** chain *(4B)*
la **cadena de televisión** TV station *(8A)*
el **café** coffee *(4A)*
caído, -a fallen; hanging, droopy *(2A)*
calculador(a) calculating *(5B)*
el **caldo** broth *(3B)*
la **calefacción** heat *(1A)*
el **calentador de aire** fan heater *(7A)*
el **calentamiento global** global warming *(7A)*
calentar to heat *(3A)*
la **calidad** quality *(3B)*
la **calidad del aire** air quality *(7B)*
la **calidez** warmth *(4B)*
callado quiet *(2B)*
la **caminata** long walk *(1A)*
la **campaña** campaign *(4B)*
la **campaña publicitaria** advertising campaign *(3B)*
el/la **campeón(a)** champion *(6A)*
el **campeonato** championship *(6A)*
el/la **campesino/a** agricultural worker; peasant *(1B)*
el **camposanto** cemetery, graveyard *(8A)*
la **canela** cinnamon *(3A)*
el **cansancio** tiredness *(6B)*
cansarse de to become tired of *(2A)*
el/la **cantante** singer *(8A)*
la **cantidad** quantity *(3B)*
canturrear to hum *(3A)*
la **capacidad** ability *(4A)*
capacitado, -a qualified, trained *(2A)*
capaz capable *(4A)*
caprichoso, -a capricious, impulsive *(3B)*
el **carácter** character *(2A)*, *(7A)*
carácter personality *(2B)*

caracterizarse por to be characterized by *(5B)*
caradura shameless, brazen *(8A)*
carecer de to be lacking *(5B)*
la **carencia** deficiency *(7B)*
el **cargo** position, job *(4B)*
caribeño, -a Caribbean *(8A)*
el **cariño** affection; in direct speech:darling *(1A)*
Cariño Darling *(6A)*
cariñosamente affectionately *(4A)*
cariñoso, -a affectionate *(4A)*
cariñosos saludos de fondly, fond greetings from *(6A)*
carismático, -a charismatic *(4B)*
la **carrera** career, race, college degree *(2A)*, *(5A)*, *(6B)*
el **cart de aviso** warning poster *(7B)*
el **cascanueces** nutcracker *(8A)*
la **cáscara** rind, (egg) shell *(3A)*
castigar to punish *(2A)*
el **castigo** punishment *(6B)*
la **causa humanitaria** humanitarian cause *(8B)*
la **ceguera** blindness *(5B)*
celebérrimo, -a very famous *(3B)*
el **cemento** cement *(6A)*
la **censura** censorship *(1B)*
censurar to censor *(8B)*
el **cerebro** brain *(2B)*
cesar to cease, stop *(2B)*
el **ciclismo** cycling *(6A)*
el/la **ciclista** cyclist *(6A)*
la **ciencia ficción** science fiction *(5A)*
la **cifra** figure *(1A)*
el **cinturón** seatbelt, belt *(1A)*
ciudad organizadora organizing (host) city *(6B)*
el/la **ciudadano/a** citizen *(1B)*
las **clasificaciones de películas** movie ratings *(8B)*
la **clave** key *(2B)*
la **clave** key (solution) *(4A)*
la **cobertura** coverage *(6A)*
cobrar to charge *(1B)*
cocer (ue) to cook *(3A)*
la **cocina** stone *(3A)*
codiciado, -a desirable *(8B)*
el **cohete** rocket *(7A)*
colaborar to collaborate *(8B)*
el/la **coleccionista** collector *(8A)*
colgar (ue) to hang (up) *(1A)*
colocar to put, place *(2B)*, *(8B)*
colores vivos bright colors *(8B)*
la **comedia** comedy *(5A)*
el/la **comediante** comedian *(4B)*
el/la **comensal** table guest *(3A)*
el/la **comentarista** commentator *(4B)*
cometer to commit *(2B)*

la **comida basura (rápida)** junk (fast) food *(3B)*
la **comida exótica** exotic food *(3B)*
la **comida orgánica** organic food *(3B)*
comida para llevar take-out food *(3A)*
la **comida vegetariana** vegetarian food *(3B)*
el/la **comisionado/a** commissioner *(6A)*
como consecuencia as a result/consequence *(4A)*
como consecuencia de as a result of *(8B)*
¿Cómo está permitido? How is it allowed? *(2B)*
como resultado as a result *(4A)*
la **compañía** company, business *(3B)*
compartir to share *(1B)*
compasivo sympathetic *(2B)*
la **competencia** competition, rivalry *(6A)*
la **competición** competition, contest *(6A)*
competir (i) con to compete with *(6B)*
complacer to please *(7A)*
complejo, -a complex *(2A)*, *(4A)*
complicado, -a complicated *(5B)*
componerse de to be composed of *(5B)*
el **comportamiento** behavior *(2A)*, *(4A)*
comportarse to behave *(4B)*
el/la **compositor(a)** composer *(8A)*
comprensivo sympathetic *(2B)*
comprometerse a to promise to *(3B)*
el **computador** laptop/computer *(7A)*
con buena cara with good humor *(4B)*
con retraso delayed *(1A)*
con tal de que provided that *(2B)*
conceder to award *(8B)*
concentrarse en to concentrate on *(6A)*
el **concepto** concept, idea *(2A)*
concienciar to make aware *(7B)*
conducir a to drive to *(1A)*
conducir por to drive by *(1A)*
la **conducta** conduct *(4A)*
conectarse con to connect with, relate to *(7A)*
conferencia lecture *(2B)*
confesar (ie) to confess *(2B)*
la **confianza** confidence *(4A)*
confiar en to trust *(8A)*
el **conflicto armado** armed conflict *(2B)*

conformarse con to be satisfied
with *(2A)*

congelado, -a frozen *(3A)*

congreso conference *(2B)*

conmovedor(a) moving *(5A)*

conseguir (i) to achieve,
obtain *(1B)*

**consentido, -a; mimado,
-a** spoiled*(4B)*

conservador(a) conservative *(4B)*

conservar to conserve, keep *(1B)*

consolar (ue) to console, comfort
(2A)

constantemente all the time
(constantly) *(6B)*

constar de to consist of *(5B)*

construir to build *(8A)*

el/la **consumidor(a)** consumer *(3B)*

consumir to consume, to
use *(3B)*, *(7B)*

el **consumo** consumption *(3B)*

contar (ue) con to count on *(2B)*

contemporáneo, -a
contemporary *(5A)*

el **contenido** contents *(5A)*

contentarse con to be happy/
satisfied with; to make do
with *(2A)*

contra reloj against time *(6B)*

el **contrabando** smuggling *(7B)*

contradecir to contradict *(6B)*

el/la **contratista** contractor *(7B)*

contrato contract *(7A)*

contribuir a to contribute to *(5B)*,
(7B)

el **contrincante** competitor,
rival *(8A)*

contundente convincing,
conclusive *(3A)*

convencer to convince *(1A)*

convencerlo/la convincing
someone *(6B)*

el **convenio** agreement *(7B)*

convenir (ie) to be advisable,
convenient *(1B)*, *(4A)*

la **convivencia** coexistence, living
together *(2B)*

convivir con to live together
with *(2A)*, *(5A)*

copioso, -a abundant *(3A)*

coquetear con to flirt with *(4A)*

coraje anger, rage *(2B)*

un **cordial saludo** Warm
greetings *(6A)*

Cordialmente Cordially *(6A)*

corre la voz de que word (rumor)
has it that *(5B)*

el/la **corredor(a) en base** base
runner *(6A)*

correr el riesgo de to run the risk
of *(6A)*

la **corrida de toros** bullfight *(6B)*

corriente common, usual *(7A)*

la **corrupción** corruption *(7B)*

cortar to cut *(3A)*

cortés polite, gracious *(1B)*, *(2B)*

la **cortesía** courtesy *(7B)*

la **corteza** skin (of fruit) *(3A)*

costar (ue) to find difficult; to
cost *(4A)*

costarle muchísimo to have a
hard time *(6B)*

costero, -a coastal *(7A)*

la **costumbre** custom *(5A)*

cotidiano, -a daily *(6A)*

cotizado, -a sought-after *(6A)*

la **creación** creation *(7A)*

crear to create *(8B)*

creativo, -a creative *(8B)*

creciente growing *(2B)*

el **crecimiento** growth *(1B)*

la **creencia** belief *(2B)*

el **crimen** crime *(7B)*

el/la **crío/a** child *(4A)*

la **crisis económica** economic crisis
(1B)

la **crítica** critique, criticism *(8A)*

la **crítica, reseña** critique,
review *(5A)*

criticar to criticize *(5A)*

el/la **crítico/a** critic *(8A)*

la **cruda realidad** the harsh reality
(5A)

crudo, -a raw *(3A)*

**cualquiera que sea su destino/
punto de vista/ raza** whatever
the destination/point of view/
race *(1B)*

cuanto antes as soon as
possible *(1B)*

el **cubierto** cover (plate, napkin,
etc. set for each comensal)
cutlery *(3A)*

cubierto, -a covered *(3A)*

el **cuento** short story *(5A)*

el **cuero** leather *(2A)*

el **cuestionamiento** questioning *(8B)*

culpable guilty *(2B)*

culpar to blame *(3B)*

el **cultivo** crop *(3A)*

culto, -a educated *(2B)*

culto, -a cultured, refined *(8A)*

el/la **culturista** bodybuilder *(6B)*

el **cumplimiento** fulfillment *(7B)*

cumplir con to comply with, carry
out, do the right thing *(4B)*

curar(se) to get well *(4A)*

curiosamente curiously *(4A)*

la **curiosidad** curiosity *(4B)*

D

dañado, -a damaged *(8B)*

dañar to damage, harm *(3B)*

dañino, -a harmful *(7B)*

el **daño** pain, damage *(2B)*

la **danza** dance *(8A)*

dar concierto benéfico to give a
benefit concert *(8B)*

dar la bienvenida to welcome *(1A)*

dar lugar a to provoke, give rise
to *(7A)*

dar origen a to give birth to (an
idea) *(7A)*

dar pánico to get scared by smthg
(1A)

dar pie a to take hold, allow *(6B)*

dar saltos to jump *(1A)*

darle ánimos a alguien to
encourage somebody, *(5B)*

darle asco not to stand something,
make someone sick *(3A)*

darle hambre to make someone
hungry *(3A)*

darle rabia a alguien to make
someone angry *(3A)*

darle sed to make someone
thirsty *(3A)*

darlo todo to give it one's
all, to be fully committed to
something *(5B)*

darse cuenta de to realize *(3B)*

no darse por vencido, -a not to
give up *(5B)*

datar de to date from *(1A)*

de ahí que (+ subjuntivo) that is
why *(7B)*

de carne y hueso of flesh and
blood; to have feelings *(4A)*

de golpe suddenly *(4B)*

de hecho in fact *(4A)*

de la misma manera in the same
way *(5B)*

de modo que so that *(1B)*

de nuevo again *(8B)*

de otra forma in another
way *(1B)*

de poco presupuesto low
budget *(4B)*

de primera mano firsthand *(6A)*

de primeras, en principio at
first *(1A)*

de pronto suddenly *(2A)*

de última generación most
recent *(2A)*

de verdad really *(2A)*

debidamente properly *(1B)*

débil weak *(4A)*

la **debilidad** weakness *(3A)*

la **década** decade *(4B)*

decepción disappointment *(2B)*

decir algo en tono de reproche to say something with a reproachful tone *(5B)*

declararse to propose *(5B)*

dedicarse a to devote oneself to *(4B)*

la **defensa** defense (defensive player) *(6A)*

degradar to humiliate, degrade *(4B)*

degustar to taste, sample *(3A)*

dejar to leave behind, abandon *(6B)*

dejar to leave behind *(7B)*

dejar de to stop *(2B)*

dejar de to quit *(2B)*

dejar de to stop doing something *(6B)*

dejar huella to leave a trace, mark *(1B)*

el **delantero** forward (player) *(6A)*

la **delincuencia** crime, delinquency *(2B)*

el/la **delincuente** delinquent, criminal *(2B)*

la **demanda** demand *(2B)*

los/las **demás** the rest, others *(6B)*

demasiado too, too much *(1A)*

demostrar (ue) to demonstrate, show *(2B)*

denigrar to discredit *(1B)*

denunciable indictable *(8B)*

denunciar to denounce *(8B)*

denunciar (un abuso) to report (abuse) *(7B)*

depender de to depend on *(2A)*

deplorar to lament, deplore *(6A)*

el **deporte de equipo** team sport *(6A)*

el **deporte por pareja** two-person sport *(6A)*

los **deportes de riesgo** extreme sports *(2A)*

el/la **deportista** sportsman/ sportswoman *(6A)*

deprimido, -a depressed *(4A)*

los **derechos humanos** human rights *(2A)*

derrotar to defeat *(6A)*

desafiante challenging *(1A)*

desafiar to challenge *(1A)*

el **desafío** challenge *(5B)*

desalojar to vacate *(7B)*

desamparado, -a defenseless, vulnerable *(2B)*

desanimar to discourage *(2A)*

desapercibido, -a unnoticed *(3A)*

desapercibido, -a unnoticed *(7A)*

el **desastre natural** natural disaster *(7B)*

descalificar to disqualify *(6B)*

descargar to unload, download *(7A)*

el **descaro** shamelessness *(7A)*

descartar to eliminate, put aside *(4A), (6A)*

desconocido, -a unknown *(4B)*

desde el punto de vista de from the point of view of *(2A)*

desear to wish, to want, desire *(2A), (4A)*

desechabledisposable *(7A)*

desempeñar to carry out, fulfill *(2B)*

desempeñar to play, perform *(3B)*

desempeñarse to fulfill, make out *(7B)*

el **desempleo** unemployment *(2A)*

el **desengaño** disappointment *(5B)*

el **desequilibrio** imbalance *(3B)*

desesperado, -a desperate *(1B)*

el **desfile** parade *(1B)*

deshidratado, -a dehydrated, dried *(7A)*

desmayarse to faint *(5B)*

desmesurado, -a vast, enormous, excessive *(2B), (3B)*

desnivelado, -a uneven *(1A)*

la **desnutrición** malnutrition *(3B)*

desolador(a) devastating *(5A)*

desorrollarse to develop, to take place *(5A)*

la **despedida** good-bye *(1A)*

el **despegue** takeoff *(1A)*

despiadado, -a ruthless *(5B)*

desplazar to displace, move *(2B)*

destacado, -a outstanding, distinguished *(6A)*

destacarse to stand out *(6B), (8A)*

el **destino** destination *(1A)*

la **destreza** skill *(2B), (5B)*

la **desventaja** disadvantage *(1B)*

detener to stop *(7B)*

deteriorado, -a run down, damaged *(7B)*

el **deterioro** damage, deterioration *(7A)*

diario, -a daily *(1B)*

el **dibujo animado** cartoon *(4B)*

el **diente (de ajo)** clove (of garlic) *(3A)*

la **dieta** diet *(3B)*

difundir to spread *(2B)*

la **dignidad** dignity *(4B)*

el **dilema** dilemma *(1B)*

dimitir to quit *(2B)*

dirigirse a to go to, head toward *(1B)*

el/la **discapacitado/a** handicapped person *(6B)*

discurrir to go by (time, life) *(1A)*

el **discurso** speech *(1B)*

diseñar to design *(8A)*

el **diseño** design *(2A)*

disfrutar (de) to enjoy (doing something) *(1A)*

disminuir to lessen *(6B)*

disparar to shoot *(2B)*

el **disparate** silly/stupid thing or action *(2A)*

disponer to dispose *(2B)*

disponer de to have something at one's disposal *(7A)*

disponible available *(6B), (7B)*

dispuesto, -a willing *(1A)*

disputarse to fight, challenge *(6A)*

distinguido/a; estimado/a dear *(6A)*

distinto, -a different *(2B)*

divertirse, pasarlo bien to have a good time *(6B)*

divino, -a divine *(8A)*

doblar to dub *(8A)*

doler (ue) to hurt *(1B)*

el **dolor** pain *(8A), (2B)*

el **domicilio** home address, legal residence *(2B)*

el **dominio** domain *(6A)*

el **dominio de lenguas** command of languages *(7A)*

donar to donate *(2A), (8A)*

el **dopaje sanguíneo** blood enhancement *(6B)*

drástico, -a drastic *(4A)*

el/la **dueño/a** owner *(1A), (6A)*

el **duermevela** nap, snooze *(8A)*

el **dulce** candy *(3A)*

durar to last; to take time *(2A), (5B)*

duro, -a hard, harsh *(5B)*

E

echar de menos to miss *(2A)*

la **economía** economy *(1B)*

la **edad adulta** adulthood *(2A)*

la **edificación** building *(1A)*

efectivamente effectively *(2A)*

el **efecto** effect *(8A)*

el **efecto invernadero** greenhouse effect *(7A)*

efectos perjudiciales para la salud harmful effects to one's health *(7B)*

la **eficacia** effectiveness *(6A)*

eficaz effective, efficient *(3A), (7B)*

efímero, -a ephemeral, of short duration *(5B)*

el/la **ejecutivo/a** executive *(4B)*

el **ejercicio físico** physical exercise *(6A)*

el **ejército** army *(2B)*

elogiar to praise *(5B), (7B)*

emanciparse to emancipate, gain independence *(2B)*

embarazada pregnant *(2B)*

emigrar to emigrate *(6B)*

emocionante exciting *(6A)*

empatar to tie (a score) *(6B)*

el **empate** tie (score) *(6B)*

empeñarse en to make an effort to, insist on *(2A)*

el **empeño** determination, effort, persistence *(6B), (7B)*

empezar (ie) a to begin to *(3B)*

empezar (ie) por to start by *(5B)*

el **empleo** employment *(1B)*

emprender to undertake, to set about, to undertake *(3B), (6A)*

la **empresa** business, company *(3B)*

el/la **empresario/a** businessman/woman *(2B)*

el **empuje** push, drive *(1B)*

en alta mar on the high seas *(7B)*

en conclusión in conclusion *(4A)*

en el caso de in the case of *(7A)*

en el fondo deep down *(1B)*

en homenaje in homage *(6A)*

en la mayoría de las ocasiones most of the time *(1B)*

en primer lugar, en segundo lugar in the first place, in the second place *(4A)*

en realidad actually *(4A)*

en resumen to summarize *(4A)*

en serio seriously *(2A)*

en todos los aspectos in every way *(7A)*

en tono cariñoso in an affectionate tone of voice *(5B)*

en torno a around *(5A)*

en última instancia ultimately *(2B)*

enaltecer to praise *(6A)*

enamoradizo, -a inclined to fall in love easily; easily infatuated *(4A)*

enamorarse de to fall in love with *(4A)*

encabezar to lead, head *(1A)*

encajar to fit in *(2A)*

encantador, -a charming *(4B), (8A)*

encantar to delight, charm *(1B)*

encargado, -a in charge *(6A)*

encargar to put in charge, entrust *(2B, (6A))*

encargarse de to take charge of *(3B)*

encomendarse (ie) a to commend oneself to *(2B)*

la **encuesta** poll, survey *(2B, (8A)*

el **enfoque** focus *(8A)*

enfrentar to confront, to face *(5A)*

enfrentarse to face *(1B)*

enfrentarse con to face up to *(3B)*

engañar to trick, deceive *(3B)*

engaño deception *(2B)*

engordar to get fat, put on weight *(3B)*

enloquecer to become irrational, to go crazy *(5B), (8B)*

enmarcar to frame, form the backdrop *(6B)*

enmarcarse en to be in line with *(6B)*

enmudecer to fall silent *(5B)*

enredarse con to get tangled in *(5B)*

enriquecedor(a) enriching *(7A)*

el/la **ensayista** essayist *(5A)*

el **ensayo** essay *(5A)*

ensuciarse to get dirty *(3A)*

enterarse de to find out about *(4A), (5B)*

la **entereza** integrity *(4B)*

enternecedor(a) moving, touching *(5B)*

enterrar (ie) to bury *(2B)*

el **entorno** environment, surroundings *(1A), (8B)*

la **entrada libre** free admittance *(8A)*

entrar en to go into *(1B)*

no entrar en la cabeza to not understand *(3A)*

entrar en vigor to go into effect *(6B)*

no entrar por los ojos to be easy (hard) on the eyes *(3A)*

entre la vida y la muerte between life and death *(4A)*

la **entrega** delivery, distribution *(8B)*

el/la **entrenador(a)** trainer *(6B)*

el **entrenamiento** training *(6A)*

entrenar to train, coach *(6B)*

entretener to entertain *(8A)*

entretenerse con to amuse oneself with *(2A)*

la **entrevista** interview *(1B)*

entusiasmado, -a excited *(1A)*

la **envidia** envy *(4A)*

la **epidemia** epidemic *(7A)*

la **época** period, time period, time during a season, historical time *(1A), (6B), (7A)*

el **equilibrio** balance *(3B)*

el **equipaje** luggage *(1A)*

el **equipo contrario** opposing team *(6A)*

equivocarse to be wrong, be mistaken *(1B)*

es decir that is to say *(5B)*

es más furthermore *(7A)*

el **esbozo** outline *(5B)*

la **escasez** shortage *(3B)*

la **escena** scene *(5A), (8A)*

el **escenario** stage *(8A)*

escribir un guión to write a script *(8A)*

el/la **escritor(a)** writer *(5A)*

el/la **escultor(a)** sculptor *(8A)*

la **escultura** sculpture *(8A)*

esforzarse (ue) en to try very hard to *(2A)*

esforzarse (ue) por to make an effort to *(7B)*

el **esfuerzo** effort *(2B)*

esfumarse to vanish, fade away *(7B)*

esmerado, -a careful, meticulous *(3A)*

espantoso, -a horrible *(1A)*

esparcido, -a scattered *(6A)*

espectacular spectacular *(8A)*

el **espectáculo** show *(8A)*

el/la **espectador(a)** spectator *(6A)*

espeluznante horrifying, terrifying *(3A)*

la **esperanza** hope *(2B)*

la **esperanza de vida** life expectancy *(7A)*

espeso, -a thick *(3A)*

la **espontaneidad** spontaneity *(4B)*

estable stable *(2B)*

estado de ánimo state of mind *(5B)*

estar a cargo de to be in charge of *(3A)*

estar a punto de to be about to *(4A)*

estar al alcance de to be reachable, obtainable *(1A)*

estar al tanto de to be up-to-date *(1A)*

estar bajo de ánimo/con to be in very low spirits, *(5B)*

estar como un flan to be nervous (shaking like a flan) *(3B)*

estar con unos kilos/ unas libras de más to be with a few extra kilos/ pounds *(3B)*

estar de buen (mal) humor to be in a good (bad) mood *(4A)*

estar deprimido, -a to be depressed *(5B)*

estar dispuesto a to be willing to *(1A)*

estar dispuesto, -a to be willing *(4B)*

estar en las nubes to be absentminded *(4A)*

estar entrenándose to be in training *(6B)*

estar falto de sueño to have the lack of sleep *(1B)*

estar harto de to be fed up with *(3A)*

estar muerto de cansancio/sueño/ hambre to be dead tired/sleepy/ hungry *(1B)*

estar muy verde to be far from ready *(6A)*

estar para chuparse los dedos to be finger-licking good *(3A)*

estar pasado, -a de moda to be out of fashion *(4B)*

estar rellenito to be chubby *(3B)*

la **estatura** height, stature *(4B)*

el **estereotipo** stereotype *(4B)*

el **estilo** style *(8A)*

estimado/a director(a) dear (esteemed) director *(6A)*

estrecho, -a narrow *(1A)*

la **estrella** star *(8B)*

estremecer to make shudder *(5B)*

estricto, -a strict *(2B)*

la **estrofa** stanza *(5B)*

estupendo, -a wonderful *(1A)*

la **etapa** stage *(2A)*

étnico ethnic *(3A)*

evolucionar de to evolve from *(6B)*

examinarse to take an exam *(6B)*

el **éxito** success *(3A)*

el **éxito taquillero** box-office hit *(8A)*

exitoso, -a successful *(4B)*

la **expectativa** expectation *(7B)*

experimentar con to experiment with *(5A)*

explorar to explore *(2B)*

exponerse a to expose oneself to *(2A)*

la **exposición** exposition, show *(8B)*

extrañar to miss *(4A)*

el **extranjero** foreigner *(1B)*

extravagante extravagant *(8A)*

F

el **fabricante** manufacturer *(3B)*

la **facha** appearance (colloquial) *(2A)*

facilitar to make easy; to offer *(2B)*

la **factura** bill *(7A)*

faenar to fish *(7B)*

fallecer to die *(4B)*

el **fallo** fault, mistake *(2A)*

la **falsificación** forgery *(8B)*

falta de (the) lack of *(1A)*

la **falta de ortografía** spelling mistake *(2A)*

faltar (a) to miss; to be lacking, *(1B), (6B)*

---

el/la **fanático, -a** fan *(6A)*

fantástico, -a fantastic, imaginary *(5A)*

el **fármaco** medicine, medication *(1B), (6B)*

fascinar to fascinate *(1B), (8B)*

fastidiar to bother, annoy *(1B), (7B)*

favorecer to favor *(6B)*

el **fenómeno** phenomenon *(8A)*

festejar to celebrate *(7B)*

la **fibra** fiber *(3B)*

fiel faithful, loyal *(5B), (8A)*

la **figura** figure *(4B)*

fijarse en to pay attention to, notice *(6B)*

el/la **filántropo/a** philanthropist *(4B)*

filmar to film *(8A)*

el **filón** gold mine (colloquial) *(2A)*

al fin y cabo finally *(2A), (3A)*

fingir to pretend *(1B), (4A), (5A)*

el **fogón** stove *(3A)*

folclórico, -a folkloric *(8A)*

fomentar to encourage *(5B)*

el **fondo** fund, background *(8A), (8B)*

la **forma** shape, form *(5B), (8A)*

la **forma de vida** lifestyle *(5A)*

la **formación** training *(5A)*

la **fortuna** fortune *(4B)*

forzado, -a forced *(1A)*

fracasar to be unsuccessful *(6B)*

el **fracaso** failure *(6B)*

el **fraude** fraud *(8B)*

freír (i) to fry *(3A)*

fructífero, -a productive, fruitful *(5A)*

la **fuente** source *(6A)*

fuera del país outside the country *(6A)*

la **fuerza boral** labor force *(7A)*

funcionar to work *(1B)*

la **fundación** foundation *(8B)*

G

el **galardón** award, prize *(6B), (8B)*

el/la **galardonado/a** prize winner *(6B)*

la **gama** range *(7A)*

la **gamberrada** total lack of manners; hooliganism *(4B)*

la **ganancia** profit *(7A)*

ganar tiempo to buy time *(6B)*

el **gasto** expense *(2B)*

el **género literario** literary genre *(5A)*

el **genio** genius *(8A)*

la **gestión** step, action *(4B)*

el **gesto** gesture *(2B)*

la **gimnasia** gymnastics *(6A)*

el/la **gimnasta** gymnast *(6A)*

---

la **gira** tour *(8B)*

la **globalización** globalization *(8A)*

el/la **gobernante** leader *(1B)*

gol soccer goal;scored point *(2B)*

la **golosina** candy *(3A)*

goloso, -a having a sweet tooth *(3A)*

golpear to hit, to beat (up) *(1A), (2B), (6A)*

gozar de gran popularidad to enjoy great popularity *(8A)*

el **grabado** engraving *(8A)*

la **grabadora** tape recorder *(7A)*

gracias a su labor humanitaria thanks to his/her humanitarian work *(8B)*

gracioso, -a funny *(2A), (2B)*

la **grasa** fat *(3A)*

grasiento, -a greasy *(3B)*

grave serious, solemn; serious; seriously ill *(2B), (4A)*

la **gravedad** seriousness *(3B)*

guiar to guide *(1A)*

el **guión** script *(1A), (5A)*

el **gusto** taste *(3A)*

al gusto (de) to order, to individual taste *(3A)*

H

haber para todos los gustos to be for all the tastes *(1B)*

la **habilidad** skill *(4A)*

habitar to inhabit *(2B)*

hablar en voz baja to speak in a low voice *(5B)*

hace un rato a while ago *(3A)*

hacer atletismo to practice track and field *(6B)*

hacer buenas/malas migas con alguien to hit it off well/badly with someone *(7B)*

hacer cargo to take charge *(7B)*

hacer caso to pay attention *(7B)*

hacer cola **to wait in line** *(1A)*

hacer competencia to have a rivalry *(6B)*

hacer daño to hurt; (of food) to disagree with *(7B)*

hacer deporte(s) to do/practice sports *(6B)*

hacer el tonto to play the fool *(7B)*

hacer época to be sensational, mark a new era *(7B)*

hacer escala to make a stopover *(7B)*

hacer falta to need *(1B)*

hacer la vista gorda to turn a blind eye, pretend not to notice *(7B)*

hacer las paces to make up with someone *(7B)*

hacer locuras to do crazy things *(2A)*

hacer soñar a alguien to make someone dream *(4B)*

hacer todo lo posible to do whatever is possible *(1B)*

hacer un papel to act, play a part *(8A)*

hacerle caso a to pay attention to *(4B)*

hacerse la boca agua to make one's mouth water *(3A)*

el **halago** praise, flattery *(4A)*

halagüeño, -a flattering *(7B)*

hallar to find, discover *(7B)*, *(8B)*

el **hambre** hunger *(3B)*

la **harina** flour *(3A)*

la **hazaña** heroic deed, exploit *(4B)*

el **hazmerreír** laughingstock *(8A)*

la **herencia** inheritance; heritage *(4A)*

el/la **héroe/heroína** hero, heroine *(4B)*

el **heroísmo** heroism *(4B)*

la **herramienta** tool *(1A)*

hervir (ie) to boil *(3A)*

hidratar to hydrate *(6A)*

la **hierba** grass *(6A)*

el **hierro** iron (mineral) *(3B)*

el/la **hincha** fan, supporter *(6B)*

hipercalórico, -a with high caloric content *(3B)*

la **hipocresía** hypocrisy *(4B)*

el **hockey sobre hielo** ice hockey *(6A)*

el **hogar** home *(1A)*

hojear to leaf through *(5A)*

hondo, -a deep *(5B)*

hora time of day *(6B)*

hora de vuelo flight time *(1A)*

el **horario** schedule *(1A)*

el **horario estelar** prime time *(8A)*

las **hormonas** hormones *(3B)*

el **horno (de leña)** (wood-burning) oven *(3A)*

la **huelga de hambre** hunger strike *(4B)*

el **hueso** bone *(3B)*

huir de to run away from *(1B)*

humillar to humiliate *(6A)*

el **huracán** hurricane *(7B)*

huraño, -a unsociable *(4A)*

el **hurto** robbery, theft *(2B)*

I

la **idea principal** the main idea *(5B)*

idolatrar to worship, idolize *(4B)*

igual quelike, just like (1B)

la **igualdad** equality *(1B)*, *(5A)*

igualmente likewise *(7A)*

la **imagen** image *(5B)*

impactante powerful, impressive, shocking *(4B)*, *(8A)*

impedir (i) to impede, to forbid, to prevent *(2B)*, *(3B)*

impensado, -a unexpected, unthinkable *(3B)*

imponer to impose *(4B)*

importar to matter *(1B)*

imprescindible essential *(5B)*, *(7A)*

impreso, -a printed *(6A)*

imprevisible unforeseeable *(7A)*

inaceptable unacceptable *(8B)*

inalámbrico, -a wireless *(7A)*

la **incidencia** effect, impact; incidence *(5A)*

incluir en to include in/on *(1B)*

incomprendido, -a misunderstood *(8A)*

incomprensible incomprehensible *(8A)*

inconsciente irresponsible; unaware *(4A)*

¡Es increíble! It's unbelieveable! *(2B)*

el **incremento** increase *(7B)*

inculto, -a uncultured, uneducated *(2A)*

indescriptible indescribable *(4A)*

indignarse to get angry *(4A)*

ineficaz inefficient *(7B)*

inesperado, -a unexpected *(4A)*

la **infancia** childhood *(2B)*

infinito, -a infinite, limitless *(7A)*

la **influencia** influence *(5A)*

influir to influence, have influence *(1A)*

influir en to influence *(2B)*, *(5A)*

influyente influential *(1B)*, *(2A)*, *(8A)*

el **informe** report *(7A)*

ingresar to enter, enroll *(8B)*

el **ingreso** entry *(2A)*

iniciar to begin *(7B)*

iniciarse en to begin in *(6B)*

inmóvil motionless *(2B)*

innegable undeniable *(7A)*

la **innovación** innovation *(7A)*

innovador(a) innovative *(8B)*

la **inocencia** innocence *(5A)*

inolvidable unforgettable *(1A)*

inoportuno,-ainopportune (7B)

inscribirse en to register, enroll in *(6A)*

inseguro, -a unsafe; insecure *(2A)*

insípido, -a tasteless, insipid *(3B)*

insistir en to insist on *(3A)*

insólito, -a unusual *(5B)*

insoportable unbearable *(4A)*

insostenible unsustainable *(7B)*

la **inspiración** inspiration *(8A)*

inspirador, -a inspiring *(8A)*

instalarse to settle, establish oneself *(8B)*

instar to urge *(7B)*

instar a to urge *(5B)*

insuperable unbeatable *(7A)*

integrar to integrate *(5A)*

intentar to try *(1A)*

interesar to interest *(1B)*

interesarse por to take an interest in *(2A)*

internacionalmente internationally *(8B)*

el/la **internautainternet user** (7B)

interpretar to interpret, perform *(4B)*

interpretar un papel to play a (movie, television) role *(8A)*

íntimo, -a close, intimate *(2B)*

intuir to sense, intuit, to suspect *(4A)*, *(5B)*

la **inundación** flooding *(7B)*

inundarse to flood *(7B)*

inválido, -a handicapped *(8A)*

el **invento** invention *(7A)*

la **inversión** investment *(6B)*, *(8B)*

involucrado, -ainvolved (6A)

involucrar to involve *(8A)*

involucrarse en to be involved in *(4A)*

ir bien/mal to go well/badly *(4B)*

la **ironía** irony *(5B)*

irónico, -a ironic *(5B)*

irracional irrational *(8B)*

irreemplazable irreplaceable *(3B)*

irrepetible unrepeatable *(7B)*

irse, marcharse to go away *(6B)*

J

la **jabalina** javelin *(6B)*

el **jardinero derecho** right fielder *(6A)*

la **jerga** slang *(2A)*

el **jonrón** home run *(6A)*

la **jornada** the (working) day *(8B)*

jubilado, -a retired *(7A)*

judío, -a Jewish *(8A)*

el **juego de pelota** ball game *(6A)*

el/la **jugador(a)** player *(6A)*

el **juicio** judgment *(7B)*

jurar to swear (an oath) *(6A)*

justificar to justify *(2B)*

la **juventud** youth *(2B)*

juzgar to judge *(6B)*

L

laboriosamente laboriously *(7A)*

el lanzamiento de disco discus throwing *(6B)*

lanzar to throw *(1A)*

lanzar(se) a la fama to rush to fame *(4B)*

latir to beat *(4A)*

laureado, -a laureate, awarded a prize *(5A)*

el lazo link *(2A)*

leal loyal *(2A)*

leer por placer to read for pleasure *(5B)*

el legado legacy *(8B)*

legendario, -a legendary *(4B)*

lejano, -a distant *(7B)*

la lengua materna mother tongue *(7B)*

el lenguaje language *(5B)*

la lentitud slowness *(1A)*

letal deadly *(4B)*

la letra lyric, word *(8A)*

las letras Letters (literature) *(5A)*

letras pequeñas del small print of the *(7A)*

el letrero sign *(1B)*

el/la levantador(a) de pesas weight lifter *(6B)*

liberar to free *(7B)*

la libertad freedom *(5A)*

el/la líder leader *(1B)*

liderar to lead, head *(4B)*

el lienzo canvas *(8A)*

al límite de su capacidad to the limit of their capacity *(7B)*

el limpiaparabrisas windshield wiper *(8A)*

la litografía lithograph *(8A)*

llamar la atención to attract attention *(4A)*

el llanto crying, weeping *(5B)*

la llegada arrival *(1A)*

llegar a to arrive at *(1A)*

llegar a ser campeón(a) to become champion *(6A)*

llegar en cualquier momento to arrive anytime now *(6B)*

llenarse de to fill up with *(3A)*

lleno, -a full *(3A)*

llevarse a cabo to carry out *(8B)*

el local premises, home team *(3B), (6A)*

lógicamente logically *(1A)*

lograr to achieve, to obtain, to attain *(1A), (8A)*

el logro achievement *(4B)*

la lucha contra el SIDA the fight against AIDS *(8A)*

la lucha libre wrestling *(6A)*

el/la luchador(a) wrestler *(6A)*

luchar por to fight for *(1B)*

el lujo luxury *(4A), (7B)*

lujoso, -a luxurious *(1A)*

M

madrugar to wake up early *(1B)*

madurar to mature *(4A)*

maduro, -a mature *(2A)*

el/la maestro/a master *(8A)*

magro, -a lean *(3B)*

la mala educación rudeness *(4B)*

la maldad evil *(4A)*

maltratar to mistreat, abuse *(4A)*

el maltrato abuse *(5A)*

manchar to spot, soil *(4B)*

el mando remote control *(2A)*

mandón/mandona bossy *(4A)*

manejar to handle, to drive, to manage *(2A), (4A), (7B)*

el manejo handling, management *(5B)*

la manera way *(8A)*

la manía obsession, funny little way *(4A)*

manifestarse (ie) en contra de to speak out against *(7A)*

manipular to manipulate *(2B)*

el manjar special dish, delicacy *(3A)*

mantener to maintain *(5A)*

la máquina dispensadora vending machine *(3B)*

la marca brand, brand name *(2A), (6B), (8A)*

marcado distinct *(2B)*

el/la marcador(a) goal scorer *(6A)*

marcar un gol to score a goal *(6A)*

marcharse de to go away from *(1A)*

el marco frame (of a painting) *(8A)*

mareado, -a dizzy, seasick *(1A)*

el maremoto tidal wave *(7A)*

al margen de separate from, on the margin (fringes) of *(4B)*

la marginación marginalization *(7B)*

el más allá the other world *(5A)*

más vale prevenir que curar better safe than sorry *(3B)*

la masa dough *(3A)*

masificado, -a overcrowded *(1A)*

la mayoría de las veces most of the time *(1B)*

la mayúscula capital letter *(2A)*

la mazorca corncob *(3A)*

mediante by means of *(7A)*

mediar to intervene, come between *(6A)*

el medicamento medicine *(4A)*

la medida measure *(7B)*

el medio midfieldman, medium *(6A), (8A)*

el medio ambiente environment *(7A)*

los medios means *(4B)*

los medios (de comunicación) media *(2B)*

la mejora improvement *(2B)*

melenudo, -a long-haired *(4B)*

el/la menor minor, underage person *(2B)*

al menos at least *(4A)*

menos mal thank goodness *(1B)*

menospreciar to despise, look down on *(8A)*

mensual monthly *(1B)*

la mente mind *(4A)*

mentiroso, -a lying *(4A)*

el mercado market *(8B)*

merecer / valer la penato be worth it *(3A)*

la merluzahake (whitefish) *(7B)*

la meta goal *(1B), (2B)*

la metáfora metaphor *(5B)*

meter la pata to make a mistake, stick one's foot (in one's mouth) *(4B)*

la mezcla mixture *(3A)*

mezclado, -a mixed *(4B)*

mezclar to mix *(3A)*

mi querido/a + nombre my dear + name *(6A)*

el miel honey *(3A)*

la miga (de pan) inside part of bread *(3A)*

mimado, -a spoiled *(4A)*

minuciosamente thoroughly *(2B)*

la minusvalía handicap, disability *(6B)*

el/la minusválido/a handicapped person *(6B)*

la mirada look *(4A), (5B)*

mirar de reojo to look out of the corner of one's eye *(4B)*

mis recuerdos a tu familia my regards to your family *(6A)*

la miseria extreme poverty *(5A)*

el mito myth *(4B)*

la moda fashion *(8A)*

moderno, -a modern *(8A)*

el modo way *(2B)*

mojar to soak, wet *(3A)*

molestar to bother *(1B)*

molesto, -a bothersome *(7B)*

la moneda coin, currency *(1B)*

monoparental relating to a single parent *(3B)*

el montaje assembly, show *(8A)*

morder to bite *(3A)*

la **mortalidad** mortality *(2B)*

motriz motor *(6B)*

muchas gracias de antemano to thank beforehand *(1A)*

la **muchedumbre** rowd *(1A)*

la **muerte** death *(8A)*

la **muestra** show, sample *(8A)*

multar to fine *(7B)*

la **multitudcrowd** *(2B)*

mundialmente worldwide, throughout the world *(6A)*, *(7A)*

¡El mundo se hace más pequeño gracias a . . .! The world becomes smaller thanks to . . . ! *(5A)*

el/la **muralista** muralist *(8A)*

el **murmullo** murmur *(2B)*

la **música** music *(8A)*

el/la **músico/a** musician *(8A)*

muy estimado/a Señor/Señora (+ apellido) dear (Esteemed) Sir/Madam/Mr./Ms (+ last name) *(6A)*

muy señor mío (señora mía) dear Sir/Madam *(6A)*

N

nacer to be born *(2B)*

nada de nada nothing at all *(4A)*

el/la **nadador(a)** swimmer *(6A)*

nadie en su sano juicio no one in his/her right mind *(4B)*

narrar to narrate *(5A)*

la **natación** swimming *(6A)*

la **naturaleza muerta** still life *(8B)*

la **navaja** pocketknife, penknife *(2A)*

la **niebla** fog *(1A)*

la **niñez** childhood *(2A)*

no estar para bromas not to be in a joking mood *(2A)*

¡No faltaba más! don't mention it! *(4A)*

¡No hay derecho! That's not fair! *(2B)*

¡No me digas! You don't say!/I don't believe it! *(2B)*

¡No me lo puedo creer! i just can't believe it! *(2B)*

no obstante/sin embargo nevertheless, however *(5B)*

no perder de ojo/vista to not lose sight of *(1A)*

no poder con to be unable to cope with *(7A)*

no poder ni ver algo (o alguien) not to be able to stand something (or someone) *(3A)*

no ser para tanto it's not such a big deal *(2A)*

no tener ánimos de/ para nada not to feel up to anything *(5B)*

no tener más remedio que to have no other choice *(4B)*

nocivo, -a harmful *(7A)*

nocturno, -a night, nocturnal *(1A)*

el **nomeolvides** forget-me-not *(8A)*

la **nominación** nomination *(4B)*

nominar to nominate *(4B)*

la **nube** cloud *(1A)*

nutritivo, -a nutritious *(3B)*

O

o viceversa or viceversa *(7A)*

la **obesidad** obesity *(3B)*

obeso, -a obese *(3B)*

objetivo goal *(2B)*

la **obra de teatro** play *(5A)*

las **obras benéficas** charity *(2B)*

las **obras literarias** literary works *(5A)*

ocasionar to cause, bring about *(7B)*

el **ocio** leisure, free time *(6A)*, *(6B)*

oculto, -a hidden *(5B)*

la **oda** ode *(5A)*

el **odio** hatred *(4A)*

la **oferta** offer *(7A)*

el **oído** hearing; ear *(7A)*

el **óleo** oil painting *(8A)*

olvidarse de to forget about *(1B)*

oponerse a to oppose *(2B)*

oportuno, -a opportune, timely *(7B)*

oprimido, -a oppressed *(2B)*

oprimir to oppress *(2B)*

opulento, -a affluent *(1B)*

la **oratoria** oratory *(5A)*

el **orden cronológico** chronological order *(7A)*

el **ordenador** computer *(7A)*

el **ordenador** laptop/computer *(7A)*

la **organización sin ánimo de lucro** nonprofit organization *(2B)*

el **orgullo** pride *(5B)*

orgulloso, -a proud *(2A)*, *(5B)*

la **orilla** shore, riverbank *(1A)*, *(7B)*

la **ortografía** spelling *(7B)*

otorgar to grant, to give *(2A)*, *(6A)*, *(8A)*

otra vez once again *(6B)*

¡oye! hey!, excuse me *(4A)*

P

la **paciencia** patience *(4A)*

el **pacifismo** pacifism *(2A)*

padecer to suffer *(1A)*, *(3B)*, *(7B)*

padecer de to suffer from *(3B)*

el **paisaje** landscape, scenery *(1A)*, *(8A)*, *(8B)*

el **papel** role *(2B)*, *(8B)*

para colmo on top of that *(4A)*

para ser sincero to be sincere *(2A)*

para todos los gustos for all tastes *(1A)*

el **paracaídas** parachute *(8A)*

el **parador** roadside inn, state-owned hotel *(3A)*

el **paraguas** umbrella *(8A)*

el **paraíso** paradise *(1A)*

¡Me parece fatal! it seems terrible/ awful! *(2B)*

parecer to seem *(1B)*

parecerse to look like *(2A)*

la **paridad** equality *(6B)*

el/la **pariente/a** relative, family member *(1A)*

la **parodia** parody *(5B)*

particular distinct *(2B)*

partirse de risa to laugh one's head off, split one's sides laughing *(4A)*

la **pasa** raisin *(3A)*

el **pasamano** handrail, banister *(8A)*

pasar (mucha/ un poco de) hambre to be starving, to not be starving *(3B)*

pasar a la posteridad to pass on to posterity *(4B)*

pasar por to go by *(1A)*

la **pasarela** runway (fashion) *(8A)*

pasarse to go too far *(2A)*

pasársele rápido to get over (something) quickly *(4A)*

la **pasión** passion *(8A)*

el **paso** step *(2A)*, *(5A)*

la **pastilla** tablet, pill *(3A)*

el **pasto** grass *(6A)*

patear to kick *(6A)*

el/la **patinador(a)** skater *(6A)*

el **patinaje** skating *(6A)*

la **patria** homeland *(4B)*

el **patrimonio** heritage *(3B)*

patrocinar to sponsor *(6B)*, *(8B)*

la **pauta** guideline *(4A)*

la **pechuga** breast (of fowl) *(3A)*

el **pedazo** piece *(3A)*

pedir to ask for something *(6B)*

pedirle la mano a alguien to propose *(5B)*

pedirle peras al olmo to ask for something impossible *(3B)*

pegajoso, -a sticky *(3A)*

peligroso, -a dangerous *(1A)*

pelirrojo redhead *(8A)*

la **pelota vasca** Basque ball game *(6A)*

la **pena** grief, shame, sorrow, embarrassment *(2B)*, *(5A)*

el **pensamiento** thought *(5A)*

pensar (ie) en to think of *(4A)*

el **penúltimo** second to last *(8B)*

el **percance** accident, mishap *(1A)*, *(4B)*

la **pérdida** loss *(4B)*

perdonar to forgive *(5B)*

perdurar to last, endure *(6B)*

perfeccionista perfectionist *(4A)*

el **periodismo** journalism *(5A)*

el/la **periodista** journalist *(5A)*

perjudicial damaging, harmful *(7B)*

permanecer to stay *(6B)*

la **permanencia** stay; continuance *(6B)*

permitir to allow *(7B)*

perseguir (i) to pursue *(1A)*

la **persona ideal** ideal person *(4A)*

el/la **personaje** character *(2B)*, *(5B)*

la **personificación** personification *(5B)*

pertenecer to belong *(1B)*, *(5A)*

pertenecer a to belong to *(2A)*

la **pértiga** pole vault *(6B)*

perturbar to disturb *(1B)*

el **peso** weight *(2A)*

los **pesticidas** pesticides *(3B)*

picar to snack; to chop *(3A)*, *(3B)*

la **piedra** stone *(1A)*

la **piel** skin *(3A)*

el/la **piloto de Fórmula 1** Formula 1 race-car driver *(6A)*

el **pincel** paintbrush *(8B)*

la **pinta** appearance *(2A)*

pintar to paint *(8A)*

piratear to rob, pirate *(8B)*

la **piratería** piracy *(8B)*

la **pista** court *(6A)*

la **planta termoeléctrica** thermoelectrical plant *(7B)*

plantearse to take into consideration *(2B)*

la **plataforma** platform *(7A)*

la **población** town; population *(2B)*

poblado, -a populated *(1A)*

¡Pobrecitos! Poor things! *(2B)*

la **pobreza** poverty *(1B)*

el **poder** power *(6A)*, *(8B)*

el **poder adquisitivo** purchasing power *(3A)*

poderoso, -a powerful *(4B)*

el **poema** poem *(5A)*

la **polémica** controversy *(6A)*, *(6B)*, *(8B)*

poner a la venta to put up for sale *(8A)*

poner el mantel / la mesa to set the table *(3A)*

poner en marcha to set into motion *(6A)*

poner en tela de juicio to put something in doubt *(7B)*

ponerse to become; to place oneself *(2A)*

ponerse a to begin to *(4A)*

ponerse como un tomate to get very red *(3A)*

ponerse como una sopa to get soaked *(3A)*

ponerse en el lugar (de alguien) to put yourself in someone's place *(7B)*

ponerse manos a la obra let's get to work *(3A)*

ponerse sentimental to get sentimental *(5B)*

por ciento percent *(1B)*

por consiguiente thus, therefore *(4A)*

por culpa de because of, through the fault of *(1B)*

por desgracia unfortunately *(1B)*, *(4A)*

por eso for that reason *(4A)*

por esta razón for this reason *(4A)*

por este motivo for this reason, motive *(4A)*

por lo general in general *(4A)*

por lo que by what *(1B)*

por lo tanto thus, therefore *(4A)*

por lo visto apparently *(2A)*

por más que no matter how hard *(2A)*

por mucho no matter how much *(4A)*

por poco by little *(2A)*

por si acaso if by any chance, just in case *(2A)*, *(4A)*

por supuesto of course *(2A)*

por todas partes everywhere *(2A)*

por último finally *(2A)*

el/la **porrista** cheerleader *(6B)*

la **portada** cover (of a book, magazine), front page, cover (of a book) *(2B)*, *(6A)*

el **portafolios** briefcase *(8A)*

el **portal** doorway *(2A)*

el **portamonedas** pocketbook, coin purse *(8A)*

portarse to behave *(2A)*

el **portátil** laptop/computer *(7A)*

el **portaviones** aircraft carrier *(8A)*

el/la **portavoz** spokesperson *(1A)*

el/la **portero/a** goalie *(6A)*

la **postura** position *(4A)*

prácticamente practically *(8B)*

precipitarse a to hurry to *(6B)*

predecir to predict *(5B)*

una **pregunta retórica** a rhetorical question *(5B)*

preguntar por to ask for someone *(6B)*

preguntar, hacer una pregunta to ask a question *(6B)*

preguntarse to wonder *(6B)*

el **prejuicio** prejudice *(4B)*

premiar to give an award *(4B)*

el **premio** prize, award *(2B)*, *(6B)*

el **Premio Nob de Literatura** Nobel Prize in Literature *(5A)*

preocupante worrisome, worrying *(2A)*

preocupar to worry *(1B)*

preocuparse por to worry about, get worried about *(1B)*, *(4A)*

el **prestigio** prestige *(6B)*

prestigioso, -a prestigious, famous *(4B)*

presumir de to think one is, boast of being *(2A)*

el **presupuesto** budget *(3B)*, *(8A)*

pretender to expect, to try *(1A)*

prevalecer to prevail *(7B)*

lo primero que the first (thing) that *(1A)*

probar (ue) to taste *(3B)*

procedente de coming from *(7B)*

proceder de to originate from *(3B)*

procurar to try to, endeavor to *(3B)*

prodigioso, -a marvelous *(2A)*

la **profundidad** depth *(1A)*

profundo, -a deep *(1A)*

el **programa buscador** search engine *(7A)*

programar to program *(6A)*

prohibir to prohibit, to ban *(7B)*

el **promedio** average *(1A)*

promocionar to promote *(6B)*

promover (ue) to promote *(7A)*, *(3B)*, *(8B)*

el/la **propagador(a)** promoter *(6B)*

propenso, -a prone *(7B)*

el/la **propietario/a** owner *(3A)*, *(6A)*

propio, -a own *(1B)*

proponer to propose *(6A)*, *(7A)*

proporcionar to supply, to provide *(2B)*, *(7A)*

la **prosa** prose *(5A)*

el/la **protagonista** protagonist, main character *(4A)*, *(5A)*

protagonizar to take a leading part in *(6A)*

provechoso, -a profitable, worthwhile *(1B)*

provenir de to come from *(3A)*

provocado, -a provoked; angered *(4A)*

provocar to cause *(1A)*

provocativo, -a provocative *(8B)*

el **proyecto** project *(8B)*

la **prueba** proof, sign, test *(8B)*

la **publicación** publication *(8A)*

el **público fanático** fans *(8B)*

el **puerto** port *(3A)*

la **puesta en marcha** setting in motion *(8B)*

el **puesto** stand *(3B)*

puesto que since, because *(4A)*

el **puñado** handful, fistful *(3A)*

Q

Qué barbaridad! How terrible/awful! *(2B)*

¡Qué cruel! How cruel! *(2B)*

¡Qué injusticia! What injustice! *(2B)*

¡Qué lata! What a bore! *(2A)*

¡Qué lío! What a mess! *(2A)*

lo que sucede what happens *(7A)*

¡Qué tontería! How silly *(4A)*

¡Qué va! No way! *(1A)*

¡Qué vergüenza! How shameful!, How embarrassing! *(4A)*

quedar to be left *(1B)*

quedar bien/mal con to make a good/bad impression on *(2A)*

quedar con to arrange to meet with *(1A)*

quedar en + infinitivo to agree to do something *(1A)*

quedar en ver a alguien to agree to see someone *(4B)*

quedarse to stay *(3A)*

quedarse ciego to become blind *(8B)*

quedarse mudo, -a to be speechless *(4B)*

quejarse de to complain about *(2A)*

quemar to burn *(3A)*

Querido/a + nombre Dear + name *(6A)*

quieto still, calm *(2B)*

los **químicos** chemicals *(3B)*

el/la **quinceañero/a** fifteen-year-old *(2A)*

el **quitamanchas** stain remover *(8A)*

el **quitanieves** snowplow *(8A)*

quitar to remove, to take away *(2B), (3A), (6B)*

el **quitasol** sunshade, parasol *(8A)*

R

la **raíz** root *(2B)*

rara vez rarely, not usually *(1A)*

raro, -a strange *(1B), (8A)*

el **rasgo** feature, physical characteristic *(2A), (4A)*

un **rato** a short time, a while *(6B)*

raza race (ethnicity) *(2B)*

el **realismo mágico** magical realism *(5A)*

realista realistic *(2A), (5A)*

realizar to carry out, to accomplish, to achieve, fulfill *(2B), (6A), (7A)*

realmente really; actually *(4A)*

reavivar to rekindle; to revive *(6B)*

rebajado, -a reduced *(1A)*

rebajar to lower *(1A)*

rebelde rebellious *(2A)*

rebuscado, -a complicated *(5B)*

recaer en to go to (prize, award) *(6B)*

la **receta** prescription *(6B)*

rechazar to reject *(1B), (3A), (7B), (8B)*

el **rechazo** denial, rejection *(1B), (8A)*

Recibe un abrazo muy fuerte de tu amigo/a + nombre A big hug from + name *(6A)*

reciente recent *(1A), (5A)*

el **recipiente** container *(3A)*

recoger to pick up *(1A)*

reconfortar to comfort *(7B)*

recorrer to go through; to travel, to cross *(1A), (6A), (8B)*

el **recorte** clipping *(8B)*

el **recuerdo** memory *(2A)*

recuperar to recover, retrieve *(8A), (8B)*

recurrir a to turn to, resort to *(5B)*

la **red inalámbrica** wireless network *(7A)*

redactar to draft; to write *(5B), (7A)*

las **redes sociales** social networks *(7A)*

reducir to reduce *(4A)*

referirse (ie) a to refer to *(5B)*

la **refinería** refinery *(7B)*

regalar to give (a present) *(4A), (7A)*

la **regalía** royalty *(8A)*

regañar to scold, rebuke, tell off *(2A)*

el **régimen** diet *(3B)*

el **régimen político** political regime *(1B)*

regresar a to return to *(1A)*

regresar de to return from *(1A)*

el **relato** tale, story *(1A)*

el/la **remero/a** rower *(6A)*

remitir to send *(6B)*

el **remo** rowing *(6A)*

la **remoción** removal *(7B)*

remontarse a to go back to *(5B)*

el **rendimiento** performance *(6A), (7B)*

reñir (i) to quarrel *(1A)*

rentable profitable, worthwhile *(3B)*

la **renuncia** resignation *(8A)*

renunciar to quit, renounce *(4B)*

renunciar a to resign *(1B)*

el **reparto** cast (of characters); distribution *(3B), (4B)*

repentino, -a sudden *(2B)*

reponer fuerzas to recover *(2A)*

la **represalia** retaliation *(7B)*

el **requisito** requirement *(4B)*

rescatar to rescue *(4A), (7B)*

reserva de plaza reservation *(1A)*

residir to live, reside *(1B)*

resignado, -a resigned *(5B)*

resistirse a to resist *(2B)*

respaldar to back up *(7A)*

el **respaldo** endorsement *(6B)*

al respecto in the matter *(7B)*

respetado, -a respected *(4B)*

Respetuosamente suyo/a Respectfully yours *(6A)*

retar to challenge *(2A)*

retirarse to retire *(8A)*

el **reto** challenge *(1A), (5B)*

retrasar to delay *(8A)*

el **retraso** delay *(4B)*

el **retrato** portrait *(8B)*

el **retroceso** backward step *(7A)*

revoltoso, -a rebellious *(2A)*

rico, -a good, delicious *(3A)*

ridículo, -a ridiculous, absurd *(4B)*

el **riesgo** risk *(1B)*

la **rima** rhyme *(5B)*

el **rincón** corner *(1B), (5A)*

el **ritmo** rhythm *(8A)*

el **rocío** dew *(5B)*

rodar (ue) to film *(4B)*

rodar una película to film a movie *(8A)*

rodeado, -a surrounded *(1A)*

rodear(se) to be surrounded *(4A)*

rogar (ue) to beg, plead *(3B)*

rollizo, -a stocky, plump *(8A)*

el **rollo** bore (slang) *(2A)*

romántico, -a romantic *(5B)*

el **rompecabezas** jigsaw puzzle *(8A)*

romper con to break up with *(2A)*

el **rostro** face *(1A)*

rotundo, -a categorical, flat (denial, statement, etc.) *(6A)*

la **rueda de prensa** press conference *(4A)*

la **ruptura** break *(8A)*

S

el **sabelotodo** know-it-all *(8A)*

saber a ciencia cierta to know for sure *(5A)*

la **sabiduría** wisdom *(1A)*, *(8B)*

sabio, -a wise *(4B)*

el/la **sabio/a** scholar, learned/wise man/woman *(5A)*, *(8B)*

el **sabor** flavor *(3A)*

sacar to take out *(6B)*

sacar partido de to profit from *(2A)*

salado, -a salty *(3A)*

salir to go out, depart, leave (a place) *(6B)*

salir bien to go well, turn out well *(2B)*

el **salón** living room *(1A)*

el **salto a la fama** jump to fame *(4B)*

la **salud pública** public health *(7B)*

saludable healthy *(2B)*, *(3B)*

la **salvaguardia** safeguard *(7B)*

salvar to save *(2B)*

sano, -a healthy *(3B)*

la **sátira** satire *(5A)*

la **sazón** flavoring, seasoning *(3A)*

se mire por donde se mire wherever one looks *(2A)*

seco, -a dry *(3A)*

el **sector** sector *(8B)*

la **sed** seat, headquarters *(6A)*, *(7A)*

sedentario, -a sedentary *(3B)*

seguidamente next *(7A)*

el/la **seguidor(a)** follower *(8B)*

el **seguimiento** tracking, monitoring *(7B)*

seguir una asignatura to take a course *(6B)*

seguir vigente to continue to be valid *(8A)*

según according to *(1B)*

según el punto de vista according to (one's) point of view *(8A)*

seleccionar to select *(6B)*

el **sello** stamp *(1A)*

sembrado, -a sown, seeded *(4B)*

la **semilla** seed *(3A)*

la **señal** sign, signal *(4A)*

señalar to point (to), to point out *(2A)*, *(6B)*

sencillo, -a simple *(1A)*, *(5B)*, *(7A)*

sensato sensible *(2B)*

sensible sensitive *(2B)*

sentarse (ie) en to sit down in/on *(1A)*

el **sentido del humor** sense of humor *(4B)*

el **sentimiento** feeling *(4A)*, *(5B)*

sentirse con ánimos para seguir to feel up to going on *(5B)*

la **sequía** drought *(7B)*

ser bulímico/a, anoréxico/a to be bulimic/anorexic *(3B)*

ser como pan comido to be easy *(3A)*

ser conocido to be known *(8B)*

ser de buena/mala calidad to be of good/bad quality *(8A)*

ser delicado con la comida to be picky with the food *(3B)*

ser indispensable to be indispensable *(4A)*

ser la fuente de inspiración be the source of inspiration *(8A)*

ser más bueno que el pan to be very good *(3A)*

ser parte de to be part of *(6A)*

el **ser querido** loved one *(2B)*

ser reacio a to be reluctant to *(4A)*

ser un éxito rotundo to be a resounding success *(8B)*

ser un flechazo to be love at first sight *(5B)*

ser un fracaso to be a failure *(8A)*, *(8B)*

servir (i) con to serve with *(3A)*

servir (i) de to serve as *(5A)*

si tan siquiera if only *(7B)*

siguiente paso (the) next step *(1A)*

silencioso quiet *(2B)*

la **silla eléctrica** electric chair *(4B)*

silvestre wild *(1A)*

simpático nice *(2B)*

sin cesar ceaseless, non-stop *(4A)*

sin embargo nevertheless *(2A)*

sin fronteras without limits (borders) *(8A)*

sin ninguna duda without (any) doubt *(2A)*

sincero, -a sincere *(5B)*

el **síntoma** symptom *(2A)*

el/la **sinvergüenza** shameless person, rascal, scoundrel *(4A)*

el/la **sobornador(a)** person who bribes *(6B)*

sobornar to bribe *(6A)*, *(6B)*

el **soborno** bribe *(6B)*

sobrar to be more than enough, be too much *(1B)*

sobrarle tiempo to have time on one's hands *(6B)*

sobrecogerse to be moved, deeply affected *(4A)*

sobreexplotar to overexploit *(7B)*

el **sobrepeso** excessive weight *(3B)*

sobrevivir to survive *(2B)*, *(7A)*

sofreír (i) to sauté, fry lightly *(3A)*

la **soja** soya *(3B)*

la **soledad** loneliness; solitude *(1A)*

soler (ue) to be in the habit of *(1A)*

solicitar to ask for, to request *(2B)*, *(7B)*

la **solicitud** application *(1B)*

solidario, -a in solidarity, supportive *(2A)*

soltar to let go of; to untie *(8B)*

solucionar to solve *(4A)*, *(6B)*

soñar (ue) con to dream about *(1B)*

sonar a to sound like *(8A)*

el **sondeo** poll *(2A)*

sonrojarse to blush *(4B)*

soportar to stand, bear, to tolerate *(2A)*, *(2B)*, *(5A)*

sorprendente surprising *(3A)*

sorprender to surprise *(1B)*

el **sosiego** serenity, peace *(1A)*

soso, -a bland *(3A)*

la **sospecha** suspicion *(2B)*

sostener to support *(7B)*

el **sostenimiento** maintenance, support *(6A)*

Su seguro/a servidora(a) Yours faithfully *(6A)*

la **subasta** auction *(8A)*

subastar to auction *(8A)*

súbito, -a sudden *(6A)*

el **subtítulo** subtitle *(8A)*

suceder to occur, happen *(2A)*

sudoroso, -a sweaty *(4A)*

el **sueldo** salary *(2B)*

el **sueño** dream *(8A)*

sufrir en su propia carne to suffer in one's own skin *(4B)*

sujeto (persona)individual *(2B)*

superar to excel *(8A)*

superarse to excel *(2B)*

el **suplicio** torture *(4B)*

el **surgimiento** emergence *(7B)*

surgir to come up *(1A)*

suspender to fail a course *(6B)*

la **sustancia tóxica** toxic substance *(7B)*

sustancias controladas sin prescripción médica controlled substances without a prescription *(7B)*

sustancias estupefacientes narcotics *(7B)*

T

el **tablón de anuncios** bulletin board *(1A)*

el **tacto** (sense of) touch *(8B)*

tajante definitive (answer,remark) *(6A)*

tajantemente categorically *(2B)*

talar to cut down, to fell (trees) *(7A)*

talentoso, -a talented *(4B)*

el **tamaño** size *(2A)*

tapar to cover *(3A)*

tardar en to take time to *(1B)*

tardar, demorar(se) to take time *(6B)*

tarde o temprano sooner or later *(2A)*

tartamudear to stutter *(2A)*, *(4B)*

el **tatuaje** tattoo *(2A)*

taurino, -a related to bullfighting *(6B)*

la **taza** cup *(3A)*

tecnológico, -a technological *(7A)*

el **téfono cular, téfono móvil** cell phone *(7A)*

el **téfono fijo** landline phone *(7A)*

la **tela** cloth, fabric, material *(8A)*, *(8B)*

la **telaraña** spider's web, cobweb *(8A)*

las **telecomunicaciones** telecommunications *(7A)*

la **telenovela** soap opera *(4B)*, *(8A)*

tema subject, topic *(2B)*, *(5B)*

temblar to shake, to shiver *(5B)*

temblarle la voz a alguien to have a shaky voice *(5B)*

el **temor** fear *(2A)*, *(5A)*

la **temporada** (sports) season *(1A)*, *(6A)*, *(8A)*, *(8B)*

temprano early *(1A)*

tender a to tend to, incline *(3B)*

tener alergia a (los frutos de cáscara, cacahuetes, al polen,...) to be allergic to nuts, peanuts, pollen) *(3B)*

tener anemia to have anemia *(3B)*

tener buen olfato to have good judgment *(4B)*

tener buena (mala) pinta to look good (bad) *(3A)*

tener certidumbre/incertidumbre to be sure/unsure *(5B)*

tener el alma en vilo to be worried *(2B)*

tener falta de sueño to be deprived of sleep *(1A)*

tener ganas de to feel like *(2B)*

tener gran éxito taquillero/

televisivo to be successful at the box office/on television *(8A)*

tener la oportunidad de to have the opportunity to *(6A)*

tener la voz tomada to have a hoarse voice *(5B)*

tener lugar to take place *(2B)*, *(6B)*

tener mala cara to look bad/ sick *(1A)*

tener malas uvas to be nasty *(3A)*

tener miedo de to be afraid of *(1B)*

tener motivos para to have reasons for *(2A)*

tener por to take for, considered *(2A)*

tener tiempo libre to have free time *(6A)*

tener un don to have a special gift (for doing something) *(4A)*

tener un efecto en to have an effect on *(6B)*

tener un éxito rotundo to have a resounding success *(4B)*

tener una manera peculiar de contar algo to have a peculiar way of saying something *(5A)*

tener una salud (o voluntad) de hierro to have strong health? *(3B)*

tener vigencia to be in effect *(6A)*

tenerlo claro to have no doubt about something *(1B)*

teñido, -a dyed *(2A)*

el/la **tenista** tennis player *(6A)*

tenso tense, stressed *(2B)*

tentar to tempt *(5A)*

el **tercio** (one) third *(1A)*

terminar por to end up *(2B)*

la **ternura** tenderness *(4B)*

el **terremoto** earthquake *(7B)*

el **terreno** field *(2A)*

el **tesón** determination, tenacity *(4B)*

el/la **testigo** witness *(6B)*

el **tiburón** shark *(7B)*

tiempo a period or duration of time *(6B)*

tiempo verbal tense (of a verb) *(2B)*

tiene la manía de he/she has this little thing/ obsession about *(4A)*

la **tierra batida** clay *(6A)*

la **timidez** shyness *(4A)*

el **tipo** type, sort, guy *(2A)*

no tirar la toalla not to give up *(5B)*

el **tiro al arco** archery *(6B)*

tolerante tolerant *(2A)*

tolerar to tolerate *(2B)*

tomárselo mal, interpretarlo mal to take something the wrong way *(6B)*

el **tono** pitch *(5B)*

el **tono en que lo dijo** the tone in which s/he said it *(5B)*

la **tontería** silly/stupid thing *(4A)*

el **toque** touch, beat *(1A)*, *(8A)*

torear to fight bulls *(6B)*

el **toreo** (art of) bullfighting *(6B)*

el/la **torero/a** bullfighter *(6B)*

el **tornado** tornado *(7B)*

torpe clumsy *(4B)*

el **trabalenguas** tongue twister *(5B)*

el **tráfico ilícito de drogas** illegal drug trafficking *(7B)*

la **tragedia** tragedy *(5A)*

la **trampa** trap *(4A)*

transcurrir to pass, to go by *(5A)*

tras after, behind *(5A)*

el **trastorno** disorder *(4A)*

tratar de to try to *(1B)*

tratarse de to be about *(3B)*

el **trato** deal, treatment *(4B)*

la **trayectoria** trajectory, path *(4B)*, *(5A)*, *(6B)*

el/la **treintañero/a** thirty-year-old *(2A)*

tremendo, -a terrible, tremendous *(4A)*

tres cuartos de three quarters of *(1A)*

la **tristeza** sadness *(8A)*

triunfar to triumph, to succeed *(2B)*, *(5A)*

trocear to chop, to cut *(3A)*

tropezar (ie) con to bump into *(4B)*

tumbarse to lie down *(2A)*

U

últimamente lately *(2B)*

último, -a last *(1A)*

el **usuario** user *(7A)*

el/la **usuario/a** user *(7B)*

V

la **vainilla** vanilla *(3A)*

el **vaivén** rocking, swaying motion *(8A)*

la **valentía** courage, valor *(2B)*, *(4B)*, *(5A)*

valer la pena to be worth it *(5B)*

valiente brave *(4B)*

la **valla** hurdle *(6B)*

el **valor** value, courage *(2B)*, *(5A)*

valorar to value, to give importance *(1B)*, *(3B)*

variopunto,
   -a miscellaneous *(8B)*

el/la **veinteañero/a** twenty-year-
   old *(2A)*

la **vejez** old age *(2B)*

la **velada** evening, get-together *(3A)*

   velar por to watch out for *(6A)*

   vencer to defeat *(6A)*

   ¡venga ya! are you kidding/
   serious? *(4B)*

   venir a to come to *(6A)*

la **ventaja** advantage *(7A)*

   ver todo "color de rosa" to see
   everything through rose-colored
   glasses *(4A)*

la **vergüenza** shame,
   embarrassment *(4A)*

   verosímil plausible, credible *(5B)*

el **verso libre** free verse *(5B)*

   verter (ie) to pour, spill *(7B)*

una **vez** once, one time *(6B)*

el/la **viajero/a** traveler *(1A)*

el/la **vidente** clairvoyant *(8B)*

   el **videojuego** videogame *(8B)*

   el **vínculo** link, bond *(8B)*

   la **violencia** violence *(5A)*, *(7B)*

el/la **visionario/a** visionary *(4B)*

   la **vista** view *(1A)*

   la **viuda** widow *(1A)*

   vivaz lively *(7A)*

   vivo, -a lively *(8A)*

   volar (ue) to fly *(1A)*

   el **voluntariado** voluntary
   service *(2A)*

el/la **voluntario/a** volunteer *(2B)*

   volver(se) (ue) to go back, to
   become *(1A)*

   volverse (ue) to turn into *(4A)*

el/la **votante** voter *(4B)*

   la **voz** voice *(5B)*

   la **voz de conciencia** the voice of
   one's conscience *(5B)*

   vulgar vulgar *(8A)*

Y

   ya no no longer *(1B)*

   ya que since *(4A)*

   yacer to lie (recline) *(2B)*

Z

   la **zapatilla** sneaker, tennis
   shoe *(6A)*

English-Spanish Vocabulary

A

abandonment el abandono *(2B)*
ability la capacidad *(4A)*
abrupt brusco, -a *(4A)*
abstract abstracto, -a *(8A)*
the absurdity of situation lo absurdo de la situación *(4A)*
abundant copioso, -a *(3A)*
abuse el maltrato *(5A)*
to abuse abusar de, maltratar *(2B)* *(4A)*
accident el percance *(1A)* *(4B)*
acclaimed aclamado, -a *(4B)*
accommodations el alojamiento *(1A)* *(6A)*
according to según *(1B)*
according to (one's) point of view según el punto de vista *(8A)*
to achieve conseguir (i), lograr, realizar *(1A)* *(1B)* *(2B)* *(6A)* *(7A)* *(8A)*
achievement el logro *(4B)*
to acquire adquirir *(8B)*
to act actuar *(4B)*
action la gestión *(4B)*
activist el/la activista *(7B)*
actually en realidad *(4A)*
to add agregar, añadir *(2B)* *(3A)*
to add to agregar a, añadir a *(6A)* *(3A)*
to admire admirar *(4A)* *(8B)*
to adore adorar *(8B)*
adulthood la edad adulta *(2A)*
advantage la ventaja *(7A)*
adventures las andanzas *(7B)*
adventurous aventurero, -a *(1A)*
advertising campaign la campaña publicitaria *(3B)*
affectionate cariñoso, -a *(4A)*
affectionately afectuosamente, cariñosamente *(4A)* *(6A)*
affluent opulento, -a *(1B)*
after tras *(5A)*
again de nuevo *(8B)*
against the clock a marchas forzadas *(7A)*
against time contra reloj *(6B)*
to agree asentir (ie, i) *(1B)*
to agree do something quedar en + infinitivo *(1A)*
to agree see someone quedar en ver a alguien *(4B)*
agreement el convenio *(7B)*
agricultural worker; peasant el/la campesino/a *(1B)*
air quality la calidad del aire *(7B)*

aircraft carrier el portaviones *(8A)*
alarming alarmante *(2B)*
albacore tuna la albacora *(7B)*
all the time (constantly) constantemente *(6B)*
to allow permitir *(7B)*
along a lo largo de *(1A)*
also asimismo *(6B)*
amazing asimismo *(6B)*
to amuse oneself with entretenerse con *(2A)*
ancestor el/la antepasado/a *(1B)* *(4B)*
anger coraje *(2B)*
annual anual *(1B)*
antibiotics los antibióticos *(3B)*
antiquity la antigüedad *(3B)*
apart from además de *(3A)*
apparently por lo visto *(2A)*
appearance la pinta, la facha *(2A)*
appetite el apetito *(3A)*
to applaud aplaudir *(8B)*
application la solicitud *(1B)*
apprenticeship el aprendizaje *(7A)*
to approach abordar, acercarse *(2B)* *(6B)* *(7A)*
appropriate adecuado, -a *(3A)*
archery el tiro al arco *(6B)*
architect el/la arquitecto/a *(8A)*
architectural arquitectónico, -a *(7A)*
architecture la arquitectura *(8A)*
are you kidding/serious? ¡venga ya! *(4B)*
armed conflict el conflicto armado *(2B)*
army el ejército *(2B)*
aroma el aroma *(3A)*
around alrededor, en torno a *(2A)* *(5A)*
to arrange meet with quedar con *(1A)*
arrival la llegada *(1A)*
to arrive anytime now llegar en cualquier momento *(6B)*
to arrive at llegar a *(1A)*
art for art's sake el arte por el arte *(8B)*
art of bullfighting el toreo *(6B)*
artistic artístico, -a *(8A)*
as a result/consequence como resultado/consecuencia *(4A)* *(8B)*

as soon as possible cuanto antes *(1B)*
to ask a question preguntar, hacer una pregunta *(6B)*
to ask for solicitar *(2B)* *(7B)*
to ask for someone preguntar por *(6B)*
to ask for something pedir *(6B)*
to ask for something impossible pedirle peras al olmo *(3B)*
aspiration, wish la aspiración *(5A)*
assembly el montaje *(8A)*
to assume asumir *(2A)*
to assure asegurar *(2A)* *(4A)*
astonished boquiabierto *(8A)*
astonishing asombroso, -a *(1A)*
at first de primeras, en principio *(1A)*
at least al menos *(4A)*
at the present time actualmente *(4A)*
at times a veces *(6B)*
athlete el/la atleta *(6A)*
atmosphere el ámbito *(6B)*
atrocious atroz *(5B)*
to attend asistir a *(8A)*
attitud la actitud *(2B)*
to attract atraer *(4A)*
to attract attention llamar la atención *(4A)*
auction la subasta *(8A)*
to auction subastar *(8A)*
audacity la audacia *(4B)*
autobiography la autobiografía *(4B)*
autograph el autógrafo *(4B)*
available disponible *(6B)* *(7B)*
average el promedio *(1A)*
award el premio, el galardón *(2B)* *(6B)* *(8B)*
to award conceder *(8B)*
awarded a prize laureado, -a *(5A)*

B

to back up respaldar *(7A)*
backward step el retroceso *(7A)*
balance el equilibrio *(3B)*
ball game el juego de pelota *(6A)*
barely apenas *(1B)*
base runner el/la corredor(a) en base *(6A)*
baseball player el/la beisbolista *(6A)*
basketball el baloncesto, el básquetbol *(6A)*

basketball player el/la baloncestista, el/la basquetbolista *(6A)*

Basque ball game la pelota vasca *(6A)*

to be a failure ser un fracaso *(8A) (8B)*

to be a resounding success ser un éxito rotundo *(8B)*

to be about tratarse de *(3B)*

to be about to estar a punto de *(4A)*

to be absentminded estar en las nubes *(4A)*

to be advisable, convenient convenir (ie) *(4A)*

to be afraid of tener miedo de *(1B)*

to be allergic nuts, peanuts, pollen) tener alergia a (los frutos de cáscara, cacahuetes, al polen,...) *(3B)*

to be ashamed of avergonzarse (ue) de *(2A)*

to be born nacer *(2B)*

to be bulimic/anorexic ser bulímico/a, anoréxico/a *(3B)*

to be characterized by caracterizarse por *(5B)*

to be chubby estar rellenito *(3B)*

to be clear aclarar *(3A)*

to be composed of componerse de *(5B)*

to be convenient convenir *(1B)*

to be dead tired/sleepy/hungry estar muerto de cansancio/sueño/hambre *(1B)*

to be deeply affected sobrecogerse *(4A)*

to be depressed estar deprimido, -a *(5B)*

to be deprived of sleep tener falta de sueño *(1A)*

to be easy ser como pan comido *(3A)*

to be easy (hard) on the eyes no entrar por los ojos *(3A)*

to be enough bastar *(6A)*

to be far from ready estar muy verde *(6A)*

to be fed up with estar harto de *(3A)*

to be feeling down hearted el ánimo por suo *(5B)*

to be finger-licking good estar para chuparse los dedos *(3A)*

to be for all the tastes haber para todos los gustos *(1B)*

to be happy about alegrarse de *(3B)*

to be happy/satisfied with; make do with contentarse con *(2A)*

to be in a good (bad) mood estar de buen (mal) humor *(4A)*

to be in charge of estar a cargo de *(3A)*

to be in effect tener vigencia *(6A)*

to be in line with enmarcarse en *(6B)*

to be in the habit of soler (ue) *(1A)*

to be in training estar entrenándose *(6B)*

to be in very low spirits estar bajo de ánimo/con *(5B)*

to be indispensable ser indispensable *(4A)*

to be involved in involucrarse en *(4A)*

to be known ser conocido *(8B)*

to be lacking carecer de, faltar *(5B) (1B) (6B)*

to be left quedar *(1B)*

to be love at first sight ser un flechazo *(5B)*

to be more than enough, be too much sobrar *(1B)*

to be nasty tener malas uvas *(3A)*

to be nervous (shaking like a flan) estar como un flan *(3B)*

to be of good/bad quality ser de buena/mala calidad *(8A)*

to be out of fashion estar pasado, -a de moda *(4B)*

to be part of ser parte de *(6A)*

to be picky with the food ser delicado con la comida *(3B)*

to be pleasing agradar *(1B)*

to be reachable estar al alcance de *(1A)*

to be reluctant to ser reacio a *(4A)*

to be ruin arruinarse *(4B)*

to be satisfied with conformarse con *(2A)*

to be sensational hacer época *(7B)*

to be sincere para ser sincero *(2A)*

to be speechless quedarse mudo, -a *(4B)*

to be starving pasar (mucha/ un poco de) hambre *(3B)*

to be successful at the box office/on television tener gran éxito taquillero/televisivo *(8A)*

to be sure/unsure tener certidumbre/ incertidumbre *(5B)*

to be surrounded rodear(se) *(4A)*

be the source of inspiration ser la fuente de inspiración *(8A)*

to be unable cope with no poder con *(7A)*

to be unsuccessful fracasar *(6B)*

to be up-to-date actualizarse, estar al tanto de *(3A) (1A)*

to be very good ser más bueno que el pan *(3A)*

to be willing estar dispuesto, -a *(1A) (4B)*

to be with a few extra kilos/pounds estar con unos kilos/unas libras de más *(3B)*

to be worried tener el alma en vilo *(2B)*

to be worth it merecer / valer la pena *(3A) (5B)*

to be wrong equivocarse *(1B)*

to beat batir, latir *(3A) (4A)*

to beat (up) golpear *(1A) (2B) (6A)*

beauty la belleza *(1A) (8A)*

because puesto que *(4A)*

because of por culpa de *(1B)*

to become ponerse *(2A)*

to become blind quedarse ciego *(8B)*

to become champion llegar a ser campeón(a) *(6A)*

to become irrational, go crazy enloquecer *(5B) (8B)*

to become tired of cansarse de *(2A)*

to become very interested in apasionarse por *(2B)*

to beg rogar (ue) *(3B)*

to begin iniciar *(7B)*

to begin in iniciarse en *(6B)*

to begin to empezar (ie) a, ponerse a *(3B) (4A)*

to behave comportarse, portarse *(4B) (2A)*

behavior el comportamiento *(2A) (4A)*

behind tras *(5A)*

belief la creencia *(2B)*

to belong pertenecer *(1B) (5A)*

to belong to pertenecer a *(2A)*

benefit el beneficio *(1B)*

to benefit from beneficiar de *(3B)*

besides además de *(3A)*

bet la apuesta *(6B)*

to bet apostar (ue) *(6B)*

to bet on apostar por *(3A)*

better safe than sorry más vale prevenir que curar *(3B)*

bettor (person who bets) el/la apostador(a) *(6B)*

between life and death entre la vida y la muerte *(4A)*

a big hug from + name Recibe un abrazo muy fuerte de tu amigo/a + nombre *(6A)*

big mouth el/la bocazas *(4B)*

bill el billete, la factura *(1B) (7A)*

biography la biografía *(4B)*

to bite morder *(3A)*

bitter amargo, -a *(3A)*

blabbermouth el/la bocazas *(4B)*

to blame culpar *(3B)*

bland soso, -a *(3A)*

blindness la ceguera *(5B)*

blood enhancement el dopaje sanguíneo *(6B)*

to blush sonrojarse *(4B)*

to boast alardear *(3A)*

bodybuilder el/la culturista *(6B)*

to boil hervir (ie) *(3A)*

to bombard with bombardear con *(3B)*

bone el hueso *(3B)*

to bore aburrir *(1B)*

bore el rollo *(2A)*

bossy mandón/mandona *(4A)*

to bother molestar, fastidiar *(1B)* *(7B)*

bothersome molesto, -a *(7B)*

bottle opener el abrebotellas *(8A)*

bottled water el agua embotlada *(7B)*

bottleneck el atasco (1A)

box-office hit el éxito taquillero *(8A)*

brain el cerebro *(2B)*

brand name la marca *(2A) (6B)* *(8A)*

brave valiente *(4B)*

break la ruptura *(8A)*

to break up with romper con *(2A)*

breast (of fowl) la pechuga *(3A)*

bribe el soborno *(6B)*

to bribe sobornar *(6A) (6B)*

briefcase el portafolios *(8A)*

bright colors colores vivos *(8B)*

brilliant brillante *(4B)*

broth el caldo *(3B)*

budget el presupuesto *(3B) (8A)*

to build construir *(8A)*

building la edificación *(1A)*

bulletin board el tablón de anuncios *(1A)*

bullfight la corrida de toros *(6B)*

bullfighter el/la torero/a (6B)

to bump into tropezar (ie) con *(4B)*

to burn arder, quemar *(3A)*

to bury enterrar (ie) *(2B)*

business la empresa *(3B)*

businessman/woman el/la empresario/a *(2B)*

to buy time ganar tiempo (6B)

by little por poco *(2A)*

by means of mediante *(7A)*

by what por lo que *(1B)*

c

calculating calculador(a) *(5B)*

campaign la campaña *(4B)*

can opener el abrelatas *(8A)*

candy el el dulce, la golosina *(3A)*

canvas el lienzo *(8A)*

capable capaz *(4A)*

capital letter la mayúscula *(2A)*

capricious caprichoso, -a *(3B)*

carbonated drink la bebida carbónica *(3B)*

career la carrera *(2B)*

careful esmerado, -a *(3A)*

Caribbean caribeño, -a *(8A)*

to carry out llevarse a cabo *(8B)*

cartoon el dibujo animado *(4B)*

cast (of characters) el reparto *(3B) (4B)*

to catch up with alcanzar *(3B)*

categorically tajantemente *(2B)*

to cause provocar, ocasionar *(1A)* *(7B)*

to cease, stop cesar *(2B)*

ceaseless sin cesar *(4A)*

to celebrate festejar *(7B)*

cell phone el téfono cular, téfono móvil (7A)

cement el cemento *(6A)*

cemetery el camposanto *(8A)*

to censor censurar *(8B)*

censorship la censura *(1B)*

chain la cadena *(4B)*

challenge el el desafío, el reto *(1A) (5B)*

to challenge desafiar, retar *(1A) (2A)*

challenging desafiante *(1A)*

champion el/la campeón(a) *(6A)*

championship el campeonato *(6A)*

chance el azar *(5B)*

character el carácter, el/la personaje *(2A) (2B) (5B)*

to charge cobrar *(1B)*

charismatic carismático, -a *(4B)*

charity las obras benéficas *(2B)*

charming encantador, -a (4B) *(8A)*

to cheer somebody up animar *(5B)*

cheerleader el/la porrista *(6B)*

chemicals los químicos *(3B)*

child el/la crío/a *(4A)*

childhood la infancia, la niñez *(2A) (2B)*

chocolate candy el bombón *(4A)*

chocolate milk el batido de chocolate *(3A)*

chocolate milk shake el batido de chocolate *(3A)*

to chop trocear, picar *(3A) (3B)*

chronological order el orden cronológico *(7A)*

cinnamon la canela *(3A)*

citizen el/la ciudadano/a *(1B)*

clairvoyant el/la vidente (8B)

to clarify aclarar *(7B)*

clay la arcilla, el barro, la tierra batida *(3A) (6A)*

to clear one's throat aclararse la voz *(5B)*

clipping el recorte *(8B)*

close, intimate íntimo, -a *(2B)*

cloth la tela *(8A) (8B)*

cloud la nube *(1A)*

clove (of garlic) el diente (de ajo) *(3A)*

clumsy torpe *(4B)*

coastal costero, -a *(7A)*

coexistence, living together la **convivencia** (2B)

coffee el café *(4A)*

coin la moneda *(1B)*

coin purse el portamonedas *(8A)*

to collaborate colaborar *(8B)*

collector el/la coleccionista *(8A)*

to come from provenir de *(3A)*

to come to venir a *(6A)*

to come up surgir *(1A)*

comedian el/la comediante *(4B)*

comedy la comedia *(5A)*

to comfort reconfortar *(7B)*

coming from procedente de *(7B)*

command of languages el dominio de lenguas *(7A)*

to commend oneself to encomendarse (ie) a *(2B)*

commentator el/la comentarista *(4B)*

commissioner el/la comisionado/a *(6A)*

to commit cometer *(2B)*

common corriente *(7A)*

company la empresa, la compañía *(3B)*

to compete with competir (i) con *(6B)*

competition la competencia *(6A)*

competitive la competición *(6A)*

competitor el contrincante *(8A)*

to complain about quejarse de *(2A)*

complete amplio, -a *(4A)*

complex complejo, -a *(2A) (4A)*

complicated complicado, -a, rebuscado, -a *(5B)*

to comply with cumplir con *(4B)*

composer el/la compositor(a) *(8A)*

computer el computador, el ordenador, el portátil *(7A)*

to concentrate on concentrarse en *(6A)*

concept el concepto *(2A)*

conduct la conducta *(4A)*

conference congreso (2B)

to confess confesar (ie) (2B)

confidence la confianza (4A)

to confront enfrentar (5A)

to connect with conectarse con (7A)

conservative conservador(a) (4B)

to conserve conservar (1B)

to consist of constar de (5B)

to console consolar (ue) (2A)

to consume consumir (3B) (7B)

consumer el/la consumidor(a) (3B)

consumption el consumo (3B)

container el recipiente (3A)

contemporary contemporáneo, -a (5A)

contents el contenido (5A)

to continue be valid seguir vigente (8A)

contract contrato (7A)

contractor el/la contratista (7B)

to contradict contradecir (6B)

to contribute aportar (3B) (8A)

to contribute to contribuir a (5B) (7B)

contribution la aportación (7B)

controlled substances without a prescription sustancias controladas sin prescripción médica (7B)

controversy la polémica (6A) (6B) (8B)

to convince convencer (1A)

convincing contundente (3A)

convincing someone convencerlo/ la (6B)

to cook cocer (ue) (3A)

Cordially Cordialmente (6A)

corncob la mazorca (3A)

corner el rincón (1B) (5A)

corruption la corrupción (7B)

to cost costar (ue) (4A)

to count on contar (ue) con (2B)

courage la valentía, el valor (2B) (4B) (5A)

court la pista (6A)

courtesy la cortesía (7B)

to cover tapar (3A)

cover (of a book,magazine), front page, cover (of a book) la portada (2B) (6A)

cover (plate, napkin, etc. set for each comensal) cutlery el cubierto (3A)

coverage la cobertura (6A)

covered cubierto, -a (3A)

cozy acogedor(a) (3A)

to crave apetecer (1B)

craving el antojo (1B)

to create crear (8B)

creation la creación (7A)

creative creativo, -a (8B)

credible verosímil (5B)

crime el crimen (7B)

critic el/la crítico/a (8A)

criticism la crítica (8A)

to criticize criticar (5A)

critique la crítica (8A)

crop el cultivo (3A)

crowd la muchedumbre, la multitud (1A) (2B)

crying el llanto (5B)

cultured culto, -a (8A)

cup la taza (3A)

curiosity la curiosidad, curiosamente (4B) (4A)

currently actualmente (5A)

custom la costumbre (5A)

to cut cortar (3A)

to cut down talar (7A)

cycling el ciclismo (6A)

cyclist el/la ciclista (6A)

D

daily cotidiano, -a, diario, -a (6A) (1B)

damage el deterioro, el daño (2B) (7A)

to damage dañar (3B)

damaged dañado, -a (8B)

damaging perjudicial (7B)

dance la danza (8A)

dancer el/la bailarín/ bailarina (8A)

dangerous peligroso, -a (1A)

to dare to atreverse a (1A)

daring atrevido, a (2A) (5B)

darling el cariño (1A)

Darling Cariño (6A)

to date from datar de (1A)

the day before yesterday anteayer (8A)

deadly letal (4B)

deal el trato (4B)

dear distinguido/a; estimado/a (6A)

dear (esteemed) director estimado/a director(a) (6A)

dear (Esteemed) Sir/Madam/ Mr./Ms (+ last name) muy estimado/a Señor/Señora (+ apellido) (6A)

Dear + name Querido/a + nombre (6A)

dear Sir/Madam muy señor mío (señora mía) (6A)

death la muerte (8A)

decade la década (4B)

deception engaño (2B)

to decide acordar (ue) (2B)

deep hondo, -a, profundo, -a (5B) (1A)

deep down en el fondo (1B)

deeply rooted arraigado, -a (2B)

to defeat derrotar, vencer (6A)

defense (defensive player) la defensa (6A)

defenseless desamparado, -a (2B)

deficiency la carencia (7B)

definitive (answer,remark) tajante (6A)

dehydrated deshidratado, -a (7A)

delay el retraso, el atraso (4B) (6A)

to delay retrasar (8A)

delayed con retraso (1A)

delicious rico, -a (3A)

to delight encantar (1B)

delinquency la delincuencia (2B)

delinquent, criminal el/la delincuente (2B)

delivery, distribution la entrega (8B)

demand la demanda (2B)

to demonstrate demostrar (ue) (2B)

denial el rechazo (1B) (8A)

to denounce denunciar (8B)

to depend on depender de (2A)

to deplore deplorar (6A)

depressed deprimido, -a (4A)

depth la profundidad (1A)

design el diseño (2A)

to design diseñar (8A)

desirable codiciado, -a (8B)

desperate desesperado, -a (1B)

to despise menospreciar (8A)

destination el destino (1A)

determination el empeño, el tesón (4B) (6B) (7B)

devastating desolador(a) (5A)

to develop desorrollarse (5A)

to devote oneself to dedicarse a (4B)

dew el rocío (5B)

to die fallecer (4B)

diet la dieta, el régimen (3B)

different distinto, -a (2B)

dignity la dignidad (4B)

dilemma el dilema (1B)

disability la minusvalía (6B)

disadvantage la desventaja (1B)

disappointment el desengaño, decepción (5B) (2B)

to discourage desanimar (2A)

to discover hallar (7B) (8B)

to discredit denigrar (1B)

discus throwing el lanzamiento de disco *(6B)*

disorder el trastorno *(4A)*

to displace desplazar *(2B)*

disposable desechable *(7A)*

to dispose disponer *(2B)*

to disqualify descalificar *(6B)*

distinct marcado, lejano, -a, particular *(2B) (7B)*

to disturb perturbar *(1B)*

divine divino, -a *(8A)*

dizzy mareado, -a *(1A)*

to do crazy things hacer locuras *(2A)*

to do whatever is possible hacer todo lo posible *(1B)*

to do/practice sports hacer deporte(s) *(6B)*

domain el dominio *(6A)*

don't mention it! ¡No faltaba más! *(4A)*

to donate donar *(2A)*

doorway el portal *(2A)*

dough la masa *(3A)*

to download descargar *(7A)*

to draft redactar *(5B) (7A)*

drastic drástico, -a *(4A)*

dream el sueño *(8A)*

to dream about soñar (ue) con *(1B)*

dried deshidratado, -a *(7A)*

drinking water el agua potable *(3B)*

to drive by conducir por *(1A)*

to drive to conducir a *(1A)*

drought la sequía *(7B)*

dry seco, -a *(3A)*

to dub doblar *(8A)*

dyed teñido, -a *(2A)*

each time cada vez *(6B)*

each time that cada vez que *(4A)*

eagerness el afán *(8A)*

early temprano *(1A)*

earthquake el terremoto *(7B)*

economic crisis la crisis económica *(1B)*

economy la economía *(1B)*

educated culto, -a *(2B)*

effect la el efecto, la incidencia *(3A) (5A)*

effective eficaz *(8A)*

effectively efectivamente *(2A)*

effectiveness la eficacia *(6A)*

efficient eficaz *(7B) (8A)*

effort el esfuerzo *(2B)*

elderly man/woman el/la anciano/a *(2A)*

electric chair la silla eléctrica *(4B)*

to eliminate acabar con, descartar *(7A) (4A)*

to emancipate emanciparse *(2B)*

embarrassed avergonzado *(2B)*

embarrassment la pena *(2B) (5A)*

emergence el surgimiento *(7B)*

to emigrate emigrar *(6B)*

emphatic rotundo, -a *(6A)*

employment el empleo *(1B)*

to encourage animar, fomentar *(8A) (5B)*

to encourage somebody darle ánimos a alguien *(5B)*

to end up terminar por *(2B)*

endorsement el respaldo *(6B)*

to endure perdurar *(6B)*

energy drink la bebida energética *(6A)*

engraving el grabado *(8A)*

to enjoy (doing something) disfrutar (de) *(1A)*

to enjoy great popularity gozar de gran popularidad *(8A)*

enjoyable ameno, -a *(4B)*

enriching enriquecedor(a) *(7A)*

to enroll ingresar *(8B)*

to ensure asegurar *(1A)*

to entertain entretener *(8A)*

enthusiastic apasionado, -a *(1A)*

entry el ingreso *(2A)*

environment el medio ambiente, el entorno *(7A) (1A) (8B)*

envy la envidia *(4A)*

ephemeral efímero, -a *(5B)*

epidemic la epidemia *(7A)*

equality la igualdad, la paridad *(1B) (5A) (6B)*

essay el ensayo *(5A)*

essayist el/la ensayista *(5A)*

essential imprescindible *(5B) (7A)*

to establish oneself instalarse *(8B)*

ethnic étnico *(3A)*

evening la velada *(3A)*

event el acontecimiento *(2B)*

everyone with their funny little ways cada cual con sus manías *(4A)*

everywhere por todas partes *(2A)*

evil la maldad *(4A)*

to evolve from evolucionar de *(6B)*

to excel superar, superarse *(8A) (2B)*

excessive desmesurado, -a *(2B)*

excessive weight el sobrepeso *(3B)*

excited entusiasmado, -a *(1A)*

exciting emocionante *(6A)*

executive el/la ejecutivo/a *(4B)*

exotic food la comida exótica *(3B)*

to expect pretender *(1A)*

expectation la expectativa *(7B)*

expense el gasto *(2B)*

to experiment with experimentar con *(5A)*

exploit la hazaña *(4B)*

to explore explorar *(2B)*

to expose oneself to exponerse a *(2A)*

exposition la exposición *(8B)*

extravagant extravagante *(8A)*

extreme poverty la miseria *(5A)*

extreme sports los deportes de riesgo *(2A)*

fabric la tela *(8A) (8B)*

face el rostro *(1A)*

to face enfrentarse *(1B)*

to face up to enfrentarse con, afrontar *(3B) (4B)*

to fail a course suspender *(6B)*

failure el fracaso *(6B)*

to faint desmayarse *(5B)*

faithful fiel *(5B) (8A)*

to fall in love with enamorarse de *(4A)*

to fall silent enmudecer *(5B)*

fallen caído, -a *(2A)*

family member el/la pariente/a *(1A)*

fan el/la fanático, -a *(6A)*

fan heater el calentador de aire *(7A)*

fan, enthusiast el/la aficionado/a *(8A)*

fan, supporter el/la hincha *(6B)*

fans el público fanático *(8B)*

fantastic fantástico, -a *(5A)*

to fascinate fascinar *(1B) (8B)*

fashion la moda *(8A)*

fast el ayuno *(3B)*

to fasten abrocharse *(1A)*

fat la grasa *(3A)*

fault el fallo *(2A)*

to favor favorecer *(6B)*

fear el temor *(2A) (5A)*

feature el rasgo *(2A) (4A)*

feeding la alimentación *(3B)*

to feel like apetecer, tener ganas de *(1A) (2B)*

to feel up going on sentirse con ánimos para seguir (5B)

feeling el sentimiento (4A) (5B)

fiber la fibra (3B)

field el terreno (2A)

fifteen-year-old el/la quinceañero/a (2A)

to fight disputarse (6A)

the fight against AIDS la lucha contra el SIDA (8A)

to fight bulls torear (6B)

to fight for luchar por (1B)

figure la cifra, la figura (1A) (4B)

to fill up with llenarse de (3A)

to film filmar, rodar (ue) (8A) (4B)

to film a movie rodar una película (8A)

fin la aleta (7B)

finally al fin y cabo, por último (2A) (3A)

to find out about enterarse de (4A) (5B)

to fine multar (7B)

fine arts las bellas artes (8A)

to finish off acabar con (1B)

the first (thing) that lo primero que (1A)

firsthand de primera mano (6A)

to fish faenar (7B)

to fit caber (1A)

to fit in encajar (2A)

flattering halagüeño, -a (7B)

flavor el sabor (3A)

flavoring la sazón (3A)

flight time hora de vuelo (1A)

to flirt with coquetear con (4A)

to flood inundarse (7B)

flooding la inundación (7B)

flour la harina (3A)

to fly volar (ue) (1A)

focus el enfoque (8A)

fog la niebla (1A)

folkloric folclórico, -a (8A)

follower el/la seguidor(a), el/la adepto/a (2A) (8B)

fondly cariñosos saludos de (6A)

food el alimento (3B)

for all tastes para todos los gustos (1A)

for that reason por eso (4A)

for this motive por este motivo (4A)

for this reason por esta razón (4A)

for want of a falta de (7B)

forced forzado, -a (1A)

foreigner el extranjero (1B)

forgery la falsificación (8B)

to forget about olvidarse de (1B)

forget-me-not el nomeolvides (8A)

to forgive perdonar (5B)

Formula 1 race-car driver el/la piloto de Fórmula 1 (6A)

fortunate afortunado, -a (4B)

fortune la fortuna (4B)

forward (player) el delantero (6A)

foundation la fundación (8B)

to frame enmarcar (6B)

frame (of a painting) el marco (8A)

fraud el fraude (8B)

to free liberar (7B)

free admittance la entrada libre (8A)

free verse el verso libre (5B)

freedom la libertad (5A)

fresh water el agua dulce (7A)

friendship la amistad (2A)

from the point of view of desde el punto de vista de (2A)

frozen congelado, -a (3A)

fruitful fructífero, -a (5A)

to fry freír (i) (3A)

to fulfill desempeñar, desempeñarse (2B) (7B)

fulfillment el cumplimiento (7B)

full lleno, -a (3A)

fund el fondo (8A) (8B)

funny gracioso, -a (2A) (2B)

funny little way la manía (4A)

furthermore es más (7A)

G

genius el genio (8A)

gesture el gesto (2B)

to get accustomed to acostumbrarse a (1B)

to get angry indignarse (4A)

to get dirty ensuciarse (3A)

to get fat, put on weight engordar (3B)

to get over (something) quickly pasársele rápido (4A)

to get scared by smthg dar pánico (1A)

to get sentimental ponerse sentimental (5B)

to get soaked ponerse como una sopa (3A)

to get tangled in enredarse con (5B)

to get thin adelgazar (3B)

to get used to acostumbrarse (5A)

to get very red ponerse como un tomate (3A)

to get well curar(se) (4A)

to get worked up about nothing ahogarse en un vaso de agua (4A)

get-together la velada (3A)

to give (a present) regalar (4A) (7A)

to give a benefit concert dar concierto benéfico (8B)

to give an award premiar (4B)

to give birth (an idea) dar origen a (7A)

to give it one's all darlo todo (5B)

global warming el calentamiento global (7A)

globalization la globalización (8A)

to go (prize, award) recaer en (6B)

to go away irse, marcharse (6B)

to go away from marcharse de (1A)

to go back to remontarse a (5B)

to go back, become volver(se) (ue) (1A)

to go by pasar por (1A)

to go by (time, life) discurrir (1A)

to go ineffect entrar en vigor (6B)

to go into entrar en (1B)

to go out, depart, leave (a place) salir (6B)

to go through atravesar (2A)

to go through; travel, cross recorrer (1A) (6A) (8B)

to go too far pasarse (2A)

to go well/badly ir bien/mal (4B)

goal la meta, objetivo (1B) (2B)

goal scorer el/la marcador(a) (6A)

goalie el/la arquero/a, portero/a (6A)

gold mine (colloquial) el filón (2A)

good rico, -a (3A)

the good (bad) thing is lo bueno (malo) es que (8B)

good-bye la despedida (1A)

good-looking apuesto, -a (4B)

gracious amable, cortés (2B)

to grant otorgar (2A) (6A) (8A)

grass la hierba, el pasto (6A)

gratitude el agradecimiento (2A)

graveyard el camposanto (8A)

greasy grasiento, -a (3B)

greenhouse effect el efecto invernadero (7A)

grief la pena (2B) (5A)

growing creciente (2B)

growth el crecimiento (1B)

to guess adivinar (4B) (5B)

to guide guiar (1A)

guideline la pauta (4A)

guilty culpable (2B)

gymnast el/la gimnasta (6A)

gymnastics a gimnasia (6A)

H

hake (whitefish) la merluza *(7B)*

handful el puñado *(3A)*

handicap la minusvalía *(6B)*

handicapped inválido, -a *(8A)*

handicapped person el/la discapacitado/a, el/la minusválido/a *(6B)*

handle el asa (f.) *(3A)*

to handle manejar *(2A) (4A) (7B)*

handling el manejo *(5B)*

handrail el pasamano *(8A)*

to hang (up) colgar (ue) *(1A)*

to happen) acontecer *(2B)*

happiness) la alegría *(8A)*

hard) duro, -a *(5B)*

hardly) apenas *(5A)*

harmful) dañino, -a, nocivo, -a *(7A) (7B)*

harmful effects to one's health) efectos perjudiciales para la salud *(7B)*

harmony) la armonía *(7A)*

the harsh reality) la cruda realidad *(5A)*

hatred) el odio *(4A)*

to have a craving for) antojarse *(3A)*

to have a good time) divertirse, pasarlo bien *(6B)*

to have a hard time) costarle muchísimo *(6B)*

to have a hoarse voice tener la voz tomada *(5B)*

to have a peculiar way of saying something) tener una manera peculiar de contar algo *(5A)*

to have a resounding success) tener un éxito rotundo *(4B)*

to have a rivalry) hacer competencia *(6B)*

to have a shaky voice) temblarle la voz a alguien *(5B)*

to have a special gift (for doing something) tener un don *(4A)*

to have an effect on) tener un efecto en *(6B)*

to have anemia tener anemia *(3B)*

to have free time tener tiempo libre *(6A)*

to have good judgment tener buen olfato *(4B)*

to have influence influir *(1A)*

to have just finished doing something acabar de + infinitivo *(1A)*

to have no doubt about something tenerlo claro *(1B)*

to have no other choice no tener más remedio que *(4B)*

to have reasons for tener motivos para *(2A)*

to have something at one's disposal disponer de *(7A)*

to have strong health? tener una salud (o voluntad) de hierro *(3B)*

to have success, victory arrasar *(4B)*

to have the lack of sleep estar falto de sueño *(1B)*

to have the opportunity to tener la oportunidad de *(6A)*

to have time on one's hands sobrarle tiempo *(6B)*

having a sweet tooth goloso, -a *(3A)*

he/she has this little thing/ obsession about tiene la manía de *(4A)*

to head toward dirigirse a *(1B)*

healthy saludable, sano, -a *(2B) (3B)*

hearing; ear el oído *(7A)*

heat la calefacción *(1A)*

to heat calentar *(3A)*

height la altura *(4A)*

height, stature la estatura *(4B)*

to help ayudar a *(5B)*

heritage el patrimonio, la herencia *(3B) (4A)*

hero el héroe *(4B)*

heroic deed la hazaña *(4B)*

heroine la heroína *(4B)*

heroism el heroísmo *(4B)*

hey!, excuse me ¡oye! *(4A)*

hidden oculto, -a *(5B)*

historical time la época *(1A) (6B) (7A)*

to hit it off well/badly with someone hacer buenas/malas migas con alguien *(7B)*

home el hogar *(1A)*

home address el domicilio *(2B)*

home run el jonrón *(6A)*

homeland la patria *(4B)*

honey el miel *(3A)*

hope la esperanza *(2B)*

hormones las hormonas *(3B)*

horrible espantoso, -a *(1A)*

horrifying espeluznante *(3A)*

host el anfitrión *(1A)*

hostess la anfitriona *(1A)*

to house albergar *(1A)*

How cruel! ¡Qué cruel! *(2B)*

How is it allowed? ¿Cómo está permitido? *(2B)*

How shameful!, How embarrassing! ¡Qué vergüenza! *(4A)*

How silly ¡Qué tontería! *(4A)*

How terrible/awful! ¡Qué barbaridad! *(2B)*

however no obstante/sin embargo *(5B)*

a hug unabrazo *(6A)*

hugs and kisses besos y abrazos *(6A)*

to hum canturrear *(3A)*

human rights los derechos humanos *(2A)*

humanitarian cause la causa humanitaria *(8B)*

humanitary aid la ayuda humanitaria *(7B)*

to humiliate humillar, degradar *(6A) (4B)*

hunger el hambre *(3B)*

hunger strike la huelga de hambre *(4B)*

hurdle la valla *(6B)*

hurricane el huracán *(7B)*

to hurry to precipitarse a *(6B)*

to hurt doler (ue) *(1B)*

to hurt; (of food) disagree with hacer daño *(7B)*

to hydrate hidratar *(6A)*

hypocrisy la hipocresía *(4B)*

I

I just can't believe it! ¡No me lo puedo creer! *(2B)*

ice hockey el hockey sobre hielo *(6A)*

ideal person la persona ideal *(4A)*

if by any chance, just in case por si acaso *(2A) (4A)*

if only si tan siquiera *(7B)*

illegal drug trafficking el tráfico ilícito de drogas *(7B)*

image la imagen *(5B)*

imbalance el desequilibrio *(3B)*

impact la el efecto, la incidencia *(3A) (5A)*

to impede impedir (i) *(2B) (3B)*

to impose imponer *(4B)*

improvement la mejora *(2B)*

impulsive caprichoso, -a *(3B)*

in an affectionate tone of voice en tono cariñoso *(5B)*

in another way de otra forma *(1B)*

in charge encargado, -a *(6A)*

in conclusion en conclusión *(4A)*

in every way en todos los aspectos *(7A)*

in fact de hecho *(4A)*

in general por lo general *(4A)*

in homage en homenaje *(6A)*

in solidarity solidario, -a *(2A)*

in spite of a pesar de *(2A) (4A)*

in the case of en el caso de *(7A)*
in the first place en primer lugar *(4A)*
in the long run a largo plazo *(7A)*
in the matter al respecto *(7B)*
in the middle of a mediados de *(7A)*
in the outskirts of a las afueras de *(1A)*
in the same way de la misma manera *(5B)*
in the second place en segundo lugar *(4A)*
in time a tiempo *(6B)*
incentive el aliciente *(7B)*
incidence la el efecto, la incidencia *(3A) (5A)*
inclined to fall in love easily enamoradizo, -a *(4A)*
to **include in/on** incluir en *(1B)*
incomprehensible incomprensible *(8A)*
increase el incremento *(7B)*
indescribable indescriptible *(4A)*
indictable denunciable *(8B)*
individual sujeto (persona) *(2B)*
individual taste al gusto (de) *(3A)*
inefficient ineficaz *(7B)*
infinite infinito, -a *(7A)*
influence la influencia *(5A)*
to **influence** influir en *(2B) (5A)*
influential influyente (1B) (2A) (8A)
to **inhabit** habitar *(2B)*
inheritance la herencia *(4A)*
innocence la inocencia *(5A)*
innovation la innovación *(7A)*
innovative innovador(a) *(8B)*
inopportune inoportuno,-a *(7B)*
inside part of bread la miga (de pan) *(3A)*
to **insist on** insistir en *(3A)*
inspiration la inspiración *(8A)*
inspiring inspirador, -a *(8A)*
to **integrate** integrar *(5A)*
integrity la entereza *(4B)*
to **interest** interesar *(1B)*
internationally internacionalmente *(8B)*
Internet user el/la internauta *(7B)*
to **interpret** interpretar *(4B)*
to **intervene** mediar *(6A)*
interview la entrevista *(1B)*
to **intuit** intuir *(4A) (5B)*
invention el invento *(7A)*

investment la inversión *(6B) (8B)*
to **involve** involucrar *(8A)*
involved involucrado, -a *(6A)*
iron (mineral) el hierro *(3B)*
ironic irónico, -a *(5B)*
irony la ironía *(5B)*
irrational irracional *(8B)*
irreplaceable irreemplazable *(3B)*
irresponsible inconsciente *(4A)*
to **isolate** aislar *(7B)*
to **isolate oneself from** aislarse de *(6A)*
It seems terrible/awful! ¡Me parece fatal! *(2B)*
it's not such a big deal no ser para tanto *(2A)*
It's unbelieveable! ¡Es increíble! *2B)*

J

to **jam-pack** abarrotar *(8B)*
javelin la jabalina *(6B)*
Jewish judío, -a *(8A)*
jigsaw puzzle el rompecabezas *(8A)*
journalism el periodismo *(5A)*
journalist el/la periodista *(5A)*
judge el/la árbitro/a *(6A)*
to **judge** juzgar *(6B)*
judging by a juzgar por *(8B)*
judgment el juicio *(7B)*
to **jump** dar saltos *(1A)*
jump to fame el salto a la fama *(4B)*
junk (fast) food la comida basura (rápida) *(3B)*
just like igual que *(1B)*
to **justify** justificar *(2B)*

K

to **keep warm with** abrigarse con *(1A)*
key la clave *(2B)*
key (solution) la clave *(4A)*
to **kick** patear *(6A)*
to **know for sure** saber a ciencia cierta *(5A)*
know-it-all el sabelotodo *(8A)*

L

labor force la fuerza boral *(7A)*
laboriously laboriosamente *(7A)*
lack of falta de *(1A)*
landing el aterrizaje *(1A)*
landline phone el téfono fijo *(7A)*
landscape el paisaje *(1A) (8A) (8B)*
language el lenguaje *(5B)*
laptop el computador, el ordenador, el portátil *(7A)*

last último, -a *(1A)*
to **last** durar *(5B)*
lately últimamente *(2B)*
to **laugh one's head off** partirse de risa *(4A)*
laughingstock el hazmerreír *(8A)*
laureate laureado, -a *(5A)*
to **lead** encabezar, liderar *(1A) (4B)*
leader el/la gobernante, el/la líder *(1B)*
to **leaf through** hojear *(5A)*
lean magro, -a *(3B)*
to **lean/rely on** apoyarse en *(2A)*
to **learn to** aprender a *(1B)*
leather˜el cuero (2A)
to **leave a trace** dejar huella *(1B)*
to **leave behind** dejar *(7B)*
lecture conferencia *(2B)*
legacy el legado *(8B)*
legendary legendario, -a *(4B)*
leisure, free time el ocio *(6A) (6B)*
to **lessen, cushion, absorb** amortiguar, disminuir *(2B) (6B)*
to **let go of; untie** soltar *(8B)*
let's get to work ponerse manos a la obra *(3A)*
letter opener el abrecartas *(8A)*
Letters (literature) las letras *(5A)*
to **lie (recline)** yacer *(2B)*
to **lie down** tumbarse *(2A)*
life expectancy la esperanza de vida *(7A)*
lifestyle la forma de vida *(5A)*
likewise igualmente *(7A)*
limitless infinito, -a *(7A)*
link el lazo, el vínculo *(2A) (8B)*
literary genre el género literario *(5A)*
literary works las obras literarias *(5A)*
lithograph la litografía *(8A)*
to **live together with** convivir con *(5A)*
to **live with** convivir con *(2A)*
lively vivaz, vivo, -a *(7A) (8A)*
living room el salón *(1A)*
logically lógicamente *(1A)*
loneliness la soledad *(1A)*
long walk la caminata *(1A)*
long-haired melenudo, -a *(4B)*
look la mirada *(4A) (5B)*
to **look bad/sick** tener mala cara *(1A)*
to **look good (bad)** tener buena (mala) pinta *(3A)*
to **look like** parecerse *(2A)*
to **look out of the corner of one's eye** mirar de reojo *(4B)*

to **loose weight** adelgazar *(3B)*

loss la pérdida *(4B)*

loved one el ser querido *(2B)*

low budget de poco presupuesto *(4B)*

low tide el bajamar *(8A)*

to **lower** rebajar *(1A)*

loyal leal *(2A)*

lucky afortunado, -a *(4B)*

luggage el equipaje *(1A)*

luxurious lujoso, -a *(1A)*

luxury el lujo *(4A) (7B)*

lying mentiroso, -a *(4A)*

lyric la letra *(8A)*

M

magical realism el realismo mágico *(5A)*

the **main idea** la idea principal *(5B)*

to **maintain** mantener *(5A)*

maintenance el sostenimiento *(6A)*

to **make a good/bad impression on** quedar bien/mal con *(2A)*

to **make a mistake, stick one's foot (in one'smouth)** meter la pata *(4B)*

to **make a stopover** hacer escala *(7B)*

to **make an effort to** esforzarse (ue) por *(7B)*

to **make an effort to** empeñarse en *(2A)*

to **make aware** concienciar *(7B)*

to **make easy** facilitar *(2B)*

to **make fun of** burlarse de *(2A)*

to **make happy** alegrar *(8A)*

to **make one's mouth water** hacerse la boca agua *(3A)*

to **make shudder** estremecer *(5B)*

to **make someone angry** darle rabia a alguien *(3A)*

to **make someone dream** hacer soñar a alguien *(4B)*

to **make someone hungry** darle hambre *(3A)*

to **make someone thirsty** darle sed *(3A)*

to **make up with someone** hacer las paces *(7B)*

to **make worse** agravar *(2B)*

malnutrition la desnutrición *(3B)*

management el manejo *(5B)*

to **manipulate** manipular *(2B)*

manufacturer el fabricante *(3B)*

marginalization la marginación *(7B)*

market el mercado *(8B)*

marvelous prodigioso, -a *(2A)*

master el/la maestro/a *(8A)*

material la tela *(8A) (8B)*

to **matter** importar *(1B)*

mature maduro, -a *(2A)*

to **mature** madurar *(4A)*

maybe a lo mejor *(4A)*

means los medios *(4B)*

measure la medida *(7B)*

media los medios (de comunicación) *(2B)*

medicine el medicamento, el fármaco *(1B) (4A) (6B)*

medium el medio *(6A) (8A)*

memory el recuerdo *(2A)*

metaphor la metáfora *(5B)*

meticulous esmerado, -a *(3A)*

midfieldman el medio *(6A) (8A)*

mind la mente *(4A)*

minor el/la menor *(2B)*

miscellaneous variopunto, -a *(8B)*

mishap el percance *(1A) (4B)*

to **miss** añorar/echar de menos, extrañar *(2A) (5B) (4A)*

mistake el fallo *(2A)*

misunderstood incomprendido, -a *(8A)*

to **mix** mezclar *(3A)*

mixed mezclado, -a *(4B)*

mixture la mezcla *(3A)*

modern moderno, -a *(8A)*

monitoring el seguimiento *(7B)*

monthly mensual *(1B)*

mortality la mortalidad *(2B)*

most of the time en la mayoría de las ocasiones, la mayoría de las veces *(1B)*

most recent de última generación *(2A)*

mother tongue la lengua materna *(7B)*

motionless inmóvil *(2B)*

motor motriz *(6B)*

to **move away from** alejarse de *(1A)*

movie ratings las clasificaciones de películas *(8B)*

moving conmovedor(a) *(5A)*

moving, touching enternecedor(a) *(5B)*

muralist el/la muralista *(8A)*

murmur el murmullo *(2B)*

music la música *(8A)*

musician el/la músico/a *(8A)*

my dear + name mi querido/a + nombre *(6A)*

my regards to your family mis recuerdos a tu familia *(6A)*

myth el mito *(4B)*

N

nap, snooze el duermevela *(8A)*

narcotics sustancias estupefacientes *(7B)*

to **narrate** narrar *(5A)*

narrow estrecho, -a *(1A)*

natural disaster el desastre natural *(7B)*

to **need** hacer falta *(1B)*

nevertheless sin embargo, no obstante/sin embargo *(2A) (5B)*

next seguidamente *(7A)*

nice simpático *(2B)*

night nocturno, -a *(1A)*

no longer ya no *(1B)*

no matter how hard por más que *(2A)*

no matter how much por mucho *(4A)*

no one in his/her right mind nadie en su sano juicio *(4B)*

No way! ¡Qué va! *(1A)*

Nobel Prize in Literature el Premio Nob de Literatura *(5A)*

nocturnal nocturno, -a *(1A)*

to **nominate** nominar *(4B)*

nomination la nominación *(4B)*

nonprofit organization la organización sin ánimo de lucro *(2B)*

non-stop sin cesar *(4A)*

to **not lose sight of** no perder de ojo/ vista *(1A)*

not to be able to stand something (or someone) no poder ni ver algo (o alguien) *(3A)*

not to be in a joking mood no estar para bromas *(2A)*

not to feel up to anything no tener ánimos de/ para nada *(5B)*

not to give up no darse por vencido, -a, no tirar la toalla *(5B)*

not to stand something darle asco *(3A)*

to **not understand** no entrar en la cabeza *(3A)*

nothing at all nada de nada *(4A)*

to **notice** fijarse en *(6B)*

to **notify** avisar *(7A)*

nourishment la alimentación *(3B)*

nowadays actualmente *(4A) (5A)*

nutcracker el cascanueces *(8A)*

nutritious nutritivo, -a *(3B)*

O

obese obeso, -a *(3B)*

obesity la obesidad *(3B)*

obsession la manía *(4A)*

to **occur** suceder *(2A)*

ode la oda *(5A)*
of course por supuesto *(2A)*
of flesh and blood de carne y hueso *(4A)*
offer la oferta *(7A)*
to **offer** brindar *(6B)*
often a menudo *(1A)*
oil painting el óleo *(8A)*
old age la vejez *(2B)*
old-fashioned anticuado, -a *(4B)*
olive oil el aceite de oliva *(3A)*
on the high seas en alta mar *(7B)*
on top of that para colmo *(4A)*
once una vez *(6B)*
once again otra vez *(6B)*
one third el tercio *(1A)*
opening la apertura *(8A)*
opportune oportuno, -a *(7B)*
to **oppose** oponerse a *(2B)*
opposing team el equipo contrario *(6A)*
to **oppress** oprimir *(2B)*
oppressed oprimido, -a *(2B)*
or viceversa o viceversa *(7A)*
oratory la oratoria *(5A)*
organic food la comida orgánica *(3B)*
organizing (host) city ciudad organizadora *(6B)*
to **originate from** proceder de *(3B)*
the **other world** el más allá *(5A)*
outdoors al aire libre *(8B)*
outline el esbozo *(5B)*
outside the country fuera del país *(6A)*
outstanding, distinguished destacado, -a *(6A)*
overcrowded masificado, -a *(1A)*
to **overexploit** sobreexplotar *(7B)*
own propio, -a *(1B)*
owner el/la dueño/a, el/la propietario/a *(1A) (3A) (6A)*

P

pacifism el pacifismo *(2A)*
to **pack the premises** abarrotar un recinto *(8B)*
pain el dolor *(2B) (8A)*
to **paint** pintar *(8A)*
paintbrush el pincel *(8B)*
parachute el paracaídas *(8A)*
parade el desfile *(1B)*
paradise el paraíso *(1A)*
parody la parodia *(5B)*
party pooper el aguafiestas *(8A)*
to **pass** transcurrir *(5A)*
to **pass on posterity** pasar a la posteridad *(4B)*

passion la pasión *(8A)*
patience la paciencia *(4A)*
to **pay attention** hacer caso *(7B)*
to **pay attention to** hacerle caso a *(4B)*
peace treaty el acuerdo de paz *(1B)*
peak el apogeo *(7A)*
penknife la navaja *(2A)*
percent por ciento *(1B)*
perfectionist perfeccionista *(4A)*
to **perform** desempeñar *(3B)*
performance el rendimiento *(6A) (7B)*
period la época *(1A) (6B) (7A)*
a **period or duration of time** tiempo *(6B)*
person who bribes el/la sobornador(a) *(6B)*
personality el carácter *(2B) (7A)*
personification la personificación *(5B)*
pesticides los pesticidas *(3B)*
phenomenon el fenómeno *(8A)*
philanthropist el/la filántropo/a *(4B)*
physical characteristic el rasgo *(2A) (4A)*
physical exercise el ejercicio físico *(6A)*
to **pick up** recoger *(1A)*
piece el pedazo *(3A)*
pill la pastilla *(3A)*
piracy la piratería *(8B)*
pitch el tono *(5B)*
to **place** colocar *(2B)*
platform la plataforma *(7A)*
plausible verosímil *(5B)*
play la obra de teatro *(5A)*
to **play a (movie, television) role** interpretar un papel *(8A)*
to **play a part hacer un papel** *(8A)*
to **play the fool** hacer el tonto *(7B)*
player el/la jugador(a) *(6A)*
pleasant ameno, -a *(4B)*
to **please** complacer *(7A)*
pocketbook el portamonedas *(8A)*
pocketknife la navaja *(2A)*
poem el poema *(5A)*
to **point (to)** señalar *(2A) (6B)*
pole vault la pértiga *(6B)*
polite cortés *(1B)*
political regime el régimen político *(1B)*
poll el sondeo, la encuesta *(2A) (2B) (8A)*
Poor things! ¡Pobrecitos! *(2B)*
populated poblado, -a *(1A)*

population la población *(2B)*
port el puerto *(3A)*
portrait el retrato *(8B)*
position la postura, el cargo *(4A) (4B)*
to **pour** verter (ie) *(7B)*
poverty la pobreza *(1B)*
power el poder *(6A) (8B)*
powerful poderoso, -a, impactante *(4B) (8A)*
practically prácticamente *(8B)*
to **practice track and field** hacer atletismo *(6B)*
praise el halago *(4A)*
to **praise** alabar, elogiar, enaltecer *(8B) (6A) (5B) (7B)*
to **predict** predecir *(5B)*
pregnant embarazada *(2B)*
prejudice el prejuicio *(4B)*
premises el local *(3B) (6A)*
prescription la receta *(6B)*
the **present (time)** la actualidad *(5A)*
press conference la rueda de prensa *(4A)*
prestige el prestigio *(6B)*
prestigious prestigioso, -a *(4B)*
to **pretend** fingir *(1B) (4A) (5A)*
to **prevail** prevalecer *(7B)*
previous anterior *(8B)*
pride el orgullo *(5B)*
prime time el horario estelar *(8A)*
printed impreso, -a *(6A)*
prize el premio *(2B) (6B)*
prize winner el/la galardonado/a *(6B)*
productive fructífero, -a *(5A)*
profit el beneficio, la ganacia *(7A) (8A)*
to **profit from** sacar partido de *(2A)*
profitable, worthwhile provechoso, -a, rentable *(1B) (3B)*
to **program** programar *(6A)*
to **prohibit** prohibir *(7B)*
project el proyecto *(8B)*
to **promise to** comprometerse a *(3B)*
to **promote** promover (ue), promocionar *(7A) (3B) (8B) (6B)*
promoter el/la propagador(a) *(6B)*
prone propenso, -a *(7B)*
proof la prueba *(8B)*
properly debidamente *(1B)*
to **propose** pedirle la mano a alguien, declararse, proponer *(5B) (6A) (7A)*

prose la prosa *(5A)*

protagonist el/la protagonista *(4A) (5A)*

proud orgulloso, -a *(2A) (5B)*

to **provide** brindar *(2B)*

provided that con tal de que *(2B)*

provocative provocativo, -a *(8B)*

to **provoke** dar lugar a *(7A)*

provoked provocado, -a *(4A)*

public health la salud pública *(7B)*

publication la publicación *(8A)*

to **pull up/out** arrancar *(1A)*

to **punish** castigar *(2A)*

punishment el castigo *(6B)*

purchasing power el poder adquisitivo *(3A)*

to **pursue** perseguir (i) *(1A)*

push el empuje *(1B)*

to **put in charge** encargar *(2B (6A))*

to **put in place** colocar *(8B)*

to **put something in doubt** poner en tela de juicio *(7B)*

to **put up for sale** poner a la venta *(8A)*

to **put yourself in someone's place** ponerse en el lugar (de alguien) *(7B)*

Q

qualified capacitado, -a *(2A)*

quality la calidad *(3B)*

quantity la cantidad *(3B)*

to **quarrel** reñir (i) *(1A)*

questioning el cuestionamiento *(8B)*

quiet callado, silencioso *(2B)*

to **quit** dejar de, dimitir *(2B)*

R

race (ethnicity) raza *(2B)*

race (sports) carrera *(2B)*

race, (college) degree la carrera *(5A)*

race; career la carrera *(6B)*

race-car driving el automovilismo *(6A)*

rage coraje *(2B)*

to **raise** ascender (ie) *(1A)*

raisin la pasa *(3A)*

random happening el azar *(5B)*

range la gama *(7A)*

range of possibilities abanico de posibilidades *(4A)*

rarely rara vez *(1A)*

raw crudo, -a *(3A)*

to **reach** alcanzar *(1B) (7B)*

reachable alcanzable *(6B)*

to **read for pleasure** leer por placer *(5B)*

realistic realista *(2A) (5A)*

to **realize** darse cuenta de *(3B)*

really de verdad, realmente *(2A) (4A)*

rebellious rebelde, revoltoso, -a *(2A)*

recent reciente *(1A) (5A)*

to **ecover** reponer fuerzas *(2A)*

redhead pelirrojo *(8A)*

to **reduce** reducir *(4A)*

reduced rebajado, -a *(1A)*

to **refer to** referirse (ie) a *(5B)*

referee el/la árbitro/a *(6A)*

refined culto, -a *(8A)*

refinery la refinería *(7B)*

to **register** inscribirse en *(6A)*

to **regret** arrepentirse (ie) de *(2B)*

to **reject** rechazar, descartar *(1B) (3A) (7B) (8B) (6A)*

rejection el rechazo *(1B) (8A)*

to **rekindle; revive** reavivar *(6B)*

related to bullfighting taurino, -a *(6B)*

relating to a single parent monoparental *(3B)*

relative el/la pariente/a *(1A)*

to **relieve** aliviar *(3B) (6B)*

to **remember** acordarse (ue) de *(3A)*

remote control el mando *(2A)*

removal la remoción *(7B)*

to **renounce** renunciar *(4B)*

report el informe *(7A)*

to **report (abuse)** denunciar (un abuso) *(7B)*

requirement el requisito *(4B)*

to **rescue** rescatar *(4A) (7B)*

reservation reserva de plaza *(1A)*

to **reside** residir *(1B)*

to **resign** renunciar a *(1B)*

resignation la renuncia *(8A)*

resigned resignado, -a *(5B)*

to **resist** resistirse a *(2B)*

respected respetado, -a *(4B)*

Respectfully yours Respetuosamente suyo/a *(6A)*

the **rest, others** los /las demás *(6B)*

retaliation la represalia *(7B)*

to **retire** retirarse *(8A)*

retired jubilado, -a *(7A)*

to **retrieve** recuperar *(8A) (8B)*

to **return from** regresar de *(1A)*

to **return to** regresar a *(1A)*

review la crítica, reseña *(5A)*

a **rhetorical question** una pregunta retórica *(5B)*

rhyme la rima *(5B)*

rhythm el ritmo *(8A)*

rich adinerado, -a *(1A)*

ridiculous ridículo, -a *(4B)*

right fielder el jardinero derecho *(6A)*

rind la cáscara *(3A)*

to **rise up** alzarse *(5A)*

risk el riesgo *(1B)*

to **risk** arriesgarse a *(2A)*

riverbank la orilla *(1A) (7B)*

roadside inn el parador *(3A)*

to **rob** piratear *(8B)*

robbery el hurto *(2B)*

rocket el cohete *(7A)*

role el papel *(2B) (8B)*

romantic romántico, -a *(5B)*

root la raíz *(2B)*

rower el/la remero/a *(6A)*

rowing el remo *(6A)*

royalty la regalía *(8A)*

rudeness la mala educación *(4B)*

to **run away from** huir de *(1B)*

run down deteriorado, -a *(7B)*

to **run the risk of** correr el riesgo de *(6A)*

runway (fashion) la pasarela *(8A)*

to **rush fame** lanzar(se) a la fama *(4B)*

ruthless despiadado, -a *(5B)*

S

sad apenado, -a *(5B)*

sadness la tristeza *(8A)*

safeguard la salvaguardia *(7B)*

salary el sueldo *(2B)*

salty salado, -a *(3A)*

sand la arena *(1A)*

satire la sátira *(5A)*

to **sauté** sofreír (i) *(3A)*

to **save** ahorrar, salvar *(2B)*

to **say something with a reproachful tone** decir algo en tono de reproche *(5B)*

scarcely apenas *(5A)*

scattered esparcido, -a *(6A)*

scene la escena *(5A) (8A)*

schedule el horario *(1A)*

scholar el/la sabio/a *(5A) (8B)*

science fiction la ciencia ficción *(5A)*

to **scold** regañar *(2A)*

to **score a goal** marcar un gol *(6A)*

script el guión *(1A) (5A)*

sculptor el/la escultor(a) *(8A)*

sculpture la escultura *(8A)*

search engine el programa buscador *(7A)*

seasick mareado, -a *(1A)*

seasoning la sazón *(3A)*

seat la sede *(6A) (7A)*

seatbelt el cinturón *(1A)*

second to last el penúltimo *(8B)*

sector el sector *(8B)*

sedentary sedentario, -a *(3B)*

to see everything through rose-colored glasses ver todo "color de rosa" *(4A)*

seed la semilla *(3A)*

to seem parecer *(1B)*

to seize agarrar *(7B)*

to select seleccionar *(6B)*

self-esteem la autoestima *(2A) (3B)*

self-portrait el autorretrato *(8A)*

to send remitir *(6B)*

sense of humor el sentido del humor *(4B)*

sense of touch el tacto *(8B)*

sensible sensato *(2B)*

sensitive sensible *(2B)*

separate from al margen de *(4B)*

serenity el sosiego *(1A)*

serious grave *(2B) (4A)*

seriously en serio *(2A)*

seriousness la gravedad *(3B)*

to serve as servir (i) de *(5A)*

to serve with servir (i) con *(3A)*

to set inmotion poner en marcha *(6A)*

to set the table poner el mantel / la mesa *(3A)*

setting in motion la puesta en marcha *(8B)*

shame la pena, la vergüenza *(2B) (4A) (5A)*

shameless caradura *(8A)*

shameless person el/la sinvergüenza *(4A)*

shamelessness el descaro *(7A)*

shape la forma *(5B) (8A)*

to share compartir *(1B)*

shark el tiburón *(7B)*

shell (egg) la cáscara *(3A)*

sheriff el alguacil *(7B)*

to shiver temblar *(5B)*

to shoot disparar *(2B)*

short story el cuento *(5A)*

a short time unrato *(6B)*

shortage la escasez *(3B)*

show el espectáculo *(8A)*

show, sample la muestra *(8A)*

shyness la timidez *(4A)*

sign el letrero, la señal *(1B) (4A)*

silly/stupid thing la tontería *(4A)*

silly/stupid thing or action el disparate *(2A)*

simple sencillo, -a *(1A) (5B) (7A)*

since ya que *(4A)*

sincere sincero, -a *(5B)*

sincerely atentamente/le saluda atentamente *(6A)*

singer el/la cantante *(8A)*

to sit down in/on sentarse (ie) en *(1A)*

size el tamaño *(2A)*

skater el/la patinador(a) *(6A)*

skating el patinaje *(6A)*

sketch el boceto *(8A)*

skill la destreza, la habilidad *(2B) (4A)*

skin la piel *(3A)*

skin (of fruit) la corteza *(3A)*

slang la jerga *(2A)*

slowness la lentitud *(1A)*

small print of the letras pequeñas del *(7A)*

smuggling el contrabando *(7B)*

to snatch away arrebatar *(6A)*

sneaker la zapatilla *(6A)*

snowplow el quitanieves *(8A)*

so that de modo que *(1B)*

to soak mojar *(3A)*

soap opera la telenovela *(4B) (8A)*

soccer goal gol *(2B)*

social networks las redes sociales *(7A)*

to soil manchar *(4B)*

solitude la soledad *(1A)*

to solve solucionar *(4A) (6B)*

sooner or later tarde o temprano *(2A)*

sorrow la pena *(2B) (5A)*

sought-after cotizado, -a *(6A)*

to sound like sonar a *(8A)*

source la fuente *(6A)*

sown sembrado, -a *(4B)*

soya la soja *(3B)*

to speak in a low voice hablar en voz baja *(5B)*

to speak out against manifestarse (ie) en contra de *(7A)*

special dish el manjar *(3A)*

spectacular espectacular *(8A)*

spectator el/la espectador(a) *(6A)*

speech el discurso *(1B)*

spelling la ortografía *(7B)*

spelling mistake la falta de ortografía *(2A)*

spider's web la telaraña *(8A)*

spoiled consentido, -a; mimado, -a *(4A) (4B)*

spokesperson el/la portavoz *(1A)*

sponge cake el bizcocho *(3A)*

to sponsor apadrinar, patrocinar *(7B) (6B) (8B)*

spontaneity la espontaneidad *(4B)*

sports season la temporada *(1A) (6A) (8A) (8B)*

sportsman/sportswoman el/la deportista *(6A)*

to spread difundir *(2B)*

stable estable *(2B)*

stage el escenario, la etapa *(2A) (8A)*

stain remover el quitamanchas *(8A)*

stamp el sello *(1A)*

stand el puesto *(3B)*

to stand out destacarse *(6B) (8A)*

stanza la estrofa *(5B)*

star la estrella *(8B)*

to start by empezar (ie) por *(5B)*

state of mind estado de ánimo *(5B)*

stay la permanencia *(6B)*

to stay permanecer, quedarse *(6B) (3A)*

to stay in alojarse en *(1A)*

steel el acero *(8A)*

step el paso *(2A) (5A)*

stereotype el estereotipo *(4B)*

sticky pegajoso, -a *(3A)*

still quieto *(2B)*

still life la naturaleza muerta *(8B)*

stocky rollizo, -a *(8A)*

stone la piedra *(3A) (1A)*

to stop dejar de, detener *(2B) (7B)*

to stop doing something dejar de *(6B)*

story el relato *(1A)*

stove el fogón *(3A)*

strange raro, -a *(1B) (8A)*

street entrance la bocacalle *(8A)*

strict estricto, -a *(2B)*

to stutter tartamudear *(2A) (4B)*

style el estilo *(8A)*

subject tema *(2B) (5B)*

subtitle el subtítulo *(8A)*

success el éxito *(3A)*

successful exitoso, -a *(4B)*

sudden repentino, -a, súbito, -a *(2B) (6A)*

suddenly de golpe, de pronto *(4B) (2A)*

to suffer padecer *(1A) (3B) (7B)*

to suffer from padecer de *(3B)*

to suffer in one's own skin sufrir en su propia carne *(4B)*

to suffice bastar *(1B)*

sufficiently bastante *(1B)*

suitable for those over 18 years old apta para mayores de 18 años *(8B)*

to summarize en resumen *(4A)*

sunshade el quitasol *(8A)*

supply el abastecimiento *(7B)*

to supply proporcionar *(2B) (7A)*

support el apoyo *(6B)*

to support apoyar, sostener *(2B) (7B)*

to surprise sorprender *(1B)*

surprising sorprendente *(3A)*

surrounded rodeado, -a *(1A)*

surrounding area el alrededor *(7B)*

survey la encuesta *(2B) (8A)*

to survive sobrevivir *(2B) (7A)*

suspicion la sospecha *(2B)*

swaying motion el vaivén *(8A)*

to swear (an oath) jurar *(6A)*

sweaty sudoroso, -a *(4A)*

swimmer el/la nadador(a) *(6A)*

swimming la natación *(6A)*

sympathetic compasivo, comprensivo *(2B)*

symptom el síntoma *(2A)*

T

table guest el/la comensal *(3A)*

to take a course seguir una asignatura *(6B)*

to take a leading part in protagonizar *(6A)*

to take advantage of aprovecharse de *(1B)*

to take an exam examinarse *(6B)*

to take an interest in interesarse por *(2A)*

to take away quitar *(2B) (3A) (6B)*

to take charge hacer cargo *(7B)*

to take charge of encargarse de *(3B)*

to take for, considered tener por *(2A)*

to take hold, allow dar pie a *(6B)*

to take in consideration plantearse *(2B)*

to take out sacar *(6B)*

to take place tener lugar *(2B) (6B)*

to take root, establish oneself in a place arraigarse *(1B)*

to take something the wrong way tomárselo mal, interpretarlo mal *(6B)*

to take time durar *(2A)*

to take time tardar, demorar(se) *(6B)*

to take time to tardar en *(1B)*

takeoff el despegue *(1A)*

take-out food comida para llevar *(3A)*

talented talentoso, -a *(4B)*

tap water el agua de la llave *(7B)*

tape recorder la grabadora *(7A)*

taste el gusto *(3A)*

to taste probar (ue), degustar *(3B) (3A)*

tasteless, insipid insípido, -a *(3B)*

tattoo el tatuaje *(2A)*

team sport el deporte de equipo *(6A)*

technological tecnológico, -a *(7A)*

telecommunications las telecomunicaciones *(7A)*

to tempt tentar *(5A)*

to tend to, incline tender a *(3B)*

tenderness la ternura *(4B)*

tennis player el/la tenista *(6A)*

tense (of a verb) tiempo verbal *(2B)*

tense, stressed tenso *(2B)*

terrible tremendo, -a *(4A)*

to terrify aterrar *(5B)*

to thank agradecer *(6A)*

to thank beforehand muchas gracias de antemano *(1A)*

thank goodness menos mal *(1B)*

thanks to his/her humanitarian work gracias a su labor humanitaria *(8B)*

that is to say es decir *(5B)*

that is why de ahí que (+ subjuntivo) *(7B)*

That's not fair! ¡No hay derecho! *(2B)*

to the limit of their capacity al límite de su capacidad *(7B)*

the next step siguiente paso *(1A)*

theft el hurto *(2B)*

thermoelectrical plant la planta termoeléctrica *(7B)*

thick espeso, -a *(3A)*

to think of pensar (ie) en *(4A)*

to think one is, boast of being presumir de *(2A)*

thirty-year-old el/la treintañero/a *(2A)*

thoroughly minuciosamente *(2B)*

thought el pensamiento *(5A)*

threat la amenaza *(4B) (7B)*

to threaten amenazar *(7B)*

to threaten to/with amenazar con *(1B)*

threatening amenazador(a) *(3A)*

three quarters of tres cuartos de *(1A)*

through a lo largo de, a través de *(1A) (7A)*

through the fault of por culpa de *(1B)*

to throw lanzar *(1A)*

thus, therefore por consiguiente, por lo tanto *(4A)*

tidal wave el maremoto *(7A)*

to tie (a score) empatar *(6B)*

tie (score) el empate *(6B)*

tight ajustado, -a *(2A)*

time during a season la época *(1A) (6B) (7A)*

time of day hora *(6B)*

time period la época *(1A) (6B) (7A)*

tiredness el cansancio *(6B)*

tolerant tolerante *(2A)*

to tolerate, stand, bear aguantar, soportar, tolerar *(2A) (2B) (5A)*

the tone in which s/he said it el tono en que lo dijo *(5B)*

tongue twister el trabalenguas *(5B)*

too much demasiado *(1A)*

tool la herramienta *(1A)*

tornado el tornado *(7B)*

torture el suplicio *(4B)*

total lack of manners la gamberrada *(4B)*

touch el toque *(1A) (8A)*

tour la gira *(8B)*

toxic substance la sustancia tóxica *(7B)*

track and field el atletismo *(6B)*

tragedy la tragedia *(5A)*

to train, coach entrenar *(6B)*

trainer el/la entrenador(a) *(6B)*

training el entrenamiento, la formación *(6A) (5A)*

trajectory la trayectoria *(4B) (5A) (6B)*

trap la trampa *(4A)*

traveler el/la viajero/a *(1A)*

trawling el arrastre *(7B)*

treatment el trato *(4B)*

to trick, deceive engañar *(3B)*

to triumph, succeed triunfar *(2B) (5A)*

to trust confiar en *(8A)*

to try intentar *(1A)*

to try to, endeavor to procurar, tratar de *(3B) (1B)*

to try very hard to esforzarse (ue) en *(2A)*

tuna fish el atún *(7B)*

to turn a blind eye hacer la vista gorda *(7B)*

to turn into volverse (ue) *(4A)*

to turn out well salir bien *(2B)*

to turn to, resort to recurrir a *(5B)*

TV station la cadena de televisión *(8A)*

twenty-year-old el/la veinteañero/a *(2A)*

two-person sport el deporte por pareja *(6A)*

type el tipo *(2A)*

U

ultimately en última instancia *(2B)*
umbrella el paraguas *(8A)*
unacceptable inaceptable *(8B)*
unaware inconsciente *(4A)*
unbearable insoportable *(4A)*
unbeatable insuperable *(7A)*
uncultured inculto, -a *(2A)*
undeniable innegable *(7A)*
underage person el/la menor *(2B)*
to **undertake** emprender *(3B) (6A)*
unemployment el desempleo *(2A)*
uneven desnivelado, -a *(1A)*
unexpected inesperado, -a *(4A)*
unforeseeable imprevisible *(7A)*
unforgettable inolvidable *(1A)*
unfortunately por desgracia *(1B) (4A)*
unknown desconocido, -a *(4B)*
unnoticed desapercibido, -a *(3A)*
unrepeatable irrepetible *(7B)*
unsafe inseguro, -a *(2A)*
unsociable huraño, -a *(4A)*
unsustainable insostenible *(7B)*
unthinkable impensado, -a *(3B)*
unusual insólito, -a *(5B)*
uproar el bullicio *(2B)*
to **urge** instar *(7B)*
user el/la usuario/a *(7B)*
usual corriente *(7A)*

V

to **vacate** desalojar *(7B)*
to **value** valorar *(1B) (3B)*
vanilla la vainilla *(3A)*
to **vanish** esfumarse *(7B)*
vast desmesurado, -a *(3B)*
vegetarian food la comida vegetariana *(3B)*
vending machine la máquina dispensadora *(3B)*
very famous celebérrimo, -a *(3B)*
videogame el videojuego *(8B)*
view la vista *(1A)*
violence la violencia *(5A) (7B)*
visionary el/la visionario/a *(4B)*
voice la voz *(5B)*
the **voice of one's conscience** la voz de conciencia *(5B)*
voluntary service el voluntariado *(2A)*
volunteer el/la voluntario/a *(2B)*
voter el/la votante *(4B)*
vulgar vulgar *(8A)*
vulnerable desamparado, -a *(2B)*

W

to **wait in line** hacer cola *(1A)*
to **wake up early** madrugar *(1B)*
to **want, desire** desear *(4A)*
Warm greetings uncordial saludo *(6A)*
warmth la calidez *(4B)*
to **warn** advertir (ie) *(3A)*
warning la advertencia *(7B)*
warning poster el cart de aviso *(7B)*
to **watch out for** velar por *(6A)*
watercolor la acuarela *(8A)*
way la manera, el modo *(8A) (2B)*
weak débil *(4A)*
weakness la debilidad *(3A)*
weapon el arma (f.) *(2B)*
weeping el llanto *(5B)*
weight el peso *(2A)*
weight lifter el/la levantador(a) de pesas *(6B)*
to **welcome** acoger, dar la bienvenida *(2B) (7B) (1A)*
welcome la bienvenida *(1A)*
welcome, reception la acogida *(1B)*
welcoming acogedor(a) *(4A)*
well-being el bienestar *(7A)*
well-mannered bien educado, -a *(1B)*
What a bore! ¡Qué lata! *(2A)*
What a mess! ¡Qué lío! *(2A)*
what happens lo que sucede *(7A)*
What injustice! ¡Qué injusticia! *(2B)*
whatever the destination/point of view/race cualquiera que sea su destino/punto de vista/ raza *(1B)*
when it comes down to it a fin de cuentas *(4A)*
wherever one looks se mire por donde se mire *(2A)*
to **whet someone's appetite** abrir el apetito *(3A)*
a **while** un rato *(6B)*
a **while ago** hace un rato *(3A)*
wide amplio, -a *(3A) (4A)*
widow la viuda *(1A)*
wild silvestre *(1A)*
wild cheers a grito pelado *(8B)*
willing dispuesto, -a *(1A)*
windshield wiper el limpiaparabrisas *(8A)*
wireless inalámbrico, -a *(7A)*
wireless network la red inalámbrica *(7A)*
wisdom la sabiduría *(1A) (8B)*
wise sabio, -a *(4B)*
wise decision/move el acierto *(2B)*
to **wish** desear *(2A)*
with good humor con buena cara *(4B)*
with high caloric content hipercalórico, -a *(3B)*
without (any) doubt sin ninguna duda *(2A)*
without limits (borders) sin fronteras *(8A)*
witness el/la testigo *(6B)*
to **wonder** preguntarse *(6B)*
wonderful estupendo, -a *(1A)*
wood-burning oven el horno (de leña) *(3A)*
word (rumor) has it that corre la voz de que *(5B)*
to **work** funcionar *(1B)*
the **working day** la jornada *(8B)*
the **world becomes smaller thanks to . . . !** ¡El mundo se hace más pequeño gracias a . . . ! *(5A)*
worldwide mundialmente *(6A) (7A)*
worrisome preocupante *(2A)*
to **worry** preocupar *(1B)*
to **worry about** preocuparse por *(1B) (4A)*
to **worship** idolatrar *(4B)*
wrestler el/la luchador(a) *(6A)*
wrestling la lucha libre *(6A)*
to **wrinkle** arrugar(se) *(1A)*
to **write a script** escribir un guión *(8A)*
writer el/la escritor(a) *(5A)*

Y

You don't say! ¡No me digas! *(2B)*
Yours faithfully Su seguro/a servidora(a) *(6A)*
youth la juventud *(2B)*

Z

zeal el afán *(3B)*

Verbos

Verbos regulares

Infinitivo Participio presente Participio pasado	Presente		Pretérito		Imperfecto	
hablar hablando hablado	hablo hablas habla	hablamos habláis hablan	hablé hablaste habló	hablamos hablasteis hablaron	hablaba hablabas hablaba	hablábamos hablábais hablaban
comer comiendo comido	como comes come	comemos coméis comen	comí comiste comió	comimos comisteis comieron	comía comías comía	comíamos comíais comían
vivir viviendo vivido	vivo vives vive	vivimos vivís viven	viví viviste vivió	vivimos vivisteis vivieron	vivía vivías vivía	vivíamos vivíais vivían

Tiempos progresivos

Presente		Imperfecto	
estoy estás está estamos estáis están	} hablando comiendo viviendo	estaba estabas estaba estábamos estabais estaban	} hablando comiendo viviendo

Verbos reflexivos

Infinitivo Participio presente	Presente	Pretérito	Subjuntivo
levantarse levantándose	me levanto te levantas se levanta nos levantamos os levantáis se levantan	me levanté te levantaste se levantó nos levantamos os levantasteis se levantaron	me levante te levantes se levante nos levantemos os levantéis se levanten

Verbos regulares *continuación*

Futuro		Condicional		Presente del subjuntivo		Imperfecto del subjuntivo	
hablaré	hablaremos	hablaría	hablaríamos	hable	hablemos	hablara/hablase	habláramos/hablásemos
hablarás	hablaréis	hablarías	hablaríais	hables	habléis	hablaras/hablases	hablarais/hablaseis
hablará	hablarán	hablaría	hablarían	hable	hablen	hablara/hablase	hablaran/hablasen
comeré	comeremos	comería	comeríamos	coma	comamos	comiera/comiese	comiéramos/comiésemos
comerás	comeréis	comerías	comeríais	comas	comáis	comieras/comieses	comierais/comieseis
comerá	comerán	comería	comerían	coma	coman	comiera/comiese	comieran/comiesen
viviré	viviremos	viviría	viviríamos	viva	vivamos	viviera/viviese	viviéramos/viviésemos
vivirás	viviréis	vivirías	viviríais	vivas	viváis	vivieras/vivieses	vivierais/vivieseis
vivirá	vivirán	viviría	vivirían	viva	vivan	viviera/viviese	vivieran/viviesen

Tiempos perfectos

Presente perfecto		Pluscuamperfecto		Futuro perfecto	
he		había		habré	
has		habías		habrás	
ha	hablado	había	hablado	habrá	hablado
hemos	comido	habíamos	comido	habremos	comido
habéis	vivido	habíais	vivido	habréis	vivido
han		habían		habrán	

Condicional perfecto		Presente perfecto del subjuntivo		Pluscuamperfecto del subjuntivo	
habría		haya		hubiera/hubiese	
habrías		hayas		hubieras/hubieses	
habría	hablado	haya	hablado	hubiera/hubiese	hablado
habríamos	comido	hayamos	comido	hubiéramos/hubiésemos	comido
habríais	vivido	hayáis	vivido	hubierais/hubieseis	vivido
habrían		hayan		hubieran/hubiesen	

Verbos con cambios en la raíz

Verbos en -ar

Infinitivo	cerrar (e > ie)		contar (o > ue)		jugar (u > ue)	
Presente del indicativo	**cierro**	cerramos	**cuento**	contamos	**juego**	jugamos
	cierras	cerráis	**cuentas**	contáis	**juegas**	jugáis
	cierra	**cierran**	**cuenta**	**cuentan**	**juega**	**juegan**
Presente del subjuntivo	**cierre**	cerremos	**cuente**	contemos	**juegue**	juguemos
	cierres	cerréis	**cuentes**	contéis	**juegues**	juguéis
	cierre	**cierren**	**cuente**	**cuenten**	**juegue**	**jueguen**
Imperativo **afirmativo**	—	cerremos	—	contemos	—	juguemos
	cierra	cerrad	cuenta	contad	juega	jugad
	cierre	cierren	cuente	cuenten	juegue	jueguen
negativo	—	no cerremos	—	no contemos	—	no juguemos
	no cierres	no cerréis	no cuentes	no contéis	no juegues	no juguéis
	no cierre	no cierren	no cuente	no cuenten	no juegue	no jueguen
Semejantes a **cerrar**:	acrecentar, apretar, calentar, comenzar, confesar, despertar, empezar, encerrar, encomendarse, enterrar, fregar, manifestarse, merendar, negar, pensar, quebrar, recomendar, regar, sentarse, temblar, tropezar					
Semejantes a **contar**:	acordar, acostarse, almorzar, apostar, colgar, consolar, costar, demostrar, encontrar, esforzarse, mostrar, probar, recordar, reforzar, rodar, rogar, sonar, soñar, volar					

Verbos en -er

Infinitivo	entender (e > ie)		mover (o > ue)	
Presente del indicativo	**entiendo**	entendemos	**muevo**	movemos
	entiendes	entendéis	**mueves**	movís
	entiende	**entienden**	**mueve**	**mueven**
Presente del subjuntivo	**entienda**	entendamos	**mueva**	movamos
	entiendas	entendáis	**muevas**	mováis
	entienda	**entiendan**	**mueva**	**muevan**
Imperativo **afirmativo**	——	entendamos	——	movamos
	entiende	entended	mueve	moved
	entienda	entiendan	mueva	muevan
negativo	——	no entendamos	——	no movamos
	no entiendas	no entendáis	no muevas	no mováis
	no entienda	no entiendan	no mueva	no muevan
Semejantes a **entender**:	ascender, defender, descender, encender, extender, perder, tender, verter			
Semejantes a **mover**:	cocer, devolver (*part. pasado*: **devuelto**), doler, envolver (*part. pasado*: **envuelto**), moler, morder, promover, resolver (*part. pasado*: **resuelto**), soler, torcer, volver (*part. pasado*: **vuelto**)			

Verbos en -*ir*

Infinitivo	**pedir** (e > i, i)		**preferir** (e > ie, i)		**dormir** (o > ue, u)	
Presente del indicativo	**pido**	pedimos	**prefiero**	preferimos	**duermo**	dormimos
	pides	pedís	**prefieres**	preferís	**duermes**	dormís
	pide	**piden**	**prefiere**	**prefieren**	**duerme**	**duermen**
Presente del subjuntivo	**pida**	**pidamos**	**prefiera**	**prefiramos**	**duerma**	**durmamos**
	pidas	**pidáis**	**prefieras**	**prefiráis**	**duermas**	**durmáis**
	pida	**pidan**	**prefiera**	**prefieran**	**duerma**	**duerman**
Imperativo						
afirmativo	—	pidamos	—	prefiramos	—	durmamos
	pide	pedid	prefiere	perferid	duerme	dormid
	pida	pidan	prefiera	prefieran	duerma	duerman
negativo	—	no pidamos	—	no prefiramos	—	no durmamos
	no pidas	no pidáis	no prefieras	no prefiráis	no duermas	no durmáis
	no pida	no pidan	no prefiera	no prefieran	no duerma	no duerman
Participio presente	**pidiendo**		**prefiriendo**		**durmiendo**	
Pretérito	pedí	pedimos	preferí	preferimos	dormí	dormimos
	pediste	pedisteis	preferiste	preferisteis	dormiste	dormisteis
	pidió	**pidieron**	**prefirió**	**prefirieron**	**durmió**	**durmieron**
Imperfecto del subjuntivo						
(-ra)	**pidiera**	**pidiéramos**	**prefiriera**	**prefiriéramos**	**durmiera**	**durmiéramos**
	pidieras	**pidierais**	**prefirieras**	**prefirierais**	**durmieras**	**durmierais**
	pidiera	**pidieran**	**prefiriera**	**prefirieran**	**durmiera**	**durmieran**
(-se)	**pidiese**	**pidiésemos**	**prefiriese**	**prefiriésemos**	**durmiese**	**durmiésemos**
	pidieses	**pidieseis**	**prefirieses**	**prefirieseis**	**durmieses**	**durmieseis**
	pidiese	**pidiesen**	**prefiriese**	**prefiriesen**	**durmiese**	**durmiesen**

Semejantes a **pedir**:	competir, conseguir, corregir (*g* > *j*), despedir, elegir (*g* > *j*), impedir, medir, perseguir, repetir, seguir, servir, vestirse
Semejantes a **preferir**:	advertir, arrepentirse, asentir, convertir, divertirse, herir, hervir, ingerir, invertir, mentir, referir, requerir, sentir, sugerir
Semejantes a **dormir**:	morir (*part. pasado:* **muerto**)

Verbos con formas irregulares

Verbos con cambios ortográficos y de acento

1. **acercar**   **-car**   **c > qu** delante de la *e*

Pretérito	**acerqué**, acercaste, acercó, acercamos, acercasteis, acercaron
Pres. del subj.	**acerque, acerques, acerque, acerquemos, acerquéis, acerquen**
Imperativo	acerca (no **acerques**), **acerque, acerquemos**, acercad (no **acerquéis**), **acerquen**

   Semejantes a **acercar**:

   abarcar, aparcar, aplacar, arrancar, atacar, buscar, chocar, colocar, complicar, comunicar, convocar, criticar, dedicar, desbancar, desembarcar, destacarse, edificar, embarcar, enmarcar, equivocarse, explicar, inculcar, indicar, justificar, marcar, pescar, picar, platicar, practicar, sacar, salpicar, secar, significar, suplicar, tocar

2. **agradecer**   **-cer**   **c > zc** en la primera persona singular del presente

Presente	**agradezco**, agradeces, agradece, agradecemos, agradecéis, agradecen
Pres. del subj.	**agradezca, agradezcas, agradezca, agradezcamos, agradezcáis, agradezcan**
Imperativo	agradece (no **agradezcas**), **agradezca, agradezcamos**, agradeced (no **agradezcáis**), **agradezcan**

   Semejantes a **agradecer**:

   acontecer (*sólo en tercera persona*), amanecer, aparecer, apetecer, carecer, complacer, conocer, crecer, desaparecer, enaltecer, entristecerse, establecer, favorecer, merecer, nacer, obedecer, ofrecer, padecer, parecer, permanecer, pertenecer, prevalecer, reconocer

3. **apagar**   **-gar**   **g > gu** delante de la *e*

Pretérito	**apagué**, apagaste, apagó, apagamos, apagasteis, apagaron
Pres. del subj.	**apague, apagues, apague, apaguemos, apaguéis, apaguen**
Imperativo	apaga (no **apagues**), **apague, apaguemos**, apagad (no **apaguéis**), **apaguen**

   Semejantes a **apagar**:

   agregar, ahogarse, albergar, arriesgar, arrugar, asegurar, cargar, castigar, colgar (ue), conjugar, derogar, descargar, despegar, desplegar, encargarse, entregar, erogar, fregar (ie), hurgar, jugar (ue), llegar, madrugar, navegar, negar (ie), otorgar, pagar, pegar, regar (ie), rogar (ue), sojuzgar, tragar

4. **averiguar**   **-guar**   **gua > güe**

Pretérito	**averigüé**, averiguaste, averiguó, averiguamos, averiguasteis, averiguaron
Pres. del subj.	**averigüe, averigües, averigüe, averigüemos, averigüéis, averigüen**
Imperativo	averigua (no **averigües**), **averigüe, averigüemos**, averiguad (no **averigüéis**), **averigüen**

   Semejantes a **averiguar**:
   amortiguar, apaciguar

5. **conseguir**   **-guir** (e > i, i)   **gu > g** delante de la *o, a*

Presente	**consigo, consigues, consigue**, conseguimos, conseguís, **consiguen**
Pretérito	conseguí, conseguiste, **consiguió**, conseguimos, conseguisteis, **consiguieron**
Pres. del subj.	**consiga, consigas, consiga, consigamos, consigáis, consigan**
Imperf. del subj.	**consiguiera, consiguieras, consiguiera, consiguiéramos, consiguierais, consiguieran**
	consiguiese, consiguieses, consiguiese, consiguiésimos, consiguieseis, consiguiesen
Imperativo	consigue (no **consigas**), **consiga, consigamos**, conseguid (no **consigáis**), **consigan**

   Semejantes a **conseguir**:
   perseguir, proseguir, seguir

6. **continuar**   **-uar**   **u > ú** en las formas singulares y tercera persona plural del presente

Presente	**continúo, continúas, continúa**, continuamos, continuáis, **continúan**
Pres. del subj.	**continúe, continúes, continúe**, continuemos, continuéis, **continúen**
Imperativo	**continúa** (no **continúes**), **continúe**, continuemos, continuad (no continuéis), **continúen**

   Semejantes a **continuar**:
   actuar, graduarse, puntuar

Verbos con formas irregulares

Verbos con cambios ortográficos y de acento

7.	**cruzar**	**-zar**	**z > c** delante de la *e*

      Pretérito   **crucé**, cruzaste, cruzó, cruzamos, cruzasteis, cruzaron

      Pres. del subj.   **cruce, cruces, cruce, crucemos, crucéis, crucen**

      Imperativo   cruza (no **cruces**), **cruce, crucemos**, cruzad (no **crucéis**), **crucen**

Semejantes a **cruzar**:
    abrazar, alcanzar, almorzar (ue), alzar, amenazar, amenizar, analizar, aterrizar, avanzar, avergonzarse (ue), comenzar (ie), concientizar, desplazar, empezar (ie), encabezar, esforzarse, especializarse, forzar, garantizar, gozar, lanzar, localizar, protagonizar, puntualizar, realizar, rechazar, reforzar, rezar, tranquilizar, trazar, tropezar (ie), utilizar, valorizar

8.	**dirigir**	**-gir**	**g > j** delante de la *o, a*

      Presente   **dirijo**, diriges, dirige, dirigimos, dirigís, dirigen

      Pres. del subj.   **dirija, dirijas, dirija, dirijamos, dirijáis, dirijan**

      Imperativo   dirige (no **dirijas**), **dirija, dirijamos**, dirigid (no **dirijáis**), **dirijan**

Semejantes a **dirigir**:
    afligirse, exigir, fingir, surgir, sumergir

9.	**distinguir**	**-guir**	**gu > g** delante de la *o, a*

      Presente   **distingo**, distingues, distingue, distinguimos, distinguís, distinguen

      Pres. del subj.   **distinga, distingas, distinga, distingamos, distingáis, distingan**

      Imperativo   distingue (no **distingas**), **distinga, distingamos**, distinguid (no **distingáis**), **distingan**

10.	**elegir**	**-gir** (e > i, i) **g > j** delante de la *o, a*	

      Presente   **elijo, eliges, elige**, elegimos, elegís, **eligen**

      Pretérito   elegí, elegiste, **eligió**, elegimos, elegisteis, **eligieron**

      Pres. del subj.   **elija, elijas, elija, elijamos, elijáis, elijan**

      Imperativo   **elige** (no **elijas**), **elija, elijamos**, elegid (no **elijáis**), **elijan**

Semejante a **elegir**:
    corregir

11.	**recoger**	**-ger**	**g > j** delante de la *o, a*

      Presente   **recojo**, recoges, recoge, recogemos, recogéis, recogen

      Pres. del subj.   **recoja, recojas, recoja, recojamos, recojáis, recojan**

      Imperativo   recoge (no **recojas**), **recoja, recojamos**, recoged (no **recojáis**), **recojan**

Semejantes a **recoger**:
    acoger, coger, escoger, proteger

12.	**reñir**	**-ñir**	**e > i**

      Presente   **riño, riñes, riñe**, reñimos, reñís, **riñen**

      Pretérito   reñí, reñiste, **riñó**, reñimos, reñisteis, **riñeron**

      Pres. del subj.   **riña, riñas, riña, riñamos, riñáis, riñan**

      Imperf. del subj.   **riñera, riñeras, riñera, riñéramos, riñerais, riñeran**
                             riñese, riñeses, riñese, riñésemos, riñeseis, riñesen

      Imperativo   **riñe** (no **riñas**), **riña, riñamos**, reñid (no **riñáis**), **riñan**

      Part. presente   **riñendo**

Semejantes a **reñir**:
    ceñir, constreñir, desteñir, estreñir, teñir

Verbos con formas irregulares

Verbos con cambios ortográficos y de acento

13. **variar**	-iar	**i > í** en las formas singulares y tercera persona plural del presente
Presente	**varío, varías, varía**, variamos, variáis, **varían**	
Pres. del subj.	**varíe, varíes, varíe**, variemos, variéis, **varíen**	
Imperativo	**varía** (no **varíes**), **varíe**, variemos, variad (no variéis), **varíen**	

Semejantes a **variar**:
ampliar, confiar, criar, desafiar, desviar, enfriar, enviar, esquiar, fiar, guiar, resfriarse, vaciar

14. **vencer**	-cer	**c > z** delante de la *a*, *o*
Presente	**venzo**, vences, vence, vencemos, vencéis, vencen	
Pres. del subj.	**venza, venzas, venza, venzamos, venzáis, venzan**	
Imperativo	vence (no **venzas**), **venza, venzamos**, venced (no **venzáis**), **venzan**	

Semejantes a **vencer**:
convencer, esparcir, torcer (ue)

Verbos irregulares

1.	adquirir	
	Presente	**adquiero, adquieres, adquiere**, adquirimos, adquirís, **adquieren**
	Pres. del subj.	**adquiera, adquieras, adquiera**, adquiramos, adquiráis, **adquieran**
	Imperativo	**adquiere** (no **adquieras**), **adquiera**, adquiramos, adquirid (no adquiráis), **adquieran**

2.	andar	
	Pretérito	**anduve, anduviste, anduvo, anduvimos, anduvisteis, anduvieron**
	Imperf. del subj.	**anduviera, anduvieras, anduviera, anduviéramos, anduvierais, anduvieran**
		anduviese, anduvieses, anduviese, anduviésemos, anduvieseis, anduviesen

3.	caber	
	Presente	**quepo**, cabes, cabe, cabemos, cabéis, caben
	Pretérito	**cupe, cupiste, cupo, cupimos, cupisteis, cupieron**
	Futuro	**cabré, cabrás, cabrá, cabremos, cabréis, cabrán**
	Condicional	**cabría, cabrías, cabría, cabríamos, cabríais, cabrían**
	Pres. del subj.	**quepa, quepas, quepa, quepamos, quepáis, quepan**
	Imperf. del subj.	**cupiera, cupieras, cupiera, cupiéramos, cupierais, cupieran**
		cupiese, cupieses, cupiese, cupiésemos, cupieseis, cupiesen
	Imperativo	cabe (no **quepas**), **quepa, quepamos**, cabed (no **quepáis**), **quepan**

4.	caer	
	Presente	**caigo**, caes, cae, caemos, caéis, caen
	Pretérito	caí, **caíste, cayó, caímos, caísteis, cayeron**
	Pres. del subj.	**caiga, caigas, caiga, caigamos, caigáis, caigan**
	Imperf. del subj.	**cayera, cayeras, cayera, cayéramos, cayerais, cayeran**
		cayese, cayeses, cayese, cayésemos, cayeseis, cayesen
	Part. presente	**cayendo**
	Part. pasado	**caído**
	Imperativo	cae (no **caigas**), **caiga, caigamos**, caed (no **caigáis**), **caigan**

Semejantes a **caer**:
 decaer, recaer

5.	dar	
	Presente	**doy**, das, da, damos, **dais,** dan
	Pretérito	**di, diste, dio, dimos, disteis, dieron**
	Pres. del subj.	**dé, des, dé, demos, deis, den**
	Imperf. del subj.	**diera, dieras, diera, diéramos, dierais, dieran**
		diese, dieses, diese, diésemos, dieseis, diesen
	Imperativo	da (no **des**), **dé**, demos, dad (no **deis**), **den**

Verbos irregulares

6.	**decir**	
	Presente	**digo, dices, dice**, decimos, decís, **dicen**
	Pretérito	**dije, dijiste, dijo, dijimos, dijisteis, dijeron**
	Futuro	**diré, dirás, dirá, diremos, diréis, dirán**
	Condicional	**diría, dirías, diría, diríamos, diríais, dirían**
	Pres. del subj.	**diga, digas, diga, digamos, digáis, digan**
	Imperf. del subj.	**dijera, dijeras, dijera, dijéramos, dijerais, dijeran**
		dijese, dijeses, dijese, dijésemos, dijeseis, dijesen
	Part. presente	**diciendo**
	Part. pasado	**dicho**
	Imperativo	**di** (no **digas**), **diga, digamos**, decid (no **digáis**), **digan**

Semejantes a **decir**:
contradecir, predecir (*futuro*: predeciré, predecirás, etc.; *condicional*: predeciría, predecirías, etc.; *imperativo*: predice)

7.	**estar**	
	Presente	**estoy, estás, está, estamos, estáis, están**
	Pretérito	**estuve, estuviste, estuvo, estuvimos, estuviste, estuvieron**
	Pres. del subj.	**esté, estés, esté, estemos, estéis, estén**
	Imperf. del subj.	**estuviera, estuvieras, estuviera, estuviéramos, estuvierais, estuvieran**
		estuviese, estuvieses, estuviese, estuviésemos, estuvieseis, estuviesen
	Imperativo	**está** (no **estés**), **esté, estemos**, estad (no **estéis**), **estén**

8.	**haber**	
	Presente	**he, has, ha, hemos**, habéis, **han**
	Pretérito	**hube, hubiste, hubo, hubimos, hubisteis, hubieron**
	Futuro	**habré, habrás, habrá, habremos, habréis, habrán**
	Condicional	**habría, habrías, habría, habríamos, habríais, habrían**
	Pres. del subj.	**haya, hayas, haya, hayamos, hayáis, hayan**
	Imperf. del subj.	**hubiera, hubieras, hubiera, hubiéramos, hubierais, hubieran**
		hubiese, hubieses, hubiese, hubiésemos, hubieseis, hubiesen

9.	**hacer**	
	Presente	**hago**, haces, hace, hacemos, hacéis, hacen
	Pretérito	**hice, hiciste, hizo, hicimos, hicisteis, hicieron**
	Futuro	**haré, harás, hará, haremos, haréis, harán**
	Condicional	**haría, harías, haría, haríamos, haríais, harían**
	Pres. del subj.	**haga, hagas, haga, hagamos, hagáis, hagan**
	Imperf. del subj.	**hiciera, hicieras, hiciera, hiciéramos, hicierais, hicieran**
		hiciese, hicieses, hiciese, hiciésemos, hicieseis, hiciesen
	Part. pasado	**hecho**
	Imperativo	**haz** (no **hagas**), **haga, hagamos**, haced (no **hagáis**), **hagan**

Semejante a **hacer**:
satisfacer

Verbos irregulares

10. huir

Presente:	**huyo, huyes, huye**, huimos, huís, **huyen**
Pretérito	huí, huiste, **huyó**, huimos, huisteis, **huyeron**
Pres. del subj.	**huya, huyas, huya, huyamos, huyáis, huyan**
Imperf. del subj.	**huyera, huyeras, huyera, huyéramos, huyerais, huyeran**
	huyese, huyeses, huyese, huyésemos, huyeseis, huyesen
Imperativo	**huye** (no **huyas**), **huya, huyamos**, huid (no **huyáis**), **huyan**

Semejantes a **huir**:
atribuir, concluir, constituir, construir, contribuir, destituir, destruir, disminuir, distribuir, excluir, incluir, influir, instruir, recluir, restituir, sustituir

11. ir

Presente	**voy, vas, va, vamos, vais, van**
Imperfecto	**iba, ibas, iba, íbamos, ibais, iban**
Pretérito	**fui, fuiste, fue, fuimos, fuisteis, fueron**
Pres. del subj.	**vaya, vayas, vaya, vayamos, vayáis, vayan**
Imperf. del subj.	**fuera, fueras, fuera, fuéramos, fuerais, fueran**
	fuese, fueses, fuese, fuésemos, fueseis, fuesen
Part. presente	**yendo**
Part. pasado	**ido**
Imperativo	**ve** (no **vayas**), **vaya, vamos** (no **vayamos**), id (no **vayáis**), **vayan**

12. leer

Pretérito	leí, **leíste, leyó**, leímos, **leísteis, leyeron**
Imperf. del subj.	**leyera, leyeras, leyera, leyéramos, leyerais, leyeran**
	leyese, leyeses, leyese, leyésemos, leyeseis, leyesen
Part. presente	**leyendo**
Part. pasado	**leído**

Semejantes a **leer**:
creer, poseer, proveer (part. pasado: **provisto** o **proveído**)

13. oír

Presente	**oigo, oyes, oye**, oímos, oís, **oyen**
Pretérito	oí, oíste, **oyó**, oímos, oísteis, **oyeron**
Futuro	**oiré, oirás, oirá, oiremos, oiréis, oirán**
Condicional	**oiría, oirías, oiría, oiríamos, oiríais, oirían**
Pres. del subj.	**oiga, oigas, oiga, oigamos, oigáis, oigan**
Imperf. del subj.	**oyera, oyeras, oyera, oyéramos, oyerais, oyeran**
	oyese, oyeses, oyese, oyésemos, oyeseis, oyesen
Part. presente	**oyendo**
Part. pasado	**oído**
Imperativo	**oye** (no **oigas**), **oiga, oigamos**, oíd (no **oigáis**), **oigan**

14. oler

Presente	**huelo, hueles, huele**, olemos, oléis, **huelen**
Pres. del subj.	**huela, huelas, huela**, olamos, oláis, **huelan**
Imperativo	**huele** (no **huelas**), **huela**, olamos, oled (no **oláis**), **huelan**

Verbos irregulares

15. poder	
Presente	**puedo, puedes, puede**, podemos, podéis, **pueden**
Pretérito	**pude, pudiste, pudo, pudimos, pudisteis, pudieron**
Futuro	**podré, podrás, podrá, podremos, podréis, podrán**
Condicional	**podría, podrías, podría, podríamos, podríais, podrían**
Pres. del subj.	**pueda, puedas, pueda**, podamos, podáis, **puedan**
Imperf. del subj.	**pudiera, pudieras, pudiera, pudiéramos, pudierais, pudieran** **pudiese, pudieses, pudiese, pudiésemos, pudieseis, pudiesen**
Part. presente	**pudiendo**

16. poner	
Presente	**pongo**, pones, pone, ponemos, ponéis, ponen
Pretérito	**puse, pusiste, puso, pusimos, pusisteis, pusieron**
Futuro	**pondré, pondrás, pondrá, pondremos, pondréis, pondrán**
Condicional	**pondría, pondrías, pondría, pondríamos, pondríais, pondrían**
Pres. del subj.	**ponga, pongas, ponga, pongamos, pongáis, pongan**
Imperf. del subj.	**pusiera, pusieras, pusiera, pusiéramos, pusierais, pusieran** **pusiese, pusieses, pusiese, pusiésemos, pusieseis, pusiesen**
Part. pasado	**puesto**
Imperativo	**pon** (no **pongas**), **ponga, pongamos**, poned (no **pongáis**), **pongan**

Semejantes a **poner**:
componer, disponer, exponer, imponer, oponer, proponer, reponer, suponer

17. querer	
Presente	**quiero, quieres, quiere**, queremos, queréis, **quieren**
Pretérito	**quise, quisiste, quiso, quisimos, quisisteis, quisieron**
Futuro	**querré, querrás, querrá, querremos, querréis, querrán**
Condicional	**querría, querrías, querría, querríamos, querríais, querrían**
Pres. del subj.	**quiera, quieras, quiera**, queramos, queráis, **quieran**
Imperf. del subj.	**quisiera, quisieras, quisiera, quisiéramos, quisierais, quisieran** **quisiese, quisieses, quisiese, quisiésemos, quisieseis, quisiesen**
Imperativo	**quiere** (no **quieras**), **quiera**, queramos, quered (no queráis), **quieran**

18. reír	
Presente	**río, ríes, ríe, reímos, reís, ríen**
Pretérito	reí, **reíste**, rió, **reímos, reísteis**, rieron
Futuro	**reiré, reirás, reirá, reiremos, reiréis, reirán**
Condicional	**reiría, reirías, reiría, reiríamos, reiríais, reirían**
Pres. del subj.	**ría, rías, ría, riamos, riáis, rían**
Imperf. del subj.	**riera, rieras, riera, riéramos, rierais, rieran** **riese, rieses, riese, riésemos, rieseis, riesen**
Part. presente	**riendo**
Part. pasado	**reído**
Imperativo	**ríe** (no **rías**), **ría, riamos**, reíd (no **riáis**), **rían**

Semejantes a **reír**:
freír (*part. pasado*: **frito**), sonreír

Verbos irregulares

19. **saber**	
Presente	**sé**, sabes, sabe, sabemos, sabéis, saben
Pretérito	**supe, supiste, supo, supimos, supisteis, supieron**
Futuro	**sabré, sabrás, sabrá, sabremos, sabréis, sabrán**
Condicional	**sabría, sabrías, sabría, sabríamos, sabríais, sabrían**
Pres. del subj.	**sepa, sepas, sepa, sepamos, sepáis, sepan**
Imperf. del subj.	**supiera, supieras, supiera, supiéramos, supierais, supieran**
	supiese, supieses, supiese, supiésemos, supieseis, supiesen
Imperativo	sabe (no **sepas**), **sepa, sepamos**, sabed (no **sepáis**), **sepan**

20. **salir**	
Presente	**salgo**, sales, sale, salimos, salís, salen
Futuro	**saldré, saldrás, saldrá, saldremos, saldréis, saldrán**
Condicional	**saldría, saldrías, saldría, saldríamos, saldríais, saldrían**
Pres. del subj.	**salga, salgas, salga, salgamos, salgáis, salgan**
Imperativo	**sal** (no **salgas**), **salga, salgamos**, salid (no **salgáis**), **salgan**

21. **ser**	
Presente	**soy, eres, es, somos, sois, son**
Imperfecto	**era, eras, era, éramos, erais, eran**
Pretérito	**fui, fuiste, fue, fuimos, fuisteis, fueron**
Pres. del subj.	**sea, seas, sea, seamos, seáis, sean**
Imperf. del subj.	**fuera, fueras, fuera, fuéramos, fuerais, fueran**
	fuese, fueses, fuese, fuésemos, fueseis, fuesen
Imperativo	**sé** (no **seas**), **sea, seamos**, sed (no **seáis**), **sean**

22. **tener**	
Presente	**tengo, tienes, tiene**, tenemos, tenéis, **tienen**
Pretérito	**tuve, tuviste, tuvo, tuvimos, tuvisteis, tuvieron**
Futuro	**tendré, tendrás, tendrá, tendremos, tendréis, tendrán**
Condicional	**tendría, tendrías, tendría, tendríamos, tendríais, tendrían**
Pres. del subj.	**tenga, tengas, tenga, tengamos, tengáis, tengan**
Imperf. del subj.	**tuviera, tuvieras, tuviera, tuviéramos, tuvierais, tuvieran**
	tuviese, tuvieses, tuviese, tuviésemos, tuvieseis, tuviesen
Imperativo	**ten** (no **tengas**), **tenga, tengamos**, tened (no **tengáis**), **tengan**

Semejantes a **tener**:
abstenerse, contener, detener, mantener, obtener, sostener

23. **traducir**	
Presente	**traduzco**, traduces, traduce, traducimos, traducís, traducen
Pretérito	**traduje, tradujiste, tradujo, tradujimos, tradujisteis, tradujeron**
Pres. del subj.	**traduzca, traduzcas, traduzca, traduzcamos, traduzcáis, traduzcan**
Imperf. del subj.	**tradujera, tradujeras, tradujera, tradujéramos, tradujerais, tradujeran**
	tradujese, tradujeses, tradujese, tradujésemos, tradujeseis, tradujesen
Imperativo	traduce (no **traduzcas**), **traduzca, traduzcamos**, traducid (no **traduzcáis**), **traduzcan**

Semejantes a **traducir**:
conducir, producir

Verbos irregulares

24. **traer**		
	Presente	**traigo**, traes, trae, traemos, traéis, traen
	Pretérito	**traje**, **trajiste**, **trajo**, **trajimos**, **trajisteis**, **trajeron**
	Pres. del subj.	**traiga**, **traigas**, **traiga**, **traigamos**, **traigáis**, **traigan**
	Imperf. del subj.	**trajera**, **trajeras**, **trajera**, **trajéramos**, **trajerais**, **trajeran**
		trajese, **trajeses**, **trajese**, **trajésemos**, **trajeseis**, **trajesen**
	Part. presente	**trayendo**
	Part. pasado	**traído**
	Imperativo	trae (no **traigas**), **traiga**, **traigamos**, traed (no **traigáis**), **traigan**
Semejantes a **traer**:		
	atraer, contraer	

25. **valer**		
	Presente	**valgo**, vales, vale, valemos, valéis, valen
	Futuro	**valdré**, **valdrás**, **valdrá**, **valdremos**, **valdréis**, **valdrán**
	Condicional	**valdría**, **valdrías**, **valdría**, **valdríamos**, **valdríais**, **valdrían**
	Pres. del subj.	**valga**, **valgas**, **valga**, **valgamos**, **valgáis**, **valgan**
	Imperativo	vale (no **valgas**), **valga**, **valgamos**, valed (no **valgáis**), **valgan**

26. **venir**		
	Presente	**vengo**, **vienes**, **viene**, venimos, venís, **vienen**
	Pretérito	**vine**, **viniste**, **vino**, **vinimos**, **vinisteis**, **vinieron**
	Futuro	**vendré**, **vendrás**, **vendrá**, **vendremos**, **vendréis**, **vendrán**
	Condicional	**vendría**, **vendrías**, **vendría**, **vendríamos**, **vendríais**, **vendrían**
	Pres. del subj.	**venga**, **vengas**, **venga**, **vengamos**, **vengáis**, **vengan**
	Imperf. del subj.	**viniera**, **vinieras**, **viniera**, **viniéramos**, **vinierais**, **vinieran**
		viniese, **vinieses**, **viniese**, **viniésemos**, **vinieseis**, **viniesen**
	Part. presente	**viniendo**
	Imperativo	**ven** (no **vengas**), **venga**, **vengamos**, venid (no **vengáis**), **vengan**
Semejantes a **venir**:		
	convenir, intervenir	

27. **ver**		
	Presente	**veo**, ves, ve, vemos, veis, ven
	Imperfecto	**veía**, **veías**, **veía**, **veíamos**, **veíais**, **veían**
	Pretérito	**vi**, viste, **vio**, vimos, visteis, vieron
	Pres. del subj.	**vea**, **veas**, **vea**, **veamos**, **veáis**, **vean**
	Part. pasado	**visto**
	Imperativo	**ve** (no **veas**), **vea**, **veamos**, ved (no **veáis**), **vean**

Verbos con participios pasados irregulares			
abrir	**abierto**	escribir	**escrito**
cubrir	**cubierto**	imprimir	**impreso, imprimido**
describir	**descrito**	morir	**muerto**
descubrir	**descubierto**	romper	**roto**

Art Credit

p. 209, *El Zorro* by Clara Rodrigo; p. 251, *The Don's Misadventure* by Gustave Doré, 1863; p. 252, *Don Quixote and Sancho Setting Out* by Gustave Doré, 1863; p. 256 *Don Quixote and Sancho Panza*, Honoré Daumier (1808-79); p. 321, *Harry Potter* by Gabriel F. Antille; p. 401, *Adicto* by Gabriel F. Antille p. 420, *Guernica* by Pablo Picasso (top); p. 422, *Una pareja (A Couple)*, 1982, Fernando Botero (b. 1932); p. 423, *The Third of May, 1808* by Francisco José de Goya y Lucientes; p. 426, *Broadgate Venus* by Fernando Botero; p. 435, *After the Bullfight* by Pablo Picasso; p. 437, *The Bullfight* by Francisco de Goya; p. 438, *Raíces* (1943) by Frieda Kahlo; p. 450, (center) *The Persistence of Memory* by Salvador Dalí; p. 453, *Ball at the Moulin de la Galette, Montmartre* by Pierre-Auguste Renoir.

Photo Credit

66 North Photography / iStockphoto: 249
Abad, Eduardo EFE/Corbis: 240
Agenturfotograf/ iStockphoto: 23
Agnew & Sons, London, UK/Bridgeman Art Library: 256
Anasztazia / Shutterstock: 360 (welcome sign)
Andrearoad / iStockphoto: 468
Andriy, Petrenko/Shutterstock: 130
Angelescu, Andreea/Corbis: 464
Anzuoni, Mario/Reuters/Corbis: 206, 216
AP/World Wide Photos: 32 (bl), 33, 305, 429, 434, 458
Archivo Iconografico, S.A./Corbis: 237, 420 (t), 423 (t)
Arnau Design / iStockphoto: 366
Art on File/Corbis: 214

BananaStock, Royalty Free: 282
Bejar Latonda, Mónica: 297
Bettmann/Corbis: 224, 243 (l, r), 247, 275, 314, 363 (l, r), 388, 440, 450 (c), 462
Bock, Edward/Corbis: 374
Bolivia Web Photo Gallery: 46
Brindicci, Marcos/Reuters/Corbis: 348
Burstein Collection/Corbis: 435
Butchovsky-Houser, Jan/Corbis: 118 (t)

Captura/iStockphoto: 189
Cardoso, Fabio/Corbis: 330 (t)
CEFutcher / istock: 301
Christie's Images/Corbis: 422
Churchill, Robert / iStockphoto: 368
Clevenger, Steve/Corbis: 114
Cohen, Stuart/The Image Works: 315
Colita/Corbis: 428
Comstock/Royalty Free: 145 (b)
Cooke, Richard A./Corbis: 469

Cooper, Andrew/Columbia/Spyglass/Bureau L.A. Collection/Corbis: 175, 260
Cooper, Ashley/Corbis: 426
Corbis Sygma: 454
Corbis/Royalty Free: 2 (b), 3, 8, 34 (t, b), 59, 60 (t, c), 69, 74, 85, 91, 102, 124 (t), 137, 145(c), 155, 170 (t), 172 (b), 176 (t, c), 177, 193, 267 (t), 287, 326, 337, 354, 360 (c), 361, 364 (t), 380, 383, 391 (c), 392, 404, 412, 420 (b), 423 (b)
Corral Vega, Pablo/Corbis: 381
cotesebastien/ iStockphoto: 1

Daemmrich, Bob/PhotoEdit: 93
Dannemiller, Keith/Corbis: 88 (c), 371
Darrin Klimek/ Thinkstock: 28
De Niz, Bernardo / Reuters / Corbis: 251
del Pozo, Marcelo/Reuters/Corbis: 232, 359
Denny, Mary Kate/PhotoEdit: 430
Duomo/Corbis: 304 (b)

Eastimages / Shutterstock: 302 (b)
EdStock/iStockphoto: 205, 475
Elias, Nir/Reuters/Corbis: 450 (b)
Englebert, Victor: 32 (t)
Epa/Corbis: 249
Eric Hood Photography / iStockphoto: 304 (b)

Faris, Randy/Corbis: 304 (t)
Folkks, Rufus F./Corbis: 212
Footstock: 267 (b)
foto pfluegl/iStockphoto: 331 (t)
Fraile, Victor/Reuters/Corbis: 330 (b)
Franken, Owen/Corbis: 120, 124 (b), 158, 323, 331 (b)
Fredrickson, Allen/Reuters/Corbis: 205 (b)
Fried, Robert: 12, 13, 27, 447
Friedman, Rick/Corbis: 72
Fuste Raga, José/Corbis: 451

Gambarini, Maurizio/dpa/Corbis: 100
Gannet77/ iStockphoto: 37
Gea, Albert/Reuters/Corbis: 236 (t)
Getty Images: 395
Girarte, José Luis/iStockphoto: 341
Glumak, Ben: 79
Goldberg, Beryl: 32 (r)
Greenberg, Jeff/PhotoEdit: 89, 271

hadynyah/ iStockphoto: 48
Hellier, Chris/Corbis: 252
Hemera/Thinkstock: 119, 242, 393
Henley, John/Corbis: 60 (b)
Hillery, John/Reuters/Corbis: 415
Horner, Jeremy/Corbis: 106
Houghton, Kit/Corbis: 156

Credits